"Este comentario "más corto" (con más de 6…
de los demás — no tanto en tamaño como en sustancia. El 'punto de vista idealista ecléctica histórico-redentor' de Beale abre el flujo literario, la lógica espiritual y el mensaje escatológico del Apocalipsis. Por fin un comentario que realmente explica el Apocalipsis en lugar de complicar su complejidad".

Robert W. Yarbrough
—Covenant Theological Seminary

"En este volumen se nos ofrece una versión resumida del enorme comentario de Greg Beale sobre el Apocalipsis, pero la profundidad exegética y teológica de esa obra siguen presentes en el volumen abreviado. Nadie puede permitirse predicar, enseñar o escribir sobre el Apocalipsis sin leer a Beale".

Thomas R. Schreiner
—Southern Baptist Theological Seminary

"Este comentario resumido sobre el Apocalipsis es una contribución bienvenida al estudio en curso del libro del Apocalipsis".

Reading Acts

"El comentario resumido de Beale sobre el Apocalipsis comprime todos los tesoros del volumen principal de la serie NIGTC en un paquete más accesible. Sin los detalles de la letra pequeña, las palabras griegas y algunos argumentos de apoyo del comentario más extenso, esta obra compacta demuestra la potencia de la brevedad... Un compañero indispensable del comentario más amplio, que ofrece ayudas vitales tanto para los profesores como para los estudiantes".

New Horizons

"Greg Beale ha reducido su impresionante comentario sobre el Apocalipsis de 1999 en la serie NIGTC con *Apocalipsis: Un Comentario Resumido* (Revelation: A Shorter Commentary). Se ha eliminado gran parte de la discusión técnica y se hace referencia al texto en inglés. Se mantiene la importante atención a las alusiones y al trasfondo del Antiguo Testamento. Si no tiene la obra mayor (o se ha perdido en ella), esta obra resumida es imprescindible".

Preaching

"Beale … es un maestro no sólo del texto bíblico sino también de la literatura secundaria. Su obra servirá principalmente como comentario de referencia que se consultará cuando el lector desee una presentación completa y justa de las pruebas relacionadas a un punto controvertido, junto con una línea clara de argumentación y la propia conclusión del autor… Como erudito evangélico se toma en serio la erudición de otros evangélicos, a la vez que trata con igual seriedad los puntos de vista de eruditos procedentes de otras perspectivas interpretativas. Su obra pertenece al lado del comentario en tres volúmenes de David Aune sobre el Apocalipsis como una guía fiable y actualizada de los muchos problemas literarios, históricos y teológicos que se encuentran al leer el Apocalipsis".

Journal America

"Erudito, detallado y exhaustivo".

Currents in Theology and Mission

"La obra de Beale, que es la culminación de más de una década de investigación sobre el Apocalipsis, supone una importante contribución a nuestra comprensión del Apocalipsis. Aunque el lector no esté necesariamente de acuerdo en todos los puntos, el comentario proporcionará sin duda una considerable percepción de la a menudo desconcertante visión de Juan. En particular, la comprensión de Beale de la gramática griega del Apocalipsis es extraordinaria. Muy pocos eruditos de hoy en día tienen la experiencia lingüística para proporcionar al lector notas tan extensas y reflexivas … Beale también proporciona al lector una rica colección de referencias intertextuales de la Biblia hebrea, la literatura rabínica, la apocalíptica judía y los primeros textos cristianos … Beale ha escrito una obra verdaderamente importante que debería ser consultada como referencia por los estudiosos serios del Apocalipsis".

Journal of Biblical Literature

"Un comentario masivo y completo sobre el Apocalipsis… Ocupa su lugar como uno de los varios recursos importantes para interpretar este fascinante libro del Nuevo Testamento".

The Bible Today

"El comentario de Beale refleja la destilación de toda una vida de investigación y reflexión sobre el libro del Apocalipsis… Beale no deja prácticamente ninguna piedra sin remover en su cuidadoso análisis del texto del Apocalipsis, al tiempo que interactúa con una amplia gama de comentarios, monografías y artículos en varios idiomas diferentes. Este comentario es una obra de impresionante erudición y su tamaño se presta principalmente a su uso como herramienta de referencia. Sin embargo, la obra de Beale también podría ser útil para pastores y estudiantes de teología... Beale ha prestado un valioso servicio a los eruditos, pastores y estudiantes al proporcionar un comentario que debería seguir siendo un estándar durante algún tiempo. Sin duda, ha merecido la pena esperar este comentario tan anhelado".

Themelios

"A medida que este milenio se acerca a su fin, el interés por el libro del Apocalipsis sigue siendo alto, y el comentario enciclopédico de Beale tiene mucho que ofrecer a los que desean indagar en sus misterios... Aquellos que deseen una cobertura exhaustiva con resúmenes de la discusión académica reciente apreciarán la contribución de Beale y encontrarán que es una herramienta valiosa para muchos años".

Word & World

"Uno de los mejores comentarios académicos sobre el libro del Apocalipsis... Beale tiene mucho que decir sobre casi todos los temas que trata el libro — y sus comentaristas — y lo hace con gran habilidad".

Internationale Zeitschriftenschau für Bibelwissenschaft und Grenzgebiete

"Es precisamente la perspectiva teológica de Beale la que puede hacer que este texto sea muy útil para los estudiantes de grado... Hay otras razones por las que el comentario de Beale sería una herramienta útil para los estudiantes universitarios. En primer lugar, Beale presta mucha atención al flujo narrativo del Apocalipsis y, como resultado, su comentario puede ayudar a los estudiantes a contextualizar la información que presenta. En segundo lugar, la estructura del comentario hace que sea fácil para los estudiantes. La información más detallada que sería de interés para estudiantes más avanzados o eruditos está colocada dentro del texto en una fuente más pequeña. De este modo, los estudiantes universitarios pueden saltarse estas secciones de forma selectiva. En tercer lugar, el estilo de prosa de Beale es menos académico que, por ejemplo, el de Aune, por lo que resulta más accesible para los estudiantes. Por último, Beale no aborda en profundidad los estudios contemporáneos en el cuerpo del comentario. Como resultado, los estudiantes pueden estar menos inclinados a empantanarse en argumentos contemporáneos mientras tratan de entender el flujo de la narración".

Journal Religious Studies Review

"Una sólida contribución a la erudición y un valioso recurso para un público más general… Beale ha prestado un servicio especial. Sus atrevidas posturas están minuciosamente argumentadas. Su erudición y profundidad de investigación son admirables. Y muestra una gran habilidad en la reconstrucción histórica y exégesis. Su tratamiento del trabajo de Juan con las escrituras hebreas hace que merezca la pena consultar su comentario”.

Journal Interpretation

APOCALIPSIS

Un comentario más breve

G. K. BEALE

con

David H. Campbell

IMPRESO EN LIMA, PERÚ

APOCALIPSIS: UN COMENTARIO MÁS BREVE

Autor: G. K. Beale y David H. Campbell
Traducción al español: Yarom Vargas
Revisión de estilo: Yarom Vargas
Diseño de cubierta: Angela L. García-Naranjo
Título original: *Revelation: A shorter commentary*

Editado por:
©TEOLOGIAPARAVIVIR.S.A.C
José de Rivadeneyra 610. Urb. Santa Catalina, La Victoria.
Lima, Perú.
ventas@teologiaparavivir.com
https://www.facebook.com/teologiaparavivir/
www.teologiaparavivir.com
Primera edición: Mayo del 2023
Tiraje: 1000 ejemplares

Hecho el depósito legal en la Biblioteca Nacional del Perú, N°: 2023-03692
ISBN Tapa Blanda: 978-612-5034-83-0

Se terminó de imprimir en mayo del 2023 en:
ALEPH IMPRESIONES S.R.L.
Jr. Risso 580, Lince
Lima, Perú.

TABLA DE CONTENIDOS

ÍNDICE ANALÍTICO

1. La revelación se da con el propósito de dar testimonio, lo que resulta en una bendición (1:1-3)

Sugerencias para reflexionar sobre 1:1-3

2. Juan saluda a las iglesias en nombre del Padre, del Espíritu y del Hijo, cuya obra redentora da lugar a la nueva condición de los cristianos, todo ello para gloria de Dios (1:4-6)

3. La realeza del Hijo y la soberanía del Padre sobre la historia son la base de la gracia y la paz de la Iglesia y la gloria del Padre (1:7-8)

Sugerencias para reflexionar sobre 1:4-8

4. Juan es comisionado como profeta para escribir a las iglesias, porque su confianza se basa en la posición de Cristo como juez celestial, sacerdote y gobernante de la iglesia como resultado de Su victoria sobre la muerte (1:9-20)

I. LAS CARTAS A LAS SIETE IGLESIAS (AP. 2:1-3:22)

1. Cristo elogia a la iglesia de Éfeso por su ortodoxia, la condena por su falta de testimonio y la exhorta a superar esta falta para heredar la vida eterna (2:1-7)

Sugerencias para Reflexionar sobre 2:1-7

2. Cristo elogia a la iglesia de Esmirna por haber soportado la tribulación y la anima a seguir siendo fiel en previsión de una inminente y más severa persecución, a fin de heredar la vida eterna y la realeza celestial (2:8-11)

Sugerencias para Reflexionar sobre 2:8-11

3. Cristo elogia a la iglesia de Pérgamo por su testimonio perseverante en medio de la persecución, condena su espíritu permisivo de compromiso idolátrico y la exhorta a vencer para no ser juzgada sino para heredar la comunión de los últimos tiempos y la identificación con Cristo (2:12-17)

Sugerencias para Reflexionar sobre 2:12-17

4. Cristo elogia a la iglesia de Tiatira por sus obras de testimonio cristiano, la condena por su espíritu permisivo de transigencia idolátrica, y la exhorta a vencer esto para no ser juzgada, sino para heredar el gobierno del tiempo del fin junto con Cristo (2:18-29)

Sugerencias para Reflexionar sobre 2:18-29

5. Cristo condena a la iglesia de Sardis por su falta de testimonio y su transigencia y la exhorta a vencer para heredar las bendiciones de la salvación (3:1-6)

Sugerencias para Reflexionar sobre 3:1-6

6. Cristo elogia a la iglesia de Filadelfia por su testimonio perseverante, en el que Él potenciará aún más a sus miembros, y les anima a perseverar para heredar la comunión del tiempo del fin y la identificación con Él (3:7-13)

Sugerencias para reflexionar sobre 3:7-13

7. Cristo condena a la iglesia de Laodicea por su testimonio ineficaz y su deplorable condición espiritual y exhorta a sus miembros a perseverar convirtiéndose en testigos fieles y renovando su comunión con Él para reinar con Él (3:14-22)

Sugerencias para reflexionar sobre 3:14-22

PREFACIO POR G.K BEALE

En 1999 Eerdmans publicó mi comentario titulado *El Libro del Apocalipsis* (The Book of Revelation) en la serie Comentario del Nuevo Testamento Griego Internacional (New International Greek Testament Commentary). Desde la publicación del comentario he escuchado continuas peticiones de que escriba un comentario resumido sobre el Apocalipsis que sea más accesible para pastores, estudiantes y cristianos en general. Así que, después de catorce años, he decidido responder a estas peticiones. El presente comentario "resumido" sobre el Apocalipsis es el resultado. G. K. Chesterton comentó en una ocasión: "Aunque San Juan Evangelista vio muchos monstruos extraños en su visión, no vio ninguna criatura tan salvaje como uno de sus propios comentaristas" (*Orthodoxy* [New York: John Lane, 1908; repr. San Francisco: Ignatius, 1995], 21–22). Espero que Chesterton no incluya mi comentario de 1999 ni este "más corto" en esta valoración.

Cuando uno se embarca en la tarea de escribir un comentario, a menudo se pregunta si es realmente necesario escribir otro comentario. En el caso del Apocalipsis, a finales de la década de 1980 creí que todavía era necesario un comentario que hiciera lo siguiente:

(1) estudiara las alusiones del Antiguo Testamento de una manera más incisiva que antes;

(2) estudiara cómo la tradición exegética judía interpretaba esas mismas alusiones del Antiguo Testamento y cómo esa interpretación se relacionaba con el uso en el Apocalipsis;

(3) rastreara con más precisión el argumento exegético en el Apocalipsis, lo que algunos dicen que es difícil de hacer debido a la naturaleza a veces ambigua de la literatura visionaria;

(4) interactuara con la gran cantidad de literatura secundaria publicada desde la época de los monumentales comentarios de Charles y Swete a principios del siglo XX.

Mi intención al escribir el comentario era proporcionar una exégesis del Apocalipsis que fuera especialmente útil para los eruditos, profesores, pastores, estudiantes y otras personas seriamente interesadas en interpretar el Apocalipsis en beneficio de la iglesia. Se trataba también de un comentario sobre el texto griego del Apocalipsis, aunque normalmente proporcionaba la traducción al inglés entre paréntesis después de las palabras o frases griegas para que quienes no dominaran el griego pudieran, no obstante, beneficiarse de la lectura del comentario.

Sin embargo, en este comentario resumido he eliminado en su mayor parte las referencias al griego, las referencias a la literatura secundaria y las referencias y la discusión de las interpretaciones judías de los pasajes del AT que se utilizan en el Apocalipsis. En consecuencia, hay ideas en este comentario para las que no hay referencias a la literatura primaria y secundaria. Esas referencias aparecen en el comentario más extenso, que puede ser consultado por quienes deseen una mayor fundamentación de lo que digo aquí. En última instancia, el comentario más largo sirve como una gran nota a pie de página para este comentario más corto. No obstante, me he centrado en la discusión de muchas de las alusiones al AT que se incluían en el original, aunque sin la mayor parte de la base verbal griega de las alusiones. También he conservado la mayor parte de la argumentación exegética importante a lo largo del Apocalipsis.

La diferencia más evidente es que este comentario resumido es más "resumido" que el original. Se han suprimido las digresiones a un solo espacio del comentario original y se ha conservado el contenido y la argumentación esenciales de cada capítulo en forma revisada. No se han mantenido algunos matices de interpretación y opciones en la interpretación de los textos problemáticos; la atención se centra ahora en las alternativas interpretativas más probables.

No he intentado interactuar con la literatura secundaria publicada desde la aparición de mi comentario en 1999, ya que mi intención ha sido incluso recortar la mayoría de las referencias de la literatura secundaria del original.

De hecho, este comentario resumido es "más largo" que la mayoría de los comentarios resumidos, y haber intentado abordar gran parte de la literatura secundaria publicada desde 1999 sólo lo habría hecho más largo aún. Además, aunque algunas de mis interpretaciones de determinados pasajes se verían influidas por parte de este material publicado posteriormente, mi argumento general y la sustancia esencial del comentario no se verían alterados de forma significativa. Por último, el uso de la literatura secundaria posterior no sería adecuado para el propósito de este comentario más corto: hacer mi primer comentario más accesible a los pastores, estudiantes y cristianos en general.

Unas palabras especiales para los predicadores y profesores: los títulos de frases completas al principio de cada sección o subsección principal del comentario representan las conclusiones exegéticas de esa sección y pueden servir de base para las ideas homiléticas. Y para todos los lectores de resumido comentario, además de mi comentario más extenso en la serie New International Greek Testament Commentary (1999), recomiendo los siguientes comentarios y otras obras sobre el Apocalipsis como especialmente útiles.

Algunos son obras serias de erudición y otros son obras más populares.

Richard J. Bauckham. *The Climax of Prophecy: Studies on the Book of Revelation*. Edinburgh: T. and T. Clark, 1993.

———. *The Theology of the Book of Revelation*. Cambridge: Cambridge University Press, 1993.

G. B. Caird. *A Commentary on the Revelation of St. John the Divine*. London: A. and C. Black; New York: Harper and Row, 1966.

Colin J. Hemer. *The Letters to the Seven Churches of Asia in Their Local Setting*. Sheffield: JSOT, 1986.

William Hendriksen. *More Than Conquerors: An Interpretation of the Book of Revelation*. Grand Rapids: Baker, 1962.

Alan F. Johnson. *Revelation*. Expositor's Bible Commentary 12; Grand Rapids: Zondervan, 1981, 397–603. Published separately, 1996.

Dennis E. Johnson. *Triumph of the Lamb: A Commentary on Revelation*. Phillipsburg: Presbyterian and Reformed, 2001.

Martin Kiddle, with M. K. Ross. *The Revelation of St. John*. Moffatt New Testament Commentary; London: Hodder and Stoughton, 1940.

R. H. Mounce. *The Book of Revelation*. New International Commentary on the New Testament; Grand Rapids: Eerdmans, 1977.

Grant R. Osborne. *Revelation*. Baker Exegetical Commentary on the New Testament; Grand Rapids: Baker, 2002.

Vern S. Poythress, *The Returning King: A Guide to the Book of Revelation*. Phillipsburg: Presbyterian and Reformed, 2000.

Stephen S. Smalley. *The Revelation of John: A Commentary on the Greek Text of the Apocalypse*. Downers Grove: InterVarsity, 1979.

J. P. M. Sweet. *Revelation*. Philadelphia: Westminster; London: SCM, 1979.

M. Wilcock. *I Saw Heaven Opened: The Message of Revelation*. Downers Grove: InterVarsity, 1975.

Estoy especialmente agradecido a David Campbell por animarme y ayudarme a elaborar este comentario resumido. Me ayudó a decidir qué conservar de cada capítulo del original y lo puso en una forma inicial revisada, que luego revisé yo. Este proyecto habría sido mucho más largo y tal vez nunca se habría terminado si no fuera por la labor de David. No obstante, soy responsable de la forma final de este comentario resumido.

Conviene hacer algunos comentarios sobre algunos aspectos estilísticos del comentario. La New American Standard Bible[*] es la traducción por defecto; donde hay diferencias, es el resultado de mi propia traducción. Los pronombres de Dios y Cristo se escriben con mayúsculas, de acuerdo con el estilo de la NASB. En las referencias generales a la Septuaginta me remito al texto griego ecléctico de la edición de Rahlfs, y a veces he utilizado un texto que depende sólo del Códice B (= *The Septuagint Version of the Old Testament and Apocrypha with an English Translation* [Grand Rapids: Zondervan, 1972], publicado por acuerdo especial por Samuel Bagster y Sons, Londres).

Cuando la edición griega de Rahlfs difiere en la numeración de capítulos o versículos de la edición griega–inglesa de Bagster (códice B), siempre pongo primero la referencia de Rahlfs y luego la de la edición de Bagster entre

[*] Nota del traductor: La versión original del libro en inglés usa la New American Standard Bible (NASB), pero en esta traducción al español se utiliza la Nueva Biblia Latinoamericana de Hoy (NBLH).

paréntesis o corchetes. Por ejemplo, en Daniel 4 y en partes de Éxodo (especialmente los caps. 35–40) y Job (especialmente los caps. 40–41) la versificación es diferente entre las distintas ediciones impresas de los LXX, incluyendo la edición Rahlfs y la edición Bagster. Esta convención estilística permitirá a los que no saben griego seguir la Septuaginta en una edición inglesa fácilmente disponible, incluso en aquellos lugares en los que difiere la versificación de la edición griega estándar de Rahlfs. Además, en Daniel a veces utilizo "LXX" para referirme a la versión griega antigua (y a veces simplemente me refiero a "OG" o "griego antiguo") y "Theod", para referirme a la traducción de Teodoción, que está de acuerdo con el sistema de Rahlfs. Ahora también está disponible la *New English Translation of the Septuagint*, editada por Albert Pietersma y Benjamin G. Wright (Oxford: Oxford University Press, 2007), donde se pueden encontrar traducciones duales del Antiguo Testamento griego (p. ej., la del griego antiguo y la de Teodoción).

Gregory K. Beale

PREFACIO POR DAVID CAMPBELL

Me gustaría agradecer al profesor G. K. Beale el privilegio de haber trabajado con él en este esfuerzo, con la esperanza de que haga accesible su comentario original a un público mucho más amplio. Me gustaría agradecer la inestimable ayuda de mi antiguo pasante David S. Balmford, que comprobó meticulosamente la exactitud de cada una de las miles de referencias bíblicas y ofreció muchas sugerencias útiles para mejorar la legibilidad del texto. Gracias también a mi amigo Chris Homans por hacerme cumplir los plazos. Agradezco el apoyo de los ancianos y de la congregación de la Trinity Christian Church por su disposición a dedicar el tiempo necesario para completar este proyecto. Agradezco el apoyo de mis hijos, Katie (Josh), Anna (Chris), Michael, John, Rachel, Sarah, Julia y James. Por último, y sobre todo, doy las gracias por el regalo de mi esposa Elaine, sin cuyo apoyo y estímulo durante los últimos treinta años estaría totalmente perdido.

DAVID H. CAMPBELL

ABREVIATURAS

1QH	Qumran Hymn Scroll
ASV	American Standard Version
BAGD	W. Bauer, W. F. Arndt, F. W. Gingrich and F. W. Danker, *A Greek-English Lexicon of the New Testament*. Chicago: University of Chicago, 1979.
BECNT	Baker's Exegetical Commentary on the New Testament
CD	Qumran Damascus Document
ESV	English Standard Version
HR	E. Hatch and H. A. Redpath, *A Concordance to the Septuagint and the Other Greek Versions of the Old Testament* I–III. Graz: Akademische, 1954.
JB	Jerusalem Bible
JETS	*Journal of the Evangelical Theological Society*
KJV	King James (Authorized) Version
LXX	Septuagint
mg.	marginal reading
MM	J. H. Moulton and G. Milligan, *The Vocabulary of the Greek New Testament Illustrated from the Papyri and Other Non-Literary Sources*. Grand Rapids: Eerdmans, 1930.
MNTC	The Moffatt New Testament Commentary
NASB	New American Standard Bible
NEB	New English Bible
NETB	New English Translation Bible
NIBC	New International Bible Commentary
NICNT	New International Commentary on the New Testament
NIGTC	New International Greek Testament Commentary
NIV	New International Version

NovT	*Novum Testamentum*
NT	New Testament
NTA	*New Testament Apocrypha* I–II, ed. W. Schneemelcher. Philadelphia: Westminster, 1991, 1992.
NTS	*New Testament Studies*
OG	Old Greek translation of the Hebrew Scriptures
OT	Old Testament
RSV	Revised Standard Version
Theod.	Theodotion's Greek translation of the Hebrew Scriptures

INTRODUCCIÓN

1. Introducción general

Una de las grandes tragedias de la iglesia en nuestros días es cómo el Apocalipsis ha sido interpretado de forma tan estrecha e incorrecta con un enfoque obsesivo en el futuro del fin de los tiempos, con el resultado de que hemos pasado por alto el hecho de que contiene muchas verdades profundas y estímulos relacionados a la vida cristiana y al discipulado. Las visiones proféticas del Apocalipsis pueden disfrazar fácilmente el hecho de que fue escrito como una carta a las iglesias, y una carta que es de naturaleza pastoral. El objetivo del Apocalipsis es alentar a los creyentes de todas las épocas en el sentido de que Dios está llevando a cabo sus propósitos incluso en medio de la tragedia, el sufrimiento y la aparente dominación satánica. Es el grito de guerra de la Biblia, pues en él, más que en cualquier otro lugar del Nuevo Testamento, se revela la victoria final de Dios sobre todas las fuerzas del mal. Como tal, es un estímulo para que el pueblo de Dios persevere en la seguridad de que su recompensa final es segura y adore y glorifique a Dios a pesar de las pruebas y de las tentaciones de marchar al ritmo del mundo.

Es difícil entender el Apocalipsis sin entender el Antiguo Testamento. Juan se identifica como profeta (1:3) en la línea de los profetas del Antiguo Testamento, hablando la palabra del Señor tanto en juicio como en promesa. Los estudiosos estiman que hasta 278 de los 404 versículos del Apocalipsis contienen referencias al Antiguo Testamento y que en total se hacen más de quinientas alusiones a textos del Antiguo Testamento (en comparación con menos de doscientas en todas las cartas de Pablo). Se trata de alusiones (aunque bastante reconocibles) más que de citas directas. Por ejemplo, lo que Juan ve en 1:12–18 es lo mismo que vio Daniel en su visión del Hijo del Hombre y de lo que habló Isaías en su profecía sobre el

Siervo del Señor cuya boca es como una espada afilada (para las referencias, véase más adelante). Estas alusiones muestran la unidad del Antiguo Testamento y del Nuevo Testamento y, en particular, demuestran que la promesa del Mesías y su sufrimiento, salvación y victoria son los mismos desde el principio hasta el final de la Biblia y de la historia humana. Un rápido vistazo a algunas de las alusiones al AT en el primer capítulo ilustrará nuestro punto. En 1:5 Juan alude a Sal. 89:27; en 1:6 a Éx. 19:6; en 1:7 a Zac. 12:10; en 1:13–15 a Dn. 7:13–14 y 10:5–6; en 1:15 a Ez. 1:24; y en 1:16 a Is. 49:2.

La profecía del Antiguo Testamento llamaba al pueblo a renovar su compromiso con Dios y su ley y a apartarse de las prácticas paganas que les tentaban a transigir. Cuando el Apocalipsis se entiende así como de naturaleza profética y pastoral, se vuelve inmediatamente relevante para cada uno de nosotros cuando caminamos a través de sus páginas en nuestro peregrinaje diario por el lugar desértico del mundo, donde Dios nos protege hasta que nos entrega a la Tierra Prometida de la nueva creación final. Gran parte del libro se convierte en un comentario sobre la enseñanza de Pablo sobre la guerra espiritual en Ef. 6:10–17. Todos los días debemos ponernos la armadura de Dios y resistir las artimañas del maligno hasta el día en que, habiéndolo hecho todo, estemos para siempre en la presencia del Señor. Sobre todo, podemos sentirnos alentados por la promesa que nos ofrece la gran visión de Juan de que esta historia terminará con el triunfo de Dios y del Cordero y que encontraremos nuestro lugar reinando con ellos y adorándolos por toda la eternidad.

2. Autoría

El Apocalipsis es el registro de una visión profética dada a un hombre llamado Juan en el exilio en la isla de Patmos. El autor se identifica como Juan, un siervo de Dios que da testimonio de Jesucristo y que es desterrado por su fe (1:1, 9). Se trata del apóstol Juan o de otro hombre con el mismo nombre. Era muy conocido en todas las iglesias de Asia y tenía la suficiente autoridad como para escribir una carta de esta naturaleza a estas iglesias y esperar que fuera atendida. Era un líder lo suficientemente prominente como para haber sido exiliado por las autoridades, que debían considerarlo una amenaza. La forma en que utiliza el Antiguo Testamento y su texto hebreo demuestra que era originalmente un judío de Palestina más que un hablante nativo de griego.

Sin embargo, Juan también conocía bastante bien su Antiguo Testamento griego y lo utilizaba con habilidad. Es muy poco probable que otro Juan, originalmente judío de Palestina, pero por lo demás desconocido para nosotros, viviera y trabajara entre las iglesias de Asia y tuviera tal nivel de autoridad. Por tanto, es probable que el apóstol Juan fuera el autor de este libro. Además, muchos de los temas que asociamos particularmente con el Evangelio y las cartas de Juan — Jesús como el Verbo, el Cordero y el Pastor, el maná, el agua viva, la vida y la luz, la conquista, el cumplimiento de la palabra y los mandatos de Dios, y otros — también aparecen en el Apocalipsis.

El Apocalipsis se conservó y circuló en la iglesia primitiva, se consideró autoritario y desde los primeros tiempos se creyó que había sido escrito por el apóstol Juan. El testimonio de Ireneo es especialmente significativo. Aunque escribió hacia el año 180, Ireneo fue discípulo de Policarpo, que fue martirizado en el 156, habiendo sido cristiano durante ochenta y seis años, y que conoció personalmente a Juan. Podemos presumir con confianza que esta carta es realmente un registro de una visión dada al discípulo amado, ahora un hombre viejo, al final del período del Nuevo Testamento.

3. Fecha de redacción

Juan escribió a iglesias que habían experimentado una persecución ocasional localizada (2:3, 13; 3:8–9), lo que no encaja con la severa persecución bajo Nerón en el 64–65 d.C. La iglesia de Éfeso, fundada hacia el año 52, llevaba el tiempo suficiente para haber perdido su primer amor (2:4). La iglesia de Laodicea es llamada rica (3:17), pero Laodicea fue devastada por un terremoto en el 60–61 y habría tardado muchos años en recuperarse. Los primeros escritores cristianos, incluido Ireneo, sostienen que Juan recibió su visión durante el reinado de Domiciano (81–96), y fue durante ese reinado cuando se estableció en Éfeso un culto de adoración al emperador y se desató alguna forma de persecución contra la iglesia. Nuestro estudio mostrará que los cristianos a los que Juan escribía estaban siendo obligados a participar en este culto imperial (véase 2:9, 13–14; 13:15).

Desde el año 100 aproximadamente, la base habitual de las acusaciones contra los cristianos era su negativa a rendir culto al emperador. El judaísmo gozaba de ciertas libertades bajo la ley romana, incluyendo el derecho a adorar en las sinagogas y cierto grado de exención del culto imperial. Sin embargo, al identificarse los cristianos como un grupo separado de los judíos, tales privilegios no se les habrían extendido. Del Apocalipsis se desprende que algunos cristianos judíos tuvieron la tentación de huir de la persecución volviendo a la sinagoga y que los cristianos gentiles tuvieron la tentación de evitar la persecución cediendo a las exigencias del culto imperial.

En Asia Menor, donde se encontraban las iglesias a las que se refiere el Apocalipsis, las exigencias del culto al emperador fueron especialmente fuertes a partir de los años 90 aproximadamente. Incluso se exigía a la gente que participara en los sacrificios cuando las procesiones rituales pasaban por sus casas. El impulso de este culto parece provenir más de los funcionarios locales y provinciales que buscaban congraciarse con Roma que del propio emperador. Sus intentos de quedar bien dependían de su capacidad para obligar a la población local a apoyar el culto con entusiasmo, y había que castigar a los detractores.

En el Apocalipsis, Roma, junto con otros reinos, se identifica con Babilonia, pero los judíos nunca se refirieron a Roma como Babilonia hasta después de la destrucción del templo en el año 70, comparando esa destrucción con la similar llevada a cabo por los babilonios muchos siglos antes. La evidencia, por lo tanto, parece indicar que el Apocalipsis fue escrito en algún momento poco después del año 90, cuando el apóstol Juan habría sido un anciano.

4. La naturaleza del libro

El Apocalipsis combina aspectos de tres tipos diferentes de escritos — apocalípticos, proféticos y epistolares. La palabra "apocalíptica" procede del griego "revelación" y puede referirse a la literatura que se ocupa de detallar los acontecimientos del final de los tiempos. Se escribieron muchos libros apocalípticos antes, durante y después de la época del NT, la mayoría procedentes de círculos judíos y no de cristianos. Algunos estudiosos descartan el Apocalipsis como una más de esas descripciones descabelladas y fantasiosas de los últimos días.

Aunque hay muchas definiciones de apocalíptica, lo mejor es entenderla como una intensificación de la profecía. Normalmente se ha hecho una distinción excesiva entre las obras apocalípticas y las proféticas. De hecho, algunos libros del Antiguo Testamento combinan ambas cosas en un grado u otro. La "apocalíptica" no debería considerarse muy diferente de la "profecía", pero la primera contiene una intensificación y una agrupación más intensa de rasgos literarios y temáticos que se encuentran en la segunda. Lo que a veces se intensifica en la literatura apocalíptica es el origen de la revelación (es decir, las visiones del trono de Dios, las descripciones de su aparición gloriosa, los ángeles alrededor del trono, las descripciones del templo celestial en el que se encuentra el trono, etc.).

La descripción de este libro como "profecía" en 1:3, así como en 22:6–7, 10, donde se encuentran paralelos literales con 1:1, 3, confirman que esto es así en el Apocalipsis (lo que se indica además al observar la referencia a los "profetas" en 22:6; véase más adelante sobre 1:1). Además, "apocalipsis" en 1:1 es una alusión directa a Daniel 2, donde la palabra se refiere a la revelación profética comunicada por Dios al profeta Daniel (véase en 1:1). En este sentido, el Apocalipsis encaja mejor en el género de las obras profético-apocalípticas del Antiguo Testamento, especialmente las de Ezequiel, Daniel y Zacarías. Así, a lo largo del libro se repiten las visiones de la sala del trono celestial de Dios y su aparición en ella.

Juan se sitúa, pues, en la línea de los profetas del Antiguo Testamento, si bien se trata de profetas que, como Daniel, Ezequiel y Zacarías, tienen un interés específico en el final de los tiempos. El interés de estos profetas se centraba tanto en *pronunciar* exhortaciones que debían aplicarse a las personas en el presente como en la *predicción* del futuro. Como se ha señalado anteriormente, el Apocalipsis, como obra profético-apocalíptica, se centra más en el origen de la revelación que la literatura profética. El origen de la revelación es la sala del trono de Dios en el templo celestial.

Esta es una característica que forma parte del género profético (p. ej., Isaías 6, Ezequiel 1–2), pero en el Apocalipsis se convierte en el foco dominante para subrayar la fuente divina y celestial de la revelación enviada a las siete iglesias. También se hace hincapié en esta perspectiva celestial para recordar a las iglesias que las verdaderas luchas espirituales se libran entre los bastidores de lo que parecen ser apariencias o acontecimientos terrenales insignificantes. De hecho, la razón por la que se dirige a las iglesias a través de sus ángeles representantes es para recordarles que ya han comenzado a participar en una dimensión celestial y que su hogar real y eterno está en esa dimensión de los nuevos cielos y la nueva tierra (véase 4:4; 21:1–22:5), inaugurada mediante la muerte y resurrección de Cristo (véase 3:14).

Este recordatorio debería motivarles a no situar su seguridad definitiva en el viejo mundo, como hacen los "habitantes de la tierra" incrédulos e idólatras (véase la discusión en 6:17). El enfoque en la perspectiva celestial también hace que las iglesias sean conscientes de que su victoria sobre la amenaza del compromiso idolátrico proviene en última instancia de la esfera celestial, donde el Cordero y Dios sentado en el trono son fuerzas centrífugas que ejercen su poder en la tierra a través del Espíritu. Las "lámparas" del Espíritu dan poder a los "candelabros" eclesiásticos para que hagan brillar su luz de testimonio por toda la tierra (véase 1:4, 12–13; 4:5; 5:6). Una de las formas en que la iglesia debe recordar esta perspectiva celestial es modelando su adoración según la liturgia celestial comunicada en la visión apocalíptica (ver en 4:4).

La naturaleza profético-apocalíptica del Apocalipsis puede definirse como la interpretación reveladora de Dios (a través de visiones y audiciones) de su misterioso consejo sobre la historia escatológica-redentora pasada, presente y futura, y cómo la naturaleza y el funcionamiento del cielo se relacionan con esto. Esta revelación irrumpe desde la dimensión celestial oculta y externa en la terrenal y se entrega a un profeta (Juan), que debe escribirla para que sea comunicada a las iglesias. La revelación celestial suele ser contraria a la valoración de la historia y los valores desde la perspectiva humana y terrenal y, por lo tanto, exige que las personas cambien y realineen sus puntos de vista con la visión celestial.

En este sentido, se exhorta a las personas de las iglesias a someterse a las exigencias del mensaje del libro, o de lo contrario se enfrentarán al juicio. Los lectores de Juan viven en una cultura mundana que hace que el pecado parezca normal y la justicia parezca extraña (con reconocimiento a David Wells por esta definición de "mundanalidad"). En particular, Juan escribe porque percibe que existe un peligro real de que las iglesias se ajusten a lo que se considera los valores "normales" del sistema mundial en lugar de a la verdad trascendente de Dios. A la luz de la discusión general anterior, la presión de la persecución inminente, que ya había comenzado en pequeña escala, fue la probable ocasión específica que hizo que los lectores/oyentes pensaran en hacer concesiones.

El enfoque de la revelación que Juan recibió de Dios es cómo debe comportarse la iglesia en medio de un mundo impío. La revelación celestial ofrece una perspectiva totalmente diferente de la que ofrece el mundo. Los creyentes se enfrentan a la elección de alinear sus vidas y su conducta con una u otra perspectiva, y su destino eterno depende de esa elección. A medida que avanza nuestro estudio, veremos que los acontecimientos del libro se refieren a la situación real de la iglesia en cada época, no sólo a la del futuro del tiempo del fin.

Los creyentes siempre se enfrentan a la amenaza del compromiso de una forma u otra. Deben someterse al mensaje tal y como lo ha presentado Juan, o enfrentarse al juicio de Dios. ¡Qué triste es que el estudio del Apocalipsis en la iglesia de hoy lo considere meramente como futurología en lugar de establecer una mentalidad o cosmovisión histórico-redentora para la iglesia! De hecho, desde el principio (1:3), el Apocalipsis se describe a sí mismo como una profecía. Y, al igual que en el Antiguo Testamento y como se ha señalado anteriormente, la profecía en el Apocalipsis implica tanto *pronunciar* exhortaciones para el presente como *predicción* del futuro.

No sólo esto, sino que el Apocalipsis también está escrito como una epístola, una carta a las siete iglesias, en la que se da instrucción sobre la vida piadosa a los creyentes que la recibieron. Comienza y termina como lo haría una carta típica. Al igual que las demás cartas del Nuevo Testamento, el Apocalipsis aborda la situación y los problemas de los creyentes que lo reciben. Juan les pide, basándose en todo lo que tienen en Cristo y en todo lo que aún heredarán, que no abandonen la fe comprometiéndose con el mundo. No sólo los discursos específicos de los caps. 1–3, sino también las visiones de los caps. 4–21, transmiten la verdad y la dirección de Dios en cuanto a la naturaleza de la batalla que se libra en los cielos y cómo los creyentes deben responder a esta batalla, no en una fecha indeterminada en el futuro, sino en sus vidas aquí y ahora, y hacerlo no simplemente por una creencia intelectual de que los acontecimientos se desarrollarán de una manera particular, sino por opciones morales concretas sobre la base de los problemas que Dios les enfrenta en el presente.

5. Las cuatro formas de interpretar Apocalipsis

A lo largo de la historia de la iglesia, la interpretación del Apocalipsis se ha dividido en cuatro grandes escuelas de pensamiento:

El punto de vista preterista

La palabra "preterista" se refiere al pasado. Este punto de vista sostiene que el Apocalipsis es una profecía de la caída de Jerusalén en el año 70 y que todo lo que aparece en el libro ya se ha cumplido — y por lo tanto es "pasado". Pero hemos visto que es poco probable que el Apocalipsis se escribiera hasta algunos años después de la caída de Jerusalén. En el punto de vista preterista, "Babilonia" representa al Israel rebelde, que persigue a la iglesia. Sin embargo, "Babilonia" nunca se utiliza en la antigua literatura judía o cristiana para referirse al Israel incrédulo o desobediente, sino a Roma.

Las profecías de Daniel 2 y 7, a las que se alude en todo el Apocalipsis, hablan de un juicio al final de los tiempos de las naciones paganas (como lo hace Ap. 1:7), no de Israel. Daniel también dice que el juicio del fin de los tiempos será universal, no sólo de una nación. Finalmente, el libro se vuelve irrelevante para cualquiera que viva después de esos primeros días de la iglesia. ¿Por qué lo incluiría Dios en la Biblia? Una variante de este punto de vista es que "Babilonia" se refiere al Imperio Romano y que las profecías del libro se cumplieron completamente cuando ese imperio fue destruido en el siglo V. Esto resuelve algunas de las objeciones, pero deja la cuestión de cómo el juicio universal del fin de los tiempos de todas las naciones que se describe en el Apocalipsis podría encajar con la decadencia gradual y el colapso final de la destrucción del Imperio Romano. Además, el libro habría perdido relevancia para los creyentes después de ese acontecimiento.

El punto de vista historicista

El punto de vista historicista sugiere que los sellos, las trompetas y las copas pintan un cuadro de las sucesivas edades de la iglesia. Considera que el simbolismo del Apocalipsis se refiere a una serie de acontecimientos históricos específicos (siempre en la historia de la iglesia occidental o europea), como el colapso del Imperio Romano, la corrupción del papado, la Reforma y diversos acontecimientos posteriores. El retorno de Cristo siempre es visto como inminente por la persona que interpreta el libro.

El problema es que cada intérprete historicista ve el libro de forma diferente, para hacerlo encajar en las realidades de su propia época, que siempre se ve como la última antes del regreso del Señor. Este punto de vista ilustra el peligro de tratar de hacer que los símbolos del Apocalipsis se refieran a eventos históricos específicos, sin ninguna justificación del libro mismo para tal interpretación. En ninguna parte del Apocalipsis se indica, por ejemplo, que el orden de los sellos, las trompetas y las copas represente el orden cronológico de la historia de la iglesia occidental. Por último, este punto de vista no parece tener relevancia para los cristianos fuera de la iglesia occidental, ni tampoco habría tenido mucha relevancia para aquellos a los que se escribió originalmente. A medida que avancemos, veremos que los sellos, las trompetas y las copas no representan una secuencia cronológica de eventos, sino el mismo conjunto de eventos desarrollados desde diferentes perspectivas.

El punto de vista futurista

El punto de vista futurista sostiene que todo el libro, aparte de las cartas a las iglesias de los caps. 1–3, profetiza los acontecimientos que rodean el regreso de Cristo al final de la historia. Este punto de vista adopta dos formas. El futurismo dispensacional (o dispensacionalismo clásico) interpreta las visiones de forma muy literal y cronológica, refiriéndose a acontecimientos de la historia. Por lo general, el orden de las visiones en los caps. 4–21 se considera que representa el orden histórico real de los acontecimientos que ocurrirán en los últimos días aún futuros.

Israel es restaurado a su propia tierra inmediatamente antes de 4:1. Luego los acontecimientos se desarrollan en el siguiente orden: la iglesia es raptada al cielo, hay una tribulación de siete años, comienza el reinado del anticristo, las naciones se reúnen para hacer la guerra contra Jerusalén, Cristo regresa y derrota a las naciones, Cristo gobierna durante el milenio, Satanás reúne a los incrédulos al final del milenio para luchar contra Cristo, y Cristo derrota al diablo y comienza su reinado eterno en el cielo. Pero en el Apocalipsis no se menciona la restauración geográfica de Israel a su tierra, ni ningún rapto de la iglesia. Los intérpretes que sostienen este punto de vista cambian constantemente su interpretación de los acontecimientos históricos para hacer que lo que está sucediendo actualmente encaje en el patrón.

Sólo en el siglo XX, por ejemplo, numerosos individuos, desde Hitler hasta Saddam Hussein, con varios papas y otros políticos (como ha sido el caso desde el período medieval hasta el presente), han sido identificados como el anticristo, y luego descartados silenciosamente cuando pasan de la escena. Lo mismo ocurre con acontecimientos o instituciones históricas concretas (la Segunda Guerra Mundial, el Mercado Común Europeo, la Guerra del Golfo, el efecto 2000, la supuesta reconstrucción de Babilonia por parte de Saddam Hussein).

En resumen, la Biblia se interpreta primero por los acontecimientos modernos, en lugar de por sí misma. Este punto de vista hace que el Apocalipsis tenga relevancia o valor sólo para los cristianos que viven en los últimos días. Como también promueve generalmente el punto de vista de que la iglesia será arrebatada del mundo antes de que cualquiera de estos eventos ocurra, es irrelevante incluso para estos creyentes, en cuyo caso parece haber poca razón para que Dios le haya dado a Juan la visión en primer lugar. Recuerde que este libro fue escrito a las "siete iglesias", que representan a la iglesia universal a través de los tiempos (véase en 1:4).

El ***dispensacionalismo progresivo*** sostiene de manera similar el desarrollo de los acontecimientos mencionados, pero mantiene un enfoque más laxo (p. ej., los "últimos días" comenzaron durante la era de la iglesia, y muchas de las visiones se interpretan simbólicamente y no literalmente). El futurismo modificado adopta diversas formas, algunas de las cuales afirman que la iglesia es el verdadero Israel y que no habrá un "rapto pretribulacional". Más bien, los cristianos pasarán por el período final de prueba. La mayoría de los acontecimientos registrados en los caps. 4–22, si no todos, se refieren a un período final de tribulación y a los acontecimientos subsiguientes (aunque algunos sostienen que 4:1–8:1 abarca el período desde la resurrección de Cristo hasta el final de la historia).

Esto deja aún otras dificultades de interpretación, incluyendo el hecho de que el libro habría tenido menos relevancia para los cristianos de la mayoría de las épocas que para aquellos creyentes que vivían más tarde en el supuesto cumplimiento futuro de las visiones del Apocalipsis.

El punto de vista idealista histórico-redentor

El punto de vista idealista ve todo el libro como una presentación simbólica de la batalla entre el bien y el mal. Los sellos, las copas y las trompetas hablan una y otra vez de los acontecimientos de la historia humana en cada época y dan a los creyentes de todas las épocas una exhortación a permanecer fieles ante el sufrimiento (de ahí lo de "histórico-redentor"). Creemos que este punto de vista es sustancialmente correcto, pero debe modificarse a la luz del hecho de que algunas partes del Apocalipsis se refieren definitivamente a futuros acontecimientos del fin de los tiempos relacionados al regreso de Cristo, Su victoria final sobre el enemigo y el establecimiento de Su reino celestial.

Muchos de los acontecimientos profetizados se refieren igualmente a la vida de la iglesia en todas las generaciones, excluyendo aquellos acontecimientos particulares que se refieren al mismo fin de la historia y al regreso de Cristo. Los preteristas y los historicistas tienen razón hasta cierto punto al entender que varias partes de la visión de Juan encuentran una medida de cumplimiento en acontecimientos históricos reales. Sin embargo, el hecho es que su significado no está vinculado exclusivamente a esos acontecimientos particulares, ya que el Apocalipsis encuentra su cumplimiento en innumerables acontecimientos a lo largo de la era de la Iglesia.

Como tal, el mensaje de la carta es relevante y valioso para todos los creyentes de todas las épocas, razón por la cual la visión fue dada a Juan. Podríamos llamar a esto un punto de vista idealista histórico-redentor *ecléctico*, ya que, aunque se centra en una presentación simbólica de la batalla entre el bien y el mal y en acontecimientos históricos específicos repetidos durante la era de la iglesia, se incorporan aspectos de los puntos de vista preterista, historicista y futurista (de ahí lo de "ecléctico"). A medida que vayamos desarrollando el esquema del libro, es de esperar que se hagan evidentes las razones por las que adoptamos este punto de vista.

6. Apocalipsis — ¿Simbólico o literal?

Una de las grandes discusiones sobre la interpretación del Apocalipsis es si debe tomarse simbólica o literalmente. Los que adoptan un punto de vista futurista tienden con demasiada frecuencia a una interpretación literal, en la que las diversas personas o acontecimientos descritos son tan diferentes e incluso chocantes que no podrían referirse a nada conocido hasta ahora en la historia de la humanidad. Pero, ¿está justificada esta interpretación? Una de las claves para una correcta interpretación del Apocalipsis se encuentra en su primer versículo, que introduce y marca el tono de todo el libro.

El verbo griego *sēmainō* se utiliza en Apocalipsis 1:1 para indicar la forma de la revelación de Dios a Juan: "la Revelación de Jesucristo, que Dios Le dio, para mostrar a Sus siervos las cosas que deben suceder pronto. Él la dio a *conocer (sēmainō)* enviándola por medio de Su ángel a Su siervo Juan". Varias traducciones inglesas traducen esta palabra griega como "comunicó" (NASB) "dio a conocer" (RSV, NIV, JB, ESV, NEB), "significó" (KJV, ASV, Douay, lectura mg. de la NASB), y "dejó claro" (NETB).

La palabra *sēmainō* en otras partes del Nuevo Testamento y en el griego helenístico puede tener cualquiera de estos significados. "Dejó claro" es inusual, pero la noción de "simbolizar, significar, comunicar mediante símbolos", no es atípica. Por ejemplo, en el griego clásico la palabra podía tener la idea de dar señales, como en "dar la señal" para que comience un ataque militar. En este sentido, es significativo recordar que el sustantivo relacionado es *sēmeion*, que significa "señal" y que el Nuevo Testamento utiliza para los milagros de Jesús como "señales" o "símbolos" de su poder divino (p. ej., la curación del cojo en Marcos 2 era un símbolo de la capacidad de Jesús para perdonar el pecado; alimentar a las multitudes en Juan 6 era un símbolo de su capacidad para dar y alimentar la vida espiritual).

La palabra en Apocalipsis 1:1 podría significar simplemente "dar a conocer" o "comunicar", y así referirse a una idea general de comunicación, no a un modo simbólico de comunicación, como suele ocurrir en el mundo antiguo. Sin embargo, el hecho de que Apocalipsis 1:1 sea una alusión a Dn. 2:28–29, 45 confirma que aquí la palabra sí significa "simbolizar".

Juan habla aquí de cuatro elementos críticos:

(i) una revelación
(ii) Dios mostró
(iii) sobre las cosas que deben suceder pronto
(iv) y Él la significó (griego *sēmainō*)

La fuente de la afirmación de Juan se encuentra en Dn. 2:28–30, 45 (el relato de la interpretación de Daniel del sueño del rey sobre la estatua), el único otro lugar de la Biblia en el que aparecen estos mismos cuatro elementos, los tres primeros en los vv. 28 y 29 y el cuarto en el v. 45, al concluir la interpretación del sueño:

(i) Dios revela los misterios
(ii) que Él ha dado a conocer
(iii) sobre lo que sucederá en el futuro
(iv) y estos Él los significó (griego *sēmainō* en la Septuaginta [LXX = OG], la principal traducción griega del Antiguo Testamento hebreo)

Tenemos que resumir el contexto de Daniel 2, ya que Juan probablemente tenía en mente ese contexto más amplio. En Dn. 2:45 en la LXX (= OG), *sēmainō* se utiliza para describir la visión simbólica que tuvo el rey Nabucodonosor: "el Gran Dios ha *simbolizado* al rey lo que sucederá en los últimos días" ("simbolizado" es una traducción de un verbo arameo que tiene el significado predeterminado de "conocer" y en la forma causativa "dar a conocer"). Esto se refiere a un sueñovisión que tuvo el rey. Vio una enorme estatua compuesta por cuatro secciones de diferentes metales: oro, plata, bronce y hierro.

La estatua es aplastada por una roca que crece y llena la tierra. Daniel le dice al rey que esta visión era simbólica. La estatua iba a ser dividida en cuatro secciones metálicas que simbolizaban cuatro reinos (Babilonia, Medo-Persia, Grecia y Roma). La piedra que rompió la estatua representaba el reino de Dios, que derrotaría a los reinos malvados del mundo y dominaría el mundo. La interpretación del sueño muestra que el sueño no debe tomarse literalmente en términos de una estatua y sus diversas partes, sino que la estatua significa o simboliza algo más (es decir, las cuatro secciones de la estatua simbolizan cuatro reinos mundiales). En Apocalipsis 1:1, Juan utiliza deliberadamente el lenguaje de "significar" de Dn. 2:45 en parte para representar que lo que Dios le ha estado mostrando es igualmente simbólico. La mayoría de las cosas que están a punto de desarrollarse no deben tomarse literalmente (leones, corderos, bestias, mujeres, etc.), sino que cada una se refiere simbólicamente a otra realidad o conjunto de realidades.

El uso simbólico de *sēmainō* en Daniel 2 define el uso en Apocalipsis 1:1 como referido a la comunicación simbólica y no a la mera transmisión general de información. Por lo tanto, la elección de Juan de *sēmainō* ("significar") en lugar de *gnōrizō* ("dar a conocer") no es casual, sino intencionada. Esta conclusión se basa en la suposición de que Juan utiliza las referencias del Antiguo Testamento con un grado significativo de conocimiento del contexto del Antiguo Testamento.

El matiz de "significar" o "simbolizar" en Ap. 1:1b se confirma también por su paralelismo con "mostrar" *(deiknymi)* en la primera parte de Apocalipsis 1:1, ya que "mostrar" a lo largo del libro siempre introduce una comunicación divina por visión simbólica (4:1; 17:1; 21:9; 22:1, 6, 8). De hecho, cualquier palabra generalmente sinónima que Juan pudiera haber elegido aquí en lugar de *sēmainō* (ya sea *gnōrizō* u otros términos similares) seguiría teniendo el sentido de "comunicar por símbolos", porque ese es el modo de comunicación en Daniel 2 y el modo de revelación transmitido por *deiknymi en* otras partes del libro.

Desde este punto de vista, el dictamen del enfoque popular del Apocalipsis — "interpreta literalmente a menos que te veas obligado a interpretar simbólicamente" — debería invertirse. En cambio, la declaración programática sobre el modo preciso de comunicación del libro en 1:1 es que la trama y la urdimbre del mismo son simbólicas, de modo que el dictado precedente debería invertirse para decir "interpreta simbólicamente a menos que te veas obligado a interpretar literalmente". Mejor dicho, el lector debe esperar que el principal medio de revelación divina en este libro sea simbólico.

Por lo tanto, la mayoría de las cosas que van a desarrollarse no deben tomarse literalmente (leones, corderos, bestias, mujeres, etc.), sino que cada una se refiere simbólicamente a otra realidad o conjunto de realidades. Por tanto, en el primer versículo del libro, Juan establece el principio de que las visiones que se van a desarrollar en el libro tienen un significado predominantemente simbólico, que puede tener varias referencias históricas, en lugar de referirse de manera literal a una persona, cosa o acontecimiento concreto. Muchas de las visiones son imposibles de tomar literalmente, como señalamos a continuación y en otras partes del comentario (véase, p. ej., en 9:19).

Por tanto, entendemos el Apocalipsis (al menos, fuera de las cartas a las siete iglesias de los caps. 2 y 3) como una serie de visiones reveladoras que deben interpretarse simbólicamente. A no ser que el texto demuestre lo contrario, las visiones (ya sean, p. ej., las de la bestia, el falso profeta, los siete reyes, los diez cuernos, el ejército de doscientos millones, los veinticuatro ancianos o el milenio) deben tomarse, en su mayoría, de forma no literal. Esto no significa que no tengan ningún significado o referencia histórica, sino que el significado se encuentra de forma simbólica, y casi siempre dentro del contexto de las referencias del Antiguo Testamento que atraviesan las visiones que Dios le dio a Juan (sobre esto, véase la siguiente sección). Siempre hay un significado literal subyacente al significado simbólico, aunque este significado literal a menudo se refiere a realidades espirituales y a veces a realidades físicas, ambas relacionadas con algún tipo de realidad histórica.

Esto significa que debemos distinguir entre la visión dada a Juan, lo que esa visión simboliza, y a qué o a quién puede referirse la visión. Por ejemplo, la mujer sobre la bestia en el cap. 17 simboliza el sistema mundial impío (es decir, sus aspectos económicos, culturales y religiosos combinados). Los valores de este sistema mundano se oponen a los valores de Dios para su pueblo.

El error es pasar por alto lo visionario y simbólico e ir directamente a una interpretación literal, según la cual se refiere a una mujer literal sobre una bestia, o algo muy parecido. En ese caso, el texto retrata algo tan extraño y diferente de todo lo que ha sucedido hasta ahora (como con la bestia del cap. 13) que debe representar algo aún por venir. Este tipo de interpretación podría convertir el Apocalipsis en una especie de fantasía de ciencia ficción al estilo de una película de invasión extraterrestre, lo cual es extraño, pero desgraciadamente se expone a menudo en las representaciones populares. Sin embargo, hay que reconocer que pocos intérpretes literales tratan de entender a la mujer sobre la bestia de una manera burdamente literal.

No obstante, algunos comentaristas toman como literal la caída de granizo de 45 kilos (Ap. 16:21), así como intentan interpretar literalmente el fuego que sale de la boca de los dos testigos fieles y que devora a sus enemigos, de modo que sus bocas se convierten en lanzallamas sobrenaturales. El hecho de que Juan base las plagas de los caps. 8, 9 y 16 en las plagas del Éxodo no significa que estas plagas deban tomarse literalmente como equivalentes a las plagas del Éxodo (en cuyo caso aún están por venir), sino que simbolizan el juicio de Dios de diversas maneras, cuya referencia o referencias históricas exactas deben extraerse mediante el examen del contexto y la forma en que se alude a ellas. Cuando se ve esto, ya no tenemos que concluir que ninguno de los acontecimientos a los que se hace referencia ha ocurrido todavía y debe referirse a algún cataclismo futuro. Esto abre un ámbito de interpretación mucho más amplio.

Sin embargo, en ocasiones Juan identifica explícitamente algo que ha visto en una visión, como cuando dice que los candelabros deben identificarse con las iglesias (1:20). En ese caso, estamos bastante seguros de que dondequiera que aparezcan los candelabros, deben referirse a las iglesias. Pero, por lo demás, debemos buscar en el contexto y en el Antiguo Testamento (véase de nuevo más adelante) el significado simbólico al que se refiere, y luego proceder con cautela para identificar cualquier referencia o referencias históricas. La imposibilidad de interpretar literalmente la mayoría de las cosas vistas en las diversas visiones se demuestra por el hecho de que a menudo se expresan de una manera imposible de entender de forma literal.

Por ejemplo, Juan no sólo habla de que los candelabros son las iglesias (véase 1:20), sino que identifica los dos candelabros y los dos olivos con los dos testigos (11:3–4, sobre lo cual véase la correlación con la identificación original de los candelabros con las iglesias). Sus visiones hablan de caballos con cabeza de león, de cuyas bocas salen fuego, humo y azufre, y cuyas colas son como serpientes con cabeza (9:17–18). Habla de langostas que parecen caballos, que tienen coronas en la cabeza, pero que tienen cara de hombre, pelo de mujer, dientes de león y corazas de hierro (9:7–9). Habla del cordero, de pie, aunque sacrificado, con siete cuernos y siete ojos (5:6), y de las misteriosas criaturas vivientes llenas de ojos, con seis alas, y que tienen la apariencia de un león, un becerro, un hombre y un águila (4:6–8). Ninguno de ellos puede interpretarse literalmente, fuera de (como se ha señalado anteriormente) una comprensión del Apocalipsis como una extraña obra de ciencia ficción.

Por último, está el significado simbólico de los números en el Apocalipsis. Tres números — cuatro, siete y doce, junto con sus múltiplos — aparecen repetidamente en las visiones, y cada uno de ellos se interpreta mejor a la luz de su significado en el Antiguo Testamento. En vista del uso repetido y sistemático de estos números, del significado bíblico que se les atribuye y de la naturaleza abrumadoramente simbólica de las imágenes pictóricas del libro (como se ha señalado anteriormente), está claro que los números del Apocalipsis también deben interpretarse simbólicamente.

El primer número del libro es claramente simbólico, y marca la pauta para que los demás se interpreten también simbólicamente. En Apocalipsis 1:4 se hace referencia a "los siete Espíritus que están delante de Su trono [de Dios]". Algunos comentaristas tratan de tomar esto literalmente y dicen que había siete ángeles o seres espirituales alrededor del trono de Dios. Sin embargo, está claro que la referencia es al Espíritu Santo, ya que se acaba de mencionar a Dios en la redacción anterior ("Aquél que es y que era y que ha de venir"), y luego se menciona a Jesús en el versículo siguiente (v. 5). Así pues, el libro es "de" Dios Padre, el Espíritu y Jesús.

¿Por qué referirse al Espíritu con la frase "los siete Espíritus"? Es para resaltar el hecho de que se está enfatizando la plenitud del Espíritu, ya que "siete" en el Antiguo Testamento y en otras partes del Apocalipsis se refiere figurativamente a lo completo o a la plenitud. La razón de esto es que tiene sus raíces en los siete días de la creación. El Antiguo Testamento utiliza el siete con frecuencia en este sentido (p. ej., Gn. 4:15, 24 y Sal. 79:12 se refieren a la ira de Dios multiplicada por siete, que expresa su ira plena o completa que satisface su justicia). El tabernáculo tenía siete lámparas porque el templo terrenal de Israel y su mobiliario eran la copia microcósmica del templo celestial arquetípico de Dios, y el número simbolizaba el hecho de que la morada de Dios debía extenderse por toda la tierra.

El número cuatro también se utilizaba en el Antiguo Testamento y en otra literatura judía para expresar la totalidad. Los cuatro ríos de Gn. 2:10–14 se referían a la totalidad de la creación. Las tribus de Israel estaban divididas en cuatro grupos en el desierto, y cada grupo estaba situado en uno de los cuatro puntos cardinales. En el Apocalipsis, cuatro se utiliza con referencia al alcance mundial o universal de algo, como en las cuatro extremos de la tierra (véase Ap. 7:1; 20:8) o los cuatro vientos (7:1). La alusión a Éxodo 19:16ss. ("relámpagos, sonidos, y truenos"), aparece en cuatro puntos críticos del Apocalipsis (4:5; 8:5; 11:19; 16:18) para expresar la universalidad del juicio final.

El número doce también representa lo completo, sobre todo en el hecho de que la única nación Israel estaba compuesta por doce tribus. Por último, el diez puede representar la plenitud, como en los diez mandamientos.

El Apocalipsis cuenta con siete sellos, siete trompetas y siete copas, que están numeradas así para subrayar lo completo del juicio mundial de Dios. Los cuatro extremos de la tierra son los objetivos particulares de las primeras cuatro trompetas y las primeras cuatro copas, que expresan el juicio de Dios sobre su creación. Los nombres utilizados de Dios y de Cristo ("el que vive por los siglos de los siglos", "el Señor Dios Todopoderoso", "el que está sentado en el trono", "el Alfa y la Omega") se repiten en el Apocalipsis en patrones de cuatro y siete, expresando el completo gobierno de Dios sobre toda la tierra.

El nombre "Cristo" aparece siete veces, "Jesús" y "Espíritu" catorce veces, y "Cordero" veintiocho veces. Los "siete espíritus" se mencionan cuatro veces, vinculando así la soberanía completa y el dominio mundial. El número doce es el número no sólo de Israel, representado en las doce tribus, sino del nuevo Israel, representado en los doce apóstoles. Es significativo que el número doce aparezca doce veces en la descripción de la nueva Jerusalén (21:9–22:5). Curiosamente, "Babilonia" aparece seis veces, posiblemente para asociarlo con el número de la bestia (666).

El uso simbólico de los números sirve para expresar la soberanía de Dios sobre toda la historia. Las repetidas series de sietes (ya sea de cartas, sellos, trompetas o copas) forman la estructura del libro. Cada segmento de siete (incluso las cartas) trata de la lucha de las fuerzas del bien y del mal y concluye con el triunfo del bien y la victoria de Dios. Esto subraya la soberanía de Dios y su mano intencionada en todos los acontecimientos de la historia humana. El efecto figurativo general de este complejo patrón repetido es que el lector se queda con la impresión de que la voluntad omnímoda de Dios es como una elaborada tela de araña en la que Satanás y sus fuerzas están atrapados.

Aunque intentan liberarse de la soberanía divina, no pueden escapar a la derrota final. La repetición de los números subraya la idea de que nada es casual o accidental. La analogía de una partida de ajedrez también es apropiada. El movimiento de sacrificio de Cristo en la cruz pone al diablo en jaque mate (le hace una herida mortal); el diablo sigue jugando a la rebelión, pero su derrota está asegurada. Este es un tema importante de la visión de Juan, que pretende asegurar a los creyentes que atraviesan circunstancias difíciles que Dios está con ellos y los llevará fielmente hasta la victoria final.

7. El significado del uso de símbolos en el Apocalipsis

Dado que el Apocalipsis está lleno de simbolismo, ¿por qué utilizó Dios una forma tan posiblemente confusa para expresar su mensaje? La respuesta es que el uso de símbolos por parte de Juan es muy similar al uso de parábolas por parte de Jesús, que a su vez tiene sus raíces en el lenguaje y los signos de los profetas del Antiguo Testamento. Cuando sus discípulos le preguntaron por qué hablaba en parábolas, Jesús recurrió a Is. 6:9–10 y respondió: "Porque a ustedes se les ha concedido conocer los misterios del reino de los cielos, pero a ellos no se les ha concedido.

Porque a cualquiera que tiene, se le dará más ... pero a cualquiera que no tiene, aun lo que tiene se le quitará. Por eso les hablo en parábolas; porque viendo no ven, y oyendo no oyen ni entienden. Y en ellos se cumple la profecía de Isaías que dice: Al oír, ustedes oirán, pero no entender ano ..." (Mt. 13:11–14). Las parábolas de Jesús tenían el mismo propósito que el lenguaje y los signos de los profetas del Antiguo Testamento: Las utilizó para llamar la atención de sus oyentes creyentes que se habían adormecido espiritualmente y que, de otro modo, no habrían prestado atención. Pero para los incrédulos (incluidos los pseudocreyentes), las parábolas no tenían sentido, y el rechazo del mensaje parabólico era simplemente una prueba más del endurecimiento del corazón que se niega a escuchar a Dios. De hecho, se puede decir que cuando los profetas utilizaban las parábolas en Israel, estaban indicando que el juicio venía sobre la mayoría anestesiada, aunque un remanente sería sacado de su malestar espiritual. ¿Cuánto más era esto cierto en el uso de parábolas por parte de Jesús?

Los símbolos de Juan sirven para lo mismo que las palabras de los profetas y las parábolas de Jesús. De hecho, la séptima advertencia a las iglesias, "El que tiene oído, oiga" (2:7, etc.), se basa en Is. 6:9–10 y su uso en Mt. 13:11 y siguientes, y especialmente en Mt. 13:9, "El que tiene oídos, que oiga", así como un dicho similar en Ez. 3:27 ("El que oye, que oiga"). El uso repetido de esta frase en las siete cartas, junto con su repetición en Ap. 13:9, muestra que el simbolismo de las visiones funciona de la misma manera que las parábolas de Jesús. Por su poderosa y a menudo chocante imaginería, abren los ojos de los verdaderos creyentes mientras dejan a los incrédulos endurecidos en una oscuridad más profunda, aunque también es cierto que algunos incrédulos quedan impactados en la fe por primera vez al escuchar la lectura de las visiones parabólicas.

Muchos de los símbolos revelan el poder satánico que hay detrás de las instituciones y prácticas terrenales con las que se han visto tentados a comprometerse. Los símbolos del Apocalipsis atraen inmediatamente la atención de los que desean seguir a Cristo. Casi podríamos decir que tienen una especie de "valor de shock" por su viveza y presentación de imágenes inusuales e incluso extraordinarias. Los incrédulos, sin embargo, se apartarán por falta de comprensión del mismo modo que se apartaron de Jesús y sus parábolas. Es interesante observar que las plagas del Éxodo eran signos que los israelitas entendían como el juicio de Dios, pero sólo sirvieron para endurecer a los egipcios, que no percibieron su significado. No es una coincidencia que estas plagas formen el corazón de las visiones de las trompetas y las copas. Endurecen a los incrédulos mientras llaman a los creyentes a una fe renovada.

El comentario de Jesús sobre los que oyeron pero no entendieron sus palabras está, pues, detrás del aparentemente extraño dicho de Jesús a Juan al concluir su visión: Juan es el que, como los que escuchaban las parábolas, "oyó y vio estas cosas" (Ap. 22:8). Jesús le dice que las palabras de esta profecía han de quedar abiertas a todos los que escuchen en los tiempos venideros, pero que se darán las dos mismas respuestas: "Que el injusto siga haciendo injusticias… que el justo siga practicando la justicia" (v. 11). Jesús no está aprobando la continuación del pecado, sino que simplemente profetiza la naturaleza de la respuesta a la palabra de Dios.

Si todo esto es cierto, sugiere además que el mensaje del Apocalipsis no se refiere simplemente al desarrollo de los acontecimientos futuros, sino que utiliza los acontecimientos presentes, entendidos de forma simbólica, para hablar tanto de advertencia como de estímulo a los creyentes para que perseveren en su compromiso con Cristo y se divorcien de cualquier lealtad al sistema mundial, que expresa el dominio del reino de las tinieblas. Las visiones de los caps. 4–21 se refieren al presente, no sólo al futuro. Ilustraremos esta verdad más adelante en el comentario.

8. El Apocalipsis y el Antiguo Testamento

El Apocalipsis contiene más alusiones al Antiguo Testamento que todos los demás libros del Nuevo Testamento juntos. Hay que señalar que se trata de alusiones y no de citas directas. Sin embargo, la mayoría son alusiones claras, en las que la redacción es casi idéntica a un texto del Antiguo Testamento, o alusiones probables, en las que la redacción no es tan cercana, pero la idea sigue siendo directa y exclusivamente rastreable a un texto del Antiguo Testamento.

Algunos pasajes más amplios del Antiguo Testamento parecen servir de patrón para porciones igualmente sustanciales del Apocalipsis. Por ejemplo, los patrones de Daniel 2 y 7 se encuentran repetidamente en Apocalipsis 1, 4 y 5. Secciones de Ezequiel influyen en Apocalipsis 4 y 5, así como en otros pasajes, incluyendo la mayor parte del cap. 6 y parte del 18. Las primeras plagas de las trompetas y las copas (Ap. 8:6–12; 16:1–14) siguen el modelo de las plagas del Éxodo (Éx. 7–14). El Apocalipsis también desarrolla ciertos temas del Antiguo Testamento de forma general, como el juicio y la salvación del final de los tiempos, el concepto de Daniel de la abominación de la desolación y el concepto del Antiguo Testamento del terremoto como señal del final.

La mayor parte de las alusiones son usos en el Apocalipsis de una idea o frase que se refiere a una persona, lugar o acontecimiento de un texto del Antiguo Testamento. Estas simples alusiones pueden ser condensadas o ampliadas y, obviamente, se aplican a situaciones históricas diferentes, pero casi siempre se traslada un enfoque esencial del texto del Antiguo Testamento, de modo que hay una clara continuidad entre el Antiguo Testamento y el Apocalipsis. A continuación se presentan algunos ejemplos, agrupados por el punto común a ambos:

El juicio como punto común

libros del juicio (Ez. 2, Dn. 7 y 12/Ap. 5:1–5; Ez. 2/Ap. 10)
el león de Judá ejerciendo el juicio (Gn. 49:9/Ap. 5:5)
los jinetes como agentes del juicio (Zac. 1 y 6/Ap. 6:1–8)
las langostas como agentes de juicio (Jl. 1–2/Ap. 9:7–10)
Las plagas del Éxodo que infligen el juicio (Éx. 7:14–12:33/Ap. 8:6–12; 16:1–14)

La tribulación como punto común

diez días de tribulación (Dn. 1:12/Ap. 2:10)
tres años y medio de tribulación (Dn. 7:25; 12:7/Ap. 11:2; 12:14; 13:5)
Sodoma, Egipto y Jerusalén como lugares del AT donde el pueblo de Dios es perseguido (Ap. 11:8)

los gobernantes que persiguen son representados como bestias (Dn. 7/Ap. 11–13 y 17)
Babilonia la Grande, que engaña y persigue (Dn. 4:30/Ap. 14:8; 16:19; 17:5–6; 18:2, 24; 19:2)

La enseñanza idolátrica como punto común
Balaam (Nm. 25; 31:16/Ap. 2:14)
Jezabel (1 R. 16:31; 2 R. 9:22/Ap. 2:20–23)

La protección divina como punto común
el árbol de la vida (Gn. 2:9/Ap. 2:7; 22:2, 14, 19)
el "sellado" de los israelitas (Ez. 9/Ap. 7:2–8)
las alas de águila protegiendo en el desierto (Éx. 19:4; Dt. 32:11/Ap. 12:14)

La batalla victoriosa del fin de los tiempos como punto común
Armagedón (Zac. 12:11/Ap. 16:16)

El alejamiento (apostasía) como punto común
la ramera (Ez. 16:15/Ap. 17)

El Espíritu como potenciador del pueblo de dios como punto común
Zac. 4:1–6/Ap. 1:12–20; 11:4

Un último punto que hay que señalar se refiere a la forma en que Juan toma las referencias del Antiguo Testamento y las universaliza. Lo que en el Antiguo Testamento se aplica a Israel, Juan le da un sentido mucho más amplio. Por ejemplo, Dios dio a Israel el título de "reino de sacerdotes" (Éx. 19:6), pero Juan lo aplica a la iglesia (Ap. 1:6; 5:10). Cuando Zacarías 12:10 afirma que las tribus se lamentarán por el Mesías, la referencia es a Israel, pero Juan la amplía a todas las tribus de la tierra (Ap. 1:7).

El concepto de las plagas del Éxodo es ampliado por Juan desde la tierra de Egipto a toda la tierra (Ap. 8:6–12; 16:1–14). Los tres años y medio de la tribulación de Israel (Dn. 7:25; 12:7) se extienden a la tribulación de la iglesia como el verdadero Israel en todo el mundo. Esta tribulación es instigada no por la Babilonia literal de Daniel (Dn. 4:30), sino por la Babilonia o sistema mundial del fin de los tiempos (Ap. 17:1–6), que persigue no sólo a los compañeros creyentes israelitas de Daniel, sino a la iglesia de todo el mundo (Ap. 17:5–8; 18:24). Cuando caiga Babilonia, también caerán las "ciudades de las naciones" (Ap. 16:19). Los beneficios del templo de los últimos tiempos de Ezequiel ya no están reservados sólo para los judíos, sino que son para todos los pueblos creyentes.

Las hojas que son para la sanidad de Israel (Ez. 47:12) son ahora para la sanidad de las naciones (Ap. 22:2). Los candelabros del arca representan ahora a las iglesias (1:12–13, 20), y el maná físico dado a Israel se convierte en maná espiritual para todos los creyentes (2:17). Tiro como ramera (Ez. 26:17–28:19) se convierte en el sistema mundial representado por Babilonia (Ap. 17:1–18:24). La Jerusalén física se convierte en la "nueva Jerusalén", que se equipara a toda la nueva creación (21:2–27). La razón de esta universalización tiene su origen en la comprensión del NT de la obra de Cristo y de cómo, a través de Cristo, la promesa dada a Abraham se ha extendido a las naciones. Cuando estas naciones confían en Jesús, que es el verdadero Israel, se identifican con él y, por tanto, pasan a formar parte del verdadero Israel, montados en los faldones israelitas de Jesús.

Por tanto, el uso que hace Juan del Antiguo Testamento no debe considerarse un abuso de su verdadero significado. Juan simplemente entiende que el Antiguo Testamento apunta proféticamente a los acontecimientos del Nuevo Testamento y a Cristo, y lo hace de la misma manera que el propio Jesús y todos los demás escritores del Nuevo Testamento. El verdadero pueblo de Dios es ahora el que confía en el Salvador prometido en el Antiguo Testamento, y los creyentes de todas las naciones, tanto judíos como gentiles, constituyen el pueblo del nuevo pacto de Dios, la continuación del verdadero Israel. También se profetizó en el Antiguo Testamento que ese pueblo sería aquel sobre el que Dios derramaría su Espíritu en los últimos días y sobre cuyos corazones escribiría su ley. La historia está unida por el plan de un Dios soberano. En esta historia, la última parte (la obra de Cristo) interpreta lo que ha precedido, pero no puede entenderse correctamente sin ella.

El hecho simple pero asombroso es que Dios eligió transmitir estas visiones a Juan de la mejor manera en que él podría haberlas entendido — utilizando el lenguaje de la Biblia. Lejos de ser un rechazo del Antiguo Testamento, esto es la afirmación más fuerte posible de su autoridad. Todo lo que Dios ha dado en Cristo puede y debe entenderse con el telón de fondo de la revelación del Antiguo Testamento, que no sólo señala a Cristo, sino que es lo único que nos permite entender quién es Él realmente. Jesús dijo a sus oyentes que si sólo escucharan lo que escribió Moisés, entenderían quién era Él. Su problema no era que Moisés contradijera a Cristo, sino que se negaban a creer lo que Moisés decía de Él (Jn. 5:45–47).

La misma verdad se aplica a la interpretación del Apocalipsis. La clave más importante para entender la visión de Juan es, con mucho, entender el Antiguo Testamento. Al estudiar el libro, encontraremos esta conclusión verificada una y otra vez. La mayoría de la gente toma el Apocalipsis como un trampolín para mirar hacia adelante. Sin embargo, si no miramos primero hacia atrás en el Antiguo Testamento y vemos lo que significaba en la época de Juan, y luego avanzamos desde allí hasta el presente, no entenderemos adecuadamente lo que tiene que decir sobre el pasado, el presente o el futuro.

9. Esquema y plan del Apocalipsis

Esquema

1:1–20	Prólogo
2:1–3:22	Las cartas: la iglesia imperfecta en el mundo
4:1–5:14	Dios y Cristo glorificados por la resurrección de Cristo
6:1–8:5	Los siete sellos
8:6–11:19	Las siete trompetas
12:1–15:4	Siete visiones o "señales"/conflicto más profundo
15:5–16:21	Las siete copas
17:1–19:21	Juicio final de Babilonia y la bestia
20:1–15	El milenio
21:1–22:5	La nueva creación: la iglesia perfecta en gloria
22:6–21	Epílogo

Plan

Las dos posturas sobre cómo se relacionan las visiones entre sí

Antes de pasar a un estudio más detallado del libro, puede ser útil exponer algún tipo de comprensión general de cómo se relacionan estas secciones entre sí y cómo esto puede indicarnos el sentido general de la visión de Juan. Hay dos escuelas principales de pensamiento sobre la relación entre las distintas secciones: la posición futurista y la posición de recapitulación.

Posición futurista cronológicamente lineal

La posición futurista generalmente sostiene que el orden de las visiones, desde el 4:1 hasta el 22:5 (es decir, excluyendo las cartas de los caps. 2–3), representa el orden cronológico en el que se desarrollarán los eventos descritos en las visiones. Los sellos son acontecimientos preparatorios que preceden a las trompetas y las copas. Las trompetas, las visiones (las "señales" de 12:1–14:20) y las copas se consideran el contenido del séptimo sello, ya que se dice que el séptimo sello no tiene contenido propio.

Algunos también argumentan que, como la séptima trompeta parece no tener contenido propio, las señales y las copas representan el contenido de la séptima trompeta. Hay variaciones de este punto de vista (el más radical de los cuales sostiene que los sellos, las trompetas y las copas son todos futuros, aunque se recapitulan unos a otros y todos se refieren al mismo tiempo). Sin embargo, en general, la visión futurista considera que los acontecimientos de la historia se desarrollan en un orden cronológico que corresponde estrechamente, o al menos aproximadamente, a las visiones enumeradas.

Entre los argumentos que se utilizan para apoyar la posición futurista se encuentran los siguientes:

1:19 divide el libro en tres partes, el *pasado* ("las cosas que has visto", es decir, la visión inicial de Juan sobre Cristo en 1:9–18), el *presente* ("las que son", es decir, la situación descrita en las cartas a las iglesias en 2:1–3:22), y el *futuro* ("las que han de suceder después de éstas", es decir, los acontecimientos que están por venir, en 4:1–22:5).

4:1 ("Te mostraré las cosas que deben suceder después de éstas") reafirma este orden.

La progresión de las series numeradas de visiones parece sugerir que se trata de un orden cronológico. Además, 9:12 y 11:14 anuncian la finalización del primer y segundo ay antes de que comience el tercero.

Los juicios parecen intensificarse a medida que avanza el libro.

Es natural suponer que el orden de las visiones representa el orden cronológico de la historia futura.

Una interpretación "literal" del Apocalipsis apoya el punto de vista futurista. Es decir, las visiones extrañas, si se toman de manera físicamente literal, nunca han ocurrido antes en la historia (p. ej., según 16:21, la última copa dice que al final del tiempo habrá granizo que pesa 45 kilos). Por lo tanto, si se entienden literalmente, estas cosas deben tener lugar en un tiempo futuro.

Posición de recapitulación

Esta posición sostiene que las distintas series de juicios son descripciones paralelas de los mismos acontecimientos. El patrón es idéntico dentro de cada serie. Hacia el final de cada serie, hay una descripción del juicio seguida de una descripción de la salvación (6:12–17 y 7:9–17; 11:18a y 11:18b; 14:14–20 y 15:2–4; 16:17–18:24 y 19:1–10; 20:7–15 y 21:1–22:5). En apoyo de esta posición se exponen los siguientes argumentos:

La primera escena del juicio ocurre en 6:12–17 después de la ruptura del sexto sello. En ella se habla de la destrucción de la tierra y los cielos y del gran día de la ira del Cordero. Es difícil imaginar cómo esto podría referirse a otra cosa que no sea el juicio final, o cómo cualquier otro juicio podría venir después de él. Esto significa que los acontecimientos de la tribulación descritos en las trompetas (que comienzan en 8:2) deben remontarse al tiempo del propio juicio final descrito en 6:12–17.

La declaración más clara posible del juicio final aparece en 11:14–18 después del sonido de la séptima trompeta, donde se dice que el reino de este mundo se ha convertido en el reino de Dios y de Cristo, donde los muertos han sido juzgados y los santos han recibido su recompensa. Obsérvese también que en 20:12, otra escena del juicio final claramente paralela, se repiten las mismas palabras que en 11:18 respecto al juicio de pequeños y grandes. De nuevo, como en el punto anterior, esto significa que la descripción de los acontecimientos de la tribulación en los caps. 12–13 debe remontarse al tiempo del juicio final descrito en 11:14–18.

Estos mismos versículos (11:14–18) describen el contenido de la séptima trompeta como la expresión del juicio final, lo que contradice la afirmación de algunos futuristas de que la séptima trompeta no tiene contenido en sí misma y que, por lo tanto, debe tener como contenido todo lo registrado en los capítulos siguientes. Una vez que entendemos que el contenido de la séptima trompeta es el juicio final, todo el esquema del futurismo se derrumba.

La descripción del castigo final de los perdidos es tan clara y definitiva en 14:14–20 (la cosecha final) y en 16:17–21 (la séptima copa) como en lo que muchos futuristas parecen tomar típicamente como la única mención del juicio final, la del 20:11–15.

El terremoto del que se habla en 6:12–17 (el sexto sello) parece idéntico al del 16:17–21 (la séptima copa): ambos hablan de un gran terremoto tras el cual no se encuentran las montañas ni las islas. En 6:14, 16, la división del cielo y la desaparición de las islas y las montañas se deben a la presencia de Aquel que se sienta en el trono del cielo, mientras que en 20:11, que sigue a la escena del juicio de 20:7–10, la tierra y el cielo huyen y no se vuelven a encontrar debido a la presencia de Aquel que se sienta en el trono. Esto demuestra de nuevo que 6:12–17 retrata el juicio final y definitivo, de modo que los juicios que siguen en las plagas de las trompetas y las copas deben retroceder en el tiempo antes de ese juicio final.

El mismo lenguaje del juicio de Dios a través de truenos y sonidos y relámpagos que se registra en Éxodo 19:16 se utiliza en 8:5 (la conclusión de los siete sellos); 11:19 (la conclusión de las siete trompetas); y 16:18 (la conclusión de las siete copas). Cada uno de estos textos del Apocalipsis menciona también en su contexto el templo o altar celestial. Así, cada texto narra el juicio final, de modo que los dos últimos recapitulan el primero.

La situación de los creyentes y los incrédulos durante el tiempo que precede al juicio final se describe en términos muy similares en 6:12–17 (el sexto sello); 9:13–11:13 (la sexta trompeta); y 16:12–16 (la sexta copa).

La frase “Hecho está” en 16:17 y 21:6 aparece en ambos casos para referirse a la realización del mismo juicio final. En ambas ocasiones las palabras provienen del trono del cielo.

La repetición de la frase “reunirse para la guerra” en 16:14; 19:19; y 20:8 indica que se describe tres veces la misma batalla (final consumativo).

Las declaraciones relacionadas a la caída de Babilonia que aparecen en 14:8 y 16:19 y en varios lugares de los caps. 17–19 también deben estar describiendo lo mismo, revelando así de nuevo la descripción recapitulada del juicio.

Tanto las trompetas como las copas se inspiran en las plagas del Éxodo, aludiendo a las mismas plagas y presentándolas más o menos en el mismo orden.

Dado el hecho de que cada serie de juicios expresa en su conclusión la misma realidad de castigo y recompensa final, y dadas las grandes similitudes entre las series de juicios, la observación de que cada serie de juicios parece intensificar su efecto se entiende más fácilmente como expresión del corazón de Dios para expresar las mismas realidades en términos cada vez más contundentes a medida que el libro alcanza su clímax.

Nuestra conclusión, por tanto, es que la posición de recapitulación es la que mejor explica la estructura del Apocalipsis. El libro consiste en una serie de visiones paralelas en las que Dios expresa las mismas verdades de diferentes maneras. ¿Cómo se explica, entonces, que los contenidos de cada serie de siete no sean absolutamente idénticos, o que algunos sean idénticos pero expresados en un orden diferente? Los sellos hablan de cuatro caballos, mientras que las trompetas y las copas hablan de las plagas del Éxodo, pero en diferente orden.

Comenzamos con el entendimiento de que Juan está relatando lo que vio en una serie de visiones, y lo está haciendo en el orden en que las vio. *El orden en el que vio las cosas no es necesariamente el orden cronológico histórico en el que esas cosas sucederán.* Esto se desprende del hecho de que el texto muestra que habla de los mismos acontecimientos en diferentes visiones, pero a veces no los relata exactamente en el mismo orden, o cuenta con visiones diferentes (p. ej., caballos en lugar de plagas) para expresar la misma realidad. En parte, esto se debe a que, en general, las plagas se repiten a lo largo de la historia, en lugar de ser acontecimientos históricos puntuales, por lo que no hay una correspondencia exacta en todos los detalles.

La frase de Juan "después de estas cosas" o "después de esto" se utiliza para introducir una serie de visiones a lo largo del Apocalipsis. Algunos futuristas piensan que la frase indica que lo que se va a narrar, tras el "después de esto", seguirá cronológicamente lo que se retrata en la visión precedente. Pero en sentido estricto "después de esto" sólo narra el orden cronológico de las propias visiones, es decir, que una visión viene después de otra en la secuencia visionaria. La frase no indica que la historia dentro de las visiones viene después de la historia registrada en la visión anterior. Para una explicación más detallada, véase también el punto 10. Esto significa que el alcance de los conjuntos de visiones paralelas de Juan trata el curso de la historia desde el nacimiento de la iglesia en Pentecostés hasta el regreso del Señor. Comprender esto nos da una clave absolutamente crítica para entender el significado del Apocalipsis en su conjunto.

La relación de las cartas con las visiones

Los lectores del Apocalipsis a menudo no ven mucha relación entre las cartas a las iglesias y la serie de visiones que siguen. Sin embargo, está claro que varios temas de las siete cartas reaparecen en las visiones:

El verdadero y el falso Israel. Se habla del falso Israel en 2:9 y 3:9, mientras que la iglesia, como el verdadero Israel, se describe en 7:4–8.

Sufrimiento y persecución. Los cristianos de Esmirna sufrirán persecución (2:10), al igual que los de la visión, asesinados por su fe (6:11). Los cristianos de Filadelfia recibirán protección espiritual en la prueba (3:10) y tendrán escrito sobre ellos el nombre de Dios y de Cristo (3:12), mientras que los creyentes de la visión son igualmente sellados espiritualmente (7:3) para que no sean dañados por los problemas que se avecinan, y también tienen los nombres de Dios y de Cristo escritos sobre ellos (14:1). Los cristianos de Filadelfia se convertirán en pilares del templo de Dios (3:12), y los creyentes sellados servirán a Dios en Su templo (7:15). Antipas en Pérgamo es descrito como testigo de Dios (2:13), al igual que los creyentes en 6:9 y los dos testigos en 11:3–13.

Figuras demoníacas. En Pérgamo, se dice que Satanás tiene su trono (2:13), y parece que allí hay un falso profeta llamado Balaam (2:14). Más tarde, Satanás aparece como el dragón (12:9) que es arrojado del cielo e intenta establecer su dominio (trono) en la tierra. Le acompaña una segunda bestia descrita más tarde como falso profeta (13:13–17; 16:13; 19:20). Una Jezabel aparece en Tiatira en 2:20–23, y Jezabel se utiliza como modelo para la ramera del cap. 17.

Otras promesas a los creyentes. A los creyentes de Laodicea se les ofrecen vestimentas limpias y se les invita a comer con el Señor (3:18, 20), y del mismo modo los creyentes del regreso de Cristo recibirán vestimentas limpias y serán invitados a la cena del Cordero (19:8–9). Detrás de la puerta de los creyentes de Laodicea está Cristo, el "Testigo fiel y verdadero" (3:14), y dentro de la puerta abierta del cielo se encuentra Aquel que es llamado "Fiel y Verdadero" (19:11).

Otros temas. Otros temas comunes son el de la superación (2:7, 11 y 12:11; 15:2; 17:14), la idolatría (2:14, 20 y 9:20; 13:4, 12–15), y la imagen de Jesús trayendo el juicio por la espada que sale de Su boca (2:16 y 19:15).

Las cartas, que describen el estado actual de la iglesia, y la sección final, que describe la iglesia glorificada en el cielo, están estrecha y deliberadamente vinculadas por el tema de la promesa y el cumplimiento. Nótese el paralelismo entre la iglesia imperfecta del presente y la iglesia perfecta del futuro:

falsos apóstoles (2:2)	verdaderos apóstoles (21:14)
falsos judíos (2:9; 3:9)	tribus del verdadero Israel (21:12)
Los cristianos habitan donde está el trono de Satanás (2:13)	Los cristianos habitan donde está el trono de Dios (22:1)
algunos en la iglesia están muertos (3:1)	todos en la iglesia perfeccionada están vivos (21:27)
la iglesia es un candelero terrenal (1:20; 2:5)	Dios y el Cordero son las lumbreras (21:23–24; 22:5)
la iglesia contiene idólatras (2:14–15, 20–23)	la iglesia perfeccionada no tiene idolatría ni mentira (21:8)
Los cristianos son perseguidos (2:8–10, 13)	Los cristianos reinan como conquistadores (21:6–7)

Observa también cómo las promesas hechas a los que vencen se cumplen completamente en la nueva creación:

Comerán del árbol de la vida (2:7).	El árbol de la vida da frutos en el cielo para el creyente (22:2).
Serán una columna en el templo (3:12).	Dios y el Cordero son el templo del cielo donde habita el creyente (21:22).
Formarán parte de la Jerusalén celestial (3:12).	Forman parte de la Jerusalén celestial (21:23–27).

Tendrán el nombre de su Dios (3:12).	El nombre de Dios está en sus frentes (22:4).
Sus nombres estarán escritos en el libro de la vida (3:5).	Sus nombres están escritos en el libro de la vida (21:27).
Se vestirán de blanco (3:5).	Son la novia adornada para su marido (21:2).
Tendrán una piedra blanca y recibirán la estrella de la mañana (2:17, 28).	Forman parte de la ciudad cuyos cimientos son piedras preciosas (21:11, 18–21), cuya luz es Dios y el Cordero (21:23; 22:5), y que vive con Jesús, la brillante estrella de la mañana (22:16).
Gobernarán las naciones (2:26–27) y se sentarán con Cristo en su trono (3:21).	Reinan por los siglos de los siglos (22:5).
Se salvarán de la segunda muerte (2:11).	Se salvan de la segunda muerte (21:7–8).

Esta estrecha relación entre las cartas y el resto de las visiones es significativa, porque muestra que el Apocalipsis, como las demás cartas del NT, es una carta pastoral escrita a los creyentes. Como en las otras cartas, la gracia se dirige a los creyentes al principio y al final de la carta (1:4; 22:21). Al igual que las otras cartas, el Apocalipsis trata de los problemas pastorales a los que se enfrentan las iglesias y conlleva un llamamiento a los creyentes para que vivan para Cristo. Al igual que las otras cartas, ofrece la esperanza a los creyentes de que, si perseveran en la fidelidad a Cristo, recibirán una recompensa eterna. Esto significa que el contenido de las visiones debe tener una relevancia real y presente para todos los creyentes que lean el libro, independientemente de la época en que vivan.

Entendemos que las cartas del Apocalipsis, aunque tratan (como todas las demás cartas del NT) de la situación de las iglesias de antaño, nos siguen hablando en cada uno de los temas que tratan: perseverancia, idolatría, valor para dar testimonio, pureza moral, ortodoxia doctrinal, etc. ¿Por qué entonces suponemos que las visiones deberían tratar sólo de eventos del futuro, y por lo tanto tener poca o ninguna relevancia presente para nosotros? Es mucho más probable la proposición de que, al menos en gran parte, las visiones también tratan de los acontecimientos que han afectado a los creyentes desde la misma fundación de la iglesia. A medida que avanza nuestro estudio, apoyaremos esta conclusión mediante el examen del texto, entendiendo, por supuesto, que hay partes del

Apocalipsis que sí tratan específicamente del futuro y de los acontecimientos que rodean el regreso de Cristo.

10. El significado de 1:19 como clave para la interpretación del libro

Como se ha dicho en una sección anterior, 1:19 es una clave interpretativa importante en el Apocalipsis para entender correctamente la comprensión futurista del libro: "Escribe, pues, las cosas que has visto, y las que son, y las que han de suceder después de éstas". El enfoque que adoptaremos en el comentario que sigue es que una comprensión diferente de 1:19 proviene de la lucha con una variedad de cuestiones en el contexto inmediato y a lo largo del libro.

Los que entienden el Apocalipsis desde una perspectiva futurista (es decir, que todos los acontecimientos de los que se habla en las visiones están por venir y se desarrollarán en orden cronológico) ven 1:19 de la siguiente manera: las "cosas que habéis visto" se refieren, según este punto de vista, a la visión inicial del *pasado* descrita en los versículos inmediatamente anteriores. Las "cosas que son" se refieren a la situación *actual* de las siete iglesias de las que tratan las cartas, y las "cosas que han de suceder después de éstas" se refieren a los acontecimientos del *futuro*, concretamente a los acontecimientos inmediatamente anteriores al regreso de Cristo y a ese regreso.

Este punto de vista tiene deficiencias que deben ser abordadas. Para empezar, la orden de escribir "las cosas que has visto" no parece ser simplemente una referencia al tiempo pasado, o a lo que Juan ha visto en los versículos anteriores. Más bien parece retomar lo dicho en 1:11, donde la voz angélica le dice a Juan que escriba "lo que ve". No hay razón para limitar el alcance de esto a la primera visión que tiene Juan; parece más natural que se refiera al contenido de todo el libro. Pero, ¿qué hay de "las cosas que son" y las que están por venir? Es muy posible que "las cosas que son" aludan enteramente a los acontecimientos que ocurren durante el tiempo presente de las siete iglesias. Dado que estas siete representan a la iglesia universal, esta frase se referiría así al "presente" de toda la era de la iglesia. En otras palabras, esto es tan relevante para nosotros hoy como lo son las instrucciones de Pablo a cualquiera de las iglesias a las que escribió.

Además, la comprensión correcta de la última frase del v. 19, "las cosas que han de suceder después de éstas", es crucial. Intentaremos mostrar que esta última cláusula no debe limitarse a los acontecimientos del futuro lejano, sino que abarca todos los acontecimientos del período entre la resurrección y el regreso de Cristo. Para entender correctamente este versículo es fundamental el hecho de que Dios se comunica con Juan con las palabras que inspiró a Daniel seis siglos antes. Si Dios habla proféticamente en el Antiguo Testamento, el hecho de que cumpla estas palabras proféticas en el Nuevo Testamento no debería sorprendernos. Más sorprendente sería pensar que Dios comunicó visiones tan significativas a Juan sin ninguna referencia a cómo había hablado en días anteriores a sus siervos los profetas.

Este versículo, junto con otros tres (1:1; 4:1; 22:6), está fuertemente influenciado por las palabras pronunciadas a través de Daniel a Nabucodonosor en la interpretación de su primer sueño (Dn. 2:28, 29, 45). En la sección 6. anterior, observamos cómo la declaración de Juan en 1:1 ("La Revelación... que Dios Le dio, para mostrar a Sus siervos las cosas que deben suceder pronto") está tomada de Dn. 2:28, 29, 45, donde Dios muestra a Daniel lo que debe ocurrir *"en los últimos días"* o *"después de estas cosas"*:

"Él ha dado a conocer... lo que sucederá al fin de los días" (Dn. 2:28) "... lo que habrá de suceder en el futuro" (Dn. 2:29) "... lo que sucederá en el futuro" (Dn. 2:45)	"para mostrar... las cosas que deben suceder pronto [o rápidamente]" (Ap. 1:1)

Si comparamos Apocalipsis 1:1 con los pasajes de Daniel, el pensamiento es casi idéntico. La diferencia significativa en lo que Dios le dice a Juan consiste en la sustitución de "al fin de los días" o "en el futuro" (años todavía lejanos para Daniel) por "pronto" o "rápidamente", lo que implica que los "últimos días" de Daniel (= "en el futuro") están a punto de desarrollarse, de hecho empiezan a desarrollarse. Lo que a Daniel le resultaba lejano, a Juan le resulta evidente.

En 1:3, Juan dice que el tiempo está "cerca", utilizando una palabra similar a la pronunciada por Jesús en Marcos 1:15: "El tiempo se ha cumplido... y el reino de Dios *se ha acercado*". Es probable que "el reino de Dios se ha acercado" sea un paralelo y una explicación más de "el tiempo se ha cumplido". Si es así, la idea de "cerca" es un sinónimo cercano de "cumplido". El verbo griego para "cercano" tiene el sentido de "a punto de llegar" o "empezando a llegar". No va a suceder lejos en el futuro: está empezando a suceder ahora, y mucho más está a la vuelta de la esquina.

En Lucas 20:18 Jesús equipara la "piedra" de su ministerio con la roca de los últimos tiempos del reino de Daniel. Para Jesús, las palabras proféticas de Daniel están a punto de cumplirse. Y Juan no difiere de Jesús en su comprensión. Obsérvense los demás paralelismos de Apocalipsis 1 con Daniel. Hay referencias al reino (vv. 6 y 9), como en Dn. 7:14, que Juan ve inaugurado en cumplimiento. Este reino pertenece a un "Hijo del Hombre" (1:13), al igual que en Dn. 7:13, y este Hijo del Hombre se describe en una visión celestial (1:13–16), al igual que en Dn. 7:13–14. Jesús ha comenzado en el propio tiempo de Juan a cumplir la profecía del Hijo del Hombre de Daniel 7. De esto sacamos la conclusión de que Daniel 2 y Apocalipsis 1 describen la misma realidad, y que lo profetizado en Daniel está empezando a cumplirse en Apocalipsis. Los acontecimientos profetizados están ocurriendo o empezando a ocurrir. La muerte y la resurrección de Cristo han traído la inauguración o el comienzo del reino de Dios profetizado en Daniel. Tal comprensión tendrá una profunda importancia para nuestra interpretación del Apocalipsis en su conjunto.

Ahora examinamos 1:19, a la luz tanto de 1:1 como de los pasajes de Daniel:

"Lo que sucederá al fin de los días/en el futuro" (Dn. 2:28, 29, 45)	"Las cosas que deben suceder pronto [o rápidamente]" (Ap. 1:1)	"Las cosas que han de suceder después de éstas" (Ap. 1:19)

Está claro que las frases de Daniel *"al fin de los días"* (Dn. 2:28) y *"en el futuro"* (en la traducción de Teodoción, "después de estas cosas", exactamente como en Ap. 1:19) son idénticas en significado. La frase "en el futuro" (en el texto hebreo) o "después de estas cosas" (Teodoción) se refiere en Dn. 2:29 a algo lejano en el futuro, a lo que también se refiere la frase "en los últimos días". Sin embargo, en el Apocalipsis aluden a algo que ya está empezando a suceder: como ya hemos visto, Apocalipsis 1:1 sustituye "en los últimos días" por "pronto", y el v. 3 añade el matiz "cerca", que significa "a punto".

La frase "después de estas cosas" en 1:19, por lo tanto, no es una referencia a eventos sólo del futuro, sino a eventos que ya se están desarrollando en estos últimos días, ya que "después de estas cosas" debe identificarse con los "últimos días" en Dn. 2:28–29, que han sido inaugurados por la muerte y resurrección de Cristo. Así, cada una de las tres frases de Apocalipsis 1:19 puede muy bien referirse a la misma realidad de toda la era de la iglesia. La interpretación de Apocalipsis 1:19 es compleja, y hay una gran variedad de interpretaciones; por esa razón, ninguna *visión global* del Apocalipsis debería basarse principalmente en ella, ya sea futurista o de cualquier otro tipo.

El otro lugar donde aparece la frase "después de estas cosas" es en 4:1 que, significativamente, es la introducción a la sección de la visión del libro. La voz angélica le dice a Juan: "Sube acá y te mostraré las cosas que deben suceder después de éstas". De nuevo, se trata de una alusión a Dn. 2:29. Si "estas cosas" es sinónimo de "los últimos días", como lo es en Dn. 2:28–29, se refiere a los eventos de los últimos días entendidos como inaugurados por la cruz y la resurrección de Cristo. Esto se desprende de la comprensión de Juan a lo largo de Apocalipsis 1 de que las profecías de Daniel 2 y 7 han comenzado a cumplirse en la primera venida de Cristo.

En consecuencia, las visiones que se desarrollan en el resto del libro nos dirán lo que se va a desarrollar a lo largo del período de estos últimos días — es decir, a lo largo de toda la historia de la iglesia entre la resurrección de Cristo y su regreso. Debemos esperar, por lo tanto, que las visiones hablen de la vida y la historia de la iglesia en cada época, incluida aquella en la que vivieron los destinatarios del libro, aunque haya aspectos que hablen específicamente del período de tiempo inmediatamente anterior al regreso de Cristo. Es importante recordar que esta interpretación es totalmente contraria a la mayor parte de la literatura popular sobre el Apocalipsis, que considera que toda la parte visionaria del libro se refiere únicamente a los acontecimientos futuros que rodean inmediatamente el regreso de Cristo.

Estamos convencidos de que la interpretación que hemos adoptado proporciona una visión más satisfactoria del Apocalipsis en otro sentido, ya que, de lo contrario, la mayor parte del libro no tendría tanta relevancia ni para aquellos a los que fue escrito (las iglesias bajo la autoridad apostólica de Juan) ni para cualquier creyente que haya vivido desde entonces. Esta porción mayoritaria del libro se referiría entonces principalmente o sólo a un grupo de personas que vivieran durante la última tribulación y luego durante el milenio. Aunque los futuristas protestan que el libro sigue siendo relevante de varias maneras para los lectores a lo largo de la era de la iglesia, creemos que nuestro punto sigue siendo válido. A medida que avancemos en nuestro estudio, veremos que nuestro punto de vista está respaldado por el texto en una variedad de otras formas.

La última referencia a Daniel ocurre en 22:6, donde la voz celestial le dice a Juan: "El Señor… envió a Su ángel para mostrar a Sus siervos las cosas que han de suceder enseguida". De este modo, los versos finales del libro repiten las mismas palabras que ocurrieron al principio (1:1). Las cosas que se han revelado a Juan son las que están a punto de desarrollarse ante sus ojos y que se han estado desarrollando desde entonces. Es interesante observar que las cuatro secciones principales del libro, la introducción (1:1–18), las cartas (1:19–3:22), las visiones (4:1–22:5) y la conclusión (22:6–21) se introducen con alusiones a Daniel 2:28–29, 45, que a su vez forman la introducción y la conclusión de la interpretación de Daniel del sueño del rey.

Esto no es una casualidad. Así, el contenido del sueño de Daniel 2 proporciona un marco para interpretar el Apocalipsis como una representación de la batalla del fin de los tiempos entre el bien y el mal y del establecimiento del reino de Dios, todo lo cual ha comenzado con la muerte y resurrección de Cristo y se consumará en su venida final.

11. Los principales mensajes teológicos del Apocalipsis

En el comentario que sigue, intentaremos esbozar a partir del texto algunos de los principales temas del Apocalipsis. Sugerimos que los siguientes temas del Apocalipsis expresan el corazón de Dios al dar esta serie de visiones a Juan:

La disposición a sufrir por Cristo es el camino hacia la victoria final

Así como la cruz resultó sellar la victoria de Cristo sobre Satanás, el sufrimiento actual de los cristianos sella su victoria sobre los poderes de las tinieblas. Aunque, al igual que Cristo, los cristianos que sufren tribulaciones y dificultades (1:9) también participan en el reinado de Cristo (1:6). En la época actual, los creyentes pueden sufrir penurias físicas, pero sus espíritus se mantendrán a salvo (11:1–12). Los perseguidores de la iglesia, por otro lado, se encontrarán en la misma posición que Satanás.

Así como la aparente victoria de Satanás desencadenó su derrota final, las actuales acciones malvadas de los incrédulos (11:10) no hacen sino sentar las bases de su juicio final (11:13, 18). Por lo tanto, uno de los principales objetivos del libro es exhortar a los creyentes a que permanezcan fieles a Cristo a pesar de los sufrimientos actuales y de la tentación de caer en la idolatría representada por el compromiso con el sistema mundial, porque esta fidelidad será finalmente recompensada en el reino celestial. Obsérvese que, tras la descripción del reino celestial en 21:1–22:5, las últimas palabras del libro vuelven a ser el mandato de permanecer fieles.

Las visiones celestiales sirven de motivación para que los cristianos que ahora sufren la adversidad se aferren a las gloriosas promesas de Dios y no se aparten. De la misma manera, los cristianos de hoy deben seguir leyendo el Apocalipsis y permitir que su descripción de la majestuosidad divina nos motive a seguir siendo fieles. Los cristianos deben vivir según los valores de este nuevo mundo, no los del mundo en el que viven. Hay que recordar a las iglesias que las escenas del culto celestial han de ser el modelo de nuestro culto terrenal cada Día del Señor — pues recordemos que fue mientras Juan se preparaba para el culto en el Día del Señor cuando recibió esta visión.

La soberanía de Dios en la historia humana

En los caps. 4 y 5, Juan tiene una visión de la sala del trono de Dios. La palabra "trono" aparece diecisiete veces en estos dos capítulos (de un total de treinta y cuatro veces en el libro), y significa la soberanía de Dios. En la visión, al Cordero se le da un lugar de igual honor que al propio Dios, por lo que los capítulos en su conjunto retratan la victoria de Dios y del Cordero. Dado que esta visión sirve de introducción a todas las visiones posteriores del libro, su significado es demostrar la autoridad de Dios y de Cristo sobre todo lo que está por desarrollarse en el resto del libro.

Las pruebas de los creyentes, el aparente triunfo de las fuerzas del enemigo, la eventual destrucción de éste y la victoria de la iglesia están todos bajo el control soberano de Dios. Por lo tanto, es cierto que, según el Apocalipsis, la mano de Dios está directamente detrás de las tribulaciones de los creyentes, así como de las de los incrédulos. Tales pruebas son enviadas por Dios para refinar a su pueblo. No sólo eso, sino que los pasajes del AT que influyen en las visiones de los sellos, las trompetas y las copas también presentan a Dios como la causa de los males que acontecen tanto a los creyentes como a los incrédulos (véanse Zac. 6:1–8; Ez. 14:21; Lv. 26:14–33 y su uso en los sellos de Ap. 6:2–8, o el envío de las plagas del Éxodo como formativo para las plagas de las trompetas y las copas).

El misterio de cómo Dios permitiría que los creyentes también sufrieran se responde a lo largo del libro: La estrategia de Dios es utilizar los ayes para refinar su fe, mientras reserva a los incrédulos para el castigo final. Cuando la visión celestial conduce a la imagen de los jinetes del cap. 6 y al desencadenamiento inicial de los juicios divinos, queda claro que el Cordero resucitado (6:1) tiene el control de lo que está sucediendo. La cruz se ha transformado de tragedia a triunfo, y así también Dios transformará las penas terrenales de los creyentes en victoria celestial y eterna. El pueblo de Dios no tiene otro destino durante la era de la iglesia que el del Cordero durante su ministerio terrenal. Por eso Apocalipsis 14:4 dice que "siguen al Cordero adondequiera que va".

La nueva creación como cumplimiento de la profecía bíblica

Los principales temas proféticos tanto del Antiguo Testamento como del Nuevo Testamento culminan en el nuevo pacto, el nuevo templo, el nuevo Israel y la nueva Jerusalén, todo ello resumido en el concepto de la nueva creación. Estos temas aparecen en 21:1–22:5 en el clímax del libro. Tanto en el Apocalipsis como en otras partes del Nuevo Testamento, se ve que estas realidades ya han *empezado* a cumplirse en Cristo — los creyentes como la nueva creación, la iglesia como el nuevo Israel, etc. A continuación, estas realidades proféticas se cumplen de forma *consumada*, especialmente como se prevé en 21:1–22:5.

COMENTARIO DEL TEXTO

PRÓLOGO (AP. 1:1-20)

Prólogo: La revelación fue dada para que Juan diera testimonio de lo que Dios ha hecho en Cristo y para que los creyentes fueran bendecidos al comprender la perspectiva de Dios en la historia y obedecer sus mandatos (1:1–20)

1. La revelación se da con el propósito de dar testimonio, lo que resulta en una bendición (1:1–3)

[1] La Revelación de Jesucristo, que Dios Le dio, para mostrar a Sus siervos las cosas que deben suceder pronto. Él la dio a conocer enviándola por medio de Su ángel a Su siervo Juan, [2] quien dio testimonio de la palabra de Dios y del testimonio de Jesucristo, y de todo lo que vio. [3] Bienaventurado el que lee y los que oyen las palabras de la profecía y guardan las cosas que están escritas en ella, porque el tiempo está cerca.

1 La Revelación de Jesucristo podría significar "la revelación por (o de) Jesucristo" o "la revelación sobre Jesucristo", o ambas cosas pueden estar incluidas. La palabra **revelación** (o "apocalipsis", en griego *apokalypsis*) expresa el tema y la naturaleza del libro. El libro es una forma elevada de profecía, que puede denominarse "apocalíptica", como se desprende del uso de "revelación" y "profecía" en los vv. 1–3 y en 22:7. Juan comienza describiendo su visión como una revelación que Dios le dio para mostrar a sus siervos **las cosas que deben suceder pronto**.

Las raíces de este versículo están en Dn. 2:28–30, 45–47, donde en las traducciones griegas del Antiguo Testamento aparece el verbo "revelado" cinco veces, el verbo "mostrar" ("significar", "comunicar", griego *sēmainō* [sólo en OG]) dos veces y la frase "lo que debe suceder" tres veces. La clave del significado de estas alusiones a Daniel es que Daniel está hablando allí del reino de Dios que tendrá lugar en los últimos días. Pero lo que Daniel afirma explícitamente que sucederá "en los últimos días", Juan lo reafirma: estos acontecimientos tendrán lugar rápidamente o **pronto**. Estas palabras no connotan la forma rápida en que se cumplirá la profecía de Daniel, ni la mera posibilidad de que pueda cumplirse en cualquier momento, sino el tiempo definitivo e inminente de su cumplimiento, que probablemente ya ha comenzado en el presente.

Lo que Daniel esperaba que ocurriera en los últimos días, Juan lo anuncia como inminente, o que está empezando a ocurrir ahora. El cambio de fraseología implica que la tribulación final, la derrota del mal y el establecimiento del reino, que Daniel esperaba que ocurriera de forma lejana en "los últimos días", Juan espera que comience en su propia generación — y, de hecho, ya ha empezado a ocurrir (para la idea de la tribulación que precede al reino divino, véase Daniel 7, que es una profecía paralela a Daniel 2). El enfoque de "rapidez" y "proximidad" en los vv. 1–3 se centra principalmente en la inauguración del cumplimiento profético y su aspecto en curso, más que en la proximidad del cumplimiento consumado (el regreso del Señor), aunque este último pensamiento está presente en segundo lugar.

El siguiente contexto muestra que el enfoque es el comienzo del cumplimiento y no el cumplimiento futuro final. Las referencias al período escatológico inminente (v. 3b), el hecho del reinado actual de Cristo sobre los reyes del mundo (v. 5), la forma inicial del reino de los santos (vv. 6, 9) y la siguiente referencia al "Hijo del hombre" (v. 13) y la visión (vv. 13–15), que también indican el cumplimiento inicial de Daniel 7, apuntan fuertemente a este enfoque y a la presencia de un marco de referencia a Daniel (comparar la discusión de estos textos más adelante).

Asimismo, la alusión a los siete candelabros de Zacarías 4 en los vv. 12, 20 y la referencia a Is. 49:2 y 11:4 (la espada en la boca del Mesías) en el v. 16 también indican que las profecías del Antiguo Testamento en esos textos han comenzado a cumplirse. De hecho, sólo un versículo en todo Apocalipsis 1 incluye claramente una referencia al último advenimiento de Cristo. E incluso ese versículo, 1:7, se refiere a la naturaleza progresiva del cumplimiento de Dn. 7:13 a lo largo de la era, que culminará con la venida final de Cristo. No hay duda de que Juan vio la resurrección de Cristo como el cumplimiento de la profecía de Daniel sobre la inauguración del reino de Dios. Esto indica que lo que se va a escribir no se refiere sólo a un futuro lejano, sino a lo que está ante nosotros aquí y ahora.

La cadena de comunicación en el v. 1 va de **Dios** a **Cristo**, a **su ángel**, a **Juan** y a los **siervos de Dios**. Esta última frase se refiere a la comunidad de fe en su conjunto, que tiene una vocación profética general, y no a un grupo limitado de profetas. Cuando más adelante en el libro resulta a veces difícil determinar si es Dios, Cristo o un ángel quien habla, la realidad es que el mensaje procede de los tres. Por tanto, el libro de Juan es una obra profética que se refiere al cumplimiento inminente e inaugurado de las profecías del Antiguo Testamento sobre el reino en Jesucristo.

2 El tema de la revelación se hace ahora más explícito. El hecho de que Juan vea todas las visiones no es otra cosa que su testimonio de la revelación sobre Dios y Jesucristo, y la revelación dada por ellos. La expresión **el testimonio de Jesucristo** es paralela a la frase anterior, **la Palabra de Dios**, aclarando su contenido preciso. La reveladora **palabra de Dios** se refiere a lo que Él ha llevado a cabo por medio de Jesucristo.

3 En el v. 3, Juan declara que el que tome a pecho **las palabras de la profecía** será **bienaventurado**. El mensaje del Apocalipsis, tal y como se desarrolla, no está pensado para dar pie a especulaciones intelectuales sobre el final de los tiempos, sino que es una serie de mandatos dirigidos a la vida actual de todos los que lo lean. La profecía en el Antiguo Testamento tenía generalmente dos referencias temporales: era un relato de la palabra de Dios para su pueblo en el presente, y una predicción de los acontecimientos que ocurrirían en el futuro. El Apocalipsis mantiene estas dos características de la profecía. Los que lo **lean** y los que **oyen** y **guarden** su mensaje serán **bienaventurados**. Que el libro tiene un objetivo ético final lo confirma la conclusión de 22:6–21, que es una ampliación intencionada del prólogo de 1:1–3, y especialmente del énfasis ético de 1:3. La profecía del v. 3 no es un conjunto de predicciones, sino, según la tradición bíblica, una palabra de Dios que exige una respuesta obediente en la vida de los creyentes.

La razón por la que los que escuchan las palabras proféticas deben prestarles atención se da ahora: **porque el tiempo está cerca**. Aquí Juan se hace eco de las palabras de Jesús en Marcos 1:15: "El tiempo se ha cumplido… y el reino de Dios se ha acercado", donde "se ha acercado" tiene el significado de "a punto de llegar" o "está llegando". Las dos cláusulas son paralelas: el tiempo del que habló Jesús se ha cumplido y el reino ha llegado. La conexión entre **porque el tiempo está cerca** y **pronto** en el v. 1 indica que en el v. 3b Juan está desarrollando más la perspectiva "inaugurada" de los últimos días del Antiguo Testamento (especialmente de Daniel 2) que transmite el v. 1a.

La conexión entre las dos cláusulas se pone de manifiesto en la conclusión del libro, donde 1:3a se reitera en 22:7b ("Bienaventurado el que guarda las palabras de la profecía de este libro") y se introduce mediante una repetición de 1:1a en 22:6 ("para mostrar a Sus siervos las cosas que han de suceder enseguida"). Juan ve la muerte y resurrección de Cristo como la inauguración del tan esperado reino del fin de los tiempos que los libros del Antiguo Testamento (como Daniel) predijeron y que seguirá existiendo durante toda la era de la iglesia. Considera que el reino de los últimos tiempos de Daniel ha llegado en la persona de Jesucristo. Sus palabras proféticas hablarán en el corazón del presente, no simplemente del futuro lejano. Afirmar que se ha beneficiado de la pasada obra redentora de Cristo conlleva el reconocimiento de someterse a Él como Señor en el presente.

Sugerencias para reflexionar sobre 1:1–3

- ***Sobre la comprensión del libro del Apocalipsis.*** El hecho de que Dios hablara a Juan de la forma en que se desarrolla a lo largo del Apocalipsis es notable. Parece que Dios da importancia a que su pueblo esté preparado para entender cómo se refiere al Antiguo Testamento en el Apocalipsis. ¿Hemos visto el Apocalipsis de esta manera o hemos tendido a rehuirlo porque nos sentimos incapaces de entenderlo correctamente? Una de las principales claves para entender el Apocalipsis es comprender cómo se utiliza el Antiguo Testamento en el libro.
- ***Sobre la comprensión de la profecía.*** Hoy en día se hace mucho hincapié en la "profecía". ¿Cómo relacionamos la palabra profética que Dios habló a Juan, que ha comenzado a cumplirse, con los mensajes o interpretaciones "proféticas" que se ofrecen tan comúnmente hoy en día, que ven el Apocalipsis de Juan sólo como perteneciente a eventos futuros de los últimos días?
- ***Sobre la comprensión de la profecía: reflexiones adicionales.*** Muchas de las enseñanzas sobre la profecía de hoy en día sugieren que Dios da palabras proféticas simplemente para mostrar a sus siervos lo que está a punto de suceder en los últimos días futuros. Pero, ¿hay algo más? ¿Qué

significa "guardar" la palabra profética (v. 3)? ¿Hay una respuesta a la profecía que sea más que la acumulación de conocimientos sobre el futuro?

2. Juan saluda a las iglesias en nombre del Padre, del Espíritu y del Hijo, cuya obra redentora da lugar a la nueva condición de los cristianos, todo ello para gloria de Dios (1:4–6)

[4] Juan, a las siete iglesias que están en Asia: Gracia y paz a ustedes, de parte de Aquél que es y que era y que ha de venir, y de parte de los siete Espíritus que están delante de Su trono, [5] y de parte de Jesucristo, el testigo fiel, el primogénito de los muertos y el soberano de los reyes de la tierra. Al que nos ama y nos libertó de nuestros pecados con Su sangre, [6] e hizo de nosotros un reino, sacerdotes para Dios, Su Padre, a Él sea la gloria y el dominio por los siglos de los siglos. Amén.

4 Juan se dirige ahora **a las siete iglesias**. La elección del número "siete" no es casual. El "siete" es el número favorito del Apocalipsis. Bíblicamente, significa finalización o plenitud y se deriva originalmente de los siete días de la creación. En Lv. 4:6, 17, la aspersión de la sangre por siete veces significaba una acción completada, al igual que la duración de siete días de los festivales, los servicios de ordenación, la marcha alrededor de Jericó y la duración de los períodos de limpieza de impurezas. El significado del número aquí es que las siete iglesias representan la plenitud de la iglesia. La naturaleza universal de las siete iglesias quedará más clara en el contexto siguiente (p. ej., 1:6; 5:9–10), especialmente en el significado de los siete candelabros del templo, que representan a todo el pueblo de Dios durante la era inter-adventual (véase 1:12; 11:3–4 ss.).

Asimismo, en Zac. 4:2, 10 y Ap. 5:6 también se entiende que las "siete lámparas" (= **los siete espíritus** = el "Espíritu Santo") del templo llevan a cabo la obra efectiva y universal de Dios (5:6: en "toda la tierra") al estar montadas en el (los) candelabro(s). Por lo tanto, los candelabros también deben estar incluidos en esa obra universal y tener una identidad universal. El hecho de que las siete iglesias representen a toda la iglesia, al menos en Asia Menor, si no en el mundo, se sugiere además al observar que cada carta dirigida a una iglesia en particular en los caps. 2–3 también se dice en su conclusión que está dirigida a todas las iglesias. No es casualidad que después de los caps. 2–3 sólo se aluda a la iglesia universal, y que estas siete iglesias desaparezcan de la vista. El mensaje profético de Juan se dirige en realidad a todo el cuerpo de Cristo, a la iglesia de todos los tiempos.

Los elementos típicos del saludo epistolar (**gracia y paz a ustedes**) están, como en otras epístolas del Nuevo Testamento, condicionados por el siguiente contenido de la carta y la situación histórica de los lectores. Los lectores cristianos necesitan gracia para perseverar en su fe en medio de las tribulaciones, especialmente las presiones para comprometerse (cf. caps. 2–3). Y en medio de esa agitación externa, necesitan la "paz" interior que sólo puede dar el Dios eterno que es soberano por encima de las vicisitudes de la historia espacio-temporal.

El propósito de esta revelación es dar la perspectiva eterna y transhistórica de **Aquél que es y que era y que ha de venir**, que puede permitir a los lectores entender sus mandamientos y así motivarlos a la obediencia (cf. v. 3). La cláusula triple completa es un reflejo de Éxodo 3:14 junto con las descripciones temporales dobles y triples de Dios en Isaías (cf. Is. 41:4; 43:10; 44:6; 48:12), que a su vez pueden ser reflejos desarrollados del nombre divino en Éxodo 3:14. Todas estas frases se emplean en sus respectivos contextos en el AT para describir a Dios no sólo como presente al principio, al medio y al final de la historia, sino como el incomparable y soberano Señor de la historia, que por lo tanto es capaz de llevar la profecía a su cumplimiento y de liberar a su pueblo a pesar de las abrumadoras probabilidades, ya sea de Egipto, Babilonia u otras naciones. Asimismo, la expresión se utiliza aquí para inspirar confianza en la dirección soberana de Dios sobre todos los asuntos terrenales y para infundir valor para mantenerse firme ante las dificultades que ponen a prueba la fe.

El mensaje profético no sólo procede de Dios y de Cristo, sino también de los **siete Espíritus** que están ante el trono. La referencia aquí es al Espíritu Santo, el número "siete" representa de nuevo la plenitud. El Espíritu Santo es necesario para traer a los creyentes la gracia y la paz con la que Juan los saluda aquí, y su obra será necesaria si los creyentes han de responder obedientemente a las palabras proféticas que pronto llegarán. Los lectores cristianos necesitan gracia para perseverar en su fe en medio de la tribulación, especialmente la presión para comprometerse (cf. caps. 2–3). Y en medio de esa agitación externa necesitan la paz interior que sólo puede dar el Dios eterno, que es soberano por encima de las pruebas y luchas de las realidades cotidianas a las que se enfrentan los creyentes. Juan alude aquí a Zac. 4:2–9, donde siete lámparas representan un Espíritu que trae la gracia para la construcción del templo. Obsérvese de nuevo cómo Ap. 4:5–6 identifica las siete lámparas ante el trono con los siete espíritus. El Espíritu Santo nos capacita para convertirnos en el templo en el que habita Dios.

5 El saludo de Juan proviene de **Jesucristo**, a quien se describe como **el testigo fiel, el primogénito de los muertos y el soberano de los reyes de la tierra**. Juan está citando el Salmo 89:27, 37, donde se utilizan las tres frases. El Salmo habla del rey que gobernará sobre sus enemigos y cuya descendencia se sentará en su trono para siempre (vv. 19–29). El "primogénito" del Salmo se define claramente como **primogénito de los muertos**. Cristo ha adquirido una posición soberana sobre el cosmos.

Esto no debe entenderse en el sentido de que se le reconozca como el primer ser creado de toda la creación, ni siquiera como el origen de la creación, sino que es el inaugurador de la nueva creación por medio de su resurrección, como explica 3:14. Juan piensa en Jesús como la semilla de David, cuya resurrección ha dado lugar al establecimiento de su reino eterno. Los reyes de la tierra, como en general en otras partes del Apocalipsis (6:15; 17:2; 18:3, etc., aunque véase 21:24 para una excepción), no son los súbditos leales del reino, sino los reyes terrenales que se oponen al gobierno de Cristo. Esto incluye no sólo los reinos y pueblos representados por ellos, sino también las fuerzas satánicas que están detrás de estos reinos.

El hecho de que Cristo gobierne ahora sobre estos reyes demuestra una vez más que los acontecimientos que se desarrollan en las visiones se refieren a realidades presentes durante toda la era de la Iglesia, y no sólo a acontecimientos del futuro que preceden inmediatamente al regreso del Señor. Como resultado de la reflexión sobre el cumplimiento del Salmo 89 por parte de Cristo, al final del versículo Juan prorrumpe en una doxología cristológica exclamativa, **al que nos ama y nos libertó de nuestros pecados con Su sangre**, que continúa hasta el final del v. 6, concluyendo con una doxología a Dios.

6 La alabanza cristológica continúa desde el v. 5: lo que Cristo ha hecho a los creyentes, **hizo de nosotros un reino, sacerdotes** para servir a **Su Dios**. Su identificación con su realeza (v. 5a) significa que ellos también se consideran resucitados y ejercen el gobierno con Él como resultado de su exaltación. Han sido constituidos reyes junto con Cristo y comparten su oficio sacerdotal en virtud de su identificación con su muerte y resurrección. La referencia aquí es a Éx. 19:6: "Ustedes serán para Mí un reino de sacerdotes y una nación santa". Nótese lo significativo que es el cambio de tiempo. Lo que se profetizó como el papel de

Israel en el Éxodo, y que nunca se cumplió por parte de Israel, ahora se declara como realizado por Juan, pues el verbo (**hizo**) está en tiempo pasado. El **reino** aquí no se refiere sólo a un lugar, sino, en paralelo con **sacerdotes**, a una acción. "Reino" también puede significar "realeza" o "poder real".

Los creyentes no se limitan a vivir dentro de un reino, sino que ejercen su poder real (aunque bajo Cristo). Los creyentes ya han entrado en este papel como sacerdotes y como reyes, aunque la forma de su actuación está todavía incompleta. Cristo ejerció su papel de sacerdote mediante su muerte sacrificial ("nos libertó de nuestros pecados con Su sangre") y su "testimonio fiel" (v. 5), y ejerció su papel de rey derrotando espiritualmente al pecado y a la muerte en la cruz y resucitando posteriormente de entre los muertos ("primogénito" y "soberano", v. 5). La iglesia se identifica también con Cristo como sacerdote y ahora ejerce su papel de sacerdotes manteniendo un testimonio fiel al mundo y la voluntad de sufrir por Cristo. Derrota las estrategias del enemigo aunque sufra una aparente derrota, pero sigue gobernando en un reino (como hizo Cristo en la cruz). Estos temas se retoman a menudo a medida que se desarrolla el Apocalipsis, aunque la primera vez que aparece es tres versículos después (v. 9).

La expresión del Éxodo es un resumen del propósito de Dios para Israel. Esto significaba principalmente que debía ser una nación real y sacerdotal que mediara la luz de la revelación salvadora de Yahvé dando testimonio a los gentiles (p. ej., Is. 43:10–13), un propósito que, según observaron repetidamente los profetas del Antiguo Testamento, Israel nunca cumplió (p. ej., Is. 40–55). Al igual que los sacerdotes del Antiguo Testamento, todo el pueblo de Dios tiene ahora acceso libre y sin intermediarios a la presencia de Dios, porque Cristo ha eliminado el obstáculo del pecado mediante su sangre sustitutiva. Es la luz de la presencia de Dios lo que deben reflejar al mundo.

El hecho de que Juan considere que Éx. 19:6 se ha cumplido en la iglesia indica que la iglesia continúa ahora el verdadero Israel como heredero de las promesas de Dios y como Su pueblo del pacto, mientras que los judíos incrédulos son descritos no como verdaderos judíos sino como una sinagoga de Satanás (2:9). Este cumplimiento del plan redentor de Dios traerá la **gloria** eterna y culminará en su **dominio** eterno.

3. La realeza del Hijo y la soberanía del Padre sobre la historia son la base de la gracia y la paz de la Iglesia y la gloria del Padre (1:7–8)

[7] Él viene con las nubes, y todo ojo Lo verá, aun los que Lo traspasaron; y todas las tribus de la tierra harán lamentación por Él. Sí. Amén. [8] "Yo soy el Alfa y la Omega", dice el Señor Dios, "el que es y que era y que ha de venir, el Todopoderoso".

7 La conclusión de los saludos de Juan viene en este verso y en el siguiente. Este versículo se compone de dos citas del Antiguo Testamento. La primera es de Dn. 7:13, que se refiere a la entronización del Hijo del Hombre sobre las naciones. Juan ve este versículo como cumplido en la entronización de Cristo a la diestra del Padre. El segundo es de Zac. 12:10, que se refiere a la victoria de Israel sobre las naciones al final de los tiempos y al arrepentimiento de Israel ante el Señor, a quien el pueblo de Israel ha traspasado.

Zacarías también habla del luto por un hijo primogénito, lo que hace eco de la cita del Salmo 89 en el v. 5. Pero el texto de Zacarías se ha universalizado, pues en el original sólo habla de que la casa de David se lamenta por Él como resultado del Espíritu de gracia derramado sobre ellos, mientras que Juan habla de que **todas las tribus de la tierra** lo harán, y además añade la frase **todo ojo Lo verá**. Lo que se aplica en Zacarías 12 a Israel se traslada ahora en el Apocalipsis a todos los pueblos de la tierra, concretamente a aquellos pueblos que, habiendo recibido el Espíritu Santo y Su gracia (véase el v. 4), es decir, todos los verdaderos creyentes en Jesús, se **lamentan por** lo que le han hecho. Esto continúa la misma tendencia de aplicación vista con el uso de Éx. 19:6 en el v. 6.

Por lo tanto, los gentiles arrepentidos son vistos como parte del verdadero Israel en el cumplimiento de la profecía de Zacarías en la segunda venida de Cristo. Sin embargo, la referencia de Daniel 7 puede incluir todo el transcurso de la era de la iglesia durante la cual Cristo guía los acontecimientos de la historia en juicio y bendición, ya que la alusión al Hijo del hombre en 1:13 tiene aplicación en el presente. La referencia de Daniel se refiere a la "venida" del Hijo del Hombre para recibir un reino y una autoridad del tiempo del fin. Juan entiende que este reino se ha recibido en la resurrección, y en este sentido la venida final de Jesús es el final de un proceso por el que Él "viene" continuamente a las iglesias como su Salvador e incluso Juez a lo largo de la era de la iglesia.

En 2:5, 16 y 3:3, la venida de Jesús a la que se hace referencia no es definitivamente su regreso final, sino su venida en juicio presente a las iglesias. Por lo tanto, se podría argumentar que la frase "vengo pronto" en 3:11 también alude a una pronta venida en juicio. Por lo tanto, la **venida** de Cristo en el v. 7 y en otras partes del Apocalipsis se entiende mejor como un proceso que ocurre a lo largo de la historia, de modo que su llamada "segunda venida" es en realidad una venida final que concluye todo el proceso de venidas. En consecuencia, sus "venidas" en bendición y juicio a lo largo del tiempo no son sino manifestaciones de su ejercicio de la autoridad de los últimos días. La cita de Zacarías quizás connota el clímax del proceso histórico expresado en la alusión de Daniel 7 (es decir, el regreso de Cristo).

Sin embargo, en Jn. 19:37, la cita de Zac. 12:10 se refiere al soldado gentil cerca de la cruz que "traspasó" a Jesús y luego aparentemente se arrepintió (cf. Jn. 19:34–37 y Mr. 15:39). Una aplicación sorprendentemente similar de Zac. 12:10 se encuentra aquí. En consecuencia, la referencia a Zacarías 12 también podría incluir la aplicación a un período que precede a la venida final (la era de la iglesia) cuando los gentiles crean en el Mesías. El **amén** concluye el versículo para mostrar la fiabilidad y la certeza de lo que se acaba de decir en la parte anterior del versículo.

8 La sección de saludos concluye con la descripción que el Señor hace de sí mismo utilizando la primera y la última letra del alfabeto griego, **el Alfa y la Omega**. Se trata de una figura retórica que implica la afirmación de polos opuestos para destacar todo lo que hay entre los opuestos. Así, la afirmación de que Dios es el principio y el fin de la historia subraya su presencia en todo momento y su dominio sobre todos los acontecimientos intermedios. El gobierno soberano de Dios se pone de relieve al referirse a Él como **el que es y que era y que ha de venir**, lo que significa que Dios es **el Todopoderoso**. Con esta triple fórmula no sólo se expresa la totalidad de la polaridad (**el que era y que ha de venir**), sino que se añade un elemento intermedio (**el que es**) para mostrar que Dios gobierna, efectivamente, los acontecimientos entre el principio y el final de la historia. En realidad, este elemento intermedio se pone en primer lugar, fuera de orden, para destacar ante los lectores que Dios está presente con ellos, gobernando todas las circunstancias en las que se encuentran. Este énfasis sirve de base para el v. 7, ya que sólo con la presuposición de un Dios omnipotente se puede hacer una afirmación tan segura sobre la consumación de la historia.

Sugerencias para reflexionar sobre 1:4–8

- ***Sobre el número siete.*** Dado el uso que hace Juan del número "siete" y su significado aquí como representación de la iglesia en su conjunto o de la iglesia universal, ¿cómo deberíamos pensar en la iglesia hoy en día? ¿Nuestra comprensión se limita a menudo a nuestra congregación local, o quizás a otras congregaciones con las que estamos familiarizados? ¿Cómo podemos ajustar nuestra visión para ver la iglesia de forma más amplia, tal y como la ve Dios?
- ***Sobre el Espíritu Santo como constructor del templo.*** Zac. 4:2–7 se refiere a las siete lámparas que representan un Espíritu que trae la gracia para la construcción del segundo templo de Israel. Juan representa a este mismo Espíritu como constructor del templo de la iglesia. ¿Cómo podemos aprender a apreciar más profundamente lo que significa que el Espíritu Santo esté construyendo la iglesia en un templo? ¿Es a menudo una figura ignorada en el proceso? ¿Cómo podrían 1 Co. 3:16–17 y 6:19 arrojar luz sobre esto?
- ***Sobre la resurrección de Cristo.*** Que Cristo sea el primogénito de entre los muertos significa que ha inaugurado la nueva creación mediante su resurrección. ¿Apreciamos la importancia de la resurrección como la mayor línea divisoria de la historia, o pensamos que otros acontecimientos, pasados o futuros, constituyen líneas divisorias mayores? ¿Cómo afecta esta comprensión de la resurrección de Cristo como el comienzo de la nueva creación a la opinión de muchos de que el fin de los tiempos es todavía futuro?
- ***Sobre los creyentes como reino y sacerdotes.*** Cristo nos ha hecho un reino y sacerdotes para servir a Dios. ¿De qué manera práctica ejercemos hoy los creyentes nuestras funciones reales y sacerdotales? ¿Cómo podría ayudarnos Ap. 1:6 a reflexionar sobre esta cuestión?
- ***Sobre la venida de Jesús.*** ¿Cómo entendemos el concepto de la "venida" de Jesús a su iglesia a lo largo de la historia (en contraposición a su venida final)? ¿Cómo puede afectar la idea de que Jesús viene continuamente a la forma en que vivimos como cristianos y conducimos nuestra vida eclesiástica hoy?

4. Juan es comisionado como profeta para escribir a las iglesias, porque su confianza se basa en la posición de Cristo como juez celestial, sacerdote y gobernante de la iglesia como resultado de Su victoria sobre la muerte (1:9–20)

[9] Yo, Juan, hermano de ustedes y compañero en la tribulación, en el reino y en la perseverancia en Jesús, me encontraba en la isla llamada Patmos, por causa de la palabra de Dios y del testimonio de Jesús. [10] Estaba yo en el Espíritu en el día del Señor, y oí detrás de mí una gran voz, como sonido de trompeta, [11] que decía: "Escribe en un libro lo que ves, y envíalo a las siete iglesias: a Éfeso, Esmirna, Pérgamo, Tiatira, Sardis, Filadelfia y Laodicea". [12] Entonces me volví para ver de quién era la voz que hablaba conmigo, y al volverme, vi siete candelabros de oro. [13] En medio de los candelabros, vi a uno semejante al Hijo del Hombre, vestido con una túnica que Le llegaba hasta los pies y ceñido por el pecho con un cinto de oro. [14] Su cabeza y Sus cabellos eran blancos como la blanca lana, como la nieve. Sus ojos eran como una llama de fuego. [15] Sus pies se parecían al bronce bruñido cuando se le ha hecho refulgir en el horno, y Su voz como el ruido de muchas aguas. [16] En Su mano derecha tenía siete estrellas, y de Su boca salía una espada aguda de dos filos. Su rostro era como el sol cuando brilla con toda su fuerza. [17] Cuando Lo vi, caí como muerto a Sus pies. Y Él puso Su mano derecha sobre mí, diciendo: "No temas, Yo soy el Primero y el Último, [18] y el que vive, y estuve muerto. Pero ahora estoy vivo por los siglos de los siglos, y tengo las llaves de la muerte y del Hades. [19] Escribe, pues, las cosas que has visto, y las que son, y las que han de suceder después de éstas. [20] En cuanto al misterio de las siete estrellas que viste en Mi mano derecha y de los siete candelabros de oro: las siete estrellas son los ángeles de las siete iglesias, y los siete candelabros son las siete iglesias".

9 En los vv. 9–11 Juan recibe el encargo de escribir una revelación profética. Se identifica con sus lectores en la **tribulación, en el reino y en la perseverancia** que son nuestros **en Jesus**. De este modo, se presenta de una manera que continúa el tema del reino de los vv. 5–7, especialmente el v. 6. Sólo un artículo griego precede a estas tres palabras, lo que transmite la idea de que las tres forman parte de la misma realidad. No se puede ejercer el gobierno del reino sino a través de la tribulación y la resistencia. Pero este es un reino no previsto por la mayoría del judaísmo. El ejercicio del gobierno en este reino comienza y continúa sólo cuando uno soporta fielmente la tribulación. Esta es la fórmula de la realeza: la resistencia fiel a través de la tribulación es el medio por el cual uno reina en el presente con Jesús.

Los creyentes no son meros súbditos en el reino de Cristo. El hecho de que Juan utilice la palabra **compañero** subraya la participación activa de los santos, no sólo en la resistencia de la tribulación, sino también en el reinado en medio de ella. Su identificación con Cristo es la base de las pruebas a las que se enfrentan, así como de su capacidad para soportarlas y participar en el **reino** como reyes. Esta forma paradójica de gobierno refleja la manera en que Jesús ejerció su autoridad en su ministerio terrenal e incluso desde la cruz, y los cristianos deben seguir su camino. Esto se convierte en un tema principal a medida que se desarrolla el Apocalipsis.

Los creyentes vencerán negándose a ceder ante las pruebas (2:9–11; 3:8–10), sufriendo como lo hizo el propio Juan (v. 9) y, en general, persiguiendo un carácter semejante al de Cristo (caps. 2–3). Al igual que el comienzo del reinado de Jesús, el Apocalipsis revela que el reinado de los santos consiste en "vencer" al no comprometer su testimonio fiel frente a las pruebas (p. ej., 2:9–11, 13; 3:8; 12:11), gobernando sobre los poderes del mal (p. ej., véase 6:8 en relación con 6:9–11), derrotando el pecado en sus vidas (v. 2–3), así como habiendo comenzado a gobernar sobre la muerte y Satanás mediante su identificación con Jesús (v. 1:5–6, 18). Su resistencia forma parte del proceso de "vencer" (véase la promesa final en cada una de las cartas).

La **tribulación** es una realidad presente (así en 2:9) y continuará entre las iglesias en un futuro inminente (2:10). El propio Juan estaba soportando esta tribulación en **Patmos**, donde había sido exiliado debido a su testimonio de Cristo: **por causa de la palabra de Dios y del testimonio de Jesús**. "Testificar" podría significar testificar en un tribunal, que era su escenario principal en el mundo griego y es la forma en que se utiliza en el Evangelio de Juan. Esto significaría que el rechazo del "testimonio" de Jesús y de los cristianos por parte del mundo y sus tribunales se convierte en la base de su juicio en el tribunal celestial (véase 11:3 y 22:20).

10 Juan introduce su encargo (**Estaba yo en el Espíritu**) utilizando un lenguaje similar al de Ezequiel (Ez. 2:2; 3:12, 14, 24), situándose así al nivel de los profetas del Antiguo Testamento. Esto se ve reforzado por el hecho de que oye una **gran voz, como sonido de trompeta**, similar a la que oyó Moisés en Éx. 19:16–20. A Juan se le ha confiado el testimonio de la revelación del Jesús celestial porque ha sido fiel al dar testimonio de la revelación del Jesús terrenal (este es el significado de las frases "la palabra de Dios" y el "testimonio de Jesús" en los vv. 2a y 9b).

11 El encargo profético de Juan se ve reforzado por la orden de **escribir en un libro** (o rollo) **lo que ve**, al igual que se le dijo a Moisés en Éx. 17:14, a Isaías en Is. 30:8 (LXX), o Jeremías en Jer. 36:2. El lector empapado en el AT quizás discerniría que todos esos encargos en los profetas eran mandatos de escribir testamentos de juicio contra Israel (así en Jer. 37:2; cf. también Éx. 34:27; Is. 8:1; Jer. 36:2; Hab. 2:2). Por lo tanto, en este punto inicial del libro ya hay un indicio de que una de sus principales preocupaciones es el juicio (como veremos, el juicio tanto contra el mundo como contra aquellos en la iglesia que se comprometen con el mundo; véase los caps. 2–3). No sabemos por qué se le encargó a Juan que enviara su profecía a estas siete iglesias, aparte de que tal vez fueran las iglesias más importantes de la región, pero es evidente que el significado bíblico del número siete indica que estas iglesias representan a todas las iglesias, tanto entonces como ahora.

12–20 La visión relatada en los vv. 12–20 sigue el patrón típico de las visiones del Antiguo Testamento (Is. 6:1–7; Jer. 1:11–12, 13–14; Ez. 2:9–3:11; Dn. 8:3–27; 10:2–12:3; 12:5–13; Zac. 4:1–3; 5:1–11; 6:1–8). En primer lugar, se relata la visión (vv. 12–16); a continuación, se da la respuesta del que recibe la visión (v. 17a); luego sigue la interpretación de la visión (vv. 17b–20). La visión desarrolla los temas del sufrimiento, el reino y el sacerdocio que se encuentran en los vv. 1–9 e introduce el nuevo tema de Cristo como juez. En los vv. 12–16, Cristo es representado como el sacerdote celestial escatológico y el gobernante y juez de los últimos tiempos.

La sección interpretativa revela que fue su victoria sobre la muerte lo que le colocó en estos cargos (vv. 17b–18) y que su realeza se refiere principalmente a su gobierno sobre la iglesia. Esta visión en los vv. 12–20 revela que la función general de los vv. 9–20 es servir como una comisión a Juan de parte de Cristo resucitado para escribir la totalidad de la visión que presenció, como se evidencia por la reafirmación de la comisión en el v. 19. ¿Cómo se relaciona la función de Cristo como juez con sus funciones real y sacerdotal? Si las iglesias no mantienen su papel de reyes sacerdotales dando fielmente "el testimonio de Jesús" ante el sufrimiento, entonces serán juzgadas por Cristo. Si son fieles y son perseguidas injustamente, no deben temer (v. 17), porque pueden estar seguras de que, en última instancia, superarán su derrota de la misma manera que lo hizo Cristo. Las alusiones al Antiguo Testamento en esta visión son esenciales (como en general en todo el Apocalipsis) para comprender su significado.

12 Lo primero que **ve** Juan son los **siete candelabros de oro**, que representan a la Iglesia (cf. 1:20). En Zac. 4:2–6, el candelabro con sus siete lámparas es una expresión figurativa por la que una parte del mobiliario del templo representa a todo el templo, que por extensión también representa al Israel fiel (cf. Zac. 4:6–9). En el tabernáculo y en el templo, el candelabro, con sus siete lámparas, estaba en el Lugar Santo ante la presencia misma de Dios en el Lugar Santísimo, junto con el pan de la presencia (de la proposición), y los judíos entendían que la luz que salía de sus lámparas representaba la presencia del Señor (Nm. 8:1–4).

En la visión de Zacarías, las siete lámparas (4:2) parecen representar el poder del Espíritu (4:6) que dará al pueblo de Israel (el candelabro sobre el que se asientan las lámparas) el poder para reconstruir el templo. Juan ve siete candelabros, cada uno de los cuales representa una de las siete iglesias y todos juntos representan la iglesia universal. La iglesia, como continuación del verdadero Israel, también debe obtener su poder de las siete lámparas, que representan al Espíritu Santo (Ap. 1:4; 4:5), mientras intenta construir el nuevo templo de Dios. Así pues, para Juan, el templo de los últimos días ya se ha inaugurado en la Iglesia, como se ha sugerido por la referencia anterior a Zacarías (véase el v. 4) y se ha implicado por el uso de Éx. 19:6 en el v. 6 (la Iglesia como *sacerdotes* y reyes).

Esto se confirma en Ap. 11:1–13, donde los candelabros representan a la iglesia como el verdadero templo durante el tiempo entre la primera y la segunda venida del Señor. A la luz de los vv. 5–6, la muerte y resurrección de Cristo han puesto los cimientos del nuevo templo, que Él construirá por medio del Espíritu (las lámparas del candelabro). El cambio de un candelabro en Zacarías a siete en el Apocalipsis subraya no sólo que esta carta está destinada a la iglesia universal del fin de los tiempos, sino también la idea de que el verdadero Israel ya no se limita a una nación, sino que abarca a todos los pueblos.

13–16 Juan relata ahora su visión del **Hijo del Hombre**. La visión está tomada de Dn. 7:13–14 y 10:5–6. Así como los sacerdotes del Antiguo Testamento cuidaban las lámparas y **los candelabros,** Cristo es representado aquí como un sacerdote celestial que cuida los candelabros corrigiéndolos y exhortándolos, como se verá en los caps. 2–3. El hecho de que los ojos de Cristo sean como **una llama de fuego** (v. 14) habla de su función de juzgar, como queda claro en 19:12, donde se utiliza la misma frase para describir a Cristo en su función de juez. La presencia constante de Jesús con las iglesias significa que Él siempre conoce su condición espiritual, que resulta en bendición o juicio. Esta función de juicio se ve reforzada por Daniel 10, ya que allí el propósito principal del hombre celestial es revelar el decreto divino de que los perseguidores de Israel serían seguramente juzgados (véase 10:21–12:13). Dn. 10:6 incluso describe al hombre con "ojos... como antorchas de fuego", y Dn. 10:16 (Theod.) identifica a esta persona como alguien que tiene "semejanza a un hombre".

El hecho de que los **pies** de Cristo sean como el **bronce bruñido, cuando se le ha hecho refulgir en el horno** (v. 15) habla de un fundamento de pureza moral en Cristo que Él también quiere construir en la iglesia (nótese cómo la frase similar en 3:18 se refiere a la pureza moral). La descripción de la **cabeza** y el **cabello** del Hijo del Hombre está tomada de la imagen del Anciano de Días en Dn. 7:9, mostrando cómo Cristo y Dios pueden ser considerados en los mismos términos. La descripción de Su **voz como el ruido de muchas aguas** también está tomada de una visión del Todopoderoso, aunque esta vez de Ezequiel (Ez. 1:24; 43:2). El hecho de que Cristo (v. 16) tenga en su mano **siete estrellas** (identificadas en el v. 20 como los ángeles de las iglesias) muestra que su autoridad se extiende también a los reinos celestiales. Esto puede sugerir que las estrellas, aunque sean angelicales, representan la existencia celestial de la iglesia y los candelabros su existencia terrenal.

La **afilada aguda de dos filos** que sale de la boca de Cristo (véanse también 2:16 y 19:15) se basa en las profecías de Is. 11:4 y 49:2, que hablan de Cristo en su papel de juez ("Herirá la tierra con la vara de Su boca", Is. 11:4). Con esta espada, Cristo juzgará tanto la desobediencia en la iglesia (2:16) como el mundo (19:15). El hecho de que el **rostro** de Cristo sea **como el sol cuando brilla con toda su fuerza** es una alusión a Jue. 5:31, donde se dice lo mismo del victorioso guerrero israelita. En este caso, se considera que la representación de Jueces apunta a Cristo como el guerrero mesiánico ideal del final de los tiempos.

17–18 En el v. 17a se encuentra la respuesta de Juan a esta visión. Sigue el mismo patrón que el de Daniel (véase Dn. 8:16–19 y 10:7–12): el profeta recibe una visión, cae al suelo por el miedo, es fortalecido por un ser celestial y luego recibe más revelaciones. La visión se interpreta en los vv. 17b–20. El Hijo del Hombre se describe a sí mismo como **el Primero y el Último**, utilizando las mismas palabras que Dios se atribuye a sí mismo en Ia. 41:4; 44:6; y 48:12 y

---

Theod. La traducción griega de las Escrituras hebreas de Teodoción

también en Ap. 1:8. Esta frase se refiere a la completa soberanía de Dios sobre la historia humana desde el principio hasta el final, y su uso por parte del Cristo exaltado muestra aquí que Él también es Señor de la historia, eliminando así cualquier duda de que Él también es divino. Esta transferencia se amplía en 22:13 de tal manera que Cristo allí (y aquí) debe entenderse como tal. Cristo es la fuerza que está detrás de la historia, haciendo que ésta cumpla sus propósitos. El público de Juan, al igual que el de Isaías, debe confiar en la soberanía de Dios permitiendo que fortalezca su testimonio profético.

En este sentido, Juan y sus lectores no deben **temer**. En el v. 18, Jesús se refiere a sí mismo como **el que vive**, aludiendo así a su triunfo sobre el poder de la muerte. La triple fórmula que describe la resurrección en el v. 18a (**vive... muerto... vivo**) no puede ser accidental, sino que está diseñada como un apoyo más al atributo divino atribuido a Cristo en el v. 17b. Para ello, se inspira en la triple fórmula temporal de 1,4 y 1,8 (referida a Dios), con la que el propio v. 17b está estrechamente relacionado. De esta similitud de las tres cláusulas, el lector atento debería discernir que la muerte y resurrección de Jesús fue una realización integral de los propósitos divinos en la historia y estableció que Él mismo estaba guiando esta historia. Él también es el que **vive por los siglos de los siglos**, la misma frase que se utiliza para referirse a Dios Padre en el AT (Dt. 32:40; Dn. 12:7).

El hecho de que Cristo tenga las **llaves de la muerte y del Hades** muestra que ahora gobierna incluso sobre la muerte. El trasfondo es probablemente Is. 22:22, donde Eliaquim, a quien se le dio la llave de la casa de David, fue visto por los judíos como un tipo del "siervo" mesiánico real y sacerdotal que reinaría (véase más adelante en 3:7). Mientras que una vez Cristo mismo estuvo sujeto por las garras de la muerte, ahora no sólo ha sido liberado de ella, sino que también tiene el poder de determinar quién más será liberado de este modo. Este versículo asegura a los creyentes que, independientemente de los sufrimientos o las pruebas que puedan soportar ahora, si perseveran, reinarán para siempre con Cristo.

19 El **pues** del v. 19 es significativo. A Juan se le encarga de nuevo que profetice sobre la base de quién es Cristo y de su triunfo sobre los poderes de la muerte, como se expone en la visión de los vv. 12–18. En cuanto al significado de la triple cláusula de este versículo, sobre la base de nuestra discusión en la Introducción anterior (parte 10.), concluimos que el significado es el siguiente. El ángel ordena a Juan que escriba **las cosas que has visto**. Se trata de una simple referencia a la serie de visiones que Juan está a punto de recibir del Señor, y que debe registrar, dándonos así el Apocalipsis tal como lo tenemos en nuestra Biblia.

Esta serie de visiones trata de **las que son, y las que han de suceder después de éstas**. Esta última frase alude a la revelación de Daniel de los últimos tiempos, que incluso ahora, según Ap. 1:1, están empezando a cumplirse en Cristo. Por lo tanto, como Juan se encuentra al principio de los tiempos finales, debe registrar tanto lo que ya está sucediendo a su alrededor como las cosas que seguirán desarrollándose a medida que avancen los tiempos finales. Así, el Apocalipsis abarca todos los acontecimientos de la historia del mundo, desde la muerte y resurrección de Cristo hasta su regreso final. Los acontecimientos registrados en él se repetirán a lo largo de la historia de la humanidad y, por tanto, seguirán siendo relevantes para los lectores de todos los tiempos, aunque también apuntan a un clímax final en el momento del regreso del Señor.

20 Ahora Juan comienza a revelar el **misterio**, otra clara referencia a Daniel (2:29). Los **candelabros se** identifican ahora claramente como las iglesias. Los **ángeles** son seres celestiales (la palabra se utiliza con esta referencia aproximadamente sesenta veces en el Apocalipsis) estrechamente identificados con las iglesias a las que representan y ayuDn. (Así pues, los "ángeles" no son líderes humanos ni representantes de las iglesias ni personificaciones de las iglesias ni portadores de cartas humanos, sin embargo esta última opción es la más viable entre estas alternativas).

Las iglesias se dirigen a través de sus ángeles representantes, aparentemente para recordar a los creyentes que ya una dimensión de su existencia es celestial y que su verdadero hogar no está con los "habitantes de la tierra" incrédulos (3:10 y en otras partes del Apocalipsis). Y uno de los propósitos de la iglesia que se reúne en la tierra en sus reuniones semanales (p. ej., como "el que lee y los que oyen" en 1:3) es que se le recuerde su existencia e identidad celestial modelando su adoración en la de los ángeles y la iglesia celestial al Cordero exaltado. Por eso las escenas de adoración celestial se entretejen a lo largo del Apocalipsis.

Esta visión inicial ha mostrado a Cristo de pie en completa autoridad sobre la historia humana, pero lo hace de pie en medio de las iglesias (v. 13), que están pasando por todo tipo de pruebas e incluso aparentes derrotas (como se desarrollará en los caps. 2–3). Ap. 1:13–16, 20 muestra al "Hijo del Hombre" en una posición actual de soberanía entre las débiles y sufridas iglesias de su reino, lo que pone de manifiesto la forma inesperada en que el esperado reino daniélico ha alcanzado su cumplimiento inicial.

Y el **misterio** se ha utilizado también desde Daniel precisamente en este punto para subrayar la naturaleza irónica del cumplimiento y su inversión de las expectativas. En Daniel 2, el "misterio" tiene que ver con el significado oculto de un símbolo cuya interpretación tiene un significado escatológico. El **misterio**, en apariencia, se refiere al significado oculto de las estrellas y los candelabros, que están a punto de ser interpretados. Pero **el misterio** también conlleva la connotación de un cumplimiento inesperado, del final de los tiempos, incluido en el significado de las estrellas y los candelabros en el contexto actual. El **misterio** que Cristo revela aquí a Juan es la realidad de que su gobierno coexiste con el sufrimiento de las iglesias.

Este es, de hecho, el misterio de la cruz, el mismo misterio por el que Cristo mismo, siendo el Creador del universo, tuvo que someterse al poder de la muerte. A este mismo misterio se refieren Ro. 11:25; 1 Co. 2:7; y Ef. 3:3–6. Jesús habló de los misterios del reino (Mt. 13:11), con lo que se refería al comienzo del cumplimiento de las profecías bíblicas, de una manera sorprendente y contraria a lo que comúnmente se predecía, y, sobre todo, a la forma que adoptó el reino de los cielos en su vida y muerte, a diferencia de la forma en que el pueblo judío esperaba que llegara. Este **misterio** se aplica aquí a la Iglesia, tanto en su situación presente como futura.

Sugerencias para Reflexionar sobre 1:9–20

- ***Sobre la idea de la tribulación.*** Si el reino marcado por la tribulación y la resistencia era inesperado para el judaísmo, ¿de qué manera podríamos decir que también es inesperado para los cristianos contemporáneos? ¿Qué ocurre cuando entendemos erróneamente el cristianismo centrándonos en la "conquista" o en la salud y la riqueza en nuestras vidas sin hacer referencia a la cruz de Jesús y a nuestra imitación de su sufrimiento?
- ***Otras reflexiones sobre la tribulación.*** ¿Cómo afecta la comprensión de la tribulación del tiempo del fin como una realidad presente, en lugar de referirse a un período futuro definido, a la forma en que entendemos los desafíos que podemos esperar enfrentar como cristianos?
- ***Sobre la presencia de Cristo con la iglesia.*** Parece que Juan está encargado, como los profetas del Antiguo Testamento, de llevar un mensaje tanto de consuelo como de juicio. ¿Cómo pueden coexistir estos

dos temas? La realidad de la presencia de Cristo en la iglesia por medio de su Espíritu nos recuerda que es consciente de todo lo que ocurre en ella. ¿Somos tan conscientes de su presencia como Él es consciente del estado de nuestros corazones? Sabemos que Cristo viene a juzgar al mundo, pero ¿cómo podría decirse que también viene a juzgar a la iglesia? Reflexione sobre esto a la luz de Apocalipsis 2:23 (y vea los comentarios al respecto).

- ***Sobre la presencia soberana de Dios.*** Dios es el Alfa y la Omega, y Cristo es el primero y el último, la fuerza que impulsa la historia humana. ¿De qué manera la soberanía de Dios y de Cristo y su presencia continua con su pueblo ayudan a los creyentes a ver los desafíos y el sufrimiento que llegan a sus vidas?
- ***Sobre el significado del fin de los tiempos.*** Si el Apocalipsis enseña que el fin de los tiempos comenzó con la cruz y la resurrección, ¿qué significa esto para nosotros? ¿Vemos que esta verdad se atestigua sistemáticamente en otras partes del Nuevo Testamento? Dada la frecuente comprensión del fin de los tiempos como una realidad futura, ¿cómo es que hemos malinterpretado una verdad bíblica tan crítica?

I. LAS CARTAS A LAS SIETE IGLESIAS (AP. 2:1-3:22)

Las cartas a las siete iglesias: Cristo anima a las iglesias a dar testimonio, les advierte contra el compromiso y les exhorta a escuchar y a superar el compromiso para heredar la vida eterna (2:1–3:22)

En nuestros comentarios sobre el esquema y el plan del Apocalipsis, discutimos ampliamente la interrelación de las cartas y las visiones. El desarrollo de la visión del Hijo del Hombre (1:9–20) a lo largo de las cartas explica mejor la presencia de frases y conceptos de las cartas en la siguiente porción visionaria. La visión se desarrolla principalmente en las introducciones de las cartas (aunque también se desarrolla en el cuerpo de algunas de ellas y en las partes posteriores del libro).

Las promesas finales de las cartas anticipan abiertamente el final del libro y la visión del paraíso final (cf. caps. 19–22). Esto concuerda con el hecho de que Juan sitúa las visiones en el marco de la forma tradicional de las cartas cristianas, con una extensa introducción (caps. 1–3), amonestaciones finales (22:6–19) y bendición (22:20–21). Está claro que las introducciones de las siete cartas y la visión introductoria del Hijo del Hombre pertenecen al mismo periodo de tiempo general y se interpretan mutuamente, como lo hacen principalmente también las conclusiones de los siete mensajes y la visión final del libro sobre la bienaventuranza.

Esto apunta a la probabilidad de que las mismas relaciones se den entre el cuerpo de las cartas y el cuerpo visionario del libro. Esto subraya aún más nuestro punto de vista de que los acontecimientos que se describen en las visiones ya estaban ocurriendo, al menos en cierta medida, cuando Juan estaba escribiendo, ya que el contenido de las visiones refleja el de las cartas, que estaban dirigidas a la situación actual de las siete iglesias. Si las siete iglesias son también representativas de la iglesia universal, como hemos argumentado anteriormente, entonces el contenido tanto de las cartas como de las visiones es también aplicable a la iglesia a través de los tiempos.

El flujo de pensamiento en cada carta es similar:

i. Cristo se presenta con ciertos atributos particularmente adecuados a la situación de cada iglesia, cuya fe proporciona la base para superar el problema específico al que se enfrenta;
ii. se revisan la situación y el problema particular;
iii. sobre la base de la situación y el problema, Cristo emite un estímulo para perseverar ante el conflicto (para las iglesias fieles) o para arrepentirse a fin de evitar el juicio (para las iglesias infieles);
iv. esto es la base para que Cristo haga un llamamiento a las iglesias para que respondan prestando atención ("escuchando") al estímulo o a la exhortación anterior;
v. sobre la base de una respuesta positiva (= "vencer"), Cristo promete la herencia de la vida eterna con Él, una herencia que corresponde únicamente a Sus atributos o a la situación de las iglesias.

Por lo tanto, el flujo lógico de cada carta culmina con la promesa de heredar la vida eterna con Cristo, que es el punto principal de cada carta.

Las siete iglesias se dividen en tres grupos. La primera y la última están en grave peligro espiritual. Se les exhorta a arrepentirse para evitar su juicio y heredar las promesas que merece la fe genuina. Las tres del medio tienen, en diversos grados, algunos que han permanecido fieles y otros que se están comprometiendo con la cultura pagana. Entre ellas, Pérgamo es la que se encuentra en mejor estado y Sardis en el peor. A estas iglesias se les exhorta a purgar los elementos de compromiso de su seno para evitar el juicio sobre los transigentes (y probablemente también sobre los demás), y para heredar las promesas que se deben a los que superan el compromiso. Sólo el segundo y el sexto han demostrado ser fieles, incluso ante la persecución tanto de judíos como de paganos.

Aunque son pobres y "tienen poco poder", se les anima a seguir perseverando como el verdadero Israel, ya que se enfrentarán a más pruebas. Deben aguantar con la esperanza de heredar las promesas de la salvación eterna. El significado de esto es que la iglesia cristiana en su *conjunto* se percibe como en mal estado, ya que no sólo las iglesias sanas son una minoría, sino que también el patrón literario apunta a este énfasis, porque las iglesias en peor estado forman los límites literarios de las cartas, y las iglesias con graves problemas forman el núcleo de la presentación. Todas las cartas tratan el tema de la fidelidad a Cristo en medio de una cultura pagana a menudo amenazante.

1. Cristo elogia a la iglesia de Éfeso por su ortodoxia, la condena por su falta de testimonio y la exhorta a superar esta falta para heredar la vida eterna (2:1–7)

[1] Escribe al ángel de la iglesia en Éfeso: "El que tiene las siete estrellas en Su mano derecha, Aquél que anda entre los siete candelabros de oro, dice esto: [2] 'Yo conozco tus obras, tu fatiga y tu perseverancia, y que no puedes soportar a los malos, y has sometido a prueba a los que se dicen ser apóstoles y no lo son, y los has hallado mentirosos. [3] Tienes perseverancia, y has sufrido por Mi nombre y no has desmayado. [4] Pero tengo esto contra ti: que has dejado tu primer amor. [5] Recuerda, por tanto, de dónde has caído y arrepiéntete, y haz las obras que hiciste al principio. Si no, vendré a ti y quitaré tu candelabro de su lugar, si no te arrepientes. [6] Sin embargo tienes esto: que aborreces las obras de los Nicolaítas, las cuales Yo también aborrezco. [7] El que tiene oído, oiga lo que el Espíritu dice a las iglesias. Al vencedor le daré a comer del árbol de la vida, que está en el paraíso de Dios'".

1 Aquí, como en las otras cartas, se dirige a las iglesias a través de su ángel representante. El objetivo de esto parece ser recordar a las iglesias que su existencia principal es espiritual y que tienen ayuda preparada para ellas en el cielo. En este sentido, está implícito que la iglesia en la tierra debe modelar su culto a partir del que se lleva a cabo ahora en el cielo (como se muestra en los caps. 4–5; 7:9–17, etc.). Los paralelos con Daniel son de nuevo dignos de mención, ya que allí también se presenta a los ángeles ayudando a los de la tierra (Dn. 10:20–21; 12:1). En cada carta, Jesús se presenta con variaciones de la frase "las palabras de Él" o (como aquí) **dice esto**, lo que nos remite al lenguaje del Antiguo Testamento utilizado sólo por Dios mismo, "Estas cosas dice el Señor".

El uso de la fórmula "estas cosas dice el Señor Todopoderoso" (que aparece más de cien veces en los escritos proféticos del Antiguo Testamento) para introducir los dichos de Cristo subraya que éste asume el papel de Yahvé, y así también las cartas se convierten en mensajes proféticos y no en meras epístolas.

2 Cristo viene a los efesios como Aquel que camina **entre los siete candelabros de oro**, es decir, como Aquel que está íntimamente al tanto de todo lo que sucede en las iglesias. En primer lugar, se elogia a la iglesia de Éfeso por haber puesto a prueba y rechazado a los falsos apóstoles. Quizás todavía recordaban la advertencia que Pablo hizo en sus últimas palabras a sus ancianos (Hch. 20:28–30). Tenían un gran discernimiento, ya que los falsos maestros solían aparecer disfrazados de ángeles de luz (2 Co. 11:13–15). Ignacio, escribiendo en el siglo II, también elogió a la iglesia de Éfeso por su vigilancia contra la falsa enseñanza.

3–4 El v. 3 enfatiza el punto que se acaba de hacer en el v. 2 repitiendo la observación sobre la **perseverancia** y el **sufrimiento** de la iglesia. Han perseverado en la vigilancia de la pureza doctrinal interna de la fe de la iglesia, pero **no han desmayado** (v. 3). Sin embargo, han **dejado** su **primer amor** (v. 4). Esto probablemente significa que han perdido su pasión por el mensaje del evangelio. Su enfoque era mantener la pureza interna de la iglesia, por lo cual son elogiados, así que la reprimenda debe tratar con su enfoque hacia el mundo exterior. Por eso Cristo elige presentarse de la manera en que lo hace en el v. 1. La mención de que **anda entre los siete candelabros de oro** pretende recordar a los lectores introvertidos que el papel principal en relación con su Señor debe ser el de luz de testimonio hacia el mundo exterior.

Un amor apasionado por Cristo nos lleva a amar a los de fuera y a tratar de ganarlos. Esto lo han perdido. Que perder su **primer amor** equivalía a convertirse en testigos sin celo se sugiere además al ver un vínculo con Mt. 24:12–14, que muestra tal expectativa del tiempo del fin: "Y debido al aumento de la iniquidad, el amor de muchos se enfriará. Pero el que persevere hasta el fin, ése será salvo. Y este evangelio del reino se predicará en todo el mundo como *testimonio* a todas las naciones, y entonces vendrá el fin". Los efesios debían recordar lo lejos que habían caído en la pérdida de su **primer amor**, y volver a lo que habían hecho al principio (v. 5) — una referencia a aquellos días en que toda la provincia de Asia escuchó la palabra del Señor a través de Pablo y la iglesia de Éfeso (Hch. 19:10). De lo contrario, su **candelabro** será removido. Aquellos que habían contenido y derramado tanta luz a través de su posesión de la verdad podrían perderla por completo.

5 Israel había sido un candelero (Zac. 4:2, 11), pero cuando abandonó su llamado a ser una luz para las naciones (Is. 42:6–7, 49:6), su candelero fue retirado y la iglesia en Cristo continuó el papel del verdadero Israel. El significado principal de **candelabro** es el de testigo, como se muestra en Ap. 11:3–7, 10, donde los **candelabros** se refieren a los testigos proféticos. Jesús habló de la iglesia como una lámpara que se pone en un candelero (Mr. 4:21; Lc. 8:16), enfatizando el papel de la iglesia como testigo de las naciones. Los candelabros también representan, por lo general, el poder del Espíritu, ya que así se identifican implícitamente en Zac. 4:6, aunque hemos visto con más precisión que Juan ve las "lámparas" como el Espíritu que arde en los candelabros (iglesias), dándoles así poder para el testimonio (véase en 1:4, 12–13). Por tanto, es posible que el hecho de que los efesios dejaran su **primer amor** se refiera a su falta de dependencia del Espíritu, necesaria para un testimonio eficaz. De hecho, 11:3–7, 10 muestra que el testimonio se lleva a cabo mediante el ejercicio de una función profética.

Si no responden, Jesús mismo vendrá en juicio y la iglesia de Éfeso ya no existirá. Es interesante notar que aquí se hace referencia a una **venida** de Jesús que definitivamente no es su regreso final. Las palabras actuales **"quitaré tu candelabro de su lugar"** indican la eliminación de la iglesia como luz de testimonio para el mundo, lo que apunta a la eliminación de la misma *antes* de la venida final de Cristo, ya que el testimonio de las iglesias es una actividad relevante sólo antes del advenimiento final, no después. Si Jesús estaba preparado para venir de esta manera a la iglesia de Éfeso, debe haber venido repetidamente a lo largo de la historia a varias iglesias en un juicio similar. El análisis también se ajusta a 2:21–22, donde la falta de arrepentimiento de Jezabel provoca la promesa de Cristo de enviar tribulación a ella y a sus seguidores, una tribulación que precede al final de la historia, y que parece estar limitada a esa situación particular. Aunque el Señor regresará en un sentido definitivo al final de la historia, viene regularmente a visitar a Su iglesia en esta época, tanto para animar como para juzgar (véanse también nuestros comentarios sobre 2:16; 3:3, 20).

6 A pesar de sus deficiencias, se elogia a la iglesia por no tolerar a los **nicolaítas** (véase más adelante en 2:12–21), como no habían tolerado a los falsos apóstoles (v. 2). Los **nicolaítas** probablemente enseñaban que los cristianos podían participar en la cultura idolátrica de Éfeso. La ciudad estaba dominada por el culto a la diosa Artemisa, diosa de la fertilidad, y su templo tenía miles de sacerdotes y sacerdotisas, con una fuerte participación en la prostitución. Parte de la próspera economía de la ciudad dependía del comercio asociado al templo (Hch. 19:23–41). Además, la ciudad había sido declarada "guardiana del templo" de dos templos dedicados al culto imperial (culto al César), lo que significaba que este culto también desempeñaba un papel esencial en la vida de la ciudad. Por lo tanto, la resistencia de la iglesia a las presiones internas para acomodar aspectos de esta sociedad idolátrica fue muy encomiable.

7 La conclusión de la carta, como en todas las cartas, se compone de una exhortación final: **El que tiene oído, oiga lo que el Espíritu dice a las iglesias**. Se trata de una exhortación a prestar atención a lo que se ha dicho hasta ahora en la carta y una promesa de heredar la salvación. La carta concluye con una cláusula que aparece en las siete cartas y que fue utilizada por Jesús (Mt. 13:1–17), quien a su vez la tomó prestada de Isaías (6:9–10), Jeremías (5:21) y Ezequiel (3:27; 12:2): "el que tenga oído, oiga". El significado de esta exhortación en los profetas era su conexión con su uso de acciones simbólicas y parábolas.

La función principal de los profetas que vivieron hacia el final de la historia de Israel era advertir a Israel de su inminente perdición y del juicio divino. Sus advertencias fueron racionales, pero este tipo de mensajeros proféticos tuvieron poco éxito debido a las lealtades idolátricas de Israel, su letargo espiritual y su actitud de cuello duro contra el cambio de las costumbres a las que se habían acostumbrado. Isaías predica directamente en los caps. 1–5 (con la principal excepción de la parábola de 5:1–7), y luego tiene un encuentro con el Señor en el que se le encarga que embote los oídos de los incrédulos para que no puedan seguir escuchando con ellos (6:9–10), tras lo cual su predicación se mezcla con parábolas y acciones simbólicas.

Ezequiel recibe un encargo similar para endurecer los corazones de los incrédulos, en el que Dios le ordena decir: "El que oye, que oiga; el que rehúse oír, que rehúse; porque son una casa rebelde" (Ez. 3:27). Inmediatamente después, se le ordena realizar su primera acción simbólica (4:1). Cuando su predicación directa no obtuvo atención, los profetas recurrieron a medios más dramáticos. Pero tal cambio en la forma de advertencia sólo es eficaz con aquellos que ya tienen una visión espiritual. Las parábolas simbólicas hacen que los que "tienen oídos para oír y no oyen" se equivoquen más. Este es el punto de Is. 6:9–10, donde el profeta es comisionado para decirle a Israel que "*escuchen bien*, pero no entiendan… haz insensible el corazón de este pueblo, *endurece sus oídos*… no sea que… *oiga con sus oídos*… y se arrepienta y sea curado".

Estas acciones y parábolas tenían el efecto de llamar la atención de los verdaderos creyentes, de escandalizar a algunos incrédulos o reincidentes para que se arrepintieran y de endurecer el corazón de los demás, cuya falta de sabiduría espiritual les impedía ver el significado de las acciones o parábolas. El uso de parábolas por parte de Jesús, por lo tanto, está muy en línea con el patrón profético. Antes de Mateo 13, enseñaba directamente, pero ahora, al citar a Isaías, empieza a enseñar más enfáticamente en parábolas. Su enseñanza, al igual que la de los profetas, está destinada a iluminar a los creyentes y a endurecer a los incrédulos.

El uso de la fórmula de la audición en las siete cartas, por tanto, es muy significativo. Al igual que en Isaías 6 y en los Evangelios sinópticos, la fórmula se refiere al hecho de que el mensaje de Cristo iluminará a algunos pero cegará a otros. Hablando a través de Juan, Jesús indica con esta frase que lo que está a punto de desarrollarse será de naturaleza parabólica o simbólica. Sin embargo, ahora la fórmula se dirige a la iglesia, que continúa en el papel del pueblo de Dios como verdadero Israel. Pero, al igual que Israel, la iglesia también se ha vuelto transigente y espiritualmente aletargada y ha albergado lealtades idolátricas, por lo que se instituye el método parabólico de revelación.

Las parábolas del libro no sólo tienen un efecto judicial sobre los incrédulos, sino que también pretenden escandalizar a los creyentes atrapados en la complacencia transigente de la iglesia, revelándoles la naturaleza horrible y bestial de las instituciones idolátricas con las que se ven tentados a identificarse y confiar. El uso de los diversos cuadros e imágenes a lo largo del Apocalipsis — bestias, dragones, rameras, jinetes, criaturas extrañas, plagas, etc. — tiene por objeto sacudir a los creyentes de su complacencia y del peligro de comprometerse con la cultura idólatra en la que viven. Mientras tanto, los incrédulos no entenderán lo que Dios les está diciendo y se hundirán más en la incredulidad, aunque algunos, por supuesto, pueden ser alcanzados y salvados. También hay visiones de consuelo que sirven para asegurar a los verdaderos creyentes su condición salvífica (p. ej., 21:1–22:5), aunque probablemente todavía hay algún grado de valor de shock incluso en estas visiones.

Las visiones de los caps. 4–21, por tanto, son desarrollos de la enseñanza más "directa" dada en los caps. 2–3, tal y como ocurrió con los profetas o con Jesús en los Evangelios. Esto se confirma cuando consideramos que las visiones de las trompetas y las copas están claramente inspiradas en las plagas del Éxodo, que también fortalecieron a los creyentes y endurecieron a los enemigos de Dios.

Vencer o **conquistar** es la condición en cada una de las siete cartas para heredar la promesa de salvación. Los creyentes deben obedecer la exhortación a perseverar y permanecer fieles si quieren ser herederos de la promesa divina. Aunque las promesas están redactadas de forma diferente en cada carta, todas son versiones de la promesa final del libro a los vencedores, que se enuncia generalmente en 21:7 como "el vencedor heredará estas cosas". La herencia allí se explica inmediatamente como el disfrute de la presencia del pacto de Dios entre su pueblo (así en 21:3). Esta es precisamente la fuerza de la promesa en 2:7.

Comer del árbol de la vida, que está en el paraíso de Dios, se alude de nuevo en la conclusión del libro como una imagen del perdón, donde es una clara referencia a la restauración de la humanidad a su estado original no caído, el árbol de la vida representa la presencia de Dios (22:1–3). Aquí, en 2:7, no es la persecución y la tribulación lo que hay que superar, sino el propio pecado de la iglesia de no dar testimonio de Cristo al mundo exterior. La superación está motivada por el modelo de superación de las tentaciones pecaminosas del propio Cristo (véase 3:21; 5:5).

Sugerencias para Reflexionar sobre 2:1–7

- ***Sobre la pérdida de nuestro primer amor.*** Los efesios eran celosos de la pureza doctrinal… pero también lo eran los fariseos. ¿Es posible que conservemos realmente la pureza doctrinal y perdamos nuestro primer amor por Cristo? ¿Hay algo deficiente en nuestra forma de ver la doctrina? ¿Hay una desconexión entre la doctrina entendida como verdad intelectual y la doctrina entendida como verdad caminada en la vida? Pablo le dijo a Timoteo que vigilara su vida y su doctrina (1 Ti.. 4:16), lo que implica una estrecha relación entre ambas. ¿Cómo obedecemos su advertencia?
- ***Sobre la introspección espiritual.*** ¿Cómo pueden las iglesias que han experimentado la gracia de Dios y su poder volverse tan introspectivas como los efesios? ¿Por qué existe una relación tan estrecha entre la falta de amor y la falta de evangelización? ¿Definimos el evangelismo de tal manera que nos desanima a muchos de nosotros a salir a la calle? Si vemos el amor a Cristo como el principio y el corazón de la

evangelización, ¿cómo puede afectar eso a nuestra práctica de la misma? ¿Los que profesan la fe en Cristo realmente lo aman y desean su presencia? En la medida en que lo hagamos, en esa medida nos convertiremos en un testigo eficaz de Él. ¿Qué significa ser un testigo de Cristo?

- ***Sobre el poder del Espíritu Santo y la evangelización.*** Si el candelabro representa el poder del Espíritu Santo, ese poder es un componente integral de la evangelización. Pablo actuó con el poder del Espíritu de forma extraordinaria durante su ministerio en Éfeso (Hch. 19:1–20). Puede que no esperemos experimentar exactamente el mismo tipo de manifestaciones sobrenaturales, pero ¿puede decirse que la iglesia en Occidente ha sufrido en su evangelización por la falta de dependencia consciente de la obra del Espíritu en la testificación? ¿Es posible que en el mundo occidental hayamos confiado demasiado en los recursos que el mundo también tiene — técnicas y tecnología — y hayamos perdido de vista el mayor recurso al que sólo los creyentes en Cristo tienen acceso — la poderosa obra del Espíritu Santo? ¡Debemos tener siempre presente la gran promesa de Hechos 1:8!
- ***Sobre el uso de Juan de la forma parabólica profética y el endurecimiento de los corazones de la gente.*** El uso de la forma parabólica desde los profetas del Antiguo Testamento hasta Juan, pasando por Jesús, muestra que cuando la gente no responde a la instrucción, Dios habla a través de medios más indirectos que llegan a los que le buscan, pero endurecen los corazones de los perdidos. ¿Qué tiene que decir esto al enfoque "sensible al buscador" tan popular hoy en día en las iglesias occidentales? ¿Estamos eliminando las piedras de tropiezo que Dios puso para revelar el corazón? ¿Estamos tratando de llenar nuestras iglesias con personas que se sienten atraídas por una versión reducida del evangelio, pero sin un verdadero compromiso de seguir a Cristo en el camino de la cruz, que es la última piedra de tropiezo (Mt. 16:21–28)? ¿Predicar la historia de la cruz en una sociedad hedonista y posmoderna como la nuestra está cerca de funcionar como una declaración parabólica?

2. Cristo elogia a la iglesia de Esmirna por haber soportado la tribulación y la anima a seguir siendo fiel en previsión de una inminente y más severa persecución, a fin de heredar la vida eterna y la realeza celestial (2:8–11)

[8] Escribe al ángel de la iglesia en Esmirna: "El Primero y el Último, el que estuvo muerto y ha vuelto a la vida, dice esto: [9] 'Yo conozco tu tribulación y tu pobreza (pero tú eres rico), y la blasfemia de los que se dicen ser Judíos y no lo son, sino que son sinagoga de Satanás. [10] No temas lo que estás por sufrir. Yo te digo que el diablo echará a algunos de ustedes en la cárcel para que sean probados, y tendrán tribulación por diez días. Sé fiel hasta la muerte, y Yo te daré la corona de la vida. [11] El que tiene oído, oiga lo que el Espíritu dice a las iglesias. El vencedor no sufrirá daño de la muerte segunda'".

8 De nuevo, Cristo se presenta con un elemento de la visión inicial (1:17–18) que se ajusta a la situación de esta iglesia, cuyos miembros se enfrentan persecución y una posible muerte. Él es el soberano divino de la historia, el único que posee el atributo de la eternidad (**el Primero y el Último**).

9 El gobierno de Cristo sobre la historia proporciona una base de consuelo a la iglesia que está sufriendo dificultades económicas (su **tribulación y pobreza**) a causa de la calumnia judía. Sin embargo, su fidelidad ante tal aflicción demuestra que son espiritualmente **ricos**.

La mención de las **calumnias** o **blasfemias** judías sugiere que los judíos, celosos del progreso del cristianismo, pueden haber delatado a los cristianos ante las autoridades romanas. Hasta finales del siglo I, el cristianismo gozaba de cierta protección bajo el paraguas del judaísmo, que era una religión aceptable para Roma. Los judíos no estaban obligados a adorar al César como un dios, sino que se les permitía ofrecer sacrificios en honor de los emperadores como gobernantes y no como dioses. Pero después de la persecución neroniana, el cristianismo se consideró cada vez más distinto del judaísmo y dejó de gozar de protección bajo su paraguas.

Entonces quedó bajo sospecha, ya que las nuevas religiones no eran aceptables en el imperio. Y los judíos, que a veces no tenían reparos en semi-reverenciar a otras deidades (especialmente al emperador romano) junto a su Dios del Antiguo Testamento, a menudo estaban muy dispuestos a hacer ver a las autoridades romanas que los cristianos no eran una secta judía. Los judíos habrían visto el cristianismo como una religión que distorsionaba la Ley judía y ofrecía una vía de salvación perversamente fácil. También consideraban una blasfemia el culto cristiano a un criminal crucificado como el Mesías divino (cf. Hch. 26:9–10).

La mención de la persecución romana en el v. 10, que sigue directamente a la de la calumnia judía, se ajusta a los informes históricos de judíos que se aliaron con romanos y gentiles y los animaron a oprimir a los cristianos (p. ej., Hch. 13:45, 50; 14:2–7, 19; 17:5–9; 1 Ts. 2:14–16). El culto imperial impregnaba prácticamente todos los aspectos de la vida de las ciudades y, a menudo, incluso de las aldeas de Asia Menor, de modo que los individuos sólo podían aspirar a la prosperidad económica y a una mayor posición social participando en cierta medida en el culto romano. Las leyes locales obligaban a los ciudadanos, tanto de la clase alta como de la baja, a sacrificar al emperador en diversas ocasiones especiales, y a veces incluso se invitaba a visitantes y extranjeros a hacerlo. Además, la historia de la ciudad revela su particular lealtad a Roma, especialmente el hecho de haber construido más de un templo en honor a la religión romana.

El hecho de que la comunidad judía sea identificada como falsos judíos y **sinagoga de Satanás** confirma una vez más que la iglesia es vista por Cristo como el verdadero pueblo de Dios, el verdadero Israel (véanse también nuestros comentarios anteriores sobre 1:6–7, 12). Esta identificación se confirma no sólo por los amplios indicadores contextuales (p. ej., Ap. 1:6, 9, 12; 2:17; 3:9, 12; 5:9–10; 7:4–9, 15–17; 11:1–4), sino también al reconocer que en el contexto inmediato la iglesia es vista como el cumplimiento de la profecía de Isaías sobre Israel (véase 1:17; 2:10). Las falsas acusaciones contra los santos que indujeron la opresión identifican a los judíos con **Satanás** (que significa "falso acusador"), ya que éste es también un rasgo característico de la bestia al perseguir al pueblo de Dios (véase **blasfemia** en 13:1, 5–6; 17:3–6).

10a Se exhorta a la iglesia de Esmirna a no **temer** esa persecución económica y política, aunque adopte las formas más duras de encarcelamiento y pena capital, como ocurrió a veces. De hecho, Cristo les dice que se preparen para un castigo más severo. La razón por la que no deben **temer** la prueba inminente es que sus vidas y su destino están en manos del Señor eterno de la historia, que ya ha experimentado la persecución, incluso hasta la muerte, y sin embargo la ha superado mediante la resurrección. Jesús ha vencido al diablo (1:1, 18; 12:1–12), e incluso los esfuerzos rebeldes del diablo sólo pueden cumplir el plan soberano de Cristo para la historia (cf. 17:17).

Por lo tanto, el verdadero santo no debe tener miedo de los intentos del diablo para lograr un compromiso en la iglesia a través de la persecución. De hecho, Jesús emplea los esfuerzos del diablo con el propósito (de que **sean probado**) de fortalecer a Su pueblo a través de estas pruebas. La palabra griega traducida como **que** o **para que** expresa el propósito dominante de Dios. Incluso la obra del diablo es utilizada por Dios para el progreso de su plan. Al igual que los planes del diablo en la cruz fueron utilizados por Dios para traer la salvación al mundo, el sufrimiento de los esmirnios resultará en bendición y liberación final para ellos.

La autodescripción de Cristo como **el Primero y el Último** está tomada de la propia autodescripción de Dios en Is. 41:4; 44:6; y 48:12. Curiosamente, en el contexto de los dos primeros textos de Isaías (41:10; 44:2, 8), Dios ordena a los israelitas "No teman" — la misma orden que da ahora a los esmirnios (v. 10). La implicación, una vez más, es que los cristianos de Esmirna son ahora el verdadero Israel, pues Dios se dirige a ellos como lo hizo con los fieles de Israel en los días de Isaías.

Porque Jesús es el gestor supremo de la historia, es capaz de revelar que su próxima **tribulación** será breve. Esto sirve como un impulso más para que permanezcan fieles, sabiendo que el tiempo de prueba está en última instancia en Sus manos y pronto terminará. La identificación de los cristianos de Esmirna con Israel se ve reforzada al asociar su tribulación con la de Daniel y sus tres amigos, que también se negaron a participar en los actos de idolatría ordenados por el rey (Dn. 1:2; 5:3–4), y que también fueron probados durante **diez días** (Dn. 1:12–15). La persecución de diez días no tiene por qué referirse a un período literal de diez días porque es una alusión a los diez días en que Daniel y sus amigos fueron "probados".

Daniel tuvo la tentación de comprometerse con la idolatría, lo que probablemente fue la razón principal por la que se abstuvo de comer en la mesa del rey, donde la comida probablemente estaba dedicada a los ídolos (véase Dn. 1:2; 5:1–4). Del mismo modo, sean o no literales los diez días, la cuestión es que los cristianos de Esmirna también debían, como Daniel de antaño, no transigir con la idolatría. Los rituales paganos en Asia Menor también incluían comidas dedicadas a los dioses locales y al César (entendido como un dios), por lo que los esmirnios habrían comprendido el significado de que Cristo los comparara con

Daniel y sus amigos. Los esmirnios pasarán por este breve pero severo período de prueba.

La palabra para **prueba** o **tribulación** *(thlipsis)* es una palabra comúnmente utilizada por Pablo. En el período entre la resurrección y el regreso de Cristo, los cristianos pueden esperar de vez en cuando pasar por períodos de tribulación, donde tribulación se refiere a los dolores de parto iniciales de los últimos días, que son una característica regular de la vida de la iglesia — un hecho verificado a lo largo de la historia de la iglesia y hoy, cuando más cristianos están muriendo por su fe que nunca antes.

10b–11 Si son fieles al responder a esta **prueba**, recibirán la corona **de la vida**. En medio de sus pruebas, a los esmirnios se les promete la **corona de la vida** y la victoria sobre la **muerte segunda**. Sin embargo, su posible derrota en muerte por la autoridad de la corona romana significa su victoria de vida y herencia de una **corona** celestial. Esta **corona** connota la participación en el gobierno celestial y victorioso de Cristo (así también **corona** en 6:2; 14:14), pues sólo Cristo, **el Primero y el Último**, tiene las llaves de la muerte y está vivo para siempre (1:18). "Vencer" se refiere aquí a una victoria irónica en la que la derrota terrenal en muerte es victoria celestial y vida, que sigue el mismo uso de "vencer" con respecto a Cristo en 5:5–6.

Del mismo modo, la conquista de los santos también se basa en el patrón introducido en 2:8, donde se dice que la muerte de Cristo conduce a Su vida resucitada. La **corona es** una recompensa que se da al morir (posiblemente en 2 Ti. 4:8 y Stg. 1:13; en 1 P. 5:4 la "corona" es una recompensa que se recibirá en la futura venida de Cristo), pero que ya se disfruta en parte, ya que en 3:11 se ordena a los de Filadelfia que "retengan lo que tienen", lo cual se explica inmediatamente como su "corona" ("para que nadie tome tu corona"). La promesa de los vv. 10–11 se amplía en 20:4–6, donde también los creyentes que mueren a causa de su fe son recompensados con la vida, reinan con Cristo y son protegidos de la segunda muerte. Al diablo se le da el poder de arrojarlos a una prisión física y darles **muerte** (v. 10).

Sin embargo, su poder es limitado porque él mismo ya ha sido arrojado a una prisión espiritual, lo que le impide dañarlos con la definitiva **segunda muerte**. La resurrección de Cristo le dio poder sobre toda la esfera de la muerte (ahora tiene "las llaves de la muerte y del Hades", 1:18b), lo que le permitió tanto atar al príncipe satánico de ese reino como proteger a su propio pueblo de sus efectos dañinos finales.

Sugerencias para Reflexionar sobre 2:8–11

- ***Sobre los límites de la obediencia al gobierno civil.*** Pablo nos ordena honrar a las autoridades civiles (Ro. 13:1–7). Daniel y sus amigos trazaron el límite cuando tal obediencia violaba la ley de Dios (Dn. 1:8–10; 3:12, 16–18). ¿En qué circunstancias podríamos vernos envueltos en un dilema semejante? ¿Somos suficientemente conscientes de las circunstancias similares a las que se enfrentan hoy los cristianos de todo el mundo? ¿Cómo podemos apoyarlos?
- ***Sobre la naturaleza de la persecución religiosa.*** Parece que la persecución que sufrieron los cristianos de Esmirna se originó en los círculos religiosos judíos. Jesús fue condenado a muerte por los líderes religiosos. ¿Por qué parece que la persecución proviene tan a menudo de personas religiosas, incluso de cristianos aparentemente confesos (en tiempos pasados, p. ej., la inquisición o las iglesias establecidas en Rusia y China)?
- ***Sobre la soberanía de Dios y el sufrimiento de los creyentes.*** El Apocalipsis presenta a Cristo como poseedor de las llaves de la muerte y triunfante sobre su poder, pero aquí se advierte a los creyentes de una tribulación segura y de una posible muerte. A la luz de 3:11, ¿qué significa tener la corona de la vida y aún así esperarla? ¿Por qué está en el propósito de Dios que los creyentes sufran? ¿Debemos orar contra la tribulación porque se origina en la voluntad de Satanás, o debemos acogerla porque se origina en la voluntad de Dios? ¿O existe un tercer enfoque que considera a Dios como el originador último y a Satanás como un agente bajo la mano de Dios? Y si es así, ¿cuál debe ser nuestra respuesta? ¿Cómo puede Dios utilizar los sufrimientos de su pueblo?

3. Cristo elogia a la iglesia de Pérgamo por su testimonio perseverante en medio de la persecución, condena su espíritu permisivo de compromiso idolátrico y la exhorta a vencer para no ser juzgada sino para heredar la comunión de los últimos tiempos y la identificación con Cristo (2:12–17)

[12] Escribe al ángel de la iglesia en Pérgamo: "El que tiene la espada aguda de dos filos, dice esto: [13] 'Yo sé dónde moras: donde está el trono de Satanás. Guardas fielmente Mi nombre y no has negado Mi fe, aun en los días de Antipas, Mi testigo, Mi siervo fiel, que fue muerto entre ustedes, donde mora Satanás. [14] Pero tengo unas pocas cosas contra ti, porque tienes ahí a los que mantienen la doctrina de Balaam, que enseñaba a Balac a poner tropiezo ante los Israelitas, a comer cosas sacrificadas a los ídolos y a cometer actos de inmoralidad. [15] Así tú también tienes algunos que de la misma manera mantienen la doctrina de los Nicolaítas. [16] Por tanto, arrepiéntete; si no, vendré a ti pronto y pelearé contra ellos con la espada de Mi boca. [17] El que tiene oído, oiga lo que el Espíritu dice a las iglesias. Al vencedor le daré del maná escondido y le daré una piedrecita blanca, y grabado en la piedrecita un nombre nuevo, el cual nadie conoce sino aquél que lo recibe'".

12 Cristo se presenta una vez más con una imagen de la visión inicial del cap. 1, apropiada para la situación de la iglesia de Pérgamo: Él es el que tiene la **espada aguda de dos filos** (v. 12), una imagen que se repite en el v. 16. De este modo, la idea de que Cristo se sitúa sobre la iglesia como juez temible a causa del pecado es el pensamiento que impregna toda la carta a Pérgamo.

13 El Señor tiene una palabra de advertencia que traer a esta iglesia, pero primero trae un estímulo — un buen ejemplo de cómo traer corrección. Pero antes de confrontarlos con el pecado que los aqueja, Él los elogia por un área en la que han sido leales. Al igual que los cristianos de Esmirna, también dieron testimonio abierto de su fe en Cristo (**guardas fielmente Mi nombre**) y, aun cuando se desató una severa persecución, no negaron su **fe** en Cristo (así en 3:8). Como en Esmirna, Satanás es identificado como el verdadero enemigo de los creyentes. De hecho, esta es la ciudad donde tiene su **trono**.

Es probable que esto sea una referencia al hecho de que Pérgamo fue la primera ciudad de Asia Menor que construyó un templo para el culto al emperador, refiriéndose orgullosamente a sí misma como "guardiana del templo" para dicho culto, y se convirtió en el principal centro de esta práctica idolátrica en la provincia. No sólo eso, Pérgamo era un centro de culto a Asclepio, el dios de la curación, cuyo símbolo era una serpiente (todavía notable en el simbolismo médico), lo que también puede haber contribuido a que Cristo viera la ciudad como un centro de autoridad satánica.

Por último, una colina en forma de cono situada detrás de Pérgamo era el lugar donde se encontraban varios templos paganos, entre ellos uno con la forma del trono de Zeus, padre de los dioses, otro factor que contribuyó a la declaración de Cristo. A medida que avanza el Apocalipsis, veremos cómo Satanás (el dragón) da al sistema político (la bestia) el poder de perseguir al pueblo de Dios, como sin duda ocurría en esta ciudad. En la mayoría de las ciudades griegas, se esperaba que los ciudadanos ofrecieran sacrificios a los dioses, que habían sido honrados durante mucho tiempo en la zona debido a la tradición religiosa local. Es probable que se esperara esa veneración incluso antes de rendir homenaje al César. A menudo, cuando los cristianos se veían obligados a sacrificar al emperador era porque ya se habían negado a reconocer a los dioses paganos que se veneraban localmente y, en consecuencia, las autoridades romanas les pedían cuentas.

14 La imagen de la **espada** de Cristo en los vv. 12 y 16 no es casual, como expresión de su autoridad judicial no sólo sobre la iglesia, sino también sobre el reino de las tinieblas. Sin embargo, Cristo también viene a juzgar a Su iglesia porque, aunque los creyentes de Pérgamo han resistido el poder demoníaco de los cultos y del Estado, han tolerado en su seno ciertas prácticas idolátricas. Cristo compara tales prácticas con las de **Balaam**, que animó a Israel a pecar mediante la participación en la idolatría y la inmoralidad (Nm. 25:1–3; 31:16). El nombre de **Balaam** se convirtió en un lema bíblico para designar a los falsos maestros que, para obtener un beneficio económico, trataban de influir en el pueblo de Dios para que se dedicara a prácticas impías (Dt. 23:4; Neh. 13:2; 2 P. 2:15; Jud. 11).

El vínculo espiritual entre la historia del Antiguo Testamento y la iglesia de Pérgamo es el de la condonación de tales prácticas. Los falsos maestros sostenían que los creyentes podían tener relaciones más estrechas con la cultura, las instituciones y la religión paganas de lo que Juan consideraba apropiado. Este es el significado de la expresión **comer cosas sacrificadas a los ídolos y a cometer actos de inmoralidad**, que se aplica aquí no sólo al relato de Números, sino también a la situación real en Pérgamo, como es evidente por la aplicación de la frase idéntica a la situación en Tiatira (2:20), donde no es sólo una advertencia de la Escritura, sino que se identifica claramente que ocurre en la iglesia. Comer alimentos sacrificados a los ídolos se refiere a las comidas en los templos de los ídolos, el mismo problema que Pablo enfrentó en Corinto (1 Co. 10:1–22).

Las fiestas paganas que se celebraban en Asia Menor, en honor al emperador o a otras deidades, se caracterizaban por la idolatría y la inmoralidad, y se esperaba que los ciudadanos participaran en ellas. En particular, lo que se puede pensar aquí son los festivales de los gremios comerciales que implican la celebración de las deidades patronales a través de fiestas y, a veces, actividades inmorales. Negarse a participar en tales actividades podía acarrear el aislamiento económico y social (cf. 1 P. 3:13–17). Por lo tanto, había mucha presión para comprometerse. Y al igual que Israel fue influenciado a fornicar tanto sexual como espiritualmente, lo mismo ocurría con los cristianos de Pérgamo.

Tal vez una facción de la iglesia se había desgastado por la presión (y el martirio de al menos uno de los miembros de la iglesia, **Antipas**), y estaban señalando a la iglesia en la dirección de decer. La comparación con **Balaam** también sugiere que los falsos profetas estaban involucrados en esta facción, y que el beneficio financiero (como en el caso de **Balaam**) puede haber sido el motivador. Los cristianos, sin duda, habrían sufrido económicamente por mantenerse fieles a sus principios. La palabra "fornicar" (griego *porneuō*, sustantivo *porneia*), traducida como **inmoralidad sexual** en la NIV o **actos de inmoralidad** en la NASB, tiene un significado tanto espiritual como físico aquí y en otras partes del Apocalipsis (p. ej., 2:20–23). En todo caso, el significado espiritual es predominante, refiriéndose a las relaciones espirituales ilícitas con falsas deidades y las fuerzas espirituales que están detrás de esas deidades idólatras. Sin embargo, es interesante observar que la fornicación espiritual (idolatría) puede conducir a una conducta sexual inapropiada tanto ahora como en aquellos días, y que la religión pagana y de la "nueva era", así como los cultos, pueden degenerar en tales prácticas inmorales.

15–16 A causa de tales influencias idolátricas, Cristo viene ahora a la iglesia para luchar contra ese error en su seno. Es interesante notar que **Balaam** fue originalmente amenazado con la espada en la mano del ángel si continuaba oponiéndose a Israel (Nm. 22:23, 31) y finalmente fue muerto a espada por su maldad (Nm. 31:8). Los falsos maestros correrán la misma suerte que **Balaam** a menos que se arrepientan, y la iglesia tampoco debe pensar que está exenta de

---

NIV New International Version

castigo si sigue tolerando a estos malhechores, ya que la tolerancia, en contra del pensamiento popular de nuestra cultura, también es un pecado, como quedará aún más claro en la carta a la iglesia de Tiatira.

En los días de **Balaam**, el juicio cayó sobre muchos en Israel (Nm. 25:9, donde veinticuatro mil murieron en la plaga) por no haber juzgado a los idólatras. De hecho, Pablo vincula explícitamente este mismo juicio de Dios sobre los israelitas con su advertencia a la iglesia de Corinto en el mismo asunto de tolerar la idolatría (1 Co. 10:7–11). Los **nicolaítas** a los que se hace referencia aquí son probablemente similares al grupo de **Balaam**, estando conectados por la frase **de la misma manera,** así como por el significado de los dos nombres (**Nicolás** significa "uno que vence al pueblo", y **Balaam** significa "uno que consume o gobierna al pueblo").

17 Al igual que Éfeso, Pérgamo necesita **tener oído** y **oír lo que el Espíritu dice** sobre su propio pecado que necesitan **vencer**, y se les amonesta ahora a hacer precisamente eso. Si pueden **vencer** su pecado de tolerancia y ejecutar la disciplina en ambos grupos, Cristo les promete una herencia. La recompensa prometida a los fieles de Pérgamo es triple: recibirán parte del **maná escondido,** y también recibirán una **piedrecita blanca,** y esta piedra tiene un **nombre nuevo** escrito en ella. El **maná escondido** se refiere a la comida (ahora no visible) que se consumirá de forma consumada en la cena de las bodas del Cordero (19:9) y, por tanto, representa la comunión con Cristo.

La referencia al **maná escondido** significa que será revelado al pueblo de Dios al final de los tiempos, y posiblemente a partir de la muerte. Aunque no hay evidencia tangible de esta promesa que pueda verse, los vencedores deben poner su esperanza en la palabra invisible de Dios (cf. Heb. 11). Debe contrastarse con la comida sacrificada a los ídolos, que puede consumirse ahora pero excluirá la participación en el banquete eterno más adelante. Jesús advirtió a los judíos que no miraran hacia atrás, hacia el maná dado por Moisés, sino que lo miraran a Él mismo como el verdadero pan del cielo (Jn. 6:32–33). La idea del maná puede haber surgido debido a la meditación anterior sobre el enfrentamiento de Israel con Balaam en su viaje por el desierto: Israel debería haber confiado en el alimento celestial de Dios para su sustento en lugar de participar en la comida idolátrica, y la iglesia comenzará a participar del maná celestial en el presente si no se compromete de la misma manera.

La **piedrecita blanca** está probablemente relacionada con el **maná**, ya que en Nm. 11:7 se describe **el maná** como bedelio, una piedra blanca. La **piedrecita**

blanca refuerza así la idea de que el **maná** es una recompensa celestial. El color **blanco**, por supuesto, también representa la justicia (véase 3:4; 6:2; y 19:14 para esta imagen). El color blanco de la piedra representa la rectitud de los santos al no comprometerse ni "ensuciarse" (véase 3:4), por cuya acción justa son absueltos.

La **piedrecita blanca**, a la luz del uso judío de las piedras como votos de absolución o de las piedras blancas como pase de admisión a ocasiones especiales, probablemente se refiere a la anulación del veredicto de culpabilidad del vencedor emitido por las instituciones del mundo a causa de la negativa a participar, que se convierte a su vez en el pase de invitación a participar en la cena de Jesús. La asociación del blanco con la justicia en conexión directa con la admisión a un banquete se expresa en 19:8–9, donde el "lino fino, resplandeciente y limpio" representa "las acciones justas de los santos", lo que va directamente seguido de la referencia a ser "*invitado* a la cena de las Bodas del Cordero".

El **nombre nuevo** es una referencia abreviada a la descripción más larga de 3:12 de "el nombre de Mi Dios y el nombre de la ciudad de Mi Dios, la nueva Jerusalén, que desciende del cielo de Mi Dios, y Mi nombre nuevo [de Cristo]", que está escrito en el creyente. Además, en 21:2 se describe al pueblo de Dios como la "nueva Jerusalén, que descendía del cielo, de Dios", de modo que el nombre escrito en los "vencedores" de 3:12 se convierte en sinónimo de su propia identidad. Por lo tanto, el **nombre nuevo, el cual nadie conoce sino aquél que lo recibe** en 2:17, se refiere a recibir el "nombre victorioso y real" de Jesús, que nadie conoce, excepto Él mismo (19:12–16).

Sin embargo, Él *lo revela e imparte sólo a Su pueblo* en el presente, de manera escalada al final de su vida y plenamente en la conclusión de la historia (así en 3:12). Ap. 2:17 y 19:12 parecen desarrollar el pensamiento similar de Lucas 10:22: "Todas las cosas Me han sido entregadas por Mi Padre, y *nadie sabe quién es el Hijo sino* el Padre, ni quién es el Padre sino el Hijo, y aquél a quien el Hijo se lo quiera revelar" (cf. también Lc. 10:17).

El **nombre nuevo** se refiere a estar en la presencia eterna de Dios, como aclara Ap. 22:3–4: "Verán Su rostro y Su nombre estará en sus frentes". Conocer el nombre de alguien, especialmente el de Dios, en el mundo antiguo y en el Antiguo Testamento a menudo significaba entrar en una relación íntima con esa persona y compartir el carácter o el poder de esa persona. Recibir un **nombre nuevo** era una indicación de un nuevo estatus. Por lo tanto, la recepción de este nombre por parte de los creyentes en 2:17 representa su recompensa final de ser identificados y unidos consumadamente con la presencia íntima y el poder del tiempo del fin de Cristo en Su reino y bajo Su autoridad soberana.

La identificación con este nombre comienza realmente cuando Cristo se revela a las personas y éstas confiesan Su nombre por fe. Cuando esto sucede, tienen un nuevo estatus espiritual y se les da "un poco de poder para no negar Su nombre" y para perseverar incluso en la tribulación final (3:8–10; igualmente 2:13a).

Es interesante que la promesa de un nombre nuevo aparezca en las cartas a Pérgamo y Filadelfia, las dos iglesias en las que se dice que los creyentes han sido leales al nombre de Cristo (2:13; 3:8). Nótese también el contraste entre recibir el **nombre nuevo** de Cristo en el v. 17 y los que han recibido la marca del nombre de la bestia en el 14:11. Finalmente, al recibir este **nombre nuevo** se cumple la profecía de Isaías, en la que los fieles de Israel serían llamados con un nuevo nombre (Is. 62:2; 65:15), mostrando así de nuevo cómo Cristo ve a la iglesia como el nuevo Israel. Las bendiciones prometidas en esta profecía se cumplirán entre los miembros de la iglesia, el Israel de los últimos días, que no se comprometen.

La profecía de Isaías sobre la restauración de Israel a la presencia de Dios en los últimos días es también la base de todas las demás referencias del libro al "nombre" del creyente (3:12; 14:1; 22:4) y al "nombre" de Dios o de Cristo (3:12 y 22:4, así como 19:12–13, 16). Jesús es el primero en recibir un **nombre nuevo** (3:12) y en comenzar a cumplir la profecía de Isaías. Esto debe significar que Él representa al Israel de los últimos días. Otros llegan a ser identificados con Su **nombre nuevo** cuando creen, como se desprende de su identificación con el nombre de Cristo en el presente (2:13), de modo que son identificados como parte del cumplimiento inicial de la profecía de Isaías.

Sugerencias para Reflexionar sobre 2:12–17

- ***Sobre la administración de la corrección pastoral.*** Cristo viene a la iglesia de Pérgamo con una medida de corrección, pero primero les da ánimos por su fidelidad en general. ¿Qué tan importante es observar este orden cuando tenemos que llamar la atención de alguien sobre una deficiencia? Los psicólogos nos dicen que una palabra de corrección supera a muchas palabras de alabanza. ¿Por qué no nos acercamos a los demás como Cristo se acercó a los cristianos de Esmirna?

- ***Sobre la naturaleza del trono de Satanás.*** Pérgamo es la única ciudad de la que se dice que contiene el trono de Satanás. ¿Cómo es posible que se describa una ciudad de esta manera? ¿Cuáles son las implicaciones? ¿Somos conscientes de las fortalezas demoníacas que pueden existir en nuestra propia comunidad? ¿Cuál es la respuesta adecuada a ellos?
- ***Sobre la tolerancia y la presión para transigir.*** La iglesia de Pérgamo estaba en peligro de ser juzgada porque toleraba a algunos dentro de ella que comprometían su fe en Cristo mediante la participación en prácticas idolátricas, probablemente para evitar sanciones sociales y económicas. ¿Está su iglesia local o comunidad de iglesias amenazada por alguna forma de compromiso con el mundo? ¿Cuáles son los tipos de compromiso espiritual que podrían llevarnos a nosotros o a nuestra iglesia bajo el juicio de Dios?
- ***Sobre el juicio de Dios a las iglesias.*** Cristo viene a la iglesia de Pérgamo con una espada que usará para hacer la guerra contra ella si es necesario. ¿Cómo puede relacionarse esto con lo que sabemos de la misericordia y compasión de Cristo? ¿Qué significa que Dios venga a juzgar a su propio pueblo? ¿Vivimos como cristianos en una medida suficiente de santo temor de que tal cosa pueda ocurrirnos? Que no estemos entre aquellos a los que Cristo se dirige en Mt. 7:20–23: "Así que, por sus frutos los conocerán. No todo el que Me dice: 'Señor, Señor', entrará en el reino de los cielos, sino el que hace la voluntad de Mi Padre que está en los cielos. Muchos Me dirán en aquel día: 'Señor, Señor, ¿no profetizamos en Tu nombre, y en Tu nombre echamos fuera demonios, y en Tu nombre hicimos muchos milagros?' Entonces les declararé: 'Jamás los conocí; Apártense de Mí, los que practican la iniquidad'".

4. Cristo elogia a la iglesia de Tiatira por sus obras de testimonio cristiano, la condena por su espíritu permisivo de transigencia idolátrica, y la exhorta a vencer esto para no ser juzgada, sino para heredar el gobierno del tiempo del fin junto con Cristo (2:18–29)

[18] Escribe al ángel de la iglesia en Tiatira: "El Hijo de Dios, que tiene ojos como llama de fuego, y Sus pies son semejantes al bronce bruñido, dice esto: [19] 'Yo conozco tus obras, tu amor, tu fe, tu servicio y tu perseverancia, y que tus obras recientes son mayores que las primeras. [20] Pero tengo esto contra ti: que toleras a esa mujer Jezabel, que se dice ser profetisa, y enseña y seduce a Mis siervos a que cometan actos inmorales y coman cosas sacrificadas a los ídolos. [21] Le he dado tiempo para arrepentirse, y no quiere arrepentirse de su inmoralidad. [22] Por eso, la postraré en cama, y a los que cometen adulterio con ella los arrojaré en gran tribulación, si no se arrepienten de las obras de ella. [23] A sus hijos mataré con pestilencia, y todas las iglesias sabrán que Yo soy el que escudriña las mentes y los corazones, y les daré a cada uno según sus obras. [24] Pero a ustedes, a los demás que están en Tiatira, a cuantos no tienen esta doctrina, que no han conocido las cosas profundas de Satanás, como ellos las llaman, les digo, que no les impongo otra carga. [25] No obstante, lo que tienen, reténganlo hasta que Yo venga. [26] Al vencedor, al que guarda Mis obras hasta el fin, le daré autoridad sobre las naciones; [27] y las regirá con vara de hierro, como los vasos del alfarero son hechos pedazos, como Yo también he recibido autoridad de Mi Padre. [28] Y le daré el lucero de la mañana. [29] El que tiene oído, oiga lo que el Espíritu dice a las iglesias'".

18 Siendo la situación de esta iglesia muy similar a la de Pérgamo, Cristo se presenta con elementos de la visión del cap. 1 enfatizando su papel de juez. Los **ojos como llama de fuego** y los **pies... al bronce bruñido** también están tomados de la visión celestial de Dn. 10:6, 16, donde el hombre que aparece despliega el juicio de Dios contra las naciones paganas. La imagen de Cristo con los ojos de fuego aparece también en su representación en Ap. 19:12 como el jinete del caballo que juzga y hace guerra. El hecho de que Jesús se refiera a sí mismo aquí como el **Hijo de Dios** puede deberse a que los ciudadanos de Tiatira tenían dos deidades que adoraban como hijos de Zeus. También anticipa la referencia al final de la carta al Salmo 2, donde la autoridad y el juicio de los que se habla son, en el contexto del Salmo, ejecutados por el "Hijo" de Dios (véase Sal. 2:7–9).

19 Los de tiatira son elogiados inicialmente por sus obras de testimonio de Cristo a pesar de la oposición. La referencia a su **fe, servicio y perseverancia** probablemente indica su disposición a dar testimonio fiel de Cristo a pesar de la persecución, porque estos términos se utilizan de forma similar en otros pasajes (Cristo mismo como testigo fiel en 1:15 y 3:14, el testigo fiel Antipas en 2:13, la perseverancia de los de Filadelfia que se han resistido a negar el nombre de Cristo a pesar de la persecución en 3:8–10, la resistencia y fidelidad de los santos perseguidos por la bestia en 13:7–10 y 14:12, y los fieles seguidores del Cordero en la guerra contra los diez reyes en 17:12).

20 Sin embargo, los de tiatira, al igual que los de Pérgamo, han dado espacio a una falsa maestra (probablemente una mujer) descrita aquí como **Jezabel**. Su pecado — la tolerancia — es la misma cosa que se alaba en nuestra cultura posmoderna como la mayor virtud. Esta nueva Jezabel, al igual que la Jezabel de antaño (1 R. 16:31; 21:25–26), defendía la transigencia con las prácticas idolátricas, por lo que la enseñanza era probablemente similar a la del partido de Balaam y los nicolaítas de Pérgamo. En ambos casos (vv. 14, 20) se mencionan **actos inmorales** y comer carne **sacrificada a los ídolos**. La palabra griega para inmoralidad se utiliza en otras partes del Apocalipsis para referirse no tanto a la inmoralidad sexual literal, sino a mantener relaciones ilícitas con los dioses que están detrás de los ídolos que se adoran.

La palabra griega para "inmoralidad" (*porneia* y el grupo de palabras relacionadas) suele tener este significado metafórico en otras partes del Apocalipsis (así 13 veces fuera del cap. 2, frente al sentido literal en 9:21; 21:8; 22:15). Es probable que el uso metafórico esté en mente aquí, ya que es poco probable que todas las formas de transigencia en esta iglesia implicaran inmoralidad sexual. Este énfasis se confirma en este versículo, donde la forma verbal de "inmoralidad" (literalmente "fornicar") deriva su significado de la figura del Antiguo Testamento de Jezabel, que influyó en Acab e Israel para que adoptaran el culto a Baal. La inmoralidad sexual podría estar en segundo lugar en mente, ya que esto era a menudo parte de la adoración de Baal (de hecho, tal inmoralidad estaba a menudo involucrada en la adoración de dioses paganos en los días de Juan).

Asimismo, el "adulterio" del v. 22 debe entenderse de la misma manera, especialmente con el trasfondo de que Israel fue acusado de adulterio por Dios debido a su idolatría. Tiatira era un centro económico con un número particularmente grande de sociedades comerciales o gremios, cada uno de los cuales requería que sus miembros participaran en prácticas idolátricas para conservar su membresía. Prácticamente, sería difícil dedicarse al comercio en la ciudad sin formar parte de una organización de este tipo, por lo que la presión sobre los cristianos que vivían en la ciudad para participar en tales prácticas habría sido sustancial. La situación en Tiatira es más grave que en Pérgamo, donde Cristo sólo tenía "unas pocas cosas" (2:14) contra la iglesia. Aquí, una falsa profetisa ha desviado a la iglesia y la ha llevado a un grave pecado.

21 Además, esta profetisa se ha negado a **arrepentirse**, lo que sugiere que ha habido intentos infructuosos de tratar la situación. Pablo advirtió a Timoteo de que no se permitiera a una mujer enseñar con autoridad sobre la iglesia, en parte por el hecho de que fue Eva, y no Adán, quien se extravió (1 Ti. 2:12–14). Aquí, el mismo verbo (griego *planaō*) se utiliza en el sentido activo de esta mujer maestra que extravía a otros, demostrando así que las instrucciones de Pablo no se habían seguido en Tiatira, con resultados desastrosos. Más adelante, en el Apocalipsis, se revela que el falso profeta (que representa el sistema religioso), al igual que Jezabel, extravía a la gente (13:14; 19:20), al igual que la ramera Babilonia en 18:23.

Esto muestra de nuevo la interconexión de las cartas y las visiones, ya que sin duda Cristo pretendía que el lenguaje similar en la imagen del falso profeta sacudiera a los de tiatira (y a los cristianos de todas las épocas tentados a transigir) para que se dieran cuenta del peligro de lo que estaban tolerando. Nótese también cómo el juicio sobre Jezabel prefigura el juicio sobre la ramera Babilonia en el cap. 18. En ambos casos, la gente fornica con una ramera (véase 17:1, 2 y 18:3, 8–9), que los engaña (ver 18:23), y la inmoralidad sexual es una imagen de la participación en formas oscuras de comercio (véase 18:3, 11–22 y observe que muchas de estas formas de comercio, como el comercio de lino, púrpura, bronce y esclavos, estaban presentes en Tiatira). En ambos casos se ordena al pueblo de Dios que no participe en sus pecados para que no sea juzgado con la muerte (véase 18:4, 8), y en ambos casos Dios juzga a cada uno según sus obras (véase 18:6). Las extraordinarias similitudes no son una coincidencia y muestran cómo, hasta cierto punto, las visiones retratan realidades actuales en la sociedad e incluso en la iglesia.

22–23 El juicio de Cristo está a punto de caer sobre Jezabel y sus seguidores por no arrepentirse de sus enseñanzas idolátricas, un hecho que debería hacernos vivir en el santo temor de la justa ira de Dios, y también ser reconfortados por su cuidado de la pureza y la supervivencia de su iglesia. Jezabel ha extraviado a los propios siervos de Dios (v. 20), y bien pueden ser estos mismos creyentes los que, a menos que se arrepientan, sufrirán la muerte debido a su engaño. Esto puede arrojar algo de luz sobre lo que Pablo quiso decir (en un contexto similar de tratar con la idolatría y la inmoralidad) cuando habló de consignar a un hombre a Satanás para la destrucción de la carne a fin de que su espíritu pudiera ser salvado (1 Co. 5:5).

Este hombre debía ser expulsado de la iglesia (1 Co. 5:2) y entrar en el reino de las tinieblas, la misma estrategia que Dios perseguía en su limpieza de la iglesia de Tiatira mediante la eliminación del pecado de su seno. Los cristianos sufren e incluso mueren a causa de la desobediencia, y otros que profesan ser cristianos resultan al final no serlo (sobre lo cual véase Mateo 7:20–23; 13:19–22).

Parece probable que Jezabel fuera de la última categoría, a la luz de su homóloga en el Antiguo Testamento, también llamada "Jezabel", que claramente no era una verdadera creyente. La asociación de Jezabel con **las cosas profundas de Satanás** en el siguiente versículo refuerza esta identificación de Jezabel. Finalmente, la identidad de Jezabel con la ramera de Babilonia en el cap. 17 contribuye a verla como una figura incrédula, a pesar de aparecer como una maestra cristiana que es aceptada como tal por los líderes de la iglesia.

Dios no transigirá ni tolerará una enseñanza tan pecaminosa — y nosotros tampoco deberíamos hacerlo. La cláusula **El que escudriña las mentes y los corazones** explica el significado literal de la imagen anterior de sus **ojos como una llama de fuego** (v. 18): El conocimiento de Cristo penetra hasta la médula de nuestro ser y es la base del juicio o la recompensa que otorga, lo que es una indicación más de su naturaleza y funciones divinas: **Daré a cada uno según sus obras**.

Algunos en la iglesia serán encontrados al final como auténticos seguidores de Cristo y otros como pseudoseguidores. Jer. 17:10 es lo más importante, ya que las dos expresiones anteriores de **escudriñar las mentes y los corazones** y **dar a cada uno según sus obras** aparecen juntas sólo en ese texto. Además, la afirmación de Jeremías es especialmente adecuada porque se refiere al juicio de Dios sobre aquellos que, dentro de la comunidad israelita, practican la idolatría por motivos económicos (Jer. 17:3, 11; también 11:10–17, 20). Como en Jeremías, los falsos maestros que promueven la idolatría pueden ocultar sus malos motivos a los ojos humanos, pero no a la visión escrutadora de Dios. Se descubrirá que no son verdaderos israelitas creyentes.

24 Pero **los demás que están en Tiatira** no han conocido las **cosas profundas de Satanás** y no han sido desviados por los falsos maestros. Esto último es posiblemente la descripción de Cristo de lo que Jezabel y sus seguidores pueden haber llamado las "cosas profundas de Dios". Esta expresión implica el punto de vista erróneo de que era posible que los cristianos participaran con devoción en cierto grado en situaciones idolátricas y, por lo tanto, tuvieran experiencia con el reino demoníaco-satánico, y sin embargo no fueran dañados espiritualmente por tal participación.

La "revelación" de Jezabel era similar a la de los israelitas que crearon el becerro de oro (Éx. 32:1–6) o a la de los corintios que frecuentaban los templos de ídolos (1 Co. 10:14–24). Posiblemente los falsos maestros estaban aplicando erróneamente la afirmación de Pablo en 1 Co. 8:4 al decir que si, en efecto, un ídolo no tiene existencia real en el mundo, entonces la participación en una fiesta en honor a un ídolo no podría perjudicarle a uno espiritualmente. Esta enseñanza también puede haber enfatizado la dimensión espiritual hasta tal punto que el mundo físico se consideraba sin importancia, de modo que la presencia de uno en un templo idólatra o en la mesa de una fiesta en honor a un ídolo no tenía ningún efecto en la fe de uno. Los cristianos siempre deben tener cuidado con los que afirman tener nuevas revelaciones o verdades más profundas que nunca antes han sido discernidas o practicadas ampliamente en el cuerpo de Cristo.

Cristo subraya a los que no han sido persuadidos por esta línea de pensamiento que su única preocupación real debe ser seguir manteniendo su postura no comprometida hasta que Él venga (ésta es la importancia de **No les impongo otra carga** al final del v. 24). Para discutir si la "venida" es una referencia a la parusía final o a una venida condicional y temporal, véase en 1:7; 2:5. Cristo no les impone ninguna otra carga que la impuesta a los gentiles en general por el decreto apostólico de Hechos 15:28.

25–27 A pesar de la falsa enseñanza y frente a ella, los que permanecen fieles reciben el mandato de Cristo de **retener** lo que tienen **hasta que Yo venga**. Cristo promete a los que "vencen" la transigencia y que disciplinan al partido comprometedor de Jezabel que reinarán con Él en Su reino. Su perseverancia hasta el final es la condición que debe cumplirse para que reciban la promesa. Dice que, si perseveran, les concederá una participación en el reino mesiánico profetizado en el Salmo 2, sobre el que Él ya ha recibido autoridad para gobernar:

recibirán **autoridad como Yo [Cristo] también he recibido autoridad**, y gobernarán **sobre las naciones**. Aquí cita el Salmo 2:8–9, lo cual es significativo porque el v. 7 de ese Salmo se refiere a Cristo como Hijo de Dios, la misma frase con la que se presentó a la iglesia de Tiatira en el v. 18.

28–29 Los que escuchen lo que dice el Espíritu recibirán también el **lucero de la mañana**. Se trata de una referencia a Cristo mismo, que se revela como el "lucero resplandeciente de la mañana" en 22:16, y del que se habla proféticamente como estrella y cetro (o vara) en Nm. 24:17, y del que se dice que quebrará a Sus enemigos con una vara o cetro en Sal. 2:9 (el Salmo que se acaba de citar en el v. 27), el último de los cuales desarrolla el pasaje anterior. Por lo tanto, el **lucero de la mañana** es un símbolo asociado con el reino mesiánico que ha comenzado con la resurrección de Cristo. La aplicación de este emblema a los creyentes indica que participarán en este reino si vencen. El hecho de que los emperadores romanos afirmaran descender de Venus, a quien consideraban la estrella de la mañana, puede sugerir que aquí Cristo se revela como el verdadero gobernante del mundo, frente a todos los pretendientes humanos — incluso los adorados en ciudades como Tiatira.

Es significativo notar que las promesas de Cristo en los vv. 26–28 son dadas a aquellos que han comenzado a vencer *antes* de heredar la recompensa eterna. Su victoria ocurre en esta vida, no en la siguiente. Asimismo, en 12:11 se dice que los creyentes han vencido al diablo por su disposición a permanecer en Cristo aunque eso signifique la muerte. Pablo hace lo mismo en Romanos 8:37 cuando dice que vencemos en medio de las pruebas que ha enumerado en el v. 35.

Esta victoria del creyente se basa en la de Cristo, que venció manteniendo la fidelidad a Dios durante toda su vida hasta su muerte en la cruz (Jn. 16:33; véase Ap. 5:5–6). La visión que tiene Juan del Cristo vencedor lo presenta como un cordero que ha sido sacrificado (5:5–6), mientras que Pablo presenta a los creyentes vencedores como ovejas que van a ser sacrificadas (Ro. 8:36–37). Todas las iglesias se enfrentan a la tentación de transigir, y algunas están sucumbiendo a esta tentación (Pérgamo, Tiatira, Sardis y Laodicea). Por lo tanto, la exhortación a vencer es un estímulo para seguir siendo fuertes contra la transigencia o para dejar de transigir. En este sentido, "vencer" (griego *nikaō*) es probablemente un juego de palabras irónico con "nicolaítas".

Se dice que la bestia vencerá a los creyentes haciéndoles sufrir (11:7; 13:7), pero los creyentes, a su vez, vencen a la bestia permaneciendo fieles incluso mientras sufren (5:5–6; 12:11; 15:2). Los que vencen no son sólo los que mueren por su fe, ya que la promesa se hace a todos los creyentes de, por ejemplo, Esmirna, aunque sólo algunos de ellos sufrirán hasta el punto de ser encarcelados, y mucho menos de morir (2:10–11). En 2:26, la victoria se define con la frase paralela "guarda Mis obras", que muestra que la victoria abarca todo el curso de obediencia y fidelidad cristianas hasta la muerte, inclusive.

Los cristianos vencen por su vida fiel, no sólo por su muerte, y en particular, por su voluntad de resistir la tentación de transigir o idolatrar cualquier tipo de cosas. Se niegan a poner cualquier otra cosa por delante de la causa de Cristo. Todas las promesas hechas a los vencedores en las cartas se describen en la sección final del libro, que habla del reino eterno — los creyentes están protegidos del juicio (2:10; 3:5; 21:1–8), obtienen una herencia en la ciudad de Dios (3:12; 21:7, 27), participan en el reino de Cristo (2:26–28; 3:21; 22:5) y obtienen la vida eterna (2:7; 3:5; 21:27; 22:1–5).

Sugerencias para Reflexionar sobre 2:18–29

- ***Sobre la amenaza de Jezabel a la iglesia.*** La iglesia de Tiatira es inicialmente elogiada por su fe, servicio y perseverancia, pero todo esto corre el peligro de ser anulado por la presencia de una falsa maestra descrita como Jezabel. ¿Cómo puede una persona afectar tanto la salud de una iglesia? ¿Es posible que Satanás envíe emisarios a las iglesias para destruirlas? ¿Dónde estaban los ancianos de la iglesia cuando surgió esta amenaza? ¿Estaban quizás ya tentados a transigir y tan susceptibles al mensaje de Jezabel? ¿O fueron negligentes en el ejercicio de sus responsabilidades de gobierno? ¿Qué pueden hacer los líderes de la iglesia para asegurarse de que sus rebaños están protegidos contra tales ataques?
- ***Sobre las causas de la transigencia.*** En Tiatira, la transigencia surgió de la presión para ajustarse a las prácticas idolátricas de la comunidad, que implicaban quizás una conducta inmoral y probablemente la participación en observancias en templos de ídolos. El Apocalipsis enseña (véase la discusión en la Introducción sobre el vínculo entre las cartas y las visiones) que la Jezabel de Tiatira reaparecerá a lo largo de la era de la iglesia en diferentes formas. ¿Qué prácticas o normas sociales existen en nuestra cultura que ponen a las iglesias bajo presión para conformarse y comprometerse? ¿Ha observado usted casos específicos de compromiso

en su iglesia o comunidad de iglesias? ¿Existen hoy en día falsos maestros que desvían a las iglesias bajo el pretexto de la necesidad de hacer el evangelio más aceptable para el mundo o de ayudar a los cristianos a llevarse mejor con el mundo en sus propias situaciones (p. ej., en los lugares de trabajo)?

- ***Sobre los resultados de la transigencia.*** Al igual que los de Tiatira, transigimos porque parece ser el camino más fácil para ser aceptados por la comunidad en general. Al igual que ellos, tal vez no nos damos cuenta de las terribles consecuencias de nuestros actos. En Tiatira, Cristo es representado como Uno que viene en juicio, y al menos algunos de los involucrados en este engaño serán juzgados temporalmente y en el juicio final. ¿Cómo reconciliamos esta imagen de Cristo con lo que sabemos de su infinita gracia y misericordia? ¿Hemos perdido de vista la santidad de Dios debido a la preocupación por la misericordia de Dios? ¿Nos centramos en la misericordia de Dios porque estamos involucrados en un compromiso y preferimos creer que Él tolerará nuestro comportamiento? ¿Es posible que Cristo venga a juzgar a los pseudocreyentes a las iglesias locales de hoy?
- ***Sobre el vencer.*** ¿Qué significado tiene el hecho de que los creyentes sean representados como vencedores en esta vida? ¿Y qué significa que en el Apocalipsis esta victoria se exprese tan a menudo en el sufrimiento e incluso en la muerte? Esto hace que el mensaje del Apocalipsis sea especialmente aplicable y reconfortante en las naciones en las que los cristianos son perseguidos, ya que en su testimonio fiel y en su sufrimiento son representados como verdaderos seguidores de las huellas de Cristo. Pero, ¿cómo pueden aplicar estas verdades a su propia vida quienes no viven bajo la amenaza de la persecución? ¿Cómo podemos expresar la superación a través del sufrimiento? ¿Y cómo debemos entender las enseñanzas que parecen presentar a los creyentes ofertas incondicionales de bendiciones materiales en esta vida por su fidelidad? A veces, cuando la persecución no está presente, existe la tentación de transigir de alguna manera (sexualmente, teológicamente, financieramente, etc.), y no ceder a transigir es "vencer".

5. Cristo condena a la iglesia de Sardis por su falta de testimonio y su transigencia y la exhorta a vencer para heredar las bendiciones de la salvación (3:1–6)

[1] Escribe al ángel de la iglesia en Sardis: "El que tiene los siete Espíritus de Dios y las siete estrellas, dice esto: 'Yo conozco tus obras, que tienes nombre de que vives, pero estás muerto. [2] Ponte en vela y afirma las cosas que quedan, que estaban a punto de morir, porque no he hallado completas tus obras delante de Mi Dios. [3] Acuérdate, pues, de lo que has recibido y oído; guárdalo y arrepiéntete. Por tanto, si no velas, vendré como ladrón, y no sabrás a qué hora vendré sobre ti. [4] Pero tienes unos pocos en Sardis que no han manchado sus vestiduras, y andarán conmigo vestidos de blanco, porque son dignos. [5] Así el vencedor será vestido de vestiduras blancas y no borraré su nombre del Libro de la Vida, y reconoceré su nombre delante de Mi Padre y delante de Sus ángeles. [6] El que tiene oído, oiga lo que el Espíritu dice a las iglesias.

1 La introducción de Cristo a la iglesia de Sardis es casi idéntica a la de la carta a la iglesia de Éfeso (2:1), y hay similitudes entre las dos iglesias. Al igual que los efesios, los de Sardis han perdido el poder de su testimonio externo de Cristo.

Sardis era una ciudad que había conocido la fama en el pasado, pero cuya gloria se había desvanecido, y Cristo advierte ahora a la iglesia que se encuentra en una situación similar. La actitud de la ciudad había contagiado a la iglesia. Conservaban una reputación (literalmente **nombre**) de estar espiritualmente vivos, pero en realidad estaban espiritualmente casi **muertos**.

2 En respuesta a su condición casi muerta, deben **velar** y **afirmar las cosas que quedan** y que están **a punto de morir**. Los lectores se habían aletargado ante las exigencias radicales de su fe en medio de una cultura pagana. La mención de las **cosas que quedan** implica que los lectores habían comenzado una vida de servicio fiel, pero algo había sucedido que les impedía seguir avanzando. Lo que se cuestiona es su **nombre**. Esto es significativo a la luz del uso de la palabra "nombre" en 2:17. ¿Llevan realmente el nombre de Cristo? Esto es lo que ahora se pone en duda. ¿Son más bien como los que dicen ser (verdaderos) judíos pero no lo son, a los que se alude en 2:9? Ciertamente hubo vida aquí, pero las **obras** genuinas del pasado (refiriéndose a un testimonio fiel de Cristo; ver en 2:2) habían desaparecido. Al igual que los efesios (2:5), son llamados a volver a sus obras anteriores.

Sin embargo, el hecho de que Cristo se les aparezca (al igual que a los efesios) sosteniendo las **siete estrellas**, que representan el apoyo angélico, y también los **siete Espíritus**, que representan el poder del Espíritu Santo (véase 1:4), significa que tiene a su disposición la fuerza sobrenatural para permitirles una obediencia renovada. Por lo tanto, en 3:1 hay más énfasis en la fuente sobrenatural que da poder al testimonio de la iglesia que en 2:1. Esto es particularmente apropiado ya que la iglesia de Sardis es la única de las siete que está tan aletargada en el cumplimiento de su función cristiana que está a punto de ser considerada espiritualmente muerta.

En consecuencia, para llevar a cabo su llamado del Señor resucitado a proclamar el evangelio, necesitan el poder vivificador del Espíritu, que resucitó a Jesús de entre los muertos y los revivirá de su letargo espiritual. Su letargo espiritual probablemente incluía no dar testimonio activo de su fe ante la cultura incrédula, lo cual argumentamos que era parte del problema en Éfeso, donde igualmente Cristo se presenta en relación con los siete candelabros. Esta fue una forma de compromiso que sólo podemos conjeturar que se debió en parte a las presiones de la sociedad pagana ya aludidas en los mensajes a Esmirna, Pérgamo y Tiatira. Es decir, los cristianos de Sardis temían que si mantenían un perfil cristiano demasiado alto en la ciudad, se encontrarían con persecuciones de diversa índole, quizá no muy diferentes de las que también se mencionan en las cartas anteriores.

3 Porque sus obras no han sido encontradas completas, deben **acordarse** lo que **han recibido y oído; guardarlo y arrepentirse**. Si ellos **no velan**, dice Jesús, **vendré como un ladrón**, no en apoyo sino en juicio, donde Su "venida", por estar expresada en términos condicionales, se refiere no a Su regreso final sino a un juicio histórico sobre la iglesia local. Sin embargo, esta venida está conectada con la final, en el sentido de que ambas son parte del mismo proceso inaugurado del tiempo del fin. La distinción entre ambas radica en que la venida final es la conclusión del proceso iniciado en la resurrección, y posiblemente incluso en el ministerio terrenal de Cristo. La repetida referencia a la "venida" en las cartas es ambigua en cuanto a poder discernir el punto preciso a lo largo del proceso escatológico en mente. Este versículo puede ser un ejemplo de tal ambigüedad. La razón de la ambigüedad puede ser intencionada para aumentar el elemento de inminencia, de modo que los lectores sientan la urgencia de resolver su problema.

El paralelismo con la iglesia de Éfeso continúa, ya que el patrón es el mismo que en 2:5: deben recordar su antigua vitalidad espiritual y arrepentirse. Si no lo hacen, Cristo vendrá en juicio. Sólo unos pocos de los cristianos de Sardis no habían "manchado sus vestiduras" (v. 4), una frase que se refiere a algún tipo de compromiso con las prácticas paganas o idolátricas. La palabra "manchado" aparece también en 14:4, donde se refiere a los que "no se han contaminado con mujeres", lo que, en el contexto (véase 14:8 sobre el concepto de fornicación idólatra con Babilonia) se refiere no tanto a la inmoralidad sexual literal (aunque podría estar implicada) como a la participación en actividades paganas o idólatras. Lo más probable es que los cristianos de Sardis hayan caído en su mayoría en un estupor de transigencia y miedo a las consecuencias de un testimonio audaz de Cristo.

4 Los **pocos** (literalmente, los "pocos nombres") que han sido fieles, sin embargo, **andarán conmigo vestidos de blanco, porque son dignos**. Son dignos porque **no han manchado sus vestiduras**, y estos factores juntos se convierten en la base de la futura recompensa de caminar con Cristo en ropas limpias. Que esto se refiere a una recompensa por la perseverancia a través del sufrimiento es más evidente en 7:14, que se refiere a "los que vienen de la gran tribulación" y a los que "han lavado sus vestiduras" y "las han blanqueado en la sangre del Cordero". Que este es el significado de que los vencedores reciban vestimentas blancas es también evidente en 6:9–11, donde "los que habían sido muertos a causa de la palabra de Dios y del testimonio que habían mantenido" recibieron una "vestidura blanca". De nuevo el papel de testigo se hace eco en la recompensa de las vestimentas **blancas**.

5–6 Estos santos fieles son los que han vencido a través de una vida de testimonio fiel, y (se repite la promesa) serán vestidos de blanco: **El vencedor será vestido de vestiduras blancas**. La repetición de la promesa subraya su significado, ya que aquí, como en otras partes del Apocalipsis, las vestiduras blancas representan una pureza que, a través de la obra de Aquel que está vestido de blanco, tendrá como resultado una recompensa eterna en el reino de Dios (véase 3:18; 6:11; 7:13–14; 19:8). La recompensa probablemente comience en esta vida, porque (i) el v. 4 representa a los fieles que ya llevan vestiduras puras; (ii) Cristo exhorta a los santos en 3:18 a comprar vestiduras blancas; y (iii) 16:15 se refiere a los que guardan sus vestiduras para no estar desnudos. Esta promesa de vestimenta blanca es sólo la primera de las tres promesas hechas al creyente fiel en el v. 5.

La segunda promesa es que Cristo **no borrará el nombre** del santo fiel **del Libro de la Vida**. El **Libro de la Vida** aparece otras cinco veces en el Apocalipsis

(13:8; 17:8; 20:12, 15; 21:27), y contiene los nombres de los creyentes escritos en él desde antes de la fundación del mundo. Esto contrasta con los "libros" que registran los pecados de los incrédulos, en base a los cuales serán juzgados (20:12–13). Observe el "libro" en Dn. 12:1 que registra los nombres de los salvados, y los "libros" mencionados en Dn. 7:9–10 en el contexto del juicio celestial. La promesa de **que no borraré su nombre** no contiene ninguna inferencia de que los nombres de los genuinamente salvados puedan ser borrados por alguna razón, sino que es más bien una garantía de que no lo serán.

Tanto en 13:8 como en 17:8, el punto es que los nombres han estado en el libro de la vida desde la fundación del mundo y, por lo tanto, no pueden ser borrados, mientras que los que están a punto de perecer no tienen sus nombres así escritos. Los incrédulos nunca están asociados al libro de la vida, sino sólo a los libros del juicio. Es significativo que la palabra "nombre" o "nombres" aparezca cuatro veces en esta carta. El punto es que Cristo ha venido a inspeccionar la realidad del "nombre" o identidad cristiana de cada persona, recordando que la noción de "nombre" en el Antiguo Testamento representaba el carácter de una persona. ¿Son verdaderos creyentes o no lo son? En los primeros días de la iglesia, la iglesia corporativamente tenía un buen nombre (su identidad con Cristo era fuerte), pero a lo largo de los años se había vuelto muy mezclada, compuesta por verdaderos creyentes y aquellos que profesaban la fe pero no eran verdaderamente salvos. Toda la iglesia, advierte Cristo, está ahora en peligro de destrucción.

La tercera promesa hecha por Cristo al creyente en el v. 5 es que **reconoceré su nombre delante de Mi Padre y delante de Sus ángeles**. El punto es que aquellos que confiesan el nombre de Cristo a pesar de la posible persecución tendrán a su vez sus nombres confesados por Cristo. No hay duda de que Jesús está repitiendo aquí su declaración de que aquellos que lo confiesen (es decir, que den testimonio de él abiertamente), Él los confesará ante el Padre (Mt. 10:32) y ante los ángeles (Lc. 12:8). El contexto del dicho evangélico es el de la persecución ("No teman a los que matan el cuerpo", Mt. 10:28 y Lc. 12:4), la misma situación a la que se enfrentaban los creyentes de Sardis. El v. 5 muestra de nuevo que la promesa a los que vencen incluye a todos los creyentes, no sólo a los martirizados, pues seguramente los nombres de todos los creyentes están escritos en el libro de la vida.

La exhortación a tener oídos y oír el mensaje del Espíritu expresa que el objetivo de Cristo es salvar a esta iglesia del borde de la muerte. Sus palabras sobre las vestimentas y Su venida como un ladrón en los vv. 3–4 tienen eco en las visiones de las copas (16:15), lo que muestra de nuevo la interrelación de las cartas y las visiones. Las pruebas de las visiones de las copas están ocurriendo, al menos en cierta medida, a la iglesia de Sardis, incluso mientras recibe su carta, y las impactantes imágenes de las visiones tienen el propósito de sacudirlos para que se den cuenta de que lo que se les está dirigiendo en la carta se está desarrollando realmente ante sus ojos (si se dieran cuenta), ya que el dragón, la bestia y el falso profeta ya han lanzado su ataque — y lamentablemente, están teniendo cierto éxito. Este versículo muestra que la promesa al vencedor no puede limitarse a los mártires, sino que incluye a todos los cristianos, ya que sería impensable que los nombres de todos los verdaderos creyentes no se encontraran en **el Libro de la Vida**.

Sugerencias para Reflexionar sobre 3:1–6

- ***Sobre cómo y por qué muere una iglesia.*** Estos versos presentan un escenario en el que una iglesia se enfrenta a una muerte inminente. ¿Cómo puede una iglesia que alguna vez fue vital (como lo fue Sardis) encontrarse en tal situación? Como en Tiatira y Pérgamo, parece que el compromiso con la cultura pagana circundante (especialmente con la idolatría) estaba en el centro del problema.
  Sin embargo, Cristo, porque ama a su iglesia y ha invertido tanto en ella, todavía viene con la promesa de ayuda sobrenatural para evitar el desastre que se avecina. ¿Estamos atentos a las señales de alerta de que nuestra iglesia está perdiendo su vida? ¿Cuáles son esas señales? ¿Cómo nos puede hablar Cristo en una advertencia similar, y estamos escuchando su voz? Y, por último, ¿cómo podemos determinar si una iglesia ha muerto realmente, aunque siga conservando parte de su forma exterior? ¿Es posible que Dios la restaure a la vida, o los creyentes que queden deben trasladarse a una iglesia en la que todavía se honre a Cristo?
- ***Sobre el significado de nuestro "nombre".*** La palabra "nombre" corre como un hilo a lo largo de este pasaje. La iglesia tenía un nombre por estar viva pero estaba muerta; hay algunos "nombres" que fueron fieles; Cristo no borrará el nombre del verdadero creyente del libro de la vida. Si el "nombre" representa nuestra identidad en Cristo y nuestro carácter en Cristo (somos los que llevamos Su "nombre"), ¿qué significa esto en cuanto a la naturaleza del compromiso cristiano? ¿Se refleja el "nombre"

de Cristo — que expresa en el nivel más profundo quién es realmente Cristo — en lo que somos como hombres y mujeres que profesan seguirle? ¿Corremos el riesgo de morir como los de Sardis si empezamos a perder la realidad de lo que significa llevar el "nombre" de Cristo?

6. Cristo elogia a la iglesia de Filadelfia por su testimonio perseverante, en el que Él potenciará aún más a sus miembros, y les anima a perseverar para heredar la comunión del tiempo del fin y la identificación con Él (3:7–13)

[7] Escribe al ángel de la iglesia en Filadelfia: "El Santo, el Verdadero, el que tiene la llave de David, el que abre y nadie cierra, y cierra y nadie abre, dice esto: [8] 'Yo conozco tus obras. Por tanto he puesto delante de ti una puerta abierta que nadie puede cerrar. Aunque tienes poco poder, has guardado Mi palabra y no has negado Mi nombre. [9] Por tanto, Yo entregaré a aquéllos de la sinagoga de Satanás que se dicen ser Judíos y no lo son, sino que mienten; Yo haré que vengan y se postren a tus pies, y sepan que Yo te he amado. [10] Porque has guardado la palabra de Mi perseverancia, Yo también te guardaré de la hora de la prueba, esa hora que está por venir sobre todo el mundo para poner a prueba a los que habitan sobre la tierra. [11] Vengo pronto. Retén firme lo que tienes, para que nadie tome tu corona. [12] Al vencedor le haré una columna en el templo de Mi Dios, y nunca más saldrá de allí. Escribiré sobre él el nombre de Mi Dios y el nombre de la ciudad de Mi Dios, la nueva Jerusalén, que desciende del cielo de Mi Dios, y Mi nombre nuevo. [13] El que tiene oído, oiga lo que el Espíritu dice a las iglesias'".

7 La frase **el Santo, el Verdadero,** es un atributo divino en otra parte del Apocalipsis (así en 6:10), por lo que su uso aquí sugiere la deidad de Jesús. De hecho, "santo" se utiliza para Yahvé casi exclusivamente en Isaías como parte del título "el Santo de Israel" (aprox. 20 veces). Este antecedente probablemente esté presente aquí como anticipo de la cita de Is. 22:22 y de las alusiones a Isaías en 3:9, donde Jesús asume el papel de Yahvé y Sus seguidores representan al verdadero Israel (véase en 3:9; "el Santo de Dios" es también un título mesiánico en contextos de cumplimiento: Mr. 1:24; Lc. 4:34; Jn. 6:69). La idea de **Verdadero** conlleva la connotación de que Jesús es el verdadero Mesías, que ha comenzado a cumplir la profecía mesiánica (véase más adelante en 3:14), aunque es rechazado por los judíos como un falso pretendiente mesiánico.

La autopresentación de Cristo aquí también se basa en su posesión de las llaves en 1:18, y el significado de esto se hará evidente en breve. Aquí hay un matiz ligeramente diferente, ya que las llaves en 1:18 eran las de la muerte y el infierno, mientras que aquí Cristo **tiene la llave de David**. La referencia es a Is. 22:22, donde Eliaquim tiene la llave de David; donde él abre nadie cierra, y donde él cierra nadie abre. El cuadro de 1:18 está a punto de ser ampliado. Allí la autoridad de Cristo es sobre la salvación y el juicio, mientras que aquí también determina quién entrará en el reino. Eliaquim se entiende como un tipo de Cristo, y las declaraciones de Isaías sobre él adquieren una forma profética, como se desprende de los siguientes detalles sobre Eliaquim, comparados con la famosa profecía mesiánica de Isaías 9:

- La llave (el gobierno de la casa de Judá) está puesta sobre el hombro de Eliaquim (Is. 22:22); compárese "La soberanía reposará sobre Sus hombros" (9:6).
- Eliaquim se convertirá en un padre para los de Jerusalén y Judá (22:21); compárese "Se llamará Su nombre… 'Padre Eterno'" (9:6).
- Eliaquim se convertirá en un trono de gloria para la casa de su padre (22:23); compárese "El aumento de Su soberanía… no tendrán fin sobre el trono de David" (9:7).
- Eliaquim fue designado por Dios para su posición real (22:21), como lo sería el Mesías venidero (9:6–7).

El punto de esto es que, mientras que una vez Eliaquim gobernó sobre Israel, ahora Cristo (de quien Eliaquim es un tipo profético) gobierna sobre la iglesia, el verdadero Israel. Sólo Cristo determina quién entrará y quién no en el reino de Dios.

8–9 Cristo, que es "el Testigo fiel y verdadero" (véase 3:14) y soberano sobre los reinos de la vida y de la muerte, ejerce Su poder en este sentido en nombre de la iglesia de Filadelfia: **He puesto delante de ti una puerta abierta que nadie puede cerrar**. Esto tiene un significado especial para los de Filadelfia, que estaban siendo perseguidos por la comunidad judía local (descrita como la **sinagoga de Satanás**), que afirmaba que ellos representaban una parte del verdadero Israel. Pero esta afirmación era una **mentira**. Incluso las últimas autoridades rabínicas condenaron a la comunidad judía de Filadelfia por su transigencia con la cultura pagana. Su riqueza les dio un peso adicional con el que atacar a los cristianos.

Cristo asegura a estos creyentes que Él tiene la llave que permite entrar en el reino de Dios, descrito en el v. 7 como la casa de David ("la llave de la casa de David", Is. 22:22), o en el v. 12 como el templo o la ciudad de Dios. Cristo les da poder para permanecer en su reino, a pesar de ser perseguidos, y a pesar de que tienen poca fuerza en sí mismos (**poco poder**). Más que esto, Él ha puesto ante ellos **una puerta abierta**. La frase **puerta abierta** en el Nuevo Testamento se refiere a la oportunidad de predicar el evangelio y dar testimonio de Cristo (Hch. 14:27; 1 Co. 16:9: "puerta grande"; 2 Co. 2:12; Col. 4:3).

Cristo entiende que tienen poca fuerza, probablemente debido a la falta de números, pero dice de ellos que han **guardado Mi palabra** y **no han negado Mi nombre**. El hecho de que **no hayan negado Mi nombre** (el de Cristo) subraya el enfoque en el testimonio en esta carta. Pero ahora está a punto de suceder algo sorprendente. Estos judíos — llamados **sinagoga de Satanás** porque no reconocen a Cristo como el verdadero Mesías ni a la iglesia como su verdadero pueblo, el nuevo Israel — están a punto de volverse a Cristo. Esto será una visitación soberana de Dios, un resultado de Cristo **abriendo la puerta** del testimonio para los de Filadelfia, que **hará** que los judíos incrédulos vengan y se postren **a sus pies**. Esto no se refiere a la humillación sino al arrepentimiento. La alusión es a Is. 45:14; 49:23; y 60:14, donde Isaías profetiza que los gentiles vendrán y se postrarán ante Israel en los últimos días y que esto representará un genuino volverse y adorar al Dios verdadero (aclarado por todo el contexto en Is. 60:1–14).

Nótese la forma "inversa" del cumplimiento profético. Los "gentiles" de Isaías, que se referían a los incrédulos, se consideran ahora los judíos étnicos incrédulos, mientras que el "Israel" de Isaías, que se refiere al pueblo fiel del pacto de Dios, es ahora la iglesia. Mientras que era Dios quien se decía que traería todo esto, ahora se revela que es Cristo — otra indicación de su divinidad. Los judíos vendrán a adorar a Cristo — **postrarse** es la palabra para "adorar". Y esta adoración ha de ser voluntaria, pues en ninguna parte del Apocalipsis la adoración es otra cosa que una actividad voluntaria (ya sea la adoración a Dios [diez veces] o a la bestia o a los ídolos [once veces]). En otras partes del Nuevo Testamento, estas y otras profecías del Antiguo Testamento aluden a las naciones que se vuelven al Mesías, pero esto no excluye que Cristo utilice aquí el pasaje para mostrar cómo el propio Israel incrédulo puede cumplir proféticamente el papel de una nación pagana que finalmente se arrepiente.

Asimismo, la profecía de que Dios demostrará su amor por el Israel perseguido ante las naciones también se cumple de forma aparentemente inversa: **Haré que… sepan que Yo te he amado** se aplica a la iglesia en lugar de al Israel étnico, como aparentemente en Is. 43:4 (y la LXX de Is. 41:8; 44:2; 60:10; 63:9; cf. 48:14). Por lo tanto, las profecías de Isaías de que la salvación de Israel al final de los tiempos provocaría la salvación de los gentiles se han cumplido de manera irónica. Esto es probablemente cierto incluso si un remanente de cristianos judíos componía una parte de la iglesia de Filadelfia, ya que la mayoría habría sido gentil. Y, mientras la iglesia asume el papel de Israel en estas profecías cumplidas, Cristo desempeña el papel que Isaías predijo de Yahvé.

Cristo es el que hace que la comunidad judía incrédula reconozca que la iglesia gentil compone Su pueblo amado. Estas profecías de Isaías se van a cumplir de forma inminente en la propia experiencia de la iglesia de Filadelfia, aunque no de forma exclusiva, ya que la carta se dirige también a todas las iglesias que existen en el primer siglo y hasta la venida final de Cristo. Por lo tanto, Jesús, que domina el poder de la salvación y del juicio, ejerce este poder a través de sus seguidores (así en Mt. 16:18).

10 Cristo promete que su poder, que hizo posible que la iglesia se convirtiera en su pueblo (vv. 7–8a) y que mantuviera su condición de pueblo (vv. 8b–9), seguirá protegiéndola espiritualmente de la tribulación que está por venir. Debido a su fidelidad en la prueba, particularmente en el testimonio de Cristo, Cristo guardará a los de Filadelfia **de la hora de la prueba, esa hora que está por venir sobre todo el mundo**. La frase **todo el mundo** no debe tomarse necesariamente en sentido literal, sino que en el Nuevo Testamento suele tener un sentido más localizado.

Por ejemplo, la misma frase se refiere en Lucas 2:1 sólo a Palestina y en Hechos 11:28 a una región algo más amplia (véase también Hch. 17:6; 19:27; 24:5, aunque en Ap. 12:9 y 16:14 tiene un sentido más universal). Por lo tanto, la **prueba** podría referirse a un juicio localizado en Asia Menor o más generalmente en el Imperio Romano, lo que daría sentido al hecho de que los propios filadelfianos lo experimentarían y serían guardados a través de él. Si la frase "**todo el mundo**" se toma literalmente, la referencia sería al período final de prueba que conduce al regreso del Señor (descrito en 11:7–13 y 20:8–10), y el significado tendría que implicar la salvación de los cristianos de Filadelfia en el fuego refinador del juicio final, lo cual es posible pero quizás menos natural (aunque en apoyo de una noción de juicio final está la observación de que la gran mayoría de los usos de **hora** en el Apocalipsis [11:13; 14:7, 15; 18:10, 17, 19] se refieren al momento del juicio final).

Obsérvese que Cristo habla aquí principalmente de protección espiritual y no física, ya que en ninguna parte del Apocalipsis se promete a los creyentes la inmunidad contra el sufrimiento físico — de hecho, como dejan claro las cartas ya estudiadas, deben esperarlo. Pablo también hace lo mismo con frecuencia (Ro. 8:35–39; 2 Co. 4:16–5:10; Fil. 3:10; Col. 1:24, etc.). Las palabras pronunciadas por Cristo aquí (que los *guardará de* la prueba) son las mismas que usó en Juan 17:15, el único otro lugar en el Nuevo Testamento donde ocurre la frase *(tereō ek)*. Allí Jesús oró: "No Te ruego que los saques del mundo, sino que los *guardes del* maligno".

En Juan 16:33, Jesús promete a los creyentes la paz en medio de cierta tribulación. Por lo tanto, según las palabras de Jesús, los creyentes soportarán el sufrimiento físico, pero serán guardados espiritualmente en medio de él. Por lo tanto, este versículo no habla de un rapto físico antes del comienzo de una próxima "Gran Tribulación". Más bien, se refiere a la protección de Cristo a través de la tribulación del tiempo del fin, que ya había comenzado en el primer siglo y que se agravaría a medida que se acercara el fin definitivo.

Que Juan tiene en mente una protección espiritual de los cristianos mientras *atraviesan la tribulación* es evidente también por la probable alusión en el v. 10 a Dn. 12:1, 10 (LXX), donde "esa hora" se describe inmediatamente como "aquel día de tribulación" en el que "muchos son *probados* y santificados y los pecadores pecarán". Esto sugiere que la "prueba" de Apocalipsis 3:10 tiene el doble efecto de purificar y fortalecer a los creyentes, pero de ser al mismo tiempo un castigo divino. Esta apreciación se confirma a partir de 7:14, donde se representa a los santos como saliendo "de la gran tribulación" con vestiduras blancas, en alusión respectivamente a Dn. 12:1 y 12:10. Que la tribulación del fin de los tiempos ha comenzado durante la era de la iglesia es también evidente porque Jezabel y sus seguidores sufrirán "gran tribulación" (2:22, la misma frase que en 7:14, excepto por la omisión del artículo definido), incluso en el primer siglo, si no se arrepienten.

El propósito de la acción de Dios es **poner a prueba a los que habitan sobre la tierra**. El propósito de esta prueba es un juicio sobre los incrédulos, ya que la frase **los que habitan sobre la tierra** (o **moradores de la tierra**) es un término técnico que en el Apocalipsis se refiere exclusivamente a los no salvos, especialmente a los adoradores de ídolos (6:10; 8:13; 11:10; 13:8, 12, 14; 14:6; 17:2, 8). Los creyentes, sin embargo, aunque permanezcan en el mundo y estén expuestos a sus peligros físicos, serán guardados del daño espiritual de la prueba, es decir, de los efectos negativos de este juicio, en el sentido de que serán mantenidos espiritualmente seguros e incluso fortalecidos en su fe, mientras que los incrédulos se endurecerán aún más contra Dios por las mismas pruebas. La verdad de esta interpretación se hará evidente a medida que veamos los efectos de los diversos juicios de Dios a medida que se desarrollen las visiones, endureciendo a los incrédulos mientras se mantiene a los creyentes espiritualmente seguros al refinar su fe.

11 Si nuestro entendimiento es correcto, también tiene sentido el siguiente versículo. Aquí Cristo promete a los del Filadelfia que **vendrá pronto** y que deben **retener firmemente** lo que tienen — en otras palabras, deben perseverar en medio de la prueba. Su **pronta venida** no se refiere probablemente a su regreso final, ya que han pasado casi dos mil años desde que se dio la promesa. En cambio, debe referirse al hecho de que Él vendrá pronto, por el poder del Espíritu, para ayudar a los del Filadelfia en la prueba que está por venir sobre ellos (v. 10). La promesa de ese versículo no es que escaparán de esta tribulación, sino que Cristo los fortalecerá para que se mantengan espiritualmente seguros a través de ella. La promesa de Cristo aquí se vuelve relevante para los creyentes de cualquier época que pasen por la prueba — Cristo siempre vendrá y los fortalecerá en ella.

12 Las cuatro promesas que Cristo da ahora al que vence son realmente (como en 2:17) cuatro aspectos de la única promesa. Escribir sobre él **el nombre de Mi Dios**, el **nombre de la ciudad de Mi Dios** y **Mi nuevo nombre** son expresiones de unión eterna con Dios y de comunión con su presencia. Observe que el nombre de la ciudad de Dios en Ezequiel 48:35 es “el SEÑOR está allí”. Es el lugar de la presencia de Dios y la ubicación de Su templo, lo que nos lleva al cuarto elemento de la promesa, que Cristo hará del vencedor **una columna en el templo de Mi Dios**. En el v. 7, Jesús ha abierto las puertas del reino a los de Filadelfia, y aquí tiene ante ellos la culminación de esta promesa — abrir la puerta del **templo** y entrar en Su templo para siempre. No es casualidad que el templo eterno de Dios se mencione en la misma carta que la sinagoga de Satanás en el v. 9. El sistema religioso — quizás en nuestros días incluso las iglesias institucionales — siempre atacará a los creyentes genuinos que sacan su fuerza de la comunión con Cristo, no de la identificación con un sistema terrenal que está a punto de ser desenmascarado en las visiones en toda su horrible realidad como el siervo de la bestia y el dragón.

Esta línea de pensamiento en la que los seguidores de Jesús perseveran a través de la tribulación y luego son recompensados con la presencia de Dios y de Cristo en el templo se encuentra también desarrollada en 7:14–17. De hecho, la identificación permanente del creyente con el templo en el v. 12 es la consumación del proceso que comenzó con Cristo abriendo las puertas del santuario invisible de la salvación para ellos, como se expresa en los vv. 7b–8a: "... he puesto delante de ti una puerta abierta que nadie puede cerrar" (nótese la paráfrasis interpretativa de la Biblia aramea de Is. 22:22: "Pondré en su mano la llave del *santuario* y la autoridad de la casa de David..."). Este verdadero santuario se pone en claro contraste con la falsa sinagoga de los judíos, que ahora dan su máxima lealtad a Satanás. Este vínculo entre la tribulación presente y la recompensa futura se confirma aún más al observar que los paralelos más cercanos a los vv. 8 y 12 se encuentran en el cap. 21 (21:25 y 21:2, 10 respectivamente). Cristo comienza a abrir las puertas de la Jerusalén celestial para los fieles aquí en la tierra, que nadie puede cerrar (3:8), y esto se consuma cuando su pueblo entra por las puertas de la nueva Jerusalén, que "nunca se cerrará" (21:25). La promesa del v. 12 se cumple en la participación de los santos en la nueva Jerusalén que desciende del cielo (21:2, 10).

13 A los santos se les da la exhortación final de **oír lo que el Espíritu dice** porque necesitan discernimiento espiritual en medio de la aflicción que van a soportar para no **negar** el **nombre** de Cristo (3:8b; v. 10a) y así heredar la recompensa final. Si no tienen una mentalidad celestial y se centran en su recompensa final, tendrán la tentación de conformarse a las circunstancias terrenales que les rodean, lo que incluye transigir su fe a causa de la persecución.

Sugerencias para reflexionar sobre 3:7–13

- ***Sobre Israel y la iglesia.*** Estos versículos utilizan pasajes de Isaías para mostrar que la iglesia es la continuación del verdadero Israel en los propósitos del pacto de Dios. Eliaquim, el gobernante de facto de Israel, se convierte en un tipo de Cristo. Los gentiles paganos de Isaías representan ahora al Israel incrédulo de la época de Juan. Y la comunidad judía local de Filadelfia es representada como una sinagoga de Satanás.

Sin embargo, en medio de esto, Dios está a punto de hacer una obra de salvación entre el pueblo judío allí, con el resultado de que reconocerán a la iglesia como la "verdadera" sinagoga. Examine estos versículos a la luz de Ro. 9:6, 24–26 y Gá. 3:16, 29: ¿Los pasajes de Romanos, Gálatas y Apocalipsis 3 arrojan luz sobre el significado de cada uno? A medida que avanza el Apocalipsis, mantente atento a cómo se desarrolla el tema de la iglesia como cumplimiento de las promesas de Israel.

- ***Sobre estar a salvo de las pruebas.*** Estos versículos hablan de la prueba como una forma de juicio de Dios sobre los perdidos. Esto debe referirse a eventos que, sin embargo, necesariamente afectan a los creyentes y a los incrédulos por igual: pruebas económicas, guerras, catástrofes climáticas, etc. ¿Cómo puede decirse entonces que Dios mantiene a los creyentes a salvo de tales acontecimientos? ¿Tiene esto algo que ver con el hecho de tener nuestro tesoro en el cielo, donde ningún ladrón puede entrar a robar (Mt. 6:19)? ¿Podría decirse que los creyentes están a salvo incluso si mueren en un tiempo tan calamitoso? ¿Has notado alguna diferencia en la forma en que los creyentes y los incrédulos responden a los mismos acontecimientos difíciles, como los desastres naturales? ¿Cómo podría esto revelar el juicio de Dios, por un lado, y, por otro, la obra refinadora de Dios con respecto a los creyentes?
- ***Sobre que ningún creyente o iglesia es insignificante para Dios.*** Como muchas iglesias de hoy, la comunidad cristiana de Filadelfia era pequeña. A sus propios ojos, así como a los ojos de los demás, puede haber parecido insignificante, y tal vez algunos de ellos, al enfrentarse a la persecución, se preguntaron si Dios se había olvidado de ellos. Sin embargo, esta iglesia recibe elogios y promesas especiales de Dios. ¿Acaso nuestra cultura cristiana da demasiada importancia al tamaño? La iglesia de Laodicea, que estaba bajo la amenaza del juicio de Dios, aparentemente estaba prosperando. ¿Cómo puede la iglesia de Filadelfia ser un estímulo para nosotros cuando, ya sea como individuos o como comunidad eclesial, nos sentimos insignificantes o incluso olvidados por Dios?

7. Cristo condena a la iglesia de Laodicea por su testimonio ineficaz y su deplorable condición espiritual y exhorta a sus miembros a perseverar convirtiéndose en testigos fieles y renovando su comunión con Él para reinar con Él (3:14–22)

[14] Escribe al ángel de la iglesia en Laodicea: "El Amén, el Testigo fiel y verdadero, el Principio de la creación de Dios, dice esto: [15] 'Yo conozco tus obras, que ni eres frío ni caliente. ¡Ojalá fueras frío o caliente! [16] Así, puesto que eres tibio, y no frío ni caliente, te vomitaré de Mi boca. [17] Porque dices: "Soy rico, me he enriquecido y de nada tengo necesidad". No sabes que eres un miserable y digno de lástima, y pobre, ciego y desnudo. [18] Te aconsejo que de Mí compres oro refinado por fuego para que te hagas rico, y vestiduras blancas para que te vistas y no se manifieste la vergüenza de tu desnudez, y colirio para ungir tus ojos y que puedas ver. [19] Yo reprendo y disciplino a todos los que amo. Sé, pues, celoso y arrepiéntete. [20] Yo estoy a la puerta y llamo; si alguien oye Mi voz y abre la puerta, entraré a él, y cenaré con él y él conmigo. [21] Al vencedor, le concederé sentarse conmigo en Mi trono, como yo también vencí y me senté con Mi Padre en Su trono. [22] El que tiene oído, oiga lo que el Espíritu dice a las iglesias'".

14 ¿Qué quiere decir Cristo al referirse a sí mismo como **el Principio de la creación de Dios**? ¿Cómo se relaciona esta autocalificación con la situación de Laodicea? ¿Cómo puede Cristo animar a los laodicenses a ser espiritualmente fríos? ¿Qué significa comprarle a Cristo oro, vestiduras blancas y colirio?

La autopresentación de Cristo aquí como **Testigo fiel y verdadero** y **Principio de la creación de Dios** se remonta a la descripción que hace Juan de Cristo en 1:5 como testigo fiel y primogénito de los muertos y a la declaración de Cristo en la visión de que estaba muerto y ahora está vivo para siempre (1:18). Cristo como principio de la creación de Dios no se refiere aquí a los acontecimientos que rodean la creación y la fundación del mundo, sino a la resurrección, la nueva creación que se espera en los últimos días, del mismo modo que Pablo describe a Cristo como "el principio, el primogénito de entre los muertos" en Col. 1:18.

También se describe a Jesús como el **Amén**, que es un equivalente hebreo de **fiel y verdadero**. El único otro lugar en la Biblia donde se usa "Amén" como nombre es Is. 65:16, "El que es bendecido en la tierra, será bendecido por el Dios de Amén" (traducido como "Dios de la verdad" en la NASB, NIV). ¿Y cuál es la bendición de este Dios de Amén? No es otra cosa que la creación de un nuevo cielo y una nueva tierra (Is. 65:17), una nueva creación, de la que Cristo en su resurrección es el **Principio**. Cristo se identifica ante los laodicenses como el **Amén, el Testigo fiel y verdadero**, precisamente porque Él es el cumplimiento del principio de la profecía de la nueva creación de Isaías (Is. 65:16–17), y esta cualidad de testigo fiel está tan lamentablemente ausente en ellos. No sólo eso, necesitan Su poder de resurrección como el primogénito de la nueva creación, porque están espiritualmente muertos y necesitan ser vivificados, lo que sin duda conducirá a un testimonio efectivo en la cultura pagana. Incluso en Sardis, un remanente fiel permaneció en una iglesia mayormente muerta, pero no se identifica tal remanente aquí, y no hay ningún tipo de elogio para la iglesia de Laodicea.

15–16 Los laodicenses **no son fríos ni calientes**, sino **tibios**. Si algunos consideran que lo **caliente** es bueno, lo **tibio** es mediocre y lo **frío** es malo, ¿por qué diría Cristo que los prefiere **fríos** en vez de **tibios**? La respuesta revela una perspectiva diferente sobre estos niveles de temperatura. Laodicea tenía dos vecinos, Hierápolis y Colosas. Hierápolis tenía aguas calientes que poseían efectos medicinales, mientras que Colosas tenía agua fría, que también se pensaba que era saludable.

Sin embargo, Laodicea no disponía de una buena fuente de agua, y tenía que traerla por tuberías. Cuando llegaba, estaba tibia y sucia — sólo apta para ser escupida. De hecho, en el mundo antiguo se consideraba generalmente que el agua fría y caliente o el vino eran beneficiosos para la salud, pero no el agua tibia. Del mismo modo, la fe y el testimonio de los laodicenses no tenían un efecto saludable en la gente que vivía a su alrededor. Veremos que una de las principales razones de su fe ineficaz era su transigencia con la idolatría. Ahora Cristo expone que la condición espiritual de la iglesia no es mejor que el agua de la ciudad al afirmar que **te vomitaré de Mi boca**. Si los laodicenses no se identifican fielmente con Cristo en su cultura, entonces tampoco Cristo los identificará como testigos fieles junto a Él.

17 En contraste con la evaluación de Cristo, la iglesia de Laodicea se consideraba en buenas condiciones debido a su prosperidad material. El Apocalipsis utiliza las palabras **rico** y **enriquecido** para describir a los que han prosperado por asociación con el sistema mundial corrupto e impío (6:15; 13:16;

18:3, 15, 19), y la acusación es que los laodicenses se han aliado con las fuerzas económicas locales vinculadas allí (como en las otras ciudades de Asia Menor) a la idolatría y la inmoralidad. La idolatría de Laodicea se señala al observar que no sólo se aplican las palabras "**rico**" y "**enriquecido**" en este versículo a los mercaderes incrédulos que tienen relaciones con la Babilonia idólatra (así en 18:3, 15, 19), sino también abiertamente a los que obtienen ganancias mediante la idolatría (así en 6:15, en alusión a los idólatras de Is. 2:10–21; y 13:16).

Un tema constante de las Escrituras es que la riqueza debe manejarse con cuidado y administrarse para la gloria de Dios, o consumirá a su dueño (Mt. 6:24; Lc. 6:20–21, 25–26; 12:13–21; 16:1–15; Hch. 5:1–10; 1 Co. 4:8; 1 Ti. 6:5–10, 17–19; Stg. 2:1–9; 4:1–4; 5:1–6). Tal búsqueda de riqueza que lo consume todo conduce a la idolatría, como veremos que es el caso aquí. Esto no es una aprobación de la pobreza, ya que parte de la bendición de Dios sobre Israel fue su prosperidad. La cuestión, sin embargo, es cómo usamos lo que Dios nos ha dado.

La prosperidad de un cristiano se mide por lo que da y no por lo que tiene. Pero los laodicenses habían caído en la misma trampa que los israelitas, ya que las palabras autocomplacientes que se les atribuyen aquí son citadas por Cristo de la condena profética de Oseas a los israelitas: "Efraín ha dicho: 'Ciertamente me he enriquecido, He adquirido riquezas para mí… no hallarán en mí Iniquidad alguna'" (Os. 12:8). Oseas expone el hecho de que Israel ha prosperado a través de la deshonestidad (12:7) y se ha dedicado a la idolatría (caps. 1–2), asumiendo de hecho que fueron los ídolos los que trajeron esta prosperidad (2:5, 8). Oseas declara que, en realidad, Dios no los ha encontrado ricos, sino inútiles (12:11).

Los laodicenses también prosperaban, probablemente debido a su participación en prácticas comerciales idólatras e impías, pero Cristo, al igual que Oseas, expone la verdad. Mientras que los cristianos de Esmirna, aunque materialmente pobres, eran espiritualmente ricos (2:9), los laodicenses transigentes son materialmente ricos pero espiritualmente en bancarrota, especialmente debido a su compromiso con instituciones económicas idólatras. Se juzgaban a sí mismos en buena condición, pero Cristo revela la verdad de que son **pobres, ciegos y desnudos** — referencias probablemente irónicas respectivamente a los conocidos recursos de Laodicea, en los que depositaban demasiada confianza: su sistema bancario, su escuela de oftalmología, su famoso colirio y su comercio textil (representativos de tres áreas de la vida en las que los antiguos depositaban demasiada confianza: el dinero, la ropa y las instituciones sanitarias, todas ellas inextricablemente ligadas a la idolatría).

18 Ahora se da la solución a sus problemas. Para combatir su pobreza deben **comprar** a Cristo **oro refinado por fuego** (una expresión bíblica para la pureza: cf. 3:4–5 y más generalmente 1 P. 1:7). Para superar su transigencia con el mundo, deben comprar… **vestiduras blancas** para cubrir su **desnudez** (sobre el blanco como significado de pureza, véase 3:4–5; 6:2; 19:8, especialmente por no mancharse con los ídolos). Descubrir **la vergüenza de su desnudez** es el lenguaje empleado en la acusación de Dios a Israel y a otras naciones por participar en la idolatría (así en Is. 47:3; Ez. 16:36; 23:29; Nah. 3:5; probablemente también Is. 20:4; cf. también Éx. 20:26).

El lenguaje profético se repite aquí también para destacar la naturaleza idólatra del pecado de Laodicea. Para combatir su ceguera (falta de discernimiento espiritual), deben comprar **colirio**, sobre todo para no engañarse sobre el peligro letal que suponía para su fe la adoración de ídolos. Observe cómo en la visión inicial Cristo estaba vestido con un cinturón de oro, su cabello era blanco como la lana y sus ojos eran como fuego ardiente, lo que corresponde de manera sorprendente a los tres productos mencionados en este versículo.

El **oro**, las **vestiduras blancas** y el **colirio** apuntan a una sola cosa — Cristo. Su enfermedad sólo puede ser remediada mediante una relación renovada con Cristo, comprando los verdaderos recursos espirituales de Él (cf. Is. 55:1–3). Sólo en Cristo se encuentran las verdaderas riquezas, la ropa y la perspicacia. De hecho, Jesús mismo estableció la fuente de toda riqueza verdadera a través de su propio testimonio fiel en medio del sufrimiento de la cruz. Él es todo lo que los laodicenses realmente necesitan. Aunque perdieran todo lo demás, seguirían teniendo todo lo que realmente necesitan, pero sin Él no tienen nada.

19–20 A pesar de todo esto, Cristo responde a la pobre condición de los laodicenses de una manera que muestra que no se ha dado por vencido con ellos. Él **está a la puerta** de sus vidas y llama, invitándolos a renovar la comunión con Él. El tiempo de ambos verbos (**estar** y **llamar**) apunta a una acción presente y continua por parte de Cristo. Él está allí tendiendo la mano a los laodicenses, como siempre está a las puertas de los corazones de los creyentes que se han enfriado en su amor y se han enredado en la búsqueda de lo que este mundo tiene que ofrecer.

Las palabras de Cristo aquí se basan probablemente en las palabras pronunciadas a la novia en el Cantar de los Cantares 5:2, "¡Una voz! ¡Mi amado toca a la puerta! 'Ábreme…'". Se trata de una invitación, no para que los lectores se conviertan, sino para que se renueven en una relación con Cristo que ya ha comenzado, como se desprende del v. 19 (**reprendo a todos los que amo… Sé, pues, celoso y arrepiéntete**). La alusión al Cantar de los Cantares apunta a un enfoque de renovación de una relación, ya que allí el marido llama a la puerta de la alcoba para animar a su mujer a seguir expresándole su amor y dejarle entrar, pero ella al principio duda en hacerlo. Cristo, el esposo, hace lo mismo con su esposa, la iglesia. Este es el clamor del corazón de Dios hacia los que ama. Los llama a **cenar con** Él, a volver a la comunión que conocieron en días pasados.

21–22 Para aquellos que renueven su celo por Cristo y vuelvan a Él, todo lo que hayan perdido en el esquema de este mundo será más que compensado por su participación en el gobierno del reino eterno. Si no renuevan su celo, por supuesto, puede que no experimenten la alegría de ese reino en absoluto. La descripción de la iglesia de Laodicea es probablemente incómodamente cercana a la situación de la iglesia en nuestra propia cultura. Debemos ajustar nuestras prioridades para poner el reino en primer lugar y estar dispuestos a renunciar a lo que no podemos conservar para ganar lo que no podemos perder — nuestra participación en el reino de Dios. Esta recompensa del reino ya ha comenzado (cf. Ap. 1:5–6, 9).

La carta termina de nuevo con una exhortación al que **tiene oído** para **oír lo que el Espíritu dice** para discernir el mensaje de Cristo en esta carta, para que se consuma la recompensa del reinado con Cristo.

Sugerencias para reflexionar sobre 3:14–22

- ***Sobre la prosperidad como señal de la bendición de Dios.*** Dios prometió a los israelitas abundante provisión material en lugar de la esclavitud y las privaciones que habían experimentado en Egipto. Sin embargo, cuando Dios les dio esa provisión, a menudo se convirtió en una piedra de tropiezo y un obstáculo que los alejó de la verdadera adoración. ¿Por qué respondieron de esta manera a la provisión de gracia de Dios? ¿Por qué Dios "corrió el riesgo" de dárselo? ¿Habría sido mejor que permanecieran en una pobreza relativa? ¿En qué sentido podemos decir que la prosperidad es o puede ser un signo de la bendición de Dios?
- ***Sobre los cristianos que viven en una sociedad rica.*** Laodicea era una comunidad rica, como lo reflejan sus instituciones financieras, manufactureras y médicas. El materialismo de la ciudad se había contagiado a la iglesia, con resultados desastrosos. Al menos en Occidente, la mayoría de los cristianos de hoy viven en comunidades

relativamente ricas y consumidas por el materialismo. ¿Cómo nos resistimos a que nos ocurra lo mismo que a los laodicenses? ¿Cuáles son las señales de advertencia de que nos dirigimos a este tipo de problemas? ¿Cómo respondemos a quienes sugieren que deberíamos apoyar un estilo de vida muy sencillo, o incluso una pobreza relativa? Piense en este pasaje a la luz de las palabras de Jesús: "¡Qué difícil es que entren en el reino de Dios los que tienen riquezas!" (Lc. 18:24). Jesús pensaba en los que eran muy ricos; ¿cómo se aplica esto a la vida en una sociedad en la que puede que no nos consideremos ricos, pero somos relativamente mucho más ricos que los de otras naciones?

- ***Sobre lo invaluable de la comunión con Cristo.*** Este pasaje describe la relación con Cristo como de un valor infinitamente mayor que todas las posesiones materiales que tienen los laodicenses. ¿Cómo valoramos nuestra relación con Cristo? ¿Nos detenemos de vez en cuando a hacer un inventario de lo que valoramos en la vida? ¿Cómo refleja nuestros valores el uso que hacemos del tiempo y del dinero? ¿Cómo expresamos en la práctica el valor de nuestra relación con Cristo? Aquí se nos presenta a Cristo deseando entrar en los corazones que son insensibles a Él. ¿Cuántas veces le hemos rechazado simplemente porque estábamos preocupados por otras cosas? Aunque en esta carta Cristo "llama a la puerta" se refiere a la puerta de la iglesia corporativa, incluye una referencia a los individuos (cf. vv. 19–21).

  ¿Nos hemos dado cuenta de que Él está de pie y llama a la puerta de nuestros corazones? ¿Cuál es el estado de nuestra vida de oración? Si no nos hablamos con el Señor, ¿cómo va a comunicarnos cuáles son los tesoros que quiere que valoremos más? ¿Es posible caer en la tibieza sin darnos cuenta? ¿Y cómo podemos aplicar todas estas lecciones a la vida de nuestra iglesia local para evitar que caiga en el estupor laodicense y en la muerte final? La confianza de los laodicenses en su riqueza era en realidad una autosuficiencia que surgía de la dependencia de la seguridad terrenal.

  ¿De qué manera alguna de nuestras seguridades terrenales nos lleva a una autosuficiencia que excluye la dependencia de Dios? ¿Una preocupación excesiva por las siguientes cosas aleja a Dios de nuestras vidas: los recursos financieros, la vestimenta y el aspecto físico, y las cuestiones de salud (ya sea por los problemas de salud o por tratar de mantenerse sano y en forma)? Estas eran tres áreas en las que los laodicenses confiaban demasiado (recordemos su confianza implícita en el oro, la ropa y las instalaciones de salud). Cuando se produce la autosuficiencia, no vemos a Cristo como nuestra seguridad y nos anestesiamos espiritualmente y quedamos fuera de contacto en nuestra relación con Cristo.

Nos juzgamos espiritualmente sanos cuando en realidad estamos espiritualmente enfermos. Nos contentamos con alimentarnos de los recursos pútridos del mundo, que nos parecen deliciosos, en lugar de alimentarnos de los ricos recursos de Cristo. Y a veces no acudimos a la Palabra de Cristo, porque es una lente verdadera que nos evalúa como somos y no como pensamos de nosotros mismos. ¿Cómo pueden los cristianos superar la autosuficiencia y la insensibilidad espiritual? De la misma manera que debían hacerlo los laodicenses: reconociendo su pecado (arrepintiéndose) y renovando su relación con Cristo (v. 19), que se expresa escuchando y obedeciendo su palabra ("El que tiene oído, oiga lo que el Espíritu dice a las iglesias", v. 22).

II. DIOS Y CRISTO SON GLORIFICADOS (AP. 4:1-5:14)

Dios y Cristo son glorificados porque la resurrección de Cristo demuestra que son soberanos sobre la creación para juzgar y redimir (4:1–5:14)

Juan tiene ahora otra visión (**después de esto**, 4:1). La imagen de Cristo en 3:21, sentado actualmente en el trono de su Padre, conduce a la visión de los caps. 4–5. En estos capítulos Juan quiere explicar con más detalle y con más imágenes el acto pasado de la exaltación de Cristo en Su trono como gobernante sobre la iglesia *y* el cosmos, que se llevó a cabo por Su muerte y resurrección. Juan es llevado a la sala del trono de Dios, donde ve a Cristo entronizado junto al Padre. La visión muestra cómo la exhortación de Cristo a cada una de las iglesias a vencer se basa en el hecho de que Cristo mismo ya ha vencido (5:5).

La primera vez que se compara su victoria con la de Cristo es en 3:21, donde Su acto sirve de base para su victoria y consiguiente reinado. En 5:5–6 se explica que Cristo también venció perseverando en medio del sufrimiento y, como resultado, se le concedió la realeza (cf. 5:7–13). Esta realeza no es simplemente una realidad futura, sino algo que comenzó en la resurrección. El hecho de que los caps. 4–5 perciban Su realeza como una realidad inaugurada es más evidente en 5:9–10, donde Su muerte y resurrección han resultado en la redención de los creyentes y su participación *actual* en un reino sacerdotal (nótese la alusión a Éx.

19:6, que también aparece en 1:6 y se aplica a la iglesia actual). Esta observación requiere obviamente la suposición de que Cristo también ha comenzado a reinar.

Por lo tanto, el contenido de esta visión está estrechamente relacionado con lo anterior — tanto en la introducción como en las cartas. La descripción de las vestiduras blancas de los santos (3:5, 18; 4:4), de los santos sentados en tronos (3:21; 4:4), de sus coronas (2:10; 3:11; 4:4) y de la imagen de una "puerta abierta" (3:8, 20; 4:1) apoyan el concepto del reinado actual de los creyentes y, por tanto, de Cristo. También es significativo el hecho de que en las cartas (3:1) se dice que Cristo tiene los "siete Espíritus de Dios" (que representan al Espíritu Santo), y en las visiones su reinado desde el trono está estrechamente relacionado con los mismos "siete Espíritus" (4:5; 5:6), que parecen formar parte de los medios por los que gobierna. Los creyentes son motivados a perseverar por la posesión actual de una parte de su recompensa eterna, que les asegura su plena posesión en el último día. Parte del propósito pastoral de los caps. 4–5 es que los cristianos que sufren (cf., p. ej., 2:8–11, 13) tengan la seguridad de que Dios y Jesús son soberanos y que los acontecimientos a los que se enfrentan forman parte de un plan soberano que culminará con su redención y la vindicación de su fe mediante el castigo de sus perseguidores.

La visión que tiene Juan está tan estrechamente relacionada con la visión de Daniel del Anciano de Días y del Hijo del Hombre (Dn. 7:9–14) que debemos concluir que vio prácticamente lo mismo, que era consciente de ello y que lo registró deliberadamente teniendo en cuenta esa similitud. Observa los siguientes puntos de comparación:

- El profeta "mira" (Dn. 7:9; Ap. 4:1).
- Ve un trono en el cielo con Dios sentado en él (Dn. 7:9; Ap. 4:2).
- Se describe la aparición de Dios (Dn. 7:9; Ap. 4:3).
- Hay fuego ante el trono (Dn. 7:9–10; Ap. 4:5).
- "Miríadas de miríadas" de seres celestiales rodean el trono (Dn. 7:10; Ap. 5:11).
- Los libros se abren (Dn. 7:10; Ap. 5:1–5).
- Una figura divina se acerca al trono y recibe un reino que durará para siempre (Dn. 7:13–14; Ap. 5:5–13).
- Este reino está formado por todos los pueblos, naciones y lenguas (Dn. 7:14; Ap. 5:9).
- El profeta experimenta angustia a causa de la visión (Dn. 7:15; Ap. 5:4).

- El profeta recibe sabiduría concerniente a la visión de uno de los seres celestiales (Dn. 7:16; Ap. 5:5).
- A los santos se les da autoridad para reinar sobre un reino (Dn. 7:18, 22, 27; Ap. 5:10).
- La visión concluye con la mención del reinado eterno de Dios (Dn. 7:27; Ap. 5:13–14).

También hay importantes similitudes con las cosas que vio Ezequiel en su visión inicial: cuatro criaturas vivientes (Ez. 1:5; Ap. 4:6), un mar de cristal (Ez. 1:22; Ap. 4:6) y un trono rodeado de fuego en el que está sentado Dios (Ez. 1:26–28; Ap. 4:1–5). Algunos creen que Ezequiel 1 es el modelo principal de Apocalipsis 4–5. Pero en general estos capítulos deben interpretarse principalmente dentro del marco conceptual de Daniel 7, ya que las alusiones a Ezequiel 1 se vuelven menos dominantes en la visión del cap. 5, pero Daniel 7 sigue estando presente. Esto tiene importantes implicaciones interpretativas, como veremos.

Los caps. 4–5 también reflejan la escena de una sala del trono en un templo celestial. La escena de un templo es discernible a partir de varias observaciones:

- La visión del templo celestial de Is. 6:1–4 es aludida en Ap. 4:8.
- Ap. 11:19 y 15:5 ss. desarrollan la imagen del cap. 4 con una referencia explícita a un "santuario" o "templo" ("el arca del pacto" también aparece en 11:19). En particular, la entrada de Juan a través de una "puerta abierta en el cielo" en 4:1 está probablemente relacionada con el mismo lenguaje sobre la apertura del templo celestial en 11:19 y 15:5. Por ejemplo, véase 11:19, "el templo de Dios que está en el cielo fue *abierto*", y casi idénticamente 15:5.
- El vínculo entre 4:1 y 11:19 y 15:5 ss. se confirma además por la repetición de "relámpagos, voces y truenos" (4:5) tres veces más adelante en el libro, en 8:5; 11:19; y 16:18, este último introducido en 15:5, cada vez con adiciones que intensifican las imágenes.
- Las "siete lámparas" de 4:5 aluden a las lámparas del candelabro del templo.
- El altar de oro del incienso en 8:3; 9:13; y 16:7 aparece en pasajes que aluden al altar de 6:9–10, que a su vez tiene sus raíces en la visión de los caps. 4–5 (véase en 8:3).

- Recordando que Apocalipsis 4–5 está modelado sobre Daniel 7, una representación del templo se vería reforzada si Dn. 7:9–14 puede entenderse como una visión de la sala del trono del *templo* en el cielo.

1. Dios es glorificado porque Él es juez soberano y redentor de la creación en sus inicios y a lo largo de la historia (4:1–11)

[1] Después de esto miré, y vi una puerta abierta en el cielo. Y la primera voz que yo había oído, como sonido de trompeta que hablaba conmigo, decía: "Sube acá y te mostraré las cosas que deben suceder después de éstas". [2] Al instante estaba yo en el Espíritu, y vi un trono colocado en el cielo, y a Uno sentado en el trono. [3] El que estaba sentado era de aspecto semejante a una piedra de jaspe y sardio, y alrededor del trono había un arco iris, de aspecto semejante a la esmeralda. [4] Y alrededor del trono había veinticuatro tronos. Y sentados en los tronos, veinticuatro ancianos vestidos de ropas blancas, con coronas de oro en la cabeza. [5] Del trono salían relámpagos, voces, y truenos. Delante del trono había siete lámparas de fuego ardiendo, que son los siete Espíritus de Dios. [6] Delante del trono había como un mar transparente semejante al cristal; y en medio del trono y alrededor del trono, cuatro seres vivientes llenos de ojos por delante y por detrás. 7 El primer ser viviente era semejante a un león; el segundo ser era semejante a un becerro; el tercer ser tenía el rostro como el de un hombre, y el cuarto ser era semejante a un águila volando. [8] Los cuatro seres vivientes, cada uno de ellos con seis alas, estaban llenos de ojos alrededor y por dentro, y día y noche no cesaban de decir: "Santo, santo, santo, es el SEÑOR Dios, el Todopoderoso, el que era, el que es y el que ha de venir". [9] Y cada vez que los seres vivientes dan gloria, honor, y acción de gracias a Aquél que está sentado en el trono, al que vive por los siglos de los siglos, [10] los veinticuatro ancianos se postran delante de Aquél que está sentado en el trono, y adoran a Aquél que vive por los siglos de los siglos, y echan sus coronas delante del trono, diciendo: [11] "Digno eres, Señor y Dios nuestro, de recibir la gloria y el honor y el poder, porque Tú creaste todas las cosas, y por Tu voluntad existen y fueron creadas".

1 Así como Daniel 7 y Ezequiel 1 comienzan con una fraseología introductoria de la visión, así comienza Apocalipsis 4: **Después de esto miré**. El primer uso de la frase **después de esto** en este versículo no se refiere a los acontecimientos de las visiones desde el cap. 4 hasta el final del libro como posteriores a los acontecimientos narrados en los caps. 1–3, sino que sólo indica que una nueva visión viene después de la anterior en los caps. 1–3. Este es el orden *secuencial* en el que Juan vio las visiones, pero no necesariamente el orden *histórico* de los acontecimientos que describen.

Esta es la forma en que se utiliza la frase en las secciones posteriores del libro (7:1, 9; 15:5; 18:1; 19:1). Como vimos anteriormente, es más que una coincidencia que el v. 1a tenga su analogía verbal más cercana y casi exacta en Daniel 7:6a, 7a. La referencia de Juan a la **primera voz** que había oído, junto con la mención del **sonido de trompeta** y la frase **en el Espíritu** (v. 2) remiten a 1:10, donde Juan fue comisionado originalmente, lo que demuestra que sigue obedeciendo el llamado de Cristo a proclamar Su mensaje (véase 1:10–11).

La frase "**las cosas que deben suceder después de éstas**" es una referencia a la visión de Dn. 2:28ss. 2:28 y siguientes, en la que Daniel profetiza la venida del reino de Dios en los últimos días, que Juan ve que empieza a cumplirse en Cristo (véase también 1:19, así como 1:5–6, 13–18). Por lo tanto, la segunda aparición en este versículo de la frase "**después de éstas**" no se refiere a un futuro lejano, como argumentan algunos, sino a los acontecimientos entre la primera y la segunda venida de Cristo, incluidos los acontecimientos que se desarrollaban en el mismo momento en que Juan estaba escribiendo.

Te mostraré las cosas que deben suceder después de éstas se utiliza aparentemente de la misma manera que en 1:1 y 1:19. Ya hemos visto que la alusión a **después de éstas** de Daniel en 1:19 y su equivalente "pronto/rápidamente" en 1:1 indicaban que el cumplimiento de la profecía de Daniel 2 relacionada al establecimiento del reino de Dios ha comenzado en Cristo y la iglesia. Ap. 4:1 introduce no sólo 4:1–5:14, sino también el resto de las visiones del libro (4:2–22:5). Queda claro, por tanto, que todas las visiones que están a punto de desarrollarse se refieren a acontecimientos de toda la era de la iglesia, pasados, presentes y futuros. Algunas pueden haberse desarrollado ya, otras esperan su cumplimiento, y otras tienen múltiples cumplimientos a lo largo de la era de la iglesia. En este sentido, el Nuevo Testamento es coherente y claro en su opinión de que los "últimos días" o "postreros días" comenzaron ya con la resurrección de Cristo (Hch. 2:17–21, citando a Jl. 2:28–32 como cumplido; 1 Ti. 4:1; 1 P. 1:20; Heb. 1:2; Stg. 5:3; 1 Jn. 2:18; Jud. 18, etc.).

En estos versículos, Juan es introducido en la presencia atemporal de Dios y su corte celestial. Esto sitúa a Juan firmemente en la compañía de profetas del Antiguo Testamento como Isaías (6:1–13) y Miqueas (1 Reyes 22:19–22), así como Ezequiel y Daniel. El hecho de ser introducido en la dimensión espiritual y atemporal del consejo celestial de Dios significa que el momento de los acontecimientos que ve en la visión puede ser difícil de determinar con precisión. Todas las visiones de Ap. 6:1 a 22:5 se derivan de la visión de los caps. 4–5. Todas son visiones que provienen del libro sellado de 5:1ss. Esto significa que todas estas visiones tienen probablemente una mezcla de elementos pasados, presentes y futuros.

2 La visión de Juan progresa hasta el punto de ser arrebatado **en el Espíritu** al reino celestial. La sección introductoria de los vv. 1–2a concluye con un reflejo del repetido arrebato en el Espíritu del profeta Ezequiel. Esta escena es una reproducción de las visiones del concilio angélico que involucra el trono de Dios y que otros profetas del Antiguo Testamento, además de Ezequiel, habían presenciado (nótese las siguientes alusiones a escenas como las de Is. 6:1–13 y 1 R. 22:19ss. en 4:2b, 8a, 8b, 9a, 10a).

Al igual que otros profetas del Antiguo Testamento, Juan recibe el encargo y el llamado de profeta al ser convocado al consejo celestial secreto del Señor (véase la visión inicial del encargo en 1:10–20). En su función profética, debe volver a comunicar el propósito oculto de Dios a su pueblo y la parte que debe tener en su realización. Ha sido introducido en la dimensión atemporal donde la verdad y la realidad pueden ser claramente discernidas. Así, en los vv. 1–2a, Juan se identifica de nuevo con la autoridad profética del AT (cf. 1:1, 10, 12, 19–20). Por lo tanto, hay poca base para ver la frase "sube acá" en 4:1 y el rapto espiritual de Juan en el v. 2 como símbolo del rapto físico de la iglesia antes de la tribulación, como sostienen algunos comentaristas.

La primera mención del **trono** en la visión de Apocalipsis 4–5 ocurre aquí en el v. 1. Según el orden similar de las imágenes en Daniel 7 y Ezequiel 1, la imagen de un ser divino sentado en un trono se ajustaría a cualquiera de los dos contextos del Antiguo Testamento, aunque en los versículos siguientes se hacen más referencias a Ezequiel 1. El trono divino se menciona diecisiete veces en los caps. 4–5 (y otras veintiuna veces en los caps. 6–22), con el fin de subrayar la soberanía de Dios sobre toda la historia humana. Todos los seres celestiales encuentran su importancia en su ubicación alrededor del trono, y todos los habitantes de la tierra son juzgados en función de su actitud ante la atribución de Dios de gobernarlos desde este trono. Independientemente de lo desenfrenado que parezca el mal y que haga sufrir al pueblo de Dios, éste puede saber que Su mano lo supervisa todo para su bien y Su gloria. Esto se demuestra por la observación de que todos los juicios de los caps. 6–16 salen de Su trono (p. ej., 6:1–8 [5:7], 16; 8:2–6; 16:17). Esto tiene un significado especial para las iglesias que se enfrentan a la persecución, el sufrimiento y la tentación de transigir su fe.

3 Ahora se profundiza en las características particulares asociadas al que está en el trono. Las tres piedras preciosas mencionadas en el v. 3, **jaspe**, **sardio** y **esmeralda**, representan colectivamente la majestad y la gloria soberanas de Dios, como en 21:10–11, 18–23, y anticipan la lista más completa de piedras que se da en el cap. 21, donde se describen la nueva creación de Dios y la ciudad eterna. Los antecedentes se encuentran en Ez.1:26, 28. Es especialmente significativa la mención del **jaspe**, la única piedra que se menciona más adelante en el libro en relación explícita con la gloria de Dios (21:11). Está a la cabeza de la lista de las doce piedras de los cimientos de la muralla de la ciudad del fin de los tiempos en 21:19. Las piedras intensifican la luz alrededor del trono al reflejar el brillo inalcanzable, y por tanto la gloria, que rodea a Dios mismo (cf. 1 Ti. 6:16; Sal. 104:2).

El **arco iris alrededor del trono** habla de la misericordia de Dios, como en los días de Noé, y sugiere que, aunque los juicios de Dios se desplieguen, Él será bondadoso con su verdadero pueblo. Por encima de todo, el arco iris evoca el pensamiento de la gloria de Dios, ya que Ez. 1:28 equipara metafóricamente un "arco iris" con "resplandor en derredor… el aspecto de la semejanza de la gloria del SEÑOR". Las piedras preciosas, junto con el arco iris, son un indicio incipiente no sólo de que esta visión desembocará finalmente en la de una nueva creación, sino que ya retrata el comienzo de la nueva creación en el cielo. Las piedras preciosas de 21:10–11, 18–23 forman parte de una representación de la nueva creación, y el arco iris es el primer signo revelador de la nueva creación que surgió tras el diluvio en tiempos de Noé. Que la nueva creación se inaugura con la obra redentora de Cristo se desprende de 3:14 (véanse los comentarios al respecto) y del uso de "nuevo" en 5:9 para describir esa obra (véanse "cielo y tierra nuevos" en 21:1).

4 Lo siguiente que ve Juan son **veinticuatro tronos** sobre los que están sentados **veinticuatro ancianos**. Han existido diversas identificaciones de estos ancianos. El número **veinticuatro** es significativo. Como la imagen aquí es del salón del trono en el templo celestial, los ancianos pueden estar basados en las veinticuatro órdenes sacerdotales de David (1 Cr. 24:3–19), veinticuatro porteros levíticos (1 Cr. 26:17–19) y veinticuatro líderes de adoración levíticos (1 Cr. 25:6–31), en cuyo caso representan a la iglesia en la adoración. A la luz de Ap. 21:12–

14 (donde se menciona a los apóstoles y a los patriarcas juntos en relación con la nueva Jerusalén), es probable que también se refiera a la suma de los doce patriarcas y los doce apóstoles que, en conjunto, representan a la iglesia en su carácter de sacerdocio universal de creyentes.

Sin embargo, los ancianos no pueden ser clasificados como verdaderos santos redimidos, ya que se distinguen claramente de la multitud de los salvados en 7:9–17 (véase en 7:13–14). Y el hecho de que presenten las oraciones de los santos en 5:8 y canten a los redimidos en tercera persona también los distingue de los creyentes.

Recordando que en las cartas los ángeles fueron identificados como representantes de las siete iglesias y que en Daniel 10–12 los ángeles representan a las naciones, los ancianos aquí deben ser identificados como seres angélicos que representan a la iglesia como un todo, incluyendo a los santos del Antiguo Testamento. Si los cuatro seres vivientes son representantes celestiales de toda la vida animada en la creación (como piensan la mayoría de los intérpretes), entonces los ancianos son probablemente representantes celestiales del pueblo de Dios. Los cuatro seres vivientes representan la creación general y los ancianos los elegidos de la creación especial de Dios. También sugiere una identificación angélica de los ancianos el hecho de que el ángel que revela las visiones del libro a Juan se refiera a él como "consiervo tuyo y de tus hermanos los profetas y de los que guardan las palabras de este libro", todos los cuales deben adorar juntos (22:9).

Por lo tanto, la realidad que se transmite es que la iglesia está representada en el cielo por poderosos seres celestiales que asisten al trono de Dios y que, por lo tanto, ostentan un gran poder (tienen sus propios tronos y llevan **coronas de oro**), que ejercen en nuestro nombre. Los ancianos son ángeles que actúan en calidad de sacerdotes presentando las oraciones de los santos a Dios (compárese 5:8 y 8:3) e interpretando las visiones celestiales a las personas (compárese 5:5; 7:13 y 10:4, 8; 19:9; 22:8). Esto refleja además su identificación sacerdotal levítica señalada anteriormente, especialmente porque la visión de la sala del trono de los caps. 4–5 también debe entenderse como algo que ocurre en el templo celestial (nótese que las visiones de Ezequiel 1 e Isaías 6, a las que se alude a lo largo de los caps. 4–5, se sitúan en el contexto de un templo celestial).

A la luz de esto, el v. 4 es un desarrollo de las ideas de los capítulos anteriores sobre la participación de los santos en un templo celestial (1:13, 20; 2:12) y la posesión de coronas, ropas blancas y dominio, que se les concederá en su plenitud si perseveran (2:10, 26–27; 3:4–5, 11, 18, 21). Al igual que en los caps. 1–3, la iglesia es representada con esta apariencia angélica para recordar a sus miembros que ya una dimensión de su existencia es celestial, que su verdadero hogar no está con los "habitantes de la tierra" incrédulos, y que cuentan con ayuda y protección celestiales en su lucha por obtener su recompensa y no conformarse con su entorno pagano. Uno de los propósitos de la iglesia que se reúne en la tierra en sus reuniones semanales (como en, p. ej., 1:3) es que se le recuerde su existencia e identidad celestial, y esto ocurre en parte aparentemente al modelar su adoración en la adoración de los ángeles y de la iglesia celestial al Cordero exaltado, como se describe vívidamente en los caps. 4–5.

5 A continuación, Juan es testigo de los **relámpagos, voces, y truenos** que salen del trono — lo mismo que vio Moisés en Éx. 19:16. Esta frase se repite en 8:5; 11:19; y 16:18, todas ellas relacionadas con los juicios de Dios. Esto resulta significativo a la luz de la forma en que muchas de las plagas del Apocalipsis están claramente modeladas (como veremos) en las del Éxodo. Esto puede servir como garantía para los cristianos que sufren de que su Dios es soberano y no se ha olvidado de ellos, porque no se ha olvidado de sus perseguidores, a los que seguramente juzgará con fuego (p. ej., 19:20; 20:9–10; 21:8).

El orden estructural de Dn. 7:9 y ss. y Ez. 1:26 y ss. se encuentra en el fondo, ya que ambos utilizan metáforas de fuego tras la mención de un trono y su ocupante. Las **siete lámparas de fuego** son la visión de Zacarías, donde hay una visión de siete lámparas en un templo, seguida de su interpretación (Zac. 4:2–3, 10; también Ap. 1:12, 20) y asociada al Espíritu de Yahvé (Zac. 4:6). El significado de las siete lámparas del templo en relación con la obra del Espíritu se desarrolla en 5:6 (véanse los comentarios al respecto).

6–8a La visión continúa desarrollándose. El **mar transparente semejante al cristal** puede ser el equivalente celestial del enorme "mar de bronce" en el patio del templo de Salomón (2 R. 25:13; Jer. 52:17, 20), ya que los caps. 4–5, como hemos visto, retratan una visión del templo en el cielo. Sin embargo, lo más importante es que este **mar** es la versión celestial del Mar Rojo, ya que encontramos el mismo "mar de cristal" mencionado en 15:2, donde los santos victoriosos están de pie sobre él cantando el cántico de Moisés. Los dos pasajes también están vinculados por la aplicación de la noción de "victoria" a los seres celestiales o a las personas que "están de pie" sobre el mar o junto a él.

Quizá el antecedente más destacado de la imagen del mar sea el de Ezequiel 1:22 (lo que se confirma por la redacción de ese pasaje, "algo semejante a un firmamento con el brillo deslumbrante de un cristal", y por las alusiones precedentes de Ezequiel 1 ya observadas). El Mar Rojo representa el obstáculo a la libertad, y el Antiguo Testamento lo presenta como la morada del dragón o monstruo marino (Is. 51:9–11; Sal. 74:12–15; Ez. 32:2). El concepto de "mar" en el Apocalipsis representa la realidad del mal (13:1; 15:2; 16:3; 21:1, sobre lo cual véase; así como en el concepto de "abismo" en 11:7).

Este pensamiento recibe apoyo del modelo de estos capítulos en Daniel 7, ya que el mar como imagen del origen de la bestia es una característica significativa allí. La bestia sale del mar (Ap. 13:1), que se equipara con el "abismo" en 11:7. En 4:6 se presenta una imagen del apaciguamiento de las aguas infernales *desde la perspectiva celestial*, aunque el demonio descarga su ira con más furia en la tierra porque ha sido derrotado de forma decisiva en el cielo (véase más adelante 5:6b; 12:12; 13:3). Este es el apaciguamiento del "Día D" cósmico, en el que se lleva a cabo la redención de los santos de la mano del diablo; la derrota final y completa del diablo espera las operaciones de "limpieza" por parte de los santos y la venida final de Cristo en juicio al final de la historia, el "Día V" final. La victoria del Cordero también ha preparado el camino para la victoria contrala bestia por parte de los santos en el mismo mar, como se describe en 15:2–4. En la nueva Jerusalén ya no hay mar (21:1). Dios ha aquietado estas aguas demoníacas y ha establecido su trono sobre ellas. En contraste con el mar, aquietado *como cristal*, el río de la vida, claro *como cristal*, fluye ahora libremente desde Su trono (22:1).

Ante el trono, Juan ve **cuatro seres vivientes llenos de ojos por delante y por detrás, cada uno de ellos con seis alas**. Hay similitudes y diferencias entre la visión de Juan y las visiones relacionadas de Ezequiel e Isaías. Ezequiel vio criaturas similares (querubines); cada una tenía cuatro caras con muchos ojos, pero sólo cuatro alas, que formaban parte de la base del trono (Ez. 1:1–28; 10:1–22). Isaías vio criaturas de seis alas, llamadas serafines, que estaban encima del trono (Is. 6:1–7). Aquí se dice que los seres vivientes estaban **en medio del trono y alrededor del trono** o **en el centro del trono**, lo que probablemente significa que estaban cerca de él. Esto se aclara aún más al observar que más adelante en el libro los seres vivos se postran en adoración *delante* el trono (5:8; 19:4). Los ángeles parecidos a los querubines/serafines y las criaturas aquí parecen representar un orden elevado similar de seres angélicos.

Algunos han interpretado que las cuatro figuras simbolizan la plenitud de la vida y el poder inherentes a la naturaleza divina, ya que cada uno de los animales enumerados es la cabeza de su especie. Es probable que las cuatro figuras estén diseñadas para ser representativas de todo el orden creado de la vida animada. La multitud de ojos en los seres vivos significa la omnisciencia divina, lo que significa que son agentes de Dios. A la luz de 5:6 y 5:8 y siguientes, los seres vivientes también deben ser vistos como servidores del Cordero.

Se les menciona en el cap. 4 no sólo porque forman parte del séquito real eterno en torno al trono celestial, sino también porque inauguran los juicios sobre la humanidad y continúan mediando en ellos hasta la consumación final (cf. 6:1–8; 15:7). Sus ojos conocedores escudriñan la tierra, y ejecutan los castigos sólo sobre aquellos que realmente los merecen. Para el lector perspicaz, estos **seres vivientes** son un estímulo para seguir perseverando bajo la persecución, sabiendo que Dios es muy consciente de su situación y ya está actuando en su favor y contra sus perseguidores (como revelan los caps. 6 y siguientes).

Los **cuatro seres vivientes** pueden ser descripciones simbólicas y no literales de las criaturas celestiales, una suposición sugerida por las diversas diferencias entre las visiones de Juan, Ezequiel e Isaías. Si el "libro", los "sellos", el "león", el "cordero", los "cuernos" y los "siete ojos" son simbólicos, es probable que también lo sean las demás características de la visión de los caps. 4–5. La misma valoración simbólica es probablemente cierta con respecto a los **veinticuatro ancianos**. Esto no significa que lo que Juan estaba viendo no refleje la realidad celestial, sino que la representación pictórica no debe tomarse literalmente.

8b Los himnos de los vv. 8b–11 interpretan la visión anterior (vv. 2–8a). La visión de Dios en el trono rodeado de seres celestiales, fuego y un mar se interpreta en el sentido de que es santo (v. 8b) y soberano sobre la creación (vv. 8b, 11b), lo que demuestra su "dignidad" (v. 11a) para ser alabado, adorado y glorificado (vv. 9–11). *Los himnos hacen explícito el punto principal de la visión y de todo el capítulo: Dios debe ser glorificado por Su santidad y soberanía.* También en esta sección se encuentra la razón por la que los cuatro seres vivos representan la totalidad de la vida animada. Cumplen la función que toda la creación está destinada a cumplir. Es decir, todas las cosas fueron creadas para alabar a Dios por Su santidad y glorificarlo por Su obra de creación. Los veinticuatro ancianos representan específicamente el propósito de la humanidad redimida de alabar y glorificar a Dios, lo cual es llevado a cabo, no sólo por ellos en el cielo, *sino también por la verdadera comunidad de fe en la tierra.*

Al igual que los serafines de Isaías (Is. 6:2–3), los ancianos pronuncian alabanzas al Señor Dios Todopoderoso, sin dejar de decir **Santo, santo, santo, es**

el Señor Dios, el Todopoderoso, el que era, el que es y el que ha de venir. Isaías 6 fue introducido en la visión de los vv. 8–9 porque su escena de una teofanía en el templo celestial se asemeja mucho a la de Daniel 7 y Ezequiel 1. El triple nombre de Dios, **el Señor Dios, el Todopoderoso**, se basa en su uso recurrente en la LXX (Am. 3:13; 4:13; 5:14–16; 9:5–6, 15; Os. 12:5; Nah. 3:5; Zac. 10:3; cf. Mal. 2:16). El segundo nombre de Dios, el **que era, el que es y el que ha de venir**, expresa una idea de infinidad y soberanía divina sobre la historia. A la luz de 11:17, la última cláusula de la fórmula, el **que ha de venir**, expresa una futura y única venida escatológica de Dios (véase también en 1:4 el análisis de este triple nombre). El objetivo de esta triple frase temporal es inspirar confianza en el control de Dios sobre todos los detalles de la historia e infundir valor para mantenerse firme ante cualquier dificultad concreta que ponga a prueba nuestra fe.

9 El hecho de la soberanía de Dios se expresa una vez más con la declaración de que las criaturas vivientes, de nuevo como los serafines de Isaías (véase Is. 6:1), dan su alabanza **a Aquél que está sentado en el trono**. Esta declaración del poder de Dios se hace en la corte celestial de la sala del trono del templo, pero esta autoridad, que es mucho más que una idea abstracta, se aplicará rigurosamente en la tierra. Así, los santos que sufren a lo largo de la historia pueden ser consolados por esta visión celestial.

10 Esta adoración de las criaturas vivientes da lugar a una nueva ronda de adoración por parte de los ancianos. Se dice que tanto las criaturas como los ancianos adoran **a Aquél que vive por los siglos de los siglos**, el mismo término ("Aquél que vive por los siglos") con el que se refieren a Dios tanto Nabucodonosor (Dn. 4:34) como el ángel vestido de lino (Dn. 12:7). Esta expresión de la eternidad de Dios enfatiza aún más el atributo divino mencionado en el v. 8 en el triple título "el que era, el que es y el que ha de venir". Tanto en Dn. 4:34 y 12:7, "el que vive para siempre" pretende contrastar con los reinados temporales de los reyes malvados, cuyo gobierno es arrebatado porque se han atribuido pretensiones de deidad (Dn. 4:30–33; 11:36–37) y han perseguido al pueblo de Dios (11:30–35; 12:7).

Ambos pasajes de Daniel contrastan a este Dios eterno con los reyes malvados que se rebelan contra Dios y persiguen a su pueblo, pero que finalmente son abatidos (Dn. 4:33; 11:36), la misma situación de persecución a la que se enfrentan los santos que sufren tanto en las siete iglesias como desde entonces. Esta es una advertencia a los transigentes para que no adoren a los dioses paganos ni a los reyes que se apropian de títulos que sólo pertenecen al verdadero Dios. Los cristianos son ahora pisoteados por esos poderes malignos, pero finalmente serán reivindicados por Dios, por lo que ahora se les anima a perseverar en medio de la adversidad, aunque actualmente no sean rivales para sus opresores.

11 El contraste entre la realeza eterna de Dios y la de los gobernantes temporales en el v. 10 se desprende de la sorprendente similitud del título divino **Señor y Dios nuestro** con el título *dominus et deus noster*, que se convirtió en una forma de dirigirse al emperador Domiciano, en cuyo reinado Juan recibió su visión. Este versículo inicia la alabanza de los ancianos a Dios, que guarda un estrecho paralelismo con 5:12–13. La base de la exclamación del v. 11a se da en el v. 11b, donde se dice que Dios es digno de **la gloria y el honor y el poder** que se le atribuyen porque es el Creador de todas las cosas. La base de la alabanza es doble: La creación de Dios se basa únicamente en su voluntad y procede de ella, y el poder de Dios se revela a través de la creación, como lo demuestra el reconocimiento elogioso de sus seres creados. La alabanza de los ancianos concluye con la frase **por Tu voluntad existen** [fueron] **y fueron creadas**. Es mejor ver el primer verbo como una referencia a la preservación continua de Dios del orden creado y el segundo al acto general de crear todas las cosas al principio de la historia: "existen continuamente y fueron creadas".

El hecho de que los ancianos se refieran a la preservación continua del universo por parte de Dios, antes de su creación original, tiene por objeto recordar pastoralmente a los creyentes que todo lo que les sucede a lo largo de la historia forma parte de los propósitos creados por Dios. Dios no se ha retirado de su trono. Él inició la historia y todavía está al mando de ella, a pesar de lo que a veces sugieren las apariencias. Su pueblo debe confiar en este hecho para que, incluso cuando experimente el sufrimiento, pueda estar seguro de que tiene un propósito redentor y está de acuerdo con Su voluntad.

¿Pero cómo lleva a cabo Dios su plan en favor de su pueblo? El cap. 5 explica cómo: a través de la muerte y resurrección de Cristo y su continuo gobierno sobre todas las cosas, y a través del Espíritu que Él da a sus seguidores. El capítulo llega a un crescendo en la entrega de la gloria a Dios, que es el punto principal del capítulo y el foco central del cielo y, por tanto, debería convertirse en el foco central también de la iglesia en la tierra. El pueblo de Dios debe recordar que Dios orquesta la historia no para engrandecerlo a él, sino para engrandecer y glorificar Su nombre.

Sugerencias para Reflexionar sobre 4:1–11

- ***Sobre el significado del trono de Dios.*** En esta visión, Juan es conducido a la sala del trono de Dios. Una de las formas en que el Apocalipsis enfatiza la soberanía de Dios es a través del uso frecuente de la palabra "trono". La gran mayoría de las referencias del Nuevo Testamento al trono de Dios se producen en el Apocalipsis. El universo entero se representa como si tuviera su centro en el trono de Dios, con las criaturas angélicas y humanas sujetas a Aquel que se sienta en él. Todos los juicios de los capítulos siguientes salen del trono.
  ¿Cómo expresamos nuestra comprensión de la soberanía de Dios en nuestra vida cotidiana? ¿Hace justicia a la visión que vio Juan? ¿Vivimos en la práctica con una visión débil de la soberanía de Dios? El Apocalipsis también describe las actividades del enemigo y sus agentes. ¿Cómo podemos distinguir entre lo que Dios ha decretado y lo que hace el enemigo? ¿Cuál es la naturaleza de su "interrelación"? (lo abordaremos explícitamente en nuestros comentarios sobre 6:1–8). ¿Cómo puede una teología sólida de la soberanía de Dios aportar consuelo y perspectiva bíblica a los que sufren? ¿Cómo puede una visión débil llevarnos a la confusión y la desesperación?
- ***Sobre la realidad de los seres celestiales.*** Juan es testigo de una escena de adoración en la que participan los ancianos y los seres vivientes. Aunque su representación es simbólica y no literal, no deja de ser real, en el sentido de que se representan seres reales con funciones reales. Como revelan los capítulos siguientes, además de su función en la adoración celestial, los ancianos presentan nuestras oraciones e interpretan las visiones celestiales a los creyentes, mientras que los seres vivos administran el juicio en toda la tierra. ¿Con qué frecuencia hemos tomado en serio la existencia de estos seres? ¿Los hemos relegado al ámbito de la alegoría bíblica? ¿Qué hemos perdido por ello? ¿Cómo afecta la visión occidental del mundo a nuestra capacidad de entender y recibir la verdad bíblica de esta naturaleza?
- ***Sobre la naturaleza de la adoración celestial.*** La función principal de los seres celestiales es adorar a Dios. De hecho, parece que la adoración es una de las principales actividades del cielo. ¿Por qué reveló Dios esta escena de adoración a Juan (y por tanto a nosotros)? Si los ancianos

representan a los líderes de adoración del Antiguo Testamento, se establece una fuerte conexión entre la adoración terrenal y la celestial. ¿De qué manera el enfoque de la adoración celestial que se revela aquí — la glorificación de Dios — establece una norma para nuestra adoración? ¿Podemos usar lo que vemos de la adoración celestial aquí para ayudarnos a entender lo que debe ser la adoración terrenal? ¿Cómo afecta a la sustancia de lo que decimos, oramos o cantamos? ¿Cómo resolvemos las diferencias entre las formas externas de adoración, que pueden ser relativas (estilos o tipos de música, por ejemplo), y el corazón interno de la adoración (su enfoque en Cristo y en Dios), que nunca debe cambiar? ¿Discutimos en nuestra iglesia sobre las formas externas de la adoración mientras perdemos su verdadera naturaleza e intención? ¿Y es posible, si tratamos de modelar nuestro propio culto, ya sea individual o corporativo, sobre lo que se describe aquí, que, al declarar las mismas verdades sobre Dios que los seres celestiales, el mismo Espíritu Santo que se representa como estando ante el trono profundice y transforme nuestra comprensión de Dios y Su gloria de una manera que toque todo nuestro ser, en sus componentes espirituales, intelectuales, emocionales e incluso físicos?

2. Dios y el Cordero son glorificados porque han comenzado a ejecutar su soberanía sobre la creación a través de la muerte y resurrección de Cristo, resultando en el inaugurado y eventualmente consumado juicio y redención (5:1–14)

[1] En la mano derecha de Aquél que estaba sentado en el trono vi un libro escrito por dentro y por fuera, sellado con siete sellos. [2] Vi también a un ángel poderoso que anunciaba a gran voz: "¿Quién es digno de abrir el libro y de desatar sus sellos?" [3] Y nadie, ni en el cielo ni en la tierra ni debajo de la tierra, podía abrir el libro ni mirar su contenido. [4] Yo lloraba mucho, porque nadie había sido hallado digno de abrir el libro ni de mirar su contenido. [5] Entonces uno de los ancianos me dijo: "No llores; mira, el León de la tribu de Judá, la Raíz de David, ha vencido para abrir el libro y sus siete sellos". [6] Miré, y vi entre el trono (con los cuatro seres vivientes) y los ancianos, a un Cordero, de pie, como inmolado, que tenía siete cuernos y siete ojos, que son los siete Espíritus de Dios enviados por toda la tierra. [7] El vino y tomó el libro de la mano

derecha de Aquél que estaba sentado en el trono. [8] Cuando tomó el libro, los cuatro seres vivientes y los veinticuatro ancianos se postraron delante del Cordero. Cada uno tenía un arpa y copas de oro llenas de incienso, que son las oraciones de los santos. [9] Y cantaban un cántico nuevo, diciendo: "Digno eres de tomar el libro y de abrir sus sellos, porque Tú fuiste inmolado, y con Tu sangre compraste para Dios a gente de toda tribu, lengua, pueblo y nación. [10] Y los has hecho un reino y sacerdotes para nuestro Dios; y reinarán sobre la tierra". [11] Y miré, y oí la voz de muchos ángeles alrededor del trono y de los seres vivientes y de los ancianos. El número de ellos era miríadas de miríadas, y millares de millares, [12] que decían a gran voz: "El Cordero que fue inmolado es digno de recibir el poder, las riquezas, la sabiduría, la fortaleza, el honor, la gloria y la alabanza". [13] Y oí decir a toda cosa creada que está en el cielo, sobre la tierra, debajo de la tierra y en el mar, y a todas las cosas que en ellos hay : "Al que está sentado en el trono, y al Cordero, sea la alabanza, la honra, la gloria y el dominio por los siglos de los siglos". [14] Los cuatro seres vivientes decían: "Amén", y los ancianos se postraron y adoraron.

1 La escena de adoración celestial representada en el cap. 4 continúa sin interrupción. El que está sentado en el trono aparece ahora con **un libro escrito por dentro y por fuera, sellado con siete sellos**. Este libro representa el juicio de Dios, como revelan los capítulos siguientes. La idea de juicio también proviene de la alusión aquí a Ez. 2:9b–10, donde hay un libro que contiene juicios contra Israel. El hecho de que este libro se describa además con la frase **sellado con siete sellos** muestra que parece ser una fusión de Dn. 12:4, 9 e Is. 29:11, que se refieren a libros sellados que ocultan la revelación divina y están asociados con el juicio.

Tal vez el **libro** también deba relacionarse con los libros abiertos del juicio que Daniel vio en la corte celestial de Dios (Dn. 7:10), a la que el Hijo del Hombre viene a tomar su reino eterno (Dn. 7:13–14). De hecho, la apertura del libro aparece en el siguiente versículo (v. 2). Estos pasajes del "libro" del Antiguo Testamento sobre el juicio se han fusionado para resaltar la idea del juicio. Hay que recordar que 4:1–5:1 sigue un esquema estructural idéntico al de Dn. 7:9ss. y Ezequiel 1–2 (véase cap. 4). El siguiente análisis de 5:2–14 revela que se sigue el esquema de Daniel 7, en lugar del de Ezequiel 1–2. Además, aunque no desaparece toda influencia alusiva a Ezequiel 1–2 en 5:2–14, se producen más alusiones a Daniel 7. La presencia de todos estos antecedentes del Antiguo Testamento refuerza aún más la noción de juicio con la que está saturada esta visión.

2 Un ángel aparece ahora en escena. La representación del ángel interrogador (**Vi también a un ángel poderoso que anunciaba a gran voz**) contiene ecos del ángel portavoz de Dn. 4:13–14, 23, que también bajó del cielo y proclamó en voz alta. Se dirige al cosmos, pidiendo que alguien que sea digno o capaz o tenga la autoridad para dar un paso adelante para **abrir el libro y de desatar sus sellos**. No sólo las descripciones de los dos ángeles son verbalmente parecidas, sino que los ángeles también tienen el mismo tipo de función. El ángel de Daniel es un portavoz divino de un consejo celestial que proclama un decreto de juicio seguido de restauración con respecto a Nabucodonosor.

El ángel de Apocalipsis 5 también es un portavoz de un consejo celestial que proclama un grado divino de juicio y redención con respecto al cosmos. La implicación de ambas proclamaciones en sus contextos es que ningún ser creado, excepto Dios, posee el valor y la autoridad para ser soberano sobre la historia y ejecutar su plan cósmico. El ángel ordenó a Daniel que "sellara el libro" que registraba estos juicios divinos hasta el "tiempo del fin" (Dn. 12:4) o el "tiempo final" (Dn. 12:9), frases equivalentes en Daniel al "fin de los días" o "últimos días" (Dn. 2:28).

Como hemos visto, Juan entiende que estos últimos días han sido inaugurados por la resurrección de Cristo (véase 1:19). Por lo tanto, también debemos esperar que el libro de Daniel haya sido abierto por Cristo. El poderoso ángel que aparece aquí pregunta: **¿Quién es digno de abrir el libro y de desatar sus sellos?** Esto continúa el pensamiento de la apertura del libro de Daniel en el tiempo del fin. Es importante señalar que Daniel 7 y 12 son los únicos lugares del Antiguo Testamento en los que se menciona el sellado y la apertura de los libros en los últimos tiempos, y Juan es claramente testigo del cumplimiento de la visión profética de Daniel de hace quinientos años.

Algunos han visto el libro como el "libro de la vida" del Cordero (cf. 3:5; 13:8; 20:12, 15; 21:27), pero cuando el contenido del libro se revela en los capítulos siguientes, tiene que ver no sólo con los eventos que rodean a los elegidos, sino también y especialmente con los juicios sobre los incrédulos. Además, los libros de Daniel 7, Daniel 12 y Ezequiel 2–3 tienen que ver principalmente con acontecimientos de juicio, a los que sigue la salvación del pueblo de Dios. Otros entienden que el libro representa el rollo del Antiguo Testamento. Sólo Cristo es capaz de desvelar (**abrir**) el verdadero significado del Antiguo Testamento, ya que sus profecías han encontrado su cumplimiento en Él.

Sin embargo, en contra de este punto de vista está la observación de que los libros de Daniel y Ezequiel no simbolizan el Antiguo Testamento en sí, sino que aluden principalmente a eventos decretales de juicio, como se señaló anteriormente. Otros consideran que el libro contiene los acontecimientos retributivos de una tribulación aún futura que conduce a la segunda venida de Cristo, la salvación consumada de los santos y el juicio final. Sin embargo, este comentario ha intentado demostrar que los acontecimientos de las visiones no sólo pertenecen al futuro escatológico, sino también al período inaugurado de los últimos días, incluyendo el pasado y el presente. Así lo hemos visto especialmente en nuestro análisis de 1:1, 19 y 4:1.

La mejor manera de entender el libro es que contiene el plan de juicio y redención de Dios, que se ha puesto en marcha con la muerte y resurrección de Cristo, pero que aún no se ha completado. La pregunta del portavoz angelical se refiere a quién, en el orden creado, tiene autoridad soberana sobre este plan. Que el libro representa la autoridad en la ejecución del plan divino de juicio y redención queda claro por el paralelismo de los himnos en 5:9–10 y 5:12. El primero interpreta que el valor de Cristo para recibir el libro indica su autoridad para redimir a Su pueblo y establecerlos como reyes y sacerdotes.

El segundo himno (5:12) interpreta la recepción por parte del Cordero del "libro" mencionado en los vv. 9–10 de forma más general como Su recepción de "poder, riquezas, sabiduría, fortaleza, honor, gloria y alabanza", mostrando así que Su recepción del libro le ha dado poder soberano. El primer himno apunta a que el libro es un testamento que contiene una herencia que debe recibirse (véase más adelante), que luego se interpreta como poder soberano en el himno del v. 12.

Dios prometió a Adán que reinaría sobre la tierra. Aunque Adán perdió esta promesa, Cristo, el último Adán, debía heredarla. Un hombre tenía que abrir el libro, ya que la promesa se hizo a la humanidad. Sin embargo, todos son pecadores y están bajo el juicio contenido en el libro. Sin embargo, Cristo es hallado digno porque sufrió el juicio final como víctima sacrificial inocente en nombre de Su pueblo, al que representó y, en consecuencia, redimió (5:9). Este cuadro legal se rompe en parte porque Jesús es tanto ejecutor como heredero de la promesa. Sin embargo, esto no debería suponer una gran dificultad, ya que el libro de Hebreos lo retrata como sacerdote y sacrificio, y el propio Apocalipsis lo presenta como Señor y templo al mismo tiempo (cf. Ap. 21:22).

El libro representa, pues, una promesa de pacto. El carácter extenso del libro incluye principalmente el plan de redención y juicio de Dios formulado a lo largo del Antiguo Testamento, que abarca el desarrollo de toda la historia sagrada, especialmente desde la cruz hasta la nueva creación. Se trata de un plan predestinado de carácter escatológico, ya que el contenido del libro se revela en los caps. 6–22 y se resume en 4:1 como "las cosas que deben suceder después de éstas", una alusión característica de Daniel al final de los tiempos. Lo que se decreta en relación con la redención y el juicio se delinea en detalle a lo largo de la sección visionaria del Apocalipsis: La soberanía de Cristo sobre la historia, el reinado de Cristo y de los santos a lo largo de la era de la iglesia y en el nuevo cosmos, la protección de Cristo a su pueblo que sufre la prueba, sus juicios temporales y finales sobre el mundo perseguidor, etc. Una vez abiertos los sellos, los lectores pueden comprender la naturaleza de decreto del libro y, por tanto, el propósito de la historia. A pesar de su sufrimiento actual en medio del caos y la confusión del mundo, existe un plan ordenado que no puede ser frustrado y que, de hecho, ya se está cumpliendo.

Los eruditos bíblicos han debatido si el libro representa un rollo o un códice (el precursor de nuestro libro moderno). Si se trata de un códice, cada sello podría encerrar una sección del libro, y el contenido se revelaría segmento a segmento a medida que se rompen los sellos. Así, los siete sellos podrían, en conjunto, como sostiene este comentario, desplegar todo el curso de la historia desde Pentecostés hasta el regreso de Cristo. Pero si se trata de un pergamino, según algunos, sólo cuando se rompan todos los sellos se podrá identificar su contenido. Este argumento es defendido por los comentaristas futuristas que ven los conjuntos de juicios operando en secuencia cronológica y no en simultáneo. Por lo tanto, las siete trompetas de los caps. 8–9 representarían el contenido del libro (tras la rotura del séptimo sello en 8:1) y describirían acontecimientos posteriores a los descritos en los juicios de los sellos, en contraposición a la opinión que adoptamos, que considera que el contenido de los sellos y las trompetas son visiones diferentes que describen los mismos acontecimientos.

El códice parece haberse utilizado más comúnmente a finales del siglo I que el pergamino, aunque la alusión a Ez. 2:9–10 en el v. 1 sugiere que se está pensando en un pergamino con escritura en ambas caras (véase también la alusión al pergamino de Is. 34:4 en 6:14). Pero aunque Juan viera un pergamino, el contenido de los pergaminos a menudo se resumía en el exterior por medio de sellos (representando a los testigos), en cuyo caso, la ruptura de cada sello liberaría la revelación más completa de lo que se resume en cada uno. Esto puede estar en mente en 5:1–2 a través de la fraseología de "un libro escrito por fuera, sellado con siete sellos", que una persona "digna" podría "abrir", como nuestros siguientes comentarios sugerirán más adelante. Por lo tanto, el desprendimiento de cada sello podría indicar la revelación de una parte detallada de lo que estaba escrito en el documento. Además, se ha demostrado que la construcción de algunos pergaminos permite revelar parte del contenido al romper cada sello. Esto significaría que el contenido del libro comenzaría a revelarse en los caps. 6–7 en lugar de hacerlo más tarde, en el cap. 8. Por lo tanto, la cuestión de si el libro es un rollo o un códice es irrelevante para determinar cuándo se revela el contenido del libro, y así la presencia de un rollo ya no apoya por sí misma el argumento de los futuristas.

Pero Juan pudo haber visto un testamento romano. Tales testamentos eran presenciados (sellados) por siete testigos, y el contenido a veces se resumía por escrito en el exterior del documento. Sólo a la muerte del testador se podía abrir el testamento y ejecutar la promesa legal de la herencia. Había que encontrar a un ejecutor digno de confianza para llevar a cabo el testamento. Esta imagen se ajusta muy bien a la descripción del libro en 5:1. A veces, en el mundo romano, los documentos legales llevaban una doble inscripción: el contenido se escribía de forma resumida en el exterior para protegerlo de cualquier cambio o falsificación del documento.

Si esto es lo que Juan está viendo, la versión abreviada en el exterior puede representar lo que Dios reveló en el v (incluso Daniel tenía algún conocimiento del contenido del libro sellado: Dn. 10:21), mientras que la ruptura de los sellos denota no sólo una revelación más completa del cumplimiento profético en Cristo, sino también la ejecución del contenido. Por lo tanto, la pregunta planteada por el ser angélico y la respuesta en los vv. 2–4 se refieren a quién es capaz, no sólo de desvelar el contenido completo del documento junto con su significado, sino de poner en vigor dicho contenido. Aunque la mayoría de los comentaristas futuristas no están de acuerdo, el argumento de este comentario hasta ahora es que el cap. 5 retrata una visión del cumplimiento inaugural de la profecía del Antiguo Testamento.

Mientras que la respuesta divina a la pregunta de Daniel sobre la consumación de la historia (cómo y cuándo se cumplirían las profecías) era que el libro estaba sellado hasta el final de los tiempos, ahora llega por fin la respuesta y se explica que la obra históricamente concluyente de la muerte y resurrección de Cristo ha comenzado a cumplir las profecías de Daniel, de modo que ahora se han quitado los sellos.

3 Sólo hay silencio en respuesta a la pregunta del ángel. **Nadie, ni en el cielo ni en la tierra ni debajo de la tierra, podía abrir el libro**. Todos son pecadores y están bajo el juicio de Dios. La imagen del libro abierto de Daniel 7 que se encuentra en el v. 2b sigue rondando los pensamientos del escritor en este versículo.

4 Como consecuencia del hecho de que **nadie había sido hallado digno de abrir el libro ni de mirar su contenido**, Juan llora. Está desesperado porque le parece que los sellos del libro no pueden romperse y que el glorioso plan de Dios no se llevará a cabo. Tal vez temió momentáneamente que incluso el Señor Jesús haya sido encontrado indigno.

5 Pero su desesperación dura poco, ya que uno de los ancianos declara que **el León de la tribu de Judá** (Gn. 49:8–12), **la Raíz de David** (Is. 11:1–10), ha vencido y puede abrir el libro. Ambos títulos del Antiguo Testamento se refieren a la profecía de un Mesías que vencerá a sus enemigos y los juzgará. El hecho de que Cristo haya vencido al enemigo le sitúa en una posición soberana para llevar a cabo el plan divino de redención y juicio, simbolizado por la apertura del libro y sus sellos. El hecho de que Cristo **ha vencido** es la base de la exhortación a los creyentes de las siete iglesias para que venzan, por su gracia, en su vida diaria.

6 El v. 6 es crucial para entender cómo el "León de la tribu de Judá, la Raíz de David, ha vencido". Juan ve a un Cordero **como inmolado** (no "como si estuviera inmolado" como en la NASB) de pie (literalmente) **entre el trono**. Entre el, es una forma figurativa de referirse al área del patio interior alrededor del trono.

Inmolado es una alusión tanto al cordero de Pascua como a la profecía de Isaías sobre el cordero llevado al matadero (Is. 53:7), ambas imágenes apuntan al sacrificio de Cristo que logra la redención y la victoria para el pueblo de Dios. La profecía de la impecabilidad de la víctima del sacrificio en Is. 53:9 subyace en parte la "dignidad" de Jesús en 5:9 ("Digno eres… porque Tú fuiste inmolado"). El Cordero inmolado representa la imagen de un conquistador que fue herido de muerte al derrotar a un enemigo.

Los **siete cuernos** del Cordero significan su poder (Dt. 33:17; Sal. 89:17). La imagen aquí parece referirse particularmente a Daniel 7, donde el cuerno de la bestia hace la guerra contra los santos (7:21). En la visión de Juan, el Cordero se burla de la aparente victoria profetizada de la bestia, mostrando que el verdadero poder pertenece a Aquel que fue inmolado, y el número siete indica la plenitud de ese poder.

Este versículo, con el Cordero inmolado elevado al trono de Dios, describe que la muerte de Cristo no sólo redime a los humanos, sino que también vence el poder del enemigo. Su entronización es una referencia a su resurrección y ascensión al cielo. El tema de este capítulo es que Cristo, como León, venció al ser sacrificado como Cordero. Esto se confirma a partir de 5:9, donde la muerte del Cordero, junto con Su redención del pueblo y el establecimiento de éste como "reino y sacerdotes", es la base de Su valía y, por tanto, también de Su victoria.

La frase que **de pie, como inmolado** está compuesta por dos participios perfectos griegos, que expresan una realidad o un estado continuo. El Cordero sigue existiendo como **inmolado** para indicar el efecto victorioso continuo de su muerte *redentora*. La muerte de Cristo — así como los continuos sufrimientos de la iglesia — se han convertido y se convierten continuamente en victoria. La razón por la que Juan ve al León venciendo como un Cordero inmolado es para enfatizar la centralidad de la cruz.

La victoria de Cristo comenzó incluso antes de la resurrección mediante su muerte. Su victoria es como la de su pueblo: Él vence de la misma manera en que Su pueblo vence (3:21). Mientras que en los caps. 1–3 se aplican a Jesús una serie de títulos más o menos iguales, el título predominante para Él en los caps. 4–22 es "Cordero" (27 veces). De manera irónica, Jesús comenzó a cumplir las profecías del Antiguo Testamento sobre el reino del Mesías: la fuerza que viene a través de la debilidad. A través de esta visión, se recuerda a los creyentes que su victoria también se producirá sólo si siguen el camino de la cruz. Por eso se describe a los santos como aquellos que "siguen al Cordero adondequiera que va" (14:4) y han "lavado sus vestiduras y las han emblanquecido en la sangre del Cordero" (7:14). Como víctima inocente, se convirtió en un sustituto penal representativo de los pecados de Su pueblo. Mientras sufría la derrota de la muerte, también vencía creando un reino de súbditos redimidos sobre los que reinaría y sobre los que el diablo ya no tendría poder.

Los **siete ojos** del Cordero se refieren a los "siete ojos" de una piedra colocada ante Josué, el sumo sacerdote, que están directamente relacionados con la eliminación de "la iniquidad de esta tierra en un solo día" (Zac. 3:8–9). En Zac. 4:2, 6, 10, las "siete lámparas" y los "siete ojos" se asocian con el Espíritu omnipotente de Dios. Esto transmite la noción no sólo de omnisciencia, sino también de soberanía (como ocurre con "los ojos del Señor" en 2 Cr. 16:9, donde "recorren toda la tierra para fortalecer a aquéllos cuyo corazón es completamente Suyo"). Los **siete Espíritus de Dios** (= las siete lámparas encendidas) son, por tanto, una figura retórica de la plenitud del Espíritu de Dios, y antes estaban confinados en la sala del trono celestial (1:4, 12; 3:1; 4:5), lo que implica que son agentes sólo de Dios mientras opera en toda la tierra (cf. Zac. 4:10, así como Zac. 1:8–11; 6:5). Pero como resultado de la muerte y resurrección de Cristo, estos espíritus también se convierten en agentes de Cristo en el mundo. El Espíritu lleva a cabo el plan soberano del Señor (véase en 1:12; 11:4).

7 El Cordero se acerca ahora al trono y toma el libro de Dios (**tomó el libro de la mano derecha de Aquél que estaba sentado en el trono**), así como el Hijo del Hombre se presentó ante Dios en Dn. 7:13–14 y recibió la autoridad para gobernar sobre todas las naciones de la tierra. El Cordero resucitado y ascendido toma su lugar junto al Padre (3:21) y comienza a gobernar. Más precisamente, ejerce el reinado del Padre que ahora le ha sido entregado, como muestra 6:1–8 (y como en otras partes del Nuevo Testamento, p. ej., Hch. 2:32–36; 1 Co. 15:27; Ef. 1:20–22; Heb. 1:1–5).

8 A partir de este versículo, se exponen los efectos de la recepción de la autoridad del Cordero. A continuación, se desarrolla una escena de adoración celestial, en la que los seres vivientes y los ancianos se postran ante el Cordero como lo han hecho ante Dios mismo (4:9–11), indicando así claramente la divinidad del Cordero. La frase "**cada uno tenía un arpa**" se refiere gramaticalmente sólo a los ancianos y no a los seres vivientes (traducida incorrectamente en la NIV y la NASB), lo cual es apropiado, ya que sólo los ancianos (modelados en parte por las veinticuatro órdenes de levitas encargadas de dar gracias y alabar al Señor en 1 Cr. 25:6–31) tienen el deber sacerdotal de presentar **las oraciones de los santos** ante Dios. Las oraciones de los santos, a las que se hace referencia de nuevo en 6:10 y 8:4, invocan el juicio de Dios sobre los malhechores y Su liberación a favor de los justos. Esta imagen da seguridad a la iglesia de que un poderoso ministerio angelical está operando en el cielo en su favor, aunque la iglesia siga sufriendo en la tierra.

9 Los vv. 9b–10 expresan el contenido del **cántico nuevo** de los ancianos: **Digno eres de tomar el libro y de abrir sus sellos, porque Tú fuiste inmolado, y con Tu sangre compraste para Dios a gente de toda tribu, lengua, pueblo y nación**. Este cántico es, según sus raíces en el Antiguo Testamento, un "cántico nuevo" de alabanza por la victoria de Dios y su juicio sobre el enemigo (Sal. 33:3; 40:3; 96:1; 98:1; y especialmente Is. 42:9–10, que habla del "cántico nuevo" en relación con los propósitos proféticos de Dios que irrumpirán en la tierra).

La palabra **nuevo** asocia la obra redentora de Cristo con el comienzo de una nueva creación por cuatro razones:

(1) porque esta visión se desprende de la mención explícita de la obra creadora de Dios en 4:11,

(2) porque los siguientes himnos de 5:12 y 13 sobre Cristo y su obra redentora están explícitamente en paralelo con el himno de 4:11 sobre la obra creadora de Dios,

(3) porque "nuevo" describe la próxima creación renovada tres veces en el cap. 21 (vv. 1–2, 5), y

(4) porque "nuevo" puede estar desarrollando la alusión a la nueva creación que ya se encuentra en 4:3 (véanse los comentarios al respecto).

Los himnos de los vv. 9–12 enfatizan la deidad de Jesús, ya que en ellos se habla del Cordero de la misma manera que se habla de Dios en 4:11 y 5:13. La adoración en general que se da al Cordero en los vv. 9–13 demuestra su deidad, ya que Juan da a entender en otra parte que la adoración sólo se debe a Dios (22:9). Los símbolos del "libro" y los "sellos" en el v. 9b connotan la autoridad que el Cordero es digno de recibir. El sentido de "digno" se explica con más detalle en los vv. 9c–10, donde se expone la base ("para") del valor del Cordero para recibir la autoridad.

Esto se ve por primera vez en **"Tú fuiste inmolado"**, que es una continuación de la idea del cordero de Pascua-Isaías 53 del v. 6. La victoria del Cordero a través de la muerte es una presuposición para que sea digno de recibir la autoridad soberana. Aunque el siguiente verbo **compraste** podría denotar un resultado del sacrificio del Cordero, es mejor verlo como una base más para la recepción de la autoridad. La interpretación hímnica (vv. 9–14) de la visión (vv. 1–8) subraya la muerte de Cristo, no su resurrección, como la explicación de lo que significa en el v. 5 que Cristo conquistó: por esa muerte, Él compró y creó un reino de sacerdotes.

El hecho de que no se mencione explícitamente la resurrección en la sección interpretativa de los himnos en los vv. 9–14 es digno de mención y subraya la naturaleza irónica de la muerte victoriosa de Cristo. El objetivo de esto es probablemente enfatizar el hecho de que es a través de la muerte — el camino de la cruz — que viene la vida, y que los santos a través de los tiempos deben consolarse en esta verdad incluso durante sus sufrimientos actuales. La redención o compra de **gente de toda tribu, lengua, pueblo y nación** es una redención que llega a las personas sin importar su raza. Es una redención diseñada para salvar a algunos **a** todos los grupos de personas del mundo. Es una redención sin distinción, no una redención sin excepción (personas *de* todas las razas), como quedará claro en 14:3–4, 6.

10 Estos santos redimidos, gente de toda nación, han sido hechos un **reino y sacerdotes**, y ellos (verán: véase más adelante) **reinarán sobre la tierra**. Esto es tal como lo profetizó Daniel (7:22, 27) cuando también habló de que a los santos se les daría un reino y dominio sobre las naciones de la tierra, pero lo que los ancianos están cantando se remonta aún más lejos, pues es el cumplimiento final de la promesa de Dios a Moisés de que si Israel obedecía Su voz, Él los haría un reino de sacerdotes y una nación santa (Éx. 19:6; véase también en 1:5–6). Esta liberación ha llegado, al igual que la liberación a través de Moisés, mediante el sacrificio del cordero de Pascua.

Pero mientras que Israel fue elegido en lugar de cualquier otra nación (Éx. 19:5) para convertirse en un reino y en sacerdotes (Éx. 19:6), ahora el pueblo de Dios es elegido "de toda tribu, lengua, pueblo y nación" (v. 9). Esto significa que las ideas del Éxodo sobre el reino y el sacerdocio se han universalizado y entretejido con el concepto del reino universal de los santos israelitas de Daniel 7. El pueblo de Dios no ha sido liberado de Egipto, sino del dominio de Satanás, y no entrará en una antigua Tierra Prometida terrenal, sino en una que abarcará toda la nueva tierra venidera. El cordero inmolado del culto israelita se ha convertido en el rey del cosmos de los últimos tiempos.

La influencia de Daniel 7 y del cordero pascual del contexto anterior continúa en los vv. 9b–10. Éxodo 19 se ha introducido por su doble asociación con la Pascua y el concepto del reino en Daniel. Cuando Ap. 5:6–8 se ve junto con los vv. 9b–10, se añaden otros dos elementos esenciales que se corresponden con el modelo de Dn. 7:9ss. que los caps. 4–5 han seguido hasta ahora: La soberanía de Cristo sobre todas las tribus, lenguas, pueblos y naciones, y el reinado de los santos sobre un reino.

Estos santos ya han sido convertidos en un reino e incluso ahora han asumido su gobierno (**reino** podría ser tiempo presente o futuro, dependiendo del texto griego que se utilice, pero el presente es más probable). El reino de la nueva creación ha irrumpido en el mundo actual, caído, mediante la muerte y resurrección de Cristo. La nueva creación (3:14–15) ha comenzado en el presente a través de la muerte y resurrección de Jesús, de la que se da testimonio en otras partes del Nuevo Testamento (2 Co. 5:15–17; Gá. 6:14–15; Ef. 2:15; Col. 1:18). Este gobierno se ejerce ahora de forma real pero limitada, triunfando a través del camino de la cruz, pero se cumplirá triunfalmente en el reino de la nueva creación final.

11–12 Al igual que el cántico de los vv. 9–10, este himno interpreta además la recepción del libro por parte del Cordero inmolado, pero resucitado, en el sentido de que su muerte e, implícitamente, su resurrección lo hicieron **es digno de recibir el poder, las riquezas, la sabiduría, la fortaleza, el honor, la gloria y la alabanza**. Juan ve una gran hueste celestial — **miríadas de miríadas**, es decir, millones, **millares de millares**, exactamente como en Dn. 7:10. El contenido de este grito de alabanza ante el templo celestial, con sus menciones al poder, las riquezas, la fuerza y la gloria, es sorprendentemente similar al de la oración de David en la dedicación de los materiales para el templo terrenal (1 Cr. 29:11).

13 El himno en los vv. 13–14 subraya el punto del himno anterior en los vv. 11–12 al interpretar una vez más la recepción del libro por parte del Cordero inmolado pero resucitado, en el sentido de que su muerte y resurrección le hicieron digno de recibir alabanza y gloria. No sólo la hueste celestial, sino ahora **toda cosa creada que está en el cielo, sobre la tierra, debajo de la tierra y en el mar** está dando gloria a Dios y al Cordero. Se menciona a Dios como glorificado junto con Cristo para resaltar que Cristo está en la misma posición divina que Dios y que también debe ser glorificado.

La gloria de Dios y del Cordero, que se basa en su soberanía, es el punto principal de la visión del cap. 5, y por tanto de los caps. 4 y 5 juntos.

Esto parece ser un vistazo al futuro, donde incluso los enemigos de Dios doblarán la rodilla ante Él, y es sorprendentemente similar a la declaración de Pablo (Fil. 2:10) de que “al nombre de Jesús se doble toda rodilla de los que están en el cielo, y en la tierra, y debajo de la tierra”. Ap. 5:9–12 y 5:13 son buenos ejemplos, respectivamente, de la referencia temporal “ya” y “aún no” de los caps. 4–5 en particular y del Apocalipsis en general. Los gobernantes malvados y los habitantes de la tierra serán juzgados porque no se someten ni alaban la soberanía de Cristo mientras viven en la tierra.

14 La visión termina con una respuesta final de adoración renovada por parte de los **seres vivientes** y los **ancianos**, los representantes celestiales de la creación animada y de la iglesia, que confirman la alabanza en himno que asciende desde la tierra pronunciando respectivamente un "Amén" final y adorando. Lo sorprendente de esta sección final (vv. 9–14) en relación con Dn. 7:13–27 es que ambos presentan en el mismo orden:

- La recepción de la soberanía por parte de Cristo (el "Hijo del hombre") (Ap. 5:9–14; Dn. 7:13–14), en asociación con
- Un reino que incluye "toda tribu, lengua, pueblo y nación" (Ap. 5:9b; Dn. 7:14),
- El reino de los santos (Ap. 5:10; Dn. 7:18, 22, 27a LXX), y
- El reino de Dios (Ap. 5:13; Dn. 7:27b),
- Aunque el cuarto elemento no es tan enfático en Daniel como en el Apocalipsis.

Sugerencias para Reflexionar sobre 5:1–14

- ***Sobre la soberanía de Dios en la historia humana.*** Esta visión está llena de alusiones a varios pasajes de Daniel. Los ángeles de Daniel 4 y de esta visión proclaman un mensaje de la presencia de Dios que, en última instancia, sólo Él tiene poder sobre la historia. Las experiencias de Daniel muestran cómo Dios demuestra Su señorío sobre los gobiernos injustos y llama a Sus siervos a obedecerle, aunque les cueste la vida. Los cristianos de hoy, en muchas naciones, se enfrentan a la misma elección. ¿Qué mensaje les trae el ángel de este capítulo? ¿Cómo puede decirse que Dios es soberano cuando sus siervos deben sufrir a veces penurias e incluso la muerte? ¿Qué consuelo nos trae la visión de un consejo celestial de Dios? ¿Cómo entendemos que se exprese el cuidado de Dios hacia su pueblo mientras se desarrollan las pruebas de los caps. 6–22, representadas como parte del plan predestinado de Dios?
- ***Sobre el significado de una vida "como inmolado".*** El comentario expresa la opinión de que el participio perfecto "como inmolado" (que representa una realidad o condición continua) en el v. 6 expresa el hecho de que es el Cordero inmolado el que está gobernando actualmente junto

al Padre en el cielo. ¿Qué significa esto? ¿Cómo pone a prueba nuestra fe en la soberanía de Dios el hecho de vivir una vida moldeada por la cruz? ¿De qué manera el concepto de triunfo o superación en el Apocalipsis invierte el significado normal de esas palabras? ¿Qué importancia tiene para los cristianos modelar el estilo de vida "como inmolado" del Cordero? ¿Qué ocurre cuando nos alejamos de este modelo? ¿Qué implicaciones tiene esto para la postura de la iglesia bajo gobiernos hostiles? ¿Qué tentaciones existen para los cristianos en las naciones donde la iglesia es relativamente influyente? ¿Cuál es el equilibrio entre ser sal y luz en una sociedad y desear que nuestros puntos de vista morales sean adoptados por otros en la cultura? ¿Cuáles son las implicaciones del modelo "como inmolado" para los cristianos en la política?

- ***Sobre el gobierno actual del reino de Dios.*** Si, como sugiere el comentario, los santos han sido hechos un reino (v. 10; véase 1:6, 9), ya han entrado en alguna forma de autoridad del reino. ¿Cómo se ejerce esta autoridad? ¿Cómo se relaciona su ejercicio con la vida "como inmolado"? ¿Qué significado tiene en este sentido la presentación de las oraciones de los santos ante Dios por parte de poderosas fuerzas angelicales (v. 8)? ¿En qué sentido puede decirse que el gobierno de Cristo ha irrumpido en este mundo actual?
- ***Sobre la gloria de Dios y nuestra adoración corporativa.*** Si el punto principal de esta visión, y también de la adoración celestial que retrata, es la gloria de Dios y del Cordero, ¿cómo ha de llevarse a cabo esto no sólo en nuestra vida personal sino también en nuestra adoración corporativa? ¿Cuál es el enfoque de nuestra adoración corporativa? ¿Por qué la adoración en nuestras iglesias de hoy degenera a veces en la búsqueda de experiencias o en un modo de entretenimiento? ¿Cómo nos afecta en nuestra comprensión de la adoración la cultura del mundo que nos rodea, en lugar de la cultura del reino de Dios tal como se describe en esta visión? ¿Cómo puede la adoración transmitir una experiencia de Dios y ser atractiva para los no creyentes sin diluirse de su norma bíblica? ¿Cómo podemos recuperar el verdadero significado de la adoración en las iglesias en las que claramente se ha alejado de la norma de Dios?
- ***Sobre la gloria de Dios y de Cristo.*** El punto principal de Apocalipsis 4–5 es que el objetivo principal de Dios y Cristo en todo es glorificarse. ¿No significa esto que Dios y Cristo disfrutan y desean ser glorificados? Y, si

es así, ¿no habla esto de cuál es nuestro principal objetivo en todas las cosas? ¿No deberíamos desear y disfrutar de la gloria de Dios? Y, si no lo hacemos, ¿significa eso que estamos adorando algo más o incluso a nosotros mismos? ¿Hay algún problema teológico en entender que Dios quiere ser glorificado y que todo gire en torno a Él y a sus intereses, ya que 1 Co. 13:5 dice que el verdadero amor "no busca lo suyo"? Véase John Piper, *Desiring God* (Portland: Multnomah, 1986) para una elaboración del tema de que Dios se glorifica a Sí mismo, nuestro deseo de honrarle, sus implicaciones y los posibles problemas teológicos en relación con ello (sobre el problema teológico particular propuesto anteriormente, véase *Desiring God*, 35–37).

Reflexiones finales sobre la visión de los capítulos 4–5

Dn. 7:9ss. se ha considerado el modelo que subyace a la visión de los caps. 4–5 debido a la misma estructura básica de ideas e imágenes comunes, que se complementa con numerosas frases que tienen diversos grados de alusión al texto de Daniel. De estas diversas referencias alusivas de Daniel (aproximadamente 23), cerca de la mitad son de Daniel 7 y la otra mitad de otros capítulos de Daniel.

Cuando se estudian estas últimas, queda claro que tienen paralelos y temas asociados a Daniel 7 y, por tanto, pueden estar presentes para complementar el significado interpretativo de la escena de Daniel 7. Probablemente se adoptó el mismo enfoque suplementario con respecto a las alusiones al Antiguo Testamento fuera de Daniel que se introdujeron en la representación (Ezequiel 1, Isaías 6, Éxodo 19). ¿Qué mejor manera de interpretar la escena de Daniel 7 que incorporando elementos paralelos (temas, imágenes, palabras) de otras secciones con teofanías (apariciones de Dios), mesiánicas y escatológicas del Antiguo Testamento? Es posible que Juan haya dirigido su atención a Daniel 7 como resultado de su intento de describir una visión que estaba más allá de la descripción con palabras humanas, pero que correspondía en su mente a las visiones de teofanías del Antiguo Testamento, especialmente la de Daniel 7.

Si este es el caso, entonces podemos decir que Juan pretende que los caps. 4–5 representen el cumplimiento de la profecía de Daniel 7 sobre el reino del "Hijo del hombre" y de los santos, que ha sido inaugurado por la muerte y resurrección de Cristo, es decir, su acercamiento ante el trono de Dios para recibir autoridad. Además, la combinación de escenas como las de Isaías 6 y Ezequiel 1–2 con la predominante de Daniel 7 expresa un matiz de juicio en la visión, ya que todas estas escenas sirven de introducción a un anuncio de juicio sobre el Israel pecador o las naciones.

La idea de juicio también está connotada por la imagen del "libro", que se ha descrito en el lenguaje de Ezequiel 2, Isaías 29, Daniel 7 y Daniel 12. Cada uno de estos contextos tiene la idea central de juicio, pero de nuevo junto con ideas de salvación o bendición. Dado que Dn. 7:10 es la influencia predominante para el "libro", el matiz de juicio es probablemente más dominante, especialmente cuando se ve en relación con los siguientes capítulos del Apocalipsis, que anuncian el juicio.

Así como el punto principal del cap. 4 fue la entrega de la gloria a Dios, la característica principal del cap. 5 es la misma entrega de la gloria al Cordero, incluso por parte de aquellos que lo han rechazado. Los ancianos glorificaron a Dios porque Él es el Creador soberano de todas las cosas (4:11). Este Creador soberano también es alabado, junto con el Cordero, en 5:13 por lo que ha hecho para redimir Su creación. Los paralelos muestran que Juan pretendía establecer una relación interpretativa integral entre Dios como Creador y Dios como Redentor a través de Su obra en Cristo. Esto sugiere que la redención del Cordero es una continuación de la obra de creación de Dios. Los caps. 4–5 revelan que la soberanía de Dios en la creación le hace también soberano sobre el juicio y la redención, y ambos los llevó a cabo mediante la obra del Cordero.

Los himnos finales en 4:11 y 5:9–13 confirman que esta idea es el tema principal de los dos capítulos, ya que estos himnos funcionan como resúmenes interpretativos de cada capítulo.

La obra de Cristo es una continuación de la obra de Dios en la creación, en el sentido de que hace que toda la creación devuelva la gloria a su Creador, ya sea de forma voluntaria o forzada, como revelan los capítulos siguientes. Los vínculos verbales entre los himnos de los caps. 4–5 también significan que el control de Dios sobre toda la creación mencionado en 4:11b lo realiza específicamente Cristo mediante su muerte y resurrección y mediante el Espíritu que imparte a su pueblo para que siga su camino y convenza al mundo del pecado. En este sentido, la visión dada en estos capítulos ya establece la verdad de lo que se describe en los caps. 21–22, donde la pureza del Jardín es restaurada en la nueva Jerusalén. Esto indica, además, que los caps. 4–5 representan una escena "ya y todavía no" de la nueva creación. Este análisis muestra que el objetivo de Dios en todo es glorificarse a Sí mismo, disfrutar de esa gloria, y que Su creación disfrute glorificándolo para siempre.

III. LOS SIETE SELLOS (AP. 6:1–8:5)

1. Los primeros cuatro sellos: Cristo utiliza las fuerzas celestiales malignas para infligir pruebas a las personas a lo largo de la era de la iglesia para su purificación o castigo (6:1–8)

[1] Entonces vi cuando el Cordero abrió uno de los siete sellos, y oí a uno de los cuatro seres vivientes que decía, como con voz de trueno: "Ven". [2] Miré, y había un caballo blanco. El que estaba montado en él tenía un arco. Se le dio una corona, y salió conquistando y para conquistar. [3] Cuando el Cordero abrió el segundo sello, oí al segundo ser viviente que decía: "Ven". [4] Entonces salió otro caballo, rojo. Al que estaba montado en él se le concedió quitar la paz de la tierra y que los hombres se mataran unos a otros; y se le dio una gran espada. [5] Cuando el Cordero abrió el tercer sello, oí al tercer ser viviente que decía: "Ven". Y miré, y había un caballo negro. El que estaba montado en él tenía una balanza en la mano. [6] Y oí como una voz en medio de los cuatro seres vivientes que decía: "Un litro de trigo por un denario, y tres litros de cebada por un denario, y no dañes el aceite y el vino". [7] Cuando el Cordero abrió el cuarto sello, oí la voz del cuarto ser viviente que decía: "Ven". [8] Y miré, y había un caballo amarillento. El que estaba montado en él se llamaba Muerte, y el Hades lo seguía. Y se les dio autoridad sobre la cuarta parte de la tierra, para matar con espada, con hambre, con pestilencia y con las fieras de la tierra.

Cristo ha recibido toda la autoridad del Padre y ha asumido Su dominio sobre los reinos de la tierra (1:5; 2:26–27; 5:1–14). Los cuatro primeros sellos muestran cómo esta autoridad se extiende incluso sobre situaciones de sufrimiento enviadas de la mano de Dios para purificar a los santos y castigar a los incrédulos. En las cartas de los caps. 2–3 se alude a ejemplos de este tipo de sufrimiento.

Algunos cristianos pueden haberse preguntado si Cristo era realmente soberano sobre circunstancias desastrosas, como la persecución masiva de Nerón a una escala tan cruel tras el incendio de Roma en el año 64. Ap. 6:1–8 pretende mostrar que Cristo gobierna sobre un mundo aparentemente caótico y que el sufrimiento no se produce de forma indiscriminada o por casualidad. Esta sección revela, de hecho, que los acontecimientos destructivos son provocados por Cristo con fines tanto redentores como judiciales. Es Cristo sentado en Su trono quien controla todas las pruebas y persecuciones de la iglesia.

La apertura de los sellos coincide con la toma de posición de Cristo a la diestra de Dios, de modo que los acontecimientos descritos en los sellos comenzarán a tener lugar inmediatamente y continuarán hasta el regreso del Señor. La apertura de los sellos da comienzo a la revelación y ejecución real del contenido del rollo del cap. 5. Esto da sentido a las exhortaciones de las siete cartas a perseverar ante el sufrimiento, pues el sufrimiento desencadenado por los sellos ya había comenzado a tener lugar incluso en la vida de las siete iglesias a las que Juan escribía.

Cristo abre cada sello en la sala del trono celestial y da la orden de que el contenido de cada uno se ejecute en la tierra. Las catástrofes que se desarrollan son las mismas previstas en los cuatro juicios profetizados por Ezequiel (espada, hambre, bestias salvajes y peste, Ez. 14:12–21, sobre los que véase más adelante) y los juicios profetizados por Jesús (guerra, hambre y persecución, Mt. 24:6–28). En esos casos, las calamidades ocurren una al lado de la otra, sugiriendo así que los diversos desastres contenidos en los cuatro sellos también ocurren al mismo tiempo y no en un orden particular. Además, los santos glorificados de Ap. 6:9–11 parecen haber sufrido las cuatro pruebas descritas en los sellos, lo que indica que tuvieron lugar durante el mismo período de tiempo (véanse los vv. 9–11). Por lo tanto, siguiendo el cap. 5, Ap. 6:1–8 describe la operación de las fuerzas destructivas que se desataron inmediatamente sobre el mundo como resultado del sufrimiento victorioso de Cristo en la cruz, Su resurrección y Su ascenso a una posición de gobierno a la diestra de Su Padre.

Este análisis está en consonancia con las profecías del Antiguo Testamento sobre el reino escatológico a las que se alude en los caps. 1–3 como algo que comienza a cumplirse con la muerte y resurrección de Cristo (véase 1:5–6, 9, 13–14, 16b; 2:18, 27; 3:7, 9, 14, 21). Por ejemplo, 1:5, 1:13–14, 2:26–28 y 3:21 se refieren claramente a que Cristo ha comenzado su reinado mesiánico, un proceso que el cap. 5 se considera naturalmente como una expansión en forma de visión. Como resultado del ejercicio de la realeza de Cristo, Él da poder a cada jinete a través de sus siervos angélicos. Los jinetes representan los sufrimientos decretados para todos los seguidores de Cristo. Sin embargo, como se verá, estas mismas pruebas también están destinadas a ser castigos para aquellos que persiguen a los cristianos o rechazan el reinado de Cristo. Estas tribulaciones sólo cesarán en el momento del regreso final de Cristo, como demuestra el contexto del cap. 6 y de todo el libro. El grito "¿Hasta cuándo?" del quinto sello y la proximidad del juicio final del sexto sello demuestran que los acontecimientos de 6:1–8 preceden al juicio final.

El antecedente más obvio de este pasaje es Zac. 6:1–8. Allí, cuatro grupos de caballos de diferente color (casi idénticos a los colores del Apocalipsis) son comisionados por Dios para patrullar la tierra y castigar a aquellas naciones de la tierra que encuentren que han oprimido a Su pueblo (Zac. 6:5–8). Estas naciones fueron levantadas por Dios para que fueran una vara de castigo para Su pueblo, pero infligieron más retribución a Israel de la que debían. Como consecuencia, Dios quiso castigar a las naciones paganas por su transgresión como vindicación de su celoso amor por Israel (Zac. 1:8–15). Por lo tanto, los caballos en Ap. 6:1–8 significan que los desastres naturales y políticos en todo el mundo son causados por Cristo para juzgar a los incrédulos que persiguen a los cristianos, y para reivindicar a Su pueblo. Tal vindicación demuestra Su amor por ellos y Su justicia, y puede ser ya una respuesta anticipada al clamor de venganza en 6:9–11.

Ez. 14:12–23 también es formativo para esta sección. Ez. 14:21 se cita explícitamente en Ap. 6:8b, donde funciona como un resumen general de las pruebas precedentes, ser conquistado, la espada y el hambre, las dos primeras de las cuales incluyen la muerte. La cita tiene la misma función que en Ezequiel, donde resume claramente las cuatro afirmaciones precedentes sobre las pruebas como "cuatro terribles juicios". Estos castigos caen sobre las naciones en general cuando son infieles a Dios. Las pruebas se enumeran respectivamente como falta de pan y "hambre" (14:13), "fieras" (14:15), "espada" (14:17) y "plaga" o "muerte" (14:19).

El punto de Ez. 14:21 es que *todos* los israelitas sufrirán pruebas de persecución debido a la idolatría desenfrenada (cf. 14:3–11). El propósito de las pruebas en Ezequiel es castigar a la mayoría incrédula de Israel mientras se purifica el remanente justo. Es probable que en Apocalipsis 6 se tenga en mente el mismo doble propósito de los juicios, salvo que ahora la comunidad de la iglesia es el centro de atención en lugar de Israel. Los fieles serán purificados, pero los que se comprometan con la idolatría y se vuelvan desleales a Cristo serán juzgados por las mismas tribulaciones.

Sin embargo, la esfera de estas calamidades se extiende mucho más allá de las fronteras de la iglesia, a todo el mundo, como han mostrado los pasajes de Zacarías, y tienen la misma referencia universal en Ezequiel 14:12–23. Además, hay un marco de referencia universal con respecto a los juicios en el contexto siguiente (6:12–17) y en los capítulos posteriores de Apocalipsis. El propio pasaje de Ezequiel desarrolla la idea de los cuatro juicios de Lv. 26:18–28, que puede estar en segundo lugar en la mente de Juan.

Allí Dios advirtió a los israelitas en el desierto cómo los castigaría por la idolatría: cuatro veces dio juicios, cada uno de los cuales consistía en siete castigos, siendo cada serie de castigos peor que la anterior. Los cuatro castigos del Apocalipsis — guerra, hambre, conquista y muerte — se encuentran allí. ¿Podría el pasaje del Levítico ser el modelo de las cuatro series de siete castigos del Apocalipsis? Esta es una consideración viable, especialmente si los "siete truenos" de 10:3–4 se interpretan como una de estas series, aunque el contenido no se haya revelado.

1 La visión se abre con la ruptura del primer sello por parte del Cordero, tras lo cual **uno de los cuatro seres vivientes** exclama **como con voz de trueno**. La presencia del trueno muestra que la orden proviene del trono de Dios (véase 4:5).

2 En respuesta a la orden, sale un **caballo blanco** con un jinete: **y el que estaba montado en él tenía un arco. Se le dio una corona, y salió conquistando y para conquistar**. Algunos creen que el jinete representa a Cristo, sobre todo porque se le asocia con el blanco, un color utilizado en el Apocalipsis catorce veces para significar pureza. Además, en 19:11–16 Cristo, que tiene diademas en Su cabeza, cabalga sobre un caballo blanco y derrota a sus oponentes. Y el primer jinete se distingue de los demás en este capítulo en un sentido positivo porque no hay ningún ay claro vinculado a él.

Por otro lado, las siguientes consideraciones apuntan al carácter satánico del jinete:

- Los caballos en Zacarías, que forman la prefiguración profética de esta visión, están claramente agrupados como uno solo, y es difícil ver cómo el primer caballo aquí puede separarse de los tres siguientes, que generalmente se acuerda que son de naturaleza maligna.
- Los caps. 12 y 13 presentan a Satanás engañando a la gente imitando la apariencia de Cristo (véase más adelante en esos capítulos).
- Las primeras cuatro trompetas y copas del Apocalipsis traen juicios paralelos, y lo mismo es probable con los jinetes.
- En 9:7, al igual que en 6:2, los agentes demoníacos son comparados con caballos con coronas en la cabeza.
- El hecho de que "los cuatro seres vivientes" que emiten las órdenes en 6:1–8 sean de idéntica naturaleza apunta al mismo paralelismo entre los jinetes.
- La profecía de "falsos cristos y falsos profetas" que vendrán en nombre de Cristo y "engañarán" se menciona como el primero de los ayes que preceden al regreso de Jesús en cada uno de los relatos sinópticos de esos acontecimientos (Mr. 13:5–6; Mt. 24:4–5; Lc. 21:8). Esto puede confirmar la identificación del primer jinete como satánico, ya que se reconoce generalmente que Juan ha modelado en parte sus cuatro plagas aquí según los ayes de estos relatos sinópticos. La guerra también aparece como el segundo ay en los tres relatos, y los dos ayes siguientes, el hambre y la peste, se encuentran a continuación en distinto orden, aunque la peste sólo aparece en Lucas.

Por lo tanto, nuestra conclusión es que el primer jinete representa una fuerza satánica que intenta derrotar y oprimir espiritualmente a los creyentes, ya sea mediante el engaño (el color blanco alude al intento de engañar imitando a Cristo y de aparecer como justos, como en 2 Co. 11:14), o la persecución, o ambos (así en 11:7; 13:7).

Este primer jinete destructor, sin embargo, es enviado por Cristo, ya que se lo ordena el ser viviente angelical, y **se le dio** una corona (una frase que en el Apocalipsis siempre implica a Dios como sujeto: 6:11; 7:2; 8:2–3; 9:1; 11:2–3, etc.). Puesto que el primer conjunto de cuatro juicios de las trompetas y las copas son de encargo divino, también deben serlo los cuatro ayes de los jinetes. Esto se confirma en Zac. 6:7, donde un ángel del Señor ordena a los cuatro grupos de caballos que “vayan” y ejecuten el juicio divino. Por lo tanto, los creyentes pueden tener confianza en que, a pesar de sus sufrimientos actuales, Dios tiene el control final, llevando a cabo sus propósitos en todo lo que está sucediendo. Satanás, por supuesto, tiene la intención de destruir la iglesia (y el mundo), pero el plan de Dios incluye a Satanás persiguiendo sus malvados propósitos, porque sólo a través de ellos puede Dios trabajar su estrategia superior de refinar a los santos y castigar a los malvados.

3 La descripción del primer jinete puede tomarse como una declaración resumida que se explica con más detalle por los tres jinetes siguientes, ya que introduce la guerra en un sentido general y los otros tres traen las condiciones características de la guerra — no sólo la guerra literal, sino la guerra espiritual. Así, los vv. 3–8 describen cómo Satanás intenta conquistar a los santos mediante el sufrimiento para que pierdan la fe. Sin embargo, hay que recordar que estas pruebas también son utilizadas irónicamente por Dios en última instancia como castigos para los incrédulos.

4 Mientras que el primer jinete presenta el intento de Satanás de obtener el dominio del mundo, el segundo jinete pretende **quitar la paz de la tierra** suscitando luchas y guerras entre las naciones del mundo. Esto incluye la persecución de los creyentes, ya que se alude a la advertencia de Jesús a sus discípulos de que Su venida no traería la paz sino espada al mundo (Mt. 10:34). El punto del texto de Mateo es que los seguidores de Jesús no deben desanimarse de confesar Su nombre al mundo cuando venga la persecución, ya que tal persecución es parte de la voluntad soberana de Dios. Su fidelidad en medio de la opresión puede resultar en la pérdida de sus vidas físicas, pero también resultará en la salvación de sus vidas espirituales (así en Mt. 10:28–39). El evangelio mismo produce la paz, pero el ataque de Satanás a su progreso conduce a la guerra.

La frase **que los hombres se mataran unos a otros** apunta a la persecución de los creyentes, ya que la palabra **matar** se utiliza en el Apocalipsis sólo para referirse a la muerte de Cristo y de Sus seguidores (5:6, 9, 12; 6:9; 13:8; 18:24).

Incluso la cabeza "asesinada" de la bestia en 13:3 es una burla o falsa imitación de la muerte de Cristo. Los que son sacrificados en 6:4 son probablemente los creyentes representados como muertos en el v. 9. La misma conexión entre los males de las luchas internacionales y la persecución se establece en los Evangelios Sinópticos, donde tales luchas se interpretan como un ay para los incrédulos y prueba para los seguidores de Jesús (Mr. 13:7–19; Mt. 24:6–21; Lc. 21:9–19).

5 Con la ruptura del tercer sello, el tercer ser viviente encarga a otro jinete que lleve a cabo el decreto contenido tras el sello. El tercer jinete trae de nuevo el sufrimiento, esta vez en forma de hambre. En el mundo antiguo, una **balanza** representaba una época de hambruna, ya que en esos tiempos los alimentos se racionaban por medio de balanzas.

6 Inmediatamente después de escuchar la orden del ángel, el vidente oye otra orden emitida al jinete por otra persona. La orden adicional probablemente no procede de uno de los querubines o de otro ser angelical, sino del propio Cristo, puesto que se dice que está "entre el trono y de los cuatro seres vivientes" en 5:6 (cf. 7:17; 4:6) y puesto que ya está presente como el que abre los sellos. Esto enfatiza aún más que las órdenes a los cuatro jinetes provienen directamente de la sala del trono divino.

Esta hambruna debe ser grave pero no totalmente devastadora, ya que el **litro de trigo**, disponible por un denario (o el salario de un día), sería suficiente para una familia, mientras que los **tres litros de cebada** durarían tres días. Estos precios eran aproximadamente de ocho a dieciséis veces el precio normal.

El aceite y el vino, que representan bienes más lujosos, no se verían afectados, pero no estarían disponibles salvo para los muy ricos, ya que todos los demás gastarían todos sus ingresos en lo básico. Donde los cristianos son una minoría perseguida, se verán más gravemente afectados. Esto desarrolla el tema anterior de los creyentes que son perseguidos económicamente (2:9), un tema que también se encuentra más adelante (13:16–17). Las hambrunas afectan a todos. Pero especialmente en estos tiempos de suministros limitados de alimentos, los cristianos serán los primeros en verse afectados. Serán perseguidos al no permitírseles tener el mismo acceso que los demás a los productos básicos de la vida.

Esta persecución se produce porque los cristianos no hacen concesiones. Los que ahora sufren privaciones económicas por su lealtad a Cristo serán recompensados por Él en la consumación de todas las cosas, cuando les quite el hambre y la sed para siempre (7:16). Hasta el día de hoy, en lugares como la India o muchos países musulmanes, cuando se producen catástrofes naturales, a menudo se niega la ayuda a los cristianos, que se niegan a transigir con los sistemas económicos y sociales mundanos.

7–8 La ruptura del cuarto sello hace que un ser viviente exclame otra orden a otro jinete. El último jinete en ser liberado tiene el nombre de **Muerte**, y **Hades lo seguía**. La **Muerte** y el **Hades** son fuerzas satánicas bajo el gobierno final de la sala del trono de Dios. Los cuatro jinetes traen la muerte de una manera u otra, y el término más general "muerte" aquí probablemente se refiere a la enfermedad o la pestilencia.

En el Antiguo Testamento griego, "muerte" *(thanatos)* se traduce a la palabra hebrea "plaga" treinta veces, incluyendo dos veces en Ez. 14:19–21 y una en Lv. 26:25, dos contextos que proporcionan el modelo para Ap. 6:1–8, siendo el primero al que se alude directamente aquí en el v. 8. El Hades es la morada de los muertos. La naturaleza satánica de la muerte y el Hades es evidente en 20:13–14, donde "la Muerte y el Hades entregaron a los muertos que estaban en ellos... y fueron arrojados al lago de fuego". Las únicas otras figuras que se describen con la misma frase precisa como "arrojadas al lago de fuego" son la bestia y el falso profeta (19:20) y el dragón (20:10). Este versículo indica aquí que tanto la muerte como el Hades están bajo el control final de Cristo, como ya quedó claro en 1:18 ("Tengo las llaves de la muerte y del Hades").

Los juicios traídos por los cuatro jinetes no son independientes ni están separados unos de otros, sino que son paralelos — como partes de un juicio global. Esto se desprende de los diversos textos del Antiguo Testamento que los profetizan, que con frecuencia pronuncian un juicio cuádruple basado a menudo en la idolatría (véanse Lv. 26:18–28; Dt. 32:24–26; Jer. 15:1–4; 16:4–5; Ez. 5:12; 6:11–12; especialmente Ezequiel 14). Este cuádruple juicio, que se repite en el v. 8, significa en el Antiguo Testamento toda la gama de juicios de Dios a lo largo de la historia contra los pueblos cuando son desobedientes a Él, y no debe interpretarse literalmente como restringido a una hambruna, guerra o plaga en particular.

Como en Ezequiel 14, estos juicios tienen el efecto no sólo de castigar a las naciones paganas, sino también de purificar a los fieles dentro de la comunidad del pacto, al tiempo que castigan a los que, incluso dentro de la iglesia, no son obedientes a Cristo. El cuarto jinete demuestra que las aflicciones anteriores pueden conducir a la muerte, y a veces lo hacen. Este jinete resume, en general, los tres anteriores (de ser conquistados, la espada y el hambre, todos los cuales incluirían en cierta medida la muerte), y añade uno más (la plaga de las bestias). Utiliza los tres ayes anteriores para traer la muerte. Pero está claro que no siempre acarrean la muerte (véase, p. ej., el tercer jinete).

Lo más importante son las acciones antagónicas de las fuerzas de Satanás, que se dirigen tanto a la comunidad de fe como a los incrédulos (como revela 6:9–10). Por lo tanto, las fórmulas cuádruples del Antiguo Testamento relacionadas al juicio del hambre, la peste y la guerra literales han sido ampliadas por Juan para incluir los ayes del hambre, la peste y la guerra espirituales.

Estas cuatro plagas tienen un efecto parcial, ya que el último jinete resume las tres anteriores, y el desastre que provoca se limita explícitamente a una **cuarta parte de la tierra**. Esto significa que las cuatro plagas no dañan a todas las personas sin excepción. Sin embargo, su fuerza destructiva es sentida por muchas personas en todo el mundo, ya que los cuatro caballos de Zacarías 1 y 6 también tienen un efecto mundial. El alcance cósmico de las tribulaciones se enfatiza por el hecho de que hay cuatro jinetes, un número figurativo de universalidad (como con los cuatro seres vivientes en 4:6–8; cf. en 7:1–3).

Por lo tanto, al igual que los cuatro seres vivientes representan la alabanza de los redimidos en toda la creación, las plagas de los cuatro jinetes son un símbolo del sufrimiento de muchos en toda la tierra, que continuará hasta el regreso final de Cristo. Que las plagas de los jinetes son representativas de todo tipo de males queda claro al observar que la fórmula de la cuádruple maldición del pacto citada en la segunda mitad del v. 8 (**matar con espada, con hambre, con pestilencia y con las fieras de la tierra**) se utiliza de la misma manera figurada en el Antiguo Testamento. Además del hecho de que el significado figurativo de "cuatro" representa lo completo, Israel fue amenazado con muchas más maldiciones que cuatro en Levítico y Deuteronomio. Por eso, ningún antecedente histórico preciso puede agotar el significado de estos juicios en Apocalipsis 6.

En resumen, por medio de su muerte y resurrección, Cristo ha hecho de las fuerzas del mal del mundo sus agentes para ejecutar sus propósitos de santificación y juicio para la promoción de su reino. Esto se ve más claramente en la referencia que se hace aquí a la soberanía de Jesús sobre la muerte y el Hades, que es un desarrollo más del cap. 1. Mediante su muerte y resurrección, Cristo tiene poder sobre "la muerte y el Hades" (1:18), y ahora los utiliza como agentes suyos para llevar a cabo su voluntad. La intención de Dios era que el sufrimiento de la cruz tuviera una finalidad tanto redentora como judicial (con respecto a esta última, como base de juicio para quienes rechazaran su significado salvador).

Del mismo modo, los sufrimientos a lo largo de la era que siguió a la cruz tienen el mismo objetivo (de hecho, uno de los criminales crucificados con Jesús se convirtió por su sufrimiento, mientras que el otro se endureció por la misma circunstancia). Y, como en el caso de Jesús, la aparente derrota de los cristianos es su victoria espiritual, si no comprometen su fe en medio del sufrimiento o la persecución.

Obsérvese que los versículos siguientes (9–11) muestran a creyentes fieles que han sido "muertos" o "asesinados" (v. 11), el mismo verbo utilizado en los vv. 4 y 8, y que las "bestias" en otras partes del Apocalipsis (34 veces) siempre se refieren a los agentes del enemigo que persiguen a la iglesia. Parece claro en los vv. 1–8 que Dios y Cristo son soberanos sobre estos jinetes mortales. ¿Cómo puede ser Dios el autor de tales pruebas para los santos? La respuesta es que las pruebas vienen para juzgar a los incrédulos, pero para purificar y refinar la fe de los creyentes, cuya salvación está asegurada en Cristo (véase 1 P. 1:3–9). Observe la relación entre los caps. 4–5 y 6:1–8.

En los caps. 4 y 5, la visión profética de Daniel 7:9–14 sobre el Anciano de Días y el Hijo del Hombre se ha cumplido en la muerte y resurrección de Cristo. Pero Daniel 7 también contiene (en los vv. 2–8) la visión de las cuatro bestias malignas que representan reinos malignos que hacen la guerra a los santos. La visión de Juan de los cuatro jinetes cumple la última profecía de Daniel, aunque ahora vemos que el lugar exaltado de gobierno de Cristo le da autoridad incluso sobre estas fuerzas malignas, de tal manera que utiliza sus malas intenciones para lograr un bien mayor — el juicio de los incrédulos y la purificación de los santos.

Es decir, 6:1–8 describe un efecto de la muerte y resurrección de Cristo. Él transformó el sufrimiento de la cruz en un triunfo. La soberanía de Cristo sobre los cuatro jinetes lo demuestra, de modo que los cuatro jinetes equivalen a los cuatro reinos malvados de Daniel 7. Específicamente, los jinetes representan las contrapartes celestiales malvadas de estos reinos. Esta identificación también puede entenderse reconociendo que tanto los cuatro reinos de Daniel como los cuatro grupos de caballos de Zacarías están directamente asociados con "los cuatro vientos del cielo" (Dn. 7:2; Zac. 6:5; véase más adelante sobre Ap. 7:1). Por lo tanto, Cristo ha comenzado a cumplir la profecía de Daniel sobre la exaltación del Hijo del Hombre sobre los reinos malvados y bestiales, a los que se alude explícitamente en 12:3 y 13:1–2.

Sugerencias para Reflexionar sobre 6:1–8

- ***Sobre la soberanía de Dios en relación con las actividades del diablo.*** Este pasaje presenta una imagen de Dios enviando pruebas a la tierra a través de las obras del enemigo satánico. Esto podría dejarnos con una necesidad de discernimiento en cuanto a lo que nos rodea representa la obra de Dios y lo que representa la obra de Satanás. ¿Cómo podemos decir que un Dios santo puede "utilizar" al enemigo como agente? ¿Es que el enemigo está ocupado causando destrucción, pero, sin que él lo sepa, Dios está utilizando esta destrucción en última instancia para sus propios propósitos?
  ¿Puede decirse que Dios incluye en su plan la realidad de la actividad de Satanás en un mundo caído y la convierte para su uso? ¿Cómo podemos decir que Dios está detrás de la "matanza" de los creyentes? ¿Qué bien mayor podría sacar Dios de esa obra del enemigo? ¿Cómo puede el papel de Dios en la muerte de Cristo servir de modelo para ayudarnos a responder a estas preguntas? ¿Cómo responder a una calamidad natural o económica? ¿Ha planeado Dios enviarla y convertir algo que hace el enemigo en su gloria? ¿Puedes pensar en los resultados redentores de un acontecimiento trágico en tu nación, región o comunidad, ya sea una persecución o alguna otra calamidad? ¿De qué manera Gn. 50:20; Ro. 8:28–30; y Ap. 2:10–11 podrían darnos una mejor perspectiva sobre tales acontecimientos? ¿Puedes ver también cómo tales acontecimientos han endurecido los corazones de los incrédulos al culpar a Dios por la caída del mundo en que vivimos como consecuencia de nuestra propia rebelión?
- ***Sobre la naturaleza del "jinete blanco".*** Si Satanás o sus emisarios son representados aquí como un jinete blanco, ¿refleja esto realmente su habilidad para disfrazarse de ángel de luz? Una nueva tendencia o ministerio llega a nuestra iglesia y parece ser de Dios, pero luego tiene consecuencias destructivas. ¿Puedes pensar en ejemplos en tu propia vida o experiencia?

- ***Sobre la derrota y la victoria de los creyentes.*** ¿Cómo puede decirse que la aparente derrota de los creyentes (en su sufrimiento o muerte) es en realidad su victoria? ¿Nos resulta difícil ver los caminos de Dios porque, al menos en el mundo occidental, vemos las cosas demasiado desde la perspectiva de este mundo solamente? ¿Cómo limita eso nuestra capacidad de entender los propósitos de Dios? Reflexiona de nuevo sobre la verdad expresada en Hebreos 11 sobre aquellos héroes de la fe que sufrieron y murieron.

2. El quinto sello: el clamor a Dios por parte de los cristianos perseguidos y glorificados para que demuestre Su justicia juzgando a sus perseguidores será respondida cuando todo Su pueblo complete el sufrimiento que Él ha determinado para ellos (6:9–11)

[9] Cuando el Cordero abrió el quinto sello, vi debajo del altar las almas de los que habían sido muertos a causa de la palabra de Dios y del testimonio que habían mantenido. [10] Clamaban a gran voz: "¿Hasta cuándo, oh Señor santo y verdadero, esperarás para juzgar y vengar nuestra sangre de los que moran en la tierra?" [11] Y se les dio a cada uno de ellos una vestidura blanca, y se les dijo que descansaran un poco más de tiempo, hasta que se completara también el número de sus consiervos y de sus hermanos que habrían de ser muertos como ellos lo habían sido.

Mientras que los cuatro primeros sellos describen los sufrimientos del mundo desde la perspectiva del decreto celestial de Dios, el quinto sello describe la respuesta de los santos muertos y glorificados a estos sufrimientos. Aunque las pruebas de 6:1–8 afectan a la gente en general en toda la tierra, aquí la reacción es específicamente a las pruebas de los cuatro jinetes que afligen a los cristianos en forma de persecución. Esta conexión se desprende de la observación de que los principales verbos utilizados en la descripción de dos de los males de los jinetes reaparecen en la descripción de la persecución de los santos en 6:9–11 ("asesinar" en los vv. 4 y 9 y "matar" en los vv. 8 y 11)*.

Los himnos del Apocalipsis suelen resumir los temas de las secciones anteriores. Dado que 6:9–11 debe incluirse en la categoría de estos himnos, debe considerarse como una continuación del pensamiento de los vv. 1–8, que se centró en la persecución. Esto confirma además que no sólo los tres últimos jinetes son imágenes de la persecución, sino que también lo es el primer jinete. Tales sufrimientos no carecen de sentido, sino que forman parte del plan providencial de Dios para que los cristianos modelen sus vidas según el modelo de sacrificio de Jesús. Visto desde la perspectiva celestial, tales sufrimientos hacen avanzar irónicamente el reino de Dios, como fue el caso del propio Cristo (véase 5:5–6). Si nuestra comprensión de la relación cronológica del cap. 5 con el cap. 6 es correcta, entonces 6:9–11 revela que la persecución de los cristianos ya estaba en pleno apogeo entre algunos sectores de la iglesia en la época de Juan.

9 El desprendimiento del quinto sello no revela un decreto angelical de sufrimiento desde la sala del trono, sino una respuesta humana a dicho sufrimiento. Juan ve a los cristianos que han sido oprimidos, habiendo muerto y habiendo recibido una recompensa celestial (así en v. 11a). Estos santos, entonces, son descritos como aquellos que han **sido muertos**, como por los ataques del segundo jinete (v. 4), y "muertos" (v. 11), como por los ataques del cuarto jinete (v. 8). Es posible que sólo se trate de mártires literales, pero es más probable que los "muertos" sean metafóricos y representen la categoría más amplia de todos los santos que sufren por causa de su fe (así en 13:15–18 y quizás 18:24; 20:4).

Estos santos son todos aquellos creyentes que han sufrido por su fe ("muertos" probablemente incluye de forma figurada todas las formas de sufrimiento y persecución), y ahora están ante Dios en el cielo (**debajo del altar**, lo que significa en la presencia de Dios). Como hemos visto antes (véase 2:26–29), los que "vencen" en los caps. 2–3 son todos los que permanecen fieles a Cristo frente a diversos tipos de sufrimiento y tentaciones de pecar y transigir, no sólo los que mueren por su fe. Todos los creyentes genuinos experimentarán sufrimientos de un tipo u otro como resultado de su fidelidad a Cristo.

Como dijo Jesús, "El que quiera salvar su vida, la perderá; pero el que pierda su vida por causa de Mí y del evangelio, la salvará" (Mr. 8:35). Sean o no

* Nota del traductor: En la versión NBLH los cuatro versículos utilizan la palabra "matar/muerto", mientras que en inglés se diferencia "slay = asesinar / matar" en los vv. 4 y 9; y "kill = matar" en los vv. 8 y 11.

literalmente condenados a muerte por su fe, se han comprometido de tal manera con **la palabra de Dios** y con **el testimonio** de Cristo que han llegado a identificarse de forma general con el destino sufriente del Cordero inmolado, metáfora que se convierte en la identidad de todos los cristianos. Esto también es coherente con el uso figurativo del lenguaje del "mártir sacrificado" con referencia a todos los creyentes en el Nuevo Testamento en general (p. ej., Mt. 10:38–39; 16:24–26; Ro. 8:35–39; 12:1–2; Fil. 2:17). Todos los cristianos, por tanto, deben tomar su cruz y seguir a Cristo y deben encontrar su vida entregándola.

Estas personas son descritas como las **almas de los que habían sido muertos** que están **debajo del altar**. Han sido perseguidos por dar testimonio, tanto de palabra como de obra, de la obra redentora de Cristo. El altar celestial en el Apocalipsis se equipara con la presencia o el trono de Dios (8:3–5; 9:13), por lo que aquí se describe a los santos como si estuvieran debajo de él. No se piensa en el altar de bronce del sacrificio (aunque existe la similitud de que la sangre del sacrificio se derramaba en la base de ese altar: cf. Lv. 4:18, 30, 34) sino en el altar del incienso, al que también se hace referencia en 8:3–5 y 9:13 (y 11:1; 14:18; y 16:7 son desarrollos de estas referencias), ante el cual se ofrecían oraciones.

En el altar literal, situado frente al Lugar Santísimo, se quemaba el incienso y se derramaba la sangre del sacrificio del Día de la Expiación. El altar celestial es aquel sobre el que se realizó el sacrificio de Cristo, y es aquí donde se encuentran apropiadamente los santos glorificados. El hecho de que estén **debajo del altar** enfatiza la protección divina que se ha mantenido sobre sus "almas" a pesar incluso de su pérdida de vida física a causa de la persecución. En efecto, se trata de persecuciones que Dios envía sobre ellos para poner a prueba su fe y hacerlos salir purificados.

Los que perseveran a través de la persecución y las tentaciones de transgir se sacrifican en el altar celestial de Dios, la contraparte de la cruz de Jesús. Este altar está, por supuesto, en medio del invisible pero real templo de Dios, donde habita la presencia de Dios. Por lo tanto, esta imagen del v. 9 connota tanto las ideas de sacrificio y oraciones como incienso, que invocan a Dios para que reivindique a los que han sido perseguidos por causa de la justicia. La comparación con el sufrimiento de Jesús se ve reforzada por la misma descripción de los santos como "muertos" (cf. "inmolado / muerto" en 5:6, 9, 12; 6:9). El propósito de la comparación es enfatizar que, como sucedió con Cristo, los que le siguen tendrán su sufrimiento sacrificial y su aparente derrota convertida en victoria final.

10 Ahora se verbaliza la respuesta al sufrimiento de 6:1–8. La oración de los santos en el v. 10 no es un clamor de venganza, sino un clamor para que se manifieste la justicia de Dios (Pablo expresa el mismo pensamiento en Ro. 3:25–26 en relación con la obra de Cristo), pues Dios será considerado injusto si no castiga a los pecadores y a los que persiguen injustamente a su pueblo. El clamor va precedido de la descripción de Dios como **santo y verdadero** para enfatizar que se pide a Dios que demuestre su santidad y su norma de verdad llevando a los malhechores ante la justicia.

Esta oración es respondida en etapas posteriores del libro, particularmente en 19:2, donde se anuncia el juicio de Dios sobre la ramera junto con su vindicación de los santos (cf. también 16:7). El clamor "¿Hasta cuándo?" es un eco del salmista (Sal. 6:3; 74:10; 79:5, etc.), pero nótese también Zac. 1:12, donde el mismo clamor se eleva, y es respondido por los cuatro caballos del juicio que salen (Zac. 6:1–8), una clara prefiguración profética de los cuatro jinetes de Apocalipsis 6. El énfasis de Juan en que Dios defiende su propia reputación juzgando a los pecadores que han perseguido a los justos se evoca también con "**¿Hasta cuándo, oh Señor santo y verdadero, esperarás para juzgar y vengar nuestra sangre?**", que es una alusión a Sal. 79:10, "Sea notoria entre las naciones… la venganza por la sangre derramada de Tus siervos". Juan pretende que los juicios de los jinetes en los vv. 2–8 funcionen como una respuesta anticipada al clamor del v. 10 (con respecto a que los jinetes representan castigos parciales sobre los incrédulos), y los vv. 12–17 se narran entonces como la respuesta concluyente.

11 Sin embargo, ahora se da una respuesta preliminar a la oración de los santos en el v. 10, ya que se les da a cada uno una **vestidura blanca** y se les dice que descansen hasta que se complete **el número de sus consiervos y de sus hermanos**. La metáfora de las túnicas blancas connota la idea de una pureza que ha resultado de la fe perseverante probada por el fuego refinador de la tribulación (véase en 3:4–5). Las túnicas se dan no sólo como una recompensa por la pureza de la fe, sino como una declaración celestial de la pureza o la justicia de los santos y una anulación del veredicto de culpabilidad emitido sobre ellos por el mundo.

En esta imagen hay una garantía para los santos que todavía están en la tierra de que su vindicación ante Dios les espera sin duda. Pero para los que "moran en la tierra" (literalmente "los que habitan en la tierra") del v. 10 (la expresión estándar en el Apocalipsis para los incrédulos: 8:13; 11:10; 13:12, 14; 17:2), queda la aterradora perspectiva del juicio. Esta seguridad se verbaliza en la última cláusula del versículo como una respuesta más a la súplica del v. 10 ("¿Hasta cuándo, Señor?"). Se les dice a los santos que **descansen un poco más** hasta que se **completen** los sufrimientos de **sus hermanos que habrían de ser muertos como ellos**. La expresión "ser muertos", al igual que "muertos" en el v. 9, debe tomarse en sentido figurado y no literal, aunque se incluye el martirio real (cf. los usos figurativos combinados de "puestos a muerte" y "matar" en Ro. 8:36).

La frase **un poco más de tiempo** presenta un problema teológico, ya que parece aludir a un final inminente de la historia. Pero desde el punto de vista de Dios, lo que puede ser sólo unos instantes podría ser un largo período desde la perspectiva humana, como se desprende de la comparación de los paralelos de Apocalipsis 12:12 ("poco tiempo") con 20:3 ("mil años"; cf. también 2 P. 3:8–13 y véase más adelante sobre 12:12). El tiempo en el cielo, al que se hace referencia en 6:11, puede contarse de forma diferente al tiempo en la tierra. Esta diferencia de cálculo forma parte de la tensión inherente al aspecto "ya y todavía no" de la escatología en el Apocalipsis y en el Nuevo Testamento en general (p. ej., 1 P. 3:1–14).

Como hemos observado repetidamente, los "últimos días" abarcan todo el período que va desde la resurrección de Cristo hasta su regreso final. La exhortación al descanso significa que los santos en el cielo deben ser pacientes en su deseo de que Dios responda a su petición. La seguridad de que Dios castigará incuestionablemente al mundo malvado se convierte en una motivación para que los cristianos perseveren en su testimonio a través del sufrimiento en la tierra, sabiendo que son actores clave para ayudar a establecer el reino de la misma manera irónica que su Señor (p. ej., véase en 1:6, 9; 5:5–10). Es decir, a través de la resistencia fiel en la prueba comienzan ya a reinar con Cristo (véase, p. ej., 1:9).

La representación de un grupo de mártires, aparentemente numerosos, que están pidiendo a Dios en los vv. 9–11 también es problemática, porque los caps. 1–3 no muestran una iglesia que esté sufriendo un martirio a gran escala. Sin embargo, esto no es tan difícil si nuestro punto de vista hasta ahora es correcto de que la imagen de los mártires aquí es figurativa generalmente para aquellos que son perseguidos (véase en el v. 9 atrás). Por lo tanto, aunque el martirio aún no estaba extendido, la persecución afectaba a muchas de las iglesias, como se observó en los caps. 1–3, y el martirio ciertamente podía parecer en el horizonte.

Sugerencias para Reflexionar sobre 6:9–11

- ***Sobre el sufrimiento como marca de la vida cristiana.*** Si los creyentes genuinos están obligados a enfrentar el sufrimiento por su fidelidad a Cristo, ¿cómo medimos el fruto de nuestra vida cristiana? ¿Buscamos sólo resultados positivos (personas afectadas favorablemente por nuestro testimonio)? ¿Es una reacción negativa a nuestro sufrimiento una reacción piadosa? ¿Hemos comprendido realmente que Dios nos llama al sufrimiento? Es poco probable que la mayoría de nosotros, actualmente en el mundo occidental, seamos martirizados, pero ¿de qué otras maneras podemos sufrir genuinamente? ¿De qué manera, incluso en nuestro testimonio cristiano externo, sufrimos a menudo por nuestra propia desobediencia o insensatez (1 P. 4:15)?
- ***Sobre la justicia frente a la venganza.*** ¿Qué lecciones podemos aprender de estos santos fallecidos? En nuestra ira contra los demás, ¿nuestros pensamientos e incluso nuestras oraciones están motivados por el deseo de su castigo o por el deseo de que Dios sea glorificado mediante la ejecución de su justicia? En nuestra ira, ¿podemos sustituir a Dios en la ejecución del juicio (incluso en nuestros pensamientos) sobre aquellos que nos han hecho daño? ¿Qué sucede con nosotros cuando entregamos nuestra ira a Dios y le permitimos que sea el juez? ¿Nos presentamos ante Dios con la terrible conciencia de que Él puede juzgar nuestras propias actitudes y acciones? Cuando guardamos rencor contra otros, ¿cómo podemos orar por la justicia de Dios o Su gloria, cuando nosotros mismos no reflejamos Su carácter misericordioso? ¿Es nuestro mayor deseo que la reputación y el nombre de Dios sean honrados y no nuestra reputación y nombre?
- ***Sobre la espera.*** Los santos celestiales son representados repitiendo pacientemente el frecuente clamor del salmista: "¿Hasta cuándo?". La Escritura dice que los caminos de Dios no son nuestros caminos, y ciertamente su tiempo no es a menudo nuestro tiempo. ¿Cómo podemos

hacer frente a las presiones de vivir en una sociedad acostumbrada a la gratificación instantánea?

¿Qué pasos podemos dar para reformar nuestra forma de pensar de acuerdo con la gratificación eterna de Dios? ¿Cuánto tiempo estamos dispuestos a esperar el retorno de nuestra inversión espiritual? ¿Compran nuestras iglesias programas diseñados para producir resultados instantáneos? ¿Dejamos de dar testimonio después de unos pocos intentos? ¿Cuántos misioneros (como los de China, Corea o muchas otras naciones) pasaron una vida con poco fruto sólo para ver una enorme cosecha después de su muerte? ¿Qué habría pasado si se hubieran rendido? ¿Expresamos la paciencia descansando en la comprensión de Dios, que supera la nuestra?

3. El sexto sello: Dios demostrará Su justicia ejecutando el juicio final sobre el mundo incrédulo (6:12–17)

[12] Vi cuando el Cordero abrió el sexto sello, y hubo un gran terremoto, y el sol se puso negro como cilicio hecho de cerda, y toda la luna se volvió como sangre, [13] y las estrellas del cielo cayeron a la tierra, como la higuera deja caer sus higos verdes al ser sacudida por un fuerte viento. [14] El cielo desapareció como un pergamino que se enrolla, y todo monte e isla fueron removidos de su lugar. [15] Los reyes de la tierra, y los grandes, los comandantes, los ricos, los poderosos, y todo siervo y todo libre, se escondieron en las cuevas y entre las peñas de los montes, [16] y decían a los montes y a las peñas: "Caigan sobre nosotros y escóndannos de la presencia de Aquél que está sentado en el trono y de la ira del Cordero. [17] Porque ha llegado el gran día de la ira de ellos, ¿y quién podrá sostenerse?"

12–15 Estos versículos expresan la respuesta explícita y final a la súplica de los santos en los vv. 9–11. El tiempo debe ser el juicio final, porque se nos acaba de decir que el juicio aquí representado no se ejecutará hasta que se haya completado el número total de los santos que sufren (v. 11). La escena calamitosa de los vv. 12–17 supone que la persecución de *todos* los cristianos ha seguido finalmente su curso, y que ahora sólo queda ejecutar el castigo final sobre los perseguidores, lo que da la última nota de la historia del mundo. En consecuencia, este pasaje no puede tratar de los juicios de los incrédulos antes del regreso de Cristo durante un período de tribulación prolongado, ya que en ese momento todavía no han terminado de perseguir a los santos.

No sólo eso, sino que el **gran terremoto** reaparece en 16:18, que sin duda se refiere al juicio final (así también véase 11:13), y la referencia a los montes e islas que son removidas se repite en 16:20. En 6:12–17, todo monte e isla es removida en presencia de Aquel que se sienta en el trono, y en la descripción del juicio final en 20:11 la tierra y el cielo huyen del trono y de Aquel que se sienta en él. Muchos textos del Antiguo Testamento aluden al juicio y a los sucesos catastróficos de los últimos días, todos los cuales profetizan elementos que se encuentran en este texto: el temblor de la tierra (incluidos los montes); el oscurecimiento y/o el temblor de la luna, las estrellas, el sol y el cielo; y la sangre (p. ej., Is. 24:1–6; Ez. 32:6–8; Jl. 3:15–16; Hab. 3:6–11).

Nótese en particular Is. 34:4: "Todo el ejército de los cielos se consumirá, y los cielos se enrollarán como un pergamino. También todos sus ejércitos se marchitarán como se marchita la hoja de la vid, o como se marchita la de la higuera". Obsérvese también Joel 2:31: "El sol se convertirá en tinieblas, y la luna en sangre, antes que venga el día del SEÑOR, grande y terrible". En Is. 34:3–4, la "sangre" se relaciona directamente con el ejército del cielo que se desgasta o se pudre, y 34:5–6 se refiere a la espada de Dios que se embriaga o se llena de sangre "en el cielo", lo que puede estar relacionado con la luna que se vuelve **como sangre** en Ap. 6:12. También se incluye en la descripción de Isaías (34:12) la afirmación de que el juicio caerá sobre "sus nobles… sus príncipes" (griego del Antiguo Testamento; "nobles, reyes y príncipes" en el hebreo), lo cual es casi idéntico a los tres primeros grupos de personas que sufren el juicio en Ap. 6:15: **los reyes de la tierra, y los grandes, los comandantes**. Y la comparación del oscurecimiento del cielo con **cilicio** fue sugerida por Is. 50:3: "Yo revisto de negrura los cielos, y hago de cilicio su cobertura".

Los fenómenos cósmicos de los vv. 12–14 connotan juicio como en los contextos del Antiguo Testamento, y varias frases de estos versículos se encuentran más adelante en el libro como descripciones del juicio final. En este sentido, para resaltar lo que acabamos de mencionar, obsérvese el terremoto en el v. 12, y lo mismo en 11:13 y 16:18. Los montes y las islas son removidas en el v. 14, y de nuevo en 16:20. En 20:11, el cielo y la tierra huyen del que está sentado en el trono, al igual que los reyes de la tierra y sus seguidores huyen del mismo en 6:16. Aquí todo el sol, la luna y las estrellas son destruidos, mientras que sólo un tercio de los mismos están en la aflicción de 8:12, que claramente no se refiere al juicio final.

El juicio que viene sobre **los reyes de la tierra, y los grandes, los comandantes** significa que se ven obligados a esconderse **en las cuevas y entre las peñas de los montes**. Como en Isaías 33:1–35:4, son juzgados por la persecución del pueblo de Dios. También son juzgados por la idolatría, haciendo referencia a Is. 2:20, 18–21, donde la gente debe huir a las cuevas y a las rocas a causa de su idolatría, que Juan aplica tipológicamente a los idólatras en este pasaje. En Ap. 19:18–19 se menciona a los mismos grupos que rinden pleitesía a la bestia.

Sin embargo, incluso los pobres serán juzgados, ya que "ricos y pobres, libres y esclavos" llevan por igual "la marca de la bestia" (13:16), lo que significa que han comprometido sus vidas a la adoración de la bestia (es decir, "adoran" a la bestia, 13:15). Todos los incrédulos que viven en la tierra en el momento del juicio final están en mente.

Se discute si la descripción, especialmente en los vv. 12–14, es literal o figurada. Si es literal, entonces la escena representa la disolución final del cosmos, aunque algunos que adoptan un punto de vista literal ven la ruptura de la tierra como parte de un largo y prolongado período de tribulación. Pero si la escena es figurativa, podría denotar algún juicio temporal o el juicio final. Nuestra conclusión, a la luz de la explicación hasta ahora, es que, independientemente de si la descripción es figurativa o literal, sigue representando el juicio final y no las pruebas previas en un período final de tribulación que precede al juicio final.

16 Los idólatras apelan ahora a las montañas y a las rocas para que caigan sobre ellos, haciendo referencia aquí al clamor similar de los idólatras en Os. 10:8. La representación original es la de Adán y Eva en el jardín escondiéndose de Dios. Juan entiende el Génesis como una profecía tipológica sobre la base de su presuposición de que Dios ha determinado que la historia pecaminosa debe terminar de la misma manera que comenzó — aunque con la provisión de la redención para los salvados.

17 Ahora la "ira" mencionada en el v. 16 se enfatiza como la causa ("por qué") de que los idólatras huyan de Dios y del Cordero. Los incrédulos o moradores de la tierra se esconderán a causa de la ira de Dios contra el pecado, porque ha llegado el **gran día** de la **ira** de Dios y del Cordero — seguramente una clara referencia al juicio final. Esto se indica también por el retrato del castigo final en 11:18, donde ocurre la frase paralela "y vino Tu ira". La misma frase "gran día" ocurre en 16:14 en la descripción de la guerra final, y el mismo evento es llamado la "gran cena de Dios" en 19:17–18, donde virtualmente las mismas clases de personas enumeradas en 6:15 son mencionadas como siendo destruidas por el juicio final de Cristo. Detrás de este texto se encuentra Joel 2:11, que habla del gran día del Señor que nadie podrá resistir, y Nah. 1:5–6, que habla de los montes que tiemblan ante la ira de Dios. Estas descripciones proféticas figurativas de juicios sobre Israel o Nínive, que se cumplieron en la pasada era del Antiguo Testamento, se toman aquí como prefiguraciones del juicio final.

El pecado básico de los hombres sigue siendo la idolatría. Su idolatría se centra en las mismas cosas que han de ser eliminadas — las dimensiones del mundo físico en el que viven. Los juzgados en 6:15–17 son "los que moran en la tierra" en 6:10, que son los impíos que merecen el juicio. Los cristianos sólo son peregrinos en la tierra, mientras que los moradores de la tierra están en casa en este mundo, con su riqueza material, injusticia, falsa religión y contaminación moral, algunos o todos los cuales han hecho su dios.

En contraste con los cristianos peregrinos, los habitantes de la tierra impíos están en casa en el orden mundial actual y confían en la seguridad terrenal. El significado de estas alusiones al Antiguo Testamento es enfatizar no sólo el hecho del juicio, sino también que el hogar aparentemente seguro de los habitantes de la tierra será destruido. En el resto del libro, la frase "habitantes de la tierra" o "los que moran en la tierra" sigue refiriéndose a los que se rebelan contra Dios y, por tanto, se definen como adoradores de ídolos porque no doblan la rodilla ante el único Dios verdadero (8:13 [cf. 9:20]; 13:8, 12, 14; 14:6–11; 17:2, 8). La humanidad se ha pervertido y ha adorado a la creación (cf. Ro. 1:21–25; Ap. 9:20) en lugar del Creador.

El refugio idolátrico de los incrédulos en la tierra debe ser eliminado porque se ha hecho transitorio por la contaminación de su pecado. Por lo tanto, la creación misma — sol, luna, estrellas, árboles, animales, etc. — se ha convertido en un ídolo que debe ser eliminado. Los cuerpos celestes se mencionan repetidamente en la Biblia como representantes de falsas deidades a las que Israel y las naciones adoraban (p. ej., Dt. 4:19; 17:1–4; 2 Re. 23:4–5; Jer. 8:2; Ez. 8:16; Am. 5:25–27; Hch. 7:41–43). Sin embargo, el hogar eterno de los creyentes con su Dios permanecerá (cf. Heb. 12:26–28). En los vv. 12–14 se describen seis partes del cosmos como destruidas: la tierra, el sol, la luna, las estrellas, el cielo y "todo monte e isla". Además, en los vv. 15–17 se describen igualmente seis clases de la humanidad como a punto de ser juzgadas: los reyes, los grandes, los comandantes, los ricos, los poderosos y "todo siervo y todo libre".

Estas dos listas apuntan además a una identificación intencionada de los idólatras — seis es el número de la humanidad caída — con la tierra como su ídolo final. Si las partes más permanentes y estables de la creación serán sacudidas hasta sus raíces (p. ej., montes e islas), también lo serán las personas que viven en la tierra. Sus seguridades terrenales serán arrancadas para que aparezcan espiritualmente desnudos ante el tribunal de Dios en el día final. Los "moradores de la tierra" no han confiado en el Cordero que fue sacrificado por los pecados del mundo (1:5; 5:9). Por lo tanto, tendrán que sufrir Su ira destructiva y no podrán resistirla. El manso Cordero que fue inmolado en la cruz está ahora en una posición exaltada sobre todo el cosmos (1:5; 3:21; 5:5–6) para derramar Su ira (pues el juicio no viene sólo de Dios, sino también del Cordero), porque no sólo es amoroso con Su pueblo, sino también un juez justo de Sus enemigos.

Las alusiones al Antiguo Testamento empleadas a lo largo de los vv. 12–17 realzan la posición del Cordero, ya que todas ellas presentan el juicio como procedente de Dios. Ahora el juicio se ve como procedente no sólo de Dios en el trono, sino también del Cordero, que también debe ser visto como funcionando en una capacidad divina judicial. Esto se expresa especialmente en la alusión a Is. 2:10 (también a Is. 2:19, 21) en Ap. 6:16: compárese "del terror del SEÑOR y del esplendor de Su majestad" de Isaías con Ap. 6:16, donde Aquel "que está sentado en el trono" corresponde al "SEÑOR" de Isaías y el "Cordero" es sustituido por "el esplendor de Su majestad". Asimismo, la alusión a Joel 2:11 es otro ejemplo particular que subraya la deidad del Cordero: "*Grande y terrible es en verdad el día del SEÑOR*" se convierte en Ap. 6:17 "Porque ha llegado el *gran día de la ira de ellos* [de Dios y del Cordero]".

Dos resultados de la resurrección de Cristo en 1:5–6 son que se convirtió en "soberano de los reyes de la tierra", a muchos de los cuales juzga (6:15; 16:12; 17:12–18; 19:18–21), y también en amoroso Redentor de su pueblo. Los "reyes de la tierra" que sufren el juicio final en 6:15 deben identificarse con el mismo grupo que es juzgado finalmente en 19:18–21 y no con los que son redimidos en 21:24 (una comparación de 21:8, 27 con 21:24 [véanse los comentarios al respecto] también muestra que este último versículo no implica una salvación universal final).

Sugerencias para Reflexionar sobre 6:12–17

- ***Sobre la idolatría como expresión fundamental de la rebelión humana contra Dios.*** La idolatría comenzó en el jardín con la elección de Adán de encontrar su seguridad sin Dios y su independencia de Dios en el fruto del árbol prohibido. El comentario sostiene que la idolatría sigue siendo el pecado fundamental de los hombres y mujeres, y que siempre se expresa en el apego a las cosas creadas en lugar de al Creador. Algunas formas de idolatría son obvias: la adoración de otros dioses, diversas formas de adicción, etc. Pero otras no lo son.
  ¿Es posible practicar la idolatría sin saberlo? Los engaños más poderosos de Satanás son a menudo los más sutiles. ¿Es posible que algo sea idolátrico para una persona y no para otra, dependiendo de la actitud con la que se aborde? Por ejemplo, centrarse en mantenerse sano podría ser algo bueno para una persona, pero idolátrico para otra. Viajar en vacaciones puede ser una forma inocente de recargar las pilas, o puede ser idolátrico. Incluso la devoción a nuestra familia, muy alabada en la Biblia, puede convertirse en idolatría. Si algo se interpone entre nosotros y Dios, o se convierte en un objeto de afecto mayor que Dios, se convertirá en idolatría para nosotros.[1]
- ***Sobre una comprensión bíblica de la ecología.*** ¿Cómo equilibramos el hecho de que Dios ha creado un mundo del que debemos ser administradores con la conciencia de que, en última instancia, será destruido en el fuego de Su juicio? ¿Se resuelve la tensión con la comprensión de que la intención de Dios es la creación de un nuevo cielo y una nueva tierra? ¿Debería nuestra atención a la ecología estar motivada no por la reverencia al medio ambiente en sí mismo, sino por las consecuencias de la degradación ambiental para otras personas? ¿Debemos actuar ahora como buenos administradores de esta creación para señalar y ser testigos de nuestra mayor administración de una nueva creación mayor que está por llegar? ¿Cuál es la línea divisoria que, si se cruza, lleva a que el ambientalismo se convierta en una idolatría? ¿Es el

---

[1] Véase además G. K. Beale, *We Become What We Worship: A Biblical Theology of Idolatry* (Nos Convertimos en lo que Adoramos: Una Teología Bíblica de la Idolatría) (Downers Grove: IVP Academic, 2008).

ambientalismo un ejemplo de cómo una causa aparentemente buena puede convertirse en una fuente de idolatría? ¿Se debe esto a que la gente se define como virtuosa por su aparente cuidado del medio ambiente sin tener en cuenta su actitud hacia Aquel que es su Creador?

4. Los ángeles impiden que las fuerzas del mal comiencen su actividad destructiva en la tierra hasta que los creyentes reciban protección espiritual para no perder su fe (7:1–8)

[1] Después de esto, vi a cuatro ángeles de pie en los cuatro extremos de la tierra, que detenían los cuatro vientos de la tierra, para que no soplara viento alguno, ni sobre la tierra ni sobre el mar ni sobre ningún árbol. [2] También vi a otro ángel que subía de donde sale el sol y que tenía el sello del Dios vivo. Y gritó a gran voz a los cuatro ángeles a quienes se les había concedido hacer daño a la tierra y al mar: [3] "No hagan daño, ni a la tierra ni al mar ni a los árboles, hasta que hayamos puesto un sello en la frente a los siervos de nuestro Dios". [4] Oí el número de los que fueron sellados: 144,000 sellados de todas las tribus de los Israelitas. [5] De la tribu de Judá fueron sellados 12,000; de la tribu de Rubén, 12,000; de la tribu de Gad, 12,000; [6] de la tribu de Aser, 12,000; de la tribu de Neftalí, 12,000; de la tribu de Manasés, 12,000; [7] de la tribu de Simeón, 12,000; de la tribu de Leví, 12,000; de la tribu de Isacar, 12,000; [8] de la tribu de Zabulón, 12,000; de la tribu de José, 12,000 y de la tribu de Benjamín fueron sellados 12,000.

¿Cuál es el significado del sello, y quiénes son los 144.000 de cada tribu de Israel que fueron sellados? ¿Son un grupo de israelitas étnicos literales que viven en algún momento futuro, o representan figurativamente algún otro grupo de personas? La mención de la "gran multitud... *de pie* ante el trono" en el v. 9 puede ser una respuesta explícita a la pregunta de 6:17 sobre quién puede estar de pie en el día de la ira.

Ambos pasajes también se refieren a personas de pie ante el trono y el Cordero. La imagen del Cordero "de pie" ante el trono en 5:6 está probablemente asociada en un grado significativo con Su existencia de resurrección, de modo que el estar "de pie" ante el trono en 7:9 de personas descritas más tarde como ovejas (v. 17) refleja plausiblemente también la existencia de resurrección de los santos.

El estar "de pie" de los santos en el mar de cristal, también en conjunción directa con la mención del Cordero más adelante en el libro, también refleja la existencia de la resurrección del Cordero de 5:6 (véase en 15:2).

1 El cap. 7 comienza con una nueva visión, como indica la frase introductoria **Después de esto, vi**. Aunque Juan experimentó esta visión después de la del cap. 6, lo que describe es anterior a lo que el cap. 6 describe cronológicamente. La sección es una especie de paréntesis que explica cómo Dios mantendrá a los creyentes a salvo durante las tribulaciones de la era de la iglesia. Como resultado, los creyentes no serán dañados espiritualmente cuando pasen por las pruebas desatadas por los cuatro sellos de 6:1–8.

Juan ve a **cuatro ángeles de pie en los cuatro extremos de la tierra, que detenían los cuatro vientos de la tierra**. El hecho de que estén **de pie en los cuatro extremos de la tierra** se refiere a su soberanía sobre *todo el mundo* (así en Is. 11:12; Ez. 7:2; Ap. 20:8). El hecho de que los **cuatro vientos** se refieran figurativamente a todo el mundo conocido queda claro por el uso de la misma frase de esta manera en Jer. 49:36; Dn. 8:8; 11:4; Mt. 24:31; y Mr. 13:27.

Los cuatro vientos de la tierra se identifican mejor como los cuatro jinetes de 6:1–8, que fueron claramente modelados en los jinetes de Zac. 6:1–8 porque estos últim os también se identifican en Zac. 6:5 como "los cuatro vientos [o espíritus] del cielo" (el hebreo puede traducirse "vientos" o "espíritus"; LXX "vientos"). Los ángeles divinos están **deteniendo** las fuerzas malignas de la destrucción de la tierra, una destrucción que en 6:1–8 se describe como si ya hubiera ocurrido. El hecho de que los vientos tengan que ser retenidos para evitar su actividad dañina es una prueba de su naturaleza rebelde y malvada. El hecho de que la tierra, el mar y los árboles afectados por los vientos sean literales no es crucial, ya que junto con los vientos forman un cuadro que representa los males de 6:1–8 y deben entenderse igualmente en términos de juicios generales. Probablemente estos tres objetos representan (por metonimia, o más concretamente por sinécdoque, el recurso literario por el que la parte representa el todo) la tierra y sus habitantes, que se ven afectados por los males de los cuatro jinetes. La acción retardadora que impide el efecto destructivo de los vientos es sólo temporal, como se desprende de los vv. 2–3.

2–3 Ahora se da la razón por la que los cuatro ángeles impiden que los jinetes sean desatados. Este retraso es sólo temporal, hasta que los ángeles piadosos **hayan puesto un sello... a los siervos de nuestro Dios** por orden de un ángel que viene de la presencia de Dios (**que tiene el sello del Dios vivo**). En estos versículos, la tierra y sus habitantes aún no han sido dañados y, antes de que lo sean, los siervos de Dios deben recibir un sello de protección. Por lo tanto, esta sección no presenta una nueva serie de eventos en una parte aún futura de un período de tribulación final que sigue a las pruebas del cap. 6, sino que se refiere a asuntos relacionados con las pruebas a lo largo de la era de la iglesia que preceden al juicio final y la recompensa. Como tal, es un interludio en su ubicación después del cap. 6.

Se debate lo que significa que Dios "selle" a sus siervos. Las principales alternativas son: protección contra el daño físico, protección contra los demonios y protección contra la pérdida de la fe y, por tanto, de la salvación. La imagen del **sello** aquí es la misma que vio Ezequiel cuando el Señor ordena al ángel que ponga una marca en la frente de los que odian el pecado antes de que Él golpee la ciudad en el juicio (Ez. 9:4–6). Esta marca los protege espiritualmente y probablemente también físicamente del juicio venidero. Esto es comparable a la marca de sangre en las puertas de los israelitas para que estuvieran protegidos del juicio de Dios sobre Egipto (Éx. 12:7, 13, 22–28). Esto se vuelve significativo cuando observamos que esta marca protege a los creyentes durante el período de las plagas de las trompetas y de las copas, que, como veremos, están modeladas muy de cerca en las plagas de Egipto.

Los poderes demoníacos tienen prohibido dañar a los que tienen el sello de Dios en la frente. Lo más importante para Juan no es la seguridad física, sino la protección de la fe y la salvación de los creyentes frente a los diversos sufrimientos y persecuciones que se les infligen, ya sea por parte de Satanás o de sus agentes demoníacos y terrenales. El sellado permite al pueblo de Dios responder con fe a las pruebas por las que pasa, de modo que éstas se convierten en los propios instrumentos por los que se fortalece su fe (véase 6:1–8).

La función protectora del sello es evidente en 9:4, donde se ordena a los poderes satánicos que no "dañaran la hierba de la tierra… ni ningún árbol, sino sólo a los hombres que no tienen el sello de Dios en la frente" (nótese el paralelo verbal casi idéntico con 7:3; 16:2 implica el aspecto protector del sello). Que esta protección es espiritual es evidente porque los creyentes y los incrédulos sufren aflicciones físicas similares (véase de nuevo en 6:1–8). Pero las pruebas que purifican a los siervos de Dios tienen como resultado el endurecimiento de los impíos en su respuesta a Dios (así en 9:19–21).

Los que tienen el **sello**, los 144.000 señalados en 7:4, se mencionan de nuevo en 14:1 como los que tienen el nombre de Dios y del Cordero escrito en sus frentes. Los creyentes que están bajo el **sello** con el nombre de Dios y del Cordero poseen una relación de salvación inviolable con ambos, que los protege (14:3–4: son redentoramente "comprados"). Por lo tanto, el sello y el nombre de Dios deben ser idénticos, pues ambos indican que estas personas pertenecen a Dios (véase 2 Ti. 2:19 para el mismo pensamiento). Lo contrario ocurre con los moradores de la tierra, que tienen en la frente la marca de la bestia, que es también su nombre (13:17; 14:9–11; véase más adelante).

El **sello** también puede tener el sentido de "autentificar" o "designar la propiedad de", ambos incluidos con la idea de protección aquí. A medida que los santos son capacitados para perseverar en la adversidad, se confirma la autenticidad de su profesión y se demuestra que pertenecen verdaderamente a Dios. El hecho de que los sellados sean llamados **siervos** o esclavos **de nuestro Dios** pone de relieve la idea de propiedad, ya que era una práctica común en el mundo antiguo marcar a los esclavos en la frente para indicar su propiedad y a quién debían servir. Que el **sello** incluye la idea de autentificación y propiedad es evidente al reconocer que Juan lo equipara en 14:1 y 22:4 con el nombre de Cristo y de Dios, que también ha sido escrito **en sus frentes** (una frase que aparece en los tres pasajes; en 2 Ti. 2:19 el "sello" y el "nombre" de Dios identifican conjuntamente a los que le pertenecen).

La equivalencia del sello con el nombre divino se confirma por la identificación de la "marca" de la bestia en la frente de los incrédulos (13:17) como "el nombre de la bestia", y en 14:9–11 "una marca en su (del adorador de la bestia)... frente" también se llama "la marca de su (de la bestia) nombre". Por lo tanto, el sello faculta a los 144.000 a desempeñar el papel de testigos previsto para el verdadero Israel (p. ej., Is. 42:6–7; 49:6; 51:4–8). Por lo tanto, el "nombre nuevo" y el "sello" son marcas de pertenencia genuina a la comunidad de los redimidos, sin las cuales la entrada en la "ciudad de Dios" eterna es imposible. Y, como hemos visto en 2:17, la identificación con el nuevo nombre de Cristo (véase 3:12) comienza realmente cuando Cristo se revela a Sí mismo a las personas y éstas confiesan Su nombre. Cuando esto sucede, obtienen un nuevo estatus espiritual y se les da poder para no negar Su nombre (3:8) y para perseverar a través de la tribulación final (cf. 2:13a; 3:8–10; Jn. 17:6–26, donde la revelación del nombre de Dios por parte de Cristo a los creyentes significa que *ahora* comparten la presencia protectora de Dios; cf. Lc. 10:17–22).

La equivalencia del "nombre" de Cristo y de Dios escrito en la "frente de los santos" (14:1) y el "sello" como designaciones de la pertenencia a la comunidad del pacto de Dios se confirma también por la equivalencia similar en el Éxodo (especialmente en loa LXX). En Éx. 28:17–21, las doce piedras que debían colocarse en el pectoral del sacerdote debían llevar grabados los nombres de las doce tribus, y estas piedras debían ser como "grabaduras de un sello" (28:21). Los nombres de cada una de las doce tribus están escritos en cada piedra para mostrar quién es miembro de la comunidad del pacto israelita. Es significativo que también debía haber una placa de oro colocada "sobre la frente de Aarón" como "grabaduras de un sello" (28:36, 38), y en ella estaba inscrito "Santidad al SEÑOR" (28:36). Este sello indicaba que estaba consagrado y pertenecía al Señor y, puesto que era el representante de Israel en el templo, la misma noción de consagración de la nación a Dios se trasladaba a ellos. Obsérvese también que la mayoría de las piedras de Éxodo 28 reaparecen en Ap. 21:19–20 en relación con la nueva Jerusalén.

Asimismo, en estos versículos el sello de Dios identifica a su pueblo y lo aparta de las transigencias pecaminosas con el mundo, debido a los efectos eficaces de la sangre del Cordero, que ha sido rociada por Él como sumo sacerdote en el templo celestial (Heb. 8:1–10:22), y que les ha sido aplicada (véase 7:14). Por consiguiente, no sufrirán la ira divina que debe soportar el mundo de la incredulidad. En los versículos siguientes se hará evidente que los creyentes también deben ser sellados para poder entrar en el tabernáculo celestial y servir ante Dios como sacerdotes (véase 7:13–15). El trasfondo del Éxodo proporciona el vínculo entre Apocalipsis 21:12–20 y 7:3–8: las piedras preciosas y el sello del Éxodo significan un pueblo santificado mediante el sacrificio del Cordero para entrar en la nueva Jerusalén construida sobre estas piedras preciosas como su fundamento.

La comunidad de los "redimidos" en 7:3–8 es la misma que en 14:1–4 debido a los paralelos verbales y las ideas observadas anteriormente. En 14:3–4, los 144.000 son aquellos "que habían sido rescatados (comprados) de la tierra" y que "han sido rescatados (comprados) de entre los hombres como primicias para Dios". Y hay un paralelismo entre 14:4 y 5:9b que es tan estrecho que los grupos mencionados como "comprados" en ambos son probablemente idénticos (5:9b: el cordero compró "para Dios a gente de toda tribu, lengua, pueblo y nación").

Esto significaría que los 144.000 de 14:1–3 no son un pequeño remanente de israelitas étnicos, sino otra forma de hablar del remanente más amplio de la humanidad que vive durante la era de la iglesia y que Cristo ha redimido de todo el mundo. Si esta identificación es correcta, entonces los 144.000 de 7:3–8 también deben representar el mismo remanente redimido de toda la tierra. En este caso, el 7:9 interpretaría el grupo del 7:3–8 como aquellos que son "de todas las naciones, tribus, pueblos, y lenguas" (véase más adelante el 7:9). Esta frase es prácticamente la misma que la de 5:9b, ya que ambas se basan en las fórmulas de Daniel 3–7. Este grupo es numerado como 144.000 para enfatizar figurativamente que se trata de una imagen de la iglesia en su totalidad, no en parte, que ha sido redimida, como lo confirma la visión de la multitud en 7:9–17 (sobre la identidad de los 144.000 véase más adelante en los vv. 4–8).

Que esto es así se desprende de las siguientes razones, entre otras consideraciones:

- Todos los creyentes redimidos están incluidos cuando la palabra "siervo" *(doulos)* se refiere en otras partes del libro a los siervos de Dios (2:20; 19:5; 22:3),
- El trasfondo del Antiguo Testamento de Ezequiel 9 también señala que el grupo sellado representa a todo el verdadero pueblo de Dios, ya que ese contexto no conoce ninguna distinción entre los principales grupos de fieles, sino que sólo distingue a los verdaderos creyentes de los incrédulos, y
- Si Satanás pone su sello, marca o nombre en todos sus seguidores (13:16–17; 14:9–11), es de suponer que Dios hace lo mismo con todos sus seguidores, y no sólo con algunos de ellos.

El sello y el nombre divinos facultan a los santos para permanecer fieles a Cristo y no transigir en medio de las presiones para hacerlo identificándose con el sistema mundial idólatra. Resisten a la ramera del cap. 17 y rechazan la marca de la bestia (20:4). Aunque los santos pueden sufrir e incluso perder sus vidas físicas, el **sello** los protege de perder sus vidas espirituales con Dios. Por eso se dice que el sello es **del Dios vivo**, que les imparte la vida eterna que sólo Él posee (para la obtención por parte de los santos de este tipo de "vida" como herencia futura, véase 2:7, 10–11; 3:5; 11:11; 20:4, 6; 21:6, 27; 22:12, 14, 17, y nótese el atributo de la vida eterna de Dios o de Cristo en 1:18; 4:9–10; 10:6; 15:7).

Por lo tanto, el **sello** también incluye la protección contra el día del juicio final, que acaba de ser mencionado en 6:17. El **sello** garantiza la protección de esta ira para aquellos que creen que el Cordero ha recibido el golpe mortal en su nombre (1:5; 5:6–9, 12). Los que no tienen el **sello** y tienen la "marca de la bestia" no tienen tal protección, sino que sufren la ira eterna de Dios (así en 14:9–11). Son engañados para adorar a las fuerzas del mal (13:8; 19:20). Esto se debe a que están destinados a ser excluidos de la vida eterna con el Cordero (13:8; 17:8; 20:15).

El sello, a la luz de 2 Co. 1:22 y Ef. 1:13; 4:30, debe identificarse con el Espíritu Santo, aunque esto no se declare explícitamente en el Apocalipsis. Por lo tanto, lo más importante en la mente de Juan no es la seguridad física, sino la protección de la fe y la salvación de los creyentes frente a los diversos sufrimientos y persecuciones que se les infligen, ya sea por parte de Satanás o de sus agentes demoníacos y terrenales. La protección espiritual es el centro de atención.

En consecuencia, el grupo que se sella no puede ser un grupo especial de mártires que están protegidos contra el daño físico hasta que tengan la oportunidad de dar su testimonio (para la discusión de cómo Juan aplica el lenguaje del martirio a los cristianos en general, véase 6:4, 8, 9). Tampoco son una última generación de creyentes que viven al final de la era y que están protegidos de la severa destrucción que vendrá a la tierra en ese momento.

También es improbable la especulación de que se trata de un remanente judío no convertido que es protegido físicamente durante la tribulación, después de lo cual se convierte al ver descender a Cristo en Su segunda venida (este punto de vista es a menudo alimentado por una interpretación similar de Ro. 11:25–29). Una razón para rechazar esta idea es que sería difícil entender por qué están protegidos físicamente de la tribulación, pero los creyentes gentiles descritos en 7:9–17 no están tan protegidos. En ninguna otra parte del Apocalipsis o del NT se piensa en una preferencia o ventaja concedida a los judíos sobre los gentiles *durante* la era inter-adventual. Esto es coherente con la observación anterior de que la palabra "siervo" (griego *doulos*) nunca se refiere exclusivamente a los cristianos judíos en ningún otro lugar del libro, sino a los creyentes en general o a todos los santos.

Que los ángeles deban sellar a los **siervos de nuestro Dios** implica que los que reciben el sello ya son siervos de Dios, y por tanto ya son creyentes. Si es así, como parece probable, se refiere a un decreto divino para sellar a todos los que creerán a lo largo de la era de la iglesia. El decreto se cumpliría a medida que cada persona crea en Cristo. Esta noción también se sugiere por el hecho de que la muerte del Cordero y la compra de un grupo selecto de personas de entre las naciones se presenta como una transacción indicativa o real, no potencial, que se consumó por parte del Cordero en la cruz (5:9; cf. 14:3–4). Además, este grupo elegido estaba determinado desde la fundación del mundo a beneficiarse de la influencia protectora de la muerte de Cristo, mientras que también estaba determinado que los demás no se beneficiarían (13:8; 17:8).

4–8 Ahora se explica más la identidad de los sellados. ¿Quiénes son los **ciento cuarenta y cuatro mil**? Es poco probable que sean israelitas literales que vivan al final de la historia durante una severa tribulación, ni que sean israelitas literales que vivan durante la profanación del segundo templo de Israel en el primer siglo, ya que en cualquier caso la protección de Dios se aplicaría sólo a los judíos étnicos — y a un número limitado de ellos — en lugar de a Su pueblo redimido de todas las naciones, incluidos los creyentes judíos en Jesús. Tal sugerencia sería ajena a la enseñanza del Nuevo Testamento (léase Gálatas, por ejemplo).

Una mejor comprensión proviene del contexto. En 5:9, se dice que el Cordero ha comprado con Su sangre "gente de toda tribu, lengua, pueblo y nación". En 14:3–4, se dice que los 144.000 han sido comprados "de la tierra" y comprados "de entre los hombres". El lenguaje casi idéntico sugiere que los dos son el mismo grupo — la iglesia de todas las edades. Esto explicaría por qué, inmediatamente después de la visión del sellado, Juan ve una gran multitud de personas de todas las naciones, tribus, pueblos, y lenguas (7:9). Como veremos, este es un cuadro que interpreta el número que se ha escuchado en 7:4–8, representando así a los que han sido sellados. Como se ha señalado anteriormente, todos los seguidores de Satanás llevan su marca o nombre, y todos los seguidores del Cordero deben llevar la marca o el nombre del Cordero; por lo tanto, todos los creyentes en Cristo a lo largo de las edades están sellados y deben estar incluidos en los **ciento cuarenta y cuatro mil**.

Pero, ¿por qué hablar de un número concreto? En 21:13–14, las doce tribus y los doce apóstoles forman juntos la estructura fundacional de la nueva Jerusalén. Multiplicar doce por doce es igual a ciento cuarenta y cuatro, que representan a todo el pueblo de Dios a través de los tiempos. Multiplicar esa cifra por mil refuerza la noción de plenitud.

En la lista de tribus registrada en estos versículos, llama la atención que se mencione primero a **Judá**. Esto enfatiza la descendencia de Cristo de Judá (véase 5:5), como se profetizó en Gn. 49:8–10 y en otras partes del AT donde se profetiza que un descendiente de David (y por lo tanto de Judá) se levantará como Mesías en los últimos días (Ez. 34:23; 37:24–26; Sal. 16:8–11; junto con Hch. 2:25–28). Por lo tanto, esto es una continuación de 5:5, donde se identifica a Jesús como el cumplimiento del líder prometido de Judá. Además, la prioridad de **Judá** es apropiada porque Gn. 49:10 predice que el líder venidero de Judá provocará "la obediencia de los pueblos".

En este sentido, la LXX de Gn. 49:10 dice: "es la expectativa de las naciones", y Pablo alude a Gn. 49:10 en Ro. 1:5 al referirse a "la obediencia a la fe entre todos los gentiles", que ha sido realizada por Cristo, "que nació de la descendencia de David según la carne" (Ro. 1:3; cf. 16:26). Por lo tanto, **la tribu de Judá** se menciona en primer lugar porque el Mesías de Judá es el rey que representa a Israel, y a través de su nuevo rey Judá se ha convertido en la puerta de la bendición para las naciones (así en 5:5, 9). En consecuencia, un descendiente real de David sería la elección natural para dar entrada a las naciones a las bendiciones de Israel.

Está claro que uno de los nombres escritos en los cristianos gentiles, además de los de Dios y Cristo, es "el nombre de la ciudad de Mi Dios, la nueva Jerusalén" (3:12). Puesto que el nombre de la "nueva Jerusalén" se equipara con el "nombre nuevo" de Cristo en Apocalipsis 3:12, es probable que los cristianos puedan identificarse con la "nueva Jerusalén", ya que se identifican con Cristo; son, por tanto, el verdadero Israel. Del mismo modo, Is. 49:3, en relación con Is. 53:10 y Gá. 3:16, afirma que el Mesías es el verdadero Israel. Jesús, como "descendencia" mesiánica de Israel (Gá. 3:16), representa a todos los creyentes, de modo que también forman parte de la "descendencia" israelita (Gá. 3:29). Sin embargo, este nombre no está escrito en aquellos "que se dicen judíos y no son" verdaderos judíos (Ap. 3:9), ya que rechazan a Cristo. El nombre de "la nueva Jerusalén" aplicado a la iglesia de Filadelfia está estrechamente vinculado conceptualmente a los 144.000 **de todas las tribus de los israelitas**.

Así, los cristianos se presentan aquí como el verdadero Israel, como también en 1:6 y 5:10 (aplicando Éx. 19:6); 5:9 (aplicando Dn. 7:18, 22); 2:17 y 3:12 (aplicando Is. 62:2 y 65:15); 3:9 (aplicando Is. 49:23 y 60:14); y en la imagen de la nueva Jerusalén en los caps. 21–22 (aplicando Ez. 40–48). De hecho, se cita una serie de profecías sobre la restauración de Israel que se cumplen en los que creen "de todas las naciones, tribus, pueblos, y lenguas" en 7:9, 15–17 (sobre lo cual véase más adelante).

Esto es coherente con la identificación en otras partes del Nuevo Testamento de la iglesia (compuesta por judíos y gentiles) como cumplimiento de las predicciones de la restauración de Israel (así en Ro. 9:24–26; 10:12–13; 2 Co. 5:17; 6:2, 16–18) y se les llama verdaderos "judíos" (Ro. 2:28–29), "Israel" (Ro. 9:6; Gá. 6:15–16), verdadera "circuncisión" (Fil. 3:3), "las doce tribus" (cf. Stg. 1:1) o israelitas expatriados (1 P. 1:1; 2:9). De hecho, la inclusión de los gentiles como parte del verdadero Israel del tiempo del fin fue profetizada en el AT (así en Sal. 87; Is. 19:18–25, especialmente el v. 18; 56:1–8; Ez. 47:21–23; Zac. 2:11; 9:7).

La inverosimilitud de ver las doce tribus **de los israelitas** literalmente en los vv. 3–8 aumenta al darse cuenta de que significaría que las alusiones a los enemigos del pueblo de Dios en el Antiguo Testamento en otras partes del Apocalipsis (Sodoma y Egipto en 11:8, Babilonia en los caps. 14–18, y Gog y Magog en 20:8) deben implicar la extraña creencia por parte de Juan de que todos estos enemigos también serán revividos literalmente.

Un refinamiento de la visión anterior de la iglesia como verdadero Israel ha sido realizado por Richard Bauckham en *The Climax of Prophecy: Studies in the Book of Revelation* (El Clímax de la Profecía: Estudios en el Libro del Apocalipsis) (Edimburgo: Clark, 1993), 217–29. Bauckham ha argumentado convincentemente que la numeración en los vv. 4–8 sugiere que los numerados son un ejército. Las pruebas de esta opinión son múltiples, pero, sobre todo, el lenguaje **de la tribu de** recuerda las repetidas frases "de la tribu de" en las listas de censo del Antiguo Testamento (p. ej., Nm. 1:21, 23, etc.). El propósito del censo en Números era organizar una fuerza militar para conquistar la Tierra Prometida.

La iglesia es representada en términos militares como un remanente llamado a salir del mundo para luchar por Dios. Esta fuerza está dispuesta a luchar, y el v. 14 interpreta la manera de su lucha. Conquistan a su enemigo irónicamente de la misma manera en que el Cordero real de Judá conquistó irónicamente en la cruz: manteniendo su fe y su testimonio a través del sufrimiento, vencen a su enemigo, el diablo y sus huestes (véase el v. 14 más adelante; para la identificación del grupo de los vv. 4–8 con el grupo de los vv. 9–17 véanse además los comentarios introductorios a los vv. 9–17). Por consiguiente, son los que "siguen al Cordero adondequiera que va" (14:4).

El lenguaje **de la tribu de** en los vv. 4–8 puede no tener ninguna connotación de la iglesia como un remanente llamado de una comunidad incrédula más grande para luchar una batalla, pero puede ser simplemente parte de la terminología del censo llevada del Antiguo Testamento para retratar la iglesia como el nuevo Israel. Sin embargo, la fórmula repetida puede referirse a la selección de un remanente de un grupo incrédulo más grande (gente de cada tribu y nación) debido a:

- La idea añadida en el contexto del Apocalipsis del "sello" y su significado redentor, con la implicación de que había otros que no estaban así sellados,
- La idea de un remanente en el *Rollo de Guerra* de Qumrán (1QM 2–3, 5–6, 14) en relación con el ejército sagrado de la comunidad,
- La similitud de "**de la tribu de**" en 7:4–8 con "**de todas las naciones, [todas] las tribus**" en el v. 9 y en 5:9 ("de toda tribu", ambos refiriéndose a personas redimidas de una masa mayor de habitantes de la tierra), y
- El paralelo en 14:1–4, que habla de los 144.000 como "rescatados de la tierra" y "rescatados de entre los pueblos" y luego define además "la tierra" y "los pueblos" en 14:6 como "toda nación, tribu, lengua, y pueblo".

Por lo tanto, el lenguaje del servicio selectivo de las listas del censo del Antiguo Testamento puede haber servido al propósito adicional de encajar en la teología del remanente que se encuentra a lo largo del Apocalipsis, y así se enriqueció en consecuencia.

Sugerencias para Reflexionar sobre 7:1–8

- ***Sobre el sello y la seguridad de la salvación.*** Si el "sello" significa protección para no perder la relación salvadora con Dios, ¿cómo pueden los cristianos estar seguros de que realmente han sido "sellados con el Espíritu" y tienen esa vida? Esta pregunta aborda la cuestión, a veces difícil, de cómo un cristiano puede tener seguridad de salvación. Las siguientes preguntas, basadas en el contexto del propio Apocalipsis, deberían ayudar a centrar la reflexión en esta cuestión de cómo se puede obtener y aumentar el sentido de la seguridad:

- ¿Han creído realmente los cristianos que el Cordero los ha comprado por el precio de Su sangre (Ap. 5:9; 12:11)?
- ¿Desea uno guardar los mandamientos de Dios (2:26; 12:17; 14:12; 22:3)?
- ¿Está uno tan convencido del pecado que le lleva al arrepentimiento y a la renovación de su relación con Cristo (2:4–5; 3:17–19)?
- ¿Está uno dispuesto a dar testimonio del Cordero en medio de las presiones para transigir la fe (6:9; 12:11, 17; 19:10)?

Las respuestas a estas cuatro preguntas tienen un efecto acumulativo en la percepción de la seguridad.

- ***Sobre ser esclavos o siervos de Dios.*** Ap. 7:3 dice que los que han sido "sellados" son "siervos/esclavos de Dios". Los esclavos fieles en el mundo antiguo debían complacer a sus amos con todo su ser, ya que todo su cuerpo era propiedad del amo, y los cristianos de la misma manera deben querer complacer a su Amo divino (así en Gá. 1:10; Ef. 6:6; cf. Ap. 22:3). ¿Hay alguna parte de nuestra vida que no permitimos que esté sometida a Cristo (consideraciones financieras, asuntos sexuales, etc.)? Pablo dice que debemos presentar todo nuestro ser y cuerpo a Cristo como "esclavos a la justicia" (Ro. 6:16–19), ya que Cristo nos ha "comprado" con un "precio" (1 Co. 6:20). El verdadero esclavo de Cristo se hace "obediente de corazón" (Ro. 6:17). ¿Tiene Dios todo nuestro corazón? Los "esclavos" de Dios son los que "andan delante de él con todo su corazón" (1 R. 8:23; cf. vv. 48, 61). ¿Es nuestra obediencia a Dios sólo un deber, o también deseamos de corazón agradarle sometiéndonos a Él? Las respuestas negativas a estas preguntas revelan grados de idolatría, de los que habla mucho el Apocalipsis (p. ej., 2:12–23; 9:20–21).

- ***Sobre la iglesia como el verdadero Israel.*** ¿Qué diferencia hay para los cristianos cuando se dan cuenta de que son parte de la continuación del verdadero Israel del Antiguo Testamento? Una diferencia muy práctica es que el Antiguo Testamento se convierte mucho más en un libro para los cristianos, ya que contiene muchas profecías sobre Israel, cuyo cumplimiento se produce en la iglesia a lo largo de los tiempos. En particular, como se ve en el comentario, las profecías sobre la restauración de Israel a su tierra comenzaron a cumplirse en los judíos y gentiles incrédulos que fueron restaurados a Dios por medio de Cristo y que, por lo tanto, llegaron a representar el verdadero Israel y la nueva Jerusalén. Es esclarecedor, por ejemplo, leer las profecías de Isaías 40–66 con esto en mente. ¿Qué otras implicaciones tiene que la iglesia sea el verdadero Israel? Por ejemplo, ¿cómo se relaciona esto con lo que está sucediendo en Israel en Oriente Medio hoy en día?
- ***Sobre la naturaleza de la guerra cristiana.*** Como hemos visto, la lista de los sellados de varias tribus israelitas en los vv. 4–8 bien podría representar una reunión de soldados para luchar en una guerra santa. Pero si los llamados y sellados representan a la iglesia como el verdadero Israel, entonces ¿qué clase de guerra se está librando? Como vimos anteriormente, en 7:14 se interpreta la forma de su lucha: no conquistan de otra manera que la del Cordero: perseverando en medio del sufrimiento. ¿Cuáles son las diversas formas en que los cristianos de hoy participan en esta batalla? El himno “Firmes y Adelante” es el más adecuado para este pasaje del Apocalipsis. Obsérvese, por ejemplo, la estrofa: “Tronos y coronas pueden perecer/De Jesús la Iglesia constante ha de ser/Nada en contra suya prevalecerá/Porque la promesa nunca faltará”.

5. Dios y el Cordero son alabados por haber manifestado la redención de las multitudes protegiéndolas a través de una tribulación purificadora (7:9–17)

[9] Después de esto miré, y vi una gran multitud, que nadie podía contar, de todas las naciones, tribus, pueblos, y lenguas, de pie delante del trono y delante del Cordero, vestidos con vestiduras blancas y con palmas en las manos. [10] Clamaban a gran voz:

"La salvación pertenece a nuestro Dios que está sentado en el trono, y al Cordero". [11] Todos los ángeles estaban de pie alrededor del trono y alrededor de los ancianos y de los cuatro seres vivientes. Estos cayeron sobre sus rostros delante del trono y adoraron a Dios, [12] diciendo: "¡Amén! La bendición, la gloria, la sabiduría, la acción de gracias, el honor, el poder y la fortaleza, sean a nuestro Dios por los siglos de los siglos. Amén". [13] Uno de los ancianos habló diciéndome: "Estos que están vestidos con vestiduras blancas, ¿quiénes son y de dónde han venido?" [14] Y le respondí: "Señor mío, usted lo sabe". Y él me dijo: "Estos son los que vienen de la gran tribulación, y han lavado sus vestiduras y las han emblanquecido en la sangre del Cordero. [15] Por eso están delante del trono de Dios, y Le sirven día y noche en Su templo; y Aquél que está sentado en el trono extenderá Su tabernáculo sobre ellos. [16] Ya no tendrán hambre ni sed, ni el sol les hará daño, ni ningún calor abrasador, [17] pues el Cordero que está en medio del trono los pastoreará y los guiará a manantiales de aguas de vida, y Dios enjugará toda lágrima de sus ojos".

Mientras que los vv. 1–8 han retratado a la iglesia en su significado simbólico como el verdadero Israel, en los vv. 9–17 Juan recibe una visión de sus dimensiones reales. El primer pasaje presenta a la iglesia como un remanente restaurado del verdadero Israel cuya seguridad salvífica ha sido garantizada. Se dice que son un número determinado de personas porque Dios ha determinado exactamente quiénes recibirán Su sello redentor, y sólo Él conoce el número preciso de Sus verdaderos siervos (así en 7:3; 2 Ti. 2:19). Debido a esto, a los santos exaltados que han sufrido hasta ahora se les dice en 6:11 que deben esperar la vindicación un "poco más, hasta que se completara también el *número* de sus *consiervos*… que habrían de ser muertos".

Este segundo cuadro en los vv. 9–17 entiende la misma hueste ahora desde el punto de vista de su vasto número real. Aunque son un remanente salvado, también son aquellos que han sido reunidos de toda la faz de la tierra y han vivido durante todo el período de la era de la iglesia. Por lo tanto, son una multitud. La identificación del pueblo en los vv. 3–8 y en los vv. 9–17 como el verdadero Israel (la iglesia) se deduce de la observación de que el grupo en el último segmento se describe como el cumplimiento de las profecías de restauración de Isaías y Ezequiel relacionadas a *Israel* (véanse los vv. 16, 17) y como la perseverancia a través del tiempo de tribulación predicho por Daniel (12:1) que vendrá sobre *los israelitas* fieles (véase el v. 14).

Este punto de vista sobre la relación de los dos segmentos en el cap. 7 se ve reforzado por la observación del patrón en otros lugares, en los que lo que Juan ve se interpreta repetidamente por lo que oye inmediatamente, o lo que oye se interpreta por lo que ve. Para el primer patrón, compare 5:6 con 5:7–14; 14:1 con 14:2–5; 15:2 con 15:3–4; 17:1–6 con 17:7–18. Para el segundo patrón, compare 5:5 con 5:6; 9:13–16 con 9:17–21. Obsérvese también que la relación entre los dos segmentos es precisamente paralela a la relación entre el León y el Cordero en 5:5–6.

En el cap. 5, Juan primero *oye* hablar de un León (5:5), y luego comprende su significado al *ver* al Cordero que se le aparece (5:6). Del mismo modo, en el cap. 7 Juan *oye* hablar del número de los sellados de las doce tribus, y luego comprende su significado al *ver* la innumerable multitud que se le aparece. Al León de la tribu de Judá (5:5) corresponde la lista de los sellados de las doce tribus, encabezada por la de Judá (7:4–8). Al Cordero inmolado (5:6) corresponden los rescatados de cada tribu y nación (5:9) y la multitud de cada tribu y nación (7:9), que "han lavado sus vestiduras y las han emblanquecido en la sangre del Cordero" (7:14).

Por lo tanto, el sello de los santos explica además cómo Cristo los guardará de "la hora de la prueba" que es "poner a prueba a los que habitan sobre la tierra" (3:10), es decir, a los que han sido perseguidos (véase en 3:10 la identificación negativa de los que "moran en la tierra"; véase 6:10; véase además en 3:10 y 7:14 para el trasfondo de Dn. 12:1 sobre la tribulación). Todas estas conexiones se refieren a asuntos que preceden al juicio final y a la recompensa, por lo que el cap. 7 debe funcionar como un interludio o paréntesis en su ubicación después del cap. 6. Sin embargo, el capítulo también tiene un aspecto futuro, especialmente hacia el final (vv. 15–17). Desde esta perspectiva, el capítulo es, entre otras cosas, una respuesta a la pregunta final de 6:17: "¿Quién podrá sostenerse" ante Dios y no sufrir la ira del juicio final? Esta es la respuesta definitiva a 6:17 y el punto principal al que conduce la narrativa visionaria de los vv. 9–17.

En este sentido, la mención de la "gran multitud… *de pie* delante del trono" (7:9) puede ser una respuesta explícita a la pregunta de 6:17. Esto se sugiere por: la estrecha ubicación contextual de 6:17 y 7:9 y el uso común de "estar de pie"; la referencia en ambos a personas de pie ante el trono y el Cordero; la imagen del Cordero "de pie" ante el trono en 5:6, probablemente asociada en un grado significativo con Su existencia de resurrección, de modo que el estar "de pie" ante el trono en 7:9 de las personas que más tarde se describen como ovejas (7:17) refleja también su existencia de resurrección; y el estar "de pie" de los santos "sobre el mar de cristal" en 15:2, también en conjunción directa con la mención del Cordero, refleja igualmente la existencia de resurrección del Cordero de 5:6 (véase 15:2), de la que participan los santos. La palabra para estar "de pie" también parece tener este significado en otros lugares con respecto a Cristo (10:5, 8, asumiendo que el ángel es Cristo; 14:1), a los santos (11:11, aunque es probable que haya una resurrección figurativa o espiritual), y a toda la humanidad (20:12), aunque esto no significa que toda la humanidad resucitada se salvará.

Por lo tanto, el cap. 7 no presenta una nueva serie de eventos futuros durante un período de tribulación final que sigue a los del cap. 6. Más bien, el capítulo es un paréntesis que explica la visión del cap. 6 con mayor profundidad y proporciona un trasfondo más amplio para entenderlo mejor. Los acontecimientos del 7:1–8 preceden inmediatamente a los del 6:1–8, y el 7:9–17 se centra en el tiempo posterior al juicio final, que ha sido descrito en su fase inicial en el 6:12–17 (aunque la era anterior al juicio final podría estar secundariamente en mente en 7:9–17, especialmente en los vv. 13–14, que describen el *proceso general* de los que perseveran y entran y empiezan a participar en el disfrute de la presencia de Dios y las bendiciones eternas).

A la luz de esto, en el cap. 7 se discierne el siguiente flujo de pensamiento: Dios y el Cordero son glorificados (vv. 9–12) debido a la recompensa celestial del descanso redentor que han otorgado a todo el pueblo de Dios (vv. 15–17). Esta recompensa es el resultado de la perseverancia del pueblo de Dios a través de "la gran tribulación" (v. 14) de los "cuatro vientos" (vv. 1–3; cf. 6:1–8) por medio del sello protector que les ha dado Dios (vv. 3–8).

9 Después de esto, como en el v. 1 (en la forma conceptualmente equivalente "después de esto") y en otros lugares del Apocalipsis, significa que ésta es la siguiente visión que vio Juan, no que los acontecimientos descritos en ella ocurran necesariamente de forma inmediata después de los de la visión anterior en los vv. 1–8. De hecho, la visión registra acontecimientos posteriores a la representación del juicio final en 6:12–17.

El grupo aquí representado es el mismo que en 5:9, el pueblo de Dios del final de los tiempos, de toda lengua y nación, profetizado en Dn. 7:14, 22 y 27. Estos santos son aquellos del pueblo de Dios que ya han sido glorificados, pues esta escena tiene lugar en el cielo, **delante el trono** de Dios. Habiendo ganado su recompensa a través de la fiel perseverancia en la tribulación, ahora están disfrutando de la presencia del Señor en la eternidad.

La **gran multitud, que nadie podría contar,** es la simiente prometida de Abraham, la "multitud de naciones" (Gn. 17:5), que "no se puede contar por su gran cantidad" (Gn. 32:12 y 16:10). La descendencia o "simiente" que llegaría a ser tan numerosa según estas promesas abrahámicas se refiere no a las naciones en general, sino específicamente a la futura multiplicación de Israel en Egipto, y después en la Tierra Prometida. La **gran multitud** del v. 9 es el cumplimiento de la promesa abrahámica y, por tanto, otra forma en que el Apocalipsis se refiere a los cristianos de todo el mundo como el verdadero Israel.

Las **palmas** que agita la multitud aluden a la Fiesta de los Tabernáculos, en la que se utilizaban ramas de palma para construir las cabañas en las que viven los judíos durante la fiesta (Lv. 23:40–43). La fiesta celebra la protección de Dios a los israelitas durante su peregrinación por el desierto, y de la misma manera Dios sella a sus fieles durante la época actual. La imagen originalmente aplicada a Israel es ahora aplicada por Juan a personas de todas las naciones, que se regocijan en su redención del éxodo de los últimos días, en su victoria sobre sus perseguidores y en el hecho de que Dios les ha protegido posteriormente durante su peregrinaje por el desierto (¡12:6, 14!) a través de la "gran tribulación" (véase 7:13–14).

10–12 Como verdaderos israelitas, celebran una escatológica Fiesta de los Tabernáculos en el cielo para conmemorar con alegría su salvación del final de los tiempos, que se atribuye a **Dios que está sentado en el trono, y al Cordero**. Su salvación radica en su resistencia victoriosa a las fuerzas del mal que han intentado frustrar su fe (así en 12:10–11; 19:1–2). Los vencedores reconocen que su victoria es realmente de Dios, ya que ha sido obtenida por Su poder (así en 12:10–11).

La preservación de la fe de los santos se atribuye a la soberanía de Dios, ya que las vestiduras blancas (v. 9) simbolizan una pureza resultante de la perseverancia a través de la prueba (véase más adelante los vv. 13–17). Dios protege su fe en medio de las pruebas mediante el sello que les imparte (vv. 1–3). Esta victoria salvadora se consuma con el juicio de Dios sobre el mundo pecador (retratado, p. ej., en 6:12–17), que ha intentado seducir la fe de su pueblo y lo ha perseguido. A estos santos glorificados se unen ahora los **ángeles**, los **ancianos** y los **cuatro seres vivientes** en su alabanza y adoración a Dios y al Cordero. La hueste celestial reconoce que esta obra redentora demuestra que sólo Dios posee estos atributos soberanos y es el único digno de recibir por la eternidad la **bendición, la gloria, la sabiduría, la acción de gracias, el honor, el poder y la fortaleza**. El **amén** introduce y concluye la fórmula de alabanza para confirmar rotundamente la certeza y la verdad fáctica de la redención realizada por Dios.

13–14 Uno de los ancianos informa a Juan de la identidad de estas personas. Esta gran multitud representa a los que **vienen de la gran tribulación**. El único otro lugar en el Nuevo Testamento fuera del Apocalipsis donde aparece la frase "la gran tribulación" es en Mt. 24:21, y tanto ese versículo como este son claras referencias a Dn. 12:1 (LXX): "habrá un tiempo de tribulación, una tribulación como no ha habido desde que una nación estuvo sobre la tierra hasta ese tiempo". El uso del artículo definido ***la*** **gran tribulación** indica que se trata de la tribulación de los últimos días profetizada por Daniel y también por Cristo, en lugar de otra ocasión general de tribulación.

En la tribulación de Daniel, el adversario de los últimos días del pueblo de Dios los persigue a causa de su fidelidad a Él (Dn. 11:30–39, 44; 12:10). Algunos caerán (Dn. 11:32, 34), tal como lo están haciendo algunos en cinco de las iglesias de Asia (todas menos Esmirna y Filadelfia). La tribulación consiste en las presiones del sistema religioso para transigir en la fe y las presiones del mundo, que pueden incluir la privación económica (véase "tu tribulación y tu pobreza" en 2:9).

Esta **tribulación** no se limita a los días inmediatamente anteriores al regreso de Cristo, sino que comienza con el nacimiento de la iglesia y continúa durante toda la era de la iglesia. Podemos dar al menos cinco razones para ello:

- En otra parte, Juan considera que las profecías de Daniel sobre el final de los tiempos comienzan a cumplirse a partir de la época de Cristo (véase 1:1, 13, 19).
- Jesús ve cumplida la profecía de Daniel sobre la resurrección (12:2) primero espiritualmente en su propio ministerio y luego físicamente en su regreso (Jn. 5:24–29). Por lo tanto, la resurrección de los santos predicha en Dn. 12:2 se inaugura en el ministerio de Jesús (lo cual tiene importancia para nuestra comprensión de la "primera resurrección"; véase 20:6).
- En Apocalipsis 1:9; 2:9–10, 22 (este último se refiere a los falsos creyentes), se habla de la tribulación como una realidad presente. La

"hora de la prueba" en 3:10 también alude a Dn. 12:1, 10, y parece incluir todo el período inter-adventual. Así, 3:10 probablemente desarrolla la idea de la "hora de la prueba" y la aplica al mismo período. En particular, el artículo ("la") en el v. 14 es un artículo de referencia anterior, que se refiere en parte a una "gran tribulación" (2:22) que iba a ocurrir inminentemente en la iglesia de Tiatira en el primer siglo.

- Jesús ve la tribulación como una realidad presente en Juan 16:33.
- Veintiuno de los veintitrés usos de "tribulación" en Pablo se refieren a una realidad presente, por lo que la idea de una tribulación inaugurada al final de los tiempos en Ap. 7:14 es compatible con la forma en que se utiliza "tribulación" (griego *thlipsis*) en otras partes del Nuevo Testamento.

La gran tribulación, por tanto, comenzó con los sufrimientos de Jesús y ahora es compartida por todos los creyentes, que son, con Juan, copartícipes "en la tribulación, en el reino y en la perseverancia en Jesús" (1:9).

El hecho de que sean los que **vienen de la gran tribulación** explica la blancura de sus **vestiduras**, que han sido **lavadas… en la sangre del Cordero**, una metáfora del Antiguo Testamento que habla del perdón de los pecados (Is. 1:18; Zac. 3:3–5). En Ap. 19:13 se describe a Jesús mismo como vestido con una túnica bañada en sangre, por lo que sus túnicas expresan el hecho de que estos santos han seguido fielmente a Jesús en el camino de la cruz. En 6:9–11, los que fueron asesinados recibieron un manto blanco porque habían mantenido su testimonio de Cristo. A pesar de la resistencia, siguieron creyendo y dando testimonio de la muerte del Cordero en su favor, que les ha quitado el pecado y les ha concedido la salvación. Por el contrario, aquellos en la iglesia que se comprometen y no dan testimonio de Cristo a causa de las pruebas han "manchado sus vestiduras" (3:4).

La tribulación sólo ha servido para refinar y purificar la fe y el carácter de los santos (véase Ro. 5:3–5; 1 P. 1:7). Es significativo que los únicos lugares del AT en los que se habla de los santos con vestimenta blanca son en Dn. 11:35 y 12:10, donde se habla de los santos del final de los tiempos, que, como hemos visto, comenzó con la resurrección de Cristo. Dn. 11:35 afirma que la opresión y el sufrimiento vienen "a fin de ser refinados, purificados y emblanquecidos [hebreo *laben;* NASB "puro"] hasta el tiempo del fin". La multitud salvada de todas las naciones aquí representadas son los israelitas de los últimos días profetizados en la visión de Daniel. Así, la imagen de los creyentes purificados de los últimos días de cada nación cumple la profecía de Daniel 11–12 sobre Israel, identificando una vez más a la iglesia como la continuación del verdadero Israel.

La imagen de los santos con vestiduras blancas y limpias en los vv. 9 y 14 y en otras partes del Apocalipsis connota una pureza que ha sido demostrada por la fe perseverante del pueblo en la muerte (= "sangre") redentora de Cristo, habiendo sido probada por un fuego purificador. En 3:18 se enfatiza el aspecto de la purificación al casi equiparar las exhortaciones "compra oro refinado por fuego para que te hagas rico" con "[compra] vestiduras blancas para que te vistas".

La imagen aparece de nuevo en 22:14, donde se utiliza claramente para describir a todos los creyentes que entran en la nueva Jerusalén, en contraste con los incrédulos, que no lo hacen. Los que reciben vestiduras blancas en 3:4–5 tienen sus nombres escritos en el "libro de la vida", una alusión a Dn. 12:1. No se trata de un grupo selecto, sino de toda la compañía de los redimidos, ya que sólo aquellos cuyas túnicas estén así lavadas entrarán en la nueva Jerusalén (Ap. 22:14). La metáfora del lavado de las ropas blancas con sangre connota principalmente la realidad objetiva de que los santos han sido limpiados de su pecado por su fe perseverante en la muerte de Cristo por ellos, que ha sido refinada por las pruebas. Puesto que **la sangre del Cordero** se refiere a la propia sangre de Cristo y no a la de los santos, la atención se centra en los efectos limpiadores de Su muerte en favor de ellos. Cuando Juan quiere referirse al sufrimiento de los santos, utiliza frases como "la sangre de los santos" (17:6; asimismo, 6:10; 18:24; 19:2). Por lo tanto, la imagen no connota principalmente la idea de un grupo selecto de mártires, sino que abarca a toda la compañía de los redimidos.

15 La frase introductoria **por eso** explica que la perseverancia de los santos en Cristo y la pureza resultante (vv. 13–14) son la base para su entrada en la presencia de Dios y del Cordero (vv. 15–17). Las personas pecadoras deben huir "de la presencia de Aquél que está sentado en el trono" porque Él es santo y debe derramar Su ira sobre el pecado (6:16–17). Pero a los que creen que el Cordero ha aplacado la ira de Dios en su favor y, en consecuencia, han sido declarados "limpios" y "justos" (19:8b), se les permite la entrada ante Dios **que está sentado en el trono**.

Pueden entrar en la presencia como morada de Dios y servirle, porque el Cordero ha revertido los efectos de la caída de Adán al sufrir la dolorosa maldición de la muerte en su lugar (así en 21:3–4, 6; 22:1–4; cf. 1:18; 5:6, 9, 12). Su fe firme es un requisito para entrar y su entrada misma es una recompensa por mantener su fe a pesar de la tribulación (así en 22:14). La recompensa final del descanso en la presencia de Dios y del Cordero constituye la base para que los santos glorifiquen a Dios y al Cordero en los vv. 9–12.

Estos creyentes se convierten en un nuevo sacerdocio, sirviendo a Dios en Su templo eterno. Llevan vestiduras blancas, habiendo sido purificados con sangre, y **Le sirven día y noche en Su templo** (véase Lv. 8:30, donde también las vestiduras de los sacerdotes son rociadas con sangre para significar la consagración para servir a Dios en el tabernáculo). La conexión con Ap. 1:5–6 y 5:9–10 muestra que aquí se piensa en todos los cristianos y no sólo en los mártires o en alguna otra clase especial de santos. Este versículo desarrolla así la idea de un nuevo sacerdocio introducida en 1:6 y 5:10, aludiendo los tres pasajes a la promesa de Dios a Israel en Éx. 19:6 de que todos llegarían a ser un reino de sacerdotes y una nación santa.

Todos los creyentes en Cristo cumplen esta promesa al antiguo Israel. También se cumple la profecía a Israel en Ez. 37:26–27 de que Dios pondría Su santuario en medio de ellos y que Su **tabernáculo** (morada) estaría **sobre ellos**. La referencia a las multitudes **en Su templo** donde Dios extiende **Su tabernáculo sobre ellos** es un claro eco de esta profecía de la restauración de Israel en Ez. 37:26–28. Allí Dios dice: "[Yo]… pondré Mi *santuario* en medio de ellos para siempre. Mi morada [= *tabernáculo*] estará también junto a ellos … cuando Mi *santuario* esté en medio de ellos para siempre".

Según Ezequiel, el resultado de que Dios habite con Su pueblo es que las naciones reconocerán que Él es el Señor que santifica a Israel (Ez. 37:28), mientras que claramente esta promesa se aplica ahora a los creyentes cristianos. La aplicación de la profecía de Ez. 37:27 a la iglesia es sorprendente, porque Ezequiel enfatiza que cuando esta profecía tenga lugar, el resultado inmediato será que "las naciones sabrán que Yo, el SEÑOR, santifico a *Israel*, cuando Mi santuario esté en medio de ellos para siempre" (37:28). Por lo tanto, Ezequiel 37 era una profecía exclusivamente aplicable a la etnia israelí en contraste con las naciones, aunque ahora Juan la entiende como cumplida en la iglesia (para el mismo tipo de aplicaciones invertidas de las profecías del Antiguo Testamento véase en 3:9, donde también el título de "judíos" se ve como inapropiado para los judíos étnicos no creyentes). La aplicación de esta profecía israelita a la iglesia se pone de manifiesto al observar que Ezequiel 37:27 se refiere a Israel como "Mi pueblo", título incluido en la cita más completa de Ezequiel 37:27 que se encuentra en Ap. 21:3, donde se aplica de nuevo a la iglesia, la continuación del verdadero Israel.

La imagen del v. 15 no es una referencia a un edificio localizado en el templo en el que los santos sirven a Dios (¡así también en 21:22!). Más bien, como revela la segunda parte del versículo, el templo consiste ahora en la presencia del Cordero y de **Aquél que está sentado en el trono** y que **extiende Su tabernáculo sobre ellos** (así en 21:22). La mención de Dios siendo un "tabernáculo" con Su pueblo también continúa el tema de la "fiesta de los tabernáculos" del Antiguo Testamento del v. 9 (cf. la "fiesta de los tabernáculos" en Lv. 23:34–44; Dt. 16:13–17, etc.).

16–17 Las multitudes salvadas que disfrutan de la presencia de Dios siguen siendo descritas como un cumplimiento de la restauración profetizada de Israel. Disfrutan de las comodidades de la presencia divina que fueron prometidas como parte de la restauración. Juan apela a Is. 49:10, que afirma una de las condiciones resultantes de la restauración de Israel en la presencia de Dios: "No pasarán hambre ni sed, No los herirá el calor abrasador ni el sol, Porque el que tiene compasión de ellos… los conducirá a manantiales de aguas" (cf. Jn. 6:35). En consecuencia, la iglesia cumple la profecía de restauración de Is. 49:10. Ap.22:17 sugiere que los santos comienzan a participar de esta agua en la era actual: "El que tiene sed, venga; y el que desee, que tome gratuitamente del agua de la vida".

La posición divina de Cristo **en medio del trono** es la base para eliminar la aflicción anterior de los santos (representada por el hambre, la sed y el calor extremo). Él es capaz de proporcionar consuelos divinos porque está en la posición de Dios. Debido a que Él es su pastor divino y ellos son Sus ovejas, Él los protegerá, como un pastor cuida a sus ovejas. Incluso la imagen del **Cordero** que es **su pastor** proviene de Is. 49:9–10, donde Aquel que se compadece de ellas las alimentará y las apacentará. Isaías 49 retrata a Dios como el pastor, de modo que el papel de pastor de Cristo aquí realza su posición como figura divina.

Al final de la alusión de Is. 49:10 se añade una referencia adicional a una promesa de restauración de Is. 25:8: **Dios enjugará toda lágrima de sus ojos**. Ya no habrá luto porque Dios "destruirá la muerte para siempre", que es la frase introductoria de Is. 25:8. Aunque Juan omite la línea inicial sobre el cese de la muerte, probablemente la asume como base de la promesa de que no habrá más lágrimas. De hecho, incluye esta parte de Is. 25:8 en 21:4: "ya no habrá muerte", directamente después de "enjugará toda lágrima de sus ojos". Al igual que en Isaías 49, Juan ve la esperanza del Antiguo Testamento de la alegre restauración de Israel cumplida en la salvación de las multitudes cristianas que habían sufrido tan fielmente por Cristo.

El lenguaje de pastoreo aquí puede haber sido sustituido en lugar del casi sinónimo "pastar" que se encuentra en Isaías. Así lo sugiere el contexto de Ez. 37:24–28, al que se acaba de aludir en el v. 15, que dice que en el momento en que Dios establezca su tabernáculo entre ellos, "Mi siervo David será rey sobre ellos, y todos ellos tendrán un solo pastor" (Ez. 37:24). La asociación del Cordero con David es natural debido a la identificación previa del Cordero como "el León de la tribu de Judá, la Raíz de David" en 5:5 y el énfasis en Judá por su posición como primera en la lista de tribus en 7:4–8. La razón de la imagen aquí es enfatizar la identidad del Cordero con Su pueblo. Él es el representante corporativo de Sus santos. Por lo tanto, así como Él sufrió primero y recibió Su recompensa en la resurrección, así Su rebaño sigue el mismo patrón en sus propias vidas (véase en 1:5, 9; 7:14). Mientras que Él los guio por el Espíritu en la tierra, los guiará en persona en el futuro.

La segunda mitad del cap. 7 se centra en los vv. 9–12 y 15–17, en los que todos los cristianos parecen disfrutar de su recompensa eterna. Y ahora, no sólo una parte recibe esta recompensa (como en 6:9–11), sino la totalidad de los fieles que han vivido a lo largo de los tiempos. Esto se sugiere al observar que la sección sigue a una visión del juicio final (6:12–17) y el sellado de los siervos de Dios (7:1–8).

Por lo tanto, el consuelo eterno de los santos se contrasta con el terror del castigo para los impíos y se presenta como una recompensa por soportar la tribulación como resultado de haber sido sellados. Los paralelos verbales que los vv. 15–17 tienen en común con la descripción del estado eterno en 21:3–4, 6 y 22:3 confirman que se trata de una imagen que se centra sobre todo en la recompensa eterna y consumada de todos los santos. Los retratados en los vv. 13–17 son los que han conquistado a lo largo de la era de la iglesia y a los que se les ha prometido que, cuando hayan terminado su testimonio, recibirán túnicas blancas (3:4–5) y un lugar seguro en el templo eterno de Dios (3:12) y se les dará alimento para que nunca más tengan hambre (2:7, 17). A la luz de esto, la era pre-consumatoria puede estar en parte en mente en 7:9-17.

Por último, la conclusión de que todos los cristianos están incluidos en este cuadro de bienaventuranza se confirma al ver que el grupo con vestiduras blancas mencionado en el v. 9 es el mismo grupo que salió de la tribulación vistiendo vestiduras blancas y entró en la presencia de Dios en los vv. 13–17. En el v. 9, este grupo es innumerable y "de todas las naciones, tribus, pueblos, y lenguas", una fórmula que allí y en 5:9 se refiere a todos los redimidos a lo largo de la era de la iglesia (véase en 5:9–10).

Sugerencias para Reflexionar sobre 7:9–17

- ***Sobre el significado e implicaciones de la "gran tribulación".*** Según el comentario, estos versículos (junto con otros pasajes de la Biblia) identifican toda la era de la iglesia como el tiempo de la "gran tribulación". ¿Por qué la era de la iglesia sería caracterizada así? ¿Cómo relacionamos esto con una imagen de la iglesia como triunfante o victoriosa? ¿Cuál es la naturaleza o las dimensiones de nuestra victoria en este mundo actual? ¿Cuáles son los límites probables? ¿Podemos esperar establecer formas de gobierno piadosas en este tiempo de tribulación? La presión para que los cristianos se ajusten a sistemas políticos y económicos impíos vinculados a prácticas o actitudes idolátricas es sugerida por el comentario como la forma más consistente de tribulación. ¿Es esto lo que identificaríamos como la causa última de la tribulación? ¿Es posible que haya períodos menores o mayores de tribulación, y si es así, por qué sería ese el caso?
- ***Sobre la prevalencia de las expectativas "apocalípticas".*** Cualquier análisis de la psicología humana muestra que las personas tienen interés en especular sobre el fin del mundo. ¿Cómo se traslada esto a la comprensión de pasajes bíblicos como éste? ¿Por qué preferimos considerar la "gran tribulación" como un acontecimiento asociado únicamente a un tiempo que precede directamente al regreso final de Cristo, en lugar de considerarlo como algo que la iglesia ha estado viviendo durante toda la era eclesiástica y que se intensificará antes de la venida final de Cristo? Si creemos que la tribulación está por venir, ¿cómo distorsiona esto nuestra comprensión de la tribulación que estamos viviendo de hecho? ¿"Sensacionalizamos" los acontecimientos

apocalípticos hasta el punto de no reconocer los peligros del presente? Si creemos que no estamos en un tiempo de tribulación, ¿podría esto llevarnos a minimizar los peligros de las presiones actuales, muy reales, a las que nos enfrentamos para ajustarnos al mundo?

- ***Sobre el cumplimiento de las profecías del Antiguo Testamento por parte de la Iglesia.*** Este pasaje está plagado de referencias proféticas del Antiguo Testamento sobre Israel, aplicadas ahora a la iglesia. Si, entonces, Cristo y la iglesia son el cumplimiento de las profecías bíblicas, ¿qué lugar queda en el plan de Dios para el pueblo judío? Si entendemos que Romanos 9–11 se refiere a esa cuestión, ¿cómo hemos de diferenciar entonces entre el pueblo judío y el estado (secular) de Israel? ¿Tiene Dios un plan profético del Antiguo Testamento para este último?
  ¿Por qué es tan frecuente que la gente vea la profecía bíblica de la restauración de Israel como cumplida sólo en los acontecimientos relacionados al estado de Israel? ¿Cómo deben los cristianos considerar adecuadamente el estado de Israel? ¿Y se puede mantener un enfoque en el pueblo judío y/o el estado de Israel como el cumplimiento de la profecía bíblica junto con una visión elevada de la herencia que Dios tiene para su iglesia en esta época? ¿Cómo pueden los cristianos ser compasivos con los judíos sin convertirlos en el centro de la profecía bíblica?

6. El séptimo sello como conclusión de la serie de sellos: el juicio final se reitera como respuesta formal a la petición de los santos en 6:10 de que Dios castigue al mundo incrédulo (8:1–5)

[1] Cuando el Cordero abrió el séptimo sello, hubo silencio en el cielo como por media hora. [2] Vi a los siete ángeles que están de pie delante de Dios, y se les dieron siete trompetas. [3] Otro ángel vino y se paró ante el altar con un incensario de oro, y se le dio mucho incienso para que lo añadiera a las oraciones de todos los santos sobre el altar de oro que estaba delante del trono. [4] De la mano del ángel subió ante Dios el humo del incienso con las oraciones de los santos. [5] Después el ángel tomó el incensario, lo llenó con el fuego del altar y lo arrojó a la tierra, y hubo truenos, ruidos, relámpagos, y un terremoto.

1 Cuando el Cordero abre el séptimo sello, se produce un **silencio en el cielo como por media hora**. Algunos argumentan que este silencio significa que el sello no tiene contenido, permitiendo así la idea de que las siguientes trompetas y copas conforman su contenido y, por lo tanto, se refieren a eventos posteriores a los de los juicios de los primeros seis sellos. Sin embargo, el silencio sí tiene contenido. El Antiguo Testamento asocia el silencio con el juicio divino. En Hab. 2:20–3:15 y Zac. 2:13–3:2, se representa a Dios (como en Ap. 8:1) como si estuviera en Su templo y estuviera a punto de traer el juicio a la tierra.

El hecho de que el templo esté en el cielo se deduce de textos como Ezequiel 1. En el momento en que este juicio va a ser emitido, Dios ordena a la tierra que guarde silencio. En Sof. 1:7–18, también se ordena el silencio en relación con el "gran día" del Señor y de su juicio (Sof. 1:14, 18 forman parte del trasfondo del Antiguo Testamento de la frase "el gran día de la ira" en Ap. 6:17). Estos anuncios de juicio de los profetas menores expresan las expectativas cósmicas del fin de los tiempos (como implica la palabra gestada "todos"), que se expresa explícitamente en un sentido universal en Ap. 8:1. La idea es que este juicio final de Dios es tan terrible que el mundo entero se calla por completo en su presencia. Así, el séptimo sello es una continuación del sexto.

Mientras que los cinco primeros sellos tratan de todo el período de la era de la iglesia, los dos últimos tratan del juicio final. Como tales, son la respuesta de Dios a la oración de los santos en 6:10: "¿Hasta cuándo, oh Señor santo y verdadero, esperarás para juzgar y vengar nuestra sangre de los que moran en la tierra?" Es interesante que en los escritos judíos el silencio se asocie no sólo con el juicio divino, sino también con el hecho de que las oraciones de los fieles por ese juicio están siendo escuchadas. Juan no da más detalles aquí del castigo de los malvados porque lo hará repetidamente más adelante (11:18; 14:14–20; 16:17–21; 18:9–24; 19:19–21; 20:11–15). Y, por supuesto, hay más descripción de los juicios en 8:3–5.

La duración de este silencio es de **como por media hora**. "Hora" en el Apocalipsis se refiere a menudo a lo repentino del tiempo del juicio de los impíos (3:3; 11:13; 14:7; 18:10), mientras que "media" se asocia con "tiempos" de crisis y juicio en Dn. 7:25; 9:27; y 12:7 (que están detrás del período de cuarenta y dos meses de Ap. 11:3, 9; 12:6; 13:5). **Como por media hora** podría no referirse tanto a la duración temporal precisa del silencio (**como por**), sino enfatizar figurativamente lo repentino e inesperado de un juicio decretado. Obsérvese que la última aparición de la expresión "una hora" (18:19) va seguida directamente en 18:22–23 por una descripción de las consecuencias del juicio, que es el silencio absoluto.

2 La visión de los siete ángeles con trompetas parece ser una interrupción del escenario del juicio final del v. 1 que continúa en los vv. 3–5. El versículo parece fuera de lugar al introducir una nueva serie de juicios que no se retoma hasta el v. 6. Sin embargo, vemos la aparente torpeza como parte de una transición literaria entrelazada con los vv. 3–5, que tiene paralelos en otras partes del libro. La colocación del v. 2 antes de los vv. 3–5 permite que estos últimos actúen como transición entre paréntesis, concluyendo los sellos e introduciendo las trompetas. La transición funciona tanto a nivel literario como temático (véanse más comentarios sobre la transición más adelante). La narración de la serie de trompetas se reanuda en el v. 6. Juan ve a siete ángeles que sostienen siete trompetas. Los siete ángeles podrían identificarse con los siete ángeles guardianes de las siete iglesias de los caps. 2–3 (véase 1:20).

3 La función temática principal del paréntesis de los vv. 3–5 es retomar y concluir la descripción del juicio final iniciada en 6:12–17 y 8:1. Como ya se ha sugerido, el ambiente del templo de esta sección forma parte de las imágenes de juicio del Antiguo Testamento, que incluye el elemento del silencio. Por lo tanto, este paréntesis continúa la imagen del juicio final del v. 1.

Otro ángel aparece y se sitúa **ante al altar**. Puede ser el "ángel de Su presencia" (Is. 63:9) o incluso el propio Cristo (como en 10:1; 14:14). El altar en cuestión es el mismo de 6:9, bajo el cual estaban las almas de los santos perseguidos. Que **se le dio mucho incienso** es un "pasivo divino" que significa "dado por Dios" y que muestra, como en otras partes del Apocalipsis, que el ángel es un agente de Dios cuyas acciones sólo indican una decisión divina previa. Esto es coherente con el hecho de que en 6:10 los santos presentaron su oración directamente a Dios y no a un ángel, lo que demuestra su acceso directo al trono divino como sacerdotes.

Que el altar del v. 3 es el mismo que el del 6:9 se confirma por la repetición de "altar" tres veces en los vv. 3–5, en relación con la siguiente afirmación de que añadió "mucho incienso… a las oraciones de todos los santos". Esta frase es casi idéntica en su redacción a la de 5:8, que luego se desarrolla en 6:9, mostrando que el tema del altar y el templo se originan en la visión del templo de los caps. 4–5. La respuesta a sus oraciones es que el castigo no puede ejecutarse hasta que se complete el número de personas de Dios destinadas a la persecución (6:11). Esto no puede ocurrir hasta que la historia llegue a su fin. Por eso, si 6:12–17 y 8:1 se ven como una respuesta a esta petición, deben entenderse como una representación del último gran juicio (véase en 6:12–17). Los vv. 3–5 hacen explícita esta conexión entre 6:9–11 y 6:12–17/8:1 aludiendo formalmente a 6:9–10. Esta observación, por sí sola, proporciona una prueba significativa contra la visión futurista tradicional del Apocalipsis, que depende de la afirmación de que las diversas series de plagas representadas en el libro son de naturaleza totalmente consecutiva.

4 El hecho de que **el humo del incienso** suba **con las oraciones de los santos** muestra que la petición de 6:9–10 se presenta ahora ante Dios. En la Biblia, el incienso siempre se asocia al sacrificio, para que éste, acompañado de un aroma agradable, sea aceptable para Dios. Estos versículos se hacen eco de Lv. 16:12–13, donde el sacerdote toma el incensario lleno de carbones del altar ante el Señor, llena sus manos de incienso y pone el incienso en el fuego ante el Señor. En Sal. 141:2 se asocia la oración con el incienso y se la compara con una forma de sacrificio: "Sea puesta mi oración delante de Ti como incienso, el alzar de mis manos como la ofrenda de la tarde". El hecho de que el incienso se ofrezca desde el altar muestra que las oraciones de los santos que fueron asesinados por su testimonio (6:9) representan el sacrificio de sus vidas por la causa de Cristo, y así su petición de juicio en 6:10 ha sido encontrada aceptable para Dios.

5 El reconocimiento formal por parte de Dios de la presentación del ángel de las oraciones de los santos y su respuesta positiva es el vínculo no mencionado entre los vv. 4 y 5. Esto es evidente al reconocer el v. 5 como una clara respuesta divina a la petición de 6:10. El versículo interpreta formalmente las escenas de aflicción de 6:12–17 y 8:1 como la respuesta a la oración de 6:10 y demuestra que Dios ha escuchado y contestado estas oraciones, pues el ángel lanza fuego desde el altar hasta la tierra en señal de que el juicio final está teniendo lugar.

La frase **truenos, ruidos, relámpagos, y un terremoto** es casi idéntica a la descripción del juicio final en 11:19 y 16:18 (véase también 4:5, que sirve como nota introductoria que da la expectativa de un juicio final), y tiene sus raíces en las descripciones del juicio divino en el Antiguo Testamento, particularmente en el Sinaí (Éx. 19:16, 18; véase también Sal. 77:18 e Is. 29:6, "Serás castigada… con truenos y terremotos y gran ruido"). Jesús utilizó imágenes de terremotos para describir los males preliminares a la destrucción cósmica final, pero que no forman parte de ella (Mt. 24:7, Mr. 13:8, Lc. 21:11).

Richard Bauckham ha demostrado en "The Eschatological Earthquake in the Apocalypse of John" (El Terremoto Escatológico en el Apocalipsis de Juan), *Novum Testamentum* 19 (1977), 228, que 4:5; 8:5; 11:19; y 16:18–21 forman una secuencia progresiva de alusiones a Éx. 19:16, 18–19 que se van construyendo sistemáticamente unas sobre otras, comenzando con los relámpagos, voces, y truenos en 4:5 y añadiendo a cada paso otros elementos. El efecto de estas repeticiones progresivas, aunque prácticamente idénticas, es subrayar el juicio final y que cada representación recapitulada del juicio completa con más detalle cómo ocurrirá. Por lo tanto, después de la nota introductoria de 4:5 que anuncia la expectativa del juicio final, cada una de las frases restantes es una anotación formal de que el juicio final ha sido narrado, pero no exhaustivamente.

Obsérvese que en Éx. 19:16, 19, el juicio va acompañado de fuertes toques de trompeta, lo cual es particularmente interesante, ya que los juicios por trompeta están a punto de desarrollarse. El hecho de que el v. 5 se refiera al último final se confirma en 14:18–19, donde el día del juicio es iniciado aparentemente por el mismo ángel, descrito aquí en el mismo lenguaje que en los vv. 3–5. Allí, "otro ángel, el que tiene poder sobre el fuego, salió del altar" y ordenó a un segundo ángel que ejecutara el acto final de la ira de Dios contra la tierra.

La representación aquí se inspira en gran medida en Ez. 10:1–7, donde un ángel de pie en el templo del Señor toma fuego de entre los querubines y lo esparce sobre la ciudad, enfatizando el decreto del juicio de Dios narrado en Ezequiel 9. Este juicio recae sobre todos los infieles, aquellos en cuya frente el ángel de Dios no puso una marca protectora, exactamente como los santos tienen sus frentes selladas en Ap. 7:3 para que sean protegidos de manera similar. El patrón de este pasaje sigue a grandes rasgos el de algunas representaciones del juicio divino contra los pecadores en el Antiguo Testamento: oración para pedir ayuda, respuesta divina a la oración, que lleva a que el fuego salga del templo celestial para consumir a los perseguidores (p. ej., Sal. 18:6–15; Hab. 3:15). Los que no llevan el sello sufren el juicio final.

SUGERENCIAS PARA REFLEXIONAR SOBRE 8:1–5

- ***Sobre el silencio de Dios.*** Muchos de los creyentes a los que Juan escribía estaban sufriendo por su fe. Es posible que algunos se preguntaran: "¿Dónde está Dios?". (cf. Sal. 79 y Ap. 6:10). Este pasaje afirma que habrá un tiempo en el que Dios corregirá los males perpetrados contra Su pueblo, mostrando así que el mal no quedará impune para siempre. Hay ocasiones en las que Dios parece guardar silencio ante nuestro sufrimiento, especialmente el de los creyentes que sufren persecución en diversas partes del mundo. ¿De qué manera este pasaje nos da esperanza a nosotros y a los que sufren en este sentido? ¿Estamos en el mundo occidental particularmente afectados por nuestra dependencia de las cosas materiales y la relativa libertad de la persecución? ¿Nuestro materialismo y la filosofía de la época en la que vivimos nos impiden apreciar plenamente el hecho de que nos espera un juicio aún no visto al final de la historia que demostrará que Dios y Su pueblo han tenido siempre la razón?
- ***Sobre la eficacia de la oración.*** Estos versículos nos presentan los efectos de las oraciones de los santos fallecidos que aparecen en 6:9–11. El poder de estas oraciones parece estar relacionado con el testimonio de sacrificio de sus vidas. ¿Nuestras oraciones surgen de una vida sacrificada, o venimos pidiendo a Dios sólo que nos lance salvavidas para rescatarnos de nuestra propia insensatez? Las oraciones de los santos, tal y como se muestran allí, se centran en la santidad y la veracidad de Dios y en el deseo de que eso se manifieste en la ejecución de Su justicia. ¿Nuestras oraciones están dirigidas a obtener un beneficio para nosotros mismos o la gloria para Dios?

La transición de los sellos a las trompetas

El séptimo y último sello ha sido finalmente abierto. El sexto sello introdujo el comienzo del juicio final al representar la conflagración cósmica y los gritos de terror de los impíos en respuesta a su inminente juicio (6:12–17). Esto se contrasta en el cap. 7 con la representación de los santos sellados, cuya fe está protegida (7:1–8), con el resultado de que se les permite estar en la presencia de Dios para siempre como recompensa por su fiel perseverancia (7:9–17). La última mitad del cap. 7 se centra en el tiempo posterior al juicio final, cuando los santos reciben su recompensa eterna. Por lo tanto, el séptimo sello continúa donde lo dejó el sexto, para seguir con la imagen del juicio final. Al igual que 6:12–17, es una respuesta más a la petición de los santos de que se haga un juicio contra el mundo que los persigue (así en 6:9–11). El juicio final es el punto final cronológico en el que se centra 6:1–8:1. Dios se mostrará justo y recto en la conclusión de la historia. Los santos en el cielo y sobre todo en la tierra pueden consolarse con ese hecho.

En 5:2ss, se llegó a la conclusión de que la retirada de los sellos significaba tanto que Cristo ha revelado el significado de la profecía del Antiguo Testamento relacionada con la redención y el juicio como que ha empezado a cumplir realmente estas palabras proféticas, tal como se representaba entonces en los cinco primeros sellos. Los dos últimos sellos, aunque también aclaran la profecía del Antiguo Testamento, aún no se han puesto en marcha en la historia, ya que se refieren al juicio final. Del mismo modo, las seis primeras trompetas son ayes que anticipan el día del juicio final (véase más adelante).

Por lo tanto, los vv. 3–5 continúan la escena del juicio final del v. 1, y son una continuación del séptimo sello. Esto significa que el v. 2 es una introducción en paréntesis a la revelación de los juicios de las siete trompetas en los vv. 6ss. Tal entendimiento es indicado por el v. 6, donde los siete ángeles aún no han tocado sus trompetas, por lo que los juicios de las trompetas no han sido anunciados.

Por lo tanto, los vv. 3–5 registran una actividad de juicio distinta de los siguientes ayes de trompeta. Los vv. 3–5 son también un desarrollo de 6:9–11, donde los santos perseguidos son representados "debajo del altar" y apelan a Dios para que juzgue a sus perseguidores. Esto se desprende sobre todo de la mención tres veces en los vv. 3–5 del altar en relación directa con las oraciones de los santos. Un ángel toma el incienso y lo combina con las oraciones de los santos, y el humo del incienso, junto con las oraciones de los santos, asciende ante el trono de Dios (vv. 3–4).

Esto no puede ser otra cosa que la oración de los santos en 6:9–11 para que Dios castigue a sus perseguidores, que ahora recibe la aprobación angélica y se presenta formalmente ante el trono divino para su consideración. La respuesta divina en el v. 5 es enviar fuego de juicio contra la tierra por la mano de un ángel. La respuesta debe interpretarse como el juicio final, no como una prueba preliminar a ese juicio. Esto se confirma por la observación de que la frase "truenos, ruidos, relámpagos, y un terremoto" ocurre (aunque las palabras están en diferente orden) como una descripción del juicio final en 11:19 y 16:18 como parte (respectivamente) de la séptima trompeta y la séptima copa en conjunto con la mención del templo celestial.

Así, los vv. 3–5 son una respuesta a la oración de los santos para ser vindicados en relación con sus perseguidores y continúa la escena del juicio final del v. 1, que a su vez se ha reanudado en el punto en que se detuvo 6:17. La unidad de los vv. 3–5 con el v. 1 está indicada por la observación de que el silencio del v. 1 probablemente se refiere, al menos en parte, al cese de la alabanza angelical en el cielo para que, o bien Dios escuche las oraciones de juicio, o bien los propios ángeles escuchen la respuesta reveladora de Dios a esas oraciones (véase el v. 1).

Los vv. 3–5 exponen la respuesta divina anticipada en el v. 1. El hecho de que la introducción a los juicios de las trompetas venga en el v. 2 significa que los vv. 3–5 sirven a la vez como conclusión de los sellos *y* como introducción a las trompetas. Un fenómeno similar se da en 15:2–4. También está precedido por una referencia introductoria a los siete ángeles que ejecutarán los siguientes juicios séptuples, pensamiento que no se continúa hasta 15:5. 15:2–4 interrumpe temporalmente la narración inicial de la siguiente serie de plagas al continuar una descripción de la escena del juicio final que se encuentra en 14:14–20 (véase más adelante sobre 15:2–4).

Este "paréntesis" en 8:2, en conjunción con los vv. 3–5, apunta así al hecho de que toda la siguiente serie de trompetas es también una respuesta divina a la petición de los santos en 6:9–11. Esto sugiere que Dios está empezando a responder a la oración de los santos por la retribución, incluso mientras están orando y antes de la respuesta culminante y fundamental del día del juicio. De hecho, la oración es una de las tácticas militares importantes utilizadas por los soldados de Cristo (véanse además los comentarios introductorios sobre 8:6–11:19). Mientras que el enfoque de los primeros cuatro ayes del sello se centra principalmente en las tribulaciones que ponen a prueba la fe del pueblo de Dios, el enfoque de los ayes de las trompetas se centra principalmente en los juicios que castigan a los perseguidores incrédulos durante el mismo período de toda la era de la iglesia en el que se pone a prueba la fe de los creyentes. Esto lo sugiere el modelo de las plagas del Éxodo, donde los mismos elementos que golpearon a los egipcios pasaron a proteger a los israelitas.

Tanto los sellos como las trompetas se subdividen literariamente en unidades de cuatro seguidas de dos, con secciones en paréntesis entre el sexto y el séptimo. Y, como se verá, la séptima trompeta es igualmente paralela al sexto y séptimo sello. Dentro de la serie de siete trompetas, las cuatro primeras forman una unidad literaria subordinada, al igual que las tres últimas. La primera serie son juicios que afectan a las fuentes de la vida humana, mientras que las tres últimas golpean directamente a los propios seres humanos.

IV. LAS SIETE TROMPETAS (8:6–11:19)

Las plagas del Éxodo y las trompetas de Jericó como trasfondo de los juicios de las trompetas

Las cinco primeras trompetas siguen el modelo de cinco de las plagas del Éxodo. La primera trompeta (granizo, fuego y sangre) corresponde a la plaga del granizo y del fuego (Éx. 9:22–25); la segunda y la tercera (envenenamiento del mar y de las aguas) a la plaga del Nilo (Éx. 7:20–25); la cuarta (oscuridad) a la plaga de las tinieblas (Éx. 10:21–23); y la quinta (langostas) a la plaga de las langostas (Éx. 10:12–15). Al igual que con las plagas egipcias, las plagas castigan la dureza de corazón, la idolatría (ya que cada plaga tenía un juicio adecuado a un dios egipcio en particular) y la persecución del pueblo de Dios. La intención general de Dios era endurecer el corazón del faraón para que no liberara a Israel (Éx. 4:21) y para que Dios tuviera la oportunidad de realizar Sus señales de las plagas (Éx. 7:3; 10:1–2).

Por lo tanto, estas señales no estaban destinadas a coaccionar al faraón para que liberara a Israel, sino que funcionaban principalmente para demostrar a los egipcios la incomparable omnipotencia de Yahvé (Éx. 7:5, 17; 8:10, 22; 9:16, 29; 10:1–2). A la luz de esto, también son juicios ejecutados contra los egipcios por su dureza de corazón. El propósito final de las señales de las plagas es que Yahvé sea glorificado. Incluso cuando Dios concede al Faraón un cambio de corazón para que libere a Israel, vuelve a endurecer su corazón. El resultado de este último acto de endurecimiento conduce a la derrota de los egipcios en el Mar Rojo, lo que resulta en la gloria de Dios (Éx. 14:4, 8, 17). Aunque las plagas son advertencias de las que el faraón será responsable si no las atiende, en última instancia están pensadas, al menos para la mayoría de los egipcios, como juicios. Porque Dios no sólo ha conocido y predicho la respuesta obstinada del Faraón (Éx. 3:19; 4:21; 7:3), sino que también la ha provocado (Éx. 4:21; 7:3).

Estas plagas se muestran ahora como prefiguraciones tipológicas o proféticas de los juicios de Dios contra los incrédulos a lo largo de la era de la iglesia y que culminan en el juicio, que inicia el éxodo final del pueblo de Dios de este mundo de cautiverio hacia la libertad eterna. Aunque las plagas de las trompetas sirven de advertencia y pueden provocar el arrepentimiento de algunos (como indica la limitación de los juicios en 8:7–9:21, que implica que Dios está conteniendo Su ira para permitir el arrepentimiento), su propósito principal es el juicio de los incrédulos. Estas plagas también sirven para demostrar la dureza de su corazón y el hecho de que están siendo castigados a causa de dicha dureza, que se expresa en su persistencia en la idolatría (así en 9:20–21) y en su persecución de los santos (cf. 6:9–11).

En el Antiguo Testamento, las trompetas tenían una serie de connotaciones, como juicio, advertencia, victoria y juicio escatológico. Con el trasfondo de las plagas del Éxodo, el énfasis de las trompetas en el Apocalipsis debe estar en el tema del juicio, un juicio desencadenado por la resurrección y entronización de Cristo (5:5–14), que le han dado soberanía sobre la historia. En el Antiguo Testamento, las trompetas también daban la alarma de que era inminente una batalla contra los enemigos de Dios (Jue. 7:16–22; Jer. 4:5–21; Ez. 7:14).

Sin duda, el principal pasaje del Antiguo Testamento en cuestión es el relato de la caída de Jericó en Josué 6, donde las trompetas anunciaron la inminente victoria de una guerra santa. Siete trompetas eran tocadas por siete sacerdotes, y aquí las trompetas son tocadas por siete ángeles que son figuras sacerdotales (véase 15:6). El arca estuvo presente en Jericó (Jos. 6:11–13) y, en su forma celestial, también está presente en el templo celestial (Ap. 11:19). Curiosamente, en el episodio de Jericó (Jos. 6:10–20), hubo un silencio verbal directamente vinculado a un juicio culminante de trompetas, que es un patrón que se encuentra en Apocalipsis 8. Las trompetas tocadas en Jericó por los sacerdotes, al igual que las plagas sobre Egipto, no son advertencias en absoluto, sino que sólo indican un juicio. Esto demuestra además que las trompetas en el Apocalipsis connotan principalmente la idea de juicio más que advertencias destinadas a inducir el arrepentimiento.

En Jericó, igualmente, las seis primeras trompetas preceden, pero son una preparación necesaria para el juicio culminante de la séptima. Del mismo modo, las seis primeras trompetas del Apocalipsis son ayes primarios necesarios que conducen al juicio decisivo de la séptima trompeta al final de la historia (véase 11:15–19), cuando la "gran ciudad" (11:8), de la que Jericó es un tipo profético, será destruida de forma decisiva (véase 11:13).

Esto nos recuerda de nuevo que el contenido de las siete trompetas no es posterior al de los siete sellos, pues el contenido de la séptima trompeta y del (sexto y) séptimo sello es idéntico: el juicio final. Pero mientras que los cinco primeros sellos se centran no sólo en el juicio de los incrédulos, sino también en la purificación de los creyentes mediante el sufrimiento, el contenido de las trompetas se centra sólo en el efecto de los diversos juicios sobre los incrédulos. A la luz del trasfondo de Jericó, es conveniente que los juicios de las trompetas se sitúen inmediatamente después del cap. 7, donde el pueblo de Dios ha sido retratado como un ejército combatiente (7:3–8), que lleva a cabo una guerra santa victoriosa, irónicamente, permaneciendo fiel a pesar del sufrimiento terrenal (p. ej., 7:14). Los infligidos por las trompetas que vienen a continuación del cap. 7 deben ser vistos como otra de las formas en que los santos llevan a cabo la guerra santa: oran para que el decreto judicial de Dios se lleve a cabo contra sus perseguidores. Los santos libran una guerra irónica por medio del sufrimiento sacrificial, que hace que su oración de vindicación sea aceptable para Dios.

Y, por último, no es una coincidencia que "un sonido tan fuerte de trompeta" convoque a Israel al Monte Sinaí para que reconozca la realeza y la presencia de Dios entre ellos después de que se hayan ejecutado las plagas de Egipto (Éx. 19:16). Esta pauta del Antiguo Testamento de plagas destructivas seguidas de la paz de la realeza ha sido parcialmente formativa para la introducción por parte de Juan de la realeza de Dios al final de los tiempos en 11:15–19 mediante la séptima trompeta que sigue a las plagas de las trompetas precedentes. Es apropiado que, de igual manera, el sonido de una trompeta marque una transición entre la derrota de Egipto y la inminente derrota de Jericó, todo lo cual se llevó a cabo bajo el liderazgo militar de Dios.

Las primeras seis trompetas: Dios responde a la oración de los santos utilizando ángeles para ejecutar juicios sobre el mundo perseguidor, lo que lleva al juicio final (8:6–9:21)

1. Las primeras cuatro trompetas: Dios priva a los impíos de seguridad terrenal debido a su persecución e idolatría para indicar su separación de Él (8:6–12)

[6] Entonces los siete ángeles que tenían las siete trompetas se prepararon para tocarlas. [7] El primero tocó la trompeta, y vino granizo y fuego mezclados con sangre, y fueron arrojados a la tierra. Se quemó la tercera parte de la tierra, la tercera parte de los árboles y toda hierba verde. [8] El segundo ángel tocó la trompeta, y algo como una gran montaña ardiendo en llamas fue arrojado al mar, y la tercera parte del mar se convirtió en sangre. [9] Y murió la tercera parte de los seres que estaban en el mar y que tenían vida. Y la tercera parte de los barcos fue destruida. [10] El tercer ángel tocó la trompeta, y cayó del cielo una gran estrella, ardiendo como una antorcha, y cayó sobre la tercera parte de los ríos y sobre los manantiales de las aguas. [11] El nombre de la estrella es Ajenjo. La tercera parte de las aguas se convirtió en ajenjo, y muchos hombres murieron por causa de las aguas, porque se habían vuelto amargas. [12] El cuarto ángel tocó la trompeta, y fue herida la tercera parte del sol, la tercera parte de la luna, y la tercera parte de las estrellas, para que la tercera parte de ellos se oscureciera y el día no resplandeciera en su tercera parte, y asimismo en la noche.

6 Ahora continúa la descripción de los siete ángeles con las trompetas introducida en el v. 2 pero interrumpida abruptamente. Las trompetas no siguen al séptimo sello cronológicamente, sino sólo en el orden de las visiones que Juan vio: él vio las visiones de las trompetas después de las visiones de los sellos. Las trompetas son una recapitulación temporal de los mismos periodos de tiempo representados en los sellos. Pero mientras que la perspectiva principal de los primeros cinco sellos era la de las pruebas por las que debían pasar los creyentes, ahora el enfoque de las primeras seis trompetas es el de los juicios que deben soportar los incrédulos, tanto dentro como fuera de la iglesia visible. Las trompetas se asemejan a algunas de las pruebas que fueron representadas en los sellos, pero su propósito principal es castigar.

7 El primer ángel hace sonar su trompeta y se envía la primera de la nueva serie de juicios. La primera trompeta de **granizo y fuego, mezclados con sangre**, sigue el modelo de la plaga egipcia de granizo y fuego (Éx. 9:22–25). El alcance de la plaga se amplía a toda la tierra (afectando a partes de todo el mundo y no sólo a Egipto): sólo se quemó **la tercera parte de la tierra, la tercera parte de los árboles**.

El fuego no es literal, sino figurado (como en otras partes del Apocalipsis, más claramente en 4:5, pero también en 1:14; 2:18; 10:1; 19:12). Esto es coherente con 1:1, donde se dice que las visiones son una comunicación mediante símbolos (véanse los comentarios al respecto). Aquí se habla del santo juicio de Dios. El fuego arde ante el trono de Dios (4:5), y del mismo modo los juicios de las trompetas tienen su origen "delante Dios" (8:2). Las partes de la tierra afectadas por la primera trompeta son las que tienen que ver con el suministro de alimentos, como en Éx. 9:25, 31–32 (donde también se destruye sólo una parte del suministro de alimentos); esto es similar a la hambruna del tercer sello en 6:6, donde sólo algunos suministros de alimentos fueron afectados.

Otro antecedente de esta trompeta está en la profecía de Ezequiel de que el juicio venidero sobre el Israel desobediente se caracterizaría por el hambre (Ez. 4:9–17; 5:1–17). Israel se dividiría (significativamente) en tercios, describiéndose el juicio de un tercio en relación con una quema con fuego "en medio de la ciudad" (Ez. 5:2). Ezequiel 5:12 confirma la sugerencia de que el fuego que arde en 5:2 es una representación metafórica del juicio por hambre, ya que resume el fuego como plaga y hambre. Al igual que en el v. 7 y en el Éxodo, el hambre de Ezequiel no provoca la muerte de todos (Ez. 4:16–17; 5:10, 12, 16–17). El fuego y el hambre también están relacionados en Ap. 18:8.

8–9 La segunda trompeta, continuando con el tema del juicio de la primera, ve **una gran montaña ardiendo en llamas fue arrojada al mar,** tras lo cual **la tercera parte del mar se convirtió en sangre**. El fuego, en el Apocalipsis y en otros lugares, es una conocida imagen de juicio. En el Apocalipsis, las montañas hablan de reinos, tanto buenos como malos, terrenales y celestiales (14:1; 17:9; 21:10), pero en el Antiguo Testamento, las montañas, como representación de las naciones, se utilizan a menudo para representar los objetos del juicio de Dios (Is. 41:15; 42:15; Ez. 35; Zac. 4:7).

Por lo tanto, esta imagen habla de un juicio contra un reino malvado. Jeremías habla de Babilonia como una montaña destructora que será quemada por el fuego (Jer. 51:25), y más adelante en el mismo capítulo (vv. 63–64) habla de Babilonia hundiéndose en las aguas, para no volver a levantarse. Está claro que la visión de Jeremías está detrás del juicio de las trompetas aquí. También se describe a Babilonia como una piedra arrojada al mar en Ap. 18:21. Así pues, los pronunciamientos proféticos de Jeremías están detrás de las dos visiones de Juan.

Esta **montaña ardiendo en llamas** representa el juicio de Dios sobre Babilonia, la gran ciudad que domina todo el sistema mundial del mal. Como en el v. 7, el fuego puede representar de nuevo el hambre. La **tercera parte del mar** que se convierte en sangre es una alusión directa a Éx. 7:20–21; así como los peces del Nilo murieron, ahora también muere una tercera parte de las criaturas del mar. Que la muerte de **la tercera parte de los seres que estaban en el mar y que tenían vida** incluye no sólo a las criaturas no humanas, sino también a los seres humanos, está directamente implícito en la siguiente cláusula, **y la tercera parte de los barcos fue destruida**. Esto se ajusta a una imagen de hambruna en la que las fuentes de alimentos se ven afectadas, mientras que la destrucción parcial del comercio marítimo representa igualmente una privación económica parcial en todo el mundo y anticipa la destrucción de Babilonia como fuente de comercio marítimo en 18:11–19.

10–11 Con la tercera trompeta, el juicio del hambre parece continuar. Una estrella ardiente cae del cielo y contamina **la tercera parte de los ríos** y **los manantiales de las aguas**. La presencia del fuego continúa la idea anterior del hambre, mientras que el tema del agua no potable refuerza también el juicio de la segunda trompeta. Nótese que en Sal. 78:44: Dios "convirtió en sangre sus ríos y sus corrientes, y no pudieron beber". Esta vez la bola de fuego no tiene la forma de una montaña, sino de **una gran estrella, ardiendo como una antorcha**.

La estrella, como en otras partes del Apocalipsis (1:20; 2:1, etc.), es un ser angelical que a menudo representa a una persona o reino terrenal. Así, la imagen parece indicar el juicio de un ángel que representa a las personas pecadoras. Este tipo de juicios continúa a lo largo de la historia y culmina con el juicio final al regreso de Cristo. La imagen aquí se remonta primero a Is. 14:12–15, donde el ángel guardián de Babilonia es representado como una estrella arrojada desde el cielo a un pozo. La estrella se llama **Ajenjo**, que se basa en Jer. 9:15 y 23:15, donde Dios juzga a su pueblo desobediente dándole de beber ajenjo y agua envenenada.

Los usos en Jeremías no son literales sino metafóricos de la amargura del sufrimiento resultante del juicio. De hecho, la imagen del "ajenjo" contaminante se eligió para mostrar que el juicio se ajustaba bien al delito: como los líderes religiosos de Israel "contaminaron" figurativamente a Israel con la idolatría, así se representa a Dios contaminándolos con agua mala, es decir, con la amargura del sufrimiento. El ajenjo es una hierba amarga que contamina el agua, y se menciona en Jeremías y en otras partes del Antiguo Testamento de forma figurada para referirse a la amargura del sufrimiento resultante del juicio divino (Dt. 29:17–18; Pro. 5:4; Am. 5:6–7). La contaminación de las aguas dulces, junto con la mención del fuego, continúa el pensamiento de la hambruna en las dos plagas anteriores. Las tres primeras trompetas han sido representadas como juicios de fuego que afectan a partes de la tierra, el mar y los ríos, y a la humanidad.

12 La cuarta trompeta continúa el tema de los ayes de las anteriores, pero no se refiere al hambre. Trae una medida limitada de oscuridad, afectando a **la tercera parte del sol, la tercera parte de la luna, y la tercera parte de las estrellas**. Es similar, pero de alcance más limitado, a la descripción del juicio final en 6:12–13, donde el sol se vuelve negro y la luna se cubre. El pasaje anterior se refiere al juicio final de Dios contra los idólatras y los que persiguen a Su pueblo, por lo que aquí se trata de algo similar, aunque sólo en un sentido parcial. La alusión es a la plaga de las tinieblas en Éx. 10:21–29. Los judíos interpretaban la plaga del Éxodo en un sentido simbólico, como una oscuridad espiritual, cultural o mental. Las tinieblas pueden referirse aquí a una serie de juicios divinos que hunden a los hombres en la desesperación al hacerles comprender la inutilidad de su idolatría y que el desastre se cierne rápidamente sobre ellos. El miedo, el terror, la desesperación y la depresión pueden ser su respuesta.

El hecho de que la interrupción de las fuentes de luz en el v. 12 sea figurativa se debe a que la gran mayoría de estas imágenes en el Antiguo Testamento no son literales, sino metafóricas. Cuando Jeremías habla del juicio que vino contra Israel a causa de Manasés, alude a la puesta del sol cuando todavía es de día (Jer. 15:9). Amós también habla del juicio histórico de Israel, parte del cual es que Dios hará que el sol se ponga al mediodía (Am. 8:9). No se trata de acontecimientos culminantes del fin del mundo, sino de referencias figuradas a la profundidad de los efectos del juicio de Dios que se abatieron sobre la nación y se compararon con la destrucción decisiva del cosmos al final de la historia.

Joel (2:1–10), con frases similares a las del Apocalipsis, se refiere a un toque de trompeta, a un fuego que arde, al sol y a la luna que se oscurecen, y a las estrellas que pierden su brillo, todo ello referido a acontecimientos que ocurrieron realmente en la historia de Israel y no a un extraño cataclismo cósmico final. Los eventos históricos reales que ocurren de vez en cuando a lo largo de la era de la iglesia se están refiriendo aquí de la misma manera que los eventos históricos reales fueron referidos por Joel, Amos y Jeremías, y por lo tanto el significado de estos eventos en el cielo debe ser tomado de la misma manera figurativa.

Obsérvese Ec. 12:1–2, donde los "días malos" que conducen a la muerte (así en Ec. 12:6–7) son un tiempo en el que "se oscurezcan el sol y la luz, la luna y las estrellas, y las nubes vuelvan tras la lluvia" (cf. igualmente Job 3:3–10). Sof. 1:15–16 alude a perturbaciones cósmicas similares (oscuridad, tinieblas y nubes) como símbolo del juicio histórico de Dios contra el Israel idólatra, en el contexto del sonido de la trompeta y el grito de guerra. Véase también Is. 13:10 y Ez. 32:7–8 para referencias similares. Que estos acontecimientos ocurren a lo largo de la era de la iglesia se indica, por un lado, por el hecho de que, al igual que los sellos, son desencadenados por la resurrección y ascensión de Cristo a su trono celestial y, por otro, por el hecho de que todos ellos están claramente diferenciados del juicio final, como se desprende de las alusiones y paralelos del Antiguo Testamento citados anteriormente.

La cuarta trompeta es el clímax lógico y el punto de énfasis de la primera serie de cuatro trompetas, ya que expresa el pensamiento subyacente de las tres primeras. Es un emblema de la separación espiritual de Dios del incrédulo endurecido. Las tinieblas son figurativas y se refieren a todos los acontecimientos divinamente ordenados que tienen por objeto recordar a los perseguidores idólatras de la iglesia, y a los que dentro de la iglesia se alinean con la cultura idólatra, que su idolatría es vana, que están separados del Dios vivo, y que ya están sufriendo una forma inicial de juicio.

Las cuatro trompetas se refieren a los sufrimientos impuestos a los impíos. Esta conclusión se confirma en 7:1–3, donde los creyentes genuinos tienen su fe protegida al ser sellados del daño dirigido a la tierra, el mar y los árboles. Los vv. 7–11 muestran que los no sellados están siendo afectados por los ayes de las trompetas, porque ahora los mismos tres objetos de la tierra, el mar y los árboles son retratados como dañados. Teniendo esto en cuenta, no puede ser una coincidencia que 7:3 esté basado en Ez. 9:4–6 y que 8:3–5 esté modelado en Ez. 10:1–7 (véase el v. 5).

Al igual que el derramamiento de carbones punitivos sobre Jerusalén (Ez. 10) se produce después de que el remanente justo de la comunidad del pacto haya recibido una marca protectora en la frente (Ez. 9), aquí se sigue intencionadamente el mismo patrón y se combina con el recuerdo de que los israelitas también recibieron una marca en sus puertas para protegerse de la plaga de la muerte del

Éxodo. El trasfondo Éxodo–Ezequiel sugiere además que los juicios de las trompetas invaden lo que no está sellado tanto dentro como fuera de los límites visibles de la sociedad del pacto.

Las tribulaciones de los vv. 6–12 se ejecutan en varias partes de la tierra en todo momento durante la era de la iglesia, pero no afectan a toda la tierra ni a todas las personas. La naturaleza parcial de los juicios significa figurativamente que estos no son descripciones del juicio final. Es posible que se trate de juicios que afectan a todos los incrédulos obstinados hasta el castigo completo del día del juicio. La orden a Juan en 10:11 que precede al sonido de la séptima trompeta ("Debes profetizar otra vez acerca de muchos pueblos, naciones, lenguas y reyes") se refiere a la profecía contra los pueblos impíos que viven en todo el mundo y muestra el efecto generalizado de los juicios de las trompetas (reforzado por el hecho de que el ay llega a todos los que "habitan la tierra"; cf. 8:13). El pueblo contra el que se le ordena a Juan que profetice en 10:11 es el mismo contra el que profetiza en 8:7–9:21.

El paralelismo de las cuatro primeras copas con las cuatro primeras trompetas confirma que los juicios de ambas series se producen a causa de la idolatría (16:2), pero añade el elemento de que estos males también se producen por la persecución de los santos (16:5–7). En particular, la segunda y la tercera copa representan el agua convirtiéndose en sangre. La descripción de la tercera copa explica que este castigo era apropiado porque los juzgados habían "derramado sangre de santos y profetas", y que por lo tanto Dios fue justo cuando les dio a beber sangre, porque lo merecían (16:6). Del mismo modo, los dos juicios de las trompetas en los que el agua se convierte en sangre deben estar relacionados con la misma preocupación de que los perseguidores reciban su merecido.

Como ya se ha dicho, las tres primeras trompetas evocan condiciones de hambruna. Es difícil determinar si se trata de condiciones de hambruna literales o de representaciones figurativas del sufrimiento. Pueden ser figurativas, por lo que las condiciones de hambruna son, sin embargo, partes literales de un sufrimiento mucho más amplio (la figura retórica se conoce como "sinécdoque", por la que se nombra una parte para indicar el todo del que forma parte).

La naturaleza figurativa de las cuatro primeras trompetas se desprende de al menos dos observaciones. En primer lugar, el uso de diferentes palabras griegas para "como" a lo largo de la narración de las trompetas indica una intencionada falta de precisión en la descripción de lo que se vio en la visión y, en particular, sugiere una representación metafórica (8:8, 10; 9:2, 3, 5, 7–10, 17, 19). Este énfasis figurativo se ve subrayado por el uso de la palabra griega *sēmainō* ("comunicar por medio de símbolos") en 1:1 y sus antecedentes en Daniel, donde connota una representación figurativa (véase en 1:1). En segundo lugar, la exégesis de varias imágenes a lo largo de las trompetas ha mostrado una probable inclinación figurativa (p. ej., el monte y la estrella; véase igualmente sobre el águila parlante en 8:13; véase también sobre 9:1–19). Por ejemplo, es difícil imaginar una situación literal en la que un meteorito pudiera caer sobre un tercio del agua dulce del mundo al mismo tiempo.

Las plagas del Éxodo se entienden en Apocalipsis 8–9 como una prefiguración tipológica de las plagas de las trompetas, cuyo efecto se extiende a todo el mundo. Las imágenes del hambre en sí mismas, como se ha señalado anteriormente, no serían simplemente referencias literales a situaciones reales de hambruna, sino que podrían connotar en general sufrimientos de todo tipo. Los sufrimientos a lo largo de los vv. 7–12 son continuos recordatorios de lo transitorio que es el objeto idolátrico de la confianza de los moradores de la tierra.

Los sufrimientos son el resultado de las deficiencias de los recursos del mundo, de los que los impíos dependen para satisfacer sus necesidades. Estas pruebas, unidas a la muerte real, les recuerdan que, en última instancia, están inseguros. La razón de su predicamento es que ponen su confianza en lo que es inestable. El clímax de estos juicios y sufrimientos temporales es la destrucción final del mundo entero y de su sistema perverso. La destrucción se produce para demostrar la insuficiencia final del mundo como objeto de confianza espiritual.

La cuarta trompeta también sirve como una transición apropiada a los juicios demoníacos de la quinta trompeta, ambos tratan el tema de la oscuridad. Aquellos que moran en la oscuridad espiritual deben ser asolados por las fuerzas de las tinieblas, cuya obra es correr la oscura cortina de la incredulidad permanentemente sobre los ojos espirituales de los impíos, que son obstinados en su incredulidad. El uso de la palabra "plagas" (9:20) para describir las aflicciones de las trompetas sugiere que éstas ocurren a lo largo de la era de la iglesia, ya que en 22:18 "plagas" se refiere a una maldición que puede golpear a cualquiera a lo largo de toda la era de la iglesia (incluyendo a los desobedientes dentro de la iglesia visible) que sea infiel al mensaje de la visión de Juan.

Esta reveladora observación sugiere fuertemente que algunos, si no la mayoría, de los juicios de las trompetas ocurren durante todo el período entre la primera y la segunda venida de Cristo, y no simplemente en un período de tribulación inmediatamente anterior e incluyendo la segunda venida. Las cuatro trompetas afectan a tres partes del orden creado (tierra, aire y agua), lo que sugiere que el contenido básico de la creación en Génesis 1 se está deshaciendo sistemáticamente, aunque no en el mismo orden; los elementos afectados son la luz, el aire, la vegetación, el sol, la luna, las estrellas, las criaturas marinas y los seres humanos. La noción de una "des-creación" en los primeros cuatro juicios de las trompetas se ve respaldada por la observación de que el libro culmina con una nueva creación (21:1ss).

Sugerencias para Reflexionar sobre 8:6–12

- ***Sobre el propósito de los eventos desastrosos dentro del plan de Dios.*** Estos versículos sobre las primeras cuatro trompetas presentan las plagas de Egipto y el endurecimiento del corazón del Faraón por parte de Dios como un modelo tipológico de Sus juicios sobre los incrédulos a lo largo de la era de la iglesia.
  ¿Cómo se relaciona esto con la visión que a menudo tenemos de los acontecimientos cataclísmicos que ocurren a lo largo de la historia en esta época? ¿Pensamos en tales eventos principalmente como advertencias diseñadas para despertar a los incrédulos para que cambien de dirección? ¿Pensamos en ellos como el comienzo de los juicios sobre los incrédulos endurecidos? ¿Vemos también tales eventos destructivos, al mismo tiempo, como pruebas a través de las cuales los creyentes son refinados y a través de las cuales se acercan a Dios (como con el propósito de los sufrimientos en los primeros cinco sellos)?
  Muchos cristianos piensan que los eventos que ocurren en la historia son teológica o espiritualmente neutrales, pero de hecho, el Apocalipsis dice que tienen propósitos divinos adjuntos que son relevantes para los incrédulos y los creyentes. La forma en que uno responde a tales acontecimientos es una indicación de si una persona tiene o no una relación genuina de salvación con Dios: ¿Aceptan los cristianos los sucesos desastrosos como enviados por Dios para refinar su fe y hacer que se acerquen aún más a Él, o le echan la culpa a Dios y se endurecen contra Él? ¿Una reacción negativa característica a los acontecimientos devastadores indica la oscuridad espiritual en la que uno se encuentra, ya sea como pseudocreyente o como incrédulo fuera de las fronteras de la comunidad visible del pacto?

La quinta y sexta trompetas: los demonios son encargados de castigar a los incrédulos endurecidos (8:13–9:21)

2. Introducción a las trompetas quinta y sexta (8:13)

[13] Entonces miré, y oí volar un águila en medio del cielo, que decía a gran voz: "¡Ay, ay, ay, de los que habitan en la tierra, a causa de los toques de trompeta que faltan, que los otros tres ángeles están para tocar!"

13 Las tres últimas trompetas son introducidas por una frase que indica una nueva visión: **entonces miré, y oí**. Estas trompetas se distinguen literariamente de las cuatro primeras por la fórmula de la visión introductoria, junto con el águila que proclama un triple "ay" que caerá sobre los impíos a través de los restantes tres toques de trompeta. El propósito de la división literaria es resaltar el aspecto más duro de las trompetas restantes.

Lo que Juan ve es un **águila volando en medio del cielo**. El modelo del Éxodo sigue en mente, ya que allí también las plagas se hicieron cada vez más severas y más específicas en su aplicación. La presencia del águila apunta a pruebas más serias, ya que la frase **volando en medio del cielo** se refiere en otros lugares sólo a criaturas voladoras que aparecen en anticipación del juicio final (14:6; 19:17; cf. 18:2).

Los dos primeros ayes se asocian también con el tercero, que alude al juicio final, al sentar las bases del mismo en la vida de los incrédulos y atormentarlos de un modo que prefigura su tormento eterno. Los ayes también son peores que las cuatro trompetas iniciales, ya que golpean directamente a los malvados. La razón por la que los malvados son afectados directamente es que no se arrepintieron de los primeros cuatro juicios contra el ambiente que sostenía sus vidas y estilo de vida. El aumento espiritual de las últimas tres trompetas se indica por la participación directa de los demonios. La mayor severidad de estas trompetas se expresa también en el hecho de que se las llama "ayes", mientras que a las cuatro primeras no se les da ningún nombre. En los vv. 7–12 se ha enfatizado que se interrumpirán los patrones regulares de los ciclos de la naturaleza en la tierra y de las luminarias en los cielos. La razón teológica implícita de esto es connotar el juicio a los pecadores que han roto los patrones éticos y de pacto establecidos por Dios (así, antes, en el v. 12). En 8:13 y siguientes se hace explícita esta teología implícita. Este juicio es principalmente de naturaleza espiritual, como revela el cap. 9.

En el Antiguo Testamento, las águilas a menudo señalan la llegada de la destrucción (Dt. 28:49; Jer. 4:13; 48:40; Lam. 4:19; Ez. 17:3). Especialmente relevantes son Os. 8:1 ("Pon la trompeta a tu boca. Como un águila viene el enemigo contra la casa del SEÑOR") y Jer. 4:13, donde la imagen destructiva de un águila va seguida de "¡ay de nosotros!", junto con la triple mención del sonido de una trompeta como anuncio de juicio en Jeremías 4:5, 19, 21. La figura aquí podría ser uno de los seres vivientes de Ap. 4:7, que se describe como un águila voladora. La asociación metafórica del águila con el juicio no es incompatible con la probabilidad de que también represente a un ser angelical, como señala el paralelo con 14:6, donde el ángel vuela en medio del cielo para pronunciar el juicio de Dios (14:7). En Éx. 19:4, Dios se compara con un águila que protege a su pueblo, después de haber asolado a los egipcios: "Ustedes han visto lo que he hecho a los egipcios, y cómo los he tomado sobre alas de águilas y los he traído a Mí". Ahora un águila anuncia nuevas plagas sobre los idólatras y los habitantes de la tierra.

3. La quinta trompeta: los demonios reciben el encargo de atormentar a los incrédulos endurecidos empobreciendo aún más sus almas y recordándoles su desesperada situación espiritual (9:1–12)

[1] El quinto ángel tocó la trompeta, y vi una estrella que había caído del cielo a la tierra, y se le dio la llave del pozo del abismo. [2] Cuando abrió el pozo del abismo, subió humo del pozo como el humo de un gran horno, y el sol y el aire se oscurecieron por el humo del pozo. [3] Del humo salieron langostas sobre la tierra, y se les dio poder como tienen poder los escorpiones de la tierra. [4] Se les dijo que no dañaran la hierba de la tierra, ni ninguna cosa verde, ni ningún árbol, sino sólo a los hombres que no tienen el sello de Dios en la frente. [5] No se les permitió matar a nadie, sino atormentarlos por cinco meses. Su tormento era como el tormento de un escorpión cuando pica al hombre. [6] En aquellos días los hombres buscarán la muerte y no la hallarán; y ansiarán morir, y la muerte huirá de ellos. [7] El aspecto de las langostas era semejante al de caballos dispuestos para la batalla, y sobre sus cabezas tenían como coronas que parecían de oro, y sus caras eran como rostros humanos. [8] Tenían cabellos como cabellos de

mujer, y sus dientes eran como de leones. [9] También tenían corazas como corazas de hierro. El ruido de sus alas era como el estruendo de carros, de muchos caballos que se lanzan a la batalla. [10] Tienen colas parecidas a escorpiones, y aguijones. En sus colas está su poder para hacer daño a los hombres por cinco meses. [11] Tienen sobre ellos por rey al ángel del abismo, cuyo nombre en Hebreo es Abadón, y en Griego se llama Apolión. [12] El primer ¡ay! ha pasado; pero aún vienen dos ayes después de estas cosas.

1 El quinto ángel toca la trompeta, y Juan ve otra visión de juicio. Ve **una estrella que había caído del cielo a la tierra**. Esta estrella es probablemente la misma o al menos similar a la estrella de 8:10, un ángel que representa a las personas pecadoras y que sufre el juicio junto con ellas. El antecedente del Antiguo Testamento es Is. 14:12–15. Jesús utiliza prácticamente la misma expresión para describir el juicio de Satanás en Lucas 10:18: "Yo veía a Satanás caer del cielo como un rayo". La expresión aquí puede ser otra forma de decir que "Satanás... fue arrojado a la tierra y sus ángeles fueron arrojados con él" (Ap. 12:9; cf. 12:13). La conclusión de que se trata de un ángel caído se sugiere también en el v. 11. Allí el "ángel del abismo" es llamado "rey sobre" las langostas demoníacas y se le denomina "Abadón" ("Destrucción") y "Apolión" ("Destructor"). El ser celestial que es soberano sobre el abismo y las langostas en los vv. 1–3 es probablemente la misma figura que la del v. 11, de la que se dice que es "rey" sobre ellas (para la naturaleza satánica de este ángel véase el v. 11).

A este ángel caído se le asigna la función de infligir el castigo a la humanidad pecadora. Se le da **la llave del pozo del abismo**, el reino donde mora Satanás, pero esta llave o autoridad se la da en última instancia Cristo, que es el único que tiene las llaves de la muerte y del Hades (1:18). Ni Satanás ni sus siervos malvados pueden ya desatar las fuerzas del infierno en la tierra a menos que el Cristo resucitado les otorgue el poder de hacerlo (véase más adelante 20:1–3). A medida que se van desvelando las visiones del cap. 9 y siguientes, los lectores reciben una definición cada vez más amplia del alcance de la soberanía de Dios y del Cordero. Ellos tienen el control final del reino de Satanás. Y los santos deben recordar esto cuando las fuerzas del mal dirijan su ira contra ellos o se autodestruyan contra sus propios aliados, los seguidores del anticristo. Hay un gran propósito que Dios está obrando a través de todo esto, que es una base para la esperanza y el estímulo para los cristianos asediados (para la discusión del problema de cómo un Dios bueno puede ser soberano sobre el mal, ver en 6:1–8).

2 Una densa humareda surge del abismo cuando el ángel lo abre: **El sol y el aire se oscurecieron por el humo del pozo**. La imagen del oscurecimiento del sol y de otras partes del cosmos ya se ha visto que connota el juicio (véase 6:12ss; 8:12). La imagen es una alusión a las repetidas referencias al oscurecimiento del sol en Joel 2:10, 31; 3:15 (cf. Is. 13:10), donde es un signo de juicio. La propia imagen de Joel es probablemente un desarrollo de la plaga de langostas de Éx. 10:1–15 (véase el v. 7 más adelante).

Se trata de un juicio por la dureza de corazón de los egipcios al rechazar la palabra de Dios por medio de Moisés. No hay razón para pensar que la connotación de juicio haya cambiado aquí. Esto se confirma por el claro significado de juicio que tiene "humo" más adelante en este capítulo (vv. 17–20) y más adelante en el libro (14:11; 18:9, 18; 19:3). Por consiguiente, el cuadro del v. 2 indica que el juicio que antes se limitaba al reino demoníaco se extiende al reino terrenal. Como resultado de la muerte y resurrección de Cristo, el diablo y sus legiones han comenzado a ser juzgados, y ahora el efecto de su juicio está a punto de desatarse sobre la humanidad incrédula, que le rinde su última lealtad. Un patrón esencialmente idéntico de ampliación del juicio ocurre en 12:7–12; 13:3–8; 16:10; y 17:8 (aunque en 12:12 y siguientes los santos también se ven afectados por la extensión del juicio en forma de persecución e intento de engaño). Como se verá más adelante en los vv. 3–6, el juicio implica en parte el engaño, que se anticipa metafóricamente por el humo que se oscurece. La oscuridad en todo el Nuevo Testamento simboliza la ceguera espiritual (Lc. 11:36; Jn. 1:5; 3:19–21; 8:12; 11:10; 12:35–36; Ro. 13:12; 2 Co. 4:4; 1 P. 2:9; 1 Jn. 1:5).

3 Los seres demoníacos representados como langostas surgen del abismo humeante y salen a la tierra. Como en la plaga original de langostas, es Dios mismo quien envía las langostas sobre la tierra (la frase **se les dio poder**, implica a Dios o a Cristo como sujeto; para Dios como sujeto en cláusulas similares véase 6:2–8; 8:2, etc.). El modelo de las plagas del Éxodo confirma aquí que Dios es quien tiene soberanía absoluta sobre los instrumentos de las plagas, como indica la cláusula que introduce la plaga de langostas contra Egipto: "Extiende tu mano… para traer la langosta, a fin de que suba sobre la tierra de Egipto" (Éx. 10:12).

4 Pero mientras que las langostas del Éxodo dañaban la vegetación, estas langostas no dañan **la hierba de la tierra, ni ninguna cosa verde, ni ningún árbol**, sino sólo a los que **no tienen el sello de Dios en la frente**. El sello se da sólo a los creyentes genuinos. El sello es un signo de la autoridad soberana de

Dios y de Su propiedad sobre los que están destinados a formar parte de Su reino y no del dominio de Satanás. Esto significa que la fe de los cristianos está salvaguardada por la presencia protectora de Dios (véase más de esto en 2:17; 7:2–3).

Por supuesto, hay incrédulos que se convierten en creyentes a lo largo de este tiempo, pero son aquellos que han sido "sellados" de antemano por el decreto de Dios y creerán en algún momento de su vida. De hecho, se convierten en cristianos como resultado de esta actividad de sellado dirigida a ellos. Parte del daño infligido tiene que ver con mantener a los incrédulos no sellados en la oscuridad espiritual (véase en 8:12). Al mismo tiempo, este vínculo con 8:12 implica que estos seres diabólicos causan eventos que recuerdan a los impíos que están separados del Dios vivo. Estos recordatorios inducen al miedo y a la desesperación, ya que las personas se ven obligadas a reflexionar sobre su situación desesperada. Los vv. 5–6 explicitan que este tipo de tormento está en mente. Al igual que las plagas no dañaron a los israelitas, sino sólo a los egipcios (Éxodo 8:22–24; 9:4–7, 26; 10:21–23), los verdaderos cristianos también están protegidos de la quinta plaga.

5 Sin embargo, a las langostas **no se les permitió matar a nadie**, sino sólo atormentarlos, y sólo **por cinco meses**. El período de cinco meses podría referirse por analogía a la estación seca o al ciclo vital de las langostas, pero probablemente es simbólico (se refiere a un período de tiempo limitado), al igual que otros números del Apocalipsis. Que las limitaciones son impuestas divinamente está claro por el hecho de que Dios determinó las limitaciones temporales de las plagas egipcias, que están en mente aquí. El **tormento** es principalmente sufrimiento espiritual y psicológico, ya que esta es la connotación de la palabra en otras partes del libro con referencia a la naturaleza de las pruebas que preceden e incluyen el juicio final (cf. 11:10; 14:10–11; 18:7, 10, 15 [en el cap. 18 sinónimo de dolor emocional de "llanto" y "luto"]; 20:10).

El tema del sufrimiento espiritual y psicológico explica por qué los creyentes sellados no se ven afectados, pues tienen confianza en su destino en Cristo. Deuteronomio 28 también predice que "en los últimos días" (así en 4:30) Israel sufrirá las plagas de Egipto (vv. 27, 60), incluida la de las langostas (vv. 38–39, 42), a causa de su idolatría (p. ej., v. 14; 29:22–27; 30:17; 31:16–20). Esta aflicción de los últimos días incluye "plagas" (Dt. 28:61) de "locura" (v. 28), oscuridad (v. 29), "corazón temeroso", "desfallecimiento de ojos" (¿oscuridad?) y "desesperación del alma" (v. 65). Sea cual sea el grado en que este pasaje del

Deuteronomio esté en mente, la noción se aplica a aquellos en la comunidad visible del nuevo Israel que no forman parte de la comunidad invisible de la fe. Pero es probable que esta plaga se extienda más allá de los límites de la comunidad del pacto, ya que las plagas egipcias también afectaron a los que estaban fuera de la comunidad creyente. De hecho, la plaga que Deuteronomio 28 predijo que vendría sobre Israel en los últimos días iba a estar constituida por las mismas plagas que Dios había enviado sobre Egipto (Dt. 28:60), porque los miembros de la comunidad visible de fe se volverían tan incrédulos como los egipcios.

6 Juan da ahora un comentario interpretativo parcial sobre la visión que acaba de ver. La naturaleza espiritual y psicológica del tormento se enfatiza por el hecho de que **los hombres buscarán la muerte y no la hallarán**, es decir, querrán morir, pero tendrán tanto miedo a la muerte que no podrán matarse. El efecto de las langostas es recordar a los perseguidores impíos de la iglesia que su idolatría es vana y que están separados del Dios vivo, y en consecuencia no tienen esperanza.

En ellos se cumplirá la profecía de Moisés de que los desobedientes se volverán locos por lo que sufren (Dt. 28:28, 34). Las plagas del Éxodo causaron a los egipcios confusión y desesperación al darse cuenta de que Yahvé era el único Dios verdadero y que no podían prevalecer contra Él. Esta comprensión incluía una angustiosa convicción de pecado que no iba acompañada de arrepentimiento (véase la respuesta del faraón en Éxodo 9:27–28; 10:16–17). Así que ahora los pecadores vivirán aterrorizados al darse cuenta de que los valores idólatras sobre los que han construido sus vidas no son más que cimientos de arena ante los ataques de Satanás. Y, al igual que con los egipcios, ahora la plaga de la quinta trompeta también endurece a las víctimas para que no se vuelvan a Dios desde su desesperación. Tal endurecimiento es en realidad una influencia engañosa de los demonios.

Los creyentes, por el contrario, no temerán ningún mal porque saben que, ya sea que vivan o mueran, están con Cristo y que detrás de las aparentes catástrofes y reveses de la vida un Dios amoroso y soberano está haciendo Su voluntad eterna para su bien (Ro. 8:28). A diferencia de los impíos, se complacen en los tormentos, incluso la muerte, que el mundo les impone para que den testimonio de Jesús y de la palabra de Dios: "por medio de la sangre del Cordero y por la palabra del testimonio de ellos, y no amaron sus vidas, llegando hasta sufrir la muerte" (12:11; cf. 1:9; 2:10; 6:9; 20:4).

7 La detallada descripción que hace Juan de las **langostas** contiene tres usos de la palabra **semejante**, así como la palabra **como**, lo que indica su esfuerzo por describir lo que está viendo. La visión despierta en su mente escenas similares del Antiguo Testamento, como revelan los versículos siguientes. Así que utiliza el lenguaje profético que más se parece a lo que ve. Su visión de **langostas** semejantes a **caballos dispuestos para la batalla** está claramente relacionada con la descripción que hace Joel de la plaga de langostas que ataca a Israel (modelada a su vez en la plaga de langostas de Éxodo 10), que también comienza con el toque de una trompeta (Jl. 2:1).

Al igual que Dios utilizó las langostas para juzgar a Egipto, en Joel se representa a Dios utilizando las langostas para juzgar al Israel impenitente, del que sólo se salvará un remanente (Jl. 2:31–32). Joel refleja el pensamiento del Éxodo de que el propósito principal de la plaga de langostas es endurecer los corazones de los incrédulos. Las langostas de Joel (ya sean literales o representando ejércitos enemigos) trajeron hambre (1:5–12, 16–20; 2:25) y angustia (2:6). En este caso, las langostas se describen (v. 4) como algo que no daña la vegetación de la tierra, por lo que el daño que se prevé ahora es el de una hambruna del alma (los profetas a veces espiritualizan la hambruna, p. ej., Am. 8:11–14).

Esto sugiere que las condiciones reales de hambruna observadas en las tres primeras trompetas apuntan en última instancia a los castigos que vendrán sobre los pecadores a causa de la hambruna espiritual y la esterilidad de sus almas. La descripción de las langostas de Juan representa una exageración de su fisiología real: su cabeza tiene forma de cabeza de caballo; sus antenas se convierten en cabello; el efecto destructivo de su boca se convierte en dientes feroces; su sonido se convierte en el sonido de carros; su armadura se convierte en corazas de hierro. En general, las langostas se traducen en términos humanos y se comparan con un ejército. La comparación de los rostros de las langostas con **rostros humanos** con **coronas que parecían de oro** en sus cabezas evoca su naturaleza demoníaca. Joel 2:4–7 también compara las langostas con caballos y con hombres preparados para la batalla.

Intentar encontrar el modelo *dominante* de las langostas primero en el ámbito de la guerra moderna (p. ej., los helicópteros, como sugiere un escritor popular) en lugar de las imágenes del Antiguo Testamento no es el mejor enfoque. En lugar de avanzar primero desde la época de Juan hasta nuestro presente o futuro, el comentarista debería retroceder primero desde la época de Juan hasta el Antiguo

Testamento, ya que ésta es la primera fuente clara de la que el Apocalipsis obtiene sus imágenes y determina su significado.

8 La frase **sus dientes eran como de leones** se basa en Joel 1:6, donde las langostas eran como "una nación" cuyos "dientes son dientes de león".

9 La frase **corazas como corazas de hierro** es una descripción general de parte de la armadura de un soldado (o caballo de batalla; cf. Job 39:19–20, donde los caballos de batalla son comparados con langostas). **El ruido de sus alas era como el estruendo de carros, de muchos caballos que se lanzan a la batalla** es una alusión a Joel 2:4–5: "Como aspecto de caballos es su aspecto, y como corceles de guerra, así corren. Como estrépito de carros saltan sobre las cumbres de los montes... como un pueblo poderoso dispuesto para la batalla". Véase también Jer. 51:27, que habla del juicio de la Babilonia histórica, se introduce con una "trompeta entre las naciones", y compara los caballos con "langostas erizadas", y Jer. 51:14, que describe los ejércitos enemigos como "hombres como langostas". Las langostas, como muchas otras cosas en el Apocalipsis, deben entenderse en sentido figurado, por lo que sería un error considerarlas como langostas físicas reales (nótese en consecuencia la "semejanza" en el v. 7 y el repetido "como" en los vv. 7–10).

10 La imagen de las langostas concluye como empezó en los vv. 3–5 al comparar su autoridad con el poder que tienen los escorpiones sobre sus presas y al limitar su autoridad sobre la gente a **cinco meses**. La combinación de un ejército de caballos que devoran la tierra y de serpientes que pican aparece en Jer. 8:16–17, donde la imagen es similar a la combinación de Juan de langostas parecidas a caballos y escorpiones que pican. En ambos pasajes, el juicio recae sobre los idólatras (Jer. 8:2; cf. Ap. 9:20).

11 El ángel que controla a estos seres demoníacos se llama **Abadón** o **Apolión** (en hebreo y griego, respectivamente, significa "destructor"). Abadón está estrechamente relacionado con el Seol o el lugar de la muerte en el AT (Job 26:6; 28:22; Sal. 88:11; Pro. 15:11; 27:20). Estos nombres, junto con la afirmación de que el ángel es "rey sobre" los demonios, sugieren que se trata del propio Satanás o de uno de sus representantes más poderosos. Ap. 12:3–4 y 13:1 ss. son compatibles con esta conclusión, ya que allí el diablo y la bestia son representados, respectivamente, con diademas reales en sus cabezas y como líderes de las fuerzas del mal. Esto concuerda con la misma conclusión a la que ya se llegó sobre la identificación del ángel en 9:1. Los dos nombres de Satanás expresan su función de utilizar a los demonios para que trabajen entre los impíos, de modo que finalmente sean destruidos por la muerte del cuerpo y del espíritu. La actividad demoníaca que dura sólo cinco meses no es más que una parte del proceso que conduce a este objetivo final y macabro. La sexta trompeta representa la finalización de este proceso.

12 Este verso es una transición, que resume la trompeta anterior e introduce las dos siguientes. ¿Indica la transición que las tres últimas trompetas se suceden en la cronología de la historia o simplemente en la secuencia cronológica de las visiones? El primer indicio de que se pretende el segundo significado se encuentra en la expresión inicial "**el primer ¡ay! ha pasado**". Esto no significa que los acontecimientos ya hayan ocurrido en la historia, sino que sólo indica que la *visión* que contiene los acontecimientos ya ha terminado. La palabra introductoria **he aquí** muestra un énfasis en los ayes como visiones en lugar de acontecimientos.

Esto se deduce también de la frase final **después de estas cosas**, que en otras partes del libro no se refiere al orden de los acontecimientos históricos, sino al orden de las visiones que se suceden (véase 4:1). Por consiguiente, el sentido del v. 12 es: "La presentación de la primera visión de aflicción ha pasado. Mira, después de esta primera se presentarán otras dos visiones de aflicción". Por lo tanto, la preocupación principal es el orden de las visiones y no el orden de la historia representada en las tres visiones.

Sugerencias para Reflexionar sobre 9:1–12

- ***Sobre Dios usando a Satanás como su agente de juicio.*** Estos versículos presentan una imagen de un juicio horrible dirigido en última instancia por Dios, que utiliza a Satanás y sus agentes para infligirlo. ¿Nuestra primera reacción ante esto sería que esto es indigno de un Dios santo? ¿Por qué reaccionaríamos así? ¿Qué dice esto sobre nuestra limitada visión de la gravedad del pecado? Desde otra perspectiva, estos versículos muestran que el enemigo no es un agente independiente, sino que opera sólo bajo la autoridad de Dios. ¿Tenemos la tendencia de ver la guerra espiritual como una lucha entre dos iguales (Dios y Satanás) aunque la Biblia, como aquí, sugiere lo contrario?
- ***Sobre la importancia de comprender el uso del lenguaje figurado en la Biblia.*** Estos versículos nos muestran cómo Juan utiliza la imagen de langostas parecidas a caballos y similares a escorpiones para referirse al tormento psicológico y espiritual que Satanás y sus agentes infligen por

orden de Dios. Juan, a su vez, toma prestada la imagen de Joel, que probablemente utiliza las langostas reales del Éxodo de forma figurada para hablar de los ejércitos enemigos. Independientemente de que las langostas de Joel sean literales, en el Apocalipsis son figurativas. Juan, al igual que Jesús, utiliza imágenes y parábolas que sacuden al creyente para que se arrepienta, al tiempo que endurecen aún más el corazón de los obstinados en la incredulidad. ¿Cuál es la mejor manera de explorar el verdadero significado de pasajes bíblicos como éste? ¿Con qué frecuencia rastreamos el verdadero significado de tales pasajes descubriendo sus raíces en otros pasajes de la Escritura?

- ***Sobre la severidad del juicio de las tinieblas.*** Estos versículos presentan una visión del tormento de los incrédulos como el recordatorio contundente de que su idolatría es vana, que están separados del Dios vivo y que no tienen esperanza. ¿Por qué, cuando su situación es tan desesperada, no se vuelven a Cristo? ¿Por qué sólo uno de los otros hombres en la cruz gritó pidiendo ayuda? Se dice del ateo Voltaire que sus últimas palabras consistieron en pronunciar el nombre de Cristo, alternativamente como una oración y como una maldición. ¿Es ésta una medida de la oscuridad que el juicio de Dios envía a los perdidos? Y sin embargo, en la cruz, el único criminal que gritó fue respondido y recibió la misericordia de Dios.

4. La sexta trompeta: los demonios son comisionados para juzgar a los incrédulos endurecidos asegurando el castigo final de algunos mediante el engaño hasta la muerte, dejando al resto engañado sin arrepentirse (9:13–21)

[13] El sexto ángel tocó la trompeta, y oí una voz que salía de los cuatro cuernos del altar de oro que está delante de Dios, [14] y decía al sexto ángel que tenía la trompeta: "Suelta a los cuatro ángeles que están atados junto al gran Río Eufrates". [15] Y fueron desatados los cuatro ángeles que habían sido preparados para la hora, el día, el mes, y el año, para matar a la tercera parte de la humanidad. [16] El número de los ejércitos de los jinetes era doscientos millones; yo escuché su número. [17] Así es como vi en la visión los caballos y a los que los montaban: los jinetes tenían corazas color de fuego, de

jacinto y de azufre. Las cabezas de los caballos eran como cabezas de leones, y de sus bocas salía fuego, humo, y azufre. [18] La tercera parte de la humanidad fue muerta por estas tres plagas: por el fuego, el humo, y el azufre que salían de sus bocas. [19] Porque el poder de los caballos está en su boca y en sus colas; pues sus colas son semejantes a serpientes, tienen cabezas y con ellas hacen daño. [20] El resto de la humanidad, los que no fueron muertos por estas plagas, no se arrepintieron de las obras de sus manos ni dejaron de adorar a los demonios y a los ídolos de oro, de plata, de bronce, de piedra, y de madera, que no pueden ver ni oír ni andar. [21] Tampoco se arrepintieron de sus homicidios ni de sus hechicerías ni de su inmoralidad ni de sus robos.

13 La voz que **salía de los cuatro cuernos del altar de oro que está delante de Dios** puede ser la de Cristo (6:6) o la de un ángel (16:7). La mención del **altar de oro** nos remite al clamor de justicia de los santos glorificados desde debajo del mismo altar (6:10), y también conecta la sexta trompeta con el segmento de transición de 8:3–5, que mostró que tanto el séptimo sello como las siete trompetas eran la respuesta de Dios a las peticiones de los santos. En la Biblia, **cuatro** significa plenitud (véase la discusión sobre numerología en la Introducción [6.] y también en 7:1) y los **cuernos** significan poder, por lo que la visión se refiere a la plenitud del poder de Dios que proviene de Su presencia (**el altar de oro**), un poder que está empezando a ejercer en respuesta a las oraciones de los santos. En 14:18, el altar está directamente relacionado con el poder sobre el juicio: "Otro ángel, el que tiene poder sobre el fuego, salió del altar".

Delante (o literalmente "en presencia de") aparece seis veces en otras partes del Apocalipsis en relación con una referencia explícita a algún aspecto de la presencia de Dios en el *templo* celestial (4:5; 5:8; 7:15; 8:3–4; 11:4). Todos estos textos tienen alguna connotación de juicio o de protección contra el juicio. Estos vínculos también apuntan a 9:13 como una alusión al poder de Dios para juzgar en respuesta a las oraciones de los santos.

14 La voz del altar emite una orden al sexto ángel de la trompeta para que libere a **los cuatro ángeles que están atados junto al gran Río Eufrates**. El hecho de que hayan sido atados implica que han sido retenidos contra su voluntad, como los demonios confinados en el abismo en 9:1–3. Probablemente sean también ángeles malvados. El **Éufrates** no se refiere al lugar literal donde los ángeles estaban atados y levantarán sus ejércitos. Más bien, las *regiones que rodean al Éufrates* (Is. 7:20; 8:7–8), la "tierra del norte junto al Río Éufrates" (Jer. 46:10), o simplemente el "norte", es decir, la región del Éufrates (Jer. 1:14–15; 6:1, 22; 10:22; Ez. 38:6, etc.), se mencionan en el Antiguo Testamento como la zona de donde provienen los ejércitos de destrucción, a veces contra Israel, a veces contra otras naciones. El eco más fuerte del Antiguo Testamento proviene de Jeremías 46, que describe el juicio que se avecina sobre Egipto, el ejército de jinetes del norte que son como serpientes, langostas innumerables, que tienen corazas (cf. 46:4, 22–23), y que están "junto al Río Éufrates" (46:2; también 46:6, 10). Los **ángeles** habían sido **atados** por Dios y ahora son liberados por Él, ya que la orden de **soltarlos** emana del altar divino en el cielo.

La mención del **Éufrates** anticipa la batalla de la sexta copa, donde también se menciona el Éufrates. De hecho, la sexta trompeta y la sexta copa describen el mismo acontecimiento, pero desde perspectivas diferentes; sobre la relación con la sexta copa véase más adelante en 9:19. Al igual que en los paralelos del Antiguo Testamento sobre el invasor del norte, aquí es Dios quien finalmente desata a los invasores angelicales corruptos. Estos ángeles podrían identificarse como los homólogos angelicales de las naciones malvadas, que habitaban en esta frontera o al norte de ella (p. ej., Dn. 10:13, 20–21). Si miramos hacia atrás en 7:1, podemos identificar "los cuatro extremos de la tierra" que se retienen con los cuatro seres atados en el Éufrates (y véase en 7:1 la identificación de estos vientos con ángeles malévolos).

Los vientos destructivos "en los cuatro extremos de la tierra" pueden desatarse ahora contra los no sellados (como en 9:4), ya que el sellado del pueblo de Dios se ha completado (7:3–8), y no pueden ser dañados por el efecto de los vientos angelicales. Así, la visión de Juan entiende el Éufrates como una referencia bíblica del lugar (espiritual y no geográfico) donde Satanás reunirá sus fuerzas contra el pueblo de Dios. El hecho de que los cuatro ángeles de 9:14 se sitúen en la localidad concreta del Éufrates y no en los cuatro extremos de la tierra es una mezcla de metáforas, por la que el río resume las expectativas del final de los tiempos en cuanto a la dirección de la que vendrá el ataque final del enemigo satánico, que afectará a todo el mundo (véase en 16:12–16).

15 Que los cuatro ángeles habían sido "atados" significa que no se les había permitido llevar a cabo la función que habían estado esperando. Pero ahora, han sido **desatados** y **preparados para la hora, el día, el mes, y el año, para matar a la tercera parte de la humanidad**. La enumeración específica de los períodos de tiempo indica que estos ángeles son liberados de acuerdo con el calendario soberano de Dios. El punto de especificar hasta la hora el momento de liberar estas hordas es para enfatizar que todos los eventos de la historia, cualquiera que sea la participación de Satanás, están bajo la autoridad final de Dios.

16 Los cuatro ángeles tienen poder sobre las fuerzas espirituales impías, que se representan como una multitud de ejércitos a caballo. El tamaño del ejército demoníaco es de **doscientos millones** (literalmente "doble miríada de miríadas" o "dos veces diez mil de diez mil"). El número es simbólico, como ocurre con otros números en el Apocalipsis. La palabra *myrias* ("diez mil") se utiliza en griego para referirse a una multitud innumerable. En el Antiguo Testamento se utiliza en plural de la misma manera (Gn. 24:60; Lv. 26:8; Dt. 32:30; 2 Cr. 25:11–12; Miq. 6:7; y especialmente Dn. 7:10). Nunca en la Biblia se refiere a un número específico a menos que vaya precedido de un adjetivo numérico (como en "tres miríadas" o 30.000 en Est. 1:7 LXX). El uso del doble plural ("diez mil de diez mil"), precedido por el intensificador adicional "dos veces", hace casi imposible calcular con precisión y muestra que aquí se indica una referencia simbólica. Obsérvese que en Jer. 46:2, 4, 6, 10, 22–23, uno de los antecedentes de este texto, los ejércitos conquistadores montan a caballo (v. 4), llevan armadura (v. 4), se comparan con una serpiente (v. 22) y langostas (cf. v. 23), y son (significativamente) de número incalculable.

17 Lo que Juan ha oído en los vv. 13–16 se explica en forma de visión en los vv. 17–21. Los jinetes tienen **corazas color de fuego, de jacinto y de azufre**, los caballos se describen como si tuvieran **cabezas de leones** (enfatizando su poder destructivo), y de **sus bocas salía fuego, humo, y azufre**. Al igual que con la descripción de las langostas en la quinta trompeta, la acumulación de descripciones horribles subraya que los demonios son seres feroces y temibles. El fuego y el azufre en el Antiguo Testamento (a veces unidos al humo) indican un juicio fatal (como aquí) en el curso de la historia (Gn. 19:24, 28; Dt. 29:23; 2 S. 22:9; Is. 34:9–10; Ez. 38:22). La idea del juicio de Dios a Sus enemigos se expresa de forma figurada en 2 S. 22:9 (= Sal. 18:8) mediante la frase similar "humo… y fuego de Su boca".

En Ap. 11:5, la expresión "de su boca sale fuego" se refiere al castigo que los dos testigos fieles ejecutan contra sus perseguidores. El fuego es una referencia figurada a su profecía y testimonio (11:6–7). Allí, el rechazo de su testimonio inicia un juicio espiritual de los perseguidores y sienta las bases para su futuro juicio final (véase más adelante 11:5–6). Que la imagen del fuego "que sale de la boca" es figurativa se desprende de otros paralelos del libro. Por ejemplo, 1:16 (cf. 2:12, 16) y 19:15, 21 presentan a Cristo juzgando a Sus enemigos por medio de una espada afilada "que sale de su boca". El 2:16 alude a alguna forma de castigo temporal, mientras que el 19:15, 21 tiene que ver con la derrota de los enemigos de Cristo a Su regreso. Al igual que el fuego en 11:5, la espada en la boca de Cristo es figurativa y probablemente se refiere a la condena de los pecadores por medio de Su palabra (como se deduce de 19:11–13).

18 La naturaleza destructiva del juicio ejecutado por los caballos demoníacos se reafirma con la repetición del v. 17 del **fuego, el humo, y el azufre que salían de sus bocas**. El derrocamiento de Sodoma y Gomorra de Gn. 19:24, 28 es lo que más se piensa entre otros posibles paralelos, ya que la combinación precisa de **fuego**, **humo** y **azufre** se da en el Antiguo Testamento sólo allí. Al igual que en el v. 17 anterior, Gn. 19; Is. 34:9–10; y Ez. 38:22 describen el mismo tipo de juicio fatal que Juan prevé aquí.

El fuego, el humo, y el azufre se denominan ahora **tres plagas** de las que **la tercera parte de la humanidad fue muerta**. Esto continúa la descripción del v. 15, lo que significa que estos caballos diabólicos son los agentes a través de los cuales los cuatro ángeles del v. 15 llevan a cabo su espantosa obra. Matan a toda la persona, tanto física como espiritualmente. Llevan a cabo, no el juicio final, sino un juicio que está vinculado al juicio final y que lo prepara. Causan la muerte física de los idólatras, los transigentes y los perseguidores de la iglesia, que ya están muertos espiritualmente. La plaga de "muerte" incluye todo tipo de muerte que sufren los impíos (por enfermedad, tragedia, etc.).

El golpe de muerte contra sus cuerpos asegura su muerte espiritual para la eternidad. En este sentido, puede decirse que la muerte incluye aquí tanto la dimensión espiritual como la física. Así, el fuego y el azufre, a los que se hace referencia tres veces en los vv. 17–18, se refieren exclusivamente en otras partes del escrito de Juan al juicio final y eterno de los idólatras impíos (14:10; 21:8), el diablo, la bestia y el falso profeta (19:20; 20:10). Esta conexión con el juicio final en otros pasajes del libro implica que la ejecución de la muerte por parte de los caballos demoníacos es el comienzo de la acción divina que finalmente asegura a los incrédulos para su juicio final en 14:10 y 21:8, que deben esperar.

19 Las **colas** de los **caballos… son semejantes a serpientes, tienen cabezas** y **con ellas hacen daño**, como las langostas parecidas a escorpiones de 9:10, cuyas colas tienen "poder para hacer daño a los hombres". Este daño particular, entonces, puede referirse no a la muerte, sino que puede ser similar al tormento espiritual (que precede a la muerte) de la quinta trompeta, aunque la sexta trompeta en general trae una muerte generalizada, intensificando el ay de la quinta. Al humo de la quinta trompeta se une ahora el fuego en la sexta trompeta.

El humo y la oscuridad resultante son una metáfora del castigo del engaño (véase 8:12; 9:2–3), y el fuego es una metáfora del juicio letal (véase el v. 18).

El hecho de que el **poder de los caballos está en su boca** apunta a un engaño demoníaco que resulta en un juicio. Parte del engaño se manifiesta a través de falsos maestros que afirman la legitimidad de alguna forma de idolatría para los cristianos (p. ej., 2:6, 14–15, 20–21). El daño del engaño (que suele llevar a la idolatría) también se ve como un juicio en el Antiguo Testamento y el Nuevo Testamento en general (p. ej., Is. 6:10–12; 29:9–14; 63:17; Sal. 115:8; 135:18; Ro. 1:18–32; 2 Ts. 2:9–12; el endurecimiento del corazón del Faraón en Éxodo 4–14 es un ejemplo bien conocido de la actividad de Satanás a la que se refiere este texto).

La faceta engañosa de la sexta trompeta está implícita en sus singulares paralelos con la sexta copa, especialmente en lo que respecta a un juicio de engaño "que sale de la boca" de seres satánicos (16:13, donde tres espíritus malignos salen de la boca del dragón, la bestia y el falso profeta). Del mismo modo, el intento de engaño del dragón a la iglesia se representa con la declaración metafórica: "la serpiente arrojó de su boca, tras la mujer, agua como un río" (12:15). La autoridad otorgada por el dragón a la bestia mediante la cual engaña a los hombres se explica como "una boca que hablaba palabras arrogantes y blasfemias… contra Dios, para blasfemar Su nombre y Su tabernáculo, es decir, contra los que moran en el cielo" (13:5–6). Por lo tanto, parte del efecto de la boca de los demonios en 9:17–19 es intensificar el engaño de los incrédulos.

El poder de los caballos no sólo está en sus bocas, sino también **en sus colas; pues sus colas son semejantes a serpientes, tienen cabezas y con ellas hacen daño**. Esto no significa que los caballos tengan literalmente serpientes como cola, pues como la primera parte del verso comenta de forma general e implícita la *similitud* de las colas de los caballos demoníacos con las serpientes, la segunda parte continúa la metáfora diciendo que el daño infligido por las cabezas de las colas parecidas a serpientes es tan letal *como* las serpientes que muerden.

El amontonamiento de metáforas que no son completamente coherentes entre sí no tiene por objeto presentar una imagen bien sistemática o lógica (de una criatura literal pero extraña, propia de una novela de ciencia ficción), sino *aportar un énfasis* (del mismo modo, no está en consonancia con la intención de 5:8 preguntar cómo cada anciano es capaz de tocar un arpa y sostener un cuenco de incienso al mismo tiempo). La metáfora de la serpiente refuerza aún más la connotación de la boca de los falsos maestros de inspiración demoníaca como la que hace daño mediante el engaño. Mediante el símil de la serpiente, se acentúa la idea de promover la falsedad. Esto refuerza el vínculo de los caballos con el propio Satanás, al que se conoce en el Apocalipsis como "la serpiente" (12:9, 14–15; 20:2).

Juan comprendió que los sufrimientos que estaba narrando ya estaban ocurriendo, y no debían limitarse a un período que sólo precediera inmediatamente al regreso del Señor. Esto se insinúa también en otro llamativo paralelismo en Lc. 10:17–19, donde "los demonios" (v. 17) son llamados "serpientes y escorpiones, y... el poder del enemigo" sobre los que los cristianos tienen actualmente poder, pero que todavía pueden "dañar" a los incrédulos (v. 19). Jesús llamó a los fariseos serpientes y víboras porque eran guías ciegos que extraviaban a los demás (Mt. 23:16, 33), y Pro. 23:32–35 habla del vino como una serpiente cuyo aguijón lleva al engaño. El aguijón de la serpiente, representado por el humo de 9:2–3, viene primero en forma de engaño. Este engaño lleva a los incrédulos al efecto final del aguijón — el juicio final de Dios.

Nuestra conclusión de lo anterior es que las imágenes de los vv. 17–19 no son figurativas de la destrucción provocada por la guerra moderna, sino que connotan la destrucción del engaño que conduce a la muerte espiritual y física. Se ha llegado a esta conclusión mediante una comparación contextual de las imágenes dentro del Apocalipsis, en lugar de comparar las imágenes con otras similares del mundo de la guerra moderna, o incluso de la guerra pasada (p. ej., algunos han intentado identificar la escena con las invasiones islámicas del siglo XV).

Aunque un análisis detallado de la literatura judía antigua va más allá del alcance de este breve comentario, puede ser útil señalar aquí que la combinación de serpientes y escorpiones en Ap. 9:3–19 refleja el vínculo más amplio en el pensamiento bíblico y judío antiguo, donde la combinación era metafórica para el juicio en general y el engaño o la ilusión en particular (p. ej, Dt. 8:15; Eclesiástico 39:30; CD VIII.9–11 ["víboras" y "serpientes"]; Lc. 10:19; Mishnah *Aboth* 2.10; Midrash Rabba Num. 10.2). En Nm. 21:6 y Dt. 8:15 la referencia es a "serpientes abrasadoras", lo que es similar a la triple repetición del fuego en relación con las serpientes en 9:17–19. En el pasaje de Números, su mordedura, al igual que aquí, mata a una parte importante del pueblo a causa de la incredulidad.

El Eclesiástico 39:27–31 ofrece un sorprendente paralelismo con Ap. 9:3–4, 15–19, que refleja la tradición judía y bíblica que se encuentra en el fondo de la

---

CD Qumran Documento de Damasco

línea de pensamiento de Juan: "Todas estas cosas son para bien de los piadosos; pero para los pecadores se convierten en mal. Hay espíritus creados para la venganza, que en su furia dan duros golpes; en el momento de la destrucción derraman su fuerza y aplacan la ira del que los hizo.

Fuego y... *muerte*... todos estos fueron creados para la venganza... *escorpiones [y] serpientes*... castigando a los malvados a la destrucción... *serán preparados en la tierra, cuando sea necesario; y cuando llegue su momento, no irán más allá de su palabra*". Según el Eclesiástico, estas aflicciones ocurren generalmente en todas las épocas.

Del mismo modo, Juan entendía que los sufrimientos que narraba ya estaban ocurriendo y no se limitaban a un período que sólo precedía inmediatamente al regreso de Cristo. Esto se insinúa también en otro llamativo paralelismo en Lc. 10:17–19, donde los demonios son llamados "serpientes y escorpiones, y... el poder del enemigo", sobre los que los cristianos tienen actualmente poder, pero que aún pueden dañar a los incrédulos. El daño asociado a las dos criaturas repelentes se expresa a veces metafóricamente como engaño, lo que sin duda está implícito en el pasaje de Lucas. El Sal. 58:3–6 se refiere a los "impíos" que "hablan mentiras", tienen "veneno como veneno de serpiente", y además se les compara con una "cobra sorda".

Los dientes de los malvados mentirosos se comparan con los "colmillos de leones" (cf. Ap. 9:8–10, 17; Eclesiástico 21:2). Del mismo modo, un documento de los primeros Rollos del Mar Muerto compara al Sumo Sacerdote de Jerusalén y a las autoridades romanas con "el veneno de las serpientes y la cabeza de los áspides". Esta metáfora explica el daño de la falsa enseñanza y el engaño, que el Sumo Sacerdote ha causado (CD VIII.9–13); en el mismo documento, los que participan en la misma falsa enseñanza son comparados con "encendedores de fuego y encendedores de marcas" y con arañas y víboras (V.14–15).

El texto de Dt. 32:33 en la Biblia aramea (el Targum palestino) se refiere a los "malos consejos ... [y] los pensamientos perversos" de los israelitas idólatras como si fueran "como cabezas de serpiente". Asimismo, el Targum Jerusalén arameo de Dt. 32:33 habla de "su malicia como la cabeza de los áspides". Además, en el Targum Onkelos Dt. 32:32–33 se afirma que sobre los idólatras israelitas "las plagas serán malvadas como las cabezas de las serpientes, y la retribución de

---

CD Qumran Documento de Damasco

sus obras como su veneno", y a continuación se compara su castigo con el de Sodoma y Gomorra, al igual que en Ap. 9:18 (sobre el que véase atrás).

En Pro. 23:32–33 se afirma que el vino fuerte "muerde como serpiente, y pica como víbora", lo que hace que los ojos vean "cosas extrañas" y la mente diga "perversidades". La metáfora de la serpiente-escorpión se utiliza, pues, para describir un "ay" de engaño (Pro. 23:29–33). Esto puede mostrar que la razón de usar serpientes y escorpiones para significar el engaño doctrinal es que parte del sufrimiento literal de sus picaduras puede ser el del engaño mental, que precede y luego culmina en la muerte.

En otro documento de los Rollos del Mar Muerto, la "fosa" y el "abismo" se abren y escupen oleadas, flechas y "los espíritus del Áspid" contra los hipócritas endurecidos, "dejándolos [sin] esperanza" (1QH III.16–18, 25–27; V.27). Esta aflicción que surge de la fosa se interpreta como influencias engañosas (especialmente la falsa enseñanza) que afectan a los impíos, pero no a los verdaderamente leales a Dios (II.12–34; IV.5–22). En Mishnah *Aboth* 2.10, las palabras de los sabios exponentes de la Torá hacen daño a quienes no las obedecen. En aparente contraste con las imágenes de Apocalipsis 9, describe el efecto de las *palabras de los sabios* sobre los desobedientes como "el aguijón de un escorpión… el silbido de una serpiente… carbones de fuego".

Sin embargo, esto es en realidad similar a Apocalipsis 11:5 (el juicio que sale de la boca de los testigos), y se superpone en general con algunas de las imágenes anteriores en su énfasis en el juicio a través de infligir daño. De hecho, asocia estrechamente las metáforas de escorpiones y serpientes con el juicio, aunque en este caso se centra en los efectos de la verdadera enseñanza sobre los que responden erróneamente a ella.

Estos paralelos del Antiguo Testamento y judíos demuestran que en la época de Juan, los escorpiones y las serpientes, lejos de referirse a instrumentos de guerra modernos como helicópteros o aviones destructivos, eran imágenes metafóricas de la falsa enseñanza. De ser así, es probable que la forma en que los demonios del Apocalipsis obran su engaño sea a través de falsos maestros humanos, lo cual es un problema en las iglesias del Apocalipsis (p. ej., 2:14–15, 20–24; 22:18–19).

20a Para **el resto de la humanidad, los que no fueron muertos por estas plagas**, las plagas sirvieron de advertencia y no pretendían tener un efecto

1QH Rollo de Himnos de Qumrán

redentor sino condenatorio. De hecho, **no se arrepintieron de las obras de sus manos**, sino que no **dejaron de adorar a los demonios** y a **los ídolos de oro, de plata, de bronce, de piedra, y de madera**. El tormento de las colas no mató a todos los malvados, pero los que quedaron fueron afectados, ya que no se arrepintieron y continuaron endurecidos hacia Dios. De hecho, adoraron a los demonios (que siguieron engañándolos) y a los ídolos y continuaron sumidos en su estilo de vida pecaminoso (sobre lo cual véanse los vv. 20b–21).

Esto muestra de nuevo que la sexta trompeta es una escalada de la quinta por su introducción de la muerte, aunque la sexta sigue desatando la aflicción de la quinta contra todos los no elegidos que sobrevivieron. Estas plagas tendrán un efecto redentor sólo en un remanente de transigentes dentro de la iglesia e idólatras fuera de la iglesia que han sido sellados de antemano y finalmente se benefician de la función protectora del sello. El patrón de las plagas del Éxodo sigue siendo evidente. Al igual que la muerte de los primogénitos condujo al juicio decisivo en el Mar Rojo, aquí la muerte de otros como señal de advertencia no induce al arrepentimiento, sino que prepara el juicio final de los impenitentes en la séptima trompeta (11:18).

El propósito teológico de la advertencia es que Dios, al proporcionar suficientes oportunidades para la reforma espiritual, demuestre Su soberanía y especialmente Su justicia al juzgar finalmente a toda la hueste de personas "no selladas" en la séptima trompeta. El propósito pastoral es recordar a los lectores que el antagonismo a su fiel testimonio continuará hasta el final de la historia y que no deben desanimarse porque es parte del plan de Dios en el que pueden confiar.

20b–21 El resto del v. 20, junto con el v. 21, explica de qué no se arrepintieron los impíos. **No se arrepintieron de las obras de sus manos**, sino que siguieron **adorando a los demonios** e **ídolos**. La típica lista del AT de prácticas idolátricas según su sustancia material (así en Sal. 115:4–7; 135:15–17; Dn. 5:4, 23; Dt. 4:28; la lista aquí se hace eco de Dn. 5:4, 23) va precedida de un resumen de la esencia espiritual que hay detrás de los ídolos (Sal. 106:36–37; 1 Co. 10:20). Los ídolos son uno de los principales instrumentos utilizados por las fuerzas de las tinieblas para mantener a la gente en esa oscuridad. Parte del juicio del Antiguo Testamento sobre los idólatras es que reflejan irónicamente la imagen no espiritual de los ídolos, de modo que tampoco son capaces espiritualmente de ver, oír o caminar (Sal. 115:5–8; 135:18; cf. Is. 6:9–10). Esta puede ser la manera precisa en que los demonios anestesian a los idólatras de Ap. 9:20–21 con ignorancia e insensibilidad espiritual. Por lo tanto, los idólatras son castigados por medio de su propio pecado.

Los vicios enumerados aquí — **homicidios**, **hechicerías**, **inmoralidad** y **robos** — se asocian con la adoración de ídolos tanto en el Antiguo Testamento como en el Nuevo Testamento (p. ej., Jer. 7:5–11 [citado por Jesús en Mt. 21:13]; Os. 3:1–4:2; 2 R. 9:22; Is. 47:9–10, 48:5; Miq. 5:12–6:8; Nah. 1:14; 3:1–4; Hch. 15:20; Ro. 1:18–32; Gá. 5:20; Ef. 5:5; Col. 3:5), como en el Apocalipsis (véase Ap. 2:14, 20–22 con respecto a la "inmoralidad" [*porneia*]; véase también 21:8; 22:15). De hecho, la idolatría es el pecado raíz responsable de estos otros vicios.

La repetición de "arrepentirse" en 9:20–21 podría relacionarse con el tema del arrepentimiento en las cartas, especialmente en 2:21–23, donde la palabra aparece tres veces como un desafío a arrepentirse de la idolatría, que allí es sinónimo de fornicación espiritual *(porneia)*. Esto significaría que hay muchos en las iglesias que no se arrepienten, por lo que la horripilante descripción de los demonios aquí también tiene la intención de sacudir a algunos entre el verdadero pueblo de Dios de su condición complaciente, así como para llevar a otros al verdadero arrepentimiento.

Sugerencias para Reflexionar sobre 9:13–21

- ***Sobre la gravedad del engaño.*** Estos versículos presentan un cuadro de criaturas feroces que representan espíritus demoníacos que traen tormento a los incrédulos. Un examen cuidadoso de la imagen muestra que la forma real en que estas criaturas se enfrentan a la gente es a menudo la de los falsos maestros humanos (dentro y fuera de la iglesia visible), que promueven la adoración de cualquier cosa que no sea el verdadero Dios. ¿Es posible que mediante una interpretación literalista del Apocalipsis, por la que esperamos ser confrontados por caballos sobrenaturales con colas de serpientes o por alguna fuerza militar letal moderna, podamos pasar por alto la realidad espiritual muy presente de estos seres en nuestro medio? ¿Hasta qué punto nos tomamos en serio la amenaza de la falsa enseñanza? ¿La vemos como un fenómeno desagradable pero meramente humano, o como algo potenciado por poderosos espíritus demoníacos? ¿Cómo respondemos a esas amenazas? ¿Acudimos siempre a la Palabra de Dios en busca de protección, ya que es la única fuente de verdad contra tales amenazas? En otro lugar, Juan dice: "Ustedes… son fuertes y la palabra de Dios permanece en ustedes y han vencido al maligno" (1 Jn. 2:14); es decir, la fuerza para vencer las falsas enseñanzas del diablo (en el contexto) sólo proviene de "la palabra de Dios".

- ***Sobre la naturaleza de la idolatría.*** Estos versículos presentan una imagen de la idolatría que coincide en gran medida con la del Antiguo Testamento: la adoración de ídolos de oro, plata y otros materiales. El contexto más amplio del Apocalipsis, que habla de la destrucción de todas las cosas creadas, muestra que estos materiales humanos representan todo lo que no es Dios, es decir, la adoración de la creación en lugar del Creador. ¿Qué formas de idolatría existen en nuestra sociedad? El oro no es malo en sí mismo, pero lo es si se le rinde culto. ¿Qué pasa con los deportes, las carreras, las actividades de ocio o la adquisición de dinero y posesiones materiales? ¿Y las cosas claramente malas, como la pornografía? ¿Qué alcance tiene la idolatría en nuestra experiencia? ¿Es parte del engaño que hayamos restringido la "idolatría" a la adoración de ídolos literales? Cualquier cosa a la que nos dediquemos más que a Dios es un ídolo, incluida la adoración a nosotros mismos.
- ***Sobre la peligrosidad de la idolatría.*** Juan relaciona aquí la idolatría con los asesinatos, las hechicerías, la inmoralidad y los robos. Si se toma en serio la observación del Antiguo Testamento, los idólatras se vuelven tan ciegos y mudos como lo que adoran. Así se anestesian, en palabras del comentario, a todo lo que es bueno y de Dios, incluso mientras caen más y más profundamente en las garras de las fuerzas de las tinieblas, como Juan retrata tan vívidamente. ¿Es así como la idolatría conduce a estas horribles formas de pecado y rebelión? ¿Cómo ha utilizado Satanás la idolatría para llevar a la gente a una mayor oscuridad? ¿Existe un punto más allá del cual el arrepentimiento es imposible? ¿Cómo podemos protegernos incluso de los comienzos de las prácticas idolátricas, ya que sabemos a dónde conducen inevitablemente?

5. Juan recibe un nuevo encargo de profetizar sobre el juicio, respecto al cual se alegra y se lamenta paradójicamente (10:1–11)

[1] Vi a otro ángel poderoso que descendía del cielo, envuelto en una nube. El arco iris estaba sobre su cabeza, su rostro era como el sol y sus pies como columnas de fuego. [2] Tenía en su mano un librito abierto. Puso el pie derecho sobre el mar y el izquierdo sobre la tierra, [3] y gritó a gran voz, como ruge un león. Y cuando gritó, los siete truenos emitieron sus voces. [4] Después que los siete truenos hablaron, iba yo a escribir, cuando oí una voz del cielo que decía: "Sella las cosas que los siete truenos han dicho y no las escribas". [5] Entonces el ángel que yo había visto de pie sobre el mar y sobre la tierra, levantó su mano derecha al cielo, [6] y juró por Aquél que vive por los siglos de los siglos, quien creó el cielo y las cosas que en él hay, y la tierra y las cosas que en ella hay, y el mar y las cosas que en él hay, que ya no habrá más demora. [7] Porque en los días de la voz del séptimo ángel, cuando esté para tocar la trompeta, entonces el misterio de Dios será consumado, como Él lo anunció a Sus siervos los profetas. [8] La voz que yo había oído del cielo, la oí de nuevo hablando conmigo: "Ve, toma el libro que está abierto en la mano del ángel que está de pie sobre el mar y sobre la tierra". [9] Entonces fui al ángel y le dije que me diera el librito. Y él me dijo: "Tómalo y devóralo. Te amargará las entrañas, pero en tu boca será dulce como la miel". [10] Tomé el librito de la mano del ángel y lo devoré, y en mi boca fue dulce como la miel; pero cuando lo comí, me amargó las entrañas. [11] Y me dijeron: "Debes profetizar otra vez acerca de muchos pueblos, naciones, lenguas y reyes".

Así como hubo un paréntesis interpretativo entre el sexto y el séptimo sello, también hay un paréntesis similar entre la sexta y la séptima trompeta. En este caso, el paréntesis se extiende desde 10:1 hasta 11:13. El cap. 10 es la introducción al contenido principal del paréntesis en 11:1–13.

En esta nueva visión, Juan recibe un nuevo encargo de profetizar. Su tarea es doble. Debe profetizar sobre el testimonio perseverante de los cristianos, que les acarrea sufrimiento, y sobre el destino de los que reaccionan de forma antagónica a su testimonio. La profecía que se le da se refiere a la relación entre los creyentes y los incrédulos durante la era de la iglesia, que culmina en el juicio final, momento en el que retoma y concluye el relato de la visión de las trompetas, en la que se expone dicho juicio. Los capítulos 10 y 11 se incluyen en el ciclo de las trompetas para conectar las dos mitades del Apocalipsis. Se trata de un recurso literario de encadenamiento, que funciona para introducir la segunda parte del libro y, al mismo tiempo, enlazarla con la primera. El paréntesis no interviene cronológicamente entre la sexta y la séptima trompetas, sino que ofrece una interpretación adicional del mismo periodo de la era eclesiástica cubierto por las seis primeras trompetas.

Así como el cap. 7 muestra que los cristianos están sellados contra el daño espiritualmente destructivo de los juicios de las seis trompetas, el cap. 11:1–13 revela que están sellados para dar un testimonio duradero y leal del evangelio, que empieza a sentar las bases para el juicio final de los que rechazan su testimonio. Esta visión explica así la base teológica del juicio sobre los impíos en las primeras seis trompetas. Los no cristianos son castigados por los juicios de las trompetas a lo largo de la era de la iglesia porque han perseguido a los creyentes. Esto expresa más explícitamente la insinuación de los capítulos anteriores de que las trompetas son la respuesta de Dios a la petición de los santos de que se les reivindique y se castigue a sus opresores (así en 6:9–11; 8:3–5; 9:13–21). 10:6b–7, junto con 11:14, anuncian que no habrá demora para que Dios ponga fin a la historia (11:11–13, 18) cuando todo el número de creyentes que sufren haya alcanzado el número predeterminado (6:10; 11:7a) y la impenitencia haya llegado a su punto inexorable (9:21; 11:7–10).

1 Juan ve a **otro ángel poderoso que descendía del cielo**. El primer **ángel poderoso** apareció en 5:2 y también proclamó “a gran voz”. Esta es la primera de una serie de referencias que vinculan deliberadamente este capítulo de manera significativa con el cap. 5. Estos vínculos indican que la revelación de este ángel será similar a la revelación dada por el ángel del cap. 5. Este ángel no es un ángel ordinario, sino que recibe atributos divinos aplicables en el Apocalipsis sólo a Dios o a Cristo.

Está **envuelto en una nube**. En el Antiguo Testamento, sólo se dice que Dios viene en las nubes, excepto en Dn. 7:13, donde el sujeto es el Hijo del Hombre, pero nótese que en Ap. 1:7 el que “viene con las nubes” en el v. 7 se identifica además en 1:13 como “semejante al Hijo del Hombre”, a quien en Daniel se le dan los atributos del divino Anciano de Días. Otra referencia a las nubes en el Apocalipsis aparece en 14:14, donde Juan ve “una nube blanca, y en la nube estaba sentado uno semejante al Hijo del Hombre” (cf. las continuas referencias a esta nube en 14:15–16). Desde este punto de vista, la figura de 10:1 es probablemente equivalente al “ángel de Yahvé” en el AT, al que se hace referencia como el propio Yahvé (p. ej., Gn. 16:10; 22:11–18; 24:7; 31:11–13; Éx. 3:2–12; 14:19; Jue. 2:1;

6:22; 13:20–22; cf. Zac. 3:1–3 con Jud. 9; véase también Dn. 3:25; Hch. 7:30, 35, 38).

El ángel tiene un **arco iris… sobre su cabeza**, al igual que la aparición de Dios en Ez. 1:26–28. La referencia a Ezequiel ya se ha utilizado en el retrato del Hijo del Hombre de Daniel en Apocalipsis 1:13ss. El patrón de la visión de Ezequiel 1–3 se sigue de nuevo más tarde en Apocalipsis 10:2, 8–10, donde el ser celestial como el de Ezequiel sostiene un libro, y el libro es tomado y comido por un profeta. Nótese también que el arco iris está alrededor del trono de Dios en Ap. 4:3. El **rostro** del ángel **era como el sol**, igual que el de Cristo en Ap. 1:16, y esto es una reproducción exacta de la frase que describe la aparición transfigurada de Cristo en Mt. 17:2. Sus **pies** son **como columnas de fuego**, similar a la descripción de los pies de Cristo como "bronce bruñido cuando se le ha hecho refulgir en el horno" (Ap. 1:15).

El hecho de que los pies de la figura angélica se llamen **columnas de fuego** evoca la presencia de Yahvé con Israel en el desierto, donde apareció como una columna de nube y una columna de fuego para proteger y guiar a los israelitas (Éx. 13:20–22; 14:24; Nm. 14:14; Neh. 9:12, 19). En Éx. 19:9–19, el descenso de Dios en el Sinaí "en una densa nube" y "en fuego" se anuncia con "truenos" y "el sonido de una trompeta", lo que refleja el patrón de Apocalipsis 10, donde la presencia de Dios por medio de su ángel en los vv. 1–3 es seguida por truenos y el inminente sonido de la trompeta en los vv. 3–4, 7. El sentido de la referencia aquí a la presencia de Dios con Israel en el desierto es que la misma presencia divina protege y guía a los testigos fieles del nuevo Israel en el desierto del mundo, como revelan los capítulos siguientes (así en 11:3–12; 12:6, 13–17). Por tanto, el ángel es el Ángel divino del Señor, como en el Antiguo Testamento, que debe identificarse con Yahvé o con el propio Cristo. La observación de que Cristo es comparado con un león en 5:5, así como el ángel en 10:3, refuerza esta identificación.

2 La figura angelical divina (Cristo) **tenía en su mano un librito abierto**. ¿Cuál es el contenido de este librito, que Juan come (vv. 9–10), y del que luego profetiza (v. 11)? Sabemos, al menos por la conclusión del cap. 10 (v. 11), que la profecía de Juan será contra "muchos pueblos, naciones, lenguas y reyes", como en la fórmula universal utilizada en los capítulos siguientes para las multitudes que sufren formas de juicio (11:9; 13:7–8; 14:6ss; 17:15). "Reyes" se inserta en la fórmula para anticipar los "reyes" de las visiones posteriores que serán juzgados (así en 16:12, 14; 17:1–2, 10–12, 16, 18; 18:3, 9; 19:18–19). Además, si bien es cierto que Ap. 11:1–13 desarrolla el cap. 10, los caps. 12 y siguientes continúan la elaboración. Por lo tanto, el **librito** incluye una referencia, al menos, al contenido de los caps. 11–16, ya que puede indicarse otro encargo profético en 17:1–3, que desencadena una nueva serie de visiones proféticas. El rollo del cap. 10 puede incluir también los caps. 17–22, si el encargo profético de 17:1ss. es simplemente una renovación del anterior.

El **librito abierto** en la mano del ángel aquí y en los versículos siguientes es difícil de identificar, a menos que se relacione con el rollo que el Cordero iba a abrir en el cap. 5. Aunque hay algunas diferencias (el libro es más pequeño; Juan toma el libro en lugar del Cordero), las similitudes son mucho más significativas:

- No sólo se abren los dos "libros", sino que son sostenidos por Cristo (en 10:1ss), que se compara con un león;
- Ambos son alusiones al rollo de Ezequiel, se asocian con un "ángel poderoso" que grita y con Dios que "vive por los siglos de los siglos";
- Ambos libros están directamente relacionados con la profecía del fin de los tiempos de Daniel 12;
- En ambas visiones alguien se acerca a un ser celestial y toma un libro de la mano del ser;
- Parte de la comisión profética de Juan en ambas visiones se expresa en un lenguaje casi idéntico ("oí una voz del cielo que decía"; cf. 10:4 y especialmente 10:8); y
- Ambos pergaminos se refieren al destino de "pueblos, naciones, lenguas y tribus [reyes]".

Por lo tanto, una suposición razonable es que el significado del rollo del cap. 10 es, en general, el mismo que el del cap. 5. En el cap. 5, el rollo simbolizaba el plan de juicio y redención de Dios, que ha sido inaugurado por la muerte y resurrección de Cristo. La interpretación de 5:9–10 por el himno de 5:12 también apuntaba a que el libro del cap. 5 era un testamento o voluntad que contenía una herencia a recibir. Dios prometió a Adán que reinaría sobre la tierra. Aunque Adán perdió esta promesa, Cristo, el último Adán, estaba destinado a heredarla. La recepción del rollo de Dios en el trono y la apertura del mismo en el cap. 5 connota la toma de autoridad de Cristo sobre el plan de Su Padre y el comienzo de la ejecución del mismo. Sobre la base de Su muerte y resurrección, por las que redimió a Su pueblo, fue digno de tomar el libro, asumir la autoridad sobre el plan que contiene y establecer Su reino sobre los redimidos (véase 5:2–5, 9–10, 12).

El plan del libro abarca la historia desde la cruz hasta la consumación de la nueva creación, ya que en los caps. 6–22 se revela un resumen del contenido del rollo. En él se esboza la soberanía de Cristo sobre la historia, el reinado de Cristo y de los santos a lo largo de la era de la iglesia y en el nuevo cosmos, la protección de Cristo a Su pueblo que sufre tribulaciones, sus juicios temporales y finales sobre el mundo perseguidor, y el juicio final. El cap. 5 revela, sin embargo, que la perseverancia a través del sufrimiento es el medio irónico que Cristo utilizó para vencer y tomar la soberanía sobre el libro como Su herencia. El libro del cap. 10 también se asocia con el mismo patrón irónico, que se explicará en los siguientes versículos (véase más adelante el v. 7).

La posesión del testamento en forma de pergamino significa que ahora Cristo tiene dominio sobre todo el cosmos, simbolizado por el ángel que está de pie sobre el mar y la tierra (poner el pie sobre algo indica soberanía sobre esa cosa, como en Jos. 10:24–26). Esta es la base de la orden a Juan de profetizar sobre la soberanía de Cristo a "muchos pueblos, naciones, lenguas y reyes" en el v. 11. La soberanía del ser celestial sobre **mar** y **tierra** muestra que Dios también tiene el control, en última instancia, sobre el dragón, que se apoya en la "arena del mar" para conjurar a la bestia "que subía del mar" (13:1) y a la "bestia que subía de la tierra" (13:11).

3–4 La figura angelical gritó **a gran voz, como ruge un león**, identificando así al ángel con Cristo, el "León de la tribu de Judá" (5:5). A continuación, los siete truenos **emitieron sus voces**. Los siete truenos deben identificarse probablemente con la voz de un ser celestial, como la del ser viviente de 6:1 que grita con voz de trueno, o como el ejército celestial de 19:6, cuya voz es como el sonido de un trueno (véase también Jn. 12:28–29 para la voz del cielo como un trueno), o podría ser la voz de Dios o de Cristo. Cuando Juan estaba a punto de escribir lo que habían dicho los siete truenos, **oyó una voz del cielo que decía: "Sella las cosas que los siete truenos han dicho y no las escribas"**.

En el Antiguo Testamento, el trueno a menudo indica juicio (cinco veces en Éx. 9:23–34; 1 S. 7:10; Sal. 29:3; Is. 29:6; y muchas otras ocurrencias), como en Ap. 6:1, donde introduce los siete sellos. Las referencias en el Apocalipsis (con ligeras variaciones) a truenos, sonidos, relámpagos y un terremoto marcan el juicio final (véase 8:5; 11:19; 16:18). La fuente de los truenos puede ser el Salmo 29, donde los truenos del castigo de Dios se equiparán con "la voz del SEÑOR", una expresión que se repite siete veces en el Salmo. Los truenos del Salmo se emplean ahora para subrayar la recién obtenida soberanía de Cristo (v. 2), que le ha sido entregada por el Dios eterno ("Aquél que vive por los siglos de los siglos", v. 6a).

La autoridad soberana de Cristo se expresa mediante Su voz (o la de Su ángel), que desencadena la revelación de los siete truenos. El uso del artículo definido (***los* siete truenos**) podría indicar que esto era algo conocido (presumiblemente por las Escrituras) por Juan (y probablemente por sus lectores). Sobre la base del uso en el Antiguo Testamento y en otras partes del libro, la imagen de los "truenos" aquí podría designar algún juicio que *precede* al juicio final. Sobre la misma base, podrían ser *premoniciones* de la ira divina, como en Juan 12:28–31. Esto último está indicado aquí por el uso de la palabra por sí misma, aparte de las expresiones más completas de los caps. 8, 11 y 16, y por el hecho de que la séptima trompeta, que introduce el juicio final, aún no ha sonado.

Los siete truenos probablemente representan otra serie de siete juicios paralelos a los conjuntos de siete sellos, trompetas y copas, pero que no serán revelados. Darían otra perspectiva sobre los mismos eventos que los sellos, las trompetas y las copas, lo que tendría sentido a la luz de los cuatro conjuntos de siete juicios en Levítico 26 que Dios dice que enviará contra Su pueblo si lo desobedecen. Los juicios de los truenos no se revelan aquí quizás porque son tan repetitivos de los dos ciclos sincronizados anteriores de siete sellos y trompetas que no revelan nada radicalmente nuevo. Ya se ha dicho lo suficiente sobre los diversos castigos desatados contra los impenitentes a lo largo de la era de la iglesia. El enfoque está ahora en la relación entre los impenitentes y los testigos fieles durante el mismo tiempo en que ocurren los sellos y las trompetas. La *razón* de los castigos es el enfoque. Los impíos sufren porque rechazan el mensaje de los testigos y los persiguen, como aclara 11:1–13.

La orden del v. 4b refleja la orden similar dada a Daniel por el ángel, que es el modelo del ángel aquí y en los vv. 5–6. El "sellado" en Daniel 12 se refería en parte a ocultar a Daniel y a otros cómo se iba a cumplir una profecía. Juan, como Daniel, recibe la revelación, pero, a diferencia de Daniel, la entiende. El artículo definido con "truenos" puede implicar que los truenos son conocidos por él (tal vez por su comprensión del Salmo 29), y el hecho de que esté a punto de registrar la revelación de los truenos también sugiere que entiende su significado en cierto grado. Sin embargo, al igual que Daniel, no debe darlo a conocer a sus lectores. También está en consonancia con Daniel 12 la posibilidad de que el sellado pueda aludir a los siete truenos como juicios que, a diferencia de la mayoría de las otras series de siete, eran acontecimientos que aún debían ocurrir en un futuro lejano.

5–6 La figura angelical que Juan vio **de pie sobre el mar y sobre la tierra, levantó su mano derecha al cielo, y juró por Aquél que vive por los siglos de los siglos**. En contraste con la orden anterior de sellar la revelación de los truenos, el ángel hace un juramento a Dios que es una revelación sobre la forma en que culmina la historia redentora. La descripción aquí es una alusión directa al ángel de Dn. 12:7, que se paró sobre las aguas, levantó sus manos al cielo y juró por Aquel que vive para siempre. Estas palabras reflejan a su vez las palabras proféticas de Dios a Moisés en Dt. 32:40–43, donde Dios jura que juzgará a los impíos. En Dt. 32:32–35, el juicio de Dios se describe como "la ira de las serpientes y… de los áspides", y una versión aramea de Dt. 32:33 (el Targum palestino) compara los planes de los malvados con "cabezas de serpientes" y "cabezas de áspides", que era una imagen significativa en el contexto anterior (Ap. 9:19). Y en el mismo pasaje (Dt. 32:34–35), Dios dice que sus juicios están "sellados" (cf. v. 4) y serán liberados a su debido tiempo, como lo fueron en la historia posterior de Israel.

Este trasfondo del Deuteronomio es una indicación más de que los siete truenos que han de ser "sellados" en Ap. 10:4–5 son otra serie de siete juicios, cuyo contenido no se revela pero cuya ejecución es siempre inminente e incluso ha comenzado, en el sentido de que son paralelos a los sellos y a las trompetas y de que los primeros seis ayes de cada serie están inaugurados. El Cristo que se describe a sí mismo aquí con las mismas palabras que Su Padre le dijo a Moisés en Dt. 32:40 ordena que los juicios de los siete truenos sean sellados en Apocalipsis 10, tal como su Padre le dijo a Moisés que sus juicios estaban sellados.

Dios es descrito como **Aquél que … creó el cielo y las cosas en él hay, y la tierra y las cosas en ella hay, y el mar y las cosas en él hay**. La referencia al cielo, tierra y mar, seguida en cada caso por la frase **y las cosas en él hay**, sirve para subrayar la soberanía absoluta de Dios en la creación de *todas las cosas*. Esto conecta la soberanía de Dios sobre el principio de la creación con el gobierno de Cristo sobre la creación en los últimos días de la era de la iglesia y en la eternidad, como simboliza la postura del ángel en los vv. 2 y 5. La misma conexión entre la soberanía de Dios y la de Cristo se hizo entre los caps. 4 y 5, en referencia al libro del cap. 5 que viene de Dios pero que fue abierto por Cristo (véase caps. 4–5). El juramento que pronuncia la figura angelical es que **no habrá más demora** (o literalmente "ese tiempo no será más"), sino que, como en Dn. 12:7 (véase atrás), todo será "completado" o "terminado".

7 Ahora se da el significado más preciso de la frase anterior relacionada al retraso (o tiempo): **En los días de la voz del séptimo ángel, cuando esté para tocar la trompeta, entonces el misterio de Dios será consumado**. La continuación del juramento explica además cómo se altera el significado del juramento de Daniel. La profecía de Dn. 11:29–12:13 se refería al sufrimiento del pueblo de Dios en los últimos tiempos, la destrucción del enemigo por parte de Dios, el establecimiento del reino y el reinado de los santos. Los acontecimientos proféticos debían conducir a la consumación de la historia y desembocar en ella. Dn. 12:7 dice que estos eventos proféticos ocurrirán durante "un tiempo, tiempos y la mitad de un tiempo", después de lo cual el plan profético de Dios "se completará". Juan considera "un tiempo, tiempos y medio tiempo" de Daniel como la era de la iglesia que conduce al juicio final (véase más adelante 11:3; 12:6, 14; 13:5).

La identificación de esta fórmula temporal de Daniel es evidente en Ap. 12:4–6, donde el período comienza en el momento de la ascensión de Cristo y es el tiempo de sufrimiento de la iglesia (así en 12:14; véase en 12:4–6, 14). En el contexto del libro, este período debe abarcar la era de la iglesia y concluir con la venida final de Cristo. Por lo tanto, los vv. 6–7 hablan del final de este período, que es el final del tiempo o de la historia. El ángel le dijo a Daniel que el significado de la profecía estaba sellado hasta el final de los tiempos, cuando sería revelado. En contraste con Daniel 12, el juramento del ángel en Apocalipsis 10 inicia un énfasis en *cuándo* y *cómo* se completará la profecía, que se amplía en el cap. 11. Cuando el séptimo ángel toque su trompeta, la profecía de Dn. 11:29–12:13 se cumplirá y la historia (el "fin de los días" de Daniel, 12:13) llegará a su fin (es decir, el "tiempo [histórico] no será más").

Un fuerte paralelismo verbal entre 10:6b–7 y 6:11 muestra que el contenido del misterio en el cap. 10 se refiere al decreto de Dios de que los santos sufran, lo que lleva directamente al juicio de sus perseguidores. En este momento, el misterio de Dios estará terminado. Cuando en 6:10 los santos claman sobre cuándo vendrá el juicio de Dios sobre los que han perseguido a la iglesia, la respuesta es que hay (literalmente) todavía "un poco más de tiempo" (6:11) hasta que se complete el número total de los que han de ser muertos. Ahora Dios dice que (literalmente) "ya no habrá más demora" (v. 6b), sino que el misterio se cumplirá o terminará.

La oración de los santos en 6:10 es así respondida por los eventos que se precipitarán al sonar la séptima trompeta. El v. 6 ha aludido a Dn. 12:7 y Dt. 32:40, los cuales hablan de la vindicación de Dios a Su pueblo después de su sufrimiento. En Dn. 12:7, el ángel dice que "cuando se termine la destrucción del poder del pueblo santo, se cumplirán todas estas cosas". Los días de la voz del séptimo ángel se refieren probablemente al momento definitivo en que se da el golpe decisivo del juicio final, pues no debe haber más demora. El **misterio de Dios** es, **como Él lo anunció a Sus siervos los profetas**, una alusión a Amós 3:7, donde Dios "revelar Su secreto a Sus siervos los profetas" (aunque no se usa la palabra real "misterio", Amós 3:4–8 también imagina a Dios como un león que ruge y tiene una trompeta que toca).

El evangelio de Cristo, incluyendo tanto salvación como juicio, fue anunciado proféticamente por Dios a Sus profetas en el Antiguo Testamento (**anunciado** aquí es literalmente "predicado el evangelio" [*euēngelisen*]), y su cumplimiento inaugurado ha sido anunciado a los profetas de la nueva era. El cumplimiento del evangelio profetizado está ocurriendo, y seguirá ocurriendo, de una manera misteriosa e inesperada desde la perspectiva humana. El sufrimiento de los santos dará paso a su eventual reivindicación. Sólo aquellos a los que Dios revele el misterio podrán comprender el significado de esta historia. La razón por la que se puede hacer la revelación es que la muerte, resurrección y exaltación de Cristo han inaugurado los "últimos días" y el cumplimiento de las profecías de Daniel que debían ocurrir en los "últimos días". De hecho, la profecía de los "últimos días" en Dn. 2:28–45 se llama repetidamente un "misterio" (griego *mystērion*) allí (vv. 27–30). El hecho de que Cristo quitara los sellos del rollo en el cap. 5 connota precisamente la misma idea de nueva revelación debida a la inauguración de las profecías de los últimos días de Daniel 12, difíciles de entender (véase 5:1–5, 9; y véase Dn. 12:4, 8–9), que se han combinado aquí con las profecías "misteriosas" de Daniel 2.

Obsérvese el sorprendente paralelismo con Ro. 16:25–26, donde Pablo habla del misterio de Dios revelado según el mandato eterno de Dios por las Escrituras de los profetas y dado a conocer a las naciones. Este misterio es el de la cruz. Cuando la palabra "misterio" aparece en otras partes del Nuevo Testamento, a menudo se refiere al cumplimiento de la profecía del Antiguo Testamento de una manera diferente a la que se habría esperado en el judaísmo o que no estaba tan clara en el AT (p. ej., Mt. 13:11; Mr. 4:11; Lc. 8:10; 2 Ts. 2:7 [cf. Dn. 8:23–25; 11:29–45]; Ro. 11:25; Ef. 3:3–4, 9). El ángel empieza a explicar a Juan el "cuándo" y el "cómo", que Daniel no entendió sobre su propia profecía: A Juan se le dice que los "últimos días" profetizados a Daniel *ya* han comenzado, y que esto se ha puesto en marcha *a través de* la manera "misteriosa" de la muerte y resurrección de Cristo. Es decir, la profecía de la derrota del reino del mal por parte de Dios se está cumpliendo irónicamente por la aparente victoria física de este reino del mal sobre Cristo y los santos. La naturaleza misteriosa de la victoria de los santos debe entenderse a través de la forma irónica en que Cristo obtuvo la victoria a través de Su aparente derrota por el mismo reino del mal.

La legitimidad de esta comparación se basa en la observación previa de que el cap. 10 es paralelo al cap. 5 y debe interpretarse a su luz. En el cap. 5, la muerte de Cristo era ya una victoria inicial, porque era un "testigo fiel" que resistía la derrota espiritual del compromiso (1:5) y porque estaba llevando a cabo la redención de Su pueblo pagando la pena de su pecado (así en 5:9–10; 1:5–6). La muerte de Jesús también fue una victoria porque fue un paso inicial que condujo a la resurrección (1:5; 5:5–8). Del mismo modo, el cap. 10 dice que los que creen en Cristo seguirán sus pasos. Su derrota es también una victoria inicial, porque son testigos fieles que soportan la derrota espiritual de la transigencia, e incluso su muerte es una resurrección espiritual, porque recibirán una corona de victoria (2:10–11). El mismo patrón se mostrará en el siguiente contexto de 11:1–13, donde la persecución y la derrota de la iglesia testigo es el medio que conduce a su resurrección y a la derrota de sus enemigos.

Así, al igual que Cristo, los cristianos tienen su "libro", que también simboliza su propósito: deben reinar irónicamente como lo hizo Cristo, siendo imitadores a pequeña escala del gran modelo cósmico de Cristo en la cruz. Y esta puede ser la razón por la que Cristo es representado como una gran figura cósmica que ensombrece la tierra. Por lo tanto, el librito es una nueva versión de esos mismos propósitos simbolizados por el libro del cap. 5 en la medida en que han de ser cumplidos por el pueblo de Dios.

8 Ahora la voz celestial del v. 4 ordena a Juan que **tome el libro que está abierto en la mano del ángel que está de pie sobre el mar y sobre la tierra**. Esta orden continúa el contraste de los vv. 5–7 con el v. 4, donde el ángel comenzó a revelar la verdad sobre el clímax de la historia redentora en antítesis a la prohibición del v. 4 de sellar la revelación. En los vv. 8–10, sale más revelación de la mano del mismo ángel en forma de libro. El hecho de que Juan se acerque y tome el libro tiene un significado similar al del Cordero que se acerca y toma el libro en 5:7–8. El hecho de que el Cordero tomara y abriera el pergamino simbolizaba su recién adquirida autoridad, y la acción similar de Juan muestra que participa y se identifica con la autoridad de Jesús en la ejecución del juicio y la redención, aunque sólo Jesús ha redimido a la humanidad y es soberano sobre la historia.

El cap. 11 revelará que lo que es cierto de Juan como profeta y de su reinado a través del sufrimiento es cierto de todos los cristianos en general. Esto queda claro en el hecho de que tanto Juan como los "dos testigos" del cap. 11 (que representan a la iglesia: véase 11:3) son calificados de profetas (11:6, 10; cf. igualmente 16:6; 18:20, 24; 22:6, 9). Esta estrecha identificación con el reinado de Cristo a través del sufrimiento es otro ejemplo de la noción que se encuentra en otras partes del libro de que los creyentes "siguen al Cordero adondequiera que va" (14:4). También veremos que, en 11:3–12, la carrera de testimonio de los dos testigos sigue el modelo de la de Cristo.

9–10 La recepción del libro por parte de Juan connota simbólicamente su llamado profético. La orden y el cumplimiento de la orden de tomar el libro y consumirlo es una imagen que representa su reasignación formal como profeta. Su llamamiento ya se ha expresado en términos del encargo de Ezequiel en 1:10 y 4:1–2, y el paralelismo continúa aquí con una referencia específica a Ez. 2:8–3:3, donde, como parte de su encargo, el profeta come el rollo, que es dulce, pero al que sigue una respuesta amarga (3:14) a causa de la rebelión del pueblo. La figura angelical, al entregar el librito a Juan, le dice: **tómalo y devóralo. Te amargará las entrañas, pero en tu boca será dulce como la miel**. El hecho de comer el rollo indica la completa identificación del profeta con su mensaje (cf. Ez. 3:10).

El efecto de "devorar" o identificarse con el libro es que es dulce porque contiene las propias palabras vivificantes de Dios (Dt. 8:3; Sal. 19:10; 119:103; Pro. 16:21–24; 24:13–14), en las que el profeta se deleitará brevemente. La amargura proviene del propósito del rollo, que es anunciar el juicio y su efecto en términos de la respuesta rebelde del pueblo. Ezequiel fue advertido de antemano de que, salvo un remanente que responderá y se arrepentirá (9:4–6; 14:21–23), los que escucharían eran un pueblo rebelde y no responderían. Por lo tanto, su mensaje es principalmente de juicio. Esto se enfatiza explícitamente en la descripción del rollo: "estaba escrito por delante y por detrás; y en él estaban escritas lamentaciones, gemidos y ayes" (Ez. 2:10).

Obsérvese también el estrecho paralelismo con Jer. 15:15–18. En primer lugar, el profeta encuentra alegría en su encargo: "Se presentaban Tus palabras, yo las comía; Tus palabras eran para mí el gozo y la alegría de mi corazón" (v. 16). Sin embargo, al ser rechazadas sus palabras, su alegría se convierte en amargura: *"No me senté en la asamblea de los que se divierten... porque de indignación me llenaste. ¿Por qué es mi dolor perpetuo...?"* (vv. 17–18; Jer. 15:19–21 muestra además que los vv. 15–18 son parte de una comisión profética). Del mismo modo, Juan encontró alegría y amargura en su encargo profético. A diferencia de Ezequiel y Jeremías, Juan no está advirtiendo al Israel de antaño, sino a la iglesia, el nuevo Israel visible, contra la incredulidad y la transigencia con el mundo idólatra, además de advertir al mundo de los incrédulos (véase el v. 11 y 11:1ss. más adelante).

Juan, junto con las criaturas angelicales y los santos fallecidos en el cielo, se complace realmente en el pronunciamiento del juicio de Dios, porque la palabra de Dios representa Su voluntad, que obra todas las cosas para Su gloria (11:17–18; 14:7; 15:3–4; 19:1–2). Lo hace al menos de tres maneras:

- Porque la justicia de Dios se demuestra cuando castiga el pecado,
- Porque dicho castigo reivindica a los cristianos en su sufrimiento (cf. 6:9–11; 18:4–7), y
- Porque parte del mensaje sobre el juicio es un estímulo para permanecer fiel a la palabra de Dios (como en 11:1–13).

Sin embargo, los cristianos, al igual que Dios, no se complacen sarcásticamente en el dolor del castigo considerado como un fin en sí mismo, separado de su marco más amplio de justicia.

La dulzura del rollo probablemente incluye la referencia a la gracia redentora de Dios en el evangelio para los creyentes, y su amargura al hecho de que esta gracia debe experimentarse en el crisol del sufrimiento (cf. 2 Co. 2:15–16). Esto es evidente al recordar que el pequeño rollo connota los propósitos del cristiano a pequeña escala, en imitación de los propósitos a gran escala de Cristo considerados por el libro más grande del cap. 5. Ciertamente, parte de estos propósitos es la experiencia de la gracia divina a través del sufrimiento. Parte de la dulzura del Evangelio es que los cristianos ya empiezan a ser vindicados por su testimonio perseverante cuando llegan al cielo (6:9–11), y este proceso se completa cuando Dios los vindica ante todos los ojos al final de la historia (p. ej., 11:11–13, 18).

Sin embargo, es la amargura la que perdurará, ya que la experiencia real de Juan se revela en el siguiente versículo: **En mi boca fue dulce como la miel; pero cuando lo comí, me amargó las entrañas**. La realidad de la respuesta no arrepentida a su mensaje por parte de otros en la iglesia y en el mundo es algo "amargo" o lamentable de contemplar para Juan, como lo fue para los profetas del Antiguo Testamento y para el propio Jesús (Lc. 19:41). La única otra vez que aparece "amargo" en el Apocalipsis es en la tercera plaga de las trompetas (8:11), donde muchos mueren a causa de las aguas amargas, mostrando así que el período de amargura (el rechazo del mundo al mensaje de la iglesia) se extiende a lo largo de la era de la iglesia (durante la cual ocurre la tercera plaga de las trompetas) y no puede limitarse al período inmediatamente anterior al regreso de Cristo.

El énfasis en el juicio en relación con el rollo es primordial, como se ve en el trasfondo de Ezequiel y en los siguientes capítulos del Apocalipsis, que se centran más en el juicio que en la recompensa, especialmente el cap. 11. Esto se confirma si recordamos que el rollo del cap. 5 destacaba el juicio, porque estaba modelado en Ezequiel 2–3; Dn. 7:10; 12:4, 9; y otras teofanías del Antiguo Testamento que introducen mensajes de juicio. Los siete sellos mostraban además que el rollo del cap. 5 era principalmente un rollo de juicio.

11 Este verso, que contiene la nueva comisión de Juan, está directamente vinculado por **y** (con el sentido de "por lo tanto" o "y así") a la dulzura, y aún más a la amargura, del rollo en el v. 10. Juan debe anunciar el juicio agridulce del rollo contra los pueblos impíos de la tierra porque ese es el mensaje que se le ha encargado. Habiendo digerido el contenido del rollo, ahora debe dar a conocer su contenido a los demás. La versión simbólica de la nueva comisión de Juan que aparece en los vv. 8–10 se interpreta en el sentido de que debe **profetizar otra vez**. El uso de **otra vez** indica que se trata de un *nuevo* encargo. Ya se le había encomendado en al menos dos ocasiones anteriores (1:10–20 y 4:1–2), aunque la primera incluye también todo el libro y la segunda probablemente también el resto del libro. Estos dos encargos anteriores dieron lugar directamente a los textos proféticos de los caps. 2–3 y 4–9. La inclusión de **otra vez** aquí indica una continuación del mismo tipo de profecía sobre el mismo pueblo que en los caps. 6–9. El encargo aquí da lugar al tratado profético de 11:1–13 y, como vimos en el v. 2, es probable que este encargo se extienda al menos desde el cap. 11 hasta el cap. 16, y quizá hasta el cap. 22.

Por lo tanto, en 10:11, los encargos proféticos anteriores de Juan se renuevan y profundizan, como sucedió con Jeremías (Jer. 15:15–21). Se le dice que

profetice otra vez acerca de muchos pueblos, naciones, lenguas y reyes. Se dirige a él una pluralidad de seres celestiales: **Y me dijeron**. A Juan se le ordena **profetizar otra vez acerca** o, más exactamente, "profetizar contra" (donde "contra" representa la preposición griega *epi*). El significado habitual de la frase en la LXX es el de juicio, y a menudo se utiliza así en Ezequiel, que es el principal antecedente del Antiguo Testamento de este pasaje. El uso de la imagen del rollo de Ezequiel 2–3 en el contexto inmediatamente anterior de 10:8–10 también apunta al tema del juicio. Por último, obsérvese la forma negativa en que Juan utiliza variaciones de la cuádruple frase "pueblos, naciones, lenguas y tribus" en el resto del libro (11:9; 13:7; 14:6; cf. 17:15).

El verbo "profetizar" no se refiere sólo a la predicción de acontecimientos futuros, sino también a proporcionar la perspectiva revelada por Dios sobre lo que ocurre en el presente. Obsérvese cómo Juan exhorta a sus lectores a "oír" y "guardar" las palabras proféticas de este libro (1:3; 22:7, 9). El mensaje profético del Apocalipsis está diseñado no sólo para el futuro, sino también para el presente, para aquellos que están escuchando y leyendo su mensaje y que son llamados constantemente a ponerlo en práctica en sus vidas ahora.

Esta interpretación de la profecía es coherente con la idea del Antiguo Testamento, que hace hincapié en una interpretación revelada del presente junto con el futuro (predicción y anticipación), exigiendo una respuesta ética de los destinatarios, que son principalmente el pueblo de Dios. Por lo tanto, la profecía de Juan no es sólo contra los impíos que residen fuera de la comunidad del pacto de la iglesia, sino también contra los transigentes dentro del nuevo Israel visible, que son de todos los "pueblos, naciones, lenguas y tribus", y que se alían con el mundo del que supuestamente han sido redimidos. Al igual que Ezequiel dirigió su mensaje contra el antiguo Israel, Juan también lo dirige en parte contra los elementos impenitentes y transigentes de la iglesia visible, el nuevo Israel.

Sugerencias para Reflexionar sobre 10:1–11

- ***Sobre la divinidad de Cristo.*** Tal como se presenta aquí (10:1–6) y en muchos otros lugares del libro, la divinidad de Cristo es un tema importante y constante en el Apocalipsis. El ángel divino del Señor, identificado a menudo en el Antiguo Testamento con Yahvé, se identifica

---

LXX Septuaginta

aquí también con Cristo, idea que el comentario apoya ampliamente. ¿Una lectura superficial del Apocalipsis, centrada en una escatología equivocada, nos ha alejado de su presentación del Cristo exaltado? ¿Qué nos ha llevado a centrarnos en los plazos escatológicos (a menudo mal entendidos) y a perder el corazón del libro, que es la gloria de Dios y de Cristo?

- ***Sobre la autoridad de Cristo expresada a través de la iglesia.*** Juan establece un fuerte paralelismo entre el libro del cap. 5, presentado a Cristo por Dios, y el librito del cap. 10, presentado por Cristo a Juan y, por extensión, a la iglesia. Esto muestra que toda la autoridad viene de Cristo, pero que Él elige investir a Su iglesia con una medida de esa misma autoridad. Si el libro, como sugiere el comentario, representa la herencia de Cristo en términos de Su gobierno sobre el cosmos, entonces el librito representa la herencia de la iglesia. ¿Qué dice esto sobre la autoridad que ejerce el pueblo de Dios? La naturaleza de nuestra autoridad está vinculada aquí con la proclamación del mensaje evangélico y el juicio de Dios. También se vincula con la dulzura de la palabra de Dios para Su pueblo *y* con la amargura que produce el inevitable rechazo generalizado de ese mensaje y el consiguiente sufrimiento de la iglesia. Consideremos las palabras de Jesús: "Yo doy Mi vida para tomarla de nuevo… Tengo autoridad para darla, y tengo autoridad para tomarla de nuevo. Este mandamiento recibí de Mi Padre" (Jn. 10:17–18). ¿Cómo se relaciona nuestra autoridad con la de Jesús? ¿Las épocas de mayor autoridad temporal de la iglesia han sido las de su menor autoridad espiritual? ¿Cómo medimos las verdaderas dimensiones de la autoridad (tal como la define Juan) de la iglesia de la que formamos parte o de la iglesia más amplia de nuestra nación?
- ***Sobre el misterio de Dios.*** Juan afirma que el misterio de Dios se terminará o completará en el juicio final (el sonido de la séptima trompeta). El comentario sostiene que el "misterio" en el NT implica el cumplimiento de las profecías del Antiguo Testamento en formas que no se habrían esperado en el judaísmo o que no estaban completamente claras en el Antiguo Testamento. El misterio se expresa sobre todo en la cruz. Si el misterio va a ser "terminado" en el juicio final, ¿cuándo comenzó? ¿Cómo se desarrolla este misterio en la vida de la iglesia? ¿Cómo se relaciona con el comentario de Daniel sobre la destrucción del

poder del pueblo santo (Dn. 12:7)? En el siglo III, Tertuliano afirmó que "la sangre de los mártires es la semilla de la iglesia" (*Apología* 50). ¿Se refería a este mismo misterio? ¿Cómo encontrar el descanso en Dios cuando las fuerzas del mal parecen triunfar? ¿Se refleja adecuadamente el misterio del que hablaba Juan en la predicación de la iglesia de hoy?

6. El decreto de Dios asegura Su presencia con Su pueblo y su testimonio efectivo, que conduce a su aparente derrota y culmina con el juicio de sus opresores (11:1–13)

[1] Me fue dada una caña de medir semejante a una vara, y alguien dijo: "Levántate y mide el templo de Dios y el altar, y a los que en él adoran. [2] Pero excluye el patio que está fuera del templo, no lo midas, porque ha sido entregado a las naciones, y éstas pisotearán la ciudad santa por cuarenta y dos meses. [3] Otorgaré autoridad a mis dos testigos, y ellos profetizarán por 1,260 días, vestidos de cilicio". [4] Estos son los dos olivos y los dos candelabros que están delante del Señor de la tierra. [5] Si alguien quiere hacerles daño, de su boca sale fuego y devora a sus enemigos. Así debe morir cualquiera que quisiera hacerles daño. [6] Ellos tienen poder para cerrar el cielo a fin de que no llueva durante los días en que ellos profeticen; y tienen poder sobre las aguas para convertirlas en sangre, y para herir la tierra con toda suerte de plagas todas las veces que quieran. [7] Cuando hayan terminado de dar su testimonio, la bestia que sube del abismo hará guerra contra ellos, los vencerá y los matará. [8] Sus cadáveres estarán en la calle de la gran ciudad, que simbólicamente se llama Sodoma y Egipto, donde también su Señor fue crucificado. [9] Gente de todos los pueblos, tribus, lenguas, y naciones, contemplarán sus cadáveres por tres días y medio, y no permitirán que sus cadáveres sean sepultados. [10] Los que moran en la tierra se regocijarán por ellos y se alegrarán, y se enviarán regalos unos a otros, porque estos dos profetas habían atormentado a los que moran en la tierra. [11] Pero después de los tres días y medio, el aliento de vida de parte de Dios vino a ellos y se pusieron en pie, y gran temor cayó sobre quienes los contemplaban. [12] Entonces ellos oyeron una gran voz del cielo que les decía: "Suban acá". Y subieron al cielo en la nube, y sus enemigos los vieron. [13] En aquella misma hora hubo un gran terremoto y la décima parte de la ciudad se derrumbó, y siete mil personas murieron en el terremoto, y los demás, aterrorizados, dieron gloria al Dios del cielo.

Ap. 11:1–13 muestra que la iglesia está sellada por dar un testimonio duradero y leal del evangelio, lo que empieza a sentar las bases para el juicio final de los que rechazan su testimonio. El énfasis del cap. 10 en la nueva comisión de Juan a su vocación profética pasa ahora a centrarse en el mensaje profético que se le ha encargado. El mensaje es el del juicio sobre los que rechazan el testimonio perseverante de los cristianos y los persiguen. Este mensaje, incluido secundariamente en la introducción del cap. 10, se convierte ahora en el centro de atención. El juicio es la primera respuesta explícita a la oración de los santos en busca de vindicación y retribución contra sus antagonistas (en desarrollo de 6:9–11 y 8:3–5). Esto expresa explícitamente lo que implican las trompetas. Los acontecimientos descritos en 11:1–13 ocurren durante el mismo tiempo que las primeras seis trompetas.

1–2 El comienzo del mensaje profético es una parábola representada sobre la medición de un templo. A Juan se le da una caña y se le ordena que **mida el templo de Dios y el altar, y a los que en él adoran**. Sin embargo, no debe medir **el patio que está fuera del templo… porque ha sido entregado a las naciones, y éstas pisotearán la ciudad santa por cuarenta y dos meses**. Aunque no es explícito, es el ángel comisionado del cap. 10 el que sigue hablando a Juan en 11:1ss. Estos versículos son complejos y requieren un cuidadoso comentario sobre varios puntos.

Diferentes interpretaciones de este pasaje

Hay al menos cinco interpretaciones generales de este pasaje:

- El futurista dispensacional, junto con algunos puntos de vista futuristas modificados, proyecta esto en el tiempo de la tribulación inmediatamente anterior a la parousia final de Cristo. Típicamente, el templo y el altar se refieren a un templo literal restaurado en la "ciudad santa" literal de Jerusalén. **Los que en él adoran** son un remanente de judíos étnicos creyentes. Los judíos incrédulos se encuentran en **el patio que está fuera del templo** (en adelante denominado "patio exterior") y, por tanto, desprotegido. La "medida" del templo, el altar y el remanente indica que estarán físicamente protegidos por Dios. Los gentiles entrarán en el patio exterior, perseguirán al remanente e invadirán una Jerusalén literal durante un período literal de cuarenta y dos meses.

- El punto de vista preterista es prácticamente idéntico en su enfoque literal al considerar también el templo, el altar y el patio exterior como el complejo cultual real de Jerusalén. Sin embargo, según este punto de vista, la representación muestra los acontecimientos que ocurrieron antes y durante la destrucción literal del templo y de Jerusalén en el año 70.
- Una visión futurista modificada entiende las descripciones en sentido figurado. Las imágenes del santuario, el altar y los adoradores se refieren figurativamente a aquellos dentro del Israel étnico cuya salvación está asegurada al final de la historia por la "medición". El patio exterior y la ciudad santa se refieren a los incrédulos judíos cuya salvación no estará asegurada.
- Otra posición es similar, pero no relega el escenario al futuro y entiende el patio exterior como la iglesia profesante pero apóstata a lo largo de la historia, que será engañada y se alineará con los perseguidores incrédulos del verdadero Israel espiritual.
- Un último punto de vista, que nos parece el mejor, también entiende el texto en sentido figurado, pero interpreta el patio exterior como la expresión física del verdadero Israel espiritual, que es susceptible de sufrir daños. Este punto de vista es lingüísticamente admisible porque el lenguaje de "echar fuera" (el texto del v. 2 dice literalmente "el patio de fuera del templo, échalo fuera [griego *ekbale*] y no lo midáis") puede referirse también al verdadero pueblo de Dios que es rechazado y perseguido por el mundo incrédulo (cf. Mt. 21:39; Mc. 12:8; Lc. 4:29; 20:15; Jn. 9:34–35; Hch. 7:58). El significado de la medida significa que su salvación está asegurada, a pesar del daño físico. Se trata de un desarrollo posterior del "sellado" de 7:2–8. En el AT, la "medida" era una metáfora de un decreto de protección (p. ej., 2 S. 8:2; Is. 28:16–17; Jer. 31:38–40; Zac. 1:16) o de juicio (p. ej., 2 S. 8:2; 2 R. 21:13; Lam. 2:8; Am. 7:7–9).

La "medición" se entiende mejor con el trasfondo de la profecía del templo en Ezequiel 40–48. Allí, el establecimiento seguro y la subsiguiente protección del templo son representados metafóricamente por un ángel que mide varias características del complejo del templo (en el texto griego de Ezequiel, se utilizan palabras griegas prácticamente idénticas para "medir": el verbo aparece unas 30 veces y el sustantivo unas 30 veces). En Ap. 21:15–17, un ángel, basándose en el mismo texto de Ezequiel, utiliza una "vara de medir" (como en 11:1) para medir la ciudad, sus puertas y su muralla. Allí, la medición de la ciudad y sus partes retrata la seguridad de sus habitantes contra el daño y la contaminación de personas impuras y engañosas (así en 21:27). Los cristianos judíos y gentiles compondrán esta comunidad del templo (como se desprende de 3:12; 21:12–14 [los apóstoles representan a la iglesia de cada nación]; 21:24–26; 22:2). Lo que se establece figurativamente mediante la medición en Ezequiel y Apocalipsis 21 es la promesa infalible de la futura presencia de Dios, que habitará para siempre en medio de una comunidad purificada.

En Apocalipsis 11, la "medida" connota la presencia de Dios, que está garantizada con la comunidad del templo que vive en la tierra antes del regreso del Señor. Esto significa que la fe del pueblo de Dios será sostenida por Su presencia, ya que sin Su presencia viva no puede haber fe viva. En el cap. 11, esto significa que la promesa de la presencia escatológica de Dios comienza con el establecimiento de la comunidad cristiana. Incluso antes de que comenzara la era de la iglesia, Dios dictó un decreto que aseguraba la salvación de todas las personas que se convirtieran en auténticos miembros de la iglesia (véase más sobre el significado del sellado en 7:3).

Si la visión literal del templo, el altar y la ciudad fuera correcta (los dos primeros puntos de vista descritos anteriormente), entonces Juan estaría distinguiendo a los judíos creyentes (en el santuario) de la nación de judíos incrédulos (el patio exterior). Pero una de las dificultades de esto es que no hay ninguna distinción entre los judíos étnicos creyentes y los judíos étnicos incrédulos en ninguna otra parte del libro. En cuanto al cuarto punto de vista, es poco probable que el patio exterior represente a los pseudocreyentes (ya sean judíos o la iglesia apóstata), porque el siguiente contexto del cap. 11 no da ninguna pista sobre apóstatas o transigentes, sino que sólo contrasta a los verdaderos testigos con los que los persiguen. Otra objeción teológica al punto de vista literalista futurista es que un futuro templo literal con un altar significaría el restablecimiento del sistema de sacrificios del Antiguo Testamento, mientras que Heb. 10:1–12 afirma que el sacrificio de Cristo cumplió tipológicamente y abolió ese sistema para siempre. La respuesta de que tales sacrificios futuros serán meros memoriales del sacrificio de Cristo no es convincente. El hecho de que el templo profetizado en Ezequiel 40–48 incluya un sistema de sacrificios debe reinterpretarse a la luz de Heb. 10:1–12.

En consecuencia, alguna forma de la última visión descrita anteriormente es la más plausible. El patio exterior del templo de Jerusalén no tenía una función completamente negativa. Esta parte más externa del templo herodiano estaba destinada a los gentiles "temerosos de Dios". Pero, como se ha señalado anteriormente, el templo escatológico de Ezequiel 40–48 es el que se centra aquí. En este caso, el contraste sería entre el santuario interior y el patio exterior, que estaba destinado a los adoradores israelitas. Si Juan tiene en mente el contexto de Ezequiel, entonces es poco probable que esté afirmando ahora que, en contra de la expectativa de Ezequiel, parte del verdadero templo del final de los tiempos estará habitado por incrédulos e idólatras. Más bien, los cuerpos de aquellos cuyas almas formen parte del templo invisible padecerán grados de sufrimiento. Sin embargo, sus almas no se contaminarán con influencias idolátricas, por lo que seguirán siendo creyentes.

La obra de Cristo es ahora la lente interpretativa dominante a través de la cual se entienden las expectativas del Antiguo Testamento. En Ap. 11:1–2, el templo de la iglesia está siendo modelado según la cruz de Cristo, que es el verdadero templo. Al igual que Cristo sufrió, la iglesia sufrirá y parecerá derrotada. Sin embargo, a través de todo esto, la presencia como morada de Dios permanecerá con los creyentes y los protegerá de cualquier contaminación que lleve a la muerte eterna. La presencia permanente de Dios también les garantiza la victoria final.

En 11:1, la atención se centra ahora en toda la comunidad del pacto que habita en un templo espiritual en el que mora la presencia de Dios (así en 1 Co. 3:16–17; 6:19; 2 Co. 6:16; Ef. 2:21–22; 1 P. 2:5). Lo que profetizó Ezequiel ha comenzado a encontrar su cumplimiento real y verdadero en un nivel espiritual, que se consumará de forma más completa física y espiritualmente en una nueva creación (véase Ap. 21:1–22:5). Los cristianos, que se identifican con Cristo, también se identifican actualmente con el templo. Sin excepción, "templo" (griego *naos*) en otras partes del Apocalipsis no se refiere a un templo literal o histórico, sino al templo celestial del presente (7:15; 11:19; 14:15, 17; 15:5–6, 8; 16:1, 17) o al templo de la presencia de Dios que domina la nueva era del futuro (3:12; 21:22). Este uso apunta a la misma identificación en 11:1–2: el pueblo de Dios que es miembro del templo de Dios en el cielo es referido en su existencia en la tierra como estando en "el templo de Dios". Ya en Juan 2:19–22, Cristo identificó Su cuerpo de resurrección como el verdadero templo, y esto se desarrolla en Ap. 21:22 (igualmente Mr. 12:10–11 y paralelos). Allí Juan dice que "no vio templo alguno" en la nueva Jerusalén "porque su templo es el Señor… y el Cordero". No hay razón para limitar esta identificación a la nueva y futura Jerusalén, ya que la identificación comenzó a realizarse cuando Cristo resucitó, y el Cristo resucitado es el elemento central de la escena del templo celestial en 1:12–20.

El "altar" se refiere a la forma en que el pueblo de Dios rinde culto en la comunidad. En consonancia con 6:9–10, el altar connota la vocación de sacrificio, que conlleva el sufrimiento por su testimonio fiel (como se afirma en 6:3–9; véase en 6:9–10). De hecho, la palabra griega para "altar" *(thysiastērion)* puede traducirse como "el lugar del sacrificio". La imagen de los cristianos retratados como adorando en un templo espiritual como sacerdotes en un altar es similar a la de 1 P. 2:5 (los creyentes como "piedras vivas, sean edificados como casa espiritual para un sacerdocio santo, para ofrecer sacrificios espirituales"). De hecho, Ap. 1:6 y 5:10 (sobre lo cual véase) aluden al mismo texto del AT (Éx. 19:6) que 1 P. 2:5 al identificar a los cristianos como sacerdotes (cf. Heb. 13:9–16, donde los creyentes tienen un altar, es decir, Cristo, a través del cual ofrecen sacrificios a Dios).

Si el templo significa la iglesia que habita en medio de la presencia de Cristo y de Dios, el patio exterior (que forma parte del templo) debe representar, por tanto, a la iglesia en su exposición y vulnerabilidad al sistema mundial en el que vive. La "ciudad santa", que ha de ser hollada (v. 2), se equipara al patio exterior. En el Apocalipsis, la "ciudad santa" se refiere a la futura ciudad celestial (3:12; 21:2, 10) o a su manifestación terrenal en forma de iglesia (20:9: "rodearon el campamento de los santos y la ciudad amada"). A medida que se desarrolla el Apocalipsis, veremos cómo el sistema mundial está gobernado por fuerzas demoníacas. Sin embargo, los creyentes deben vivir dentro de él y permanecer físicamente desprotegidos en medio de la persecución. Sufrirán al mantener el testimonio fiel de Cristo en medio de una sociedad pagana, pero se mantendrán espiritualmente a salvo. Obsérvese que ambas partes del templo (el patio interior y el exterior) pertenecen a Dios, y el período de pisoteo del patio exterior (y de la ciudad santa) cesará, momento en el que toda la creación será restaurada bajo el gobierno de Cristo.

¿Cuál es entonces el significado de los **cuarenta y dos meses**? Si la imagen del "templo" y el "altar" es simbólica, también lo es el período de tiempo. La referencia es al tiempo de tribulación profetizado por Daniel (7:25; 12:7, 11–12), ya sea como "un tiempo, tiempos y medio tiempo" (tres años y medio o cuarenta y dos meses) o como mil trescientos treinta y cinco días (el equivalente). Para Daniel, esto estaba muy lejos en el futuro, pero para Juan ha comenzado, comenzando con la resurrección de Cristo y continuando hasta Su regreso (véase Ap. 1:1, 7).

La razón del número exacto de "cuarenta y dos" aquí y en 13:5 es probablemente para recordar el mismo tiempo del ministerio de juicio de Elías (Lc. 4:25; Stg. 5:17; véase 11:6) y todo el tiempo de vagabundeo en el desierto de Israel después del Éxodo, que abarcó un total de cuarenta y dos campamentos (así en Nm. 33:5–49). Esto se ve reforzado por la posibilidad de contar con cuarenta y dos años para la estancia total de los israelitas en el desierto, ya que parece que estuvieron en el desierto durante dos años antes de incurrir en la pena de permanecer allí durante cuarenta años hasta la muerte de la primera generación. Recordemos que las plagas de las trompetas nos remiten a los juicios de Dios sobre Egipto, por los que Su pueblo fue liberado en el desierto. En 11:6–8; 12:6, 14, la comunidad de fe es representada luchando contra un Egipto espiritual, o siendo protegida en el desierto. Los usos en 12:6 y 12:14 confirman que 11:1–2 alude a un ataque contra la comunidad de fe a lo largo de la era de la iglesia. En 12:6, la comunidad mesiánica (= la "mujer") está protegida del ataque del dragón durante los tres años y medio al refugiarse en el "desierto, donde tenía un *lugar* preparado por Dios". La imagen de 12:14 es prácticamente idéntica. Este "lugar" en el que los cristianos se mantienen a salvo del diablo probablemente no sea otro que el santuario invisible de Dios (véase 12:6, 14), ya que éste será el objeto del ataque durante los tres años y medio en Daniel, y ya que esa es la idea en Ap. 11:1–2 y 12:5–6.

Ap. 12:5–6 muestra que el período de tres años y medio fue inaugurado en la resurrección de Cristo, ya que la "mujer" (la comunidad del pacto") huye directamente en pos de la resurrección, y ese tiempo de huida inicia los tres años y medio (no hay una larga brecha de tiempo oculta entre el v. 5 y el v. 6, como sostienen algunos futuristas). Este tiempo de tres años y medio se consumará en la venida final de Cristo (véase en 12:5–6; cf. 14:14–20). 11:2 indica que el período es el tiempo del pisoteo de la ciudad santa. El v. 8 implica que este pisoteo y, por tanto, los tres años y medio, se pusieron en marcha cuando "el Señor fue crucificado" en Jerusalén, especialmente porque la base última del pisoteo — la persecución de la iglesia — es la muerte de Cristo.

Este período fue inaugurado en la resurrección de Cristo, y se consumará en Su venida final. Otra razón por la que se elige un período de tres años y medio para representar el testimonio de la iglesia es que es la duración aproximada del ministerio de Cristo. *El patrón de la narración de la carrera de los testigos en*

11:3–12 pretende ser una réplica de la de Cristo: la proclamación y las señales que resultan en la oposición satánica, la persecución (Jn. 15:20) y la muerte violenta en la ciudad donde Cristo fue crucificado, seguida por el mundo que mira a su víctima (Ap. 1:7), el regocijo del mundo (Jn. 16:20), y luego la resurrección y vindicación por la ascensión en una nube. Los precedentes proféticos de Moisés y Elías apuntan a este modelo y se alude a ellos en los vv. 3–13 para completar el modelo con más detalle.

La última cláusula de 11:2, **y éstas pisotearán la ciudad santa por cuarenta y dos meses**, explica aún más la cláusula anterior (el significado de la **y**) en relación con la expulsión del patio exterior. Como confirmación de nuestro análisis anterior sobre el patio exterior, esta explicación adicional del v. 2b significa que el patio exterior también debe identificarse de forma positiva como la ciudad santa. Por tanto, el patio exterior es una parte del templo (la comunidad de fe en la que habita Dios). Como tal, es la expresión terrenal de la misma. El hecho de que el patio exterior se considere una parte esencial del complejo del templo queda sugerido por la suposición del v. 2 de que antes estaba bajo la protección de los muros del templo, pero que ahora debe quedar fuera de esa protección.

Las "naciones" que "pisotean" son perseguidores que no forman parte de la verdadera comunidad del pacto, como queda claro por la forma en que este texto alude a Is. 63:18 ("Tu pueblo santo poseyó Tu santuario por breve tiempo; pero nuestros adversarios lo han pisoteado") y Dn. 8:13 ("la transgresión que espanta, y de que el lugar santo y el ejército sean pisoteados"). El hecho de que la "ciudad" se mida en 21:15–17 muestra su estrecha identificación con el templo profetizado en Ezequiel 40–48 y, por tanto, su identificación con el templo de 11:1–2. Los creyentes en la tierra son miembros y representantes de la Jerusalén celestial. Esta identificación de la ciudad santa se confirma al observar que el dragón y la bestia persiguen a la mujer (= la primera comunidad del pacto del NT) y a los santos a lo largo de la era de la iglesia precisamente durante el mismo período de tiempo de "tres años y medio" (véase 11:3; 12:6, 14; 13:5). Este trasfondo para la comprensión del "pisoteo" y de la "ciudad" muestra que los metafóricamente pisoteados no están siendo engañados o convirtiéndose en apóstatas, sino que representan a la verdadera comunidad de fe sometida a la persecución. En el Apocalipsis, los perseguidores incluyen tanto a los gentiles incrédulos como a los judíos.

El hecho de que las cinco descripciones ("medida", "templo", "altar", "patio exterior" y "ciudad santa") de 11:1–2 sean probablemente figurativas y aplicables a la comunidad creyente tiene su precedente en 3:12, donde cinco imágenes similares se aplican figurativamente a los vencedores: columna, templo, nombre de Dios, nombre de la ciudad de Jerusalén y nuevo nombre de Cristo. Los nombres de Dios y de Cristo en el creyente indican que los creyentes habitan en la presencia como morada de Dios y de Cristo, que son el verdadero templo (véase de nuevo 21:22), con el que también se identifica a los creyentes (como "columnas").

3 Los vv. 3–6 explican el propósito principal de la "medición" de los vv. 1–2. Es decir, el establecimiento por parte de Dios de Su presencia como morada entre Su comunidad de los últimos tiempos tiene como objetivo asegurar la eficacia del testimonio profético de la comunidad. Los creyentes han de ser profetas como los grandes profetas del Antiguo Testamento (como Moisés y Elías, por eso los vv. 4–6). Aunque el pueblo de Dios sufrirá, Él le **otorgará autoridad** para enfrentarse al enemigo. Los tiempos futuros (**otorgará autoridad**, **profetizarán**) probablemente ponen de relieve la determinación divina en lugar del tiempo futuro, siendo el contexto el determinante definitivo del significado. Los **dos testigos** mencionados aquí que profetizan no son individuos, sino que representan a la iglesia corporativa en su calidad de fiel testigo profético de Cristo. Podemos dar una serie de razones para ello:

- En el v. 4 se habla de "dos candelabros", que deberían identificarse con las iglesias (véase 1:12–2:5). El Antiguo Testamento había profetizado que toda la comunidad escatológica del pueblo de Dios recibiría el don de profecía del Espíritu (Jl. 2:28–32), y la comunidad cristiana primitiva comprendió que esta profecía había comenzado a cumplirse en su seno (Hch. 2:17–21).
- En el v. 7, se afirma que la bestia hará la guerra a los dos testigos. Esto alude a Dn. 7:21, donde no se ataca a un individuo sino a la nación como comunidad del pacto.
- En los vv. 9–13, afirma que todo el mundo verá la aparente derrota de estos testigos — una afirmación sólo comprensible si se entienden como la iglesia mundial corporativa (es poco probable que las tecnologías de comunicación mundial, por las que dos personas individuales podrían ser vistas por todo el mundo, estuvieran en mente).

- Los testigos profetizan durante tres años y medio (v. 3), el mismo tiempo que la ciudad santa (la iglesia) es pisoteada (v. 2) y la mujer de 12:6 (que también representa a la iglesia) y los que habitan en el cielo (13:6) son oprimidos.
- A menudo, en otras partes del libro, se afirma que toda la comunidad de creyentes es la fuente del testimonio cuando se da "testimonio" de Jesús (6:9; 12:11, 17; 19:10; 20:4).
- Los poderes de Moisés y Elías se atribuyen a *ambos* testigos por igual y no se dividen entre ellos. Son gemelos proféticos idénticos.

Pero, ¿por qué dos testigos? El Antiguo Testamento requería dos testigos para establecer una ofensa contra la ley (Nm. 35:30; Dt. 17:6; 19:15). Jesús también utilizó el mismo principio (Mt. 18:16; Lc. 10:1–24, donde hay treinta y cinco — o treinta y seis en algunos manuscritos — grupos de dos testigos; Jn. 8:17). Lo mismo hizo Pablo (2 Co. 13:1; 1 Ti. 5:19). Dios envió a dos ángeles para que dieran testimonio de la verdad de la resurrección (Lc. 24:4) y del hecho de que Jesús volvería (Hch. 1:10–11). Sobre todo, sólo dos de las siete iglesias de los caps. 2 y 3 escaparon a las acusaciones de infidelidad de Cristo (Esmirna y Filadelfia). La identificación de los "testigos proféticos" como "candelabros" muestra que estas dos iglesias son representativas de la iglesia fiel. Así pues, aquí se representa la iglesia fiel remanente que da testimonio.

Además, las palabras "testigo" (griego *martys*) en el v. 3 y "testimonio" (griego *martyria*) en el v. 7 son términos legales. Al menos seis de los nueve usos de "testimonio" en el Apocalipsis se refieren a un testimonio rechazado por el mundo, que tiene consecuencias legales para quienes lo rechazan (1:9; 6:9; 12:11, 17; 20:4). Al igual que Elías y su homólogo en el NT, Juan el Bautista (2 R. 1:8; Mr. 1:6), los testigos están vestidos con cilicio, lo que pone de relieve su duelo por los pecados del mundo, que están a punto de ser juzgados legalmente. El antecedente legal del Antiguo Testamento de los "dos testigos" señalado anteriormente y la evidencia de los versículos siguientes confirman el énfasis en el luto por el juicio. El énfasis en el juicio se desprende de la relación judicial de los testigos con sus perseguidores (especialmente los vv. 5–6), y de la observación de que su tarea profética no debe verse como una campaña evangelizadora esperanzadora, como lo demuestra 11:13 (sobre lo cual véase más adelante).

4 Los vv. 5–6 muestran que el juicio se inaugura a través de los propios testigos. Pero la identificación de los testigos se define con más detalle en el v. 4

antes de que el veredicto inaugurado se describa en los vv. 5–6. Así como los candelabros estaban en la presencia de Dios en el tabernáculo y el templo, los testigos **están delante del Señor de la tierra**, enfatizando que, a pesar de su posición en la tierra, están espiritualmente en la presencia de Dios y en Su corte celestial. Aunque los testigos proféticos viven en un mundo de peligro, nunca están lejos de la presencia soberana de su Señor, y nada puede separarlos de su relación segura con Él. Las lámparas del candelabro de Zac. 4:2–6 se interpretan como una representación de la presencia o el Espíritu de Dios, que debía capacitar a Israel (= el "candelabro") para terminar de reconstruir el templo, a pesar de la resistencia (cf. Zac. 4:6–9). Al igual que los candelabros formaban parte del templo de Salomón, la iglesia forma parte del nuevo templo de Dios. En consecuencia, el nuevo Israel, la iglesia, como "candelabro", forma parte del templo espiritual de Dios en la tierra, y debe obtener su poder del Espíritu, la presencia divina, ante el trono de Dios en su empeño por resistir la resistencia del mundo. De hecho, las "siete lámparas de fuego" de 4:5 "arden" en el templo celestial, y lo más probable es que estén colocadas en los candelabros. Así, el Espíritu da poder a los candelabros, la iglesia. Esto continúa el tema de los vv. 1 a 3 sobre el establecimiento de la presencia de Dios entre Su comunidad de los últimos tiempos como Su santuario, cuyo objetivo es asegurar la eficacia de su testimonio profético.

El hecho de que los testigos se llamen olivos y candelabros proviene de la visión de Zacarías, que vio a dos testigos como olivos de pie ante el candelabro (Zac. 4:12–14). Los olivos proporcionaban el aceite para encender las lámparas. Al igual que en el Apocalipsis, los dos testigos de Zacarías (que en el contexto representan al sumo sacerdote Josué y al rey Zorobabel) se describen como de pie ante el Señor de la tierra (Zac. 4:14). Dios proporcionaría Su Espíritu fructífero (el aceite) y lo haría salir del sacerdote y del rey (los olivos) para dirigir el proceso de completar con éxito el templo.

El establecimiento y la preservación del verdadero templo a pesar de la oposición se ha introducido en Ap. 11:1–2, y Zac. 4:14 es el clímax de una sección relacionada al mismo tema. Al igual que el sacerdote y el rey son en Zacarías los recipientes clave utilizados por el Espíritu para el establecimiento del templo contra la oposición, aquí los dos testigos son igualmente facultados por el Espíritu para desempeñar el mismo papel en relación con 11:1–2. Zacarías habla de los dos testigos, el rey y el sacerdote, que restablecen un templo literal, mientras que Juan ve a dos testigos que ayudan a construir el templo celestial. A diferencia de

Zacarías, los dos testigos no son individuos, sino que representan a la iglesia universal.

De hecho, el doble papel real-sacerdotal de la iglesia corporativa ya se ha afirmado explícitamente (1:6; 5:10) y volverá a hacerlo (20:6). El contexto más amplio de Zacarías 4 muestra la riqueza de la conexión con el contexto actual. En primer lugar, en Zac. 1:16–17 y 2:1–5, un ángel "mide" a Jerusalén para significar que seguramente será restablecida para que la casa de Dios "en ella será reedificada" (1:16), y que Dios "gloria será en medio de ella" (2:5; cf. la medición del templo en Ap. 11:1–2). Pero, en segundo lugar, Satanás, junto con los poderes del mundo, se opuso al restablecimiento del templo de Dios en Jerusalén (Zac. 3:1–2; 4:7), como la bestia y el mundo se oponen a los testigos (Ap. 11:5–10).

5 El propósito y los efectos de la "medición" se explican más adelante. Las almas de los testigos no pueden ser dañadas, porque están protegidas por el santuario invisible en el que habitan: **Si alguien quiere hacerles daño, de su boca sale fuego y devora a sus enemigos. Así debe morir cualquiera que quisiera hacerles daño**. Por lo tanto, los poderes que se les otorgan en los vv. 5–6 no demuestran tanto su legitimación profética como indican la protección espiritual de Dios sobre ellos. Pueden sufrir daños corporales, económicos, políticos o sociales, pero su condición de pacto eterno con Dios no se verá afectada.

Aunque sufran e incluso mueran, llevarán a cabo de forma invencible y con éxito la misión espiritual para la que han sido "medidos" y comisionados. El fuego que **de su boca sale** no debe tomarse literalmente, sino que significa el pronunciamiento del juicio de Dios sobre los pecados del mundo, al igual que el juicio similar de Cristo se representa simbólicamente como una espada "que sale de su boca" (1:16; 19:15 [cf. también 2:12, 16], que aluden a Is. 11:4 y 49:2, según los cuales la boca del Mesías será como una espada en el juicio). Nótese las palabras de Dios a Jeremías: "Yo pongo Mis palabras en tu boca por fuego y a este pueblo por leña, y los consumirá" (Jer. 5:14). La profecía de Jeremías sobre la necesidad de arrepentimiento se convirtió en una herramienta de juicio cuando la nación rechazó la exhortación, y así será con los testigos. Nuestra interpretación de 9:17–18 (sobre la cual ver) apoya y es coherente con una interpretación figurativa de la metáfora del fuego en 11:5. 9:17–18 también proporciona un precedente para que esta metáfora del fuego se aplique a un juicio inaugurado y no consumado, lo que probablemente sea el caso aquí también.

Elías hizo descender fuego sobre sus enemigos (2 R. 1:10–12). La sutil alusión a Elías anticipa aquí la referencia explícita a él en el siguiente versículo.

El oficio profético de Moisés también quedó demostrado por su capacidad de hacer descender fuego del cielo para juzgar a los impíos. La manera de juzgar se explica ahora con más detalle: **así debe morir cualquiera que quisiera hacerles daño**. Se trata de una alusión continua a Dt. 19:15–19, mencionado por primera vez en el v. 3, que establece la necesidad de dos testigos en relación con la violación de la ley de Dios. No sólo se requerían dos testigos para un veredicto justo, sino que el castigo a menudo debía ajustarse al propio delito: "entonces ustedes le harán a él lo que él intentaba hacer a su hermano" (Dt. 19:19). Los que pecan deben ser castigados con los mismos medios que utilizaron contra la víctima, practicando así el principio del Antiguo Testamento del "ojo por ojo", que se repite a lo largo del Apocalipsis (11:18; 13:10; 16:6; 18:5–7).

6 El efecto penal del anuncio profético del juicio de los testigos se inaugura durante el período de su testimonio. No todos los testigos mueren a causa de la persecución, aunque sufren. Ellos infligen castigos espirituales por medio de su testimonio continuo durante la persecución. Su autoridad se inspira en la misma autoridad profética con la que Elías y Moisés llevaron a cabo sus tareas punitivas contra sus antagonistas. Los testigos son el cumplimiento de la expectativa judía del Antiguo Testamento de que los profetas Moisés y Elías volverían antes del fin de la historia para restaurar a Israel y juzgar a los impíos.

De hecho, en Mr. 9:4–7 Moisés y Elías, como los dos testigos legalmente necesarios, aparecen en el monte para dar testimonio de que Jesús es el Hijo de Dios. La alusión a los dos profetas puede implicar que los testigos dan testimonio de aquello hacia lo que la ley (representada por Moisés) y los profetas (representados por Elías) apuntaban en última instancia. La comparación con ellos aquí, especialmente a la luz de su conexión con la restauración de Israel, indica que la iglesia es el cumplimiento de la restauración de Israel de los últimos días profetizada a lo largo del Antiguo Testamento.

La referencia específica aquí es, en primer lugar, al poder de Elías para retener la lluvia de la tierra (1 R. 17–18): **Ellos tienen poder para cerrar el cielo a fin de que no llueva durante los días en que ellos profeticen.** La segunda referencia es a la capacidad de Moisés de convertir el agua en sangre (Éx. 7:17–25): **y tienen poder sobre las aguas para convertirlas en sangre**. El mismo tipo de poder se traslada a este versículo, excepto que el foco ya no está en los profetas individuales o en los reyes, y el poder no se expresa en una sequía literal o en un agua literal que se convierte en sangre. Ahora toda la comunidad profética de la iglesia ejecuta aflicciones contra los idólatras y réprobos antagonistas que los persiguen.

Los primeros cinco versos del cap. 11 han sido ricos en simbolismo: ángeles que miden, el templo, olivos, candelabros y fuego que sale de las bocas. También el v. 6 es simbólico; el cese del orden regular del curso de la naturaleza en los cielos probablemente no es literal, sino que se refiere a todos esos acontecimientos divinamente ordenados que tienen por objeto recordar a los perseguidores que su idolatría es una locura, que están separados del Dios vivo y que ya están experimentando una forma inicial de juicio.

El período de tres años y medio del ministerio de los testigos corresponde al mismo período de tiempo del ministerio de Elías de juzgar por medio de la sequía (1 R. 18:1; Lc. 4:25; Stg. 5:17). Es interesante observar que en Lc. 9:51–56 los discípulos quieren imitar a Elías llamando al fuego a unos aldeanos samaritanos. Jesús los reprende, pero en el siguiente capítulo envía treinta y cinco (treinta y seis en algunos manuscritos) grupos de dos testigos (legales) para que declaren el juicio de Dios así como Su misericordia mediante la proclamación del evangelio. Del mismo modo, los dos testigos de la visión de Juan declaran aquí el juicio de Dios no invocando fuego literal, una práctica que ya no es adecuada en la era del evangelio, sino declarando el evangelio y las consecuencias de desobedecerlo.

La declaración profética de la iglesia de la verdad de Dios sobre el evangelio, incluyendo el mensaje del juicio final, desata tormentos hacia los impenitentes en última instancia (al igual que los reyes a los que se enfrentaron Moisés y Elías). Los tormentos anticipan el juicio final y endurecen a los réprobos en su postura pecaminosa, haciéndolos cada vez más maduros para el castigo del gran día. Estos son tormentos que afectan principalmente al ámbito espiritual de la persona, especialmente plagando su conciencia. Esto es evidente en 11:10, donde los moradores de la tierra se regocijan por la muerte de los profetas que los "atormentaban". Esto significa que el efecto anterior de su ministerio hizo que los impíos endurecidos se consternaran por su situación desesperada. Tal vez Félix sea un ejemplo del tipo de tormento que sufren los injustos cuando rechazan el mensaje del evangelio: Pablo disertaba "sobre la justicia, el dominio propio y el juicio venidero", y Félix despidió a Pablo por miedo y resentimiento a la verdad (Hch. 24:25).

Las plagas que traen los testigos están estrechamente relacionadas con las plagas de las trompetas, que a su vez tienen su origen en las plagas del Éxodo. En ambos casos, los juicios se describen como "plagas" (compárese 8:12 ["herido" es literalmente "golpeado por la plaga"]; 9:20; y 11:6). Estos juicios se dirigen contra los que "habitan la tierra" (8:13 y 11:10) por parte de aquellos cuyas bocas están autorizadas o tienen poder para pronunciar el juicio (9:13 y 11:6). Ambos incluyen hambre (8:7 [según nuestra interpretación de ese versículo] y 11:6), matanza (9:15 y 11:5) y daño (9:10 y 11:5). El fuego sale de la boca de los verdugos (9:17–18 y 11:5), el agua se convierte en sangre (8:8 y 11:6), hay efectos desde el cielo (8:10 y 11:6) y los incrédulos son "atormentados" (9:5–6 y 11:10). Cada sección — las narraciones de las seis primeras trompetas y de los testigos — concluye con un efecto final en el que un porcentaje específico de incrédulos son asesinados y los que quedan continúan impasibles en su postura impenitente (así en 9:20 y 11:13, en ambos casos aparece la frase "el resto").

Que los impíos que sufren el juicio aquí son el mismo grupo que los que sufren bajo los ayes de las trompetas es evidente en 10:11, donde se le dice a Juan que "profetice *otra vez*" a la gente de todo el mundo. La redacción paralela del "testimonio que habían mantenido" en 6:9 y "cuando hayan terminado de dar su testimonio" en 11:7 sugiere que ambos pasajes tienen en vista la misma idea de creyentes que perseveran en su testimonio hasta el final y son perseguidos por ello. A los santos en el cielo que solicitan juicio contra los perseguidores (así en 6:10–11) se les dice ahora que el "testimonio que habían mantenido" (6:9) y por el que sufrieron es en sí mismo el instrumento del juicio inicial de los opresores.

El juicio de los vv. 5–6, por tanto, es la primera respuesta *explícita* a la oración de los santos de 6:9–11 y 8:3–5 para la vindicación y la retribución contra sus antagonistas, que los juicios de las trompetas implican. Anteriormente concluimos que los juicios de las trompetas y los sellos representan dos visiones que describen el mismo conjunto de eventos. Ahora queda claro que esta sección, colocada como un "paréntesis" o interludio entre las trompetas sexta y séptima, vuelve a contar la historia de los juicios de las trompetas y los sellos desde otra perspectiva, en este caso una que enfatiza lo que le sucede a la iglesia durante el período entre la resurrección de Cristo y Su regreso.

7 La frase introductoria **cuando hayan terminado de dar su testimonio** muestra que lo que sigue en los vv. 7b–13 va a ocurrir al final de la historia. En ese momento, la iglesia habrá completado su función de dar testimonio de Cristo ante el mundo, y aparecerá derrotada (así en Mt. 24:9–22). El v. 7 muestra que la "medición" de los vv. 1–2 tiene como propósito y garantiza la finalización exitosa de la tarea de testimonio de la iglesia. En 6:9, 11, durante la visión de los sellos, se le mostró a Juan que llegaría un momento en el que se completaría el número total de los santos que serían muertos a causa de su testimonio, y este versículo describe la misma serie de acontecimientos, reforzando así el hecho de que los dos testigos representan a la iglesia corporativa. Ambos textos muestran a los santos siendo asesinados por un mundo antagonista a causa de su testimonio. El papel de los testigos ha de completarse en un momento determinado de la historia redentora. Esta es una conexión adicional que vincula a los testigos del cap. 11 con la oración de vindicación de los testigos en 6:9–11. Cuando su testimonio se complete, los creyentes fieles serán asesinados. Aunque están a punto de ser derrotados a los ojos del mundo (vv. 7–10), su desaparición conducirá a la derrota final del mundo (vv. 11–13). Este juicio consumado de los perseguidores terrenales es la respuesta completa a la petición de los santos en 6:9–11.

Cristo le habla a Juan con las mismas palabras (**la bestia que sube del abismo hará guerra contra ellos, los vencerá y los matará**) que el ángel le dijo a Daniel cuando le dijo que la cuarta y última bestia que sube del abismo le haría la guerra al pueblo de Dios y lo vencería. Puesto que Dn. 7:21 se refiere a un ataque a los santos israelitas, aquí también la bestia hace la guerra, no a dos individuos, sino a la comunidad del nuevo Israel fiel, la iglesia. El mismo acontecimiento se describirá de nuevo en 20:7–10, donde la bestia hace la guerra final contra los santos y la ciudad amada (ambas frases representan a la iglesia en su conjunto).

La frase **la bestia que sube del abismo** no significa que la bestia esté activa sólo al final de la era, sino que al final de la era su actividad saldrá manifiestamente a la luz. Es decir, su espíritu ha permanecido detrás de los perseguidores terrenales durante el curso de la historia, pero al final se manifiesta abiertamente para derrotar finalmente a la iglesia (que es el pensamiento preciso de 1 Jn. 2:18 y 4:3, también basado en la misma expectativa de Daniel). La bestia de Daniel 7 representa un rey y un reino malvados que persiguen a los santos, y así también la actividad persecutoria de Ap. 11:7 comienza a tener lugar a través de autoridades terrenales antagónicas. La misma serie de acontecimientos (el ataque final de la bestia seguido de su propia desaparición) se describe en 17:8, donde la bestia sale del abismo sólo para ir a su destrucción, y de nuevo en 20:7: "Cuando los mil años se cumplan, Satanás será soltado de su prisión".

8 Esto introduce las consecuencias de la muerte de los testigos. La imagen aquí (**sus cadáveres estarán en la calle de la gran ciudad**) probablemente indica no un exterminio literal y completo, sino que la verdadera iglesia parecerá derrotada en su papel de testigo, parecerá pequeña e insignificante, y será tratada con indignidad. Aunque algunas partes de la voz de la iglesia a lo largo de la historia pueden ser silenciadas temporalmente (como en algunas partes del mundo incluso hoy), un silencio universal caerá sobre la iglesia al final de la historia. Y así como pequeños grupos de creyentes continuaron existiendo a través de anteriores silencios locales y temporales, así un pequeño remanente de testigos permanecerá en el escenario futuro de los vv. 8ss.

La existencia continuada de una pequeña iglesia está señalada por otros paralelos del libro que se refieren a una pequeña comunidad de creyentes que sufre persecución en el período inmediatamente anterior al juicio final (así en 20:7ss; 17:8; así también Mt. 24:15–22, 37–39). De hecho, los paralelos en el Apocalipsis y los Evangelios indican que si Dios no venciera a los perseguidores de la iglesia en este momento, la iglesia sería aniquilada por completo. La **gran ciudad** donde yacen los cadáveres se identifica mejor con el mundo impío, no con la ciudad terrenal de Jerusalén (véase más adelante). Sin excepción, los restantes usos de "la gran ciudad" en el Apocalipsis se identifican con Babilonia, no con Jerusalén (16:19; 17:18; 18:10, 16, 18, 19, 21). En los profetas del Antiguo Testamento, Babilonia se asociaba típicamente con la región en la que el pueblo de Dios vivía como extranjero en el exilio bajo regímenes impíos.

La **gran ciudad** se compara aquí con **Sodoma** (por su maldad) y con **Egipto** (porque persiguió a los santos). La ciudad debe entenderse **simbólicamente**, como indican estas referencias. Esto significa que la ciudad no está localizada en un lugar geográfico, sino que debe entenderse como cualquier reino espiritual impío existente en la tierra. La última cláusula, **donde también su Señor fue crucificado**, continúa la descripción espiritual de la ciudad iniciada por la identificación con Sodoma y Egipto. Esta interpretación no literal se confirma al observar que la palabra "donde" (en griego *hopou*) en otras partes del Apocalipsis nunca introduce una geografía literal, sino siempre simbólica y espiritual (p. ej., el "desierto" en 12:6, 14, las "cabezas" y "montes" en 17:9, y el "lago de fuego y azufre" en 20:10). Desde este punto de vista, la ciudad-mundo es también espiritualmente como Jerusalén, que se ha convertido en una nación impía, e incluso peor, al matar a Cristo. En la época de Juan, la referencia a "la gran ciudad" se referiría principalmente a Roma y a cualquiera de sus aliados, ya que era el centro del imperio impío que perseguía al pueblo de Dios en aquella época.

9 La identificación universal y negativa de la ciudad argumentada en el v. 8 se indica además por la referencia mundial a los incrédulos una vez en el v. 9a y dos veces en el v. 10. Estos son los ciudadanos de la ciudad impía, los que caminan por su calle global. La fórmula universal (**los pueblos, tribus, lenguas, y**

naciones) muestra que los espectadores burlones son los que viven en toda la tierra. La imagen de los que miran **sus cadáveres** continúa la hipérbole del v. 8a de que la iglesia parecerá derrotada en su papel de testigo, pareciendo pequeña e insignificante. La palabra "cadáver" está realmente en singular tanto en el v. 8 como en el v. 9a, aunque es plural en el v. 9b (los habitantes de la tierra **no permitirán que sus cadáveres sean sepultados**).

La razón probable para el singular es connotar la naturaleza corporativa de los testigos. Son un "cuerpo" de Cristo que da testimonio, pero también son muchos testigos esparcidos por la tierra, como es evidente en otras partes del libro. Un fenómeno similar ocurre en 12:4–5, 13, 17, donde el niño Cristo y los que "tienen el testimonio de Jesús" son identificados como la descendencia de la mujer (véase más adelante en esos versículos). El período de tres días y medio durante el cual observan los cuerpos evoca el período en que Cristo estuvo en la tumba (aunque estuvo en su tumba sólo tres días).

Por lo tanto, al igual que la duración de tres años y medio del ministerio de Jesús coincide con el transcurso del ministerio de los testigos (11:2–3), también el momento de su aparente derrota al final de su ministerio es similar a la conclusión del período de testimonio de los testigos. La corta media semana de **tres días y medio** también contrasta con la larga media semana anual de tres años y medio (11:3; 12:14; 13:5). El contraste pretende enfatizar que la victoria del anticristo es breve e insignificante en comparación con el testimonio victorioso de los testigos.

10 El principio y el final del v. 10 se refieren a los que en todo el mundo miran los cadáveres de los testigos como **los que moran en la tierra**. Esta es una frase técnica que se repite a lo largo del libro para referirse a los incrédulos que sufren bajo el inicial juicio divino porque persiguen al pueblo de Dios (3:10; 6:10; 8:13, etc.). La frase se refiere exclusivamente a los idólatras en los caps. 13–17 (así en 13:8, 12, 14; 14:6–9; 17:2, 8; cf. también 8:13 con 9:20). Los idólatras son llamados "los que moran la tierra" porque son personas que en última instancia confían en algún aspecto del mundo y no en Dios (véase la discusión de la frase en 6:17). Los moradores de la tierra **se regocijarán**... **y se alegrarán; y se enviarán regalos unos a otros** cuando los testigos son derrotados, porque parte del mensaje de los testigos es que el rechazo de Cristo equivale a la idolatría y serán castigados con el juicio (Hch. 17:30–31; 1 Ts. 1:8–10), un mensaje que **atormenta a los que moran en la tierra**.

11 Dios restaura a los testigos a Sí mismo después de su aparente derrota al final de la era de la iglesia: **Pero después de los tres días y medio, el aliento de vida de parte de Dios vino a ellos y se pusieron en pie**. La redacción aquí está tomada directamente de Ez. 37:5, 10, donde el aliento representa el Espíritu de Dios y donde la imagen de la resurrección física significa la resurrección espiritual (especialmente a la luz de Ez. 36:26–27). Probablemente la resurrección espiritual de Israel viene a representar aquí la resurrección espiritual de la iglesia (el propio Ezequiel probablemente habría pensado implícitamente que la resurrección espiritual conduce inevitablemente a una resurrección física final).

Esta resurrección reivindica la autenticidad del testimonio de los testigos. Ahora Dios también reivindica a la comunidad de creyentes restante destruyendo a sus opresores (así en 20:7–10, que no casualmente se basa en Ezequiel 38). Como mínimo, el ascenso de los testigos afirma una liberación y vindicación final y decisiva del pueblo de Dios al final de los tiempos. De hecho, si los dos testigos simbolizan personas y sus acciones son simbólicas (p. ej., enviar fuego por la boca, cerrar el cielo, etc.), entonces tanto su martirio como su ascenso al cielo son probablemente simbólicos. Ez. 37:10–13 se refiere al Israel restaurado como "un enorme e inmenso ejército… toda la casa de Israel… pueblo Mío". Dado que Ezequiel profetiza la restauración de una *nación fiel* de vuelta a Dios, Juan ve el cumplimiento en *todos los fieles de la iglesia*, y no simplemente en dos individuos fieles. Como resultado, **gran temor cayó sobre quienes los contemplaban**. No se trata de un auténtico temor de Dios, sino que es como el miedo de los egipcios cuando contemplaron las inesperadas plagas y la liberación de los israelitas a través de las aflicciones (Éx. 15:16; Sal. 105:38). Un eco tan fuerte del éxodo no estaría fuera de lugar aquí, ya que se ha aludido a las plagas realizadas por medio de Moisés en 11:6, y el trasfondo de las plagas del Éxodo está detrás de gran parte de la narración de las trompetas en los caps. 9–10.

12 La descripción de la liberación de los testigos continúa: **Entonces ellos oyeron una gran voz del cielo que les decía: "Suban acá". Y subieron al cielo en la nube**. *Si* este verso indica un "rapto" físico literal (una toma de los testigos fuera del mundo), tal acontecimiento ocurriría inmediatamente antes del juicio final (sin "tribulación" o "milenio" para seguir), porque el acontecimiento más próximo (véase v. 15) es el sonido de la séptima trompeta y el fin de la historia. En este caso, la visión simplemente revelaría que el último acto de Dios antes de consumar la destrucción del mundo y traer el regreso de Su Hijo sería llevarse a la iglesia.

Sin embargo, la redacción es tan paralela a la de 4:1 (donde Juan contempla una puerta abierta en el cielo y oye una voz que dice: "Sube acá"), que esta similitud apunta a un significado diferente al de un rapto físico. Allí, la voz angelical ordena a Juan que suba al cielo. Tanto este versículo (que representa la nueva comisión de Juan) como la comisión original de Juan en 1:9–11 (así como las experiencias adicionales de Juan registradas en 17:1–3 y 21:9–10) se basan en los repetidos "raptos" en el Espíritu de Ezequiel (Ez. 1:28–2:2; 3:12–14, 23–24; 11:1–5; 43:5), en las que el Espíritu levantó al profeta y se lo llevó en un sentido espiritual, no físico (aunque 11:1–5 podría debatirse, pero probablemente se refiere a la dimensión espiritual invisible).

Ezequiel no fue raptado físicamente, sino que recibió experiencias visionarias, al igual que Pablo cuando, según 2 Co. 12:1–4, ascendió al tercer cielo. Otro paralelismo entre los caps. 4 y 11 es la descripción anterior en 11:11, "el aliento [es decir, el Espíritu] de vida de parte de Dios vino a ellos", que es comparable con el final de 4:2a, "estaba yo en el Espíritu", que se refiere al Espíritu que conduce a Juan al reino espiritual invisible (el Espíritu funciona de la misma manera en relación con Juan en 1:9; 17:3; y 21:10). El cielo en el que entran los testigos en 11:12, por tanto, es una dimensión invisible de la realidad que no se ve con los ojos de este mundo. Se trata de un transporte espiritual, no físico, ya que todos los demás usos del Espíritu que viene sobre las personas en el Apocalipsis (véase más arriba) se refieren a un transporte espiritual a una dimensión invisible.

La razón para identificar el rapto de Juan con el de los testigos es, en parte, también que la tercera y repetida comisión profética del cap. 10 se aplica en general a los testigos del cap. 11. La nube en la que ascienden y desde la que **oyeron una gran voz del cielo** en 11:12 debe identificarse con la nube de 10:1, en la que el Cristo angelical descendió del cielo y se le apareció a Juan y desde la que "gritó a gran voz" (10:3). Tanto Juan (10:11) como los testigos (11:3, 10, 18) ejercen una comisión profética al anunciar el juicio a "muchos pueblos, naciones, lenguas y reyes" (10:11).

La "nube" en la Biblia se refiere a la presencia de Dios (o de Cristo) con su pueblo (Éx. 13:21–22; Nm. 14:14; Dt. 1:33; Sal. 78:14; Is. 4:5; Ez. 1:4; Dn. 7:13; Mt. 17:5; 24:30; Mr. 9:7; Lc. 9:34–35; Hch. 1:9). El significado de que la iglesia suba al cielo en una nube, por lo tanto, es principalmente la vindicación y aceptación de la iglesia por parte de Dios. El mundo ha rechazado el mensaje de juicio y salvación proféticos de los testigos (vv. 4–10). Pero en este momento, al igual que Cristo fue vindicado por la resurrección y el ascenso en una nube (Hch. 1:9–11), Cristo finalmente vindicará a Su pueblo de manera similar para demostrar a todos que eran verdaderos profetas (que la voz es de Cristo está implícita por el paralelo con 1:10–11 y 4:1–2).

Los perseguidores perciben este sello divino de aprobación profética y se ven acosados por el miedo, porque ahora se han dado cuenta de que el anuncio de juicio de los profetas no era vacío, sino que se cumplirá. El texto no aclara exactamente de qué manera Dios reivindica a los testigos ante el mundo (aunque hemos argumentado que el texto se centra en la faceta espiritual de la resurrección). Pero el punto de la narración no es la forma precisa de vindicación, sino la revelación de que los testigos son los verdaderos representantes de Dios, que hablan en Su nombre.

13 El juicio del que hablaron los testigos comienza inmediatamente después de que los malvados vean la reivindicación de los que habían juzgado mal. El juicio se describe en forma de **un gran terremoto**. Esta frase es prácticamente idéntica a las de 6:12 y 16:18, que son las únicas otras ocurrencias de la combinación de palabras y que ambas describen el juicio final. Si hemos estado en lo cierto al decir que los acontecimientos de 11:11–13 ocurren al final de la historia del mundo, los paralelos con los caps. 6 y 16 lo confirman.

Así como el "gran terremoto" del 6:12 marcó el comienzo del juicio final, que fue consumado por el siguiente séptimo sello, el **gran terremoto** del 11:13 indica la fase inicial del mismo juicio final, que es consumado por la siguiente séptima trompeta. La redacción proviene de Ez. 38:19, donde el "gran terremoto" se refiere al juicio final de Gog al final de la historia cuando intente exterminar al Israel restaurado. La referencia a Ezequiel 38 es natural, ya que viene directamente después de Ezequiel 37, que explica la restauración de Israel a través de la imagen de la resurrección. Existe un paralelismo directo con la restauración de los dos testigos que representan a la iglesia, que es el Israel restaurado (Ap. 11:11–12), y el posterior terremoto que destruye a los perseguidores de la iglesia en los últimos tiempos. La alusión a Ez. 38:19 asocia el v. 13 con el desenlace final, ya que esa parece ser la interpretación obvia de Ez. 38:19–23 y de cómo Juan utiliza Ezequiel 38–39 en 19:17 y 20:8–9.

El efecto parcial del terremoto indica que esto no es más que el comienzo del juicio final: **la décima parte de la ciudad se derrumbó, y siete mil personas murieron en el terremoto**. Ambas cifras son probablemente figurativas; si los dos testigos se identifican con los siete mil fieles asociados a Elías, puede significar simbólicamente una retribución de "ojo por ojo". En cuanto al resto, **aterrorizados, dieron gloria** a Dios. Esto podría significar un arrepentimiento masivo, ya que "dar gloria a Dios" en otras partes del Apocalipsis siempre se refiere a una adoración sincera.

Sin embargo, la palabra **aterrorizado** (en griego *emphobos*) nunca se utiliza en la Escritura para referirse al temor del Señor, sino que simplemente se refiere a la emoción humana del miedo. El ministerio de los testigos (la iglesia) se inspira en el propio ministerio de Cristo. En la resurrección de Cristo, hubo un terremoto, un ángel descendió del cielo y los guardias temblaron como muertos. Aquí, en la vindicación de los justos, también hay un terremoto, una voz angelical habla desde el cielo y los que lo observan se aterrorizan. "Dar gloria a Dios" en el Antiguo Testamento describe a veces la respuesta de los incrédulos que, como los guardias en la tumba vacía, se ven obligados a reconocer la realidad de Dios en lugar de someterse voluntariamente a ella (Jos. 7:19; 1 S. 6:5). La frase puede remontarse a la alabanza y el honor que Nabucodonosor rinde a Dios en Dn. 2:46–47 y 4:37, ya que representa a Babilonia, la precursora de la Babilonia de los últimos tiempos del v. 13.

Sin embargo, al mismo tiempo que Nabucodonosor honraba a Dios (Dn. 2:46–47), seguía adorando a los ídolos (Dn. 3:1). Aunque Ap. 11:13 podría interpretarse como una referencia al arrepentimiento o al no arrepentimiento, el hecho es que no hay ninguna indicación en ninguna otra parte del Apocalipsis, y en particular en las visiones paralelas de los sellos, las copas y las trompetas, de una conversión masiva de los perdidos en el último momento, por lo que, en conjunto, es mejor ver aquí una referencia a un reconocimiento de la realidad de Dios inducido por el miedo, más que a una expresión de fe salvadora.

La **décima parte de la ciudad** que cayó y los **siete mil** muertos sugieren que Dios estaba empezando a juzgar a una parte importante de la humanidad impía, y que el resto pronto seguiría su ejemplo. En este sentido, el juicio de los **siete mil** aterrorizó tanto a los supervivientes que su única respuesta posible fue aceptar su propio juicio inminente y reconocer a Dios como verdadero soberano en ese juicio, como en 6:16–17 (como se implica en Fil. 2:10–11; cf. Is. 45:23–24). El contexto del juicio que comienza en 8:6 hasta 11:12, junto con el trasfondo del Antiguo Testamento, favorece la identificación de los supervivientes como incrédulos que sufren el juicio.

De hecho, parece descartarse cualquier tipo de conversión porque el v. 13a retrata el comienzo del juicio final y no el arrepentimiento de la mayoría de los que "moran en la tierra". Además, el hecho de que los vv. 11 y 12 enfaticen la vindicación por parte de Dios de toda la iglesia al final de la era implica que aquellos que no son vindicados en los vv. 11–13 no forman parte del pueblo de Dios. Además, el propósito principal del testimonio de los profetas en los vv. 3–6 parece ser no inducir al arrepentimiento sino "atormentar" (así el v. 10). Son agentes de Dios que ejecutan el comienzo de Su juicio sobre la humanidad recalcitrante (véase 11:5–6). Esto no significa negar, por supuesto, que algunos responderán con arrepentimiento.

La imagen del terremoto del v. 13a, por tanto, marca el comienzo del castigo final, que se consuma con la imagen del terremoto del juicio final en 11:19. El hecho de que la séptima trompeta, que incluye una descripción del juicio final (11:18), siga los pasos de 11:13 confirma esta conclusión, sobre todo porque las imágenes del terremoto de 11:19 son el clímax de la propia séptima trompeta.

Sugerencias para Reflexionar sobre 11:1–13

- ***Sobre las implicaciones de las interpretaciones divergentes del Apocalipsis.*** Existen interpretaciones muy diferentes sobre la identidad del templo y el patio exterior en los vv. 1–2. Estas divergencias ilustran cómo se pueden extraer conclusiones dramáticamente opuestas de un texto del Apocalipsis, dependiendo del marco interpretativo de cada uno. Al analizar estas diferencias, ¿qué implicaciones surgen para entender el plan de Dios para la iglesia en la historia y para Israel en la historia? ¿Cuáles son las implicaciones para nuestra comprensión del marco temporal histórico al que se refiere el Apocalipsis?
- ***Sobre el templo como tema unificador en las Escrituras.*** El concepto de templo (que representa la presencia de Dios) es uno de los temas centrales de la Biblia (véase G. K. Beale, *The Temple and the Church's Mission: A Biblical Theology of the Dwelling Place of God* [Downers Grove: InterVarsity, 2004] para una perspectiva más completa sobre este tema). Sobre la base de la interpretación del tema unificador del templo que se da en el comentario, ¿cómo ve la interrelación de Ezequiel 40–48; Ap. 11:1–2; y Apocalipsis 21–22?
- ***Sobre el sufrimiento y la esperanza de la iglesia.*** Considere esta afirmación del comentario: "El patrón de la narración de la carrera de los testigos en 11:3–12 pretende ser una réplica de la de Cristo: la

proclamación y las señales que resultan en la oposición satánica, la persecución (Jn. 15:20) y la muerte violenta en la ciudad donde Cristo fue crucificado, seguida por el mundo que mira a su víctima (Ap. 1:7), el regocijo del mundo (Jn. 16:20), y luego la resurrección y vindicación por la ascensión en una nube". ¿De qué manera los vv. 3–12 nos dan una base para una teología del sufrimiento? Al hacerlo, ¿cómo nos dan también una base para la esperanza en medio del sufrimiento?

- ***Sobre la dependencia del Espíritu Santo.*** El comentario presenta a los dos testigos (que representan a la iglesia) como si estuvieran en la presencia de Dios incluso mientras sufren. Su fuerza proviene del Espíritu. El aceite de los olivos y la luz de la lámpara fluyen a través de ellos, potenciando su testimonio ante el mundo incrédulo. Esto pinta una imagen de la necesidad de la iglesia de depender totalmente del Espíritu Santo. ¿Hasta qué punto dependemos personalmente del Espíritu? ¿En qué medida dependen nuestras iglesias? ¿Cómo expresamos esta dependencia? ¿Cuál es el papel de la oración personal y colectiva? Una cosa es segura: cuando llegue el momento de la prueba o de la oposición, se revelará el grado de nuestra dependencia.
- ***Sobre la maldad de las naciones y el juicio de Dios.*** Según el comentario, este capítulo pinta un cuadro de una iglesia severamente perseguida que aparentemente es presa de los ataques de sus enemigos, especialmente en el tiempo inmediatamente anterior al regreso de Cristo. Este parece un mensaje desalentador, pero ¿hay una luz de esperanza cuando se ve desde la perspectiva de Dios? El Apocalipsis compara a la iglesia con Israel que se abre paso por el desierto en su camino hacia la tierra celestial prometida. Según Gn. 15:16, Israel no podía poseer la Tierra Prometida hasta que la "iniquidad de los amorreos" estuviera completa. ¿Existe aquí un paralelismo con este pensamiento? Es decir, la misma hora en que la maldad se completa libera tanto el juicio de Dios sobre los perdidos como la entrada de la iglesia en su herencia eterna.

7. La séptima trompeta: Dios establece el reino consumado y ejecuta el juicio consumado (11:14–19)

[14] El segundo ¡ay! ha pasado; pero el tercer ¡ay! viene pronto. [15] El séptimo ángel tocó la trompeta, y hubo grandes voces en el cielo, que decían: "El reino del mundo ha venido a ser el reino de nuestro Señor y de Su Cristo. Él reinará por los siglos de los siglos". [16] Y los veinticuatro ancianos que estaban sentados delante de Dios en sus tronos, se postraron sobre sus rostros y adoraron a Dios, [17] diciendo: "Te damos gracias, oh Señor Dios Todopoderoso, el que eres y el que eras, porque has tomado Tu gran poder y has comenzado a reinar. [18] Las naciones se enfurecieron, y vino Tu ira y llegó el tiempo de juzgar a los muertos y de dar la recompensa a Tus siervos los profetas, a los santos y a los que temen Tu nombre, a los pequeños y a los grandes, y de destruir a los que destruyen la tierra". [19] El templo de Dios que está en el cielo fue abierto; y el arca de Su pacto se veía en Su templo, y hubo relámpagos, voces y truenos, y un terremoto y una fuerte granizada.

14 El paréntesis literario y teológico de 10:1–11:13 ha terminado. Por lo tanto, el v. 14 comienza donde terminó 9:21: **El segundo ¡ay! ha pasado** (9:13–21); **pero el tercer ¡ay! viene pronto**. Al igual que en 9:12, el lenguaje cronológico no se refiere al *orden de la historia* representada en las tres visiones de los ayes, sino que se refiere únicamente al *orden de las visiones* (véase también en 9:12; 4:1). Esto significa que la segunda visión del ay se ha completado y la tercera es inminente. La naturaleza de esta cronología visionaria explica por qué no es incoherente una descripción del juicio final tanto en la conclusión del paréntesis en 11:11–13 como de nuevo en la conclusión del séptimo sello en 11:18–19.

A veces se piensa que los vv. 15–19 no constituyen la séptima trompeta (o tercer ay), sino que la introducen y son anticipaciones de la misma. El toque de la séptima trompeta no representa ninguna acción, sino sólo cantos que declaran una serie de acciones que no se describen específicamente. Algunos piensan que los caps. 12–14 conducen a las siete copas del cap. 16, que constituyen el tercer ay. Otros piensan que los caps. 12–14 describen por sí mismos el tercer ay, y otros consideran que todos los caps. 12–21 son el contenido. En contraste con los puntos de vista anteriores, vemos 11:15–19 como una explicación de la consumación de la historia, ya que 10:7 ha anunciado que cuando suene la séptima trompeta, el cumplimiento de Dios de Su plan para la historia "será consumado" (véase en 10:7).

Es razonable suponer que 11:15–19 es el tercer ay, ya que en 8:13 se ha anunciado que los tres ayes siguientes equivaldrán respectivamente a las tres últimas trompetas. Si 11:15–19 es la séptima trompeta, entonces 8:13 ha dicho claramente que también es el tercer ay. Los cantos de la sección describen acciones de juicio y redención y no son una mera anticipación de dichas acciones. Las descripciones no son detalladas porque comenzaron en 6:12–17, y Juan sabe que más adelante vendrán más descripciones de los mismos eventos. Un canto puede describir el contenido de un ay o una trompeta tan bien como una visión (p. ej., 5:8–10 es un himno que narra acontecimientos pasados). Aun así, algunos piensan que los vv. 15–19 no pueden ser el ay de la séptima trompeta porque hay mucho énfasis en el establecimiento del reino en lugar de la severidad del juicio. Pero el énfasis de esta sección no sólo radica en el reino, sino también en el ay del juicio final (vv. 18–19), que demuestra que el reino eterno y consumado de Dios ha aparecido finalmente en la tierra.

15 El tercer ay es la séptima trompeta, ambas descritas en los vv. 15–19. La proclamación aquí es que **el reino del mundo ha venido a ser el reino de nuestro Señor y de Su Cristo**. Esto puede decirse porque todos los enemigos del reino de Dios han sido derrotados y juzgados (así en 11:18). Dios toma ahora para sí el dominio que antes permitía a Satanás sobre el mundo. La séptima trompeta de 11:15–19, al igual que el séptimo sello y la séptima copa, narra el final mismo de la historia. El cumplimiento consumado del largamente esperado reino mesiánico profetizado en el Antiguo Testamento se ha producido finalmente (12:10 hace el mismo comentario). Los tiempos pasados de este versículo parecen ser una proyección hacia el futuro, cuando el reino se haya establecido y la hueste celestial ofrezca alabanzas en respuesta. En este caso, los tiempos pasados son descripciones reales de acciones pasadas, pero desde la perspectiva del futuro.

No está claro si es el Señor o Cristo quien **reinará por los siglos de los siglos**. Es posible que el singular incluya a Dios y a Cristo juntos. El cuadro aquí es el mismo que el mostrado a Daniel, donde los reinos malvados del mundo son derrotados y entregados por el Anciano de Días a la autoridad del Hijo del Hombre, que entonces reina para siempre. El hecho de que la eventual transferencia de poder (del gobierno del mal al gobierno de Dios) descrita en Daniel 7 esté en mente ya se desprende indirectamente del v. 7. Allí se alude a Dn. 7:3, 21 sobre el reino mundial antagónico que perseguirá a los santos, que Dn. 7:13–14, 18, 22, 27 dice que será reemplazado por el reino del Hijo del Hombre y los santos.

16–17 Los veinticuatro ancianos alrededor del trono de Dios se postraron **sobre sus rostros y adoraron a Dios** en respuesta a la proclamación celestial del v. 15 (véase en 4:4 la identificación de los ancianos). El hecho de que lo estén alabando por la forma completa de Su reino se desprende del v. 18, donde todos los enemigos de Dios han sufrido su derrota y juicio final. La alabanza de los ancianos es similar a la de la multitud celestial en 19:6, y se refiere al mismo período al final de los tiempos.

En el Apocalipsis se ha hablado tres veces de Dios como el que es y que era y que ha de venir (1:4, 8; 4:8), pero en el v. 17 hay una variación significativa de esto: Se sigue dirigiendo a Dios como el que es y que era, pero en lugar de referirse a Él como el que ha de venir, se dirige ahora a Él como el que ha tomado su **gran poder** y ha **comenzado a reinar**. Aunque esta consumación final del reino aún no había ocurrido cuando Juan recibió la visión, sí había ocurrido desde la perspectiva de los que ofrecen la alabanza celestial. Este cambio de perspectiva temporal refuerza el pensamiento de que esta sección está narrando el establecimiento real del reino futuro y el juicio final como contenido de la séptima trompeta. Se trata de un reino en el que Dios no sólo controla los acontecimientos del mundo, sino que ha derrotado a los poderes espirituales y físicos que mantenían en su poder "el reino del mundo" (así el v. 15). La naturaleza consumada del reino también se discierne por el énfasis en el reinado de Dios más que en el de Cristo. Esto sugiere un paralelismo con 1 Co. 15:25–28, donde se enfatiza el reinado de Dios sobre el de Cristo porque se ha alcanzado la consumación del reinado de este último.

18 Es mejor ver este versículo como si llevara al lector un paso atrás en el programa escatológico hasta el tiempo inmediatamente anterior al establecimiento del reino eterno mencionado en los vv. 15–17. Sin embargo, describe la primera expresión del comienzo del reino de Dios en el tiempo del fin. Las naciones malvadas son representadas como **enfurecidas** contra Dios y Su pueblo. Dios las juzga con ira en respuesta a su indignación pecaminosa. El juicio final se expresa con la cláusula **vino Tu ira**. Esto es evidente al notar que todos los demás usos de "ira" (griego *orgē*) en el libro se refieren al momento del gran derramamiento final de ira al final de la historia (véase 6:16, 17; 14:10–11; 16:19; 19:15).

La frase siguiente **y llegó el tiempo de juzgar a los muertos** confirma sin duda que este pasaje es una descripción del juicio final. El final del v. 18 amplía la naturaleza del juicio. Se trata del mismo juicio de los muertos al que se hace referencia en 20:12–13, sólo que aquí se da la razón por la que los incrédulos muertos han de ser juzgados: Dios **destruirá** a los opresores porque son **los que destruyen la tierra** (es decir, Su pueblo). El uso del mismo verbo para describir tanto el juicio de Dios como la opresión de los impíos es para enfatizar una vez más el principio del AT de que el castigo se ajusta al crimen.

El juicio sobre los incrédulos se inspira aquí en el juicio de Babilonia profetizado por Jeremías: "Yo estoy contra ti, monte destructor, que destruyes toda la tierra" (Jer. 51:25). Babilonia es un tipo de la comunidad mundial escatológica, que será juzgada al final. Esto enlaza el v. 18 con Babilonia, la gran ciudad, que es destruida en 11:13. Aquí se habla del pueblo de Dios como **siervos**... y... **los santos y**... **los que temen** [a Dios], **los pequeños y los grandes**. Que esto es un cumplimiento de la petición de los santos en 6:9–11 es evidente por el paralelo de 18:24–19:5, donde, en una innegable referencia al juicio final, Dios debe ser alabado por Sus *siervos, los que le temen, y los pequeños y los grandes* (19:5) porque Él "juzgó a la gran ramera [Babilonia] *que corrompía la tierra*... y [Él]... *ha vengado la sangre de Sus siervos* en ella" (19:2, que desarrolla tanto 6:10 como 11:18). Todo esto muestra de nuevo cómo las visiones del Apocalipsis describen el mismo conjunto de acontecimientos desde diferentes perspectivas, en lugar de presentar una lista cronológica de acontecimientos.

La recompensa de los fieles se intercala literariamente entre las afirmaciones sobre el juicio, para indicar que parte de su recompensa es la satisfacción derivada de saber que Dios les ha vindicado juzgando a sus perseguidores. Una vez más, esto está relacionado con la oración de retribución de los testigos en 6:9–11. Mientras que los ayes de las trompetas y el paréntesis de 10:1–11:13 han mostrado cómo Dios ha empezado a responder a esa oración en medio de la historia, ahora da la respuesta culminante a la misma. La **recompensa** se da **a Tus siervos los profetas, a los santos y a los que temen Tu nombre**. Probablemente se trata de tres formas de describir al mismo grupo, porque toda la iglesia se identifica en 11:3 con los dos testigos proféticos (lo que concuerda con Jl. 2:28–32 en Hch. 2:16–21). Compárese también con 19:10, donde el ángel prohíbe a Juan que lo adore y se identifica simplemente como consiervo de todos los que mantienen el testimonio de Jesús, ya que "el testimonio de Jesús es el espíritu de la profecía" — testificar o ser testigo de Jesús es, en cierto modo, ser profeta. La **recompensa** es la liberación de los santos, su recepción de una posición de reinado con Cristo y las bendiciones que la acompañan (cf. 22:12).

19 Otra nota del juicio final es tocada, comenzando con la frase, **el templo de Dios que está en el cielo fue abierto**. La representación de la séptima trompeta se cierra en el v. 19 con la mención de **relámpagos, voces y truenos, y un terremoto**, que en el Apocalipsis son siempre indicadores del juicio final (4:5; 8:5; 16:18). Recordemos que las plagas de las trompetas siguen el modelo de las plagas del Éxodo. La séptima trompeta puede construirse en torno a un segmento del Canto de Moisés en Éx. 15:13–18. Allí se alaba a Dios por redimir a Su pueblo guiándolo *a Su santa morada* (que aquí corresponde a Su **templo**… **en el cielo**). Cuando las "naciones" se enteraron de esta liberación, se "enfurecieron" (Éx. 15:14 LXX), pero, a pesar de ello, Dios llevó a Su pueblo a Su "morada" y "santuario" (15:17). Después de esto, se declara que "el SEÑOR reinará para siempre" (15:18; véase el paralelo literal en Ap. 11:15). Esta referencia alusiva sería una forma apropiada de concluir la serie de trompetas, ya que las seis primeras han sido modeladas en las plagas del Éxodo que conducen a Éxodo 15.

Es apropiado que las trompetas concluyan con un recordatorio del patrón mostrado tanto en la entrada de los israelitas a la Tierra Prometida en Jericó como en la entrada de los santos al reino eterno. A las siete plagas de las trompetas les sigue un terremoto y la victoria del pueblo de Dios. Igualmente en Jericó, las trompetas fueron tocadas en seis días sucesivos, y luego en el séptimo y último día los toques de trompeta derribaron el muro. La aparición **del arca de Su pacto** junto con las trompetas también apunta a Jericó, donde el arca siguió a las trompetas, declarando tanto el juicio de Dios como Su victoria. El arca no sólo representa el juicio de Dios, sino que también es el lugar del perdón y de la presencia de Dios con Su pueblo.

El Antiguo Testamento no esperaba una reaparición literal del arca, sino que esperaba una reaparición de la presencia de Dios en medio de Israel (como aclara Jer. 3:14–17), que era lo que el arca representaba originalmente. Esta es la idea de Ap. 11:19, que se amplía en 21:3, 22, donde el establecimiento del templo de los últimos tiempos se interpreta como la presencia reveladora especial de Dios en medio de Su pueblo. En la consumación, Dios mora con Su pueblo de una manera más completa e intensa que antes, como indica la observación de que la cortina que separaba el arca del resto del templo y del pueblo en el Antiguo Testamento ha desaparecido en 11:19, quedando el arca celestial a la vista. Por lo tanto, el arca en 11:19, a la luz de sus múltiples antecedentes en el Antiguo Testamento, es un

---

LXX Septuaginta

símbolo adecuado para indicar el juicio y la recompensa simultáneos del Día Final. Y así, la respuesta completa a la petición de vindicación de los santos en 6:9–11 se revela en 11:15–19.

Sugerencias para Reflexionar sobre 11:14–19

- ***La naturaleza de nuestra recompensa.*** El comentario habla de la recompensa de los fieles en relación con el v. 18. ¿Con qué frecuencia, como cristianos, pensamos en la vida eterna y en el cielo en términos de recompensa? ¿Cuál es la naturaleza de nuestra recompensa? ¿Es la caída de nuestros perseguidores la mayor recompensa que podemos buscar? ¿Debemos buscar esa caída como un fin en sí mismo? ¿No sirve simplemente a otro propósito en términos de la revelación de la gloria de Dios en la manifestación de Su gobierno cumplido sobre toda la creación?
- ***Perdón y justicia.*** Considera la siguiente afirmación en el comentario: "El arca no sólo representa el juicio de Dios, sino que también es el lugar del perdón y de la presencia de Dios con Su pueblo". Vivimos en una cultura que con demasiada frecuencia hace hincapié en el perdón a expensas de la justicia, pero al hacerlo, ¿hemos perdido la verdadera comprensión de ambos? ¿Estás de acuerdo en que la cuestión de cómo Dios puede ser a la vez perdonador y justo sólo se entiende verdaderamente a través de la cruz? ¿Por qué es esto cierto?

V. UN CONFLICTO MÁS PROFUNDO (12:1–15:4)

El cap. 12 ha sido identificado a menudo como la clave de todo el Apocalipsis. Inicia una nueva serie de visiones en el libro, que termina en 15:4. 11:19 no sólo concluye las siete trompetas, sino que también introduce la siguiente visión *desde una perspectiva literaria.* El lenguaje de 11:19 sirve en otras partes como conclusión temática de los siete sellos y como introducción literaria a las siete trompetas (véase 8:3–5; obsérvese "relámpagos, voces y truenos" en 11:19, que también forma parte de la introducción a la visión del cap. 4). Además, la mención de la apertura del cielo o de un templo en el cielo introduce visiones importantes en 4:1; 15:5; y 19:11.

Aunque la sección que va de 12:1 a 15:4 puede dividirse de varias maneras, la mejor forma de discernir objetivamente sus divisiones es rastrear las repetidas fórmulas introductorias de la visión, como "y vi" o "y he aquí". Cuando se hace esto, se revelan siete secciones o "signos" (aunque los subdividimos para fines de discusión):

- El conflicto de la serpiente con la mujer y su descendencia (cap. 12),
- La persecución por parte de la bestia del mar (13:1–10),
- Persecución por parte de la bestia de la tierra (13:11–18),
- El cordero y los 144.000 de pie en el monte sion (14:1–5),
- La proclamación del evangelio y del juicio por parte de tres ángeles (14:6–13),
- La cosecha del hijo del hombre en la tierra (14:14–20), y

- La victoria de los santos sobre la bestia marina y su canto de victoria (15:2–4).

Que se puedan discernir siete secciones por medios objetivos no es casualidad, ya que otras partes del libro también están divididas en siete secciones (sellos, trompetas y copas), introducidas individualmente por claras fórmulas introductorias.

A pesar de que el cap. 12 inicia una nueva visión, continúa desarrollando los temas de las secciones anteriores del libro. Se adentra en la dimensión más profunda del conflicto espiritual entre la iglesia y el mundo, que se ha ido desarrollando progresivamente en los caps. 1–11. Las cartas hablan de las presiones sobre los cristianos para que transijan, procedentes de dentro y fuera de la iglesia. Los sellos revelan que las fuerzas espirituales del mal se desatan contra creyentes e incrédulos por igual, de acuerdo con el mandato de Cristo resucitado. Las trompetas demuestran el juicio de Dios sobre la humanidad endurecida. Sin embargo, en todo esto se intercalan secciones que muestran cómo el pueblo de Dios será protegido espiritualmente a lo largo de los ayes.

Los caps. 12–22 cuentan la misma historia que los caps. 1–11, pero explican con más detalle lo que los primeros capítulos sólo introducen e insinúan. El cap. 12 revela ahora que el propio diablo es la fuente más profunda del mal. Ya se han hecho breves referencias a él en 2:13; 6:8; y 9:11. El diablo es el gran iniciador de las pruebas y persecuciones de los santos. Él desencadena la bestia y el falso profeta. La ramera Babilonia es también su sierva. Juan representa a las cuatro figuras (el diablo, la bestia, el falso profeta y la ramera) surgiendo en este orden y luego encontrando su muerte en el orden inverso en los caps. 12–20 para resaltar al diablo como el iniciador, del primero al último, de toda la resistencia a Dios y a Su pueblo. En este sentido, el cap. 12 puede considerarse la introducción de la segunda mitad del libro.

Pero el diablo no es autónomo. Él y sus agentes sólo pueden perseguir dentro de los períodos de tiempo prescritos por Dios (12:6, 14; 13:5). De hecho, el diablo se enfurece y ataca a los cristianos, porque su derrota decisiva ya ha sido puesta en marcha por la resurrección de Cristo, y su tiempo de furia está limitado por Dios (12:7–17). Cuando los cristianos comprenden que detrás de sus perseguidores terrenales está el diablo y sus agentes, deben sentirse más motivados a perseverar (cf. Ef. 6:12). Cristo ya ha derrotado al diablo y a sus huestes mediante Su muerte y resurrección (12:5, 7–12; cf. Ef. 1:19–21 con Ef.

6:10–13). De hecho, los problemas de los santos perseguidos ocurren ahora no porque Satanás sea demasiado poderoso para ellos, sino porque ha sido derrotado decisivamente. El diablo hace todo el daño que puede, pero no puede prevalecer sobre la iglesia de manera definitiva. Los lectores deben saber ahora que, si transigen, no lo hacen simplemente con el mundo, sino con el propio diablo. Esta comprensión debería sacarlos de cualquier grado de complacencia espiritual.

La mayor parte del retrato del cap. 12 describe el destino de los creyentes durante la era de la iglesia. En el estilo característico, la historia se cuenta mediante repetidas alusiones al Antiguo Testamento. Como se verá, las tres secciones del capítulo, vv. 1–6, 7–12 y 13–17, son temporal y temáticamente paralelas para volver a contar la historia desde diferentes perspectivas. Los vv. 6, 13–16 y 17 son esencialmente los mismos, ya que todos narran la protección del pueblo de Dios a través de la prueba. Los tres segmentos de los vv. 5, 7–9 y 10–12 describen la misma victoria sobre el diablo. La primera y la tercera sección forman un marco en torno al medio, mientras que el medio proporciona la interpretación central y el sustento teológico de la primera y la tercera. Por lo tanto, el punto principal del cap. 12 es la protección del pueblo de Dios contra Satanás debido a la victoria decisiva de Cristo sobre Satanás mediante Su muerte y resurrección. El propósito es animar a los lectores a perseverar en su testimonio a pesar de la persecución.

1. Como resultado de la victoria de Cristo sobre el diablo, Dios protege a la comunidad mesiánica contra el daño de la ira del diablo (12:1–17)

Dios protege a Cristo y a la comunidad mesiánica contra el daño satánico (12:1–6)

[1] Una gran señal apareció en el cielo: una mujer vestida del sol, con la luna debajo de sus pies, y una corona de doce estrellas sobre su cabeza. [2] Estaba encinta, y gritaba por los dolores del parto y el sufrimiento de dar a luz. [3] Entonces apareció otra señal en el cielo: Un gran dragón rojo que tenía siete cabezas y diez cuernos, y sobre sus cabezas había siete diademas. [4] Su cola arrastró la tercera parte de las estrellas del cielo y las arrojó sobre la tierra. Y el dragón se paró delante de la mujer que estaba para dar a luz, a fin de devorar a su hijo cuando ella diera a luz. [5] Y ella dio a luz un

Hijo varón, que ha de regir a todas las naciones con vara de hierro. Su Hijo fue arrebatado hasta Dios y hasta Su trono. [6] La mujer huyó al desierto, donde tenía un lugar preparado por Dios, para ser sustentada allí por 1,260 días.

1 Después de la escena del templo de 11:19, Juan ve una **gran señal** que **apareció en el cielo**. Primero ve **una mujer vestida del sol, con la luna debajo de sus pies, y una corona de doce estrellas sobre su cabeza**. Los vv. 2–6 revelan que esta mujer es una imagen de la comunidad fiel, que existía tanto antes como después de la venida de Cristo. Esta identificación se basa en el precedente del Antiguo Testamento, donde el sol, la luna y las once estrellas representan metafóricamente a Jacob, su esposa y once de las tribus de Israel (Gn. 37:9), que se inclinan ante José, que representa a la duodécima tribu. Cantar de los Cantares 6:10 se utilizó en la literatura judía posterior para describir a Israel en términos del sol, la luna y las estrellas, y el Israel restaurado (que en el Apocalipsis se identifica como la iglesia) se describe de forma similar en Is. 60:19–20.

De hecho, en Isaías una mujer representa a menudo la imagen del Israel restaurado (p. ej., 52:2; 54:1–6; 61:10; 62:1–5), e Is. 62:3, 5 profetiza que el Israel restaurado será como una novia con una corona. El brillo de la apariencia de la mujer (**vestida del sol**) refleja el mismo brillo en el rostro de Cristo (1:16). Su gloria es la gloria reflejada de Cristo. Del mismo modo que el sol, la luna y las estrellas parecen estar lejos de la tierra y son inmunes a la destrucción por parte de cualquier fuerza terrenal, el verdadero Israel de las épocas del Antiguo Testamento y el NT es, en última instancia, indestructible en la tierra porque su verdadera identidad está en el cielo (la mención de Miguel, el representante y protector celestial de Israel [Dn. 12:1], en los vv. 7–8 apunta a esto). El hecho de que la mujer represente tanto a la comunidad del antiguo como a la del nuevo pacto queda aún más claro en los vv. 11–17, donde su simiente o descendencia no es sólo Cristo, sino también toda la comunidad de Sus seguidores.

La **corona** en su cabeza se define mejor desde el propio Apocalipsis. Representa la participación de los santos en la realeza de Cristo y la recompensa que el verdadero pueblo de Dios recibe a lo largo de los siglos por su victoria sobre la oposición a su fe (es decir, sobre la persecución, las tentaciones de transigir y el engaño; así, 2:10; 3:11; 4:4, 10; cf. 14:14). El brillo estelar de su apariencia refleja la poderosa y pura luz del sol que surge de la imagen gloriosa de Dios y de Cristo (como en 1:16; 10:1; 21:23; 22:5).

2 La mujer está de **parto y sufre** para **dar a luz**. Los comentaristas católicos han escrito una inmensa cantidad de literatura argumentando que la mujer celestial simboliza a María, la madre de Jesús. Aunque la madre de Jesús puede estar en segundo plano, el enfoque principal no es un individuo, sino la comunidad de fe, dentro de la cual la línea mesiánica finalmente produjo una descendencia real. Esto es evidente, no sólo por la discusión del v. 1, sino también por la observación en el resto del capítulo de que la mujer es perseguida, huye al desierto y tiene otros descendientes además del Mesías, descendientes que son descritos como cristianos fieles.

Los dolores de parto de la mujer se refieren a la persecución de la comunidad del pacto y de la línea mesiánica durante los tiempos del Antiguo Testamento y, especialmente, en el periodo intertestamentario que precede al nacimiento de Cristo. La idea de persecución se expresa en la frase **el sufrimiento** (literalmente "siendo atormentado"), ya que el verbo (griego *basanizō*) se utiliza en el NT para el sufrimiento del castigo, la prueba y la persecución (Mt. 8:29; Mr. 5:7; 6:48; Lc. 8:28; 2 P. 2:8). La sugerencia es que la mujer está siendo atormentada y sufriendo mientras intenta dar a luz, lo que encaja con una imagen de la comunidad judía fiel perseguida en el período previo al nacimiento de Cristo. Era una prueba para seguir esperando la gran liberación que el Mesías traería finalmente en Su venida (cf. Lc. 2:25–38). En Juan 16:19–22, Cristo compara el dolor de Sus discípulos por Su inminente muerte con el de una mujer a punto de dar a luz que "tiene aflicción" y está a punto de dar a luz. Allí, en consonancia con nuestra visión de Ap. 12:2, los discípulos representan a la madre, la comunidad mesiánica, en cuyo seno nació el Cristo resucitado, y que más tarde presentaría al mundo al Cristo resucitado. Sin embargo, en Ap. 12:2 se piensa en el primer nacimiento de Cristo y no en este posterior nacimiento en resurrección.

Dado que la ramera del cap. 17 es un símbolo de la comunidad incrédula, aquí la figura contrastante de la mujer justa debe representar a la comunidad creyente. La fuente definitiva de la visión de Juan aquí es la palabra profética dada en Gn. 3:14–16 de que después del dolor de Eva en el parto, su simiente heriría la cabeza de la serpiente (véase en 12:17 una alusión explícita). La mujer, que representa al pueblo del pacto de Dios, da a luz a Aquel que recuperará lo que se perdió en el Jardín. El hecho de que la mujer represente a la comunidad fiel del pacto se demuestra también por los numerosos paralelismos con las profecías de Isaías relacionadas a Israel.

Según Is. 7:10–14, se verá una señal tan alta como el cielo, la virgen quedará embarazada y dará a luz un hijo. En Ap. 12:1–2, aparece una señal en el cielo: una mujer está embarazada y da a luz un hijo. En Is. 26:17–27:1, Israel también está de parto, pero no da a luz, pero llegará el día en que las cosas cambiarán (se supone que en ese día Israel dará a luz sin problemas), y Dios castigará al dragón que vive en el mar (Ap. 12:1–2, 7–10). En Is. 51:2–11, se dice que Sara dio a luz a Israel con dolor, y se afirma que un día Dios restaurará a Israel y en ese día atravesará al dragón (Ap. 12:1–2, 7–10). Véase también en Is. 66:7–10 la imagen de Israel dando a luz a un niño. Los tres últimos pasajes de Isaías relacionan el nacimiento con la restauración de Israel al final de los tiempos.

Es demasiado limitado considerar que la mujer (como hacen algunos escritores) representa sólo un remanente de israelitas que viven en la prueba en la última etapa de la historia, ya que los versículos siguientes muestran que la mujer simboliza una comunidad creyente que se extiende desde antes del nacimiento de Cristo hasta, al menos, la última parte del primer siglo AD (véase los vv. 6, 13–17). Además, en los versículos siguientes la persecución no se dirige contra una nación de creyentes *e incrédulos*, sino contra una comunidad de fe pura.

3 Entonces apareció otra señal en el cielo, que era **un gran dragón rojo**. El dragón es descrito como **que tenía siete cabezas y diez cuernos, y sobre sus cabezas había siete diademas**. Sin excepción, la imagen del dragón se utiliza en todo el Antiguo Testamento para representar reinos malvados que persiguen al pueblo de Dios. "Dragón" es en el Antiguo Testamento otra palabra para designar al malvado monstruo marino que simboliza a los reinos malvados que oprimen a Israel. A menudo, el malvado reino de Egipto es representado por este emblema. Se dice que Dios derrotó al Faraón como un dragón marino en la liberación del éxodo y en momentos posteriores de la historia de Egipto (Sal. 74:13–14; 89:10; Is. 30:7; 51:9; Ez. 29:3; 32:2–3; Hab. 3:8–15). Al final de la historia, Dios volverá a derrotar al dragón egipcio (Is. 27:1).

Juan ve en el cap. 12 una repetición del patrón del éxodo. Que el espíritu maligno de Egipto reside en el dragón también es evidente por la amplia influencia de los temas del éxodo en otras partes del libro, especialmente las plagas de trompetas y copas y la referencia a la liberación del Mar Rojo (15:2–4; cf. también 11:6, 8). En la repetición tipológica de la liberación del Mar Rojo en 15:2–4, la bestia del mar es claramente un enemigo egipcio de los últimos tiempos (para la relación de la bestia con el dragón, véase 12:13–17 y 13:1ss.). El dragón de 12:3 también tiene su hogar en el mar (13:1; 15:2). Esto se confirma por la atribución a él de los diez cuernos de la cuarta bestia de Dn. 7:7, 24, que también tiene su origen en el mar.

Al igual que las identificaciones del dragón en el Antiguo Testamento, el dragón del Apocalipsis debe identificarse con un reino maligno (al menos en parte, la Roma del siglo I). Sin embargo, el dragón es más que una mera metáfora de un reino malvado. También representa al propio diablo como cabeza representativa de los reinos malvados, tal y como se explica en 12:9 y 20:2, 10. El diablo es la fuerza que está detrás de los reinos malvados que persiguen al pueblo de Dios.

Al igual que los siete cuernos del Cordero, el número de ***siete*** **cabezas** y ***diez*** **cuernos** enfatiza lo completo, pero en este caso, lo completo del poder opresor y su efecto mundial. Los diez cuernos son los de la cuarta bestia de Daniel (Dn. 7:7, 24), y volverán a aparecer en la bestia del cap. 13, mostrando que el diablo realiza su voluntad opresora contra la iglesia y el mundo a través de sus representantes reales en la tierra. El color rojo connota el carácter opresivo del dragón, ya que en 17:3–6 el color escarlata de la ramera y la bestia se relaciona directamente con "la mujer ebria de la sangre de los santos". Asimismo, el segundo caballo en 6:4 era rojo y tenía una espada con la que la gente se mataría entre sí, lo que incluía el derramamiento de la sangre de los fieles (6:9–10). La descripción final del v. 3 es que en las cabezas del dragón había **siete diademas**. Las coronas representan las falsas pretensiones de autoridad soberana y universal del diablo, que se oponen al verdadero "Rey de reyes y Señor de señores", que también lleva "muchas diademas" en 19:12, 19–21. La similitud entre las dos descripciones de Apocalipsis 12 y 19 revela una intención consciente de contrastarlas.

4 La imagen de la cola del dragón barriendo **la tercera parte de las estrellas del cielo** es una alusión a la profecía de Dn. 8:10, según la cual el enemigo de Dios de los últimos tiempos arrojará a la tierra algunas de las estrellas. Las estrellas se identifican en Dn. 12:3 con el pueblo de Dios, y los oprimidos en la visión de Dn. 8:10 son identificados como el "pueblo santo" en 8:24. Sin embargo, en Daniel, los ángeles representan a los pueblos del reino celestial (Dn. 10:20–21; 12:1). Que las estrellas pueden representar a los santos israelitas y no sólo a los ángeles se desprende de Dn. 12:3, donde los justos son comparados con "el resplandor del firmamento… como las estrellas, por toda la eternidad" (para esta aplicación de Dn. 12:3 véase Mt. 13:43; cf. Gn. 15:5; 22:17). Dn. 8:11 (según Teodosio y el Griego Antiguo, dos versiones del Antiguo Testamento griego) interpreta que la caída "a la tierra [de] parte del ejército y de las estrellas" y su "pisoteo" en 8:10 representan "la cautividad" de Israel que será "liberada" en el futuro. Por lo tanto, podemos entender el significado de la siguiente manera: Los santos israelitas tienen su verdadera identidad en el cielo ante el trono divino, de modo que cuando son perseguidos, los ángeles y Dios mismo también se ven atacados.

Aunque Dn. 8:10 se aplicó por primera vez con respecto al perseguidor de Israel en el siglo II A.C., Antíoco Epífanes, ahora Juan lo aplica de forma escalada al poder diabólico que está detrás de Antíoco. El enfoque principal es la persecución de la comunidad piadosa inmediatamente antes del nacimiento del Mesías, aunque en el estilo comprimido del escritor esto podría incluir aspectos de la era del Antiguo Testamento y el período intertestamentario que conduce a la época de Cristo (p. ej., la masacre de Herodes de los niños en Belén, así como la persecución temprana de Cristo en Lc. 4:28–30). La opresión adopta la forma de persecución, así como de intentos de engaño (como en Dn. 8:10, 22–25; 11:30–35).

La representación de las estrellas en el v. 4 debe tener una estrecha relación con las "doce estrellas" de sólo tres versículos antes en el v. 1. Las estrellas que caen deben simbolizar un ataque a Israel, la comunidad fiel del pacto, ya que las doce estrellas del v. 1 representan la identificación celestial del verdadero Israel. Pero **el dragón se paró delante de la mujer que estaba para dar a luz, a fin de devorar a su hijo cuando ella diera a luz**. La intención del dragón, según revela la segunda parte del versículo, no es sólo atacar al pueblo de Dios, sino destruir al propio Mesías, una vez que la mujer dé a luz. Aquí encontramos una referencia a todas las formas en que el diablo trató de tentar a Jesús y destruirlo durante el tiempo de Su ministerio terrenal, ya que la vida terrenal de Jesús se resume en una sola frase. En la cruz parecía que el diablo había triunfado finalmente, pero la resurrección arrebató a Jesús del poder de la muerte que ejercía la serpiente.

5 El siguiente verso sugiere que en el v. 4 hay un acercamiento temporal. Ahora se ofrece una instantánea de toda la vida de Cristo en una sola línea — Su nacimiento, su destino de rey y Su incipiente cumplimiento de ese destino al ascender al trono de Dios en el cielo tras el ministerio posterior a la resurrección. El NT condensa la vida de Jesús de forma casi idéntica (Jn. 13:3; 16:28; Ro. 1:3–4; 1 Ti. 3:16). El mismo tipo de abreviatura aparece en Ap. 1:5, 17–18 y 2:8, aunque centrándose en la muerte y resurrección de Cristo. Jesús es el primogénito de entre los muertos (1:5; 2:8; Col. 1:18), y la iglesia es Su cuerpo y parentela, el "resto de la simiente" de la mujer (cf. Ro. 8:29; Gá. 3:16, 29; cf. Heb. 2:17; 12:22–23; y véase más adelante en 12:17). El **Hijo varón** que nace (**que ha de regir a todas las naciones con vara de hierro**) es el profetizado en Sal. 2:7–9 para "regir a todas las naciones con vara de hierro". El contexto del Salmo muestra que se trata de una clara referencia a Cristo.

Los esfuerzos destructivos del dragón culminaron en la cruz, el mismo punto en el que parecía que había triunfado en sus malvados planes. Sin embargo, a continuación ocurrió algo sorprendente. En lugar de ser destruido por el ataque del dragón, **Su Hijo fue arrebatado hasta Dios y hasta Su trono**. Esto es ciertamente una referencia a la ascensión de Cristo, y probablemente alude también a Su resurrección. Según Ap. 2:27, es el Cristo resucitado y ascendido quien ha recibido la "vara de hierro" profetizada en el Salmo 2. De hecho, se hace referencia a Cristo como un "Hijo varón" para mostrar que Él es el cumplimiento del Salmo. La última cláusula sobre la ascensión de Cristo implica que la profecía sobre el Hijo mesiánico de Dios ha comenzado a cumplirse.

El período entre el nacimiento y la ascensión de Cristo se omite porque Él comenzó a gobernar en la ascensión en un sentido más formal que antes, que es el propósito para el que nació. En Ap. 19:15 se afirma que la profecía del Sal. 2:7–9 se cumplirá. 2:7–9 tendrá su cumplimiento consumado en Cristo al final de la era. Este cumplimiento inaugurado se confirma en Ap. 2:26–28, donde Cristo afirma que ya ha recibido del Padre la autoridad profética de la que habla el Salmo. El NT ve cumplida esta profecía del nacimiento real de Cristo en Su resurrección y ascensión (Hch. 13:33; Heb. 1:2–6; 5:5). En el contexto, este cumplimiento inicial significa que, como en la antigüedad en el Mar Rojo, una vez más el dragón ha sido derrotado. Esta vez, la derrota se ha producido mediante la resurrección y la ascensión de Cristo.

6 La mujer huye del dragón (**la mujer huyó al desierto**) tras la liberación de su hijo. En consonancia con la identificación anterior en los vv. 1–2, la mujer representa la comunidad de fe, aunque ahora no es la de la época del AT, sino la comunidad mesiánica, que vive en la era posterior a la resurrección. Ella está ahora en la tierra, y no aparece en el cielo, porque representa al verdadero pueblo de Dios en la tierra.

La huida al desierto alude al momento en que Israel huyó de Egipto al desierto y fue protegido y alimentado por Yahvé (Éx. 16:32; Dt. 2:7). El mismo patrón de huida al desierto se observa en el caso de Elías (1 R. 17; 19:3–8) y Moisés (Éx. 2:15), que simbolizan la iglesia en 11:5–6. El paralelismo del v. 14 con el v. 6 hace explícito el trasfondo del Éxodo, donde las "dos alas del águila" sobre las que la mujer es llevada al desierto aluden al cuidado que Dios tiene de Israel después del éxodo durante la estancia en el desierto (véase el v. 14). La huida de la mujer al desierto se refiere al éxodo o la restauración del final de los tiempos, cuando el verdadero Israel regrese con fe al Señor y vuelva a ser protegido y alimentado por Él en el desierto (cf. Is. 32:15; 35:1–10; 40:3–8; 41:17–20; 43:19–20; 51:3; Jer. 31:2; Ez. 34:25–31). Os. 2:15 compara explícitamente la expectativa del desierto del fin de los tiempos con "el día en que [Israel] subió de la tierra de Egipto".

Jesús mismo comenzó a cumplir estas expectativas del tiempo del fin, ya que era una figura ideal y verdadera de Israel que antes y durante Su ministerio vivió bajo la protección del Espíritu "en el desierto" (Mt. 4:1; Mr. 1:12; Lc. 1:80; 4:1). Resistió las tentaciones del desierto a las que sucumbió el Israel de antaño (Mt. 4:1–11 = Mr. 1:12–13 = Lc. 4:1–13; para otras experiencias de Jesús en el desierto, véase Mr. 1:35; Lc. 4:42; 5:16). En 12:6, se describe a la comunidad mesiánica que comienza a experimentar la protección de Dios al final de los tiempos en el desierto, tras la ascensión del Mesías. Aunque los miembros de la comunidad experimentan la tribulación en relación con el mundo, al mismo tiempo su relación de pacto con Dios es protegida y alimentada espiritualmente, ya que siguen cumpliendo las promesas del Antiguo Testamento sobre la restauración de Israel.

El desierto en sí no protege, sino que es el lugar invisible donde se produce la protección divina. Incluso en el desierto, los esfuerzos opresivos del dragón amenazan a la comunidad de los santos, pero Dios los protege allí. La naturaleza de la protección no es física, sino que Dios los protege del engaño espiritual (véase en 12:15–17). El desierto es otra imagen esencialmente idéntica al santuario de 11:1 y al tabernáculo de 13:6, puesto que los tres son atacados durante el mismo período de **mil doscientos sesenta días** (o tres años y medio), y puesto que los tres son metáforas de protección espiritual.

En consecuencia, la mujer es una imagen equivalente a la de los dos testigos del cap. 11, ya que ambos sufren en cuerpo pero son protegidos en espíritu, por el desierto y el santuario respectivamente. Sin embargo, incluso en el desierto, el lugar de la protección de Dios, sigue habiendo peligros. Esta naturaleza dual del desierto se sugiere también en el Antiguo Testamento y en Apocalipsis 17. En el Antiguo Testamento, el desierto no sólo era el lugar donde Israel estaba protegido de los egipcios que lo perseguían, sino también un lugar inhabitable de pecado, maldad o juicio, donde sólo habitaban animales feroces y espíritus malignos (p. ej., Lv. 16:10; Is. 13:20–22; 34:10–15; Jer. 9:10–12).

La ramera de 17:1–9 también habita en el desierto (17:3). Engaña a los habitantes de la tierra (17:8) y persigue a los santos que, sin embargo, no son susceptibles de caer en su tentación. Por tanto, el desierto es el lugar de protección de los santos, pero en medio de un mundo hostil. Dt. 8:15–16 resume la doble naturaleza de la experiencia de Israel en el desierto: "Te condujo a través del inmenso y terrible *desierto*, con sus serpientes [¿rojas?] abrasadoras… en el *desierto* te alimentó con el *maná*… para humillarte y para probarte, y para finalmente [¿en tus últimos días?] hacerte bien". Este texto habría estado muy cargado de significado tipológico para Juan y probablemente se encuentra detrás de su doble concepción del desierto.

Los **mil doscientos sesenta días** han sido establecidos como el tiempo de tribulación predicho por Dn. 7:25 y 12:7, que comienza con la ascensión de Cristo y continúa hasta Su regreso. Entre todas las fórmulas de "tres años y medio" de Juan, el v. 6 es el más claro a la hora de identificar los límites temporales de la fórmula (cf. 11:2–3; 13:5). Sin duda, aquí la edad limitada se extiende desde la resurrección de Cristo (v. 5) hasta Su aparición final (14:14–20). Anteriormente argumentamos (véase 11:2–3) que los tres años y medio de testimonio de la iglesia durante la era inter-adventual fueron modelados después de los tres años y medio aproximados del ministerio terrenal de Cristo. Los cuarenta y dos meses también se hacen eco del tiempo de peregrinación de Israel en el desierto y del ministerio de juicio de Elías (véase 11:1–3 para un análisis más completo de este período de tiempo como la era de la iglesia).

La palabra "lugar" (**donde tenía un lugar preparado por Dios**; cf. también v. 14), griego *topos*, es sinónimo en otras partes del NT de "templo" (p. ej., Mt. 24:15) y se utilizó a menudo en la LXX (unas cuarenta veces) para el "santuario". El **lugar preparado por Dios** es un área geográfica invisible de seguridad sagrada como el templo de 11:1–2. A la iglesia de Éfeso se le advierte que un espíritu impenitente en el futuro hará que Cristo quite su candelabro "de su lugar *(topos)*" en Su templo celestial (2:5). Esto significa que no tendrán el beneficio de la protección espiritual provista por ese templo.

El uso de **donde** (griego *hopou*) para introducir la última mitad del v. 6 resalta aún más el aspecto invisible del **lugar** sagrado, ya que esa palabra en otras partes del Apocalipsis siempre introduce ámbitos simbólicos de protección divina (véase 12:14 y 14:4) o de peligro o presencia satánica (2:13; 11:8, 20:10; cf. 17:3 con

---

LXX Septuaginta

17:9, literalmente "donde se sienta la mujer"). Obsérvese el paralelismo entre este versículo, en el que Dios prepara un "lugar" de protección en el desierto para los creyentes tras la muerte y resurrección de Cristo, y Juan 14:2–3, en el que Jesús prepara un "lugar" (siendo el lugar la "casa" de Su Padre) para los creyentes, donde volverá a estar con ellos tras Su muerte y resurrección (Jn. 14:16–24; 15:26–27; 16:7, 13–16).

Tradicionalmente, hemos entendido que este último "lugar" es el cielo, pero a la luz del paralelismo con el Apocalipsis, ¿podría ser que el "lugar" que Dios prepara es simplemente el lugar de Su presencia, ya sea en la tierra o en el cielo? O puede ser que el templo del cielo se extienda a la tierra, donde los creyentes participan en él. Al estar en el lugar donde está el Espíritu, los creyentes están capacitados para perseverar y superar las tentaciones de ceder a causa de la persecución (Jn. 15:25–27; 16:1–16; 16:32–33). En este lugar, se mantienen espiritualmente seguros independientemente de los demás problemas que puedan sufrir. Aunque experimentan tribulación en relación con el mundo, al mismo tiempo su relación de pacto con Dios está espiritualmente protegida y alimentada.

Es improbable la idea de algunos de que, después de que el v. 5 habla de la resurrección de Cristo, el v. 6 se salta la edad de la iglesia y salta todo el camino hasta el tiempo del resurgimiento de la etnia de Israel y una "Gran Tribulación" que precede directamente a la segunda venida. Esto significaría que es el Israel étnico y no la iglesia la que encuentra refugio del dragón en el desierto. Pero no hay evidencia de tal intervalo de tiempo. Tal hiato temporal sólo puede leerse en el texto mediante un esquema previo del tiempo del fin que un intérprete aporta al texto. La lectura natural es ver que el v. 6 sigue inmediatamente en el tiempo al v. 5. La relación de las secciones paralelas de 12:10 con 12:11–17 confirma esta lectura, al igual que la relación de 1:5 y 1:6 (véase también el v. 9), 1:12–20 y los caps. 2–3, 5:5–14 y 6:1–11, y 7:10–11 y 7:13–14. Todas estas secciones paralelas tratan de aspectos de la obra de Cristo y sus consecuencias *inmediatas* en la vida de la iglesia, y lo mismo ocurre con la relación de 12:5 con 12:6.

Sugerencias para Reflexionar sobre 12:1–6

- ***Sobre las implicaciones de la interrelación del Israel fiel y la iglesia.*** Juan presenta aquí la imagen de la mujer que da a luz al hijo varón y luego huye al desierto. Reflexione sobre la cantidad de paralelismos que el comentario presenta entre el Israel fiel y la iglesia. Ninguno de los dos puede entenderse plenamente sin el otro. ¿Qué implicaciones tiene esta interrelación? Al trazar líneas de división entre Israel y la iglesia en la era del nuevo pacto, ¿no comprendemos cómo la iglesia es la heredera del Israel fiel y cumple proféticamente su papel? ¿Comprendemos la correspondiente falta de conexión entre el Israel fiel representado aquí, y aquellos "que se dicen judíos y no lo son" (Ap. 2:9; 3:9)?

- ***Sobre la naturaleza compleja del desierto.*** Estos versículos hablan del desierto, tanto en su forma del Antiguo Testamento como en la del NT, como un lugar complejo: es donde Dios protege a Su pueblo, pero también es un lugar de peligro. ¿Cómo encontramos el lugar de la presencia de Dios en medio de un mundo hostil? ¿Cuál es la naturaleza de la seguridad que Él proporciona? ¿Qué podemos pedir legítimamente en ese sentido?

2. La muerte y resurrección de Cristo dan lugar a la victoria de Cristo y de los santos sobre el acusador satánico y a la inauguración del reino mesiánico (12:7–12)

[7] Entonces hubo guerra en el cielo: Miguel y sus ángeles combatieron contra el dragón. Y el dragón y sus ángeles lucharon, [8] pero no pudieron vencer, ni se halló ya lugar para ellos en el cielo. [9] Y fue arrojado el gran dragón, la serpiente antigua que se llama Diablo y Satanás, el cual engaña al mundo entero. Fue arrojado a la tierra y sus ángeles fueron arrojados con él. [10] Entonces oí una gran voz en el cielo, que decía: "Ahora ha venido la salvación, el poder y el reino de nuestro Dios y la autoridad de Su Cristo, porque el acusador de nuestros hermanos, el que los acusa delante de nuestro Dios día y noche, ha sido arrojado. [11] Ellos lo vencieron por medio de la sangre del Cordero y por la palabra del testimonio de ellos, y no amaron sus vidas, llegando hasta sufrir la muerte. [12] Por lo cual regocíjense, cielos y los que moran en ellos. ¡Ay de la tierra y del mar!, porque el diablo ha descendido a ustedes con gran furor, sabiendo que tiene poco tiempo".

7 Juan no hace explícita la conexión entre los vv. 1–6 y los vv. 7–12, pero se exige una conexión (aparte de su ubicación adyacente) porque la redacción del v. 3

("entonces apareció otra señal en el cielo") y aquí (**entonces hubo guerra en el cielo**) sugiere que los vv. 7–12 son una continuación de la visión de los vv. 1–6. Los vv. 7–12 explican cómo **Miguel y sus ángeles** derrotaron al diablo (**combatieron contra el dragón**) y a sus ángeles en un combate celestial, y registran acciones que son la contrapartida celestial de los acontecimientos terrenales registrados en los vv. 1–6.

Desde la perspectiva de Juan, los ángeles pueden ser vistos como mediadores de la iglesia (cf. los ángeles en los caps. 1–3 y los ancianos en los caps. 4–5 como representantes celestiales de la iglesia), principalmente a la luz de las siguientes consideraciones sobre su naturaleza representativa tal como se entiende desde Daniel. Según la visión de Daniel, Miguel es el gran ángel designado para representar al pueblo de Dios (Dn. 10:13, 21; 12:1). Miguel está estrechamente asociado con el Hijo del Hombre (como ayudante subordinado), ya que ambos son presentados como representantes celestiales de Israel (Dn. 12:1 y 7:13–27 respectivamente).

Por eso se les identifica luchando juntos por Israel contra los gobernantes demoníacos de Persia y Grecia (naciones que oprimen al pueblo de Dios) en Dn. 10:20–21 (cf. Dn. 10:5–21, donde "uno como un Hijo de hombre" se une a Miguel para luchar contra estas fuerzas celestiales malignas). Juan ve ahora a Miguel, que representa a la comunidad del pacto de Dios y al líder mesiánico de esa comunidad, luchando en el cielo, igual que Cristo luchó en la tierra. Así pues, Miguel está en la visión de Juan al lado del Hijo del hombre para luchar por Él, igual que en la visión de Daniel. Como en Daniel, en Ap. 12:7, Miguel es un representante de Israel y tiene la misma relación con el "Hijo del hombre", Cristo, que en Daniel 10. En Ap. 12:1–5 se ha explicado principalmente lo que ha ocurrido en la tierra en la persona de Jesús, mientras que Miguel refleja la victoria terrenal de Jesús como Su representante en la esfera celestial.

En consecuencia, el v. 7 explica la contrapartida celestial de la victoria de Cristo en la cruz y la resurrección. Es decir, la resurrección de Cristo y el comienzo de Su reinado se reflejan inmediatamente en el cielo con la derrota del diablo y sus huestes por parte de Miguel y sus ángeles. El compromiso de Miguel en el cielo fue un acto reflejo directo e inexorable puesto en marcha por la obra redentora de Cristo en la tierra. También es apropiado que Miguel refleje las acciones terrenales de Jesús en el cielo, ya que Jesús representa al Israel ideal en Su propia persona y Miguel es el ángel representante de Israel (Dn. 12:1). Las acciones de Miguel en nombre del verdadero Israel (que en Ap. 12 es Jesús) deben estar relacionadas con Dn. 12:1, en el que se profetiza que “vela” en la tribulación de los últimos días como representante celestial de Israel para defender al Israel fiel del daño final de la tribulación. El trabajo representativo profetizado de Miguel comienza con su representación de la victoria de Jesús en el cielo. La posterior labor representativa de Miguel en nombre de los seguidores de Jesús, el verdadero Israel corporativo, también se limita a reflejar en el cielo los efectos posteriores de la victoria que Jesús logró para ellos.

Dn. 7:21 se refiere a que el cuerno “hacía guerra” a los santos y es demasiado poderoso para ellos. Ya se hizo una alusión a este texto en 11:7 y aparece de nuevo en 13:7, ambos referidos a los ataques de la bestia contra los santos. El lenguaje de Dn. 7:21 se aplica ahora a la derrota del dragón. Los “príncipes” de Persia y de Grecia, contra los que lucha Miguel según Dn. 10:20, se revelan ahora como el propio Satanás o uno de sus ángeles demoníacos. ¿Qué mejor lenguaje para representar la derrota del diablo que el que el libro de Daniel había utilizado para hablar de la victoria del diablo sobre los santos? La aplicación inversa de la expresión “hacía guerra” puede connotar una parodia literaria por la que se burla del diablo al describir su derrota de la misma manera en que se describió la derrota del pueblo de Dios. Dado que la mujer, el dragón, la serpiente, el desierto, las alas del águila y otras descripciones a lo largo del cap. 12 son claramente simbólicas, también lo es aquí la guerra de los ángeles. El resto del cap. 12 aclara la manera en que el diablo fue derrotado por la resurrección de Cristo y el significado del simbolismo del v. 7.

8 Así como el comienzo del v. 8 completa una descripción de Daniel de la desaparición de Satanás iniciada en el v. 7, el resto del versículo añade un esbozo más, de nuevo basado en Daniel. Una consecuencia inmediata de la derrota del diablo y sus huestes es que **ni se halló ya lugar para ellos en el cielo**. Esto se basa en la redacción casi idéntica de Dn. 2:35 (OG; “no se encontró ni rastro de ellos” en la Biblia hebrea), que también describe proféticamente la consecuencia inmediata de la destrucción de los reinos mundiales hostiles en los últimos días. En Daniel 2, una piedra golpea una estatua que representa los últimos cuatro reinos de la historia del mundo.

La piedra se equipará con la fuerza del reino de Dios (Dn. 2:44). Muchos comentaristas han equiparado la piedra con el Hijo del Hombre de Daniel 7, que vence y sustituye a los antiguos regímenes opresores en los últimos tiempos. Jesús

---

OG Traducción griega antigua de las Escrituras hebreas

vio que la profecía comenzaba a cumplirse en Su propio ministerio (Lc. 20:17–18). Los judíos que lo rechazaron fueron identificados con las naciones impías que serían juzgadas por Él. Él era la piedra de Daniel 2. La resurrección de Cristo desencadena inmediatamente el efecto de la victoria representativa de Miguel en el cielo, y las imágenes de Daniel 2 muestran que se trata de un juicio absoluto y universal. El sentido de Dn. 2:35 y la alusión a él en Ap. 12:8b es que la oposición al reino de Dios y a Su pueblo se frustra decisivamente. La derrota de las naciones por parte de Jesús en cumplimiento del Salmo 2 (cf. Ap. 12:5) se refleja en el cielo con la derrota de los representantes celestiales de esas naciones por parte de Miguel en cumplimiento de Daniel 2 (cf. Ap. 12:7). Mientras que el v. 8b muestra que la derrota decisiva ha comenzado, la misma alusión a Dn. 2:35 se repite en 20:11 para indicar el cumplimiento completo de la profecía al final de la era y el juicio final. Pero si este juicio profetizado es sólo inaugural, ¿cómo puede ser absoluto y universal? Los siguientes versículos explicarán cómo es esto.

9 Ahora se da una explicación más sobre lo que significa que "ni se halló ya lugar para ellos en el cielo": **fue arrojado a la tierra y sus ángeles fueron arrojados con él.**. Así como él arrojó injustamente a las estrellas a la tierra (v. 4), ahora el diablo sufre el mismo castigo (ilustrando de nuevo el principio bíblico del castigo acorde con el delito). El dragón es descrito ahora como **la serpiente de la antigua**, es decir, la serpiente de Gn. 3:1, 14. El antiguo enemigo del pueblo de Dios también es llamado **Diablo y Satanás**, que significan respectivamente "calumniador" y "adversario". Según Génesis 3, la serpiente es a la vez calumniadora y engañadora. Calumnia a Dios al cuestionar sus motivos para dar su orden (Gn. 3:5), y engaña a Adán y Eva al sugerir que su desobediencia tendrá una consecuencia positiva (Gn. 3:4–5). El resto del cap. 12 y del libro revela que la muerte y la resurrección de Cristo han tenido como resultado la reducción drástica de la función de engaño del diablo y la anulación de su función de calumniador. Esta reducción y anulación es lo que significa la representación de Miguel y sus ángeles arrojando al diablo y sus ángeles del cielo. El "lugar" que perdió el diablo fue su hasta ahora privilegiado lugar de acusación, que Dios le había concedido como privilegio temporal (véase más adelante el v. 10b).

10 Juan oye **una gran voz en el cielo** que proclama. A menudo, en el Apocalipsis, un himno interpreta o resume una visión (véase 4:1–7 y 4:8–10; 5:5 y 5:6–14; 14:1 y 14:2–5; 15:2 y 15:3–4). A veces lo que se ve interpreta lo que se ha oído en una sección anterior (véase 7:1–8 y 7:9–17). Por tanto, el himno de los vv. 10–12 interpreta los vv. 7–9 para mostrar claramente que lo que hace Miguel es un reflejo celestial de lo que hace Cristo en la tierra. Los tres primeros versos del himno son especialmente paralelos al de 11:15, donde también la multitud de santos ensalza a Dios por el establecimiento del reino. Por tanto, parece que la multitud de santos en el cielo son aquellos de los que procede la voz. Esto se confirma por el hecho de que se refieren, no sólo a **nuestro Dios**, sino también a **nuestros hermanos**. Normalmente, en el Apocalipsis, los ángeles dan expresiones de juicio o de salvación, mientras que los humanos ofrecen declaraciones de alabanza.

El significado de la ascensión de Cristo y la expulsión del diablo del cielo (vv. 5–9) se explica ahora como la tan esperada inauguración del reino mesiánico profetizado (no la consumación, como en 11:15): **Ahora ha venido la salvación, el poder y el reino de nuestro Dios y la autoridad de Su Cristo**. Las descripciones similares del poder de Dios y del Cordero en 4:11 y 5:11–12 confirman que aquí, al igual que en esos capítulos, la atención se centra en la resurrección de Cristo, que ha lanzado la etapa inicial del reino. La palabra introductoria **ahora** enfatiza el aspecto inicial del cumplimiento. Por tanto, el v. 10 no es una mera anticipación del reino futuro, sino que celebra el hecho de que el reino ha comenzado inmediatamente después de la muerte y resurrección de Cristo. Se trata del cumplimiento directo de la profecía del comienzo del gobierno del Mesías en Sal. 2:7–9 (al que se alude en el v. 5); la combinación de **Dios** o "Señor" y **Su Cristo**, como en este versículo, sólo se da en el AT en el Salmo 2:2. La resurrección es el punto de inflexión de toda la historia humana. Representa el momento en que el poder del enemigo en el cielo fue aplastado y su reino se derrumbó en la tierra.

El modo en que esto ha sucedido puede verse en la declaración de los santos redimidos en el v. 10b de que **el acusador de nuestros hermanos... ha sido arrojado**. La muerte y la resurrección de Cristo han provocado la excomunión de Satanás del cielo. Así como Satanás y sus huestes cayeron al principio de la primera creación (Is. 14:11–16; Ez. 28:12–19 [posiblemente]; 2 P. 2:4; Jud. 6), también tuvo que caer al comienzo de lo que la Escritura nos dice que es la segunda, la nueva creación (véase 1:5 y 3:14; cf. 2 Co. 5:14–17; Gá. 6:15). El trabajo de Satanás siempre había sido acusar a los santos (Job 1:6–11; 2:1–6; Zac. 3:1–2), y de estos textos se puede concluir que Dios le permitió al diablo acusar a Su pueblo de pecado.

En las acusaciones también estaba implícita la acusación de que el propio carácter de Dios era corrupto. Por ejemplo, Satanás le dice a Dios en Job 1 que

Job no habría sido tan fiel si Dios no lo hubiera prosperado o sobornado tanto. La acusación del diablo se basa en la presuposición correcta de que la pena del pecado requiere un juicio de muerte espiritual. Hasta la muerte de Cristo, podría parecer que el diablo tenía un buen caso, ya que Dios condujo a todos los santos fallecidos del Antiguo Testamento a Su presencia salvadora sin exigir la pena de su pecado, habiendo retrasado Dios la ejecución del justo castigo por nuestro pecado (Ro. 3:25). Sin embargo, el caso del diablo era injusto incluso entonces, ya que los pecados de los que acusaba y por los que quería castigar a la gente fueron instigados por sus engaños. Por eso se le llama a la vez engañador y acusador en los vv. 9–10. Por lo tanto, debido a las acusaciones injustas de Satanás y a la muerte redentora anticipada del Mesías por Su pueblo (cf. Isaías 53), los santos del Antiguo Testamento fueron protegidos por Dios del peligro condenatorio de estas acusaciones.

Sin embargo, cuando Cristo vino, Su muerte satisfizo la ira de Dios contra los pecados de todos los fieles, tanto los anteriores a Cristo como los posteriores. Él fue el Cordero inmaculado y sustitutivo que fue sacrificado y que compró para nuestro Dios por medio de Su sangre un pueblo redimido de toda la tierra (así en 5:6–9). El hecho de que el justo juicio de Dios sobre el pecado humano haya recaído sobre el Cristo sin pecado ha tenido como resultado que “ahora no hay condenación para los que están en Cristo Jesús” (Ro. 8:1), y que nadie puede “acusar a los escogidos de Dios”, ni siquiera “ángeles, ni principados… ni los poderes” (Ro. 8:33–34, 38).

Ahora el diablo no tiene base para sus acusaciones, y queda desalojado de la sala de justicia celestial y del consejo de Dios. Jesús vincula la caída de Satanás del cielo (Lc. 10:18) con el empoderamiento de los discípulos sobre la obra del enemigo (Lc. 10:17, 19–20), y sobre todo con el hecho de que los nombres de los discípulos están registrados en el cielo (Lc. 10:20). Jesús profetizó que cuando fuera levantado, el gobernante de este mundo sería expulsado (Jn. 12:31). La derrota decisiva y legal de Satanás ocurre cuando se inaugura el reino de Dios en la tierra; la destrucción final y completa del enemigo ocurrirá cuando el Señor regrese para establecer Su reino en su estado completo o realizado (Ap. 19:20–21; 20:10–15).

11 Ahora, la victoria decisiva de Cristo en la tierra (vv. 5, 10) y de Miguel en el cielo (vv. 7–9) se identifica como la base de la victoria que los cristianos que sufren en la tierra obtienen sobre la serpiente a lo largo de la historia: **Ellos lo**

vencieron por medio de la sangre del Cordero. Específicamente, la inicial **y**[*] puede señalar al v. 10 como la base del v. 11 o puede denotar de manera similar que el v. 11 es un resultado del v. 10. El v. 11 resume el propósito de todo el capítulo y especialmente de los vv. 7–12, que es asegurar a los creyentes que se encuentran con el mal satánico en la tierra que el mal ha sido derrotado, aunque parezca lo contrario. Los cristianos pueden estar seguros de que la serpiente comienza a luchar contra sus cuerpos sólo después de haber perdido la batalla sobre sus almas. Esto expresa uno de los principales temas del libro: el sufrimiento de los cristianos es un signo, no de la victoria de Satanás, sino de la victoria de los santos sobre él debido a su confianza en el triunfo de la cruz, con la que su sufrimiento los identifica. El estatus de los santos en el cielo ha sido legitimado finalmente por el sufrimiento de Cristo en la cruz. Todos los creyentes, pasados, presentes y futuros, han vencido al diablo y, por tanto, "siguen al Cordero adondequiera que va" (14:4).

También han vencido al enemigo **por la palabra del testimonio de ellos**. Aquí no se trata de los santos del Antiguo Testamento, sino de los seguidores de Jesús, como se desprende de las frases paralelas del libro que se refieren a los fieles perseguidos de la iglesia del NT (así en 1:9; 6:9; 19:10; 20:4). Al igual que el veredicto de culpabilidad de Satanás y del mundo sobre Cristo fue anulado por Su resurrección, Sus seguidores tienen su veredicto anulado de la misma manera por su identificación con esa resurrección. La frase **no amaron sus vidas, llegando hasta sufrir la muerte** se refiere a cualquier sufrimiento por Cristo hasta el punto de (**llegar hasta**) el martirio real. Que no sólo se refiere a los mártires lo demuestra el hecho de que la acusación del diablo viene contra todos los creyentes, no sólo contra los que han dado su vida por Cristo.

El paralelismo de 2:10 incluye la muerte, pero no implica necesariamente que todos los encarcelados vayan a morir: "el diablo echará a algunos de ustedes en la cárcel para que sean probados, y tendrán tribulación por diez días. Sé fiel hasta [literalmente 'hasta el punto de'] la muerte". Todos los creyentes participan en el sufrimiento y la tribulación (1:9), y los "vencedores" de los caps. 2–3 son todos los miembros fieles de las iglesias. Los creyentes deben ser fieles "hasta" el punto de la muerte — hasta la muerte si es necesario, pero ciertamente hasta cualquier prueba de naturaleza menor.

---

[*] Nota del traductor: La traducción NASB en inglés comienza tanto el v. 10 como el v. 11 con "And" ("y"), la NBLH los omite.

12 Al parecer, son los santos que habitan en el cielo los que ordenan a todos los seres celestiales que se alegren: **Por lo cual regocíjense, cielos y los que moran en ellos**. Deben alegrarse porque (**por lo cual**, en alusión a los acontecimientos registrados en los vv. 7–11) el reino de Cristo se ha establecido, el enemigo ha perdido su lugar en el cielo como su acusador, y los santos pueden superar sus acusaciones. El mandato se dirige retóricamente sobre todo a los propios santos (los que habitan o hacen su tabernáculo en los cielos; cf. 7:15; 21:3) por la salvación de la que ahora disfrutan, aunque el discurso incluye una referencia a todos los seres celestiales. Mientras que los cielos pueden alegrarse por la expulsión del demonio, el ay viene a la tierra, porque el poder del demonio, aunque reducido en los cielos, sigue siendo real en el reino terrenal: **¡Ay de la tierra y del mar!, porque el diablo ha descendido a ustedes con gran furor**. La furia del diablo se expresa contra los cristianos, como dejan claro los vv. 13–17.

Su obra destructiva en la tierra también está alimentada por su **gran furor** por haber perdido su posición en el cielo. Pero, sobre todo, su furia está encendida por **saber que tiene poco tiempo** para obrar su destrucción en la tierra. La expresión **poco tiempo** indica una expectativa de la inminente consumación del reino y la derrota final de Satanás. Los cristianos del primer siglo esperaban la inminente venida de Cristo, pero reconocían que sólo el Padre conocía "el día y la hora" (Mt. 24:36; cf. Hch. 1:7). El ay al final del v. 12 muestra que Juan entendía que Satanás tenía la misma perspectiva inminente. Así como la esperanza inminente debe motivar a los cristianos a realizar buenas obras, motiva a Satanás a realizar obras malignas, para poder causar la mayor destrucción posible antes de que llegue el fin. El **poco tiempo** es el mismo que los tres años y medio de los vv. 6, 14 y 11:2–3 y 13:5 y el tiempo de la "demora" en 10:6. Esta identificación encaja bien, ya que los tres años y medio en Dn. 7:25; 12:7; Ap. 11:2; 13:5 es el período de la persecución del enemigo de los últimos tiempos contra el pueblo de Dios (véase 11:1–2), del que los vv. 6 y 14 afirman que están protegidos en última instancia.

Por lo tanto, el **poco tiempo** es figurativo, como los tres años y medio. Probablemente también se superpone o es equivalente al "poco más de tiempo" de 6:11, durante el cual los santos fallecidos esperan que el resto de los redimidos se reúna con ellos en la gloria. El período del v. 12 también es sinónimo de los "mil años" de 20:3. Es decir, los santos fallecidos en el cielo de 6:9–11 también reinan triunfalmente allí (20:4–6) hasta que el resto de sus hermanos y hermanas sufran y mueran y se unan a ellos en su gobierno celestial. Este es el mismo tiempo en el que el diablo está encerrado en el abismo, donde no puede dañar las almas de los santos sellados, aunque sí puede dañar sus cuerpos a través de la persecución (véase en 20:1–6 para una mayor discusión). De hecho, el cap. 12 muestra que, aunque el diablo está "suelto" contra la iglesia, no puede en última instancia frustrar su destino e identificación espiritual y celestial.

Debido a que el reino de Cristo aún no está presente en su estado cumplido o completado, el pueblo de Dios puede sufrir físicamente o incluso ser asesinado, pero debido a que está genuinamente presente en su estado inicial o inaugurado, su victoria final está asegurada, tanto como lo estuvo la de Cristo cuando estaba muriendo en la cruz. Y en medio de nuestra batalla en la tierra, tenemos ahora todos los recursos del cielo abiertos para nosotros, los mismos recursos que arrojaron al enemigo a la tierra en primer lugar. La resurrección es, pues, el acontecimiento decisivo que ganó la batalla en el mundo invisible y liberó el poder del reino en el mundo visible.

Sugerencias para Reflexionar sobre 12:7–12

- ***Sobre la batalla en el mundo invisible.*** En los vv. 7–12, Juan presenta una asombrosa visión del mundo invisible. ¿Qué luz arroja esto sobre el comentario de Pablo: "Porque nuestra lucha no es contra sangre y carne, sino... contra las fuerzas espirituales de maldad en las regiones celestes" (Ef. 6:12)? Los cristianos pueden cometer dos errores, ser ajenos a la batalla espiritual o estar obsesionados o temerosos de los poderes demoníacos. ¿Cómo nos dan estos versículos una perspectiva equilibrada?
- ***Sobre cómo afrontar el ataque del enemigo comprendiendo la soberanía de Dios.*** ¿Cómo puede ser cierto que el desenfreno de Satanás en la tierra es en realidad un reflejo de su derrota en el cielo y un presagio de su perdición final? ¿Cómo puede ser cierto que al mismo tiempo que la autoridad de Cristo ha sido establecida en el cielo, el diablo es libre de atacar al pueblo de Dios en la tierra con gran ira? Estos versículos presentan una visión de la total soberanía de Dios en todas las cosas. Incluso la obra del diablo ocurre sólo en los términos determinados por Dios. ¿Cuán importante es que nos aferremos a una visión bíblica de la soberanía de Dios, dado que el pueblo de Dios seguramente sufrirá

durante su vida terrenal? ¿Cómo podemos encontrar consuelo en el hecho del establecimiento del gobierno de Dios en el cielo, incluso cuando nos enfrentamos a las pruebas en la tierra?

3. Como resultado de la victoria de Cristo sobre el diablo, Dios protege a la comunidad mesiánica contra el daño iracundo del diablo (12:13–17)

[13] Cuando el dragón vio que había sido arrojado a la tierra, persiguió a la mujer que había dado a luz al Hijo varón. [14] Y se le dieron a la mujer las dos alas de la gran águila a fin de que volara de la presencia de la serpiente al desierto, a su lugar, donde fue sustentada por un tiempo, tiempos y medio tiempo. [15] La serpiente arrojó de su boca, tras la mujer, agua como un río, para que ella fuera arrastrada por la corriente. [16] Pero la tierra ayudó a la mujer, y la tierra abrió su boca y tragó el río que el dragón había arrojado de su boca. [17] Entonces el dragón se enfureció contra la mujer, y salió para hacer guerra contra el resto de la descendencia de ella, los que guardan los mandamientos de Dios y tienen el testimonio de Jesús.

13 El v. 13 retoma la historia dejada en el v. 6, donde la mujer (que representa la comunidad del pacto de los seguidores de Jesús) había huido al desierto, y en el v. 12, donde el diablo había bajado a la tierra con gran ira. El diablo, al ver su derrota (**cuando el dragón vio que había sido arrojado a la tierra**), y enfurecido por haber perdido su cargo celestial como resultado de su incapacidad para frustrar el nacimiento de Cristo y especialmente Su entronización definitiva, expresa su ira persiguiendo a **la mujer que había dado a luz al Hijo varón**. Está claro que la mujer (la iglesia) es perseguida por su asociación con el Hijo varón (Cristo), que arrojó al diablo. Por lo tanto, el dragón y sus representantes también la atacan (p. ej., Mt. 5:11; 10:22; 24:9; Jn. 15:18–21; Hch. 9:4–5; 1 P. 4:14; Ap. 1:9; 14:13, suponiendo que este último versículo incluya una referencia a la persecución).

14 El v. 14 reitera el contenido del v. 6 y lo interpreta con mayor profundidad: **Y se le dieron a la mujer las dos alas de la gran águila a fin de que volara de la presencia de la serpiente al desierto, a su lugar, donde fue sustentada por un tiempo, tiempos y medio tiempo**. Esta última frase equivale a los tres años y medio o cuarenta y dos meses de 11:2–3 y 13:5 o a los mil doscientos sesenta días de 12:6, es decir, el tiempo de la existencia terrenal de la iglesia. El propósito de su peregrinaje es encontrar protección contra la **presencia** amenazante **de la serpiente**. La imagen de **las dos alas de la gran águila** tiene como trasfondo Éx. 19:4 y Dt. 32:10–12, donde Dios habla de llevar a Israel como un águila en el desierto, y es sin duda esta imagen la que se repite aquí.

La iglesia es representada una vez más como el Israel de los últimos días que asume el papel del antiguo Israel, y con el desierto espiritual que representa la presencia protectora de Dios sustituyendo al desierto físico del Sinaí. David también habla de las alas de una paloma para huir al desierto y esperar la protección de Dios contra sus enemigos (Sal. 55:1–8). Pero quizá lo más significativo como trasfondo de este versículo sea la profecía de Isaías de que en el desierto el pueblo de Dios recibirá alas como las de las águilas cuando Él venga a liberarlo en los últimos días (Is. 40:27–31; vv. 3–11 para el contexto). Así pues, Dios fortalecerá y alimentará a la iglesia en su peregrinar por el desierto del mundo. Lo hace proporcionando maná, como hizo en el desierto del Sinaí (Éx. 16:32; Dt. 8:16). Juan 6:31–58 afirma que la presencia de Cristo mismo fue el comienzo del cumplimiento del maná prometido de los últimos días (y véase Ap. 2:17 para la promesa de Dios del maná a los que venzan).

Por tanto, el v. 14 debe considerarse como la representación del cumplimiento escalonado de la expectativa del maná y de las profecías de restauración en la iglesia, ya que las profecías de restauración de Isaías relacionadas a Israel nunca se cumplieron por completo. Su presencia los alimenta, asegura y fortalece en medio de la persecución y el sufrimiento en el **lugar** de su protección en el desierto, lo que hace que la iglesia permanezca fiel en su testimonio de Cristo.

15 La persecución de la iglesia por parte del diablo se representa como **la serpiente** que **arrojó de su boca, tras la mujer, agua como un río, para que ella fuera arrastrada por la corriente**. La imagen es figurativa, al igual que las demás metáforas de Juan sobre armas que salen de la boca de alguien. Estas armas figurativas representan palabras con las que Cristo y Sus agentes juzgan a los pecadores (1:16; 2:16; 11:5; 19:15, 21; cf. 3:16) o con las que el diablo y sus agentes engañan a la gente (9:17–18; 16:13). El v. 9 remonta la primera expresión de este rasgo engañoso al Jardín del Edén, al llamar al diablo "la serpiente antigua… que engaña al mundo entero". Esto se retoma en los vv. 14–15 por las repetidas referencias al diablo como **la serpiente**. En el Antiguo Testamento, el término "corriente"* se refiere a un ejército que se extiende para conquistar (Dn. 11:10, 22, 26, 40), y a la persecución del pueblo de Dios por parte de enemigos de los que el Señor los libra (2 S. 22:5; Sal. 18:4, 16; 66:12; 69:1–2, 14–15; 124:4–5; 144:7–8; Is. 43:2), que es la idea en mente aquí. En Sal. 18:4, David describe explícitamente la persecución de Saúl como "los torrentes de iniquidad" que lo asaltaron. El Sal. 144:7–8, 11 es digno de mención porque es una oración para que Dios libere a David "de las muchas aguas", que es una imagen de los que hablan "falsedad y… mentira". Asimismo, "una inundación de muchas aguas" en Sal. 32:6 se refiere a una amenaza de persecución por parte de los impíos.

El diablo intenta destruir la iglesia desde dentro (usando el engaño) y desde fuera (usando la persecución). Al igual que la serpiente engañó a la primera mujer con palabras, también intenta engañar a la mujer de los últimos días con un torrente de palabras (cf. 2 Co. 11:3). Los agentes satánicos en forma de falsos maestros, transigentes y demonios se infiltran en la iglesia para engañarla y contribuir a su desaparición (2:14–16, 20–22; 3:15–17; Ro. 16:17–20; 2 Co. 11:3–4, 13–15; 1 Ti. 4:1; 5:15; 2 Ti. 2:23–26). Los caps. 2–3 revelan que las iglesias a las que Juan escribía ya habían comenzado a experimentar la corriente de engaños del diablo (2:2, 14, 20), falsas acusaciones (2:9; 3:9), tentaciones y persecución (2:10, 13). No es casualidad que en todos los caps. 2–3 se mencionen estos problemas, la "sinagoga" del diablo (2:9; 3:9), "trono" (2:13) o las "cosas profundas" (2:24).

Las aguas del v. 15 aluden a por lo menos tres antecedentes del AT: el Mar Rojo, que era una barrera para la seguridad de los hijos de Israel, las aguas que se interponían en el camino del regreso de Su pueblo a Sion y que, según profetiza Isaías, en los últimos días Dios volverá a secar o a bloquear (Is. 42:15; 43:2; 44:27), y la inundación asociada con el ataque del tiempo del fin contra el pueblo de Dios en Dn. 9:26. La alusión de Juan tanto al éxodo como a Dn. 9:26 estaría en consonancia con sus alusiones anteriores, que han combinado los mismos dos antecedentes (véase 11:2, 6, especialmente sobre los "cuarenta y dos meses" y sus antecedentes en el éxodo y en Daniel).

16 El hecho de que la tierra se trague el río es una nueva alusión al Éxodo y a la experiencia de Israel en el desierto. La tierra se tragó la corriente (**la tierra abrió su boca y tragó el río que el dragón había arrojado de su boca**). La tierra

* Nota del traductor: La traducción NASB en inglés coloca la palabra "flood" ("inundación", "diluvio"), mientras que la NBLH coloca "corriente" como de un río del que habla en el v.16.

se tragó al faraón y a sus ejércitos (Éx. 15:12; la Biblia aramea [Targum palestino] amplía el hebreo de este versículo y repite que "la tierra abrió su boca y los consumió"). Y más tarde la tierra se tragó a las familias de Coré, Datán y Abiram, que se rebelaron contra Moisés (Nm. 16:31–32). En ambos casos del Antiguo Testamento, Dios hizo que la tierra se abriera y se tragara lo que se oponía al establecimiento y al bienestar de Su pueblo.

Curiosamente, tanto Isaías como los Salmos dicen que Dios derrotó al dragón maligno cuando dividió el Mar Rojo para permitir el paso de Israel, pero lo cerró de nuevo sobre Egipto (Sal. 74:13–14 [donde Leviatán representa al faraón]; Is. 51:9–10), y Ez. 29:3 y 32:2–3 identifican al faraón con el dragón marino. Así que aquí, la alusión a la liberación del éxodo connota una vez más la preservación y liberación de Dios de Su pueblo y la derrota de la serpiente. La barrera del mar tuvo que ser eliminada para que Israel pudiera ser guiado al "lugar" que Dios había hecho en el desierto para Su morada (Éx. 15:17). El propósito de la protección en el v. 16, como en Éxodo, es guiar a la iglesia en el desierto al "lugar" preparado por Dios para ella (12:6, 14), que es un santuario de protección.

17 El dragón se **enfureció contra la mujer** porque sus esfuerzos por destruir la iglesia han sido frustrados, pero no cesa en su empeño de exterminar al pueblo de Dios. Así, se va **para hacer guerra contra el resto de la descendencia de ella, los que guardan los mandamientos de Dios y tienen el testimonio de Jesús**. La relación del v. 17 con los versículos anteriores es uno de los problemas interpretativos más difíciles del libro. La dificultad se centra en la naturaleza de la diferencia, si es que hay alguna, entre la mujer y su descendencia, y en cómo se les representa respectivamente. El punto de vista más plausible es que la mujer de los vv. 6, 13–16 representa a la iglesia (y el sufrimiento que padece) tal y como se ve desde la perspectiva ideal, eterna o celestial, y su descendencia en el v. 17 representa a la multitud de creyentes individuales (y el sufrimiento que experimentan) tal y como se ve desde una perspectiva terrenal o histórica. La mujer se presenta en el v. 1 como "en el cielo" y con vestimenta celestial, y la misma mujer se presenta también sufriendo en la tierra (vv. 6, 13–16).

La mujer sigue siendo vista desde una perspectiva celestial e ideal incluso al considerar sus sufrimientos en la tierra. En el v. 17, sin embargo, el mismo sufrimiento se presenta desde una perspectiva terrenal como el sufrimiento de los creyentes individuales. Esto representa simplemente dos formas diferentes de ver la iglesia: como una entidad corporativa o "ideal", la forma en que Dios la ve desde Su perspectiva, y como una comunidad de individuos, que es la forma en que la experimentamos en la tierra. Asimismo, en el Antiguo Testamento, la figura femenina de Sion se explica siempre como el numeroso pueblo de Israel (Is. 49:14–26; 50:1; 51:1–3, 16; Ez. 16; Os. 4:4–5; y véase 12:2).

La antítesis de la mujer, la ramera de los caps. 17–18, también representa una comunidad compuesta por individuos. Tal vez, en concreto, todavía esté en el trasfondo Is. 66:7–10, 22, donde se habla de Sion como de una madre que, "antes que estuviera de parto, ella dio a luz… *un niño*" (66:7), al que ya se ha aludido en el v. 2 (sobre el que véase). Sorprendentemente, en el siguiente versículo, Isaías habla de lo mismo al referirse a Sion: "Pues Sion apenas estuvo de parto, dio a luz a sus *hijos*". Esto es prácticamente lo mismo que la mujer del cap. 12, que da a luz un varón y que también tiene otros hijos.

Si es correcto, este punto de vista del v. 17 es mejor tomarlo como un contraste entre toda la iglesia celestial y toda la terrenal. En consecuencia, el punto de los vv. 13–17, tomados en conjunto, sería que la *única* iglesia celestial que está siendo perseguida *en la tierra* no puede ser destruida (perspectiva de Dios) porque es celestial y, en última instancia, inviolable espiritualmente, pero los *muchos* que componen individualmente la iglesia pueden sufrir físicamente los peligros terrenales (nuestra perspectiva), pero no ser destruidos espiritualmente. En relación con Apocalipsis 11, esto significaría que la mujer equivaldría a los que habitan en el patio interior del templo, espiritualmente invencible, y su descendencia equivaldría a los que viven en el patio exterior, que es susceptible de sufrir daños físicos (véase 11:1–2). Se trata de dos formas de ver el mismo fenómeno. Comprenderlo desde la perspectiva de Dios, tal y como nos lo presenta Juan, nos ayuda en la batalla tan real a la que nos enfrentamos en nuestra vida terrenal.

Un punto de vista viable (aunque algo menos probable) de la frase **el resto de la descendencia** es que se revelan cuatro etapas temporales a medida que avanza la narración del cap. 12:

- La comunidad mesiánica antes de Cristo (vv. 1–4),
- La aparición de Cristo en la comunidad del pacto (v. 5),
- La comunidad mesiánica perseguida inmediatamente después de la ascensión de Cristo (vv. 6, 13–16), y
- Las etapas posteriores de la comunidad perseguida (v. 17).

Es posible considerar la tercera etapa como la era de la iglesia en general (paralela a 11:1–6), y la cuarta como una era al final de la historia (paralela a 11:7–13). Este esquema temporal se basa en la posibilidad de que el v. 17 afirme una distinción entre la mujer, ya que implícitamente representa a *parte* de su descendencia como un grupo de creyentes en los vv. 6, 13–16, y luego al *remanente* de su descendencia en el v. 17. Esto significaría que el grupo representado en los vv. 6, 13–16 *es distinto* al del v. 17. Sin embargo, aunque esta interpretación sea correcta, la naturaleza celestial e invencible de la iglesia que se destaca en los vv. 6, 13–16 no se pierde de vista en el v. 17, ya que el grupo allí se llama **el resto de la descendencia** de la mujer (celestial). Esta frase muestra una continuidad entre los grupos de los vv. 6, 13–16 y el v. 17, ya que ambos están relacionados con la mujer celestial.

La iglesia guarda **los mandamientos de Dios** y mantiene **el testimonio de Jesús**. Esta última frase es intencionalmente ambigua, como en 1:2, incluyendo tanto el "testimonio de Jesús" dado a la iglesia como "el testimonio de Jesús" dado por la iglesia. El enfoque de la frase puede ser el testimonio de Jesús a Dios, que la iglesia debe reproducir. El cuidado benéfico de Dios y la nutrición de la iglesia consiste en permitirle continuar siendo fiel a Él y a Jesús. Esta es la "perseverancia de los santos" (14:12). Cuando esto sucede, el rey del abismo sufre un revés, ya que pierde súbditos sobre los que gobernar en su propio reino turbio. Se trata de otro elemento escalado del modelo original del éxodo, en el que la obediencia de Israel a los mandamientos de Dios, contenidos en el tabernáculo terrenal, era vista como lo que les preservaba a través del mar y del desierto.

Ahora Jesús resume en sí mismo los mandamientos de Dios del Antiguo Testamento (**los mandamientos de Dios** = **el testimonio de Jesús**), representados por el contenido del tabernáculo celestial del testimonio (véase más adelante 15:5). El v. 17 es también un cumplimiento parcial de la promesa de Gn. 3:15, donde Dios profetiza que la simiente individual (mesiánica) y corporativa de la mujer herirá mortalmente la cabeza de la serpiente (nótese la interpretación corporativa de la Biblia aramea de la "simiente" de la mujer en Gn. 3:15: "cuando los hijos de la mujer guarden los mandamientos de la ley… te herirán [a la Serpiente] en la cabeza; cuando abandonen los mandamientos los herirás en el talón… en los días del Rey Mesías").

En Ap. 13:3 se representa una de las cabezas de la bestia como "muerta", no sólo por la obra de Cristo, sino también por la fidelidad de sus seguidores (así en 12:11, 17). Siempre que se resiste la persecución, el engaño y la transigencia, se considera que el diablo sigue siendo derrotado (como en 12:11; Ro. 16:17–20). Por otra parte, la alusión al Génesis también muestra que la persecución de la iglesia está determinada proféticamente por la mano de Dios, ya que Gn. 3:15 es una profecía de que la serpiente "herirá" a la "simiente" de la mujer. El trasfondo de Génesis 3 también confirma nuestra conclusión de que en los vv. 15–16 la serpiente se opone a la mujer una vez más, no sólo mediante la persecución, sino también mediante el engaño, como en el Jardín del Edén. Esto no es más que otro caso en el que el final se inspira en el principio (véase el v. 9, donde "serpiente" se deriva principalmente de Génesis 3).

Sugerencias para Reflexionar sobre 12:13–17

- ***Sobre los vaivenes de la batalla espiritual.*** En los vv. 13–17, vemos retratada tanto la violencia del ataque del enemigo como la magnificencia de la protección de Dios. Las alas de la gran águila son dadas a la mujer incluso mientras la serpiente vierte agua como una corriente para destruirla. Cuando hay una victoria para la mujer, el enemigo se enfurece y se lleva la batalla a otra parte. ¿Cómo representa esto los vaivenes de la batalla espiritual tanto a través de los tiempos como en nuestra propia experiencia personal? ¿Cómo podemos consolarnos en medio de la tormenta de que en algún momento Dios nos librará? ¿Y cómo evitar la ilusión en tiempos de paz de que nunca llegarán tiempos de prueba, que a veces nos encuentran desprevenidos?
- ***Sobre la importancia del alimento espiritual.*** Juan nos dice que la mujer, que representa a la iglesia, será alimentada en su tiempo en el desierto. ¿Qué significa ser alimentado por Dios? ¿Cómo se alimenta la iglesia corporativamente? ¿Cómo somos alimentados individualmente? ¿Cómo nos nutrimos, en particular, en tiempos de grandes pruebas? ¿Cómo podrían contribuir pasajes como Ap. 1:3; 3:8, 10; y 22:7 a responder estas preguntas (véase también 1 Jn. 2:14b)? Si una iglesia desnutrida está mal preparada para esos tiempos, qué vital es mantener el alimento incluso durante los tiempos de paz.

Se exhorta a los creyentes a discernir sobre la falsedad y a no participar en la falsa adoración propagada por el diablo y sus aliados mundanos para mantener su fe (12:18–13:18)

12:18–13:18 explica con más detalle la naturaleza de la persecución de Satanás a la iglesia y es temporalmente paralelo a 12:13–17. Aunque el diablo ha sido derrotado, todavía tiene capacidad para oprimir a los santos. El segmento también delinea los agentes a través de los cuales el diablo ejecuta su voluntad persecutoria. Estos agentes no son otros que los poderes políticos y económicos gobernantes de la tierra. En el cap. 13, Juan se basa principalmente en Daniel, especialmente en Daniel 7. Desde los primeros padres de la iglesia se ha debatido la identificación de la figura del anticristo del cap. 13: ¿es una figura personal o un espíritu maligno? Las dos interpretaciones no son incompatibles. El contexto del Apocalipsis y del NT (especialmente de 1 y 2 Juan) indica que el anticristo se ha manifestado como un espíritu corporativo que inspira la falsa enseñanza y la persecución desde el primer siglo, aunque en un momento futuro antes del fin se manifestará individualmente en la carne como líder de la oposición al pueblo de Dios.

4. El diablo autoriza al estado como su agente para perseguir a la iglesia y engañar a los impíos (12:18[= 13:1a en la NBLH]–13:8)

[1] El dragón se paró sobre la arena del mar. Y vi que subía del mar una bestia que tenía diez cuernos y siete cabezas. En sus cuernos había diez diademas, y en sus cabezas había nombres blasfemos. [2] La bestia que vi era semejante a un leopardo, sus pies eran como los de un oso y su boca como la boca de un león. El dragón le dio su poder, su trono, y gran autoridad. [3] Vi una de sus cabezas como herida de muerte, pero su herida mortal fue sanada. Y la tierra entera se maravilló y seguía tras la bestia. [4] Adoraron al dragón, porque había dado autoridad a la bestia. Adoraron a la bestia, diciendo: "¿Quién es semejante a la bestia, y quién puede luchar contra ella?" [5] A la bestia se le dio una boca que hablaba palabras arrogantes y blasfemias, y se le dio autoridad para actuar durante cuarenta y dos meses. [6] Y abrió su boca con blasfemias contra Dios, para blasfemar Su nombre y Su tabernáculo, es decir, contra los que moran en el cielo. [7] Se le concedió hacer guerra contra los santos y vencerlos. Y se le

dio autoridad sobre toda tribu, pueblo, lengua y nación. [8] Adorarán a la bestia todos los que moran en la tierra, cuyos nombres no han sido escritos desde la fundación del mundo en el Libro de la Vida del Cordero que fue inmolado.

18 (= **13:1a** en NBLH) El dragón se posiciona **sobre la arena del mar** para llamar a sus ayudantes que llevarán a cabo su voluntad en la tierra. Los convoca desde las mismas aguas infernales de las que presumiblemente él mismo salió. Lo que se describe que hace el dragón en el cap. 12, lo hace en realidad a través de sus siervos que se describen en el cap. 13. Algunas traducciones inglesas incluyen 12:18 como parte de 13:1.

13:1 V. 1 (marcado con "**Y vi**") comienza la segunda sección del segmento de la visión mayor que comenzó en 12:1. El primer agente del diablo es una **bestia** que **subía del mar**. Los vv. 1–2 son una reelaboración creativa de Dn. 7:1–7. La bestia con **diez cuernos y siete cabezas** se basa en Dn. 7:2–7, 19–24. Esta bestia es como un leopardo, un oso y un león. Las siete cabezas son un compuesto de las cabezas de las cuatro bestias que vio Daniel, una como un leopardo, otra como un oso, otra como un león y una cuarta con diez cuernos. Otras características de las bestias de Daniel se aplican también a la única bestia del v. 2. Además, las **diez diademas** en los **diez cuernos** son una referencia a la cuarta bestia de Daniel, cuyos "diez cuernos" se interpretan como "diez reyes" (Dn. 7:24). Asimismo, los **nombres blasfemos** en sus cabezas están relacionados con la figura blasfema de Dn. 7:8, 11, que también se asocia con el cuarto reino en Daniel (véanse los vv. 5–6 más adelante). El hecho de que el monstruo de los vv. 1–7 esté modelado principalmente a partir de Daniel 7 se ve respaldado por el análisis anterior de la representación similar del dragón en 12:3–4 (sobre la que véase), que fue tomada predominantemente de Daniel 7–8.

Sin excepción, la imagen del monstruo marino se utiliza en todo el Antiguo Testamento para representar a los reinos malvados que persiguen al pueblo de Dios (véase 12:3 para referencias). La misma imagen de Daniel de los cuernos y las cabezas (Dn. 7:7, 24; cf. 7:3–6) aplicada al dragón en 12:3–4 se aplica aquí a otra bestia marina para representar al secuaz terrestre del dragón.

Al igual que con los cuernos y las cabezas del dragón, aquí el número de *siete* cabezas y *diez* cuernos enfatiza lo completo del poder opresivo y su efecto mundial, así como las cabezas coronadas de los demonios en 9:7, 17–19 denotan

---

NBLH Nueva Biblia Latinoamericana de Hoy

el poder opresivo y como los siete cuernos del Cordero en 5:6 expresan su dominio mundial. Debido a la fuerza figurativa primaria de los números **siete** y **diez**, las **cabezas** y los **cuernos** no deben identificarse sólo con una serie específica de gobernantes del primer siglo o posteriores (sobre este aspecto transtemporal, véase más adelante el v. 2). El hecho de que el dragón tenga diademas en sus cabezas y la bestia las tenga en sus cuernos muestra que el dragón tiene el gobierno definitivo y ordena su voluntad a través de la bestia, que surge del hogar acuático y oscuro del dragón (véase 12:3). El dragón se sitúa junto al mar, arrojando inundaciones tras la iglesia (12:15), la bestia sale del mar, y la ramera "está sentada sobre muchas aguas" (17:1), indicando así que el mar es representado simbólicamente como la morada del mal. El reino oscuro del mal abarca a las personas incrédulas, de modo que también puede considerarse que la bestia tiene su origen terrenal en la masa de la humanidad no regenerada (para esta idea, véase también 17:1, 15).

Las **diademas** simbolizan las falsas pretensiones de autoridad soberana y universal de la bestia, que se oponen al verdadero "Rey de reyes y Señor de señores", que también lleva "muchas diademas" (19:12, 16). Los **nombres blasfemos** escritos en las cabezas de la bestia representan las pretensiones blasfemas de la bestia a la realeza terrenal y divina, en débil imitación de la verdadera realeza de Cristo (contrastar 13:1 con 17:3 y 13:7–13 con 1:5; 17:14; 19:12–16).

2 Mientras que en Dn. 7:3–8 las imágenes del león, el oso, el leopardo y la bestia "terrorífica" representan respectivamente cuatro imperios mundiales sucesivos, aquí estas cuatro imágenes se aplican todas a la única bestia: **La bestia que vi era semejante a un leopardo, sus pies eran como los de un oso y su boca como la boca de un león**. La combinación de los cuatro reinos opresores de Daniel en uno solo no significa simplemente el poder extremo de la Roma del primer siglo, sino que parece simbolizar también la trascendencia temporal de la bestia opresora descrita en el v. 2. Al igual que los cuatro reinos bestiales de Daniel 7 abarcaron cientos de años, el imperio dominante en el siglo I tiene latentes en sí mismo manifestaciones de otros reinos opresores que pueden manifestarse en el futuro, como muestra 17:10–11.

A la luz de Daniel 7, el Imperio Romano trasciende muchos siglos y representa a todas las potencias mundiales que oprimen al pueblo de Dios hasta la culminación de la historia. El espíritu maligno que está detrás de Roma también dominará a otras potencias mundiales que le sigan, del mismo modo que en el

Antiguo Testamento, la bestia marina simbolizaba no sólo a las naciones opresoras, sino el sistema de maldad espiritual que se encuentra detrás de las naciones y que se manifiesta en sucesivos imperios mundiales que abarcan cientos de años (véase 12:3). Dn. 7:12 señala que cuando cada uno de los tres primeros imperios mundiales sea derrotado, su vida espiritual maligna seguirá existiendo en el siguiente reino: "A las demás bestias [las tres primeras], pero les fue concedida una prolongación de la vida por un tiempo determinado". El hecho de que la bestia se describa en el v. 1 exactamente en los mismos términos que el dragón (12:3), como si **tuviera diez cuernos y siete cabezas. En sus cuernos había diez diademas**, muestra que su actividad abarca el mismo período de tiempo que la del dragón, desde la historia del Antiguo Testamento hasta el regreso de Cristo. El carácter polifacético de la figura del anticristo queda confirmado por las epístolas de Juan, en las que aparecen manifestaciones puramente religiosas de su actividad (1 Jn. 2:18, 22; 4:4; 2 Jn. 7).

La capacidad de la bestia (y más concretamente la del falso profeta; véanse los vv. 11–18 más adelante) de utilizar las instituciones religiosas es evidente en Ap. 2:9, donde la persecución de la iglesia por parte de los judíos incrédulos se califica de "blasfemia", la misma palabra que se utiliza en otros lugares sólo para la bestia y sus seguidores (13:1, 5, 6; 16:9, 11, 21; 17:3). Y, al igual que la bestia, los judíos tienen allí a Satanás como su máximo inspirador (son una "sinagoga de Satanás", 2:9). La bestia puede expresarse a través de las instituciones religiosas subsiguientes, profesen o no ser instituciones cristianas. El dragón autoriza a este imperio a actuar con su propio poder: **El dragón le dio su poder, su trono, y gran autoridad**. Se trata de un poder que niega al verdadero Dios y, por tanto, pervierte la intención divina original para el estado (como en Ro. 13:1–7). Tales gobernantes son descritos como bestias porque han caído por debajo del estándar humano de gobierno que Dios ha ordenado para ellos (cf. los ejemplos de Nabucodonosor en Daniel 4 y Belsasar en Daniel 5).

3 Juan ve ahora a la bestia con una herida en una de sus cabezas: **Vi una de sus cabezas como herida de muerte, pero su herida mortal fue sanada**. La herida viene de Dios, porque la palabra griega para "herida" *(plēgē)* es la palabra traducida como "plaga" once veces en otras partes del Apocalipsis, siempre significando algo de origen divino. Esta herida en la cabeza de la bestia no es otra que la infligida por Cristo en Su resurrección y es el cumplimiento de Gn. 3:15: "Te aplastará [o herirá] en la cabeza".

La mención de la espada que golpeó la cabeza de la bestia en Ap. 13:14 recuerda la profecía del fin de los tiempos de Is. 27:1: "Aquel día el SEÑOR castigará con Su espada inflexible, grande y poderosa, a Leviatán [o monstruo marino], serpiente huidiza, a Leviatán [o monstruo marino], serpiente tortuosa, y matará al dragón que vive en el mar". El hecho de que Is. 27:1 también tenga eco en Ap. 12:3, 9 apunta a la conclusión de que el golpe de muerte administrado a la bestia vino a través de la muerte y resurrección de Cristo en el cumplimiento inicial de las palabras del profeta. El hecho de que una de las cabezas de la bestia sea representada como **herida de muerte** a causa de la muerte y resurrección de Cristo queda confirmado por 12:5, 10–12, junto con 1:5 y 5:9 (véase 12:10–12, donde también se citan otros paralelos del NT que afirman que la muerte y resurrección de Cristo derrotó al diablo). Los efectos de esta derrota se mantienen gracias a la fidelidad de los seguidores de Cristo (así en 12:11, 17; Ro. 16:17–20).

Una de las cabezas de la bestia apareció **como herida de muerte** (no "como si hubiera sido muerta", como en el texto de la NASB citado anteriormente), pero **su herida mortal fue sanada**. El uso de **como** (griego *hōs*), como en otras partes del libro, forma parte del estilo visionario de Juan al introducir algo que ha visto (cf. 4:6; 8:8; 9:7; 15:2; 19:6). Es su intento de dar una descripción aproximada en términos terrenales de lo que vio en la visión celestial. La herida era real y fatal, y sin embargo parece haber sido curada, porque el enemigo puede continuar su actividad. Es fatal porque, a partir de la resurrección, el poder de Satanás quedó fatalmente restringido y sus días contados.

La curación temporal representa el hecho de que Dios permite que el enemigo siga utilizando a sus agentes durante el período de tres años y medio hasta el regreso de Cristo, salvaguardando al mismo tiempo la seguridad espiritual de Su pueblo. La frase "**como herida de muerte**" es casi idéntica a la que se refiere al Cordero en 5:6, donde se describe a Cristo como "de pie, como inmolado" (no "de pie, como si lo hubieran matado", como en la NASB). Esto nos alerta sobre el hecho de que la bestia se presenta como una falsificación satánica de Cristo.

En 13:14, la recuperación de la bestia es incluso referida como una resurrección — aunque 17:8 revelará que esta es una "resurrección" que terminará en la destrucción eterna. Hay una diferencia entre la recuperación del Cordero y la de la bestia. Mientras que el Cordero realmente superó la derrota de la muerte mediante la resurrección, la existencia continuada de la bestia no es una inversión

---

NASB New American Standard Bible

de su derrota real, aunque sigue existiendo después de haber sido derrotado junto con el dragón. Pierde su autoridad para acusar a los santos y no tiene más autoridad que la que le permite Dios.

Sin embargo, el dragón y la bestia encubren engañosamente el hecho de que su autoridad ha sido eliminada. En 17:8 también se señala que la aparente resurrección de la bestia de la muerte ("subiendo del abismo") es sólo con el propósito final de que vaya "a la destrucción". La derrota del diablo por parte de Cristo fue como el Día D en la Segunda Guerra Mundial, y la posterior existencia del diablo (y de su siervo la bestia) como la posterior resistencia de las fuerzas alemanas al inevitable avance de los aliados. Al igual que el punto de inflexión del Día D, el resultado decisivo ya está asegurado, aunque la batalla aún no haya terminado.

La mayoría de los comentaristas son partidarios de identificar a la bestia principalmente con el emperador romano Nerón. Sin embargo, el problema de limitar la interpretación del v. 3 principalmente al destino y la leyenda de Nerón, que se suicidó en el año 68, es que la leyenda de la muerte y resurrección de Nerón no encaja exactamente con los hechos históricos ni con las descripciones de Apocalipsis 13 y 17. Después de su muerte se extendió el rumor de que Nerón no había muerto y que escenificaría su regreso. Pero la herida de Ap. 13:3, 12, 14 es infligida por Dios o Cristo, y no autoinfligida. Y la muerte de Nerón no fue un golpe para Roma, sino todo lo contrario, ya que cuando murió era un enemigo de Roma y un fugitivo. Además, el v. 4 dice que el resurgimiento de la bestia resultó en su adoración y autoridad universal, pero lo contrario habría sido cierto con Nerón, porque fue considerado una amenaza para el imperio.

La clave para entender correctamente la identidad de la bestia está en el hecho de que hay muchos paralelismos entre la descripción de la bestia en el cap. 13 y la de Cristo en otras partes del Apocalipsis. Obsérvese el paralelismo entre Cristo y la bestia:

- Ambos fueron muertos y resucitaron (5:6 y 13:3),
- Ambos tienen seguidores con sus nombres escritos en la frente (13:16 y 14:1),
- Ambos tienen cuernos (5:6 y 13:1),
- Ambos tienen autoridad sobre toda "tribu, lengua, pueblo y nación" (5:9; 7:9 y 13:7; 17:12, 15),

- Ambos reciben culto mundial (5:8–14 y 13:4, 8), y
- Ambos tienen una venida o manifestación final, aunque uno es para destrucción y el otro para victoria eterna (17:7–18).

La carrera de la bestia es, pues, una especie de parodia de la muerte y resurrección de Cristo, empleada para mostrar cómo el espíritu maligno que está detrás de la bestia sigue actuando (aunque dentro de los límites impuestos por Dios) en el período que va desde la resurrección de Cristo hasta Su regreso. Los paralelos muestran que la bestia transtemporal se erige como el enemigo supremo de Cristo y de Su pueblo. La figura que está detrás de esto es el propio diablo, ya que actúa repetidamente a través de sus agentes elegidos a lo largo de la historia.

El significado de los paralelos es que el principal oponente de Cristo no puede limitarse a una persona o época histórica. Es decir, al igual que el gobierno de Cristo abarca toda la era de la iglesia, las actividades malignas de su homólogo final, el diablo y sus siervos, abarcan el mismo tiempo. Este análisis deja abierta la posibilidad de una figura del anticristo que llegue al final de la historia y encarne al diablo de una manera más grande que nunca. Es difícil saber si esta expresión consumada del mal se manifestará en un individuo o en una institución. Probablemente, como a lo largo de la historia, al final el tirano individual no se distinguirá del reino o la institución que representa (como en Dn. 7:17, 23).

En cuanto al fin de la historia, Ap. 17:7–18 también presenta la carrera de la bestia como una parodia de la de Cristo, pero esta vez la parodia se centra en los destinos finales de ambos: mientras que la venida final de Cristo tiene como resultado el establecimiento de Su reino, la venida final de la bestia tiene como resultado su destrucción decisiva (véase 17:8, 10–11). La curación de la herida de la bestia que se registra aquí es, por tanto, un acontecimiento diferente de la reaparición de la bestia del abismo y su consiguiente destrucción. En el cap. 13, la actividad de la bestia, junto con la de sus "diez reyes" aliados, tiene lugar durante el período de tiempo de la era de la iglesia ("cuarenta y dos meses", 13:5; véase 11:2–3; 12:6), mientras que en el cap. 17 la actividad de la bestia dura sólo "una hora" (probablemente equivalente a los "tres días y medio" de 11:11).

El dragón es tan convincente a la hora de camuflar su derrota como una aparente victoria que **la tierra entera se maravilló y seguía tras la bestia**. Los que no están protegidos por el sello de Dios (7:1–4) le rinden pleitesía.

4 La lealtad de las multitudes impías mencionadas en el v. 3 ahora se expresan en adoración al dragón: **Adoraron al dragón, porque había dado autoridad a**

la bestia. La frase que denota esta transferencia de autoridad se basa en Dn. 7:6, donde se da autoridad a la tercera bestia para gobernar la tierra y perseguir. Las multitudes también adoran a la bestia debido a que suponen que es incomparable. Proclaman en su adoración: "**¿Quién es semejante a la bestia, y quién puede luchar contra ella?**". Sus palabras son una burla y un uso irónico de palabras similares utilizadas con razón hacia Dios en el AT (Éx. 8:10; 15:11; Sal. 35:10; 71:19; 86:8; 89:8; 113:5; Is. 40:18; Miq. 7:18). En todos estos textos del Antiguo Testamento, lo incomparable de Yahvé se contrasta polémicamente con los falsos dioses e ídolos.

5 Las referencias de Daniel a la bestia y a la recepción de su autoridad en los vv. 1–4 se desarrollan más en los vv. 5–8. El objetivo de las repetidas alusiones a Daniel es mostrar que el cumplimiento de la profecía de la opresión de Israel a manos de un diabólico oponente divino comenzó con la muerte y resurrección de Cristo y continúa cumpliéndose en la persecución de la iglesia. La referencia a la bestia que expresa su autoridad mediante el habla durante un período de tres años y medio en el v. 5 es una alusión colectiva a Dn. 7:6, 8, 11, 20 y 25. Gran parte de la alusión está tomada palabra por palabra de estos textos de Daniel:

- Una boca blasfema: **Se le dio una boca que hablaba palabras arrogantes y blasfemias** (cf. Dn. 7:6, 8 y 11 de OG y Theodotion),
- Una cláusula de autorización: **Se le dio** dos veces en 13:5, y de nuevo en 13:7, y la frase similar en Dn. 7:25, y
- Un período de tiempo decretado durante los días finales (**cuarenta y dos meses**), como en Dn. 7:25.

De hecho, estos tres elementos, en conjunto, son únicos en el Antiguo Testamento para Daniel. El período de tiempo de Daniel ha sido claramente aludido en el contexto anterior en 12:6, 14b, y antes en 11:2–3. Como se muestra en nuestro examen de esos versículos (véase también los vv. 2–3 más arriba), esto abarca el período de tiempo entre la muerte y resurrección de Cristo y el fin de la historia.

Que Dios es la fuente última de la autoridad de la bestia en estos versículos está implícito en el *límite de tiempo decretado* del v. 5 y el *número predestinado* de los que adoran a la bestia en el v. 8. Sólo Dios, no el diablo, establece los tiempos y las estaciones. El diablo nunca querría limitar su obra contra el reino de

---

OG Traducción griega antigua de las Escrituras hebreas

Dios a unos meros tres años y medio, incluso si se interpreta en sentido figurado. El discurso de la bestia se refiere a tres aspectos de su actividad. Alude:

- A su orgullo al exaltarse por encima de Dios (cf. 13:3–4; Dn. 7:25; 8:10–11; 11:36),
- A sus poderes engañosos (sugiriendo que es más grande que Dios), y
- A su blasfemia al difamar el nombre de Dios.

Su actividad incluye llevar a cabo la voluntad del dragón de "inundar" incluso la iglesia con el engaño.

6 Se hace referencia a Dn. 7:25 de nuevo aquí para describir el efecto de la autorización de la bestia. Ambos textos hablan de un demonio escatológico que habla contra Dios: **Y abrió su boca con blasfemias contra Dios, para blasfemar Su nombre y Su tabernáculo, es decir, contra los que moran en el cielo**. Se equipara a sí mismo con Dios (implícitamente en los vv. 4 y 6), y persigue a los santos, lo que también ocurre en Dn. 8:10, 25; 11:36 (el tiempo de "indignación" incluye allí la persecución). También se incluyen en su blasfemia las acusaciones o acciones contra los cristianos que tienen **Su nombre** escrito (3:12; 14:1; 22:4; cf. 7:3).

La mención de **Su tabernáculo**, seguida de las palabras **es decir, los que moran** (tabernáculo) **en el cielo** alude respectivamente al "lugar de Su santuario" en Dn. 8:11 y al "ejército" celestial en Dn. 8:10, donde el tirano del fin de los tiempos hace que parte del ejército celestial y las estrellas caigan a la tierra y derriba el lugar del santuario del príncipe (todo esto representa el sufrimiento del pueblo de Dios). La equiparación de los santos con el tabernáculo celestial es prácticamente la misma que la ya mencionada en 11:1–2 de los verdaderos creyentes que viven en la tierra y habitan en el santuario invisible e indestructible de Dios. Pablo también considera que toda la iglesia está sentada en el cielo (Ef. 2:6; Col. 3:1). Los santos son oprimidos porque la lealtad a su ciudadanía celestial exige la desobediencia a su ciudadanía terrenal. Sin embargo, la imagen en 7:15 de los santos siendo "morada" en el cielo, donde la referencia es a los creyentes fallecidos, indica que los que han muerto y están con el Señor están incluidos en el número de **los que moran en el cielo**.

7a En el v. 7a, el enfoque vuelve a centrarse en la profecía de Daniel 7 (cf. Dn. 7:8, 11, 21) y en las actividades persecutorias del "cuerno" para mostrar que la misma actividad de la bestia está empezando a cumplirse. La frase **hacer**

guerra contra los santos y vencerlos es prácticamente idéntica a la que se encuentra en 11:7, ambas basadas en Dn. 7:21. Daniel 7 predice un reino final en la tierra que perseguirá y vencerá a Israel. Después, los propios perseguidores serán juzgados, y los santos heredarán el reino del mundo (así en Dn. 7:22–27). Juan ve que la profecía de Daniel sobre Israel se cumplirá en la persecución del mundo a la iglesia en los últimos días, que para él comenzó con la muerte y resurrección de Cristo.

7b–8a La actividad antagónica de la bestia afecta a todas las clases de personas en toda la tierra: **Y se le dio autoridad sobre toda tribu, pueblo, lengua y nación**. En Daniel, el mismo lenguaje se utiliza para describir tanto la adoración falsa (Dn. 3:7) como la verdadero (Dn. 7:14). Es posible que Juan se haya dado cuenta de esto y haya sacado una implicación irónica de ello. Es posible que tal reconocimiento le haya llevado a aplicar la redacción de Dn. 7:14 a la bestia para mostrar que los esfuerzos de conquista de la bestia no son más que una parodia irónica del triunfo final del "Hijo del Hombre".

Obsérvense rasgos irónicos similares que comparan a la bestia y al Cordero en los vv. 3 y 4 (sobre los cuales véase), así como la referencia a la segunda bestia como un "cordero con cuernos" (v. 11). La autoridad por la que la bestia vence a los santos y obtiene la adoración universal, sin embargo, proviene de la misma fuente (en última instancia, Dios, como indica la cláusula de autorización "**se le dio**") de la que finalmente el Cordero triunfará sobre la bestia, recibirá la autoridad y obtendrá la adoración universal.

Al llamar la atención de los lectores sobre el contexto de Daniel 7 se pretende animarles sobre el resultado final de la historia y su propio destino. Aunque sufran la opresión del estado, serán los vencedores definitivos y gobernarán eternamente con el Hijo del Hombre. La fórmula cuádruple para la humanidad en 13:7 tiene una referencia universal a todas las personas no redimidas en toda la tierra creada, ya que tiene un alcance tan inclusivo en Dn. 7:14. Este significado geográfico y temporal universal se confirma desde la segunda parte del v. 8, que dice que estas multitudes incrédulas fueron ordenadas para no tener vida eterna desde antes de la creación del mundo entero. Es probable que aquí se esté pensando en toda la masa de la humanidad incrédula que vivió a lo largo de toda la era inter-adventual y no sólo en una parte de ella de un breve período de esa era. Esto sugiere además la aplicabilidad transhistórica del cap. 13.

8b Todos los habitantes de la tierra adorarán a la bestia, es decir, **todos… cuyos nombres no han sido escritos desde la fundación del mundo en el Libro**

de la Vida del Cordero que fue inmolado. Teniendo en cuenta el contexto de Daniel 7, no es de extrañar que ahora el "libro" o los "libros" de Dn. 7:10 y 12:1 (véase también Sal. 69:28) se ponga de relieve. La frase "Libro de la Vida" aparece cinco veces en el Apocalipsis fuera de 13:8 (3:5; 17:8; 20:12, 15; 21:27). La noción de predeterminación se expresa con la frase **desde la fundación del mundo** aquí y en 17:8. Que los santos fueron escritos en el libro antes de que comenzara la historia está implícito en el hecho de que se dice que los adoradores de las bestias no fueron escritos.

Esta implicación de que los nombres de los santos han sido escritos en **el Libro de la Vida** ocurre explícitamente en 3:5 y 21:27 (cf. también 20:12, 15). Este libro contrasta con "los libros" que registran los pecados de los impíos (20:12–13). La noción de "un libro de vida" para los justos y "libros" de juicio para los impíos se basa en la misma idea dual en Daniel, respectivamente Dn. 12:1–2 (un libro de redención) y Dn. 7:10 (libros en los que se registran las acciones pecaminosas de los impíos). La frase **del Cordero que fue inmolado** puede indicar que es el Cordero quien posee el libro o que el Cordero es la fuente de vida asociada al libro. De cualquier manera, Él tiene soberanía sobre quién tiene vida y quién no.

Esta frase, **del Cordero que fue inmolado**, es también un contraste con la descripción similar de la bestia y la segunda bestia en los vv. 3 y 11. La gente rechaza a Cristo, el verdadero Cordero que ha sido **inmolado**, porque sigue a la bestia "herida de muerte" y al cordero bestial de 13:11–17. Los creyentes genuinos tienen la seguridad de que sus almas pueden hacer frente cualquier tormenta satánica debido a la seguridad que les otorga el libro del Cordero. Dado que el libro de la vida se atribuye sin reservas a Cristo, la salvación de todos, incluidos implícitamente los santos del Antiguo Testamento, se representa como dependiente del único acto redentor de Cristo, **que fue inmolado** por los pecados de Su pueblo.

Sugerencias para Reflexionar sobre 12:18–13:8

- ***Sobre la bestia como parodia de Cristo y nuestra respuesta al gobierno civil.*** Estos versículos presentan a la bestia como una contraparte demoníaca de Cristo. Obtiene su autoridad del dragón, así como Cristo obtiene su autoridad del Padre. Ha sido sacrificado, como lo fue Cristo, y ha experimentado una aparente resurrección. Ejerce el poder en la tierra a través de los gobiernos humanos, oponiéndose al gobierno del Cristo ascendido y corrompiendo el orden de Dios para el gobierno civil, como se expresa en Ro. 13:1–7. ¿Cómo debemos entonces honrar el mandato de obedecer al gobierno civil tal como lo establece Pablo en esos versículos? ¿Son los gobiernos universalmente corrompidos por la bestia, o es este un fenómeno ocasional? ¿Deben los cristianos tratar de involucrarse en el gobierno civil o de afectarlo positivamente? ¿Cómo podría ayudar a responder esta pregunta la relación de Daniel y sus tres amigos con el estado en Daniel 1–6?

- ***Sobre la autoridad que Dios otorga a la bestia.*** Si, como sugiere el comentario, Dios es la fuente incluso de la autoridad de la bestia, ¿debería esto, como sugiere el comentario, aumentar en lugar de disminuir nuestro concepto de la soberanía de Dios? ¿De qué manera estos versículos aportan consuelo y seguridad a la iglesia que sufre hoy en día? ¿Han perdido los creyentes del mundo occidental la comprensión de lo que aquí se expresa porque no han tenido que soportar la persecución? ¿Ha provocado esto que algunos creyentes occidentales consideren que el Apocalipsis sólo es aplicable a los tiempos inmediatamente anteriores al regreso de Cristo, cuando sí creen que los cristianos experimentarán persecución?

5. Se exhorta a los creyentes genuinos a discernir la adoración verdadera de la falsa para perseverar en su fe (13:9–10)

[9] Si alguno tiene oído, que oiga. [10] Si alguien es destinado a la cautividad, a la cautividad va; si alguien ha de morir a espada, a espada ha de morir. Aquí está la perseverancia y la fe de los santos.

9 El escenario de los vv. 1–8 no es algo que vaya a ocurrir sólo en algún momento futuro, sino que está sucediendo en medio de las siete iglesias. A la luz de lo narrado en los vv. 1–8, Juan se dirige a los lectores con la misma exhortación con la que se dirigió a ellos al concluir cada una de las cartas: **Si alguno tiene oído, que oiga**. Al igual que en Isaías 6, en los Evangelios sinópticos (Mateo, Marcos y Lucas) y en las conclusiones de las siete cartas, la exhortación alude al hecho de que el mensaje parabólico de Juan iluminará a algunos mientras cegará a otros dentro de la comunidad del pacto. Los que no tengan oídos se endurecerán aún más con la parábola (que en este contexto aparece en 13:1–8). Pero la orden de "que oiga" pretende sacudir a los verdaderos creyentes atrapados en la complacencia transigente de la mayoría. Aquellos que sean sacudidos de vuelta a la realidad espiritual percibirán la revelación parabólica de Dios en el libro y discernirán la peligrosa realidad de la naturaleza satánica de las instituciones paganas a las que pueden ser tentados a acomodarse.

10 La exhortación del v. 9 se refiere no sólo a los versículos anteriores, sino también al siguiente decreto: **Si alguien es destinado a la cautividad, a la cautividad va; si alguien ha de morir a espada, a espada ha de morir**. Esta es una paráfrasis que combina Jer. 15:2 y 43:11, que dicen lo mismo. Jeremías profetiza a Israel que Dios ha destinado a Su pueblo a ir al "cautiverio" y a sufrir la "espada". En el caso de Israel, esto era un castigo por su incredulidad y pecado. Pero muchos textos de los principales profetas afirman que un remanente fiel también sufrirá el castigo del cautiverio, como aclara especialmente Ez. 14:12–23. El texto de Ezequiel se ha utilizado en 6:2–8 (sobre el cual véase), con su doble idea original de castigar a los incrédulos y refinar a los creyentes mediante el sufrimiento. El énfasis aquí, como en 6:2–8, 9–11, está más en el sufrimiento del pueblo de Dios que en el castigo de los malvados.

La exhortación del v. 9 se utilizó repetidamente en las cartas para animar a los lectores a no transigir y a soportar las consecuencias del sufrimiento por su fe (1:9; 2:10; 6:9; 11:7; 12:11; 17:6; 19:2; 20:4). Su perspicacia espiritual debe motivarles a "sufrir conforme a la voluntad de Dios" y a "encomendar sus almas al fiel Creador, haciendo el bien" (1 P. 4:19). La frase final, **Aquí está la perseverancia y la fe de los santos**, confirma esta interpretación. Enlaza el v. 10 con el v. 7, donde se produjo la última mención a los "santos", y da la respuesta adecuada de los creyentes a la guerra llevada a cabo contra ellos por la bestia, que les hace la guerra y los vence (véase el v. 7). Al igual que esa perseverancia significaba que Juan estaba reinando en un "reino", aunque en medio de la "tribulación" (1:9), también significaba lo mismo para sus lectores. Estas cosas deben suceder, pero los creyentes deben perseverar en su fe y no rendirse. Esta conclusión se confirma al observar que cada uso de "fe" o "fidelidad" en el Apocalipsis se refiere a la fe de Cristo o de los santos frente a la persecución (1:5; 2:10, 13, 19; 3:14; 14:12; 17:14).

Sugerencias para Reflexionar sobre 13:9–10

- ***Sobre la perseverancia de los santos.*** Pensamos en el concepto de la perseverancia de los santos como una verdad teológica relacionada con la seguridad de la posición del creyente en Cristo. Sin embargo, este versículo nos muestra que la perseverancia se lleva a cabo a través de tiempos de prueba, dificultades e incluso persecución. ¿Caemos a veces en la trampa de pensar en las doctrinas bíblicas como algo teórico sin darnos cuenta de que cada verdad bíblica debe hacerse realidad en nuestras vidas? Algunos creyentes pueden pedirle a Dios que los libre de las pruebas, sin embargo, a menudo son las pruebas las que demuestran la autenticidad de nuestra fe y dan como resultado que Dios sea glorificado: "para que la prueba de la fe de ustedes, más preciosa que el oro que perece, aunque probado por fuego, sea hallada que resulta en alabanza, gloria y honor en la revelación de Jesucristo" (1 P. 1:7).

6. El estado autoriza a sus aliados políticos, religiosos y económicos como sus agentes para perseguir a la iglesia y engañar a los impíos (13:11–17)

[11] Vi otra bestia que subía de la tierra. Tenía dos cuernos semejantes a los de un cordero y hablaba como un dragón. [12] Ejerce toda la autoridad de la primera bestia en su presencia, y hace que la tierra y los que moran en ella adoren a la primera bestia, cuya herida mortal fue sanada. [13] También hace grandes señales, de tal manera que aun hace descender fuego del cielo a la tierra en presencia de los hombres. [14] Además engaña a los que moran en la tierra a causa de las señales que se le concedió hacer en presencia de la bestia, diciendo a los moradores de la tierra que hagan una imagen de la bestia que tenía la herida de la espada y que ha vuelto a vivir. [15] Se le concedió dar aliento a la imagen de la bestia, para que la imagen de la bestia también hablara y diera muerte a todos los que no adoran la imagen de la bestia. [16] Y hace que a todos, pequeños y grandes, ricos y pobres, libres y esclavos, se les dé una marca en la mano derecha o en la frente, [17] para que nadie pueda comprar ni vender, sino el que tenga la marca, la cual es el nombre de la bestia o el número de su nombre.

11 Comienza una nueva sección, la tercera de siete en la serie de visiones más amplia que comienza en 12:1, marcada por la frase **Vi**. Aquí Juan tiene otra visión de otra bestia: **Vi otra bestia que subía de la tierra. Tenía dos cuernos semejantes a los de un cordero y hablaba como un dragón**. Los vv. 11–17 se refieren a la misma situación que los vv. 1–8, pero desde la perspectiva del aliado del estado, la segunda bestia. Como en el v. 1, esta visión también comienza con la imagen de una bestia que asciende, que es un recuerdo colectivo de las bestias de Daniel 7, especialmente de 7:17: "Estas grandes enormes… son cuatro reyes que se levantarán de la tierra". Como es generalmente aceptado, esta imagen es también una parodia del Cordero mesiánico resucitado de 5:6 y tiene una relación irónica con él. También es un cordero con cuernos.

Pero, ¿por qué dos cuernos en lugar de los siete del Cordero mesiánico del cap. 5? Tal vez una de las razones sea imitar a los dos testigos, los dos candelabros y los dos olivos de 11:3–4. Sin embargo, los dos cuernos también reflejan al gobernante malvado de Daniel 8. Al igual que la primera bestia fue descrita con atributos de las bestias de Daniel 7, la descripción de la segunda bestia con **dos cuernos semejantes a los de un cordero** está tomada de Dn. 8:3: "un carnero… [que] tenía dos cuernos" (del mismo modo, la figura opuesta de Dn. 7:7 también "tenía diez cuernos").

Al igual que la primera bestia, esta bestia habla con toda la autoridad del diablo: **hablaba como un dragón**. Esta bestia es llamada más tarde "el falso profeta" (16:13; 19:20; 20:10), lo que sugiere que su papel es principalmente religioso. Un verdadero profeta lleva a la gente a adorar a Dios, pero el falso profeta la lleva a adorar al estado (y, por extensión, al diablo). Los falsos profetas y maestros ya se han infiltrado en las iglesias (2:2, 6, 14–15, 20–24), tal como profetizó Jesús (Mt. 7:15; 24:5, 11) y advirtió Pablo (Hch. 20:28–29). Que las manifestaciones del profeta bestia ocurren dentro de la iglesia también lo sugiere el Antiguo Testamento, donde la falsa profecía casi siempre tiene lugar dentro de la comunidad del pacto. La imagen de un lobo con piel de cordero sugiere un traidor dentro del redil de la iglesia.

Aunque la bestia profesa representar la verdad y parece inofensiva como un cordero, su naturaleza satánica interna se revela al hablar con la autoridad del dragón. Su forma de hablar **como un dragón** refleja el discurso seductor y engañoso de Satanás, el dragón, que condujo al pecado de Adán y Eva (cf. 12:9). Por lo tanto, esta imagen y el trasfondo sugieren el engaño dentro de la propia comunidad del pacto. Mientras que la primera bestia habla en voz alta y desafiante contra Dios, la segunda bestia hace que las afirmaciones de la primera bestia suenen plausibles y persuasivas. Los falsos maestros dentro de la iglesia están fomentando transigencia con las instituciones idólatras de la cultura.

12 La segunda bestia se identifica con la primera bestia y ejerce su autoridad, lo que se enfatiza al decir que **ejerce toda la autoridad de la primera bestia en su presencia**. La segunda bestia utiliza la autoridad de la primera bestia con el propósito de hacer que **la tierra y los que moran en ella adoren a la primera bestia, cuya herida mortal fue sanada**.

13 La idea de la imitación falsa continúa en el v. 13. El carácter religioso de la segunda bestia se aclara aquí. En primer lugar, se dice que **hace grandes señales**. Esto lo convierte en una falsificación satánica del verdadero profeta Moisés, que también realizó señales (Éx. 4:17, 30; 10:2). Luego se dice que **aun hace descender fuego del cielo a la tierra en presencia de los hombres**, lo que lo convierte en una falsificación del verdadero profeta Elías, que hizo lo mismo (1 R. 18:38–39; 2 R. 1:10–14). Las alusiones a Moisés y Elías no pueden ser accidentales, dada la alusión similar a ellos en relación con los dos testigos de 11:3–12, que, en conjunto, representan a la iglesia (cf. Lc. 9:54). En 11:5 se describe de los dos testigos que "de su boca sale fuego". Allí el fuego indica el hablar de la palabra de Dios que convence y juzga a los pecadores (cf. también el fuego que consume a los enemigos de los santos en 20:9b).

Por lo tanto, el fuego representa el hablar de la verdadera palabra de Dios que juzga a los pecadores, y aquí la bestia se hace pasar por portavoz de la verdad pero es un falso profeta y un falso maestro. Esto es parte de lo que Cristo profetizó en Mt. 24:24: "Se levantarán falsos Cristos y falsos profetas, y mostrarán grandes señales y prodigios, para así engañar, de ser posible, aun a los escogidos" (así en Mt. 7:15; 24:5, 11; 2 Ts. 2:9; 2 P. 2:1–3). La segunda bestia es una falsificación de la iglesia y del Espíritu que le da poder y mora en ella. El hecho de que se aluda a una amenaza interna por parte de un "falso apóstol" (tal vez desarrollando los "falsos apóstoles" de 2:2) resulta evidente al notar que la autoridad de la segunda bestia está modelada sobre las credenciales de autoridad de los apóstoles de Cristo:

- Es un sucesor de su maestro tanto en el ministerio como en la autoridad (Hch. 1:1–11; Ap. 13:12a),

- El intento de persuadir a otros para que adoren al maestro está inextricablemente ligado a su resurrección (Hch. 2:22–41; Ap. 13:12b, 14b), y
- "señales" milagrosas se realizan como manifestaciones concretas de autoridad (Hch. 2:43; 5:12; 15:12; Ap. 13:13).

Daniel advierte (11:30–39) que un engañador de los últimos días se infiltrará en la iglesia y apartará a la gente de Dios. Cuando los supuestos maestros cristianos toman sus principales referencias de la cultura circundante en lugar de la palabra de Dios, corrompen espiritualmente a la comunidad del pacto al animarla a vivir según normas y una fe que en última instancia se oponen al reino de Dios y de Cristo.

14 ¿Por qué se describe a las dos bestias con tantos rasgos tomados de los profetas del Antiguo Testamento y de Dios y en términos sorprendentemente similares a las descripciones de Dios, el Cordero y los cristianos en otras partes del Apocalipsis? La razón es que intentan validar su autoridad divina de forma similar a los verdaderos profetas (véase la descripción en 2 Co. 11:13–15). Esto se expresa explícitamente en la frase: **Además engaña a los que moran en la tierra a causa de las señales que se le concedió hacer en presencia de la bestia**. Los verdaderos profetas reciben su inspiración y sus encargos cuando están ante la presencia del Señor (11:4, sobre lo cual véase). Del mismo modo, el falso profeta recibe su inspiración y su comisión cuando actúa **en presencia de la bestia**. Los verdaderos agentes de Dios, por el poder del Espíritu, realizan señales para dar gloria a Dios, mientras que estas señales demoníacas convencen a los que "moran en la tierra" de la autoridad no de Dios sino de la bestia.

El engaño hace que acepten su orden **que hagan una imagen de la bestia**. Esta orden anticipa la referencia explícita a la imagen de Daniel 3 en el v. 15. La orden de realizar idolatrías alude en parte a la presión ejercida sobre la población y las iglesias de Asia Menor para que rindieran homenaje a la imagen del César como ser divino. A finales del siglo I, todas las ciudades a las que se dirigen las cartas tenían templos dedicados a la deidad del César. A la luz de la influencia de Daniel a lo largo de este capítulo, la bestia que engaña aquí puede ser un eco del rey de los últimos tiempos de Daniel que "hará que el engaño prospere por su influencia" (Dn. 8:25), y "con halagos corromperá [convertirá] a los que obran inicuamente" (Dn. 11:32). La descripción final de la bestia como el que **tenía la herida de la espada y que ha vuelto a vivir** es una repetición ampliada de las descripciones similares anteriores de la bestia como curada de su herida mortal (13:3, 12).

15 De nuevo, aparece el concepto de "autorización" tan repetido de Dn. 7:6 aparece ("y le fue dado dominio", que se interpreta en el AT griego como "se le dio habla"): **Se le concedió dar aliento a la imagen de la bestia, para que la imagen de la bestia también hablara**. Esto puede incluir una referencia a trucos mágicos y fenómenos similares atestiguados entre los supersticiosos, e incluso en las cortes de los emperadores romanos, pero las "señales" pueden incluir una actividad demoníaca real, ya que los demonios estaban detrás de los ídolos. La expresión es una forma metafórica de afirmar que la segunda bestia era persuasiva para demostrar que la imagen de la primera bestia (que en el contexto del siglo I podría aplicarse al César) representaba a la verdadera deidad, que realmente está detrás de la imagen y hace los decretos.

Esto apunta de nuevo a la identidad de la segunda bestia como una falsificación de la iglesia y, especialmente, del Espíritu que le da poder (el "aliento" es una metáfora bíblica del Espíritu; cf. Ez. 37:9–14). Debido a la naturaleza transtemporal del cap. 13 vista hasta ahora, la **imagen** trasciende la estrecha referencia sólo a un ídolo del César e incluye cualquier sustituto de la verdad de Dios en cualquier época. La descripción de la bestia, que **diera muerte a todos los que no adoran la imagen de la bestia**, se inspira en el mandato de Nabucodonosor en Daniel 3 de que todos adoren su imagen o sean muertos. La referencia a las clases de personas que están bajo el control de la bestia en el v. 16 es también un eco de los diversos grupos obligados a adorar la imagen de Nabucodonosor en Dn. 3:2–7. A la luz de la exhortación de 13:9–10, la implicación es que los cristianos debían perseverar como lo hicieron los amigos de Daniel en el fuego; y, como en Daniel 3 pero en una escala mayor, la recompensa por la resistencia será la liberación del tormento eterno del fuego y la exaltación con Cristo.

El trasfondo de este verso puede estar en el establecimiento de un culto al emperador en Éfeso, marcado por el levantamiento de una estatua colosal al emperador Domiciano. Los ciudadanos de las ciudades de Asia Menor fueron incluso presionados para ofrecer sacrificios en los altares fuera de sus propias casas al paso de las procesiones festivas. Un acontecimiento tan importante en Éfeso, y otros similares en otros lugares a distintas escalas, puede explicar también por qué el propio Juan alude en este capítulo a la narración de Daniel 3 sobre la negativa de Sadrac, Mesac y Abed Nego a inclinarse ante la enorme estatua, que era una imagen que representaba a Nabucodonosor (especialmente según la OG de Dn. 3:12, 18). Posiblemente este acontecimiento en Éfeso y la persecución que suscitó inspiraron a la iglesia primitiva a considerar a los tres amigos de Daniel como el modelo de los mártires y de los cristianos perseguidos y a ver la imagen del rey babilónico como prototipo de la imagen del emperador romano. De hecho, hay pruebas de ello a principios del siglo II en las catacumbas de Roma, así como pruebas de los siglos III y IV.

La presión popular sobre los cristianos para que muestren su lealtad a Roma en diversas ocasiones festivas sería comprensible en este contexto. Y cuando los cristianos no participaban, también es comprensible que esto despertara la animosidad de la población en general. No es necesariamente el caso de que todos los que se nieguen a adorar la imagen sean asesinados, ya que Juan no lo afirma inequívocamente. Muchos (presumiblemente judíos) se negaron a adorar la imagen de Nabucodonosor, pero sólo los tres jóvenes fueron arrojados al horno.

Los grados de persecución variaban de una ciudad a otra. Seguramente gran parte de la persecución en la época de Juan se debía al entusiasmo local por el culto imperial, que probablemente no se sentía en todas las ciudades de Asia Menor. No obstante, no cabe duda de que habría sufrimiento, y muerte para algunos, como ya había sucedido con Antipas (2:13) y sin duda también con otros (como se insinúa en 6:9, 11; 12:11; 20:4, aunque la idea de muerte es figurada en estos textos). La situación de las iglesias de Asia Menor es generalmente relevante para todas las iglesias hasta el regreso de Cristo, al igual que en las cartas la situación histórica de una iglesia era generalmente relevante para las otras seis (el Espíritu habla a las "iglesias" en cada caso). El carácter transhistórico del cap. 13 es una base para universalizar la aplicación de los vv. 15–17 a todos los tiempos.

16–17 La exigencia de que todos, **pequeños y grandes, ricos y pobres, libres y esclavos**, reciban **una marca en la mano derecha o en la frente** podría ser una alusión a la antigua práctica de marcar o tatuar a los esclavos desobedientes, a los soldados y a los fieles devotos de los dioses de diversas religiones. Si la asociación con los esclavos está en mente, entonces los adoradores de la bestia son vistos como su propiedad; si los soldados o los devotos religiosos están en vista, los adoradores son vistos como los fieles seguidores de la bestia.

Aquí, la marca es claramente figurativa de la forma en que el estado controla si la gente se somete a la adoración obligatoria de ídolos. Los que no se someten

---

OG Traducción griega antigua de las Escrituras hebreas

a recibir la marca no pueden **comprar ni vender**. Esto es una referencia a 2:9 y 6:5–6 (sobre lo cual véase), donde las medidas económicas se dirigen contra los cristianos. La **marca** (griego *charagma*) se utilizaba para el sello del emperador en los contratos comerciales y para la impresión de la cabeza del gobernante romano en las monedas. Si se tiene en cuenta este antecedente, se refuerza la idea metafórica de que la marca en Apocalipsis 13 alude al "sello de aprobación" político y económico del estado, sólo se concede a los que aceptan sus exigencias religiosas.

La marca **en la frente**, que es **el nombre de la bestia o el número de su nombre**, es la parodia y lo opuesto al "sello" de 7:3–8, que es el nombre divino escrito en la frente de los verdaderos creyentes (14:1; así también 22:4; cf. 3:12). Como el sello o nombre en el verdadero creyente es invisible, también lo es la marca en el incrédulo. Que los dos son de una naturaleza espiritual paralela y tienen la intención de ser comparados es evidente por la mención inmediatamente siguiente de los nombres de Dios y Cristo escritos en la frente de los santos (14:1). Los creyentes están protegidos por el poder del nombre de Cristo, que es Su presencia con ellos. Pueden sufrir e incluso morir, pero recibirán la recompensa final de la vida eterna (20:4, sobre lo cual véase). Los incrédulos pueden recibir prosperidad temporal, pero serán castigados en última instancia con la muerte eterna (véase 14:9–11). La marca también puede connotar que tanto los seguidores de Cristo como los de la bestia están estampados con la "imagen" (= carácter) de su respectivo líder.

Que la marca del nombre es figurativa y no literal es también evidente por la imagen de la bestia, que tiene escrito en sus cabezas "nombres blasfemos", que figurativamente connotan falsas pretensiones de realeza divina terrenal (véase en 13:1). Del mismo modo, el punto de decir que los adoradores de la bestia tienen su nombre escrito en sus cabezas es para subrayar el hecho de que rinden homenaje a sus pretensiones blasfemas de realeza divina. En el Antiguo Testamento, Dios dijo a Israel que la Torah debía servirle "como una señal en tu mano, y como un recordatorio en tu frente" para recordarles continuamente su compromiso y lealtad a Dios (Éx. 13:9). El equivalente en el NT es el sello invisible o el nombre de Dios (véase 7:2–3). La "frente" representa el compromiso ideológico y la "mano" la realización práctica de ese compromiso. Del mismo modo, como una parodia de los signos de pertenencia a la comunidad de fe del Antiguo Testamento, las marcas de la bestia en la frente y en las manos de los adoradores se refieren a su compromiso leal, constante y de todo corazón con él.

La segunda bestia, aunque generalmente se identifica con la primera, no es idéntica. Los vv. 11–17 muestran que la expresión de la bestia en la época de Juan incluía las instituciones políticas, religiosas y económicas de la cultura, todas ellas relacionadas con el culto al emperador, lo que da a la segunda bestia un enfoque principalmente religioso y la identifica como una falsificación de la iglesia y, especialmente, del Espíritu que le da poder. Incluso las deidades patronas de los gremios comerciales eran adoradas en asociación con el culto imperial (véase 2:9–21). Había pocas facetas de la interacción social en las que los cristianos pudieran escapar de las presiones de la idolatría.

Sugerencias para Reflexionar sobre 13:11–17

- ***Sobre la protección contra los falsos maestros.*** Según el comentario, estos versículos expresan la suposición de que los falsos maestros se infiltrarán en la iglesia. ¿Cómo puede ocurrir tal cosa? ¿Cuáles son las formas en que podemos protegernos de ello? En una época en la que la verdad se nos presenta a través de Internet por parte de maestros que rara vez conocemos personalmente, ¿somos lo suficientemente cautelosos y discernimos la forma en que recibimos esta enseñanza? ¿Cómo aplicamos la exhortación de Pablo a Timoteo? "Tú, sin embargo, persiste en las cosas que has aprendido y de las cuales te convenciste, sabiendo de quiénes las has aprendido" (2 Ti. 3:14)?

7. Se exhorta a los creyentes genuinos a discernir la adoración verdadera de la falsa para perseverar en la fe (13:18)

[18] Aquí hay sabiduría. El que tiene entendimiento, que calcule el número de la bestia, porque el número es el de un hombre, y su número es 666.

18 El v. 18 es uno de los versos más debatidos de todo el libro debido al desacuerdo generalizado sobre la identificación y el significado del número 666. La línea de interpretación más común es la de la gematría. En el mundo antiguo, las letras del alfabeto sustituían a los números (nuestro sistema numérico deriva de los matemáticos árabes posteriores). Por lo tanto, cada letra representaba un número. El problema es que no se puede hacer una identificación clara que vincule el 666 con un nombre concreto. Se han hecho intentos de alterar la ortografía e incorporar títulos para tratar de hacer encajar una multitud de nombres, pero no ha surgido nada concluyente de ello.

Lo más habitual es identificar el número con Nerón, basándose en una transliteración hebrea del título "Nerón César". Sin embargo, esto se basa en la confusión sobre la ortografía hebrea exacta de "César" y no se ajusta al hecho de que los lectores de Juan eran en su mayoría de habla griega, y Nerón tenía muchos títulos además de "César". Además, si Juan estuviera utilizando la gematría, habría alertado a sus lectores diciendo algo como "el número en hebreo (o griego) es…", ya que utiliza las frases "en hebreo" o "en griego" en 9:11 y 16:16 cuando quiere llamar la atención de los lectores sobre el significado del idioma. Se ha intentado sin éxito identificar el número con otros emperadores romanos o combinaciones de emperadores. Según un estudio, entre 1560 y 1830 se propusieron más de cien nombres en Gran Bretaña. En el siglo pasado también se calculó que los nombres del Kaiser y Hitler, entre otros, eran iguales a 666.

Mediante el ingenio creativo de cualquier intérprete, el número puede elaborarse sobre la base del griego, el hebreo o el latín para identificar cientos de posibles candidatos antiguos y modernos. Hay tantas propuestas porque es fácil convertir un nombre en un número, pero complicado deducir el nombre correcto a partir de un número. Salmon formuló tres "reglas" que los comentaristas han utilizado para hacer que cualquier nombre deseado sea igual a 666:

> En primer lugar, si el nombre propio por sí mismo no lo produce, añada un título; en segundo lugar, si la suma no se puede encontrar en griego, pruebe con el hebreo, o incluso con el latín; en tercer lugar, no sea demasiado exigente con la ortografía… No podemos deducir mucho del hecho de que una llave encaje en la cerradura si se trata de una cerradura en la que gira casi cualquier llave.[2]

Todos los intentos de identificar el número con el cálculo literal del nombre de algún individuo tropiezan con la dificultad de la forma metafórica en que se utilizan el lenguaje y los números en el libro. Si se pretendiera identificar el número con algún gobernante por medio de dicho cálculo, sería una rara

---

[2] G. Salmon, *Una Introducción Histórica al Estudio de los Libros del Nuevo Testamento* (An Historical Introduction to the Study of the Books of the New Testament) [London: Murray, 1904], 230–31).

excepción de la forma en que se emplean los números en otras partes del libro (p. ej., los veinticuatro ancianos, los siete sellos, los 144.000, los tres años y medio, los dos testigos, las siete cabezas y los diez cuernos).

No hay evidencia de que ningún otro número en el libro sea utilizado de tal manera. Todos los números tienen un significado figurativo y simbolizan alguna realidad espiritual. Ninguno implica ningún tipo de cálculo literal de gematría. Esta posición se apoya en la visión inmediatamente siguiente en 14:1 de los santos con el nombre de Cristo y de Dios "escrito en sus frentes". La colocación directa de este verso muestra un contraste paralelo entre el nombre de la bestia (= *su número*) y el nombre del Señor. Si el nombre del Señor se refiere a una realidad puramente espiritual, como es el caso, ¡entonces también lo hace el primero! Esto también es cierto para el número de la bestia, ya que es sinónimo de su nombre.

Además, la palabra **número** (*arithmos* griego) se utiliza siempre de forma figurada en el Apocalipsis para connotar una multitud incontable (5:11; 7:4 [144.000 representan simbólicamente a todos los salvados], 9 [en forma verbal]; 9:16 [2 veces]; 20:8). Tampoco se trata de un número calculado. El número siete se refiere a la plenitud y se repite en todo el libro. Sin embargo, el 666 sólo aparece aquí. Esto sugiere que los seises triples están pensados como un contraste con los sietes divinos a lo largo del libro y significan lo incompleto y la imperfección. El sexto sello, la sexta trompeta y la sexta copa representan el juicio de Dios sobre los seguidores de la bestia. La séptima trompeta, en cambio, representa el reino eterno de Cristo, aunque también incluye el juicio final. El séptimo sello y la copa siguen representando un juicio, pero uno que, por implicación y en los contextos más amplios de estos dos pasajes, desemboca en el establecimiento del reino.

Además, si el número de 144.000 santos en el versículo siguiente tiene la fuerza figurativa de significar el número completo del pueblo de Dios (véase en 14:1), entonces el contraste intencional con el número 666 en el verso anterior se referiría a la bestia y su pueblo como inherentemente incompletos. El número tres en la Biblia significa plenitud, como por ejemplo se expresa en la plenitud de la Divinidad en 1:4–5, que es parodiada por el dragón, la bestia y el falso profeta aquí en el cap. 13 y en 16:13.

Por lo tanto, el 666, la repetición de seis tres veces, indica lo que podría llamarse la "plenitud de la anti-plenitud pecaminosa" que se encuentra en la bestia. La bestia personifica la imperfección, al tiempo que aparenta alcanzar la perfección divina. Los tres seises son una parodia de la Trinidad divina de los tres sietes. A veces es apropiado aplicar el número siete al diablo o a la bestia para enfatizar su naturaleza malvada, su severa persecución y su reino universal de opresión (p. ej., 12:3; 13:1; 17:3, 9–11). La razón por la que se utilizan seises en lugar de siete para describir a la bestia aquí es el énfasis repetido en los vv. 3–14 sobre la bestia como una falsificación de Cristo y la segunda bestia como un profeta falso. Cuando los creyentes resisten con éxito el engaño de la bestia, evitan ser identificados con la esencia de su nombre, que es la imperfección personificada, porque ser identificado con el nombre de alguien equivale a participar del carácter de esa persona (véase 2:17).

El v. 18 comienza con una exhortación a los creyentes para que no se dejen engañar por la falsedad porque Cristo les ha dado capacidad para resistirla. Esta respuesta es el punto principal de los vv. 11–18: se exhorta a los santos a tener **sabiduría** y **entendimiento** espirituales para ver a través de la naturaleza engañosa e imperfecta de la bestia narrada en los vv. 11–17. La exhortación final es paralela a la que concluye los vv. 1–9. La exhortación del v. 18 tiene el mismo significado, salvo que se utiliza la metáfora de un intelecto capaz de calcular en lugar de la metáfora del oído. Si la exhortación a ejercitar el intelecto calculando se toma literalmente, entonces la exhortación a "tener oídos para oír" debe tomarse absurdamente de forma literal para referirse a oír con oídos físicos.

Esta discusión hasta ahora apunta a entender el número de la bestia colectivamente, en lugar de sólo como una referencia a una figura individual del anticristo. Esto es sugerido además por la frase **porque el número es el de un hombre**, que podría ser traducido individualmente como, "porque es un número de una persona específica" o mejor genéricamente como "porque es un número de la humanidad". La palabra "hombre" (griego *anthrōpos*) suele ser genérica cuando aparece sin artículo, como aquí y en 21:17, donde la "medida de un hombre" (la frase griega literal) significa una "medida humana".

Del mismo modo, la omisión del artículo definido ("un hombre", en contraposición a "el hombre") en 13:18 sugiere la idea general de la humanidad, no de algún individuo especial que sólo puede ser discernido a través de una forma esotérica de cálculo. Es un número común a la humanidad caída. Esta noción genérica es coherente con 13:1, que afirma que la bestia tiene su origen terrenal en el mar de la humanidad caída (para esta última idea, véase también 17:15). La bestia es el representante supremo de la humanidad no regenerada, separada de Dios e incapaz de alcanzar la semejanza divina, pero siempre intentándolo. La humanidad fue creada en el sexto día, pero sin el séptimo día de descanso propio de Dios, que Adán y Eva estaban destinados a cumplir, habrían sido imperfectos e incompletos. El triple seis enfatiza que la bestia y sus seguidores no alcanzan los propósitos de la creación de Dios para la humanidad.

La advertencia **aquí hay sabiduría** enseña que los creyentes deben tener cuidado con la transigencia, no sólo con un individuo histórico como Nerón, sino con todas las facetas del estado a lo largo de la historia, en la medida en que se confabula con los aspectos religiosos, económicos y sociales de la cultura idólatra, todos los cuales personifican a la humanidad caída. La **sabiduría** se ve mejor a la luz de las palabras "entendimiento" y "comprensión" utilizadas en Dn. 11:33 y 12:10. Aquí, como allí, los santos deben tener percepción espiritual para comprender la tribulación de los últimos días provocada por una figura real malvada que engaña a otros para que reconozcan su soberanía.

La advertencia similar en 17:9 ("Aquí está la mente que tiene sabiduría. Las siete cabezas son siete montes sobre los que se sienta la mujer") también implica la interpretación de un número de forma figurada (véase en 17:9). Juan está exhortando a los santos al discernimiento espiritual y moral, no a la capacidad intelectual para resolver un complejo problema matemático, que tanto los incrédulos como los cristianos espirituales son capaces de resolver mentalmente. Los cristianos deben ser conscientes de que el espíritu del anticristo puede expresarse en los lugares más inesperados, incluso en la iglesia (así en 1 Jn. 2:18, 22; 4:1–3; 2 Jn. 7). La profecía de Dn. 11:30–39 ya advertía que los apóstatas de la comunidad del pacto serían aliados del estado impío y se infiltrarían en la comunidad creyente. Si los lectores de Juan tienen percepción espiritual, entonces permanecerán fieles y "saldrán victoriosos sobre la bestia, sobre su imagen y sobre el número de su nombre" (15:2).

Sugerencias para reflexionar sobre 13:18

- ***Sobre el discernimiento de la identidad y la actividad del enemigo.*** El comentario sugiere que la sabiduría y el entendimiento se dirijan no a calcular números literales para identificar a una persona en particular, sino a desarrollar el discernimiento en relación con todas las formas en que el enemigo, como parodia demoníaca de la Trinidad, se opone y se infiltra en la iglesia a lo largo de su historia. ¿Cómo se relaciona esto con la propia interpretación del "666"? ¿Es posible que, en medio de la obsesión por identificar personalidades demoníacas en nuestros días, pasemos por alto el trabajo real y más sutil que realiza el enemigo incluso dentro de la iglesia? ¿Estaría usted de acuerdo con la opinión del comentario de que el Apocalipsis advierte sobre la actividad del enemigo en cada generación, y no sólo sobre su actividad en el tiempo inmediatamente anterior al regreso de Cristo? Si es así, ¿qué implicaciones tiene esto para la forma de entender y aplicar este aspecto del Apocalipsis en nuestras vidas?

Comentarios finales sobre el capítulo 13

Apocalipsis 13 ha sido influenciado por un patrón recurrente en Daniel 7:

> un agente se presenta,
> el poder se entrega al agente (está "autorizado"), y
> esta entrega de poder tiene un efecto.

Por ejemplo, el "Hijo del hombre"

> se presenta ante el trono de Dios (Dn. 7:13) y
> se le da autoridad (v. 14a),
> cuyo efecto se ve en el servicio de "todos los pueblos, naciones y lenguas" (v. 14b) y su posesión de un reino eterno (v. 14c).

El mismo patrón triple se encuentra en la visión de las bestias en Dn. 7:3–6. El primer elemento del patrón, la presentación, se ve en la salida del mar de todas las bestias (7:4a, 5a, 6). En segundo lugar, en cada caso se entrega algo a las bestias. La autorización de las bestias en Dn. 7:4b, 6c se designa con la misma terminología empleada para la autorización del Hijo del Hombre. La tercera parte del triple patrón no se expresa claramente en el caso de las tres primeras bestias, pero se da a entender que hacen uso de la autoridad que reciben. Sin embargo, el efecto de la recepción de la autoridad por parte de la cuarta bestia se explica en detalle.

Aunque hay diferencias entre la representación de las bestias y la del Hijo del Hombre, los esquemas de autorización de ambas son esencialmente los mismos. Esto apunta a una intención de parodia o ironía en el propio libro de Daniel. El hecho de que el triple esquema de autorización de Daniel 7 prevalezca a lo largo de Apocalipsis 13 respalda nuestra conclusión anterior de que el cap. 13

ha sido configurado principalmente según Daniel 7. A la luz de esto, la combinación de una cláusula de autorización con la idea de la adoración universal de la bestia en los vv. 12, 14 y 15 puede ser un desarrollo del uso irónico (aparentemente contrario al significado original) de Dn. 7:14 en Ap. 13:7b–8a. En vista de ello, los conceptos combinados de la autorización satánica y la adoración universal de las figuras satánicas se ven mejor a través de esta comprensión irónica de Daniel.

Como también han observado otros comentaristas, el dragón, la bestia marina y la bestia terrestre de Apocalipsis 13 forman una trinidad que compite con el Padre, el Hijo y el Espíritu Santo. Así como el Hijo recibe la autoridad del Padre (2:27; 3:21), la bestia recibe la autoridad del dragón (13:4). La bestia tiene coronas (13:1), al igual que Cristo (19:12), y aparece como muerta y resucitada (13:3, 14), al igual que Cristo (1:18; 5:6). Así como el Hijo del Hombre se presenta y recibe la autoridad de Dios por la que todos los pueblos y naciones le sirven (Dn. 7:13–14), la bestia se presenta y recibe la autoridad del dragón, por la que todo el mundo le sirve (13:1–3).

Como el Espíritu representa el aliento de Dios (el significado de la palabra hebrea *ruah*, Ez. 37:9–14), así el falso profeta da aliento a la estatua de la bestia (Ap. 13:15). Así como el Espíritu glorifica al Hijo (Jn. 16:14), el falso profeta glorifica a la bestia (Ap. 13:12–15). La parodia de la Trinidad también está insinuada por el triple seis a imitación, pero sin llegar al 777, de la Trinidad divina. El punto de la parodia en Daniel y especialmente en el Apocalipsis es que, aunque las bestias satánicas parecen fingir con éxito la verdad en sus intentos de engañar, siguen siendo siempre malvadas y nunca alcanzan el carácter divino que están imitando.

Juan considera que la apostasía, el engaño y la persecución profetizados por Daniel 7–12 están comenzando a ocurrir en sus propios días. Al informar a los cristianos de esto, deben estar más atentos al engaño. Deben comprender que Dios es quien, en última instancia, envía las bestias del engaño para poner a prueba la autenticidad de su fe y purificarla (como hemos argumentado en relación con 6:2, 8). Del mismo modo, en la historia de Israel, Dios "probó" el amor de Israel por él enviando falsos profetas para que dieran "una señal o un prodigio… diciendo: 'Vamos en pos de otros dioses'" (Dt. 13:1–3; cf. Dt. 13:6–8; Ap. 13:13–14).

Dios completa Su gloria recompensando a los creyentes y castigando a la bestia y sus seguidores al final de la historia (14:1–15:4)

El cap. 14 marca el final de otro ciclo de visiones. Este ciclo comenzó en el cap. 12 con la anticipación del nacimiento de Cristo, y termina aquí con el juicio final. Como hemos visto, la mejor manera de dividir la sección es trazando las repetidas fórmulas de la visión introductoria "y vi/miré" o "y he aquí". Cuando se hace esto, se pueden observar siete secciones, visiones o "signos", como se enumeran en los comentarios introductorios al cap. 12.

La mayor parte de los caps. 12–13 se refieren a la persecución de los creyentes por parte de las fuerzas de la incredulidad dirigidas por Satanás y sus dos aliados bestiales. Estos aliados engañan a las multitudes para que los sigan. Ahora el cap. 14, junto con el 15:2–4, muestran la recompensa final de los fieles perseguidos y el castigo final de la bestia y los que le siguen. El segmento termina con la victoria de los santos sobre la bestia y la alabanza de la gloria de Dios (15:2–4). Dios es glorificado porque es Él quien ha juzgado a la bestia y ha permitido a los santos derrotarla. Por lo tanto, todo lo que se narra en el segmento de los caps. 12:1–15:4 debe verse como un movimiento hacia el resultado final de la gloria de Dios. El mismo diseño se ha observado en los caps. 4–5, los juicios de los sellos y los juicios de las trompetas. Lo mejor es considerar 14:1–15:4 como otra narración profética del juicio final real y futuro y de la recompensa (como en 6:12–17 y 11:15–19).

8. La presencia de Dios y de Cristo con los creyentes asegura su identificación final con el Cordero, su redención y su justicia perseverante (14:1–5)

[1] Miré que el Cordero estaba de pie sobre el Monte Sion, y con El 144,000 que tenían el nombre del Cordero y el nombre de Su Padre escrito en la frente. [2] Oí una voz del cielo, como el estruendo de muchas aguas y como el sonido de un gran trueno. La voz que oí era como el sonido de arpistas tocando sus arpas. [3] Y cantaban un cántico nuevo delante del trono y delante de los cuatro seres vivientes y de los ancianos. Nadie podía aprender el cántico, sino los 144,000 que habían sido rescatados de la tierra. [4] Estos son los que no se han contaminado con mujeres, pues son castos. Estos son los que siguen al Cordero adondequiera que va. Estos han sido rescatados de entre los

hombres como primicias para Dios y para el Cordero. [5] En su boca no fue hallado engaño; están sin mancha.

1 Miré marca el comienzo del cuarto segmento visionario de la sección de la visión mayor que comienza en 12:1. La yuxtaposición inmediata del Cordero en 14:1 con las bestias del cap. 13 sirve de contraste. El objetivo del contraste es enfatizar que Jesús es el verdadero Cordero al que hay que rendirle pleitesía, en contraste con el pseudocordero de 13:11 y la primera bestia. Se le ve **de pie sobre el Monte Sion**. **Sion**, la palabra utilizada ciento cincuenta y cinco veces en el Antiguo Testamento para referirse a la verdadera ciudad de Dios, puede referirse a la morada de Dios en el templo o ser un símbolo de Su pueblo, pero generalmente se refiere a la ciudad eterna que Dios gobernará al final de la historia.

En los últimos días Dios instalará a Su Mesías o rey en este monte: "Pero Yo mismo he consagrado a Mi Rey sobre Sion, Mi santo monte. Ciertamente anunciaré el decreto del SEÑOR que me dijo: 'Mi Hijo eres Tú, Yo Te he engendrado hoy'" (Sal. 2:6–7). El nombre más completo de **Monte Sion**, a diferencia de "Sion" por sí mismo, aparece sólo diecinueve veces en el AT, de las cuales al menos nueve aluden a un remanente que se salva, en conexión con el nombre de Dios o con el gobierno soberano de Dios y a veces con ambos (2 R. 19:31; Is. 4:5; 10:12; 37:30–32; Jl. 2:32, etc.).

Con este trasfondo del Antiguo Testamento, **el Monte Sion** de Ap. 14:1 debe verse como la ciudad del final de los tiempos en la que Dios habita y proporciona seguridad al remanente que ha sido comprado de la tierra. Curiosamente, en otras partes del NT, las profecías del Antiguo Testamento sobre la salvación de Israel por parte de Yahvé en el Monte Sion se consideran como si hubieran comenzado a cumplirse durante la era de la iglesia (Hch. 2:16–21; 13:33; Heb. 1:1–5; Ap. 2:26–27; 12:5). Según Hch. 13:33, esta promesa ya se ha cumplido en Cristo, de modo que, en cierto sentido, Cristo ya está instalado en el monte Sion y reina sobre Su pueblo. La observación de que los vv. 1–5 presentan un contraste con la bestia y sus adoradores del cap. 13, que habitan en la tierra durante el mismo período de la era de la iglesia, corrobora que en Ap. 14:1 se transmite la misma noción de cumplimiento inaugural de los últimos días.

En consecuencia, Sion podría ser la ciudad celestial ideal a la que aspiran los santos durante el transcurso de la era de la iglesia (Gá. 4:25–27; Heb. 12:22–23). En este sentido, los santos fallecidos y glorificados que han alcanzado la posición en esa ciudad pueden estar incluidos en la visión. Esto se ve apoyado por el hecho de que las únicas otras veces en el libro en que se ve al Cordero, éste siempre está en el cielo (7:9–14 retrata al Cordero en el cielo con las multitudes redimidas). Por lo tanto, "Sion" puede hablar de la presencia de Dios en la era de la iglesia, aunque su cumplimiento final aún está por llegar. Esto es coherente con 7:9–17, ya que esa visión combina el pasado, el presente y el futuro (véase 7:16–17).

No es casualidad que un "nombre nuevo" se asocie repetidamente con la Sion escatológica. La ciudad va a recibir varios nombres nuevos (Is. 62:2; 65:15 LXX; cf. 56:5), todos los cuales expresan la nueva naturaleza de la ciudad restaurada, por ejemplo, "Mi deleite está en ella" (62:4), "Ciudad no abandonada" (v. 12), "trono del SEÑOR" (Jer. 3:17), "El SEÑOR es nuestra justicia" (Jer. 33:16), y "El SEÑOR está allí" (Ez. 48:35). Estos antecedentes del Antiguo Testamento sugieren que el nombre divino escrito en los creyentes (**tenían el nombre del Cordero y el nombre de Su Padre escrito en la frente**) es una forma figurativa de hablar de la presencia de Dios con Su pueblo, que los protege. Esto se confirma con la misma conclusión a la que se llegó anteriormente en relación con el nombre nuevo (véase 2:17) y el sello (7:2–3). Esto se aclara aún más en 22:4: "verán Su rostro y Su nombre estará en sus frentes" (véase 21:3). Asimismo, en 3:12 Cristo enfatiza el matiz de la seguridad al decir que escribirá sobre el vencedor "el nombre de Mi Dios y el nombre de la ciudad de Mi Dios… y Mi nombre nuevo", y equipara metafóricamente esto con hacer del "vencedor" una "columna en el templo de Mi Dios".

Puesto que Sion era también el lugar donde Dios moraba entronizado en el templo de Israel, la posición del Cordero en Sion demuestra que Él es el único y verdadero pretendiente al trono del cosmos. La mención de **Su Padre**, junto con la mención del Cordero sólo unas pocas frases después, confirma aún más a Cristo como el único heredero legítimo del trono en Sion en un cumplimiento "ya y todavía no" del Sal. 2:6–9. Hch. 13:32–35; Heb. 1:2–5; y Ap. 2:26–28 y 12:5 aplican el texto del Salmo 2 a la resurrección y posterior reinado de Cristo.

Los **ciento cuarenta y cuatro mil** que aparecen aquí con Cristo en el monte Sion son los mismos que los sellados en 7:4: los santos de todas las épocas. El nombre de Cristo y del Padre se oponen al "nombre de la bestia", que está escrito en la frente de los incrédulos (13:16–17). El número — las doce tribus y los doce apóstoles, que representan a la iglesia, multiplicados por mil como símbolo de

---

LXX Septuaginta

plenitud — indica el número completo del verdadero pueblo de Dios a lo largo de los siglos, que se consideran como verdaderos israelitas, y está en antítesis con los seguidores de la bestia con el 666 en la frente, que connota su carácter incompleto en la consecución del diseño divino para la humanidad. 22:3–4 sugiere que los que tienen Su nombre "en la frente" representan a toda la comunidad de los redimidos de toda la historia (los "siervos" de 22:3). El nombre de Cristo y de Dios inscrito en la frente de los cristianos es equivalente al sello colocado en la frente de los 144.000 en 7:1–8.

La equiparación del sello con el nombre divino se confirma al reconocer que la "marca" (= el sello) de la bestia en la frente de los incrédulos en 13:17 se identifica como "el nombre de la bestia", y en 14:9–11 "una marca en su frente [del adorador de la bestia]" también se llama "la marca de su nombre [de la bestia]". Y como hemos visto en 2:17, la identificación con el nombre divino comienza realmente cuando Cristo se revela a las personas y éstas confiesan su nombre. Cuando esto ocurre, significa que tienen un nuevo estatus espiritual y se les ha impartido poder para no negar Su nombre (3:8–10), y así perseverar a través de la tribulación de los últimos días (cf. 3:8–10; 2:13a). Por lo tanto, el sello faculta a los 144.000 para desempeñar el papel de testigos previsto para el verdadero Israel (p. ej., Is. 42:6–7; 49:6; 51:4–8). Por lo tanto, el nombre divino y el sello son marcas de pertenencia genuina a la comunidad de los redimidos, sin las cuales la entrada en la Sion eterna es imposible. Por lo tanto, aquí se representa a toda la comunidad de los redimidos, no a una parte.

2–3 Los 144.000 alaban a Dios con una voz **como el sonido de arpistas tocando sus arpas** y cantan **un cántico nuevo**. Las imágenes de arpistas y de una hueste celestial cantando un cántico nuevo sólo aparecen en otras partes del libro, en 5:8–10 y en 15:2–4, que enfatizan la alabanza de los santos a causa de su victoria, el cap. 5 enfatizando la victoria sobre el pecado y el cap. 15 subrayando la victoria sobre la bestia. Las imágenes de 14:2–3, por lo tanto, representan a los santos redimidos alabando a Dios por esta victoria. Por lo tanto, lo que Juan escucha ahora en el v. 2 interpreta lo que vio en el v. 1 (para el patrón de los dichos que interpretan las visiones y viceversa, véase 5:5 y siguientes; 12:10).

Lo que se vio en el Antiguo Testamento y en el trasfondo judío del Monte Sion de los últimos días en el v. 1 se expresa ahora. El monte Sion, como en Sal. 2:6–12, es el lugar donde el remanente redimido de todo el mundo ha encontrado el refugio divino y la victoria final. En el Antiguo Testamento, el "cántico nuevo" era siempre una expresión de alabanza por la victoria de Dios sobre el enemigo, que a veces incluía la acción de gracias por la obra de creación de Dios (cf. Sal. 33:3; 40:3; 96:1; 98:1; 144:9; 149:1; Is. 42:10). Ahora se vuelve a cantar el "cántico nuevo", pero a mayor escala y por última vez, entendiendo por "última" la que se prolonga hasta la eternidad. Esto significa que los vv. 1–5 se centran no sólo en una descripción ideal de la iglesia a lo largo de los tiempos, sino también en el final de la era, cuando por fin la iglesia haya sido plenamente redimida.

El fuerte sonido del canto se compara con el **estruendo de muchas aguas** y **el sonido de un gran trueno**. La expresión casi idéntica aparece en 19:6, donde se refiere al reinado victorioso de Dios como resultado de juzgar a la "gran ramera" (19:2). El coro es tan ruidoso porque se origina en la "gran multitud, que nadie podía contar, de todas las naciones, tribus, pueblos, y lenguas" (7:9). Estos son los mismos que Cristo compró (véase 5:9). Las voces son tan fuertes porque provienen de una hueste tan multitudinaria, no de unos simples 144.000 literales, sino del número completo de los redimidos de todas las épocas.

Así como sólo los redimidos por Cristo pueden conocer el "nombre nuevo" de Dios que poseen (2:17), **nadie podía aprender el cántico, sino los 144,000 que habían sido rescatados de la tierra**. La referencia a la **voz del cielo** habla de la dimensión de la que procede la revelación y podría ser también otra referencia al monte Sion (v. 1) o a la Jerusalén celestial tanto en su forma preconsumada como consumada (como en 21:2, 10 ss.). Así pues, hay una confusión de estas dos etapas temporales de la Sion o Jerusalén celestial.

4a En los vv. 4–5, se da una descripción de los redimidos. En primer lugar, son **los que no se han contaminado con mujeres, pues son castos** (literalmente "vírgenes masculinos"). El simbolismo del v. 4 bien podría basarse en el antecedente de que los soldados israelitas debían preservar la pureza ceremonial antes de la batalla (p. ej., Dt. 23:9–10; 1 S. 21:5; 2 S. 11:8–11; 1QM VII.3–6). Richard Bauckham desarrolla esta idea, viendo una presentación figurativa de un remanente de santos luchando en una irónica guerra santa, "irónica" en el sentido de que el poder inherente a la guerra cristiana radica en el autosacrificio a imitación del Cordero.[3]

Aunque es posible, esto no explica la metáfora dominante de la virginidad, que es una parte esencial del simbolismo. Este punto de vista también limita innecesariamente los 144.000 a un remanente de la verdadera iglesia. No obstante,

---

[3] Ver: *El Clímax de la Profecía: Estudios sobre el Apocalipsis* (The Climax of Prophecy: Studies in the Book of Revelation) [Edimburgo: Clark, 1993], 229–32).

el vínculo a través del número entre 14:1 y 7:4–8 confirma hasta cierto punto la idea de una guerra santa, ya que el concepto de guerreros santos está presente en el cap. 7. El tema de la guerra santa recibe una confirmación adicional del paralelismo de 14:4 (los "que siguen al Cordero adondequiera que va") y 19:14, este último retrata a los cristianos como un ejército que sigue a su líder militar y mesiánico: "Los ejércitos que están en los cielos, vestidos de lino fino, blanco y limpio, Lo seguían [a Cristo] sobre caballos blancos".

Algunos piensan que **casto** (o virgen en algunas traducciones) se refiere a un grupo selecto de cristianos que son especialmente justos en comparación con otros santos que están casados, sugiriendo así que estos últimos están más manchados de pecado. Sin embargo, el hecho de que la **castidad** debe tomarse simbólicamente es evidente, ya que en ninguna otra parte de las Escrituras se consideran pecaminosas las relaciones sexuales dentro del vínculo del matrimonio.

Además, si los 144.000 son simbólicos para todo el pueblo de Dios, entonces significaría que Juan exigió el celibato para toda la iglesia, lo cual es muy improbable. Desde nuestro punto de vista, es preferible entender a los **castos** como una metáfora de *todos los verdaderos santos* (no sólo un remanente), que no se han comprometido de diversas maneras con el mundo, sino que han permanecido fieles como una novia pura a su prometido (como en 19:7–9; 21:2; 2 Co. 11:2).

Por supuesto, este debe ser el caso si la conclusión a la que ya se ha llegado anteriormente es correcta de que el número representa a todos los verdaderos creyentes. Las únicas otras veces en que los santos rodean a Cristo (7:9, 17; al parecer también en 19:8–9), siempre es toda la comunidad redimida la que lo hace. Además, si los 144.000 son figurativos para la totalidad, ¿por qué no deberían ser también figurativas los "vírgenes" de la misma manera? Esta interpretación figurativa se ve reforzada por el hecho de que no sólo Jerusalén es una novia basada en el Antiguo Testamento (véase 21:2), sino que "virgen" es un nombre repetido que se aplica a la nación de Israel en el AT (véase "virgen de Israel" y otras frases variantes similares en 2 R. 19:21; Is. 37:22; Jer. 14:17; 18:13; 31:4, 13, 21; Lam. 1:15; 2:13; Am. 5:2). El hecho de que detrás de la noción de "profanación" en Ap. 14:4 está la profanación de la "virgen" Israel con la idolatría, y la misma noción está a mano en 14:8 (sobre lo cual véase), sugiere que al menos el amplio trasfondo de Israel como "virgen" puede estar en mente.

Casto (en griego *parthenos*, que también puede traducirse como "virgen") podría estar en masculino simplemente porque es una imagen de los hombres que se han mantenido sin contaminarse de las mujeres. No han tenido relaciones ilegítimas con "la gran ramera" (17:1). La prevención de la profanación se mencionó anteriormente en el libro en referencia a los cristianos que no se han identificado con las instituciones idolátricas, como el culto al emperador o la idolatría de los gremios (sobre la profanación o la no profanación de los cristianos profesantes, véase 2:9, 13–15, 20; 3:4–5). Este es el mismo tipo de representación que en 2:14, 20–22, donde la idea de cometer "actos de inmoralidad" es una metáfora que se refiere principalmente a los creyentes tentados a mantener relaciones espirituales con dioses paganos. Asimismo, Pablo quiere que los creyentes se presenten como una "virgen pura" ante Cristo, advirtiéndoles que eviten el engaño de la serpiente y el evangelio pervertido (2 Co. 11:2–4, 13–15).

4b Otra característica de los verdaderos redimidos es que, en lugar de identificarse con el mundo idólatra, se identifican con Cristo: **Son los que siguen al Cordero adondequiera que va**. Como el Cordero sacrificado, ofrecen su vida en sacrificio a Dios (cf. Ro. 12:1). Los santos **han sido rescatados de entre los hombres como primicias para Dios y para el Cordero**. En el v. 4, las **primicias** podrían identificar a un pequeño grupo de mártires cristianos (o especialmente cristianos judíos) que vivieron en varios momentos de la era de la iglesia o al final de la historia y que son un presagio de una mayor congregación de más creyentes más adelante, que podría ser narrada en la cosecha de 14:14–20.

Este punto de vista se ve respaldado por el uso de las **primicias** en otras partes del NT, donde puede referirse a los conversos que fueron los primeros de muchos más que vendrían (Ro. 16:5; 1 Co. 16:15; 2 Ts. 2:13 mg.), al Espíritu como la evidencia inicial de una herencia mayor al final de los tiempos (Ro. 8:23), o a la resurrección de Cristo como el comienzo de la posterior resurrección de todos los cristianos (1 Co. 15:20, 23).

Sin embargo, es mejor considerar que las primicias se refieren aquí a la totalidad de los creyentes de todas las épocas. La presentación de los santos como **primicias** desarrolla la idea de los cristianos como sacrificios al Señor. En el Antiguo Testamento, las primicias se ofrecían a Dios para simbolizar Su derecho de propiedad, y de la misma manera el resto de la cosecha se recogía para ser utilizada por el pueblo de Dios según Su plan soberano. La palabra aquí probablemente se refiere a la totalidad de los creyentes a lo largo de las edades que finalmente reciben su redención completa y final. Esto se apoya recordando

---

mg. lectura marginal

que el grupo de 14:1–5 es el mismo que el del cap. 7, que representa el número completo del verdadero pueblo de Dios, el verdadero Israel.

El concepto holístico de las primicias está en consonancia con Jer. 2:2–3, que llama a toda la nación de Israel redimida de Egipto "Santa... para el SEÑOR, primicias de Su cosecha". Este texto es relevante para Apocalipsis 14, ya que los caps. 8–11 y 15–16 (los juicios de las trompetas y las copas) se basan en gran medida en temas relacionados con el éxodo. El pasaje de Jeremías destaca a Israel como un pueblo separado de Dios, a diferencia de las naciones incrédulas: "Santo era Israel para el SEÑOR, primicias de Su cosecha; todos los que comían de ella se hacían culpables; el mal venía sobre ellos". Aquí se representa a Israel como las primicias redimidas en distinción de las naciones que eran antagónicas a Israel y fueron juzgadas. Como Stg. 1:18 (literalmente "primicias entre lo creado [de nuevo]"), Apocalipsis 14 también puede estar afirmando que el pueblo elegido que habita la nueva Jerusalén (= el monte Sion) en la nueva creación son las "primicias" o el comienzo del resto de la nueva creación, no una anticipación de más personas que serán redimidas. Esto se debe a su identificación con su Cabeza representativa primogénita, Jesús (cf. 1:5; 3:14; Col. 1:18; 2 Co. 5:17).

Al igual que la nación redimida en el Antiguo Testamento, el nuevo Israel es una ofrenda que se aparta para Dios y se separa del resto de la humanidad, que se ha contaminado con la idolatría. Al igual que en el Antiguo Testamento, la porción que quedaba después de las primicias se consideraba común o profana, ahora los redimidos son especialmente apartados del resto, que es impuro, común o profano. En este sentido, la idea de las primicias continúa el pensamiento que subyace a la imagen de los vírgenes del v. 4a (véase más arriba). El uso de "rescatar" (o "redimir") dos veces en los vv. 3–4 requiere la conclusión de que se está pensando en el número completo de santos redimidos. El único otro uso de la palabra con un significado redentor está en 5:9, que habla de la salvación de *todos* los cristianos, no de un grupo selecto.

5 Debido a que los santos genuinamente redimidos siguen al Cordero, toman los atributos del Cordero. Lo han "seguido" dondequiera que su ejemplo de sacrificio los haya llevado. Ahora, una alusión a Is. 53:9 refuerza aún más la naturaleza sacrificial del compromiso cristiano: **En su boca no fue hallado engaño; están sin mancha**. Están en contraste con aquellos "que dicen ser [verdaderos] judíos y no lo son, sino que mienten" (Ap. 3:9). La referencia a no mentir no se refiere meramente a la veracidad general, sino que en el contexto se centra en la integridad de los santos al dar testimonio de Jesús cuando están bajo la presión de la bestia y el falso profeta para que transigir en su fe y sigan la mentira idolátrica (nótese las referencias a la perseverancia de los santos en 13:10; 14:12; cf. 1 Jn. 2:22).

Como ya se ha señalado brevemente, la expresión de integridad es una alusión al carácter del Siervo mesiánico profetizado en Is. 53:9: "ni había engaño en Su boca". Esto es sorprendente, porque viene inmediatamente después de la mención del Siervo como un "cordero que es llevado al matadero" (Is. 53:7). Los santos reflejan ambos rasgos mesiánicos. Un lenguaje similar se encuentra también en Sof. 3:13: "Ni se hallará en su boca lengua engañosa". Además del lenguaje paralelo con el Apocalipsis, Sof. 3:11–14 habla de que Dios salvará a un remanente en los últimos días, aquellos que se identifican con Su "monte santo" y Sion. Parece que el propio Sofonías puede estar aludiendo a Isaías 53, conectando así el Siervo de Isaías con el remanente. Ap. 14:1–5 describe en parte el cumplimiento de la profecía de Sofonías e Isaías. Los santos están incluidos en el cumplimiento de la profecía de Isaías 53 porque están representados por el Cordero mesiánico que murió por ellos y en el que no había mentira ni culpa.

Sugerencias para Reflexionar sobre 14:1–5

- ***Sobre el gobierno de Cristo y Su protección de los redimidos.*** Los caps. 12 y 13 han pintado un cuadro de persecución y de sufrimiento de la iglesia a manos del diablo y sus agentes. Sin embargo, aquí se presenta un contrapunto en forma de una magnífica imagen de Cristo gobernando en el monte Sion en medio de Su pueblo. Según el comentario, el hecho de que este gobierno ya haya comenzado significa que, incluso en medio del sufrimiento, Cristo está protegiendo a Su pueblo espiritualmente. ¿No entendemos esta verdad porque damos demasiado valor a las cosas externas que el enemigo puede quitarnos y no lo suficiente a la relación salvadora que tenemos con Cristo? ¿Qué importancia tiene, especialmente para los creyentes que sufren, entender estas cosas para poder perseverar?
- ***Sobre la respuesta de alabanza.*** En los vv. 2–3, el pueblo de Dios, tanto el que está en la tierra como el que está en el cielo, es representado dando una sincera alabanza a Dios y al Cordero por la victoria obtenida. ¿Es el "cántico nuevo" de alabanza una característica de nuestra relación con

Cristo? ¿Nos centramos realmente en la grandeza de lo que Él ha hecho por nosotros? ¿Qué importancia tiene observar el mandato de Pablo: "Den gracias en todo, porque ésta es la voluntad de Dios para ustedes en Cristo Jesús" (1 Ts. 5:18)? ¿Cómo nos afecta positivamente una respuesta de alabanza y nos acerca al Señor?

- ***Sobre la doble naturaleza del discipulado.*** En el v. 4, la vida cristiana se presenta de dos maneras: nos alejamos del mundo y nos negamos a comprometernos con sus valores, sin importar el costo para nosotros, y seguimos al Cordero incondicionalmente — "adondequiera que va". Son las dos caras de una misma moneda — pero ¿enfatizamos una a expensas de la otra? ¿Por qué hay que mantenerlas en equilibrio?
- ***Sobre llegar a ser como Cristo.*** La sección termina con la observación de que los que siguen a Cristo acabarán siendo como Él (v. 5). ¿Por qué es así? ¿Se aplica igualmente en sentido negativo a los que buscan dinero, poder o posición con fines egoístas? El discipulado significa seguir a Cristo "adondequiera que va". ¿Qué tan característico es esto de nuestras vidas cristianas? Qué tragedia es cuando los creyentes no siguen a Cristo de todo corazón y, por lo tanto, no exhiben Su carácter al mundo que los observa.

9. Dios juzgará al sistema mundial y a las naciones que rindan pleitesía a las fuerzas anticristianas, pero dará una recompensa eterna a los fieles que perseveren en la opresión (14:6–13)

[6] Después vi volar en medio del cielo a otro ángel que tenía un evangelio eterno para anunciarlo a los que moran en la tierra, y a toda nación, tribu, lengua, y pueblo, [7] que decía a gran voz: "Teman a Dios y den a Él gloria, porque la hora de Su juicio ha llegado. Adoren al que hizo el cielo y la tierra, el mar y las fuentes de las aguas". [8] Lo siguió otro ángel, el segundo, diciendo: "¡Cayó, cayó la gran Babilonia!, la que ha hecho beber a todas las naciones del vino de la pasión de su inmoralidad". [9] Entonces los siguió otro ángel, el tercero, diciendo a gran voz: "Si alguien adora a la bestia y a su imagen, y recibe una marca en su frente o en su mano, [10] él también beberá del vino del furor de Dios, que está preparado puro en la copa de Su ira. Será atormentado con fuego y azufre delante de los santos ángeles y en presencia del

Cordero. [11] El humo de su tormento asciende por los siglos de los siglos. No tienen reposo, ni de día ni de noche, los que adoran a la bestia y a su imagen, y cualquiera que reciba la marca de su nombre". [12] Aquí está la perseverancia de los santos que guardan los mandamientos de Dios y la fe de Jesús. [13] Entonces oí una voz del cielo que decía: "Escribe: 'Bienaventurados los muertos que de aquí en adelante mueren en el Señor'". "Sí", dice el Espíritu, "para que descansen de sus trabajos, porque sus obras van con ellos".

Se anuncia una advertencia de juicio al mundo incrédulo (vv. 6–7), pero el sistema mundial y sus seguidores no le harán caso, lo que resulta en su juicio final al final de la historia (v. 8). Este juicio histórico final es el precursor del juicio final y eterno (vv. 9–11). Sin embargo, la advertencia pretende influir en los verdaderos creyentes para que permanezcan fieles a Cristo a fin de recibir una recompensa eterna (vv. 12–13).

6 La frase **después vi** inicia el quinto segmento visionario desde el comienzo de la sección de la visión mayor en 12:1 (las cuatro secciones anteriores comenzaron en 12:1; 13:1; 13:11; y 14:1). El tiempo de esta sección precede inmediatamente al de la consumación, que es parte del enfoque en los vv. 1–5. El enfoque pasa ahora de los redimidos a los no redimidos (vv. 6–11) para contrastar el destino de ambos: **Después vi volar en medio del cielo a otro ángel que tenía un evangelio eterno para anunciarlo a los que moran en la tierra**. El ángel es un mensajero no principalmente de la gracia, sino del juicio. Su anuncio enfatiza el lado judicial del evangelio más que la oferta de gracia. La ausencia del artículo ("el") antes de **evangelio** es sugerente, ya que en otras partes del Nuevo Testamento el artículo siempre precede a la palabra, que sin excepción enfatiza la oferta de gracia en Cristo. El ángel no anuncia un evangelio diferente, sino uno que conlleva consecuencias nefastas si se rechaza, como subraya Pablo en Ro. 1:16–3:21; 2 Co. 2:14–16; y Hch. 17:18–32 (cf. 1 P. 4:17). Los versículos siguientes (8–11) sugieren que el evangelio que se anuncia aquí incluye, al menos, un aspecto penal; de hecho, estos versículos sucesivos enfatizan el aspecto judicial. El cap. 14 llega a su punto culminante con dos descripciones del juicio final (vv. 14–20), que ponen de relieve el tono judicial introducido en el v. 6 y profundizado en los vv. 10 y 11. El **evangelio** se llama **eterno** porque es inmutable y permanentemente válido.

La naturaleza iracunda del ser celestial también se sugiere por la similitud con el mensajero de los tres ayes en 8:13. Cada uno de ellos transmite su mensaje hablando en voz alta mientras vuela en medio del cielo y se dirige a los incrédulos que viven en la tierra.

Los que moran en la tierra es una frase sinónima de "los que habitan en la tierra" (para esta última frase, con su connotación negativa de idolatría, véase 3:10; 6:10; 8:13; 11:10a, 10b; 13:8, 12, 14a, 14b; 17:2, 8). Al final del versículo se ofrece una descripción adicional de los destinatarios del ser celestial: **y a toda nación, tribu, lengua y pueblo**. Esta fórmula en la primera parte del libro se refiere a los salvados (5:9; 7:9), pero a partir de 10:11 (y de nuevo en 13:7 y 17:15) se refiere a los perdidos. Puede haber aquí una alusión a los dichos de Jesús en Mt. 24:14 sobre la predicación del evangelio a todas las naciones, donde el contexto habla de la hostilidad del mundo y la apostasía dentro de la iglesia, así como ambas ideas se incluyen en Ap. 13:1–18 y 14:9–12.

7 No está claro si este versículo da el único contenido o el contenido adicional del evangelio predicado en el v. 6. Sirve bien como conclusión del anuncio del evangelio. El tema del versículo es el juicio. Es una "buena noticia" (el significado literal de "evangelio") para los santos porque significa la caída del sistema impío encabezado por la bestia y, en última instancia, por Satanás. La predicación del evangelio (buenas noticias) en 10:7 (sobre la cual véase) tiene la misma idea, ya que su principal referencia es el hecho de que el sufrimiento de los santos, que es parte del "misterio" de Dios, será seguido por la derrota y el juicio de sus perseguidores. Los cristianos pueden estar animados porque, después de todo, Dios defenderá Su reputación.

La respuesta adecuada al evangelio es que **teman a Dios y den a Él gloria**. La expresión plantea la difícil cuestión de si se espera que el mandato dé lugar a una auténtica conversión o es un edicto obligatorio para la humanidad antagonista, que significa que se verá obligada a reconocer la realidad del inminente juicio de Dios (como en Fil. 2:9–11). Cuando se da gloria a Dios en el Apocalipsis, la dan los que forman parte de la comunidad espiritual de Dios (así doce veces). Del mismo modo, siempre que se menciona la adoración a Dios en el libro, ésta es llevada a cabo por verdaderos creyentes o seres angélicos (así doce veces). El versículo paralelo más cercano, 15:4, lo confirma. Sin embargo, el siguiente paralelo más cercano, 11:13 ("los demás, aterrorizados, dieron gloria al Dios del cielo"), hemos entendido que se trata del reconocimiento forzado de la soberanía de Dios sobre la base de la alusión a Dn. 4:34, donde el incrédulo Nabucodonosor da gloria a Dios después de su castigo (véase 11:13).

En este sentido, los vv. 6–8 se basan también en una serie de expresiones relacionadas a Nabucodonosor de la versión de la LXX de Daniel 4:

- Un ángel le ordena que "dé gloria al Altísimo" (Dn. 4:34), similar a la orden angelical de Ap. 14:7.
- El rey da "alabanza" a Aquel que hizo el cosmos en cuatro partes (Dn. 4:37); cf. también v. 7.
- La declaración angelical a la humanidad en el v. 6 mediante la fórmula cuádruple de la universalidad se basa en la misma fórmula de Daniel, de la que hay dos ejemplos en Dn. 3:7; 4:1.
- El uso de "hora" como el momento del juicio de los últimos días (v. 7) se basa en el uso escatológico repetido de la misma palabra en Daniel, que es único en el resto del uso del Antiguo Testamento. El momento del juicio del rey de Babilonia que se aproxima también se describe como una "hora" (Dn. 4:17a; para más información sobre el trasfondo del Antiguo Testamento de "hora", véase 17:12). El paralelo verbal más cercano de Daniel para la frase "**la hora de Su juicio ha llegado**" es 11:45: "llegará a su fin", que se refiere al juicio final del adversario de Dios al final de los tiempos (cf. también Ez.7:7; 22:3).
- La última frase común de importancia es "la gran Babilonia" (v. 8), tomada de Dn. 4:30.

Aunque Nabucodonosor respondió a Dios, no hay pruebas de que se convirtiera en un creyente monoteísta y temeroso de Dios. El juicio que Dios le impuso no dejó al humillado rey otra opción que reconocer que Dios, y no él, era el verdadero soberano de los asuntos de la tierra. Lo mismo sucederá al final de los tiempos para los impíos.

La hora de Su juicio ha llegado sugiere que el mandato angelical no se aplica principalmente durante todo el curso de la era antes del regreso de Cristo, sino que es un edicto que precede directamente e inaugura el propio juicio final. Esto se apoya en el uso de "hora" en 17:12–18 en relación con el juicio de Babilonia. El comienzo del juicio es la razón para emitir el edicto. Sólo cuando **la hora de Su juicio ha llegado**, se hará que los hasta ahora inamovibles en su espíritu

LXX Septuaginta

rebelde confiesen que Dios es su juez soberano y que Él se glorifica a Sí mismo juzgándolos.

Sin embargo, el verbo "adorar" *(proskyneō)* se refiere en otras partes del libro a la adoración voluntaria de Dios o de la bestia, aunque puede tener la noción de "acoger respetuosamente" o "postrarse ante", lo que podría ser coherente con la idea de un reconocimiento coaccionado de Dios. Pero si la noción de un temor, glorificación y adoración coaccionados no es satisfactoria en última instancia, entonces el ángel de 14:7 debe verse como la emisión de un decreto final para la conversión genuina, que el contexto directamente siguiente muestra que no será escuchado, y el v. 7 sería una exhortación a los incrédulos para que se vuelvan de la adoración idolátrica de la creación a la adoración del Creador.

Se identifica a Dios como el Creador de todas las cosas como motivación para que la gente le adore a Él en lugar de a la creación. El versículo podría ser análogo a Hechos 14:15: "anunciamos el evangelio para que se vuelvan de estas cosas vanas a un Dios vivo, que hizo el cielo, la tierra, el mar, y todo lo que hay en ellos". Hechos 14:18 señala que el público continuó en su actitud idólatra, lo que también es la expectativa en Apocalipsis 14. La frase "toda nación" (v. 6), es decir, a los que se dirige el v. 7, es idéntica a la frase "todas las naciones" del v. 8 y del 18:3, las que han de ser juzgadas junto con la ramera babilónica por haber bebido su vino engañoso y embriagador.

8 En la visión, **siguió… otro ángel** con una declaración de juicio, que pone de manifiesto más explícitamente la naturaleza judicial del anuncio del ángel anterior en los vv. 6–7. Babilonia ha infectado de tal manera a las naciones que las hace incapaces de escuchar la declaración del evangelio del primer ángel. **¡Cayó, cayó la gran Babilonia!** es de Is. 21:9a, donde equivale a la declaración de que los ídolos de Babilonia son destruidos (en Is. 21:9b). La destrucción del sistema idólatra del mundo también está en mente aquí, como lo demuestran los vv. 9–11 inmediatamente siguientes.

La gran Babilonia es la descripción orgullosa de Nabucodonosor (Dn. 4:30). La Babilonia de los últimos tiempos está a punto de caer, al igual que Nabucodonosor. Los tiempos pasados **cayó, cayó** funcionan como el tiempo perfecto profético hebreo, que expresa un suceso futuro como si ya hubiera ocurrido. La repetición expresa énfasis y anticipa la descripción más amplia de la caída de Babilonia en 16:19 y en el cap. 18 (este último pasaje comienza su descripción con la misma expresión doble). El impío sistema social, político y económico dominado por el Imperio Romano colocó a los creyentes en la misma posición que Israel bajo Babilonia.

Por lo tanto, Roma y todos los sistemas mundiales impíos toman el nombre simbólico de "la gran Babilonia". De hecho, esta interpretación simbólica de Babilonia está asegurada más allá de toda duda razonable por las profecías del juicio de Dios sobre la Babilonia histórica, que predijeron que Babilonia tendrá una "desolación eterna" (Jer. 51:26) y "no se levantará más" (Jer. 51:64; cf. 50:39–40; 51:24–26, 62–64; así también Is. 13:19–22). Por lo tanto, el hecho de que "la gran Babilonia" se aplique al reino impío en la era del nuevo pacto muestra claramente que no puede referirse a la Babilonia literal.

Hay muchos que se conforman con las exigencias religiosas e idolátricas del orden terrenal impío. La razón de este cumplimiento es que Babilonia **ha hecho beber a todas las naciones del vino de la pasión de su inmoralidad**. La metáfora de la embriaguez proviene de Jer. 51:7–8: "Copa de oro ha sido Babilonia en la mano del SEÑOR, que embriagaba toda la tierra. De su vino bebieron las naciones; se enloquecieron, por tanto, las naciones. De repente cae Babilonia y se hace pedazos". El significado literal del griego (denominados técnicamente genitivos de causa) es "el vino que causa una pasión para tener relaciones inmorales con ella". La palabra griega para "inmoralidad" *(porneia)* aparece en otras partes del Apocalipsis y está relacionada con la idolatría (2:14, 20–21; 9:21; 17:2).

La cooperación de las naciones con Babilonia garantiza su seguridad material (véase 2:9, 13; 13:16–17). Sin esta cooperación, la seguridad desaparecería. Tal seguridad es una tentación demasiado grande para resistirla. La frase "hecho beber" significa que la gente debe cumplir con las demandas de la sociedad para prosperar. Una vez que uno bebe, la influencia embriagadora elimina todo deseo de resistir la influencia destructiva de Babilonia, ciega a uno a la propia inseguridad final de Babilonia y a Dios como la fuente de seguridad real, y adormece a uno de cualquier temor de un juicio venidero. Esta misma combinación de ideas encuentra un paralelo en Os. 4:11–12: "La *prostitución, el vino y el vino nuevo* quitan el juicio. Mi pueblo consulta a su ídolo de madera… porque un espíritu de prostitución los ha descarriado". Aquí es el Israel infiel el que se ha emborrachado y se ha vuelto espiritualmente ciego. Véase también Is. 29:9–10: "Se embriagan, pero no con vino… Porque el SEÑOR ha derramado sobre ustedes espíritu de sueño profundo, Él ha cerrado sus ojos: los profetas".

La interpretación económica de la pasión embriagadora de las naciones por Babilonia queda clara en el cap. 18, especialmente en 18:3, donde "los reyes de la tierra han cometido actos inmorales (griego *porneia)* con ella" es paralela a "y los mercaderes de la tierra se han enriquecido con la riqueza de su sensualidad" (véase en 18:3). Las naciones lloran y se lamentan por la caída de Babilonia en el cap. 18 porque temen que signifique su propia desaparición inminente (18:9–10, 15, 19).

Pero se avecina un colapso mucho más grave que la depresión económica. Aquellos que experimentan la tragedia económica en el mundo contemporáneo deben ser advertidos de que es un precursor de un colapso mundial final y del juicio universal de Dios; en consecuencia, deben prestar atención y hacer un balance de su propia posición ante Dios. La influencia de Babilonia se extiende hasta el final de la historia, por lo que hay que exhortar a la gente hasta el final a no dejarse engañar por ella (nótese las exhortaciones implícitas en el v. 9 y expresadas en el v. 12, así como en 18:3–4 y de forma similar en otras partes del libro).

9 Sin embargo, un tercer ángel aparece después de los dos primeros. Como ellos, también anuncia el juicio. Los tiempos presentes **adora (a la bestia y a su imagen)** y **recibe (una marca en su frente o en su mano)** connotan la continua adoración de la bestia y la lealtad a ella a pesar de las advertencias de juicio en los vv. 6–8 y castigo declarado en los vv. 10–11.

10 Las consecuencias de la adoración de la bestia son ahora declaradas. El castigo se ajusta a su crimen. El v. 8 ha explicado que las naciones se han permitido beber del vino de Babilonia, lo que les ha hecho desear cooperar con su sistema económico-religioso. Por lo tanto, ya que las naciones han bebido voluntariamente del vino de la pasión por Babilonia, así **beberán del vino del furor de Dios**, en demostración del principio de "ojo por ojo". La imagen del vino derramado que resulta en la intoxicación indica el desencadenamiento de la ira de Dios, bajo la cual las personas son completamente subyugadas a través del juicio, lo que resulta en un sufrimiento extremo (Sal. 60:3; 75:8; Is. 51:17, 21–23; 63:6; Jer. 25:15–18; 51:7; cf. Job 21:20; Abd. 16). A veces, el estupor de la embriaguez termina en muerte y destrucción física (Jer. 25:27–33; Abd. 16; Ap. 18:6–9). Aunque el efecto embriagador del vino de Babilonia parecía fuerte, no es nada en comparación con el vino de Dios. El vino de Babilonia sólo tiene efectos temporales; los efectos del vino de Dios permanecen para siempre. El vino divino está **preparado puro**, lo que implica que el vino de Babilonia no lo está. La siguiente cláusula **en la copa de Su ira** enfatiza lo definitivo y severo del último juicio al que todos los incrédulos están obligados a someterse.

En el último día serán **atormentados con fuego y azufre**. Como en todo el libro, el fuego es figurativo del juicio (1:14; 2:18; 3:18; 4:5 [fuego en conjunción con los relámpagos y el trueno]; 8:5, 7–8; 15:2; 19:12). Lo más importante es el sufrimiento que resulta del juicio; véase 9:17–18; 11:5; 16:8–9; 20:10. La idea de sufrimiento se acentúa cuando se añade "azufre" a la imagen de "fuego". El "tormento" es principalmente sufrimiento espiritual y psicológico, que es el significado de la palabra en otras partes del libro, con referencia a la naturaleza de las pruebas que preceden al juicio final o son parte de él (9:5–6; 11:10; 18:7, 10, 15; 20:10). El hecho de que su tormento tenga lugar **en presencia del Cordero** significa que los que han negado al Cordero se verán obligados a reconocerlo mientras son castigados en Su presencia (como en 6:16).

11 Junto con la conclusión del v. 10, el retrato del v. 11a está sacado de Is. 34:9–10, que describe el juicio de Dios sobre Edom. Una vez destruida por el juicio de Dios, Edom no volvería a levantarse. Del mismo modo, el juicio de los incrédulos al final de los tiempos será absoluto y completo. La profecía de Isaías se universaliza para referirse al juicio final de todos los incrédulos a lo largo de la historia que han dado lealtad al sistema mundial impío.

Sin embargo, existe un debate teológico sobre la naturaleza del juicio final. ¿Significa la representación la aniquilación de los incrédulos, de modo que su existencia queda abolida para siempre? ¿O se refiere a una destrucción que no implica la aniquilación absoluta, sino el sufrimiento de los incrédulos por la eternidad? El contexto del Antiguo Testamento podría apoyar la opinión de que el juicio final implica la aniquilación de los incrédulos en lugar de su sufrimiento eterno. El **humo** representa un memorial de la aniquilación del pecado por parte de Dios.

Por otra parte, el paralelo en 20:10 se refiere a que el diablo, la bestia y el falso profeta sufrirán el juicio en el "lago de fuego y azufre", donde "serán atormentados día y noche por los siglos de los siglos". No hay justificación para no identificar el destino de los de 14:10–11 con el de sus representantes satánicos en 19:20 y 20:10. El hecho de que los impíos sean arrojados al mismo "lago de fuego" que sus líderes satánicos lo confirma aún más (así en 20:15).

Además, la palabra **tormento** (griego *basanismos*, verbo *basanizō*) en 14:10–11 no se utiliza en ninguna parte del Apocalipsis o de la literatura bíblica en el sentido de aniquilación de la existencia. Sin excepción, en el Apocalipsis se refiere al sufrimiento consciente de las personas (9:5; 11:10; 12:2; 18:7, 10, 15; 20:10; así también en Mt. 4:24 [“dolores” en la NASB]; 8:6, 29; 18:34; Mr. 5:7; 6:48 [“esfuerzo” en la NASB]; Lc. 8:28; 16:23, 28; 2 P. 2:8). El grupo de palabras aparece aproximadamente cien veces en la LXX, siempre refiriéndose al sufrimiento consciente. Por lo tanto, la frase genitiva **el humo de su tormento** es una metáfora mixta, donde **el humo** es figurativo de un memorial duradero del castigo de Dios que implica un tormento real, continuo, eterno y consciente.

La frase **ni de día ni de noche** aclara aún más la naturaleza incesante del sufrimiento de los perdidos. La frase es paralela a la precedente **por los siglos de los siglos**, de modo que la idea expresa un largo período de intranquilidad ininterrumpida. Las mismas dos frases están vinculadas en 20:10 en relación con el sufrimiento eterno del diablo, la bestia y el falso profeta. La frase **por los siglos de los siglos** aparece otras doce veces en el libro y siempre se refiere a la eternidad (es decir, al ser eterno de Dios o de Cristo, a Dios o al reinado eterno de los santos; nótese el estrecho paralelismo verbal con 19:3). En particular, la expresión que describe la duración eterna del castigo (“atormentados día y noche por los siglos de los siglos”) en 20:10 parece equilibrarse antitéticamente con la frase idéntica que describe la duración eterna del reinado de los santos (“por los siglos de los siglos”) en 22:5. En 7:15, la cláusula “día y noche” se refiere al momento en que toda la congregación de los santos adorará en el templo de Dios en la nueva creación al final de la era. Tal adoración y alivio continuarán para siempre; lo mismo ocurre con el uso de la frase “día y noche” en relación con la adoración de los cuatro seres vivientes en 4:8.

La naturaleza del **tormento** se explica en la segunda parte del v. 11 no como aniquilación sino como falta de descanso. Por lo tanto, el humo es una metáfora de un recordatorio continuo del tormento de la inquietud, que perdura por la eternidad. Sólo dos versículos después, en 14:13, los creyentes encuentran el “descanso” eterno cuando mueren, lo que aparece como lo opuesto a la inquietud de los incrédulos. La frase **no tienen reposo, ni de día ni de noche** que describe a **los que adoran a la bestia y a su imagen** es una repetición literal de la misma frase en 4:8, que describe la incesante y eterna adoración de los querubines en el cielo, que habían estado haciendo al menos desde la época de Ezequiel 1.

NASB New American Standard Bible
LXX Septuaginta

12 Ahora se exhorta a los verdaderos santos a perseverar a través del sufrimiento temporal debido a la lealtad a Cristo, a fin de evitar las consecuencias eternas de la lealtad a la bestia y recibir una recompensa eterna (v. 13). La advertencia de los vv. 6–11 tiene por objeto motivar a los creyentes a perseverar. Por lo tanto, el v. 12 es el punto principal del segmento hasta ahora (vv. 6–12). Los vv. 9–13 siguen, pues, la pauta de 13:11–18. Allí, a la mención de los adoradores de la bestia y de su imagen que llevan la marca en sus frente y manos le sigue la referencia a la fe perseverante de los creyentes, que les permite no ser engañados por la bestia. Asimismo, 14:12–13 sigue a los vv. 9–11.

Obsérvense las frases paralelas **aquí está la perseverancia de los santos** y "aquí está la perseverancia y la fe de los santos" (13:10), junto con el paralelo adicional "aquí hay sabiduría" (13:18). La fe implica la capacidad de aceptar el sufrimiento que conlleva negarse a transigir (13:10), y la fe también proporciona la sabiduría que permite a los creyentes evitar el engaño y discernir el verdadero carácter de la bestia (13:18). Ambas definiciones del cap. 13, relacionadas a la fidelidad, el discernimiento del mal y la no transigencia, están presentes en la declaración resumida de la fe. También se incluye la idea de que, si se ejerce la sabiduría, se evitará el juicio divino, que conllevará un sufrimiento peor que el que experimentan los cristianos con la persecución. El hecho de que se produzca un juicio contra sus perseguidores también motiva a los cristianos a perseverar. Se trata de una motivación que no surge de la venganza, sino del deseo de que el juicio demuestre que su causa es verdadera y, por tanto, reivindique el justo nombre de Dios, que ha sido blasfemado por la bestia y sus aliados.

Se explica que la **perseverancia** es guardar **los mandamientos de Dios y la fe de Jesús**. **Los mandamientos de Dios** es una referencia holística a la revelación objetiva del antiguo y nuevo pacto a la que los fieles permanecen leales. El hecho de que la fe (griego *pistis*) se refiera al contenido doctrinal de la fe cristiana (cf. Jud. 3) se desprende también de 2:13, donde aparece la misma palabra con el mismo significado. La aparición de la **perseverancia** en 13:10 y aquí enfatiza que lo que se necesita para resistir los engaños de la bestia y las tentaciones de transigir no es una fe temporal, sino una que perdura a través de la vigilancia constante.

13 Si los cristianos permanecen fieles al Cordero, sufrirán en el presente, pero después obtendrán la recompensa del descanso eterno: **Bienaventurados los muertos que de aquí en adelante mueren en el Señor**. El deseo de perseverar debe ser motivado no sólo por la advertencia del juicio (vv. 6–11) sino también por la promesa de la recompensa. Al igual que los vv. 8 y 9–11 eran elaboraciones interpretativas del juicio anunciado en los vv. 6–7, el v. 13 también amplía la declaración de fe perseverante del v. 12. Esto es sugerido por **una voz del cielo, que decía**, que es similar a las frases elaboradas en los vv. 8 y 9, ambos conteniendo la palabra "diciendo".

Todos los creyentes **que mueren en el Señor** (la referencia es a todos los que permanecen fieles hasta la muerte, no sólo a los mártires) entran ahora en su descanso y recompensa eternos, **pues sus obras van con ellos**. El énfasis está en los que "mueren en el Señor", no en la forma precisa de la muerte. Al igual que los mártires, los que mueren por causas distintas al martirio también recibirán la bendición, porque también, a su manera, se resisten a las presiones para conformarse a la idolatría (véase 6:9 y 12:11). Cristo fue recompensado después de la muerte por Su resistencia, y lo mismo ocurrirá con los cristianos, ya que Cristo es su representante corporativo (al igual que los ángeles representaban a las iglesias en 1:20).

La exclamación de que esta bendición es pronunciada por el Espíritu (**"Sí", dice el Espíritu**) asegura a los cristianos que la bendición será otorgada. A diferencia de sus perseguidores y transigentes, que encuentran la seguridad del descanso en esta vida pero no en la siguiente (vv. 8, 11), los cristianos que soportan las duras labores de opresión ahora encontrarán la bendición del descanso más adelante. En 6:11 "descanso" también se utiliza (junto con la concesión de "vestiduras blancas") para referirse a la recompensa de los creyentes después de la muerte por su fe duradera en medio de las pruebas. Así que aquí también se hace referencia no sólo a las obras generales de justicia, sino a las obras fieles de soportar la opresión (véase más adelante).

Que el **descanso** es eterno es evidente, ya que contrasta con la eterna inquietud de los impíos en el v. 11. La duración eterna implícita se sugiere también por las promesas de consuelo de las tormentas de la vida hechas a los cristianos en 7:13–15 y 21:2–7, donde la duración es indefinida. Aunque el "descanso" puede parecer "temporal" en 6:11 ("un poco más de tiempo"), 14:13 junto con 7:13–15 y 21:2–7 muestran que es el comienzo de una recompensa eterna.

La última cláusula, **porque sus obras van con ellos**, sirve de base lógica a la anterior: las personas experimentarán el descanso porque, a pesar de la persecución, han perseverado en guardar los mandamientos de Dios y en su fe en Jesús (v. 12). El término "**trabajos**" (plural de *kopos*) de la cláusula anterior (**para que descansen de sus trabajos**) no se refiere a las meras obras buenas, sino a las obras fieles que perduran a través de la angustia y las dificultades, que es su significado típico en todo el Nuevo Testamento. **Obras** es sinónimo de **trabajos**. Las personas serán juzgadas o recompensadas por sus **obras**, que son un signo revelador de su fe interior (cf. 2:23; 22:12). El punto principal de los vv. 6–13 es la recompensa para los fieles, ya que ese tema concluye la sección en los vv. 12–13 y representa la respuesta de los fieles al anuncio del juicio en los vv. 6–11. El registro de sus **actos** los identifica ante el tribunal divino como los que merecen el descanso (cf. 1 Co. 15:58).

Sugerencias para Reflexionar sobre 14:6–13

- ***Sobre el aspecto judicial del mensaje evangélico.*** Según la interpretación del comentario, en los vv. 6–7 el evangelio se presenta principalmente como un mensaje de juicio. ¿Cuántas veces ignoramos este aspecto judicial? Pablo dice lo mismo: Porque en el evangelio la justicia de Dios se revela por fe (Ro. 1:16–17), pero en el mismo evangelio se revela también la ira de Dios desde el cielo (Ro. 1:18–32). ¿Qué consecuencias tiene cuando ignoramos el aspecto judicial en nuestra comprensión o presentación del evangelio?
- ***Sobre el poder del materialismo y del sistema mundial.*** El diablo y sus agentes utilizan el sistema económico mundial para atrapar a las personas por su amor al dinero y a los placeres materiales. El v. 8 presenta esto en términos de estar drogado o borracho, y así volverse totalmente insensible e inconsciente de lo que realmente está sucediendo a nuestro alrededor debido a nuestro disfrute desmesurado de las comodidades mundanas. Jesús dijo: "Nadie puede servir a dos señores; porque o aborrecerá a uno y amará al otro, o apreciará a uno y despreciará al otro. Ustedes no pueden servir a Dios y a las riquezas" (Mt. 6:24). ¡Qué batalla enfrentamos en esta cultura materialista, pero qué grandes son las consecuencias de nuestras decisiones!
- ***Sobre el concepto del castigo consciente eterno de los perdidos.*** Según el comentario, los vv. 9–11 presentan una imagen del castigo consciente eterno del incrédulo. ¿Está usted de acuerdo con el razonamiento adoptado por el comentario? ¿Por qué es un tema difícil para muchos creyentes? Si negamos este concepto, ¿es el comienzo de un proceso que

terminará en la negación de la existencia del infierno? ¿Para qué habría muerto entonces Jesús? Si Jesús sufrió la pena del pecado, y si esa pena es la aniquilación y no el sufrimiento eterno, entonces ¿no habría sido Jesús aniquilado y por lo tanto desaparecido de la existencia en la cruz? Si se acepta esta lógica, entonces implica una herejía cristológica: ¿Cómo podría la segunda persona de la Trinidad haber dejado de existir en algún momento?

- ***Sobre la perseverancia y la recompensa.*** En los vv. 12–13 se destaca la perseverancia de los santos y su recompensa eterna. Dios nos permite perseverar y nos ayuda en nuestra debilidad. El objetivo de la descripción del juicio en los vv. 6–11 es motivar a los creyentes a perseverar a pesar del sufrimiento. Sin embargo, no deben regocijarse en el castigo de sus enemigos, sino en la vindicación final de Dios y su carácter. Tal vez nos preguntemos si debemos estar motivados por la perspectiva de una recompensa eterna, pero así es como Dios lo presenta aquí.

10. Los incrédulos sufrirán con toda seguridad el juicio exhaustivo de Dios al final de los tiempos (14:14–20)

[14] Y miré, y había una nube blanca, y en la nube estaba sentado uno semejante al Hijo del Hombre, que tenía en la cabeza una corona de oro, y en la mano una hoz afilada. [15] Entonces salió del templo otro ángel clamando a gran voz a Aquél que estaba sentado en la nube: “Mete Tu hoz y siega, porque la hora de segar ha llegado, pues la cosecha de la tierra está madura”. [16] Aquél que estaba sentado en la nube metió Su hoz sobre la tierra y la tierra fue segada. [17] Otro ángel salió del templo que está en el cielo, que también tenía una hoz afilada. [18] Entonces otro ángel, el que tiene poder sobre el fuego, salió del altar, y llamó con gran voz al que tenía la hoz afilada, diciéndole: “Mete tu hoz afilada y vendimia los racimos de la vid de la tierra, porque sus uvas están maduras”. [19] El ángel metió su hoz sobre la tierra, y vendimió los racimos de la vid de la tierra y los echó en el gran lagar del furor de Dios. [20] El lagar fue pisado fuera de la ciudad, y del lagar salió sangre que subió hasta los frenos de los caballos por una distancia como de 320 kilómetros.

14 Los vv. 14–20, que comienzan con el marcador visionario **Y miré**, forman la sexta de las siete secciones que se extienden desde 12:1 hasta 15:4 (los marcadores anteriores se encuentran en 12:1; 13:1, 11; 14:1, 6). Al igual que el sexto sello, esta sexta visión describe el juicio al final de la historia, al que sigue una séptima sección que también narra el juicio final (15:2–4; cf. 8:1, 3–5). Los vv. 6–13 han anunciado el juicio culminante que se avecina como advertencia a los cristianos que profesan serlo. Ahora se describe que ese juicio está teniendo lugar.

El juez es **uno semejante al Hijo del Hombre** que **en la nube estaba sentado**, lo que es una alusión a Dn. 7:13 y se inscribe en la tradición interpretativa de Mt. 24:30. Esta tradición suele asociar la venida del Hijo del Hombre tanto con la redención como con el juicio. En Mateo 24, Jesús profetiza que, como Hijo del Hombre, vendrá en las nubes tanto para juzgar como para redimir. Sin embargo, el contexto de Ap. 14:15–20 sugiere que en el v. 14 sólo parece connotarse el aspecto judicial del papel del Hijo del Hombre. La figura celestial tiene **en la cabeza una corona de oro**, que lo identifica como Rey sobre Su pueblo, que gobierna con Él y también lleva "coronas de oro" (4:4, 10; cf. también 2:10; 3:11; 12:1). Su corona también evoca la realeza sobre Sus enemigos (véase 19:12). Los siguientes versículos muestran que la "hoz afilada" es una metáfora de juicio. En los vv. 6–20 se describen siete seres celestiales, pero el Hijo del Hombre es el único al que no se hace referencia como ángel, y en 1:7, 13–20 se presenta al Hijo del Hombre de Dn. 7:13 como el Cristo divino con la misma redacción que aquí. En el Antiguo Testamento, sólo Dios viene del cielo o a la tierra en una nube, y Dn. 7:13 no es una excepción a este patrón.

15–16 Ahora aparece **otro ángel** que da una orden al Hijo del hombre. El hecho de que el ángel transmita un mensaje al Hijo del hombre indica la subordinación funcional de este último a Dios, no al ángel, a la luz de la observación de que el ángel (que **salió del templo**) simplemente transmite un mensaje divino desde la sala del trono de Dios. Cristo debe ser informado por Dios sobre el momento en que comenzará el juicio, ya que "de aquel día o de aquella hora nadie sabe, ni siquiera los ángeles en el cielo, ni el Hijo, sino sólo el Padre" (Mr. 13:32; Hch. 1:7).

No está claro que el hecho de que Cristo esté en el cielo signifique que Su conocimiento sobre el momento del juicio final cambie, ya que incluso después de Su resurrección y ascensión sigue estando sujeto a la autoridad del Padre. Además, equipara Su conocimiento limitado al de "los ángeles en el cielo", por lo que la condición celestial no parece una condición suficiente para tal cambio. Los ángeles en el Apocalipsis nunca anuncian un mensaje que tenga su derivación última en ellos mismos, sino que son siempre meros transmisores de mensajes que representan la voluntad divina. A Cristo se le ordena cosechar en el juicio **pues la**

cosecha de la tierra está madura. Del mismo modo que Dios determina cada año el momento en que finaliza la temporada de cultivo, también ha determinado el momento en que se ha alcanzado el fin de la era y en que debe comenzar el juicio, porque los pecados de la humanidad han alcanzado su plena medida (cf. Gn. 15:16; Dn. 8:23–26; 1 Tes. 2:16).

17–20a Las imágenes de la cosecha en los vv. 17–19 son casi idénticas a las de los vv. 15–16, aunque se amplía la imagen. No se trata de relatos similares de juicios diferentes, aunque es concebible que las descripciones retraten acciones respectivamente del Hijo del Hombre y del sexto ángel durante el tiempo del juicio final. Sin embargo, debido a que sólo en el segundo cuadro está explícita la imagen del juicio, muchos han pensado que el primer cuadro representa la reunión de los santos, mientras que el segundo representa el juicio de los impíos.

Si sólo se hace referencia al juicio de los impíos, ¿por qué se colocan dos representaciones paralelas pero algo diferentes una al lado de la otra? La presencia del Hijo del Hombre en el primer segmento y la imagen sangrienta de las uvas pisoteadas en el segundo se consideran respectivamente como una sugerencia de redención y de juicio. Jesús también enseñó una cosecha dual de los salvados y los perdidos (Mt. 3:12; 13:24–30). De hecho, a veces Jesús (y también Isaías y Amós) se refirió a la cosecha sólo como una cosecha de los salvados (Is. 27:12–13; Os. 6:11; Mt. 9:37–38; Mr. 4:26–29; Jn. 4:35–38).

Por otra parte, tanto las imágenes de los vv. 15–16 como las de los vv. 17–19 pueden hablar sólo de juicio. Ambas presentan a un ángel que **sale del templo** y ordena al Hijo del Hombre que meta su hoz y recoja una cosecha madura, y en otros lugares del Apocalipsis tales órdenes del templo o el altar celestial sólo traen juicio (6:1–5; 9:13; 16:7, 17). Además, la frase "la hora de segar ha llegado" en el v. 15 nos remite a las otras nueve veces en el Apocalipsis en las que aparece la palabra "hora", siempre en referencia a un tiempo de juicio. Por último, la visión que ve Juan parece ser un cumplimiento de Joel 3:13: "Metan la hoz, porque la cosecha está madura; vengan, pisen, que el lagar está lleno; las tinajas rebosan, porque grande es su maldad".

El pasaje de Joel es el único del Antiguo Testamento en el que aparecen las imágenes de la cosecha (como en los vv. 15–16) y de pisar el lagar (como en los vv. 17–20), y allí ambas son imágenes que connotan juicio (para un pasaje similar del Antiguo Testamento, véase Is. 63:2–3). Por lo tanto, en conjunto, el pasaje probablemente se refiere sólo al juicio, aunque es posible el punto de vista alternativo. Pero, ¿por qué habría dos relatos idénticos del mismo juicio en los vv.

15–20? La doble narración enfatiza la severidad y la naturaleza incondicional del castigo, que alcanza su clímax con el extenso derramamiento de sangre del v. 20.

En cualquier caso, está claro que los vv. 17–20 retratan el juicio de los impíos. La imagen del altar junto con el **ángel… que tiene poder sobre el fuego** (v. 18) tiene una correspondencia única con 8:3–5, donde un ángel junto a un altar de oro obtiene fuego del altar y lo arroja a la tierra (veintitrés de las veinticuatro apariciones de la palabra "fuego" en el libro son en escenas de juicio; véase en 14:10). Dado que en 8:3–5 se representa una escena de juicio en la que se introducen los castigos de las trompetas, aquí se percibe el mismo tipo de escena. Esta conclusión se ve reforzada por el hecho de que la imagen de pisar un lagar es, sin excepción, una metáfora de juicio en el Antiguo Testamento.

Y la única otra mención en el Apocalipsis del lagar ocurre en 19:15, donde se refiere al juicio de Cristo sobre las naciones malvadas. La frase "del vino del furor de Dios" en el v. 10 y **el gran lagar del furor de Dios** aquí, junto con la fraseología idéntica en 19:15, muestran que los vv. 19–20 están desarrollando sólo el tema del juicio del v. 10. No está claro por qué se introduce en uno de los segmentos "uno semejante al Hijo del Hombre" (v. 14) y no en el otro, salvo que se trata de una figura similar a las otras figuras angélicas (probablemente Cristo; véase el v. 14). En total, hay siete figuras celestiales en los vv. 6–20, lo que refleja la noción de plenitud.

20b La afirmación final del v. 20 de que el pisado del lagar estaba **fuera de la ciudad, y del lagar salió sangre que subió hasta los frenos de los caballos** presenta algunas dificultades. Si la ciudad se refiere a Babilonia, el pisoteo podría referirse a la persecución de los santos, siendo la frase paralela a la de 11:2, donde la frase "pisotearán la ciudad santa" alude a los cristianos que son perseguidos como su Señor.

Sin embargo, si la "ciudad" es la verdadera ciudad santa (así lo hace quince veces en otras partes del libro), entonces el significado del pisoteo es el castigo de los incrédulos, que ocurre fuera de la ciudad santa escatológica de los santos justos. Esta última opción es la mejor. La última cláusula del v. 19 (el "lagar del furor de Dios") continúa el lenguaje de juicio del v. 10. La primera parte del v. 20 se basa en Joel 3:13 e Is. 63:2–3, y se refiere al juicio de las naciones incrédulas. El contexto del texto de Isaías puede proporcionar una ayuda adicional para identificar la ciudad y el significado del pisoteo. En Is. 60:12 y 63:1–6, la destrucción de las naciones se señala inmediatamente después de mencionar que las puertas de la ciudad santa permanecerán abiertas para los fieles (60:11; 62:10).

Por tanto, aunque no se diga así, el derrocamiento de las naciones tiene lugar implícitamente fuera de la ciudad santa y no en ella. Esto podría ser lo que Juan pretende recordar cuando se refiere a la devastación de los injustos que se produce **fuera de la ciudad**. Este análisis se ve corroborado por 20:8–9, que presenta a los oponentes incrédulos de los santos como juzgados fuera de la "ciudad amada". Asimismo, 21:8, cuando se toma en conjunto con 21:27 y 22:15, ubica el juicio de los impíos fuera de la ciudad eterna de Dios. Esto encaja con nuestra conclusión sobre el monte Sion en el v. 1 como una referencia primaria a la protección del pueblo de Dios en su nueva ciudad de los últimos días. Fuera de Sion sólo habrá destrucción, como predijeron los profetas. Por ejemplo, en Zac. 14:2–5, 12–16 se afirma que las naciones rebeldes serán derrotadas en los alrededores de Jerusalén. Dios se situará en el Monte de los Olivos, frente a Jerusalén (Zac. 14:2–4), para destruir a los ejércitos enemigos que han invadido la ciudad amada.

Tal vez lo más importante sea Joel 3:2, 11–12, 14, que dice que Dios entrará en juicio con las "naciones circundantes" (v. 11) fuera de Jerusalén en el cercano "Valle de Josafat" (v. 2). La presencia de este pensamiento es evidente, ya que es en este contexto que Joel 3:13, el modelo de Ap. 14:14–20, describe el juicio como una cosecha de grano y una cosecha de uva en la que se pisa el lagar. 19:15 aplicará Is. 63:2–6 a la escena de la derrota de los malvados que viven en la tierra al final de los tiempos, lo que confirma aún más la presencia del mismo escenario aquí. Inmediatamente después de esto, se producirá el juicio de todos los malvados muertos de todas las épocas (14:9–11; 19:20; 20:11–15; 21:8, todos describen el mismo conjunto de acontecimientos).

La afirmación sobre la sangre que sube **hasta los frenos de los caballos** al final del versículo es un lenguaje de batalla figurativo y funciona como hipérbole para enfatizar la naturaleza severa e incondicional del juicio. Esta imagen de la matanza, asociada a la batalla y a los caballos, es una característica del juicio final inaugurado por el regreso de Cristo, y tiene su paralelo en 19:17–18, donde también se señala la destrucción de los impíos junto con los caballos. El esparcimiento de la sangre a **una distancia como de 320 kilómetros** ("1.600 estadios" o unas 184 millas = 300 km.) desde la ciudad se corresponde con la longitud aproximada de Palestina medida desde Tiro hasta la frontera de Egipto (1.664 estadios).

Esto subrayaría por hipérbole la extensión de la destrucción de las naciones que se profetizó que ocurriría fuera de Jerusalén. Pero el número podría ser figurativo para un juicio completo y mundial. 1.600 es el producto de los cuadrados de cuatro y diez, ambos figurativos de lo completo en otras partes del libro (los cuatro seres vivos que representan todos los órdenes de vida animada, 4:6; los "cuatro extremos de la tierra", 7:1; los diez cuernos del dragón y la bestia, 12:3; 13:1; los diez cuernos y reyes de 17:12). El número también podría haber sido pensado como el cuadrado de cuarenta, un número tradicional de castigo.

A la luz del análisis anterior del cap. 14, los segmentos no presentan una cronología estricta:

vv. 1–5: el principio de la felicidad eterna,
vv. 6–7: una advertencia para arrepentirse,
v. 8: el juicio al final de la historia,
vv. 9–11: las consecuencias eternas del juicio,
vv. 12–13: exhortación a perseverar en el presente,
vv. 14–20: juicio al final de la historia.

Sugerencias para Reflexionar sobre 14:14–20

- ***Sobre la terrible realidad del juicio.*** A partir de una rica imaginería bíblica, estos versículos transmiten un vívido sentido de la terrible naturaleza del juicio final. Una vez más, el doble aspecto del evangelio está en primer plano, pues es Jesús, el Hijo del hombre, quien, a pesar de Su papel de Salvador, ejecuta el juicio (vv. 14–16). ¿Hasta qué punto nos tomamos en serio el contenido de estos versículos en nuestra vida diaria y en nuestra consideración del estado espiritual de los que nos rodean?

11. Los santos glorifican a Dios y al Cordero por sus incomparables atributos demostrados al lograr la redención y ejecutar el juicio (15:1–4)

[1] Entonces vi otra señal en el cielo, grande y maravillosa: siete ángeles que tenían siete plagas, las últimas, porque en ellas se ha consumado el furor de Dios. [2] Vi también como un mar de cristal mezclado con fuego, y a los que habían salido victoriosos sobre la bestia, sobre su imagen y sobre el número de su nombre, en pie sobre el mar de cristal, con arpas de Dios. [3] Y cantaban el cántico de Moisés, siervo de Dios, y el

cántico del Cordero, diciendo: "¡Grandes y maravillosas son Tus obras, oh Señor Dios, Todopoderoso! ¡Justos y verdaderos son Tus caminos, oh Rey de las naciones! [4] ¡Oh Señor! ¿Quién no temerá y glorificará Tu nombre? Pues sólo Tú eres santo; porque todas las naciones vendrán y adorarán en Tu presencia, pues Tus justos juicios han sido revelados".

La séptima visión de la serie que comenzó en 12:1 se interrumpe con la introducción en el v. 1 de los siete ángeles de las copas, que no regresan hasta el v. 5. La mejor explicación es que los vv. 2–4 sirven a la vez como conclusión de 12:1–14:20 y como parte de la introducción de las copas. Hemos observado que las transiciones literarias entre los principales segmentos del libro tienen una función de "entrelazado" (véase los comentarios que siguen a 8:5). Estos segmentos de transición concluyen la sección anterior e introducen la siguiente.

Así, los vv. 2–4 retoman la idea del juicio final, anunciada en 14:6–11 y representada en 14:14–20, con un canto de alabanza a la justicia de Dios expresada en el juicio. Pero la atención se centra en la victoria de los santos sobre los impíos, así como en el juicio de sus adversarios. La escena amplía la de la posición redentora de los santos en 14:1–5. Estos dos segmentos juntos (14:1–5; 15:2–4) forman una especie de paréntesis que rodea las secciones de juicio (14:6–11, 14–20), con la exhortación a perseverar y la promesa de recompensa en el medio (14:12–13). 8:3–5 también está precedido por una referencia introductoria a los siete ángeles (8:2), cuya presencia séptuple se repite de nuevo en 8:6 y cuya función se narra en 8:7ss. Se interrumpe temporalmente el inicio de la narración de la serie de plagas al continuar una descripción de la escena del juicio final que se encuentra en 8:1.

Pero, ¿cómo se relaciona el paréntesis entrelazado de los vv. 2–4 precisamente con los vv. 5 y siguientes? Al igual que en 8:3–5, aquí el entrelazamiento indica una conexión literaria temática, que funciona como transición de una serie séptuple a la siguiente. Las siete copas están claramente modeladas en las plagas del Éxodo, como se verá, y el cántico de 15:3–4 es una imitación del cántico de Moisés tras el cruce del Mar Rojo. La referencia a una nueva victoria final del éxodo en los vv. 2–4, que concluye el segmento de 12:1–14:20, inspira una retrospectiva en el cap. 16 a las plagas de los últimos días que conducen a la victoria final. Por lo tanto, el paréntesis de 15:2–4 continúa en primer lugar el tema del juicio final de 14:14–20 y, en segundo lugar, vincula la siguiente serie de copas con el segmento anterior, tanto literaria como temáticamente.

1 Este es el comienzo de la introducción formal de las siete plagas de las copas, y puede servir como declaración introductoria de resumen para 15:5–16:21. La cláusula de apertura, **Entonces vi otra señal en el cielo**, es un marcador apropiado para el comienzo de una nueva sección importante, ya que las cláusulas casi idénticas inauguran el segmento que comienza en 12:1–3. Juan ve **siete ángeles que tenían siete plagas, las últimas**, lo cual es una explicación más de la gran señal inmediatamente anterior en el cielo. Una perspectiva futurista considera que las copas son las últimas plagas que se producen en la historia, después de que hayan tenido lugar los ayes de los sellos y las trompetas. Algunos matizan esto viendo las copas como el contenido de la séptima trompeta o tercer ay, al igual que creen que las trompetas son el contenido del séptimo sello.

Sin embargo, **últimas** (griego *eschatos*) indica más probablemente el orden secuencial en el que Juan vio las visiones que el orden cronológico de los acontecimientos representados en las visiones. Esto significaría que las copas son la última serie formal de visiones séptuples que vio Juan, después de haber visto las visiones de los sellos y las trompetas y las registradas en los caps. 12–14. Por lo tanto, las copas no tienen que entenderse como los últimos acontecimientos de la historia, sino que son la última de las visiones formales séptuples que vio Juan, que se amplían con otras escenas visionarias en los capítulos siguientes.

Esta interpretación se apoya en el v. 5, que vuelve a introducir las visiones de las copas con la frase "después de estas cosas". En todo el Apocalipsis, la frase "después de estas cosas" indica el orden secuencial en el que Juan vio las visiones, no necesariamente el orden de los acontecimientos que describen (así en 4:1; 7:1, 9; 18:1; 19:1; véase en 4:1). Por lo tanto, el v. 5 sólo señala que las copas ocurrieron en último lugar en el orden de las visiones presentadas a Juan. Dado que el v. 5 vuelve a introducir la misma visión que el v. 1 comenzó a introducir, es razonable colocar "después de estas cosas miré" (v. 5) en un paralelismo sinónimo con "entonces vi otra señal… siete plagas, las últimas" (v. 1).

Por lo tanto, la introducción "entonces vi… siete plagas, las últimas" del v. 1 se amplía en la introducción continua del v. 5 a "después de estas cosas miré", de modo que el v. 1 también afirma que las copas vienen al final en la secuencia de visiones formales séptuples vistas por el vidente. Esto significa que los juicios de las copas no tienen que venir cronológicamente después de la serie de juicios en los caps. 6–14. Las copas retroceden en el tiempo y explican con mayor detalle los males a lo largo de la era que culminan en el juicio final. Un indicio de ello es que el juicio final ya se ha descrito como algo que ocurre al final de los sellos

(6:12–17; 8:1), al final de las trompetas (11:15–19) y, más recientemente, en 14:8–11 (el castigo final de Babilonia y sus seguidores) y 14:14–20. La misma escena de juicio se describirá de nuevo al final de las copas (16:17–21; 19:19–21).

Una segunda opción es que "últimas" puede ser una referencia histórico-redentora a los últimos acontecimientos de la historia. Las plagas del Apocalipsis son "últimas" en el sentido de que ocurren en los últimos días (de ahí lo de "siete plagas escatológicas"), en contraste con los primeros días, cuando ocurrieron las plagas egipcias. Juan y los escritores del NT creían que los últimos días se inauguraron con la primera venida de Cristo y culminarán con Su regreso (véase 4:1). En consecuencia, las plagas de las copas se extenderían a lo largo del período de los últimos días, desde la primera hasta la segunda venida de Cristo. El cap. 16 demuestra claramente que se trata de equivalentes tipológicos de las plagas egipcias, al igual que las imágenes del Mar Rojo y el contexto de 15:2–4 (véase más adelante).

Una tercera alternativa es que "últimas" podría explicar cómo la ira revelada en los sellos y las trompetas alcanza su objetivo. Esto tiene cierto mérito, ya que los juicios de las copas, en contraste con las otras series de siete, tienen declaraciones más explícitas sobre el propósito de los juicios divinos (para castigar a la gente por la adoración de la bestia y la persecución: 16:2, 5–7, 19). Las copas son las "últimas" en el orden de presentación de las visiones **porque en ellas se ha consumado el furor de Dios**. Las copas complementan y cierran la representación de la ira divina en los sellos y las trompetas.

Una última posibilidad considera que **consumado** (griego *teleioō*) significa "lleno" y, por lo tanto, es paralelo a 15:7 y 21:9, que hablan de siete copas llenas de la ira de Dios (aunque la palabra griega para "lleno" en estos últimos textos es diferente). El significado consecuente de la metáfora de 15:1 es que las siete copas se denominan "últimas" porque representan la ira de Dios llena de una manera más intensa que cualquiera de las visiones de ayes anteriores.

Cualquiera de estas opciones que se prefiera no cambia mucho el significado global del pasaje, en el que las copas se refieren a los juicios de Dios a lo largo de los "últimos días" de la historia humana, entendidos como el periodo entre la resurrección de Cristo y Su regreso. Sin embargo, la primera opción podría ser la más preferible.

2 Introducida por el marcador visionario **Vi también**, esta es la séptima y última sección del segmento más amplio iniciado en 12:1. Interrumpe la introducción de las copas y retoma el tema del juicio final del cap. 14. En 14:14–

20 se describe el juicio final, y en 15:2–4 se amplía esa escena al imaginarse la derrota de la bestia como algo completo y a los santos disfrutando de los resultados de esa victoria, alabando a Dios por ello.

La visión de lo que parecía ser, **como un mar de cristal mezclado con fuego,** representa la contraparte celestial del Mar Rojo. Esto queda claro en el v. 3, donde los santos son representados cantando el nuevo cántico de Moisés, que es la contraparte de los últimos días del cántico de Moisés en Éxodo 15. El "mar" en el Apocalipsis generalmente connota el mal cósmico (véase también 4:6; 13:1; 16:3; 21:1). En el Antiguo Testamento, el Mar Rojo se consideraba la morada del monstruo marino maligno (Is. 51:9–11; Sal. 74:12–15; Ez. 32:2). Las cuatro bestias malignas de Daniel 7 se ven como saliendo del mar (Dn. 7:3). En Ap. 13:1, la bestia sale del mar, mientras que en el nuevo cielo y la nueva tierra ya no habrá ningún mar (véase más adelante sobre 21:1).

Juan ve ahora los poderes caóticos del mar calmados por la soberanía divina. 4:6 y 5:5–6 revelan que la superación de Cristo mediante Su muerte y resurrección ha derrotado el poder del mal y ha calmado así la acuosa y tumultuosa morada del diablo, que se ha convertido en "un mar de vidrio como el cristal" (4:6; los comentaristas judíos a veces consideraban que el Mar Rojo se había convertido en un mar de vidrio [p. ej., Midrash Salmos 136.7]). Dn. 7:10–11 representa un río de fuego en el cielo ante el trono de Dios, en el que la bestia es juzgada y destruida. El hecho de que el **mar de cristal** esté **mezclado con fuego** muestra que el mar se ha convertido en el lugar donde el Cordero ha juzgado a la bestia. En casi todas las demás partes del Apocalipsis (véase 14:10 para referencias), el "fuego" significa el juicio de Dios sobre los malvados.

En cumplimiento de Dn. 7:10–11, la "victoria" del Cordero también ha preparado el camino para la "victoria" de los santos sobre la bestia en el mar, **los que habían salido victoriosos sobre la bestia, sobre su imagen y sobre el número de su nombre**. Son victoriosos sólo porque el Cordero ha vencido y les ha concedido una participación en los efectos de Su victoria en el mar. Son aquellos que se han negado a comprometer su fe en medio de la presión y la persecución, como los tres jóvenes fieles que se negaron a adorar la imagen del rey en Daniel 3 (para una explicación completa de la triple referencia a la bestia, su imagen y su número en el v. 2, véase 13:15–18).

La victoria sobre **el número de su nombre** se incluye para enfatizar que se han resistido a las alianzas con la bestia que les harían fracasar en su redención (véase en 13:18 con respecto al significado del 666). El hecho de que estén **en pie**

sobre el mar de cristal, con arpas de Dios, muestra que ellos mismos han participado en la batalla contra la bestia del mar y han luchado en medio del mundo incrédulo (véase 17:15, donde las "aguas" se definen como masas impías de personas en el mundo).

Los santos están ahora de pie ante el trono de Dios en el cielo (a la luz de donde existe el análogo celestial del mar de cristal terrenal en 4:6). La realidad de su resurrección es señalada por la mención de los santos de pie sobre el mar de cristal en sorprendente similitud con la clara representación de la resurrección del Cordero de pie (5:6) por (o sobre) el mar de cristal (4:6). La conquista de ambos está claramente vinculada ("vencer" en 5:5 y "salir victorioso" en 15:2 traducen el mismo verbo griego, *nikaō*). En ambos pasajes se tocan arpas y se canta un cántico redentor (para la misma idea de "estar de pie" en 7:9, véase adicionalmente en la introducción al cap. 7).

El arma de los santos ha sido su ardiente y fiel testimonio (véase 11:3–7), que la bestia y sus aliados han tratado de extinguir con las aguas del engaño (véase 12:15–16). Son el mismo grupo que la totalidad de los redimidos representados en 14:1–5, ya que también tienen arpas en sus manos. El toque de las arpas que sostienen formará parte de la alabanza que rinden en los vv. 3–4.

3a Así como los israelitas alabaron a Dios junto al mar después de que los liberara del faraón, la iglesia alaba a Dios por haber derrotado a la bestia en su favor. Al igual que el pueblo de Dios de antaño, el pueblo del nuevo pacto lo alaba cantando **el cántico de Moisés, siervo de Dios**. Moisés es llamado siervo de Dios en Éx. 14:31, inmediatamente antes de su canto en el cap. 15. Sin embargo, el cántico ahora es sobre la liberación mucho más grande lograda a través de la obra del Cordero. Los santos alaban la victoria del Cordero como el cumplimiento tipológico de aquello a lo que apuntaba la victoria del Mar Rojo. Hay referencias en el judaísmo posterior que afirman que el cántico de Éx. 15:1 implica la resurrección de los cantantes israelitas para cantar de nuevo en la nueva era (*b. Sanhedrin* 91b y *Mekilta de–Ishmael*, Shirata 1.1–10). Esto podría ser un indicio más que sugiere que los vv. 2–3 retratan una escena de resurrección.

Deuteronomio 32 también se denomina cántico de Moisés (Dt. 31:19, 22, 30; 32:44), que se incluye junto con la alusión a Éxodo 15 (véase el v. 3b más adelante), ya que también describe el juicio (en este caso contra el Israel apóstata a causa de su idolatría, como también se advierte a los cristianos apóstatas en el Apocalipsis que serán juzgados junto con las naciones). Esa canción concluye con el pensamiento de que Dios castigará a las naciones enemigas y expiará a Su pueblo (Dt. 32:43), y las mismas ideas se incluyen aquí en los vv. 2–4, donde Dios ha vindicado a Su pueblo y lo ha hecho victorioso sobre el poder de la bestia.

El cántico es el mismo que el "cántico nuevo" de 5:9ss. y 14:3, donde los cantantes también sostienen arpas mientras alaban al Cordero por Su obra de redención (cf. 5:8; 14:2). Es evidente que se trata también de un "cántico nuevo", ya que no sólo cantan el antiguo **cántico de Moisés**, sino también el **cántico del Cordero**, que hasta entonces no se había cantado. Por lo tanto, el cántico se canta en alabanza no sólo a Dios, sino también al Cordero, ya que en 5:9 y siguientes también se alaba al Cordero por Su obra redentora (e implícitamente también el nuevo cántico de 14:3).

3b El contenido real del cántico no procede de Éxodo 15, sino de pasajes de todo el AT que ensalzan el carácter de Dios, combinados aquí para explicar el nuevo éxodo, que se ha producido a una escala mayor que el primero. Se han seleccionado interpretaciones posteriores del Antiguo Testamento sobre el primer éxodo para explicar el nuevo éxodo, con el fin de alabar a Dios por la redención y la escena implícita de juicio que se describe en el v. 2. Estas interpretaciones posteriores completan el marco del cántico de Moisés del Éxodo 15 que está en la mente de Juan.

¡Grandes y maravillosas son Tus obras, oh Señor Dios, Todopoderoso! refleja al Sal. 111:2–3, que habla de la obra grande, espléndida y majestuosa de Dios (véase también Dt. 28:59–60 LXX, que se refiere a las "grandes y maravillosas plagas" que vendrán sobre Israel, que son un modelo de las plagas del Éxodo). A quien se alaba es el **Señor Dios, Todopoderoso**, porque es el soberano absoluto de los asuntos históricos de Su pueblo elegido. "Señor Dios, Todopoderoso" se encuentra repetidamente en los profetas Hageo, Zacarías y Malaquías para referirse a Dios que dirige soberanamente la historia de Su pueblo, y este es su significado en otras partes del Apocalipsis (véase adicionalmente en 1:8).

Así como el Dios de la generación del éxodo fue alabado como Aquel cuyas obras son perfectas y todos Sus caminos justos (Dt. 32:4), así también es alabado de nuevo: **Justos y verdaderos son Tus caminos**. Esto enfatiza que los actos soberanos de Dios no son demostraciones de fuerza bruta, sino expresiones morales de Su carácter justo. Su redención por medio de Cristo ha llevado a la expresión suprema cómo demuestra Su justicia. Los que confían en Cristo tienen

---

LXX Septuaginta

la pena de su pecado pagada por Su sangre (así en 1:5–6; 5:9; 7:14; 12:11), pero los que rechazan la provisión divina llevarán su propia pena por el pecado (cf. Ro. 3:19–20). El título final **Rey de las naciones** explica además que Dios es soberano en la historia de Su pueblo porque gobierna todas las naciones con las que entra en contacto. La misma idea se expresa en 11:15–18, donde los reinos de este mundo se han convertido en Su reino. El título bien puede incluir a Cristo, ya que se le llama "soberano de los reyes de la tierra" (1:5) y "Señor de señores y Rey de reyes" (17:14; también 19:16).

4 Los grandes y verdaderos actos del Soberano declarados en el v. 3b son la razón por la que la gente debe temerlo y glorificarlo. Las palabras que los santos cantan, **¡Oh Señor! ¿Quién no temerá y glorificará Tu nombre?** recuerdan a Jer. 10:7: "¿Quién no Te temerá, oh Rey de las naciones?". Seguramente le temerán, sugieren ambos textos, porque han sido testigos de Sus grandes y justos actos. Jer. 10:1–16 contrasta a Dios con los seres humanos y los ídolos, afirmando que sólo a Dios se le debe adorar. Los santos que cantan aquí también saben que sólo se debe adorar a Dios y al Cordero, en contraste con la bestia y su imagen. Se adora a Dios porque es santo: **Pues sólo Tú eres santo**, lo que de nuevo da la base o razón ("pues" = *hoti*) para la adoración de los santos en el v. 4a: Dios es adorado *porque* Él es santo. La santidad de Dios no se refiere simplemente a un conjunto de atributos morales, sino al hecho de que Dios está completamente apartado en esos atributos de Su creación.

La última parte del versículo, **Porque todas las naciones vendrán y adorarán en Tu presencia, pues Tus justos juicios han sido revelados**, se deriva del Sal. 86:9–10. El sentido del v. 4c, requiere que *hoti* se traduzca esta vez no como "porque" (como en la NASB) sino como "para que". La cláusula anterior (v. 4b) dio la *base* para la adoración de los santos: Dios es santo. Esta cláusula ahora da el *resultado* de esa verdad: Dios es santo, *para que* todas las naciones lo adoren. El efecto de la santidad única de Dios es que la gente de todas las naciones lo reconocerán y se lanzarán a adorar a Dios, lo que repite el pensamiento principal del v. 4a de que Dios debe ser temido y glorificado.

La frase **todas las naciones** es una figura retórica llamada metonimia (o, más específicamente, sinécdoque), en la que se sustituye el todo por la parte para enfatizar que muchos adorarán. No significa que todas las personas de todas las naciones (el todo) adorarán al Señor, sino que las personas de todas las naciones

NASB New American Standard Bible

(la parte) lo harán (véase también 5:9; 7:9; 13:7; 14:8; 18:3, 23 para otros ejemplos de metonimia): si se hace referencia a todos sin excepción, algunos de estos versículos sugerirían contradictoriamente que todos son redimidos y otros que todos están engañados y perdidos).

La idea de que Dios es incomparable a partir de los textos de Jeremías y de los Salmos no ha surgido en los vv. 3–4 por casualidad, ya que las primeras fórmulas de la divinidad incomparable se originan en la propia narración de la redención del éxodo (Éx. 15:11; Dt. 33:26–27), que es el marco interpretativo de los vv. 3–4 y que ha sido subrayado explícitamente en primer lugar en el v. 3a por la expresión "el cántico de Moisés".

V. 4 concluye con una tercera cláusula *hoti*, ***Pues*** **Tus justos juicios han sido revelados** (v. 4d). El v. 4d es poéticamente paralelo al v. 4b, y también proporciona una razón por la que la gente debe temer y glorificar a Dios (v. 4a). Hay que temer a Dios *porque* es santo y *porque* se han revelado sus actos justos. El v. 4 concluye adecuadamente con otra reminiscencia del Antiguo Testamento del éxodo del Salmo 98:2: "El SEÑOR… a la vista de las naciones ha revelado Su justicia". El Salmo comienza con una referencia a Éx. 15:1, 6, 12: "Cantad al Señor un nuevo cántico… Su diestra y Su santo brazo Le han dado la victoria". También anima a los cantantes del "cántico nuevo" a tocar arpas (98:5), como en Ap. 5:8; 14:2–3; 15:2–3.

Las referencias del Salmo al éxodo forman parte de la base de una declaración final de que Dios "juzgará al mundo con justicia, y a los pueblos con equidad" (Sal. 98:9). La misma transición de pensamiento (el éxodo que conduce al juicio de Dios sobre las naciones) está presente en Apocalipsis 15, donde el "cántico" del primer éxodo sirve de modelo general para el éxodo del final de los tiempos. Las siete plagas de los juicios de las copas enfatizarán este tema del éxodo. Dios derrama Sus juicios sobre las naciones incrédulas en el transcurso de la era de la iglesia, culminando en Su triunfo final sobre la bestia, el faraón de los últimos tiempos.

El uso del Antiguo Testamento en los vv. 3–4 no es el resultado de una selección al azar, sino que está guiado por el tema del primer éxodo y el desarrollo de ese tema más adelante en el Antiguo Testamento. Esto no es más que una continuación del escenario del Mar Rojo de los últimos tiempos del v. 2. El punto principal de los vv. 2–4 es la adoración de Dios y el incomparable acto de redención y juicio del Cordero.

Sugerencias para Reflexionar sobre 15:1–4

- ***Sobre el tema de la justicia de Dios en el Apocalipsis.*** El hecho de que los santos sean representados de pie sobre el mar y alabando a Dios y al Cordero por su victoria (vv. 2–3) nos da la seguridad de que en el mismo lugar donde sufrieron y a veces fueron aparentemente derrotados, el pueblo de Dios será vindicado y alabará a Él y al Cordero por su liberación. Considere la frecuencia con que el tema de la justicia de Dios, tanto hacia los creyentes como hacia los incrédulos, es visitado en el Apocalipsis, y cómo se relaciona con la representación del Cordero inmolado en el cap. 5.
- ***Sobre la adoración y la santidad de Dios.*** ¿Qué significa para ti adorar a Dios basándote únicamente en el hecho de Su santidad? ¿Por qué la santidad de Dios debería inspirarnos para adorarle?

VI. LOS JUICIOS DE LAS SIETE COPAS (15:5–16:21)

Dios castiga a los impíos durante la era inter-adventual y consumadamente en el último día a causa de su persecución e idolatría

1. La reanudación de la introducción a los juicios de las siete copas (15:5–8)

[5] Después de estas cosas miré, y se abrió el templo del tabernáculo del testimonio en el cielo. [6] Y salieron del templo los siete ángeles que tenían las siete plagas. Estaban vestidos de lino puro y resplandeciente, y ceñidos alrededor del pecho con cintos de oro. [7] Entonces uno de los cuatro seres vivientes dio a los siete ángeles siete copas de oro llenas del furor de Dios, quien vive por los siglos de los siglos. [8] El templo se llenó del humo de la gloria de Dios y de Su poder. Nadie podía entrar al templo hasta que se terminaran las siete plagas de los siete ángeles.

5 Se reanuda la introducción a las copas iniciada en el v. 1 e interrumpida en los vv. 2–4. **Después de estas cosas miré** marca el comienzo de una nueva visión y, en este caso, el inicio de una nueva serie de visiones. Así como la imagen de un templo celestial que se abre concluye e introduce secciones visionarias importantes en 11:19, de nuevo la imagen funciona de la misma manera, concluyendo la sección de 12:1–14:20; 15:2–4 e introduciendo las copas. El v. 5 es una ampliación de la visión de los siete ángeles que Juan comenzó a ver en el v. 1.

Ve **el templo del tabernáculo del testimonio en el cielo** abierto. El **templo** se llama el **tabernáculo del testimonio** porque es el equivalente celestial del tabernáculo del testimonio, que estaba en presencia de Israel en el desierto y es apropiado aquí debido al contexto del éxodo en los vv. 2–4. El "testimonio" eran los Diez Mandamientos, que Moisés colocó en el arca del tabernáculo (cf. Éx. 25:21; 31:18; 32:15). La ley del Señor es Su testimonio, que revela Su justa voluntad. El tabernáculo se construyó porque, al revelar Su justa voluntad, Dios debía "habitar entre ellos" (Éx. 25:8). También representaba la misericordia de Dios, ya que era en el tabernáculo donde se ofrecían los sacrificios sustitutivos de animales para expiar el pecado de Israel y reconciliar a la nación con su Señor. Sin embargo, ahora el tabernáculo ya no es testigo de la misericordia divina, sino del juicio, ya que se introduce en el v. 5 para mostrar que es la fuente de las siguientes plagas de las copas.

El "testimonio" del v. 5 incluye no sólo la ley, sino también el "testimonio de Jesús" (véase 12:17; 19:10), que resume los mandamientos del AT de Dios en Sí mismo. Esto lo sugiere el hecho de que el grupo de palabras "testificar" (griego *martyreō*) aparece diecisiete veces en otras partes del libro con la única referencia a un testimonio sobre o de Jesús. El punto es que Dios revelará Su justa voluntad desde Su morada celestial enviando juicios en la tierra contra aquellos que rechazan Su testimonio en Jesucristo. La cláusula relacionada a la apertura del santuario es casi idéntica a la de 11:19 ("El templo de Dios que está en el cielo fue abierto"). El objetivo de la aparición del arca (como resultado de la apertura del templo) en 11:19 era enfatizar que Dios estaba apareciendo para ejecutar el juicio final. Aquí está presente el mismo tema del juicio, aunque los juicios que conducen al juicio final están incluidos en el esquema de las copas. Ya se dijo que el "templo de Dios" (11:1–2) estaba en la tierra en forma de profetas que anunciaban su "testimonio" (11:3, 7) en la presencia como morada de Dios, que era una forma de juicio contra los incrédulos (11:5–6). Ahora se trata del origen celestial de su testimonio y juicios terrenales.

6 Juan ve a **los siete ángeles** presentados en el v. 1 que **salieron del templo** que ha sido abierto. Al igual que en el v. 1, tienen **las siete plagas**, lo que debe significar que han sido comisionados para ejecutar los siete juicios de las copas que siguen en el cap. 16, ya que en realidad no se les entregan las copas hasta el v. 7. Cuatro veces, incluyendo este versículo, los castigos de las copas son llamados "siete plagas" (15:1, 6, 8; 21:9). El único lugar en la Escritura, fuera del Apocalipsis, donde aparece la misma frase en griego o hebreo es Lv. 26:21

(LXX): "Traeré además sobre vosotros [Israel] *siete plagas* según vuestros pecados" (el Targum palestino repite "siete plagas" cuatro veces; el texto hebreo no es diferente: "Aumentaré la plaga sobre vosotros siete veces"). La frase no aparece por casualidad en Apocalipsis 15, ya que el mismo pasaje de Levítico 26 se ha considerado como formativo de los cuatro primeros juicios de los sellos (véanse los comentarios introductorios al cap. 6).

El texto de Levítico también se refiere a los males que Dios enviará a Israel si comete idolatría. Cuatro veces se repite que Dios los juzgará "siete veces" si son infieles. Cada expresión figurativa séptuple introduce una prueba sucesivamente peor, a condición de que Israel no se arrepienta del infortunio precedente. La promesa entretejida en estas advertencias es que si Israel se arrepiente de su idolatría (cf. Lv. 26:1, 30–31) — la idolatría es el problema también en Ap. 15:5–16:21 — entonces Dios los bendecirá de nuevo. Las advertencias del Levítico estaban destinadas a llevar al arrepentimiento a los verdaderos creyentes, mientras que sólo endurecían a los israelitas apóstatas. Las aflicciones citadas allí no sólo purgan y castigan, sino que también sirven como advertencias para que la gente se arrepienta. Sin embargo, se hace hincapié en las pruebas sucesivamente más severas debido a la falta de arrepentimiento de la idolatría, todo lo cual termina en el juicio final. Al igual que en el Levítico y en todo el Apocalipsis, el número de siete juicios es figurativo para muchos juicios severos y no se refiere a siete ayes reales.

Los siete ángeles están v**estidos de lino puro y resplandeciente, y ceñidos alrededor del pecho con cintos de oro**. Esta descripción es casi idéntica a la del Hijo del Hombre en 1:13, lo que puede implicar que se identifican con Él para actuar como Sus representantes en la ejecución del juicio.

En 13:3, 12 se dice que la bestia recibió una "herida mortal (literalmente 'plaga')", que fue infligida por la muerte y resurrección de Cristo. Los castigos de las copas revelan los efectos decisivos puestos en marcha por la derrota de la bestia por parte de Cristo, que culminarán con el juicio final sobre él y sus seguidores.

7 A continuación, en la visión, **uno de los cuatro seres vivientes** (véase 4:6) **dio a los siete ángeles siete copas de oro llenas del furor de Dios, quien vive por los siglos de los siglos**. Las copas en el AT se utilizaban en relación con el servicio sacerdotal en el tabernáculo o templo. Algunas directamente relacionadas

---

LXX Septuaginta

con el servicio del templo se denominan "tazas/tazones de oro" (1 Cr. 28:17; 2 Cr. 4:8, 22). Ahora los sacerdotes angélicos ministran con las copas en el altar celestial del tabernáculo del testimonio.

Aunque el altar no se menciona, está implícito, como queda claro en 16:7, donde el altar se asocia explícitamente con los juicios de las copas. Esta conexión con el altar muestra que los castigos de las copas son la respuesta de Dios a las oraciones de los santos en busca de vindicación (véase 8:3–5). Esta conexión se confirma por la similitud verbal entre las **copas de oro llenas del furor de Dios** y las "copas de oro llenas de incienso" que representan las oraciones de los santos en 5:8. La imagen de las "copas" también se deriva en parte de Is. 51:17, 22. Isaías habló del "la copa de Su furor... el cáliz de Mi furor", bebido primero por Jerusalén, pero que pronto sería derramado sobre los atormentadores de Israel, es decir, Babilonia (Is. 51:22; cf. vv. 17–23). Ahora la misma copa se le dará a la Babilonia espiritual, como revela 16:19. Las copas simbolizan aquí la ira de Dios que viene a castigar al pueblo pecador.

8 La declaración final del cap. 15 subraya el hecho de que las aflicciones de las copas no provienen en última instancia de los siete ángeles, ni de los cuatro seres vivientes, sino sólo de Dios. El templo **se llenó del humo de la gloria de Dios y de Su poder** (como en Éx. 40:34–35; 1 R. 8:10–11; 2 Cr. 5:13–14; Is. 6:4). La visión parece aludir a Ez. 10:2–4, también una introducción a un anuncio de juicio, donde un ser angelical vestido de lino se encuentra cerca de los cuatro querubines en el templo celestial, que está lleno de la nube de la gloria de Dios. Es probable que Ezequiel 10 se combine aquí con Is. 6:1, 4, que tiene el mismo lenguaje de teofanía y también presenta una escena de seres celestiales de pie en el templo celestial introduciendo un anuncio de juicio. Ambas escenas tienen afinidades con Ez. 43:5 y 44:4. Is. 6:4 es el único versículo del Antiguo Testamento que habla de humo llenando el templo (otros textos utilizan "gloria" o "nube"), e Is. 6:1 y 6:4 son los únicos versículos que utilizan "templo" en relación con el llenado.

La presencia de Dios es tan imponente en la expresión de Su ira que ni siquiera los seres celestiales (los ángeles y los cuatro seres vivientes estaban fuera del templo, según los vv. 6–7) pueden ponerse en medio de Él: **nadie podía entrar al templo hasta que se terminaran las siete plagas de los siete ángeles**. La imposibilidad de acercarse a Dios tanto en el Antiguo Testamento como en el Apocalipsis podría deberse a lo terrible de Su presencia revelada. La naturaleza sacerdotal de los siete ángeles se sugiere, no sólo por su atuendo (véase 1:13;

15:6), sino también porque 1 R. 8:10–11 y 2 Cr. 5:13–14 mencionan a sacerdotes que no pueden permanecer en medio de la gloria divina. Nadie, ni siquiera los sacerdotes intercesores celestiales, es capaz de frenar la mano de Dios cuando decide ejecutar juicios (cf. Dn. 4:35).

Sugerencias para Reflexionar sobre 15:5–8

- ***Sobre la misteriosa eficacia de la oración.*** Estos versículos revelan la conexión entre las "copas de oro llenas de incienso" (5:8; cf. 8:3–5), que representan las oraciones de los santos (verbalizadas en 6:10 como un clamor por la justicia de Dios), y las "copas de oro llenas del furor de Dios", que representan la respuesta de Dios a esas oraciones. El humo del incienso (8:4) que sube ante Dios se encuentra, por así decirlo, con el humo de la gloria de Dios (15:8) que desciende de Su presencia. Entre el ofrecimiento de las oraciones y la respuesta pasan muchas cosas — mucho sufrimiento, mucha persecución, mucho retraso aparente en el descanso y el alivio. Sin embargo, el hecho cierto que se presenta aquí es que Dios responderá. A menudo pasan muchos años entre el ofrecimiento de una oración y su respuesta. Esto también implica la fe y la perseverancia de los santos (14:12) y requiere la sabiduría de Dios (13:18). Qué importante es, cuando oramos, pedir a Dios Su perspectiva, por no hablar de Su paciencia, para que sigamos orando y no nos desanimemos nunca, recordando en todo momento la instrucción de Jesús de que "debemos orar en todo tiempo, y no desfallecer" (Lc. 18:1).

Las trompetas y las copas

15:1, 5–8 han introducido las siete plagas de las copas. El cap. 16 explica el contenido de cada una de estas plagas. Muchos comentaristas sostienen que las trompetas son juicios diferentes a las copas porque las cuatro primeras trompetas parecen afectar sólo a la naturaleza, mientras que las cuatro primeras copas afectan a las personas malvadas, y porque se dice que las seis primeras trompetas tienen un efecto parcial, mientras que las copas parecen tener un efecto universal. Pero las similitudes eclipsan las diferencias. Parte de la respuesta es que lo que las trompetas declaran de manera muy figurativa se declara más directamente en las copas. Además, se dice que la segunda y tercera trompetas afectan explícitamente a la humanidad (8:9–11), mientras que la segunda copa no lo dice de forma tan directa. La diferencia en el alcance relativo de su efecto puede sugerir simplemente que las trompetas forman parte de un proceso de juicio más amplio que, según las copas, golpea a todo el mundo al mismo tiempo.

Tanto las trompetas como las copas presentan cada una de las plagas en el mismo orden: plagas que golpean la tierra, el mar, los ríos, el sol, el reino de los malvados con la oscuridad, el Éufrates (junto con la influencia de los demonios sobre los malvados), y el mundo con el juicio final (con las mismas imágenes de relámpagos, sonidos, truenos, terremotos y granizo). La abrumadora semejanza de las trompetas y las copas es el resultado de que ambas están modeladas en las plagas del Éxodo. Cada ay en cada serie de siete (excepto la sexta trompeta) es una alusión a una plaga del Éxodo. Además, en cada serie siete ángeles ejecutan las siete plagas. Estas observaciones apuntan a la probabilidad de que las series de trompetas y copas se refieran a la misma serie de acontecimientos. El paralelismo de las dos series puede establecerse como sigue:[4]

Las siete trompetas	**Las siete copas**
El granizo, el fuego y la sangre caen sobre la *tierra*, un tercio de la cual se quema. Séptima plaga del Éxodo (Éx. 9:22ss.)	Se derrama una copa sobre la *tierra*. Llagas malignas vienen sobre los que tienen la marca de la bestia y han adorado su imagen. Sexta plaga del Éxodo (Éx. 9:8ss.)
Una montaña ardiente cae en el mar. Un tercio del mar se convierte en sangre, un tercio de las criaturas marinas mueren y un tercio de los barcos son destruidos. Primera plaga del Éxodo (Éx. 7:17ss.)	Se derrama una copa sobre los *mares*. Este se convierte en *sangre*, y *todo ser vivo en él muere*. Primera plaga del Éxodo (Éx. 7:17ss.).
Una estrella ardiente (Ajenjo) cae sobre un tercio de los *ríos y fuentes;* sus aguas se envenenan y muchos mueren. Primera plaga del Éxodo (Éx. 7:17ss.)	Se derrama una copa sobre los *ríos y fuentes*, y se convierten en sangre. Primera plaga del Éxodo (Éx. 7:17ss.)

[4] (Adaptado de G. R. Beasley-Murray, *El Libro del Apocalipsis* (The Book of Revelation) [New Century; rev. ed., Grand Rapids: Eerdmans, 1978], 238–39).

Un tercio del *sol, la luna y las estrellas* son golpeados. La oscuridad se produce durante un tercio de la noche y del día. Novena plaga del Éxodo (Éx. 10:21ss.)	Se derrama una copa sobre el *sol*, que abrasa a los hombres con fuego. Séptima plaga del Éxodo (Éx. 9:22ss.)
Se abre el pozo del abismo. El sol y el aire se *oscurecen* con un humo del que salen langostas para *atormentar* a los hombres sin el sello de Dios. Octava (Éx. 10:4ss.) y novena plagas del Éxodo (Éx. 10:21ss.)	Se derrama una copa sobre el trono de la bestia. Su reino se *oscurece* y los hombres se *angustian.* Novena plaga del Éxodo (Éx. 10:21ss.)

Cuatro ángeles atados en *el Éufrates* son liberados, con sus 200 millones de caballería. Un tercio de los hombres son asesinados por ellos.	Se derrama una copa sobre *el Éufrates,* que se seca para los reyes del este. Las ranas demoníacas engañan a los reyes del mundo para que se reúnan para la batalla en el Armagedón. Segunda plaga del Éxodo (Éx. 8:2ss.)
Grandes voces en el cielo anuncian la llegada del reino de Dios y de Cristo. Se producen *relámpagos, truenos, terremotos* y *granizo.* Séptima plaga del Éxodo (Éx. 9:22ss) + descripción de la teofanía del Sinaí (Éx. 19:16–19)	Se derrama una copa en el aire, y *una gran voz desde el trono de Dios* anuncia: "Hecho está". Se producen *relámpagos, truenos* y un *terremoto* sin precedentes, y cae un terrible *granizo.* Séptima plaga del Éxodo (Éx. 9:22ss) y descripción de la teofanía del Sinaí (Éx. 19:16–19)

La forma exacta en que se relacionan cada una de las trompetas y copas paralelas debe esperar a ser analizada. Las copas retroceden en el tiempo y explican con mayor detalle los ayes a lo largo de la era que culminan en el juicio final. La frase "siete plagas, las últimas" en 15:1 se consideró que se refería, no a los juicios que ocurren después de los sellos y las trompetas al final de la historia, sino a las copas que vienen en último lugar después de los sellos y las trompetas en la secuencia de las visiones formales séptuples vistas por el vidente. Son "últimas" en el sentido de que completan el pensamiento revelado en las visiones de los ayes precedentes y retratan la ira de Dios de una manera más intensa que en las visiones anteriores (véase adicionalmente 15:1). Esto significa que los juicios de las copas no vienen cronológicamente después de la serie de juicios de los caps. 6–14. Las copas retroceden en el tiempo y explican con mayor detalle los ayes a lo largo de la era y que culminan en el juicio final.

El propósito de esta recapitulación es explicar con más detalle el alcance y la aplicación de los juicios del éxodo de los últimos días, que comenzaron a explicarse con las trompetas. Las visiones de las trompetas pueden compararse con instantáneas incompletas y las copas con fotografías más completas. Las copas revelan más claramente que las trompetas son predominantemente plagas dirigidas contra la humanidad incrédula. Como las plagas del Éxodo son un modelo literario y teológico para las copas, las plagas de las copas se ven mejor como juicios en lugar de meras advertencias. Demuestran la singularidad e incomparable omnipotencia de Dios, así como Su justo juicio (16:5–6). Estas plagas revelan la dureza de corazón de los incrédulos y el hecho de que son castigados a causa de esa dureza, que se expresa en su idolatría (16:2), en su persistente falta de arrepentimiento (16:9, 11) y en la persecución de los santos (16:6).

Además, al igual que las trompetas, las copas son la respuesta adicional de Dios a la súplica de los santos en 6:9–11 de que sus perseguidores sean juzgados. Este vínculo es evidente en 16:5–7 por la referencia al altar y a Dios como "santo" y sus juicios como "verdaderos". Esta conexión con 6:9–11 también explica por qué las copas no son meras advertencias sino, en última instancia, castigos, y se denominan "copas del furor" (16:1; cf. la referencia a la ira de Dios en 15:1). Las plagas del Éxodo se aplican tipológicamente a los impíos a lo largo del período inter-adventual en las primeras cinco copas, y a los impíos en la conclusión de la historia en las dos últimas copas. El resultado y el objetivo de los siete juicios de las copas no es sólo demostrar la naturaleza incomparable de Dios y el justo juicio de los pecadores, sino, en última instancia, la gloria de Dios (así en 15:8; 16:9; cf. 11:13, 15–16; 15:4; 19:1–7). El número siete es figurativo y no se refiere a siete ayes específicos, sino a la plenitud y severidad de estos juicios sobre los impíos.

Los primeros capítulos contemplan el ascenso del dragón (cap. 12), seguido por el de la bestia (13:1–10) y el falso profeta (o segunda bestia, 13:11–18), y finalmente se señala el éxito de Babilonia al engañar a las naciones (14:8). El cap. 16 comienza un segmento que invierte este orden al explicar la desaparición de estos malvados protagonistas: Babilonia (a la que se alude brevemente en 14:8, pero que se amplía en 16:17–21 y en los caps. 17–18), seguida por la bestia y el falso profeta (19:17–20), y finalmente por el propio dragón (20:10). Esta inversión apunta a una falta de preocupación por la secuencia cronológica en el libro. De hecho, la eliminación de los cuatro enemigos se produce simultáneamente, como se desprende de la misma redacción y de las mismas alusiones del Antiguo Testamento que se utilizan en las descripciones de su derrota (nótese las referencias a su "reunión para la batalla" en 16:14; 19:19; 20:8).

2. La orden de derramar las copas (16:1)

[1] Oí entonces una gran voz que desde el templo decía a los siete ángeles: "Vayan y derramen en la tierra las siete copas del furor de Dios".

1 Una **gran voz** ordena a los siete ángeles que **vayan y derramen en la tierra las siete copas del furor de Dios**. Que Dios es el que habla en el v. 1 se confirma por el hecho de que se acaba de mencionar que Dios está en su templo celestial (15:5–8), y por la alusión a Is. 66:6: "una voz sale del templo: La voz del SEÑOR que da el pago a Sus enemigos". La frase "derramar la ira de Dios" en el Antiguo Testamento se utiliza para indicar el juicio contra los que quiebran el pacto o contra los que han perseguido al pueblo de Dios (Ez. 14:19; Jer. 10:25; de forma similar, Sal. 69:24; Sof. 3:8). A veces la fórmula incluye el fuego como efecto destructivo *figurativo* del derramamiento, lo que refuerza una interpretación *figurativa* de las copas (p. ej., Jer. 7:20; Lam. 2:4; 4:11; Ez. 22:21–22; 30:15–16; Sof. 3:8). El derramamiento de una copa por parte de cada ángel no es ciertamente literal, sino más bien una representación metafórica de la ejecución de un juicio divino desde el cielo. Un estudio más detallado de cada plaga de las copas confirmará una comprensión simbólica.

3. Las primeras cinco copas: Dios castiga a los impíos durante la era inter-adventual privándoles de la seguridad terrenal a causa de su persecución e idolatría (16:2–11)

[2] El primer ángel fue y derramó su copa en la tierra, y se produjo una llaga repugnante y maligna en los hombres que tenían la marca de la bestia y que adoraban su imagen. [3] El segundo ángel derramó su copa en el mar, y se convirtió en sangre como de muerto; y murió todo ser viviente que había en el mar. [4] El tercer ángel derramó su

copa en los ríos y en las fuentes de las aguas, y se convirtieron en sangre. [5] Oí al ángel de las aguas, que decía: "Justo eres Tú, el que eres, y el que eras, oh Santo, porque has juzgado estas cosas; [6] pues ellos derramaron sangre de santos y profetas y Tú les has dado a beber sangre. Se lo merecen". [7] También oí al altar, que decía: "Sí, oh Señor Dios Todopoderoso, verdaderos y justos son Tus juicios". [8] El cuarto ángel derramó su copa sobre el sol. Y al sol se le permitió quemar a los hombres con fuego. [9] Y los hombres fueron quemados con el intenso calor. Blasfemaron el nombre de Dios que tiene poder sobre estas plagas, y no se arrepintieron para darle gloria a Él. [10] El quinto ángel derramó su copa sobre el trono de la bestia, y su reino se quedó en tinieblas; y todos se mordían la lengua de dolor. [11] Blasfemaron contra el Dios del cielo por causa de sus dolores y de sus llagas, y no se arrepintieron de sus obras.

La primera copa: Dios hace sufrir a los seguidores idólatras del sistema mundial (16:2)

2 El primer ángel pone en marcha su juicio, que viene a castigar a la gente a causa de su adoración de ídolos (aquellos **que tenían la marca de la bestia y que adoraban su imagen**). Así como el derramamiento de las copas y la marca de la bestia son figurativos, también lo es la referencia a **una llaga repugnante y maligna**. La descripción del efecto de la primera copa se basa en la plaga literal egipcia de las úlceras (Éx. 9:9–11), a la que se refiere Dt. 28:35 como "llagas malignas". El castigo coincide con el delito: los que reciban una marca idolátrica serán castigados con una marca penal. La llaga representa aquí alguna forma de sufrimiento, presumiblemente como el que conlleva el "tormento" espiritual y psicológico de la quinta trompeta (véase 9:4–6, 10).

La segunda copa: Dios castiga la faceta económica del sistema mundial (16:3)

3 La segunda copa tiene un sorprendente paralelismo con la segunda trompeta. La segunda trompeta golpea el mar y "la tercera parte del mar se convirtió en sangre. Y murió la tercera parte de los seres que estaban en el mar y que tenían vida" (8:8–9). Asimismo, la segunda copa golpea el mar y éste se convierte en sangre **como de muerto; y murió todo ser viviente que había en el mar**. Ambas se basan en Éx. 7:17–21, donde Moisés convirtió el Nilo en sangre y los peces que había en él murieron. La principal diferencia es que la primera trompeta tiene un efecto parcial y la copa correspondiente tiene un efecto total. La segunda copa muestra que lo que puede ser aplicado parcialmente en las trompetas también puede ser aplicado universalmente en ocasiones a lo largo de la era inter-adventual. El reino mundial de Babilonia es el objeto del ay de la segunda trompeta (véase 8:8–9), y las copas en general están vinculadas al juicio de Babilonia. Esto se deduce del hecho de que las copas terminan con Babilonia bebiendo la copa de la ira de Dios (16:19; también se menciona en 14:8, 10), así como del hecho de que se dice que las copas están "llenas del furor de Dios" (15:7) y se describen como "copas del furor de Dios" (16:1).

Al igual que con la segunda trompeta, las imágenes similares de la segunda copa pueden indicar condiciones de hambruna, que está inextricablemente ligada a la privación económica. Las implicaciones económicas del juicio también deben verse a la luz del cap.18. De hecho, la "marca de la bestia", que se acaba de mencionar en 16:2, apareció por primera vez en 13:16–17, donde tenía una connotación esencialmente económica.

La segunda copa es un paralelo simbólico o una anticipación de la disolución de "la gran Babilonia" como fuente de un próspero comercio marítimo en el cap. 18. Como resultado, todos los que se ganan la vida en el "mar" se empobrecen (18:17, 19). La frase traducida como "**murió todo ser viviente que había en el mar**" puede traducirse como "toda alma viviente en el mar murió" y es similar al ay de la segunda trompeta donde (literalmente) "murió la tercera parte de los seres que estaban en el mar y que tenían vida [literalmente 'almas']" (8:9). El objetivo de la descripción era destacar el desastre marítimo y las condiciones de hambruna en general, en las que la vida marina muere y los seres humanos también mueren y sufren. La muerte de la vida marina y de los seres humanos parece ser el punto aquí también (cada uso de "alma" [griego *psyche*], excepto 8:9 [!] se refiere exclusivamente a las personas: 6:9; 12:11 ["vida"]; 18:13 ["vidas"], 14 ["anhelo"]; 20:4).

La desaparición de Babilonia es referida como "plagas" que resultan en "pestilencia, luto y hambre". Por lo tanto, que el mar se convierta en **sangre** en 16:3 es figurativo, al menos en parte, de la desaparición del sistema de sustento económico del mundo impío, representado por el comercio marítimo, que incluye el sufrimiento humano y la pérdida de vidas. El hecho de que la **sangre** aquí (y en la segunda trompeta, 8:8) probablemente incluya no sólo el daño de la vida marítima, sino también el sufrimiento de los impíos, es evidente por el contexto inmediato (p. ej. vv. 2, 8–11) y por el uso de "sangre" (griego *haima*) en otras partes de Apocalipsis, sin excepción, para el sufrimiento de los impíos o de Cristo y los santos (para lo primero véase 11:6; 14:20; 19:13; cf. 6:12; 8:7–8; para lo segundo véase 1:5; 5:9; 6:10; 12:11; 17:6; 18:24; 19:2). Así pues, para resumir este análisis, la muerte no tiene por qué tomarse aquí de forma literal, sino que podría sugerir igualmente la escasez de vida marina y de seres humanos que trabajan el mar, lo que lleva al fracaso de las economías y al sufrimiento causado por ello.

El "mar" (griego *thalassa)* de sangre como figurativo del sistema de sustento económico de la humanidad impía no es inconsistente con los otros usos de la palabra en el libro (veinticuatro veces), que son susceptibles de tal interpretación simbólica (excepto 18:17, 19, 21), y las "muchas aguas" de 17:1 son una imagen de los incrédulos en toda la tierra (17:15). Además, el hecho de que Satanás esté "sobre la arena del mar" en 13:1 puede referirse a su soberanía sobre las naciones impías, ya que en 20:8 las naciones impías son comparadas con "la arena del mar". El mar del que emerge la bestia de 13:1 representa la masa de naciones; para la connotación generalmente negativa de "mar" en el Apocalipsis véase también en 4:6; 13:1; 15:2; 21:1.

La tercera copa: Dios castiga económicamente a los perseguidores de Su pueblo (16:4–7)

4 La tercera copa es similar a la tercera trompeta (8:10–11), de nuevo con la distinción entre el efecto parcial y universal (un tercio de los ríos y manantiales en contraposición a **los ríos** y **las fuentes de las aguas**) que vimos con la segunda copa y la trompeta (aunque, de hecho, **los ríos** se mencionan sólo de forma general y no se dice explícitamente que sean "todas los ríos", por lo que posiblemente sólo una parte podría estar en mente). Tanto la tercera trompeta como la copa se basan en la misma plaga del Éxodo y muestran el agua convertida en sangre (véase el v. 3). En ambas copas, la sangre es figurativa, representando no sólo la muerte sino el sufrimiento en general, que puede llevar a la muerte literal, aunque veremos que hay un enfoque más específico en un tipo particular de sufrimiento.

Por lo tanto, la tercera copa, al igual que la segunda, es también un paralelo figurativo o una anticipación de la representación de la destrucción de "la gran Babilonia" como base del próspero comercio marítimo en el cap. 18. Y así como los incrédulos que constituían la Babilonia espiritual fueron objeto del ay de la tercera trompeta (véase 8:10–11), también los que persiguen a los santos sufren el juicio de la copa (16:6). Como resultado, todos los que se ganan la vida con el comercio marítimo y la pesca quedan en la miseria (18:10–19).

La desaparición de Babilonia se menciona como "plagas" que provocan "pestilencia, duelo y hambre" (18:8). Esto apunta de nuevo a una interpretación económica de la naturaleza del sufrimiento de los santos en 16:6, y del sufrimiento de los impíos previsto en esta copa. Esto se ve apoyado por el paralelismo literal entre 16:6 y 18:24, que dice que el mundo impío debe ser juzgado (16:6; 18:20) porque "derramaron sangre de santos y profetas" (aunque la redacción se invierte en 18:24). Dado que el juicio sobre Babilonia y sus dependientes en 18:8–19 se expresa claramente en parte en términos económicos, este paralelo entre 16:6 y 18:24 indica que la causa de este aspecto del juicio económico es la persecución por parte de los incrédulos.

5 La frase **ángel de las aguas** se refiere a la soberanía del ángel sobre las aguas. La declaración del ángel en los vv. 5–6 proporciona una elaboración interpretativa de la tercera copa. Declara que Dios es justo porque **ha juzgado estas cosas**. El ángel atribuye a Dios el triple nombre que ya se encuentra en 1:4, 8; 4:8; 11:17, pero la tercera parte de la fórmula sustituye **Santo** por el anterior título del tiempo del fin "el que ha de venir". La razón de la sustitución es que **Santo** designa la singularidad soberana de Dios al comenzar a ejecutar el juicio del fin de los tiempos (**porque has juzgado estas cosas**) en su papel de "el que ha de venir".

Los tiempos finales o últimos días, como hemos visto repetidamente, han sido inaugurados con la muerte y resurrección de Cristo. Sin embargo, el contexto de la tercera copa muestra que no está describiendo el acto final del juicio, sino las pruebas que conducen a él. El uso de la fórmula en el Antiguo Testamento se centraba especialmente en la capacidad de Dios para liberar a su pueblo a pesar de las abrumadoras probabilidades de los reinos mundiales antagónicos (véase 1:4, 8). La fórmula se utiliza igualmente en relación con la tercera copa, ya que se trata de un juicio que reivindica no sólo el nombre de Dios, sino también a Su pueblo, que ha sido juzgado culpable por el sistema mundial.

Por lo tanto, el uso de la fórmula triple aquí implica que el acto de juicio previsto es otra demostración de la soberanía de Dios sobre la historia. El uso combinado aquí de **Santo** y el verbo **juzgar** refleja la misma descripción doble de Dios en 6:10, la apelación a Dios por parte de los santos perseguidos de que Él se reivindicará a Sí mismo y a ellos juzgando a sus perseguidores. Por lo tanto, el ay de la tercera copa es parte de la respuesta de Dios a la súplica de los santos en el cap. 6.

6 La palabra introductoria **pues** dilucida aún más la base de la declaración del carácter de Dios en el v. 5. Se basa en Su juicio de los perseguidores según el principio del Antiguo Testamento de que el castigo debe ajustarse al crimen: **pues ellos derramaron sangre de santos y profetas y Tú les has dado a beber sangre. Se lo merecen**. El uso de **derramaron** tanto para el derramamiento de sangre por parte de los malvados como para el derramamiento de ira contra los malvados por parte de los ángeles (como en el v. 4) pone de relieve ese mismo principio. El juicio de sangre en el v. 6 es el mismo que el ay de las aguas que se convierten en sangre en el v. 4, especialmente porque los vv. 5–6 son una expansión interpretativa del v. 4. Ambas apariciones de la **sangre** no representan una simple muerte literal, sino varios grados de sufrimiento (véase además en 6:9–10; 12:11).

Esta interpretación figurativa se apoya en Is. 49:26, que probablemente está detrás de la redacción aquí: "Haré comer a tus opresores su propia carne… con su sangre se embriagarán. Y toda carne sabrá que Yo, el SEÑOR, soy tu Salvador". Aquellos que han oprimido a Israel serán tratados de la manera en que Israel ha sido tratado, lo que incluye varias formas de sufrimiento hasta e incluyendo la muerte. Este castigo de ojo por ojo se indica en Is. 49:25, "Con el que luche contigo Yo lucharé". Por tanto, beber sangre no es una referencia limitada a la muerte, sino a todo tipo de sufrimiento, incluida la muerte. La razón precisa por la que las personas sufren bajo el juicio de la tercera copa es que han hecho sufrir al pueblo de Dios. Esto se desprende no sólo del texto de Isaías, sino también del Sal. 79:3, 10, 12, del que se hace eco aquí (véase en 16:1): "Como agua han derramado su sangre (la de Israel)… Sea notoria entre las naciones, a nuestra vista, la venganza por la sangre derramada de Tus siervos… Y devuelve a nuestros vecinos siete veces en su seno la afrenta con que Te han ofendido, Señor".

El hecho de que el castigo de Babilonia esté relacionado con el juicio descrito aquí en el v. 6 se desprende de la imagen similar de la sangre en 17:6; 18:24 y 19:2, que forma parte de la descripción de su juicio. De la misma manera que Dios (4:11), el Cordero (5:9, 12) y sus seguidores (3:4) son "dignos" de recibir la bendición, los perseguidores son "dignos" y merecen ser maldecidos.

7 Otra declaración de un ángel diferente o de Cristo sale del altar. La mención del **altar** junto con la declaración de que **verdaderos y justos son Tus juicios** refuerza el vínculo con 6:9–10 observado en el v. 5. La voz puede representar las almas de los mártires que Juan oyó clamar por la justicia en esos versículos. En el Antiguo Testamento y en otras partes de Apocalipsis, el nombre de **Señor Dios Todopoderoso**, alude a la soberanía absoluta de Dios sobre los asuntos históricos de Su pueblo (véase además 1:8 y 15:3). Así como el Dios de la generación del éxodo fue alabado como Aquel cuya "obra es perfecta" y "todos Sus caminos son justos" (Dt. 32:4), así también es reconocido de nuevo en relación con las plagas de los últimos días. De hecho, la misma frase (**Señor Dios Todopoderoso**) ya aparece en 15:3, donde se refiere al juicio y la redención de Dios como parte del gran éxodo en la consumación de los tiempos.

La cuarta copa: Dios castiga a los impíos por su idolatría (16:8–9)

8 El cuarto ángel derrama su copa sobre el sol, haciendo que éste **queme a los hombres con fuego**. La soberanía de Dios sobre esta plaga se expresa con la frase **se le permitió**, y se indica explícitamente en el v. 9: "Dios que tiene poder sobre estas plagas". Es importante recordar que, dado que el lenguaje que describe el comienzo de cada juicio de las copas es figurativo (**derramó su copa sobre**), el efecto resultante de cada juicio es igualmente figurativo (véase el v. 1).

Por lo tanto, la quema de personas con fuego en el v. 8 probablemente tampoco sea literal. El derramamiento de la ira de Dios en el Antiguo Testamento se expresa a menudo de forma figurada como acompañado de fuego: "Mi ira y mi furor serán derramados sobre este lugar, sobre los hombres y sobre los animales… arderá y no se apagará" (Jer. 7:20); "Los reuniré y atizaré sobre ustedes el fuego de Mi furor, y serán fundidos en medio de Jerusalén… y sabrán que Yo, el SEÑOR, he derramado Mi furor sobre ustedes" (Ez. 22:21–22). La cuarta copa habla en sentido figurado, en línea con el lenguaje del Antiguo Testamento, del juicio de Dios sobre los que blasfeman de Él (v. 8), y no se puede asumir que el fuego literal sea un componente de este juicio. El punto de vista figurativo se apoya además en patrones de imágenes similares en el Antiguo Testamento y el judaísmo, en los que la interrupción de los patrones regulares de las fuentes de luz celestiales simboliza predominantemente el juicio del pacto. El simbolismo de la alteración cósmica indica que las personas deben ser juzgadas porque han alterado las leyes morales de Dios, normalmente a través de la idolatría (para referencias y discusión, véase 8:12).

9 El efecto final de la cuarta copa, que el sol abrasará a la gente con fuego, se repite en la primera parte del versículo. La repetición enfatiza que los hombres

fueron quemados con el intenso calor. Así se les pagará de igual manera lo que han hecho a los redimidos, pues, según 7:16, los santos fallecidos serán liberados de su condición anterior: "ni el sol les hará daño, ni ningún calor abrasador". Esa imagen se combina con un lenguaje que se refiere al sufrimiento económico, como también ocurre en Is. 49:10, al que alude Ap. 7:16 ("No pasarán hambre ni sed, no los herirá el calor abrasador ni el sol"). Dt. 32:24 explica que parte de la maldición por la desobediencia al pacto es que la gente será "consumida por el calor abrasador", y esto está directamente relacionado en ese versículo con el ay de ser "debilitados por el hambre", que tiene connotaciones económicas. Este castigo de la cuarta copa, que ocurre antes del regreso de Cristo, anticipa el juicio final de Babilonia, que también será quemada por el fuego (cf. v. 8, "quemar... con fuego", con 17:16 y 18:8, "quemada con fuego").

Esta plaga de la copa sólo produce blasfemia y falta de arrepentimiento, de forma muy parecida a los resultados de la sexta trompeta. La similitud sugiere que la *quema de* 16:8–9 es un sufrimiento como las tres plagas de "fuego, humo y azufre" de 9:17–18. Tanto allí como aquí, la plaga de fuego es una aflicción figurada comparable al fuego que los dos testigos desatan contra sus oponentes incrédulos durante la era de la iglesia (11:5–7). Allí, el fuego es una forma de juicio espiritual contra los perseguidores, que también sienta las bases de su futuro castigo final (véase 9:17–18; 11:5–7). La blasfemia es una *calumnia o difamación* desafiante del nombre del Dios verdadero. El "nombre" de Dios representa Sus atributos y carácter.

Por lo tanto, los réprobos dicen mentiras sobre el carácter de Dios como una respuesta vengativa a los castigos que experimentan bajo Su mano. La blasfemia muestra que se han vuelto como el dios falso y bestial que adoran, ya que en otras partes fuera del cap. 16 "blasfemar" se atribuye sólo a la bestia (13:1, 5, 6; 17:3). La bestia también comienza a blasfemar sólo después de haber sido golpeada por una "plaga" divina, es decir, su herida aparentemente mortal (13:3–8). El foco de la blasfemia de las personas incluye probablemente la negación de que sus aflicciones sean castigos soberanos de Dios. Su blasfemia presumiblemente también implicaría una negación de que Dios realmente y en última instancia **tiene poder sobre estas plagas**. El plural "plagas" sugiere que los receptores del ay de la cuarta copa también sufren bajo las pruebas desatadas por las copas anteriores y posteriores. **No se arrepintieron para darle gloria a Él**, quedando así inamovibles en su negativa a reconocer el carácter glorioso de Dios.

La quinta copa: Dios castiga a los idólatras endurecidos haciéndoles sufrir al revelarles su irremediable separación de Él (16:10–11)

10 El contenido de la quinta copa se **derramó… sobre el trono de la bestia**. El **trono** representa la soberanía de la bestia sobre su reino. Por lo tanto, la copa afecta su capacidad de gobernar. El resultado del juicio es que **su reino se quedó en tinieblas**. Al igual que la cuarta trompeta, este ay también se basa en Éx. 10:21–29, donde Dios trajo la oscuridad sobre Egipto (véase en 8:12). La plaga egipcia era en parte una polémica contra el dios del sol Ra, del que se creía que el faraón era una encarnación. La plaga vino contra el Faraón por su desobediencia al mandato de Dios, así como por la opresión de Israel y la fidelidad al sistema idolátrico de Egipto.

La frase **trono de la bestia** debe identificarse con el "trono de Satanás" en 2:13. Allí el trono se refiere a Pérgamo como centro del gobierno romano y del culto imperial, que en última instancia estaba bajo control satánico. En consecuencia, el ay similar de Apocalipsis 16 se dirige apropiadamente contra los gobernantes del mundo que oprimen a los santos y fomentan la idolatría (véase 13:1–7). Esto podría incluir la rebelión interna contra los gobernantes y sus aliados o la eliminación del poder político y religioso del Estado.

Éx. 10:23 explica que la oscuridad era tan densa que los egipcios estaban separados visualmente unos de otros ("no se veían"). Los primeros intérpretes judíos pensaron, probablemente de forma correcta, que la oscuridad de esta plaga egipcia simbolizaba la separación espiritual del verdadero Dios (Sabiduría 17:2 dice que estaban "exiliados de la providencia eterna"), y representaba la oscuridad eterna del infierno que les esperaba (Sabiduría 17:21; igualmente Midrash Rabbah Éx. 14.2 sobre Éx. 10:22). Las tinieblas causaban horror y miedo (Sabiduría 17–18). El colmo de su angustia espiritual fue que la contemplación de los egipcios de su propia miseria se volvió "más pesada que la propia oscuridad" (Sabiduría 17:21).

En Is. 8:21–22 se dice que un hambre severa vendrá sobre el Israel pecador. La hambruna está vinculada con "la oscuridad para que no pudieran ver" (LXX), así como con "tribulación y tinieblas, lo sombrío de la angustia". Su respuesta a la hambruna es que "se enojarán y maldecirán a su rey y a su Dios, volviendo el rostro hacia arriba". Asimismo, en Jeremías 13, se ordena a Israel que "dé gloria

---

LXX Septuaginta

al Señor" (cosa que no harán, como en Ap. 16:9) antes de que Dios "haga venir las tinieblas y… la transforme en profundas tinieblas, la cambie en densa oscuridad" (v. 16). Las tinieblas se interpretan como el cautiverio venidero de la nación (vv. 19–20) que causará "dolores" (v. 21). Las tinieblas golpean incluso a los reyes que se sientan en el trono (cf. v. 13 con v. 16). Este castigo viene a causa de la idolatría (vv. 10, 13).

La oscuridad en Ap. 16:10 tiene el mismo significado figurativo general que en los pasajes del Éxodo, Isaías y Jeremías. Es una metáfora de todos los acontecimientos ordenados para recordar a los impíos que su persecución e idolatría son en vano, e indica su separación de Dios. Al igual que en el caso de los egipcios, esta oscuridad induce a la angustia, expresada de forma figurada por la frase **se mordían la lengua de dolor**. Dios hace que todos los que siguen a la bestia tengan momentos de angustia y horror cuando se dan cuenta de que están en las tinieblas espirituales, que están separados de Dios y que les esperan las tinieblas eternas. El juicio temporal del v. 10 es un precursor del juicio final, cuando los incrédulos serán "arrojados a las tinieblas de afuera", donde "será el llanto y el crujir de dientes" (Mt. 8:12; cf. Mt. 22:13; 25:30).

11 El sufrimiento del v. 10 no ablanda a los súbditos de la bestia, sino que, al igual que el Faraón y sus súbditos (cf. Éx. 10:1–2), los endurece aún más en su antagonismo con Dios: **blasfemaron contra el Dios del cielo por causa de sus dolores y de sus llagas, y no se arrepintieron de sus obras**. La falta de arrepentimiento aquí y a lo largo del cap. 16 (vv. 9, 11, 21) es irremediable, según el modelo teológico del endurecimiento del Faraón. Aunque un remanente de egipcios se arrepintió y salió de Egipto con Israel, la gran mayoría se negó a confiar en el Dios de Israel. El remanente del mundo que se arrepiente lo hace sólo porque ha sido sellado por Dios (7:1–4; 14:1–2). El resto no cree porque no ha sido sellado, sino que sólo puede dar lealtad a la bestia, cuya marca recibe con gusto (13:8, 16–17). Sus obras pecaminosas incluyen asesinato, hechicería e inmoralidad, lo cual está implícito en el paralelo exacto de este versículo con el 9:20 ("no se arrepintieron de las obras de sus manos"), al que sigue la lista de esos vicios en el 9:21. La mención de las **llagas** remite a la plaga de la primera copa y sugiere que los enfermos de la quinta copa también sufren las heridas de las copas anteriores y viceversa (para la misma idea, véase el v. 9).

Las **obras** pecaminosas de los que **no se arrepintieron** incluyen asesinato y robo, así como la adoración de ídolos, hechicería e inmoralidad. Estos vicios están implícitos en el paralelismo literal de 16:11 con 9:20, este último seguido de la lista de vicios anterior:

Ap. 9:20	Ap. 16:11
Ellos "no se arrepintieron de las obras de sus manos".	"No se arrepintieron de sus obras".

Sugerencias para Reflexionar sobre 16:1–11

- ***Sobre las plagas de las copas como expresión del juicio de Dios.*** En las plagas de las copas de los vv. 1–11, el paralelismo con las plagas de Egipto se hace más evidente, llegando al clímax en el v. 11 con la respuesta de blasfemia en lugar de arrepentimiento. El comentario llega a la conclusión de que el juicio, más que la advertencia, es el núcleo de estas plagas. Parte de la razón de esta conclusión es la analogía con el endurecimiento del corazón del Faraón y de los egipcios, a quienes las plagas alejaron de Dios en lugar de ser una ocasión para el arrepentimiento, aunque un remanente se arrepintió y salió de Egipto con los israelitas. ¿Cómo se ilustran en este proceso la misericordia, la justicia y el juicio de Dios?
- ***Sobre el juicio de Dios al sistema económico del mundo.*** Estas plagas dejan claro cómo Dios lleva a cabo Su juicio contra el sistema económico del mundo, que el enemigo y sus agentes han utilizado para engañar a los incrédulos y alejarlos de la adoración del Dios verdadero. El colapso del sistema económico finalmente sumerge al reino de la bestia en las tinieblas (v. 10). ¿Cuán cuidadosos somos los cristianos para evitar depender de este sistema o comprometernos con él? ¿Qué tan de cerca y regularmente examinamos los valores que rigen nuestra actitud hacia el dinero y el éxito material? ¿Dependemos de algún aspecto del mundo y de su seguridad física, que Dios pretende eliminar al final de la historia? ¿Cómo puede esto convertirse en un foco idolátrico del que quizá ni siquiera seamos conscientes?
- ***Sobre la blasfemia como reproche contra Dios.*** ¿Con qué frecuencia culpamos a Dios de las cosas que van mal en nuestra vida? Esto puede adoptar la forma de una amargura reprimida más que de una declaración directa, pero no obstante puede estar presente en nuestros corazones. El

comentario sugiere que en la experiencia de los incrédulos, la respuesta al sufrimiento, incluso el causado por su propio pecado y rebelión contra Dios, es culpar a Dios. Sin embargo, ¿con qué frecuencia culpamos a Dios (o a los demás) por las consecuencias de nuestro propio pecado? ¿Nos damos cuenta de que cuando lo hacemos, en realidad estamos peligrosamente cerca de blasfemar a Dios, en la medida en que la blasfemia es no honrar a Dios por lo que Él realmente es y por Su misericordia al librarnos del juicio, el castigo y el verdadero sufrimiento que de hecho merecemos?

4. La sexta y séptima copas: el juicio final del malvado sistema mundial (16:12–21)

[12] El sexto ángel derramó su copa sobre el gran río Éufrates; y sus aguas se secaron para que fuera preparado el camino para los reyes del oriente. [13] Y vi salir de la boca del dragón, de la boca de la bestia, y de la boca del falso profeta, a tres espíritus inmundos semejantes a ranas. [14] Pues son espíritus de demonios que hacen señales, los cuales van a los reyes de todo el mundo, a reunirlos para la batalla del gran día del Dios Todopoderoso. [15] "¡Estén alerta! Vengo como ladrón. Bienaventurado el que vela y guarda sus ropas, no sea que ande desnudo y vean su vergüenza". [16] Entonces los reunieron en el lugar que en hebreo se llama Armagedón. [17] El séptimo ángel derramó su copa en el aire. Una gran voz salió del templo, del trono, que decía: "Hecho está". [18] Y hubo relámpagos, voces, y truenos. Hubo un gran terremoto tal como no lo había habido desde que el hombre está sobre la tierra; fue tan grande y poderoso el terremoto. [19] La gran ciudad quedó dividida en tres partes, y las ciudades de las naciones cayeron. Y la gran Babilonia fue recordada delante de Dios para darle la copa del vino del furor de Su ira. [20] Entonces toda isla huyó y los montes no fueron hallados. [21] Enormes granizos, como de 45 kilos cada uno, cayeron sobre los hombres. Y los hombres blasfemaron contra Dios por la plaga del granizo, porque esa plaga fue sumamente grande.

La sexta copa: Dios reúne a las fuerzas impías para castigarlas decisivamente al final de la era (16:12–16)

12 La aflicción de la sexta copa (**El sexto ángel derramó su copa sobre el gran río Éufrates; y sus aguas se secaron**) se representa de acuerdo con la descripción del juicio de Dios sobre Babilonia y la restauración de Israel, que a su vez se inspiró en el secado del Mar Rojo en el éxodo (cf. Éx. 14:21–22 con Is. 11:15; 44:27; 50:2; 51:10). El Antiguo Testamento profetizó que este juicio incluiría el secado del río Éufrates (Is. 11:15; 44:27–28; Jer. 50:38; 51:36; Zac. 10:11). La profecía se cumplió de forma bastante literal con Ciro, que desvió las aguas del Éufrates (Is. 44:27–28). Esto permitió a su ejército cruzar las aguas, ahora poco profundas, del río, entrar en la ciudad inesperadamente y derrotar a los babilonios. Dios ejecutó el juicio contra Babilonia levantando a Ciro, que vendría "del oriente" (Is. 41:2; 46:11), o "del nacimiento del sol" (41:25). Jer. 50:41 y 51:11, 28 se refieren a "reyes" que Dios estaba preparando para traer contra Babilonia. La victoria de Ciro condujo a la liberación de Israel del cautiverio (Is. 44:26–28; 45:13). En el Antiguo Testamento, Dios es siempre el que seca el agua, ya sea para la redención o para el juicio.

Juan entiende este patrón tipológicamente y lo universaliza. Como se señaló en Ap. 14:8, la interpretación simbólica de Babilonia como representación del sistema mundial está asegurada más allá de toda duda razonable por las profecías del juicio de Dios sobre la Babilonia histórica, que predijeron que Babilonia sería desolada para siempre y nunca más sería habitada (Jer. 50:39–40; 51:24–26, 62–64; así también Is. 13:19–22). Al igual que en el éxodo y especialmente en la caída de la Babilonia histórica, el secado del Éufrates en Apocalipsis 16 marca el preludio de la destrucción de la Babilonia de los últimos tiempos. No puede tratarse de una referencia geográfica literal al río Éufrates en el actual Irak, sino que debe ser figurativa y universal. Así lo indica 17:1, donde la ramera babilónica "está sentada sobre muchas aguas", que es otra forma de referirse al Éufrates y sus aguas (16:12).

Las "muchas aguas" de 17:1 se interpretan figurativamente como "pueblos, multitudes, naciones y lenguas" en 17:15. Ap. 17:15–18 es una ampliación específica del v. 12, ya que el cap. 17 es una expansión de los juicios de la sexta y séptima copas dirigidos contra Babilonia (así 17:1, donde uno de los ángeles de las copas introduce el juicio). También se sugiere una interpretación simbólica del río Éufrates por el uso figurativo de "mar", "río" o "agua" en otras partes del libro *cuando se relaciona con el dragón, la bestia o sus seguidores* (véase 12:15, 16; 13:1; 15:2; 17:1, 15). Por lo tanto, *el secado de las aguas del Éufrates es una imagen de cómo las multitudes de adherentes religiosos de Babilonia en todo el mundo se vuelven desleales a ella*. Esto se explica con más detalle en 17:16–17 (sobre lo cual véase).

No sólo se produce una universalización figurada de Babilonia y del río Éufrates, sino también de Ciro y sus aliados: **los reyes del oriente** son escalados interpretativamente como "los reyes de todo el mundo" (16:14; cf. 17:18). El mismo fenómeno aparece en 20:8. Allí los tradicionales enemigos del norte, Gog y Magog, que también se reúnen para la guerra (compárese 16:14 y 19:19 con 20:8), se explican como las naciones que están "en los cuatro extremos de la tierra". El punto común entre los precursores del Antiguo Testamento y el cumplimiento de los últimos días es que en cada caso es Dios quien seca las aguas; en cada caso una fuerza, ya sea buena (Ciro) o mala (Faraón o los reyes de oriente), cruza; y en cada caso se produce una batalla, en la que el pueblo de Dios es liberado. La idea aquí es que Dios, como lo hizo en los días de Ciro, secará las aguas del río que protege y nutre a Babilonia para permitir que los reyes de la tierra, bajo la influencia demoníaca inmediata, pero en última instancia bajo el control soberano de Dios, se reúnan para que Babilonia sea derrotada y para que se establezca Su reino eterno y el reinado de Sus santos.

13 El v. 12 es una declaración resumida de la sexta copa, que muestra que el juicio se inicia desde el cielo por la actividad angelical. Los vv. 13–16 detallan los pormenores de la copa explicando los agentes terrestres secundarios que ejecutan el ay y afirmando luego el propósito del ay. El derramamiento de la copa pone en marcha las acciones de los tres grandes oponentes de los santos y líderes de las fuerzas del mal: **Y vi salir de la boca del dragón, de la boca de la bestia, y de la boca del falso profeta, a tres espíritus inmundos semejantes a ranas**. Esta es la primera vez que la frase **falso profeta** aparece en el libro. Resume el papel engañoso de la segunda bestia del cap. 13, cuyo propósito es engañar a la gente para que adore a la primera bestia.

En otras partes del Nuevo Testamento, los falsos profetas, sin excepción, hablan con falsedad *en el contexto de la comunidad del pacto de Israel o de la iglesia* para engañar (Mt. 7:15; 24:11, 24; Mr. 13:22; Lc. 6:26; Hch. 13:6; 2 P. 2:1; 1 Jn. 4:1). Esto apunta a la conclusión de 13:11–17 de que la actividad de la segunda bestia se lleva a cabo no sólo fuera, sino también dentro de las iglesias, lo que se confirma además aquí por los vv. 14–16 (especialmente la exhortación a los santos a no transigir en el v. 15).

La descripción de los espíritus como **inmundos** sugiere su naturaleza espiritualmente engañosa. La misma palabra se utiliza para describir las actividades engañosas e impías de Babilonia en 17:4 y 16:2, donde su impureza se asocia con su "inmoralidad" (griego *porneia*). Para la asociación de la "inmoralidad" con la idolatría, véase 2:14. La naturaleza engañosa de los espíritus se señala mediante la vinculación de las "inmundicias de su inmoralidad [de Babilonia]" en 17:4 y la inmoralidad de Babilonia en 18:2–3 con los poderes de engaño impío de Babilonia aquí en los vv. 13–14. En este sentido, nótese la redacción de 18:2 (Babilonia es "habitación de demonios" y "guarida de todo espíritu inmundo") en relación con la referencia en los vv. 13–14 a "espíritus inmundos semejantes a ranas... son espíritus de demonios". Estos espíritus babilónicos en los vv. 13–14 engañan a la gente sobre la adoración de ídolos. Véase más adelante en 14:8 el vínculo entre la inmoralidad y el engaño de Babilonia.

Que los **espíritus inmundos** se refieren a seres demoníacos es evidente al observar que la misma frase tiene este significado en otras partes del NT (así unas veinte veces en los Evangelios y Hechos), y esto se hace explícito en el v. 14. Los únicos otros lugares de la literatura bíblica en los que aparece la palabra "rana" son Éx. 8:2–13 y Sal. 78:45; 105:30, que describen la plaga del Éxodo. Las ranas parecían inofensivas, pero "destruyeron" a los egipcios (Sal. 78:45). Ahora aparecen como sabias consejeras, pero están espiritualmente corrompidas. La representación de las ranas aquí como inmundas es coherente con Lv. 11:9–12, 41–47, donde las ranas se cuentan entre los animales "inmundos" de los que hay que limpiarse. Puede ser que las ranas sean elegidas para representar a los espíritus engañosos en parte por su característico croar, que es fuerte pero sin sentido.

Aquí, en relación con las bocas de los tres agentes del mal, las ranas y su croar representan la confusión provocada por el engaño (como sugieren los comentaristas judíos al interpretar la plaga de ranas del Éxodo: por ejemplo, Filón, *Sobre los Sueños* (On Dreams) 2.259–60; *Sobre los Sacrificios de Abel y Caín* (On the Sacrifices of Abel and Cain) 69). Tal vez se elijan las ranas como imágenes de la influencia engañosa porque fueron una de las dos plagas egipcias que los magos del Faraón pudieron reproducir mediante sus artes engañosas (Éx. 8:7). Aquí también las ranas realizan señales (v. 14), en última instancia bajo la mano de Dios. La superintendencia divina se desprende del modelo de las plagas del Éxodo; véase también el trasfondo de Zacarías 12–14 en relación con la reunión soberana de Dios de las naciones para la guerra (y véase el v. 14b más adelante). La plaga histórica de las ranas se aplica ahora simbólicamente a los espíritus engañosos. La alusión es uno de los ejemplos más claros del libro de una plaga literal del Éxodo que se aplica simbólicamente a una nueva situación y se espiritualiza.

14a Pues son espíritus de demonios introduce una explicación de los espíritus inmundos y las ranas del versículo anterior. La plaga de ranas en Egipto fue en parte una polémica contra la diosa Heqt, que era la diosa de la resurrección y estaba simbolizada por una rana. La actividad engañosa se representa apropiadamente como una rana, ya que el triunvirato maligno intentaba engañar a la gente sobre el supuesto hecho de la resurrección de la bestia (véase en 13:1–5). La razón para demonizar a las ranas del Éxodo se basa en parte en la evaluación bíblica de que detrás de los falsos dioses e ídolos había demonios (véase 9:20).

14b Estos demonios **hacen señales**, lo que los identifica aún más con el trabajo de los agentes engañosos del cap. 13, especialmente con la actividad de la segunda bestia o falso profeta, cuyo trabajo se describe en 13:13 y 19:20: "hace grandes señales" y "[él,] que hacía señales... con las cuales engañaba a los que habían recibido la marca de la bestia y a los que adoraban su imagen". Estos demonios se dirigen **a los reyes de todo el mundo**. Asimismo, en las plagas del Éxodo las ranas afectaron primero al rey (Éx. 8:3–4), y el Sal. 105:30 dice sólo que los "reyes" de Egipto fueron golpeados por las ranas. Que se trata de **reyes de todo el mundo**, y no sólo de una región, se demuestra por el uso de la misma frase y otras similares en otras partes del libro y de la literatura juanina (3:10; 12:9; cf. 13:3 y 1 Juan 2:2; 5:19). De hecho, "los reyes del oriente" (v. 12) pueden ser sinónimos de **los reyes de todo el mundo**. La aplicación universal también se desprende de 13:14, donde los habitantes idólatras de la tierra son engañados, y de 19:19–20, donde los "reyes de la tierra" también son engañados. Los reyes representan las autoridades políticas del sistema mundial impío. De hecho, la frase "reyes de la tierra" se utiliza con este sentido político terrenal repetidamente en otras partes del libro: cf. 1:5 y 6:15, así como 17:2, 18 y 18:3, 9, que se refieren a la lealtad de los reyes a la Babilonia idólatra.

El propósito del engaño es **reunirlos para la batalla del gran día del Dios Todopoderoso**. La misma frase aparece en los caps. 19 y 20, donde se refiere respectivamente a la bestia y al dragón reuniendo a los reyes para luchar contra Cristo en Su venida final: "Entonces vi... a los reyes de la tierra... reunidos para hacer guerra" (19:19); "[Satanás] saldrá a engañar a las naciones... a fin de reunirlas para la batalla" (20:8). Esos textos y éste de aquí se refieren al enfrentamiento entre Cristo y las fuerzas de la bestia al final de la era y se basan en la profecía del Antiguo Testamento, especialmente de Zacarías 12–14 y posiblemente de Sof. 3:8–20, así como de Ez. 38:2–9; 39:1–8, que predijeron que Dios reuniría a las naciones en Israel para la guerra final de la historia. La noción de reunir a los reyes para la batalla está especialmente presente en Zac. 14:2 ("Reuniré a todas las naciones en batalla contra Jerusalén"); 12:3–4 ("se congregarán todas las naciones de la tierra. 'En aquel día', declara el SEÑOR..."); y 14:13 ("y sucederá que en aquel día habrá entre ellos un gran pánico del SEÑOR").

En la literatura judía, *4 Esdras* 13:34–35 alude al cuadro de Zac. 14:2, al igual que *1 Enoc* 56:5–8, en el contexto de la batalla final de la historia de las naciones contra el Mesías. Llamativamente, Zac. 13:2 (LXX) dice que la actividad de los "falsos profetas y el espíritu inmundo" estará activa en Israel contemporáneamente a la reunión de las naciones. Los falsos profetas fomentan la idolatría (Zac. 13:2) y engañan a Israel sobre la verdad (la traducción aramea de Zac. 13:2 dice "profetas *engañosos* y el espíritu inmundo"). Los intérpretes judíos posteriores también identificaron el "espíritu inmundo" de Zac. 13:2 como demoníaco (Midrash Rabbah Num. 19.8; Pesikta de Rab Kahana 4.7; Pesikta Rabbati 14.14).

Las tres cláusulas paralelas en Ap. 16:14; 19:19; y 20:8 tienen el artículo definido, "*la* batalla", porque se refieren a la conocida "guerra del fin" profetizada en el AT. 20:7–10 muestra que esta guerra es parte del ataque final de las fuerzas de Satanás contra los santos. Por lo tanto, se trata de la misma guerra que en 11:7, ya que esa batalla es también una en la que la bestia intenta aniquilar a todo el cuerpo de creyentes en la tierra (véase en 11:7–10). Desde este punto de vista, el artículo definido puede ser un artículo de referencia anterior, no sólo (como se ha señalado anteriormente) a la profecía del Antiguo Testamento, sino también a la descripción inicial de la última batalla en 11:7 (que no tiene artículo definido antes de "guerra").

El hecho de que la batalla se llame **la batalla del gran día del Dios Todopoderoso**, indica que se trata de una batalla en la que Dios juzgará decisivamente a los injustos. Este es el significado de la frase "el gran día del SEÑOR" en Jl. 2:11 y Sof. 1:14 y de la profecía escatológica del juicio en Jl. 2:31 (también aludida en Mt. 24:29; Mar. 13:24; Hch. 2:20). Las naciones son engañadas al pensar que se están reuniendo para exterminar a los santos, pero en realidad son reunidas en última instancia por Dios para enfrentar su propio juicio a manos de Jesús (19:11–21).

LXX Septuaginta

15 Una exhortación a manera de paréntesis se dirige a los creyentes: **¡Estén alerta! Vengo como ladrón. Bienaventurado el que vela y guarda sus ropas**. La voz les exhorta a estar siempre atentos a la aparición final de Cristo, ya que vendrá inesperadamente como **ladrón**. En el contexto, la exhortación aparece de forma abrupta y parece incómoda, pero al estudiarla más de cerca tiene una función similar a las exhortaciones de 13:9 y 14:12: en medio del sufrimiento, los santos deben perseverar. Según 20:8, la guerra se dirige primero contra los santos, y el mismo escenario está implícito en 16:14 (y en 19:19, a la luz de 17:14; 20:8; Zac. 14:2ss; *4 Esdras* 13:34–35; *1 Enoc* 56:5–8; véase el v. 14). Llegará un momento en que la bestia intentará aniquilar a toda la comunidad de fe (así, 20:8–9 y 11:7).

Este ataque en el "gran día" de Dios y el Cordero (6:17) podría ocurrir en cualquier momento, y los creyentes deben estar preparados para mantenerse firmes en la fe y no transigir cuando ocurra. La metáfora del ladrón de la tradición evangélica no se utiliza para sugerir ninguna idea de robo, sino sólo para transmitir la naturaleza inesperada y repentina de la venida de Cristo. En el contexto del cap. 16 y de Apocalipsis en general, permanecer despierto y guardar las vestiduras se refiere a estar alerta para no ceder a las exigencias idolátricas de la adoración de la bestia (véase 3:4–5) ante la presión del ataque final.

Si un creyente cuida así su ropa, no **andará desnudo** y la gente no **verá su vergüenza**. Esto desarrolla la misma imagen que en 3:18, donde descubrir la vergüenza de la desnudez de los laodicenses era una metáfora extraída de las acusaciones de Dios a Israel y otras naciones por participar en la idolatría (así también Ez. 16:36; 23:29; Nah. 3:5; Is. 20:4). Yahvé levantaría figurativamente las faldas de los idólatras (desnudaría sus ciudades mediante el juicio) para mostrar que habían fornicado con dioses falsos. Juan advierte que esa exposición debida a la falta de vigilancia en la guerra de los últimos tiempos identificará a los creyentes transigentes con la ramera babilónica, que será juzgada por su idolatría quedando "desolada y desnuda" (17:16). Las **ropas** simbolizan el rechazo a comprometerse con el mundo y deben identificarse con el "lino fino... las acciones justas de los santos" (19:8–9), que son necesarias para la admisión a la cena de las bodas del Cordero, mientras que la desnudez, por el contrario, significa falta de justicia.

16 Después de la exhortación a manera de paréntesis del v. 15, se retoma el pensamiento del v. 14. Los espíritus demoníacos que engañaban a los reyes **los reunieron en el lugar que en hebreo se llama Armagedón**, donde se va a producir la guerra. El resultado de la guerra se encuentra en 17:14; 19:14–21; y 20:7–10, donde las fuerzas del dragón y de la bestia son representadas como destruidas por Cristo y Dios. Har–Magedón, o Armagedón, como suele llamarse, al igual que los nombres "Babilonia" y "Éufrates", no se refiere a un lugar geográfico concreto, sino que tiene una aplicación global.

El hecho de que la llanura de Meguido esté a dos días de camino al norte de Jerusalén demuestra que Armagedón no debe tomarse literalmente, mientras que la profecía del Antiguo Testamento suele situar la última batalla en las inmediaciones de Jerusalén y el monte Sion o sus montes circundantes (Jl. 2:1, 32; Miq. 4:11–12; Zac. 12:3–4; 14:2, 13–14; Ez. 38:8 y 39:2–8 hablan de los "montes de Israel" y 38:16 de toda la tierra de Israel como campo de batalla). En Zac. 12:1–14 se describe el ataque de las naciones contra Jerusalén al final de los tiempos, en el que las naciones son destruidas, pero el remanente justo recibe el Espíritu de gracia, al mirar a Aquel "a quien han traspasaron" (v. 10) y llorar por Él. Además, el propio Juan sitúa el lugar directamente fuera de Jerusalén en 14:20 y 20:8–9, aunque universaliza tipológicamente las referencias del Antiguo Testamento y habla en términos espirituales más que geográficos literales. Además, si el 20:8 es un paralelo que se refiere al mismo evento que el 16:14, como se ha argumentado anteriormente (véase el v. 14), entonces el 20:9 define el Armagedón como "la ciudad amada" de Jerusalén, y probablemente como el Monte Sion, que en términos de Juan se refieren a la iglesia mundial (véase el 20:9). Una visión figurativa de Armagedón también se desprende del hecho de que no se menciona el "monte" de Meguido en el Antiguo Testamento o en la literatura judía. En los tiempos del Antiguo Testamento, la ciudad de Meguido se habría asentado en un "cerro" o colina muy pequeña, mientras que el significado normal de la palabra *har* en hebreo es un monte.

Armagedón, literalmente en hebreo el "monte de Meguido", puede haber sido nombrado como el lugar de la última batalla porque las batallas de Israel en la llanura de Meguido se convirtieron en un símbolo profético o tipológico de la última batalla. En primer lugar, la batalla entre Barac y Sísara tuvo lugar en Meguido (Jue. 5:19), al igual que la batalla entre el faraón Necao (¡junto al río Éufrates!) y Josías (2 R. 23:29; 2 Cr. 35:22). Meguido se convirtió en proverbial en el judaísmo como el lugar donde los israelitas justos eran atacados por las naciones malvadas. En particular, la batalla entre Barac y Sísara sirvió como patrón para la derrota de Israel contra un enemigo con un poder abrumadoramente mayor (Jue. 4:3; 5:8). Dios dijo que sacaría al comandante del ejército, con sus carros y muchas tropas, hasta el río Cisón (Jue. 4:7), donde los reyes llegaron y lucharon en las aguas de Meguido (Jue. 5:19). De la misma manera, Dios es, en última instancia, el que atrae a los reyes enemigos para que luchen en Meguido (aquí en los vv. 12–14, 16).

Pero el hecho de que nunca haya existido el monte de Meguido sugiere una segunda posibilidad. No muy lejos de Meguido está el monte Carmelo, y si el monte de Meguido debe identificarse con el Monte Carmelo, bien puede haber una referencia simbólica al lugar de una de las mayores batallas del Antiguo Testamento entre las fuerzas del bien y del mal (1 R. 18:19–46), donde Elías (símbolo, junto con Moisés, de la iglesia en Ap. 11:3–7) derrotó a los profetas de Baal. El Monte Carmelo se convierte así en representante simbólico de la iglesia de los últimos tiempos.

Todos los pasajes anteriores que registran sucesos ocurridos en las cercanías de Meguido pueden estar detrás de la referencia de Ap.16:16, de modo que la referencia de Juan a este lugar puede sonar con las siguientes asociaciones tipológicas y proféticas: la derrota de los reyes que oprimen al pueblo de Dios (Jue. 5:19–21), la destrucción de los falsos profetas (1 R. 18:40), la muerte de los reyes engañados, que provocó el luto (2 R. 23:29; 2 Cr. 35:20–25), combinada con la expectativa futura de una batalla final en la que, en conexión directa con Aquel "a quien han traspasado" (Zac. 12:10), se produciría la destrucción de "todas las naciones que vengan contra Jerusalén" (Zac. 12:9) y el luto de todas las tribus de Israel (Zac. 12:10–14). El hecho de que Zac. 12:1–14 sea lo más importante es evidente al observar que Zac. 12:11 es el único caso anterior a Apocalipsis 16:16 en el que el nombre Meguido aparece en un contexto apocalíptico relacionado a la destrucción de las naciones impías por parte de Dios en los últimos tiempos, y es el único texto del Antiguo Testamento en el que el hebreo deletrea Meguido como *megiddon* (= "magedón" en español).

La séptima copa: Dios castiga al sistema mundial impío con el juicio final (16:17–21)

17 La séptima copa describe la destrucción final del sistema mundial corrupto, que sigue a la batalla de Armagedón: **El séptimo ángel derramó su copa en el aire**. La presencia de piedras de granizo en el v. 21 sugiere un vínculo con la plaga de granizo del Éxodo (Éx. 9:22–35). El "sol y el aire" se oscurecieron por el humo que salía de la fosa al sonar la quinta trompeta (Ap. 9:2), lo que parece asociar el "aire" aquí con la actividad demoníaca. En Ef. 2:2, se hace referencia a Satanás como el "príncipe de la potestad del aire". Al igual que en la cuarta, quinta y sexta copas, el juicio aquí también es sobre el reino incrédulo gobernado por el dragón y la bestia. Nótese especialmente que en el v. 10, la copa se derrama "sobre el trono de la bestia, y su reino se quedó en tinieblas".

La expresión **una gran voz salió del templo, del trono** es la de Dios o la de Cristo, ya que procede del propio trono. El anuncio "**Hecho está**" marca la realización histórica del propósito de las siete copas declarado en 15:1: "en ellas (las copas) *se ha consumado* el furor de Dios". La declaración es la inversa (utilizando el mismo verbo griego) del cumplimiento de la redención por parte de Cristo en la cruz ("consumado es" en Jn. 19:30). Forma parte del mismo acontecimiento del juicio final de los impíos al que se refiere Apocalipsis 21:3–6, donde la misma frase, "una gran voz que decía desde el trono" (21:3), va seguida de "hecho está" (21:6). En este caso, la atención se centra en el castigo final de los malvados y la destrucción del antiguo cosmos (21:1, 8), así como en la completa redención del pueblo de Dios en una nueva creación (21:1–7, 9–22:5).

18 Y hubo relámpagos, voces, y truenos. Hubo un gran terremoto es una imagen del último juicio. Se basa en gran parte en Éx. 19:16–18, que describe la aparición de Dios en el monte Sinaí (véase también Sal. 77:18 e Is. 29:6, este último dice: "Serás castigada… con truenos y terremotos y gran ruido"). Como se ha señalado en el análisis de 8:5, Richard Bauckham ha demostrado que 4:5; 8:5; 11:19; y 16:18–21 forman una secuencia progresiva de alusiones a Éx. 19:16, 18–19, que se apoyan sistemáticamente unas en otras para expresar aspectos del juicio divino, comenzando con los relámpagos, voces, y truenos en 4:5, y añadiendo en cada paso otros elementos. Jesús utilizó imágenes de terremotos para describir los males preliminares a la destrucción cósmica final, pero que no forman parte de ella (Mt. 24:7; Mr. 13:8; Lc. 21:11).

Estos rasgos de la destrucción cósmica del Antiguo Testamento se aplican ahora tipológicamente al juicio incondicional del final de la historia del mundo. Pero la naturaleza escalada de la aplicación aquí está expresada por la frase **tal como no lo había habido desde que el hombre está sobre la tierra; fue tan grande y poderoso el terremoto**. Y no es casualidad que esta redacción esté tomada de Dn. 12:1: "Será un tiempo de angustia cual nunca hubo desde que existen las naciones hasta entonces". Daniel describe la tribulación al final de la historia, cuando el pueblo de Dios será liberado y sufrirá una resurrección para la vida, pero los impíos serán resucitados para "la ignominia, para el desprecio eterno" (Dn. 12:2). En el contexto de la plaga del granizo (cf. v. 21), nótese que la redacción de Daniel es en sí misma una aplicación tipológica de Éx. 9:24, donde hay fuego destellando en medio del granizo tan severo "como no había habido en toda la tierra de Egipto desde que llegó a ser una nación".

19 Se elaboran los efectos del incomparable terremoto mencionado en el v. 18: **La gran ciudad quedó dividida en tres partes, y las ciudades de las naciones cayeron**. La descripción se ajusta a la expectativa bíblica de un terremoto catastrófico que acompaña la aparición de Dios en los últimos días del juicio final (Hag. 2:6; Zac. 14:4; Heb. 12:26–27). El objeto del juicio se identifica explícitamente: **Y la gran Babilonia fue recordada delante de Dios**. El trasfondo de la frase **la gran Babilonia** es Dn. 4:30 (cf. 14:8), que es el único lugar en todo el Antiguo Testamento donde aparece la frase "la gran Babilonia". Ahora la Babilonia de los últimos días está a punto de enfrentar el juicio, como lo hizo el orgulloso rey babilónico que estaba tan orgulloso de su mundana y superficial "gran Babilonia".

Que **las ciudades de las naciones cayeron** describe el alcance universal del último final que tendrá lugar en la historia. No es sólo Roma o alguna gran capital del mal posterior la que es diezmada, sino todos los centros culturales, políticos y económicos del mundo, porque son parte de la gran ciudad y del sistema mundial de Babilonia. El cuadro aquí, **darle la copa del vino del furor de Su ira**, desarrolla el cuadro similar del juicio final en 14:8, 10, donde la gran Babilonia ha caído y sus naciones patrocinadoras son dadas a "beber del vino del furor de Dios, que está preparado puro en la copa de Su ira" (14:10).

Ahora nos encontramos con que la propia Babilonia, la causante de la intoxicación de las naciones, será castigada de la misma manera, bajo la mano de juicio de Dios, haciéndole beber el vino que conduce a su propia intoxicación destructiva. Sobre el trasfondo del Antiguo Testamento del derramamiento de vino como descripción del desencadenamiento del juicio divino, véase 14:10. El juicio pone de relieve que el castigo de Babilonia se ajusta a su crimen, un principio ya ilustrado en 16:6. Como destruyó (11:18), así será destruida. El v. 19, junto con los vv. 17–21, amplían la declaración introductoria de la caída de Babilonia (en 14:8), que se amplía en detalle en 17:1–19:10.

La **gran ciudad** ha sido identificada como Jerusalén, Roma y el sistema mundial impío, que incluiría a las dos primeras y a todos los demás grupos de personas malvadas. Es preferible el tercer punto de vista, como se argumenta en otras partes de este comentario (véase 11:8 y 14:8).

20 La naturaleza absoluta del juicio se continúa con una imagen de la posterior ruptura del cosmos: **Entonces toda isla huyó y los montes no fueron hallados**. Las descripciones prácticamente idénticas de 6:14 ("y todo monte e isla fueron removidos de su lugar") y 20:11 ("huyeron la tierra y el cielo, y no se halló lugar para ellos") también indican la destrucción concluyente y universal de la tierra en el Día del Juicio. El hecho de que **no fueron hallados** partes del mundo anticipa la descripción similar de la destrucción final y definitiva de Babilonia que se repite tres veces en el cap. 18 (vv. 14, 21, 22).

21 La plaga de granizo del Éxodo (Éxodo 9:22–35) se duplica, pero esta vez no golpea a una nación sino a todas las naciones del mundo que se oponen a Dios: **Enormes granizos, como de 45 kilos cada uno, cayeron sobre los hombres**. El granizo desciende del cielo sobre los infieles como "descendió fuego del cielo" sobre las naciones perseguidoras en 20:9, lo que también alude al castigo concluyente. La plaga del granizo, que no fue la última de las plagas originales del Éxodo, se combina aquí con los fenómenos cósmicos que rodean la teofanía del Sinaí en Éxodo 19, a la que se alude en el v. 18. Tal vez el granizo se asocie fácilmente con los relámpagos, los truenos, las nubes, el humo y los sonidos de las trompetas del Sinaí.

La identificación de esta plaga con la del granizo en Egipto es evidente además porque tanto el v. 21 como el relato del Éxodo enfatizan la severidad o el gran tamaño del granizo al mencionar dos veces que era "enorme" o "muy grande". El v. 21 se lee literalmente: "gran granizo… su plaga es muy grande". En Éx. 9:18, 24 se lee literalmente "granizo muy grande… el granizo era muy grande" (igualmente Josefo, *Antigüedades* (Antiquities) 2.304–5). El peso de las piedras de granizo en el v. 21 se dice que era un "talento" (NASB "cien libras"), que se estima de forma variada entre cuarenta y cinco y ciento treinta libras (cf. Josefo, *Guerra* (War) 5.270).

También puede hacerse eco del granizo que cayó sobre los amorreos en Jos. 10:11 ("el SEÑOR arrojó desde el cielo grandes piedras… piedras del granizo"), que se considera parte de todo el programa redentor asociado al Éxodo, centrado en la posterior entrada a la Tierra Prometida. Además, la mención del granizo en relación con el juicio final ha sido influenciada por Ez. 38:19–22, donde el granizo y el terremoto, así como el fuego y el azufre (cf. Ap. 19:20; 20:9, 10) marcan la etapa final del juicio sobre el enemigo del final de los tiempos. Nótese la influencia formativa de Ezequiel 38–39 en el v. 14, así como en 19:19 y 20:8.

La gente que sufría el juicio **blasfemaron contra Dios por la plaga del granizo, porque esa plaga fue sumamente grande**. Esto no significa necesariamente que algunos quedaran después del juicio del granizo, sino que blasfemaban durante la embestida del ay, al igual que en 6:15–17 la gente que sufre el comienzo del juicio final trata de esconderse durante su ejecución (nótese también el paralelo entre 6:14 y 16:20 señalado anteriormente). En contraste con los vv. 9 y 11 anteriores, que también se refieren a la gente que blasfema, no se menciona a la gente que se niega a arrepentirse, lo que también sugiere que el fin ha llegado, por lo que ya no queda espacio para el arrepentimiento.

Los vv. 17–21 podrían verse como el comienzo del juicio final en la historia, y los caps. 17–19 darían el desarrollo cronológico posterior de ese juicio. Sin embargo, es mejor ver los capítulos siguientes como perspectivas complementarias de los mismos acontecimientos relacionados al juicio final representados en 16:17–21, así como en el sexto y séptimo sellos, la séptima trompeta y la escena del juicio final en 14:14–20.

Sugerencias para Reflexionar sobre 16:12–21

- ***Sobre la importancia de leer la Biblia en su contexto.*** Estos versículos demuestran una vez más lo importante que es leer la Biblia cuidadosamente y en su contexto. El comentario ha argumentado que la visión de Juan toma el relato de la caída histórica de Babilonia, lo relaciona con la derrota del faraón en el Mar Rojo y lo utiliza tipológicamente para predecir la caída del sistema mundial babilónico de los últimos tiempos. Al mismo tiempo, todos los elementos originales de la destrucción de Babilonia (la propia ciudad, su rey, el río sobre el que se asienta y la forma de su caída) se universalizan. La falta de comprensión de esto lleva a muchos comentaristas contemporáneos a aislar a personas y lugares concretos como escenario de la guerra de los últimos días, hasta el punto de predecir una reconstrucción de Babilonia, lo que de hecho anularía las declaraciones proféticas del AT que afirmaban que Babilonia sería diezmada por los persas, para no volver a levantarse como potencia mundial (p. ej., véase Is. 13:17–22; Jer. 50:13, 39; 51:62–64). Lo mismo ocurre con la mención de Armagedón en el v. 16. Hemos tratado de exponer en el comentario la riqueza de las alusiones bíblicas, que apunta a una referencia universal, pero ¿cuántos han tratado de ubicar el Armagedón como un lugar particular, centrándose en la participación de la etnia israelí, y perdiendo así el punto principal respecto a la naturaleza de la batalla como de alcance mundial, y librada entre las fuerzas del enemigo y la iglesia?

- ***Sobre la realidad de la actividad demoníaca y nuestra falta de preparación para combatirla.*** Los vv. 13–14 destacan la actividad de los espíritus inmundos procedentes del diablo y sus agentes, que realizan señales que influyen en los reyes de la tierra y los convocan a la guerra. Dado que se les identifica como ranas, es posible que se les relacione con la diosa egipcia de la resurrección, que se simbolizaba como una rana. El NT está lleno de relatos sobre la realidad del reino de las tinieblas. Nuestra época racionalista nos dificulta ver con los mismos ojos que los escritores bíblicos, pero estas mismas fuerzas ancestrales siguen actuando (sobre lo cual véase, p. ej., Ef. 6:10–17). ¿Participa de su engaño la noción de que no existen? ¿Entendemos realmente cómo luchar contra esta actividad de tales fuerzas? ¿Combatimos a veces sólo las actitudes o acciones que producen, en lugar de enfrentarnos a la realidad subyacente? Nuestra batalla no es sólo contra la influencia del mundo y la influencia de nuestro propio pecado interno y la influencia perjudicial de nuestra vieja naturaleza en nosotros, sino que nuestra lucha es "contra principados, contra potestades, contra los poderes de este mundo de tinieblas, contra las fuerzas espirituales de maldad en las regiones celestes" (Ef. 6:12).
- ***Sobre el grito de la cruz y el grito del trono.*** El comentario señala que el grito desde el trono "Hecho está" se hace eco del grito de Jesús desde la cruz (Jn. 19:30), utilizando el mismo verbo griego. Esto no puede ser una casualidad. Utilizando la analogía de la inauguración del reino a través de la cruz y la resurrección, considere cómo el grito de Jesús puso en marcha la irrupción del reino de Dios, pero de tal manera que sólo alcanzaría su plenitud en el momento del segundo grito, cuando se produjera no sólo la redención final del pueblo de Dios (Ap. 21:1–22:5), sino el juicio decisivo y final de los enemigos de Dios. ¿Podría ser que la fuerte voz que emite el grito pertenezca a Cristo mismo? ¿En qué medida nos anima esto a nosotros, que vivimos en el tiempo que media entre los dos gritos?

VII. EL JUICIO FINAL DE BABILONIA Y LA BESTIA (17:1–19:21)

La influencia del sistema económico-religioso mundial y del estado, su alianza y la caída de ambos (17:1–18)

Ap. 17:1–19:10 es una gran instantánea interpretativa de las copas sexta y séptima, que han predicho el juicio de Babilonia (que fue profetizado explícitamente por primera vez en 14:8). A esto le sigue, en 19:11–21, una descripción ampliada de la última batalla, en la que Cristo triunfa sobre las fuerzas del mal. Aunque sólo un versículo del cap. 17 describe el juicio de Babilonia (v. 16), la unidad literaria más amplia que comienza en 17:1 está dominada por él. Se dedica mucho espacio a la bestia en el cap. 17 porque el significado y el poder de la mujer no pueden entenderse plenamente si no es en su relación con la bestia. El cap. 17 (en desarrollo de 16:12–13) enfatiza lo que lleva a la desaparición de Babilonia, que se convierte en el centro de atención en el cap. 18.

1. La introducción a la visión: el ángel anuncia a Juan que va a ser testigo de una visión sobre el juicio del sistema económico-religioso idólatra del mundo (17:1–3a)

[1] Uno de los siete ángeles que tenían las siete copas, vino y habló conmigo: "Ven; te mostraré el juicio de la gran ramera que está sentada sobre muchas aguas. [2] Con ella

los reyes de la tierra cometieron actos inmorales, y los moradores de la tierra fueron embriagados con el vino de su inmoralidad".
[3] Entonces me llevó en el Espíritu a un desierto.

1 El ángel que revela la visión del cap. 17 y que la interpreta (vv. 7–18) es referido como **uno de los siete ángeles que tenían las siete copas**. Esta es la primera indicación de que el cap. 17 amplía las copas sexta y séptima. El punto principal de la visión es **el juicio de la gran ramera que está sentada sobre muchas aguas**. Este juicio es otra mención de la respuesta de Dios a las oraciones de la súplica de los santos en 6:10. Simbolizar a Babilonia como una ramera connota su naturaleza seductora y atractiva al intentar alejar a la gente de Cristo.

El ángel le habla a Juan con palabras tomadas del juicio de Dios sobre la Babilonia histórica en Jer. 51:13: "Oh, tú, que moras junto a muchas aguas, rica en tesoros, ha llegado tu fin, el término de tu codicia". El hecho de que Babilonia esté "sentada" sobre muchas aguas habla de su soberanía sobre las naciones, ya que "sentada" en el Apocalipsis (3:21; 4:2, 4; 5:1; 14:14; 18:7, etc.) indica soberanía, ya sea que se utilice para Dios, Cristo, los ángeles o los seres malignos. El 18:7 confirma esto, ya que allí Babilonia dice "yo estoy sentada como reina". Como mínimo, el sentarse implica la alianza de la mujer con el mundo y la bestia.

2 Parte de la base del juicio de Babilonia es el hecho de que **los reyes de la tierra cometieron actos inmorales** con ella **y los moradores de la tierra fueron embriagados con el vino de su inmoralidad**. La complacencia de los reyes y las naciones a la inmoralidad no se refiere a la inmoralidad literal, sino figurativamente a la aceptación de las exigencias religiosas e idolátricas del orden terrenal impío. Como en 14:8, **su inmoralidad** es un genitivo griego de asociación (= "tener relaciones sexuales con ella"), como se desprende del paralelismo de los **actos inmorales** que **cometieron** con ella (cf. también 18:9) con **el vino de su inmoralidad**.

El mismo paralelismo sinónimo ocurre en 18:3, aunque con una ligera variación en la redacción. La cooperación de las naciones con Babilonia garantiza su seguridad material (véase 2:9; 13:16–17). El efecto embriagador del vino de Babilonia elimina todo deseo de resistirse a la influencia destructiva de Babilonia, los ciega a la propia inseguridad final de Babilonia y a Dios como fuente de seguridad real y los adormece contra el miedo a un juicio venidero. Para las raíces del Antiguo Testamento, véase Os. 4:11–12: "La prostitución, el vino y el vino nuevo quitan el juicio. Mi pueblo consulta a su ídolo de madera… porque un espíritu de prostitución los ha descarriado".

En otras partes de Apocalipsis, la idolatría y la inmoralidad (en griego *porneia*) están estrechamente relacionadas (2:14, 20–21; 9:21; 14:8). La interpretación económica de la pasión embriagadora de las naciones y la pasión inmoral de los reyes por Babilonia queda clara en 18:3, 9–19, donde las mismas frases de inmoralidad e intoxicación de 17:2 se equiparan con términos de prosperidad económica, y la lealtad de las naciones a Babilonia radica en su capacidad de proporcionarles prosperidad económica (véase también en 14:8). Una interpretación económica del versículo se confirma por la alusión a Is. 23:17, donde Tiro "se prostituirá con todos los reinos sobre la superficie de la tierra".

Tiro es llamada ramera porque causó la destrucción e indujo la impureza entre las naciones al dominarlas económicamente e influenciarlas con su idolatría. El hecho de que la idolatría se incluya junto con un énfasis económico queda claro en Is. 23:18, donde los salarios ilícitos de Tiro "serán consagradas al SEÑOR" en el futuro, en lugar de para cualquier otro objeto falso de dedicación como antes. Que Tiro está en mente, al menos como analogía de Babilonia, queda claro por la repetida referencia en Apocalipsis 18 al pronunciamiento de Ezequiel 26–28 sobre el juicio de Tiro y la alusión específica en el v. 23 a Is. 23:8 (véase 18:23).

Por tanto, Babilonia es el sistema económico-religioso imperante en alianza con el estado y sus autoridades afines, tal y como existe en diversas formas a lo largo de los tiempos. Por supuesto, el hecho generalmente conocido de que las rameras en el mundo antiguo (al igual que hoy) ofrecían sus cuerpos y servicios sexuales a cambio de una remuneración no hace más que realzar la naturaleza económica de la prostituta babilónica.

3a El ángel llevó a Juan **en el Espíritu a un desierto**. "En el Espíritu" es una fórmula de encargo profético, basada en las fórmulas similares que expresan los repetidos encargos proféticos de Ezequiel, por ejemplo, Ez. 2:2: "el Espíritu entró en mí y me puso en pie"; Ezequiel 3:12: "el Espíritu me levantó" (igualmente Ez. 3:14, 24; 11:1; 43:5). Ezequiel recibe el encargo de la autoridad profética para anunciar el juicio al Israel pecador. Del mismo modo, el traslado de Juan al reino del Espíritu subraya su comisión y autoridad profética (véase 1:10; 4:2 y especialmente 21:10, donde la alusión a los encargos de Ezequiel también se produce de la misma manera). Y, al igual que en el caso de Ezequiel, el mensaje inspirado de Juan en 17:3ss. es un anuncio de juicio.

El traslado del vidente **a un desierto** alude a Is. 21:1–2, donde una visión de Dios (así en Is. 21:10) se revela al profeta Isaías y se describe como procedente "del desierto, de una tierra temible" (21:1). Esta alusión queda confirmada por el hecho de que Is. 21:1–10 es una visión de juicio *contra Babilonia* y por el hecho de que la frase "cayó, cayó Babilonia" de Is. 21:9 aparece en Ap. 18:2, así como en 14:8, que a su vez mira hacia los caps. 17–18. Tanto en Isaías como en el Apocalipsis, el desierto es el centro de la visión, aunque en el primero la visión tiene su origen en el desierto, mientras que en el segundo el profeta es llevado al desierto para ver la visión.

¿Tiene algún significado el hecho de que Juan sea llevado al desierto? Después de todo, tiene experiencias visionarias en varios lugares: la tierra (1:9–10), el mar y la tierra (10:8ss), el cielo (4:1), en la orilla del mar (13:1) y en la cima de un monte (21:9–10). Pero la alusión a Isaías 21 es clara. El desierto es, al mismo tiempo, un lugar de protección para el pueblo de Dios (tanto después del éxodo como en los últimos tiempos), pero también la morada de animales feroces como serpientes y de espíritus malignos. Es el lugar del pecado, del juicio y de la persecución de los santos (véase 12:6 una explicación más detallada de cómo Dios protege a su pueblo en el desierto). Es una "tierra temible" (Is. 21:1) en la que se predice la caída de Babilonia (Is. 21:9).

Este versículo afirma que toda la visión del cap. 17 aparece en la dimensión espiritual de un desierto. Allí habita la ramera, **sentada sobre una bestia escarlata... que tenía siete cabezas y diez cuernos** (v. 3b). La única otra ocurrencia de **desierto** (griego *erēmos*) en el libro fuera de 17:3 es en 12:6, 14. Allí también, en un desierto, un "dragón rojo que tenía siete cabezas y diez cuernos" (12:3 con 17:3) persigue al pueblo de Dios (12:13–17). Parte del juicio de Babilonia en el cap. 18 por perseguir a los santos en el desierto es que ella misma se convierte en un lugar parecido al desierto (de manera similar a Is. 13:20–22; Jer. 50:12–13; 51:26, 29, 43) donde sólo habitan espíritus demoníacos (cf. 18:2, que se introduce por la alusión a Is. 21:9). La ramera del cap. 17 persigue a los santos (v. 6) en el desierto y engaña a los habitantes de la tierra (v. 8). El desierto es también el lugar donde Juan presencia el juicio tanto de Babilonia (vv. 15–17) como de la bestia y sus aliados (vv. 13–14). Por lo tanto, según el principio bíblico del ojo por ojo, el juicio de Babilonia se decreta en el mismo lugar donde persiguió a los santos.

Además, Is. 21:1, que sin duda está detrás de este texto, combina de forma única las referencias al desierto y al mar: "Oráculo, sobre el desierto del mar". No es casualidad que los vv. 1, 3 representen aquí a Babilonia aparentemente en un desierto y *al mismo tiempo* sentada sobre muchas aguas. Esto parece geográficamente contradictorio. Sin embargo, se trata de una geografía simbólica. Ya en 12:15–16 aparece un río desbordado en el desierto. Allí y aquí, los perseguidores de la iglesia se asocian con el agua, porque el agua es una metáfora del mal y del engaño (para el mismo significado de "mar", véase en 4:6; 13:1; 15:2; 16:3; 21:1).

Una interpretación alternativa del significado del desierto aquí es que Juan es llevado allí no simplemente porque es un escenario apropiado para que se revele el pecado de Babilonia, sino también porque es un lugar de seguridad espiritual y de alejamiento de los peligros del mundo. Allí puede ver realmente los males de Babilonia y evitar su engaño.

Sin embargo, tal vez incluso allí, se "maravilla" o "se asombra" (vv. 6–7, griego *thaumazō*) ante su apariencia, una palabra que se utiliza para la adoración de los incrédulos a la bestia (13:3; 17:8). Siguiendo esta línea de pensamiento, aunque se acerca a la admiración por la bestia y la mujer (véase los vv. 6–7 más abajo), está protegido de adorar realmente a la bestia debido a su lugar seguro en el desierto. En cualquiera de las dos interpretaciones, lo que es indudable es que, como en 12:6 y 12:13–17, el desierto tiene aquí connotaciones tanto positivas como negativas. Es en el desierto donde Juan declara el juicio de Dios sobre Babilonia y a la vez comprende su verdadera maldad desde un lugar de seguridad espiritual. Si Juan pudo llegar a sentirse atraído por la mujer y la bestia, qué fácil debe ser para sus lectores ser seducidos. Es posible que tuviera que pintar a estos personajes del mal de una forma tan horrible para que los santos no se sintieran atraídos con demasiada facilidad (véase más adelante el v. 7).

Sugerencias para Reflexionar sobre 17:1–3a

- ***Sobre el significado del desierto en estos versículos.*** Estos versículos nos presentan una comprensión matizada del significado del desierto. El Apocalipsis presenta constantemente el desierto como el lugar donde, a pesar del peligro siempre presente, Dios proporciona seguridad a su pueblo. Es en este lugar de ataque al pueblo de Dios donde Dios declara ahora Su juicio a los atacantes. Juan necesitaba ser llevado al desierto (entendido como el lugar de la seguridad de Dios) para evitar ser hipnotizado por la ramera. ¿Con qué facilidad puede el pueblo de Dios dejarse seducir por su atractiva apariencia y por las ventajas económicas y sociales que ofrece a los que cooperan con ella? Si esta es la sociedad más materialista y rica de la historia de la humanidad, ¿son estas tentaciones aún mayores para nosotros hoy? ¿Qué supondría para nosotros transigir en nuestra fe para obtener ventajas materiales o sociales de nuestra propia Babilonia?

2. La visión y la respuesta del vidente: Juan está asustado y perplejo ante la magnífica aparición del sistema económico-religioso hostil en su alianza con el estado (17:3b–7)

Vi a una mujer sentada sobre una bestia escarlata, llena de nombres blasfemos, y que tenía siete cabezas y diez cuernos. [4] La mujer estaba vestida de púrpura y escarlata, y adornada con oro, y piedras preciosas, y perlas. Tenía en la mano una copa de oro llena de abominaciones y de las inmundicias de su inmoralidad. [5] Sobre su frente había un nombre escrito, un misterio: "BABILONIA LA GRANDE, LA MADRE DE LAS RAMERAS Y DE LAS ABOMINACIONES DE LA TIERRA". [6] Vi a la mujer ebria de la sangre de los santos, y de la sangre de los testigos de Jesús. Al verla, me asombré grandemente. [7] Y el ángel me dijo: "¿Por qué te has asombrado? Yo te diré el misterio de la mujer y de la bestia que la lleva, la que tiene las siete cabezas y los diez cuernos".

3b Hemos empezado a comprender la identidad malvada y seductora de la mujer en los primeros versículos del cap. 17. Su carácter malvado continúa viéndose en esta sección, especialmente su estrecha identificación con la bestia, que ya hemos visto (p. ej., en el cap. 13), es una engañadora y perseguidora del pueblo de Dios. Sin embargo, enigmáticamente parte de la apariencia de la mujer en los vv. 3b–7 también refleja algo aparentemente bueno en ella (véase en los vv. 4 y 7 más adelante). ¿Cuál es este aspecto aparentemente benigno de su apariencia y por qué se describe de esta manera a un personaje tan malvado?

Juan ve ahora a **una mujer sentada sobre una bestia escarlata, llena de nombres blasfemos, y que tenía siete cabezas y diez cuernos** (para un análisis completo de esta descripción, véase 12:3; cf. 13:1–2). La representación de la bestia es casi idéntica a la del 13:1, por lo que se trata de la misma bestia. Allí y aquí la redacción alude a Dn. 7:3–7, 20, 24. Las cabezas y los cuernos representan la plenitud del poder de los reinos malvados que persiguen al pueblo de Dios, ya que este es su significado figurado en Daniel 7 (p. ej., los diez cuernos de la cuarta bestia en Dn. 7:7 se identifican explícitamente como "diez reyes" en Dn. 7:24).

El color rojo de la bestia lo asocia con el dragón rojo de 12:3. El color indica el atuendo real y, por tanto, la realeza, pero sobre todo la naturaleza persecutoria del dragón de 12:3 y de la bestia de aquí, que derrama la sangre roja de los santos. Los **nombres blasfemos**, como en 13:1, se refieren a las falsas pretensiones de soberanía universal de la bestia. Aunque está estrechamente asociada con la bestia, la mujer no debe ser equiparada con la bestia. El hecho de que la mujer monte a la bestia connota su alianza con ella. Ella representa al mundo impío, que trabaja con el estado en los ámbitos social, cultural y económico para perseguir a los cristianos (17:6; 18:24; 19:2). También participan mutuamente en el engaño de las multitudes impías en toda la tierra (p. ej., 14:8; 17:2, 8).

4 La descripción de la mujer confirma que representa a las fuerzas económicas mundanas que están en connivencia con el estado en la persecución de los cristianos (para el enfoque económico véase también 14:8; 17:2): **La mujer estaba vestida de púrpura y escarlata, y adornada con oro, y piedras preciosas, y perlas**. La descripción de su vestimenta se repite en 18:16, donde se la describe como la "gran ciudad" o Babilonia. Las partes de su atuendo se enumeran como productos del comercio en 18:12. Por lo tanto, la mujer, vestida con estos productos, se identifica con un sistema comercial próspero. Su ropa es de color **escarlata**, lo que representa su persecución de los santos. Tanto Isaías como Jeremías hablan de rameras con atuendos rojos que simbolizan su derramamiento de la sangre de los justos (Is. 1:15–23; Jer. 2:34).

La mujer tiene **en la mano una copa de oro llena de abominaciones y de las inmundicias de su inmoralidad**, muy parecido a la descripción que hace Jeremías de la histórica Babilonia como una copa de oro que embriaga a las naciones y las enloquece (Jer. 51:7). Estas cosas inmundas también incluyen las prácticas idolátricas, ya que en 16:13–14 y 18:2 se hace referencia a los demonios como espíritus inmundos, y los demonios están detrás de los ídolos (1 Co. 10:19–

20). Las **abominaciones** en la copa de la mujer también son referencias a la idolatría, ya que esa palabra se usa frecuentemente en el AT para referirse a la idolatría (Dt. 29:17; 2 R. 23:24; 2 Cr. 34:33; Jer. 16:18, etc.). Las cosas inmundas están asociadas a **su inmoralidad**. "Inmoralidad" (griego *porneia*) y el verbo relacionado en otras partes del libro son expresiones figurativas para la idolatría (así 2:14, 20–21; cf. 9:21; ver en 14:8; 17:2), como lo son aquí.

Como vimos en las cartas, en el Apocalipsis hay una clara conexión entre las formas ilícitas de actividad económica (incluyendo simplemente el culto al dinero) y las prácticas idolátricas, y la mujer representa ambas. Que los factores económicos pueden incitar a la idolatría está bien atestiguado en el Asia Menor del siglo I (p. ej., véase 2:14, 20–22). Habitualmente, cada gremio tenía dioses patronos a los que los miembros rendían homenaje en un templo pagano, donde el culto se dirigía a un busto del César. Los cristianos que se abstenían de tal idolatría se arriesgaban al detierro económico y a la pérdida de sus privilegios comerciales. La ramera del cap. 17 representa estos y otros aspectos religioso-económicos similares de la sociedad que atraen a los cristianos a transigir y confiar en la seguridad del mundo en lugar de la seguridad en Cristo.

5 La naturaleza de la mujer se revela por el hecho de que **Sobre su frente había un nombre escrito, un misterio: "BABILONIA LA GRANDE, LA MADRE DE LAS RAMERAS Y DE LAS ABOMINACIONES DE LA TIERRA"**. En el Apocalipsis, un nombre en la frente revela el carácter del individuo y su relación con Dios (7:3; 14:1) o con Satanás (13:16; 14:9). El nombre de la mujer revela claramente su alianza con la bestia. La primera parte del nombre, **la gran Babilonia**, proviene directamente de Dn. 4:30, donde expresa el alcance del poder de Nabucodonosor, del que se jacta. Su orgullosa independencia de Dios condujo a su caída. El misterio del nombre se refiere al "misterio" (Dn. 4:9) del sueño que tuvo Nabucodonosor y que le advirtió del desastre que le esperaba si continuaba con su orgullo.

El Apocalipsis relaciona este misterio con el misterio de la caída de la Babilonia espiritual de los últimos días (Ap. 1:20; 10:7), que caerá a causa de la soberbia y la maldad ("misterio" en el Antiguo Testamento aparece con un sentido escatológico sólo en Dn. 2:28–29, que en parte está en el fondo aquí). Se trata de un misterio profetizado y (en los días de la séptima trompeta, según 10:7) que pronto se cumplirá. El **misterio** se refiere a lo que está contenido en el consejo oculto de Dios y que ahora está siendo revelado a sus siervos. En 1:20 y 10:7, el "misterio" se refería a la forma inesperada (aunque no contradictoria) en que la profecía de Daniel sobre el establecimiento del reino de los últimos días de Israel y la derrota de los imperios malvados estaba empezando a cumplirse.

La noción de "misterio" en ambos capítulos es que el reino comienza irónicamente a través del sufrimiento de Cristo y Su pueblo (p. ej., 1:5–6, 13–14 con 1:20; véase en 1:20). De manera similar aquí, pero ahora en aplicación al reino del mal, se refiere a la forma irónica y misteriosa en que Dios cumplirá Sus palabras proféticas sobre la destrucción de Babilonia — ese reino se volverá contra sí mismo (como revelarán los próximos versículos) y comenzará a autodestruirse incluso antes del regreso de Cristo, que finalmente demolerá a Babilonia. Esto era, en efecto, un misterio que no veían tan claramente Isaías, Jeremías y Daniel, pero que ahora se aclara para Juan. El cumplimiento de las profecías siempre da cuerpo a los detalles que no figuraban en las profecías generales del AT.

La mujer recibe los títulos adicionales de **Madre de las rameras y de las abominaciones de la tierra**, indicando así su papel central en la dirección de las prácticas idolátricas y la falsa religión. Babilonia es descrita como una mujer en el desierto y también como una ciudad (18:10), lo que la pone en contraste tanto con la madre del 12:1, que también vive en el desierto, como con la novia del 19:7–8; 21:2, 10, que también es descrita como una ciudad (21:2). La intención de tal contraste es evidente por las fórmulas de visión introductorias sorprendentemente idénticas para la ramera y la iglesia en 17:1 y 21:9–10. Tales contrastes con la iglesia a lo largo de los tiempos, tanto en la tierra como glorificada, dejan claro que Babilonia no es una localidad geográfica, sino una realidad económica y espiritual dirigida por el demonio y presente en toda la era de la iglesia. La mujer del cap. 12 dio a luz a la iglesia, mientras que la ramera del cap. 17 intenta destruirla.

6 Los que no se sometan a las prácticas económicas y religiosas de Babilonia serán perseguidos e incluso asesinados: **Vi a la mujer ebria de la sangre de los santos, y de la sangre de los testigos de Jesús**. El "y" es explicativo, y da a entender que los verdaderos santos son los que son **testigos de** (o para) **Jesús**, por lo que son perseguidos, ya que su testimonio provoca el antagonismo del mundo (cf. 6:9). Esta persecución puede adoptar la forma de exilio por su profesión. El Apocalipsis nos da ejemplos reales de castigo mediante el exilio (1:9), el encarcelamiento (2:10) y la muerte (2:10, 13), por lo que esta actividad de

Babilonia y la bestia ya estaba empezando a desarrollarse cuando Juan escribió. La **sangre de los santos** abarca, pues, no sólo el martirio (véase también 6:9), sino todas las formas de sufrimiento soportadas por los creyentes. La respuesta de Juan a la visión de la mujer es de gran asombro: **Al verla, me asombré grandemente** (literalmente, "me asombré con gran asombro"), lo que en breve veremos (en el v. 7) incluye tanto el espanto como la perplejidad.

7 El gran **asombro** o maravilla de Juan se repite tres veces en los vv. 6–7, la última de ellas en una pregunta del ángel: **"¿Por qué te has asombrado?"** No se trata simplemente de una pregunta sobre el asombro del vidente ante la inusual visión. Más bien, la pregunta evoca varias ideas. El ángel pregunta realmente por qué Juan se asusta y se preocupa por la visión, como ya lo había hecho por las visiones anteriores (p. ej., 1:17). La mejor manera de entenderlo es como una pregunta retórica cuya respuesta implícita es una reprimenda: Juan no debería estar temeroso y perplejo.

El mismo lenguaje de estar asombrado o "horrorizado" en Dn. 4:19 expresa la reacción temerosa y conmocionada de Daniel ante la visión del juicio del rey de Babilonia. Del mismo modo, Juan expresa su temor ante la visión de pesadilla que acaba de ver sobre la horrible naturaleza de la bestia y la mujer babilónica y su persecución. Probablemente, parte de lo que contribuyó a su espíritu perturbado fue la conmoción y el miedo por las afirmaciones blasfemas de la bestia y la severa persecución prevista.

También puede haber contribuido a la conmoción del vidente la representación parabólica de Babilonia bajo la apariencia de una figura religiosamente fiel. Está vestida (17:4) de forma casi idéntica a la ciudad-esposa de Cristo, que está "adornada con toda clase de piedras preciosas", perlas y oro (21:18–21), y vestida de lino (18:16 y 19:8). El lino se define como las "acciones justas de los santos" en 19:8, lo que puede haber llevado momentáneamente a Juan a pensar que la mujer babilónica no era del todo mala, sino que tenía algunos rasgos espirituales atractivos. Puede que el hecho de que el sumo sacerdote del Antiguo Testamento se describa también como adornado con oro, púrpura, escarlata, lino y piedras preciosas (Éx. 25:7; 28:5–9, 15–20; 35:9) haya aumentado esta impresión.

Tal apariencia puede haber hecho que Juan "admire" temporalmente este aspecto de la mujer. Que la "admiración" puede ser parte de la forma en que debe entenderse el "asombro" de Juan se señala por el mismo uso de la palabra "asombro" (griego *thaumazō*) en 17:8 y 13:3, donde la gente se "maravilla" o se "asombra" ante la bestia, lo que les lleva a adorarla. Esto hace más comprensible que la pregunta del ángel contenga una reprimenda por admirar a la mujer. Esto podría desprenderse también de 19:10 y 22:9, donde un ángel reprende al vidente ("no hagas eso") y redirige las acciones de adoración de un objeto de reverencia equivocado a Dios.

En consecuencia, Juan puede haber sido cautivado temporalmente por lo que parecía, en parte, una figura espiritualmente atractiva, y fue cegado (al menos temporalmente) a la plena y verdadera naturaleza impía de la ramera. El aparente atractivo espiritual puede haberse visto reforzado por el hecho de que en otras partes de Apocalipsis los creyentes, de hecho los llamados profetas cristianos dirigidos por Jezabel (véase 2:20–24), sostenían que cierta identificación con el mundo era buena. En particular, sostenían que la adoración de otros dioses (asociada al bienestar económico) no era incompatible con ser un cristiano fiel. Juan se da cuenta ahora de que no se trata simplemente de cristianos equivocados, sino que Jezabel y sus seguidores no son otra cosa que la propia Babilonia en medio de la iglesia, que finalmente será juzgada junto con los perseguidores de fuera de la iglesia. Esta identificación de Babilonia con Jezabel en Ap. 2:20–24 se ve reforzada al reconocer que más adelante, en el cap. 17, Juan describe a la ramera de Babilonia apelando a alusiones a la figura de Jezabel en el AT (sobre lo cual véase más adelante).

Que la falta de claridad de Juan sobre la visión explica una base importante para su asombro es evidente por la afirmación del ángel de que explicará el significado oculto (**el misterio**) de la visión de la bestia y la mujer vista en los vv. 3–6. Dn. 7:16 (parte del pasaje de Daniel 7 que está detrás de la representación de la bestia en el cap. 17; véase el v. 3b) también hace hincapié en la necesidad de claridad.

Sin embargo, el ángel cuestiona el miedo, la perplejidad y el asombro de Juan y le tranquiliza diciéndole que desvelará **el misterio de la mujer y de la bestia**. Es decir, revelará el juicio que está a punto de caer sobre ellos a pesar de la aparente magnificencia y el triunfo de la mujer, permitiendo a Juan tener una visión divina que atraviesa la ambigua apariencia de la mujer. Por lo tanto, hay que tener cuidado de no dejarse atraer y confundir por esta mujer vestida con un atuendo tan deslumbrante y enjoyado y revestida de lino (también 18:16), ya que todo lo que su abrazo puede ofrecer es una carga completa de abominaciones y cosas inmundas. Incluso la atracción temporal o la confusión sobre ella hará que el creyente no sea capaz de percibir claramente su naturaleza verdaderamente malvada y engañosa y, por lo tanto, se dejará engañar hasta cierto punto por ella y transigir.

Sugerencias para Reflexionar sobre 17:3b–7

- ***Sobre la relevancia de la ramera babilónica para todas las épocas.*** Si la mujer representa el poder cultural, económico y religioso idolátrico unido en forma institucional a lo largo de los tiempos, ¿cómo se identificaría o expresaría esa institución en esa parte concreta del mundo contemporáneo donde vivimos hoy (gobierno, iglesia, empresa, escuela, etc.)?
- ***Sobre las tentaciones a transigir.*** ¿De qué manera las instituciones modernas del mundo que son malas pueden parecer buenas y admirables a los ojos de los cristianos? ¿De qué manera los creyentes se ven tentados a transigir con estas instituciones?
- ***Sobre el efecto anestésico de la influencia de Babilonia.*** El efecto embriagador del vino de Babilonia elimina todo deseo de resistir la influencia destructiva de Babilonia, ciega a la gente a la propia inseguridad final de Babilonia y a Dios como la fuente de la verdadera seguridad, y los adormece del miedo a un juicio venidero. Reflexione sobre aquellos aspectos de la influencia del mundo impío sobre nosotros que nos ciegan a la inseguridad final del mundo y a la realidad de que la verdadera seguridad sólo puede encontrarse en Cristo y en Dios. Del mismo modo, ¿qué aspectos de la influencia del mundo impío sobre nosotros tienen el potencial de impedirnos reflexionar sobre la realidad del juicio venidero de Dios?
- ***Sobre las fuentes de persecución.*** ¿Qué instituciones llevan a cabo la persecución contra los cristianos hoy en día en los países donde los creyentes sufren por su fe? ¿Existen instituciones religiosas que cooperan con instituciones políticas y/o económicas en la persecución de los cristianos? Si es así, ¿cuáles? ¿Empieza a vislumbrarse algo así en el horizonte de Europa occidental o de América del Norte?
- ***Sobre el discernimiento de lo que es malo.*** ¿Cómo pueden los cristianos aumentar su conciencia de las instituciones que les rodean que son malas

y así protegerse de ser engañados y, en consecuencia, transigir de alguna manera? Si el v. 7 proporciona la respuesta para Juan, ¿cómo podría proporcionar una respuesta para los cristianos de hoy?

La interpretación de la visión de la mujer (17:8–18)

3. La interpretación del significado de la bestia: La carrera engañosa del estado satánico y sus aliados se revelará como una farsa cuando sean juzgados por Cristo al final de los tiempos (17:8–14)

[8] "La bestia que viste, era y ya no existe, y está para subir del abismo e ir a la destrucción. Y los moradores de la tierra, cuyos nombres no se han escrito en el Libro de la Vida desde la fundación del mundo, se asombrarán al ver la bestia que era y ya no existe, pero que vendrá. [9] Aquí está la mente que tiene sabiduría. Las siete cabezas son siete montes sobre los que se sienta la mujer. [10] También son siete reyes: cinco han caído, uno es y el otro aún no ha venido; y cuando venga, es necesario que permanezca un poco de tiempo. [11] Y la bestia que era y ya no existe, es el octavo rey, y es uno de los siete y va a la destrucción. [12] Los diez cuernos que viste son diez reyes que todavía no han recibido reino, pero que por una hora reciben autoridad como reyes con la bestia. [13] Estos tienen un mismo propósito, y entregarán su poder y autoridad a la bestia. [14] Ellos pelearán contra el Cordero, pero el Cordero los vencerá, porque Él es Señor de señores y Rey de reyes, y los que están con Él son llamados, escogidos y fieles".

8a La triple descripción de Dios que se encuentra ya en 1:4, 8; 4:8; 11:17; y 16:5 se modifica y se aplica a la bestia: **La bestia que viste, era y ya no existe, y está para subir del abismo e ir a la destrucción**. Esto es también una parodia de la muerte y resurrección de Cristo (1:18; 2:8). Que la bestia **no existe** se refiere a los efectos continuos de su derrota por Cristo en la cruz y la resurrección (véase 13:3, donde "muerte" equivale a "no existe"). La conclusión la tercera parte de la fórmula (va **a la destrucción**) es un contraste irónico con la forma alterada de la tercera parte de la fórmula divina en 11:17 ("Has tomado Tu gran poder y has comenzado a reinar").

La aplicación de la triple fórmula de la eternidad divina a la bestia pretende ridiculizar los vanos esfuerzos de la bestia por derrotar al *verdadero* Ser eterno y Sus fuerzas. La aplicación también sugiere que la existencia de la bestia se extiende desde el principio de la historia hasta su final, pero el cierre de la fórmula muestra un claro contraste con la existencia de Dios: la anterior forma de existencia de la bestia, aparentemente soberana a lo largo de la historia, cesará (aunque sobre su destrucción eterna véase 19:19–20; 20:10).

El lenguaje del ángel refleja lo que Daniel vio en su visión: las bestias subieron del mar (Dn. 7:3–y son comparadas con reyes que suben de la tierra en el v. 17) y luego fueron a la destrucción (7:11, 17–26). La alusión a Daniel enfatiza la desaparición de la bestia y la ironía de la misma, puesto que ya está implícita en el propio Daniel 7 la misma clase de parodia irónica de la bestia en relación con el Hijo del hombre (véanse los comentarios finales sobre el cap. 13). La tercera parte de la fórmula en 17:8a (**está para subir del abismo e ir a la destrucción**) es un desarrollo del uso de Dn. 7:21 en Ap. 11:7. En 11:7, "la bestia que sube del abismo hará guerra contra ellos, los vencerá y los matará".

El hecho de que el origen de la bestia sea del abismo aquí y en 11:7 sugiere las raíces y poderes demoníacos de la bestia (como en 9:1–2, 11; cf. 20:1–3, 7). Aunque la bestia parece derrotar temporalmente a toda la comunidad eclesiástica en el tiempo del fin, su victoria será efímera. Poco después **irá a la destrucción**. La triple fórmula se corresponde con la carrera de Satanás en 20:1–10, de modo que ambas se refieren a los mismos acontecimientos desde el punto de vista, respectivamente, de la bestia y de Satanás. Allí se dirá que Satanás existió en el pasado (20:1 = "era", en el sentido de que existía antes de la acción del ángel en los vv. 2–3). Está encerrado en un "abismo" (20:2–3 = "no existe"). Pero luego, "después de esto debe ser desatado por un poco de tiempo" (20:3, 7–9 = "está para subir del abismo"; cf. v. 10). Y finalmente, también irá a la destrucción (20:9–10).

Después de derrotar a los santos, la bestia y sus aliados "pelearán contra el Cordero, pero el Cordero los vencerá" (v. 14), y todos los anteriormente derrotados por la bestia acompañarán al Cordero en la derrota final de la bestia para siempre. Aunque durante la era de la iglesia la persecución continuada de la bestia contra los santos (13:3ss.) hace parecer que fue "sanada" de su herida de muerte, la persecución que lleva a cabo en la última etapa de la historia será más severa. Intentará acabar con toda la iglesia. La imitación de Cristo por parte de la bestia se mostrará como una farsa al final. Mientras que la resurrección de Cristo hace que viva para siempre (1:18), la resurrección de la bestia tiene como resultado su destrucción. Se necesita la sabiduría divina para discernir la diferencia en los destinos del Cordero y de la bestia (así en v. 9a).

8b Las multitudes se maravillarán del resurgimiento de la bestia: **Y los moradores de la tierra, cuyos nombres no se han escrito en el Libro de la Vida desde la fundación del mundo, se asombrarán al ver la bestia que era y ya no existe, pero que vendrá**. "Asombrarán" tiene la idea de admirar en un sentido de adoración, como se desprende de 13:3ss, donde también asombrarse (la misma palabra griega *thaumazō*) de la bestia se desarrolla en los versículos siguientes con palabras que denotan adoración a la bestia. Como en 13:8, 14, los moradores de la tierra (idólatras incrédulos, como en 6:10; 13:8, 14, etc.) son engañados para que adoren a la bestia.

Lo que precisamente los engañará acerca de la bestia será que aunque fue derrotada (**no existe**) al final de su existencia anterior (**era**), podrá aparecer para recuperarse de la derrota ("está para subir del abismo", v. 8a). Así es también como la bestia engaña a las multitudes en 13:3, donde el mundo se asombra de su recuperación de la herida aparentemente mortal infligida por la cruz y la resurrección. La aparente salud de la bestia llevará a muchos a seguirla. Esta situación continuará hasta el regreso de Cristo, cuando demostrará la realidad de Su victoria espiritual en la cruz al lograr la victoria física sobre las fuerzas de Satanás.

Los moradores de la tierra no podrán resistir el engaño de la bestia porque sus **nombres no se han escrito en el Libro de la Vida desde la fundación del mundo** (véase en 3:5 y 13:8 el trasfondo y la relevancia de las alusiones a Dn. 7:10; 12:1–2). Tener el nombre **escrito en el Libro de la Vida** se refiere metafóricamente en otro lugar a los creyentes cuya salvación ha sido asegurada, por lo que (negativamente) los nombres **no se han escrito en el Libro** se refieren a los incrédulos que no se benefician de tener esa seguridad (véase en 3:5; 13:8; 20:12; 21:27). Al igual que en 13:8, esta seguridad comenzó antes de que comenzara el tiempo histórico, **desde la fundación del mundo**. La protección de los inscritos en el libro proviene del Cordero (13:8; 21:27). Aquí se hace hincapié en aquellos que no recibirán la protección salvífica del libro.

9a Los que están inscritos en el libro están protegidos espiritualmente por el Cordero y no son engañados por el enemigo y sus agentes: **Aquí está la mente que tiene sabiduría**. Este versículo desarrolla la profecía de Daniel de que en la tribulación de los últimos tiempos los verdaderos santos necesitarán "entendimiento" y "perspicacia" espirituales para evitar ser engañados por un rey malvado que exalta su soberanía sobre Dios y persigue al pueblo de Dios que no lo reconoce (así en Dn. 11:33; 12:10; véase más adelante en 13:18). Aquellos con sabiduría y entendimiento también podrán entender la explicación del ángel de la visión esbozada en los vv. 9b–18, que desarrolla la profecía de Daniel para subrayarla en la mente de los "llamados, escogidos y fieles" (v. 14). Parte del plan de Dios es salvar a Sus elegidos mediante exhortaciones a tener sabiduría, a las que responden positivamente sobre la base de la gracia protectora divina.

La bestia que Juan ha visto en la visión del v. 3 no es otra que la fuerza del estado malvado profetizado en Daniel. A Juan y a sus iglesias se les recuerda la advertencia profética del Antiguo Testamento de Daniel sobre las tentaciones a transigir con este poder maligno. El recuerdo continuo de la profecía mantendrá a los creyentes alertas al peligro para que no sean engañados como muchos otros en la iglesia, que permanecerán ignorantes de las Escrituras, por lo que serán tomados por sorpresa y llevados por el mal camino por la bestia, y por lo tanto transigirán con las demandas impías del estado.

9b El ángel declara la interpretación de las siete cabezas de la bestia: **Las siete cabezas son siete montes sobre los que se sienta la mujer**. A veces se han identificado con las siete colinas de Roma y, por tanto, con el Imperio Romano. Sin embargo, las otras siete apariciones de la palabra "monte" (griego *oros*) en el Apocalipsis tienen el significado figurado de "fuerza". Este uso apunta más allá de una referencia literal a las colinas de Roma al significado figurado de reinos, especialmente a la luz de 8:8 y 14:1, donde los montes se refieren figurativamente a los reinos.

La identificación con los reyes queda confirmada por la siguiente frase (v. 10), que equipara explícitamente los montes con "siete reyes". En el AT, los montes simbolizan reinos humanos o divinos (Is. 2:2; Jer. 51:25; Ez. 35:3; Dn. 2:35, 45; Zac. 4:7), por lo que la referencia no es a un lugar específico en el que haya siete montes. La identificación también queda confirmada por Dn. 7:4–7, donde siete es el número total de cabezas de las cuatro bestias (= reinos), que también es la fuente de las siete cabezas en 13:1 (sobre lo cual véase; nótese que la bestia de Daniel tenía cuatro cabezas). Para la posibilidad de intercambiar "reyes" y "reinos", véase Dn. 7:17 ("Estas bestias enormes… son cuatro reyes") y 7:23 ("La cuarta bestia será un cuarto reino").

A la luz de todo esto, no es sorprendente que el ángel identifique las cabezas o montes como siete reyes (o reinos). Hay un cambio metafórico con respecto a la bestia de siete cabezas de 13:1 y 17:3. La bestia ahora no es representada como un rey, sino como un reino. La bestia se representa ahora no como poseedora de cabezas, sino como cabeza. Esto es evidente por la imagen implícita de la mujer sentada ahora sobre las siete cabezas en lugar de sobre la bestia, como en el v. 3. Esta identificación se hace explícita en el v. 11. La equivalencia de las cabezas con la bestia (vv. 3, 9b) sugiere que "cabezas" connota autoridad, y en este caso autoridad opresiva (cf. los nombres blasfemos de las cabezas en 13:1).

El número **siete** no es un número literal que designa la cantidad de reyes en un período de tiempo, sino que es figurativo para la cualidad de plenitud o totalidad, como en el Antiguo Testamento, Dn. 7:4–7 (véase atrás), y en todo el Apocalipsis (p. ej., 1:4, 20; 4:5; 5:6; 12:3; 13:1). "Siete" o "séptimo" aparece unas cuarenta y cinco veces en el libro fuera de 17:3–11, y todas ellas dentro de expresiones figuradas. Al igual que en 12:3 y 13:1–2, la plenitud del poder opresor es el énfasis. Los siete montes y reyes representan el poder opresivo del gobierno mundial a lo largo de los siglos, que se atribuye prerrogativas divinas y persigue al pueblo de Dios cuando no se somete a las falsas pretensiones del estado malvado.

La identificación más amplia de las **siete cabezas** se confirma en Dn. 7:3–7, donde el total de las siete cabezas de las cuatro bestias identifica distintos imperios que abarcan siglos. Esto se desprende de las siguientes consideraciones:

Así como los reinos con siete cabezas en Dn. 7:4–7 abarcaron desde Babilonia hasta Roma (cuyo dominio duró varios siglos después de Cristo), la bestia de siete cabezas de Apocalipsis 17 también abarca muchos siglos y probablemente toda la historia, especialmente porque las características de los cuatro imperios de Daniel se aplican en Apocalipsis no a cuatro animales diferentes sino a una sola figura bestial.

La imagen de la bestia marina simboliza a lo largo del Antiguo Testamento diferentes reinos malvados que abarcan siglos (Sal. 74:13–14; 89:10; Is. 27:1; 30:7; 51:9; Ez. 29:3; 32:2–3; Hab. 3:13–14; véase en 12:3).

El tipo de autoridad que tiene la bestia es la antítesis directa de la que ejerce el Cordero (17:14), de modo que la bestia no ejerce una mera soberanía

> terrenal en una época determinada, sino la soberanía a lo largo de los siglos del "gran dragón, la serpiente antigua" (cf. 12:3, 9 con 13:1–3).
>
> El hecho de que el Nuevo Testamento mantuviera la misma concepción se desprende de las epístolas de Juan, en las que la figura del adversario del final de los tiempos profetizado en Daniel es una realidad presente, no sólo alguien que vendrá al final de la historia, sino uno que ya se ha manifestado corporativamente en forma de falsos maestros dentro de la iglesia (1 Jn. 2:18, 22; 4:1–4; 2 Jn. 7; así también 2 Ts. 2:3–10).

Así, la bestia es una figura trans-temporal.[5]

En la época de Juan, la encarnación contemporánea de la bestia era Roma. Las siete colinas de Roma pueden haber sido parte de lo que influyó en Juan para utilizar el número figurativo "siete".

10 También son siete reyes: cinco han caído, uno es y el otro aún no ha venido; y cuando venga, es necesario que permanezca un poco de tiempo confirma la naturaleza trans-temporal de la bestia y el entendimiento figurativo de sus siete cabezas argumentado arriba. **Caído** se refiere probablemente a la muerte, sin que se especifique la forma de la misma. La descripción en tres partes refleja la irónica expresión triple aplicada a la bestia en el v. 8 (y también en el v. 11), que se ha visto como una parodia del nombre divino. Dado que el triple nombre de Dios se refiere a Su existencia a lo largo de la historia, la aplicación de la fórmula a las cabezas de la bestia refleja y connota la misma existencia trans-temporal. Por lo tanto, los siete reyes son figurativos de los reyes a lo largo de la historia a través de los cuales actúa la bestia. Cinco cabezas de la bestia ancestral han sido asesinadas. En este sentido, la bestia "no existe" (vv. 8, 11). Sin embargo, aunque haya sido derrotada, sigue viviendo ("es"), porque la sexta cabeza está viva en la actualidad (v. 10). Y una séptima aún está por aparecer. A las dos últimas cabezas sólo les queda la muerte, la última (que representa la manifestación del poder de las bestias en el estado al final de los tiempos: véase 13:1–3 y 17:8a) al final de la historia.

Como en otras partes del libro, Juan dice a las iglesias que el fin no está lejos o podría llegar rápidamente: **el otro** (= el séptimo) **aún no ha venido**. La intención principal de Juan en 17:10 no es contar reyes (como los emperadores romanos, ya

---

[5] "Cuya influencia no está determinada a un tiempo específico o concreto, sino en diversas eras y tiempos."

que si Juan comenzara un recuento, ni siquiera podemos estar seguros de con qué emperador habría empezado). **Cinco** simplemente muestra que muchos gobiernos humanos han ido y venido. El seis es el número del hombre y sirve bien para indicar la actividad actual de la bestia en cualquier generación. El objetivo de Juan aquí es principalmente informar a sus lectores de lo lejos que están de la conclusión de la secuencia completa de siete gobernantes opresores. Les está diciendo que sólo transcurrirá un séptimo y corto reinado hasta el final del dominio opresivo de (lo que para ellos era) Roma, que representa a todos los poderes opresivos impíos. Esta expectativa debe entenderse, como en otras partes de Apocalipsis, para expresar una idea de inminencia, aunque hay una distancia indeterminada entre el presente y la futura culminación (como también en 6:11, sobre lo cual véase; véase también en 12:12; 22:6–7, 12).

Además de la manifestación actual de la antigua bestia en Roma, otra manifestación vendrá en el futuro. Todavía no ha llegado pero, cuando lo haga, **permanecerá un poco de tiempo**, frase que se refiere a la etapa final de la historia. Esto significa que las seis primeras "cabezas" (= reinos figurados) son reinados que, colectivamente, duran mucho tiempo, probablemente durante toda la historia, en contraste con la séptima "cabeza". Cuando llegue la última encarnación terrenal del mal, no podrá establecer un reinado duradero. Permanecerá sólo un corto tiempo. Esta es la misma venida señalada en 20:3b, donde al final de la era el dragón "debe ser desatado por un poco de tiempo". Este paralelo muestra de nuevo la solidaridad del dragón con la bestia. Los muchos reinos malvados del mundo pueden ser referidos como "el [único] reino del mundo" (11:15) debido al único espíritu satánico generalizado que gobierna todos estos reinos. Esto tiene un precedente en Dn. 2:44–45, donde la derrota decisiva por parte de Dios del cuarto y último reino mundial maligno también implica el juicio de los tres reinos mundiales precedentes, de modo que estos tres reinos se identifican corporativamente como uno con el cuarto.

Algunos han argumentado que aquí se hace referencia a siete emperadores romanos. Esto ignora la naturaleza simbólica de los números en el Apocalipsis, pero también nos presenta un problema adicional, ya que el sexto emperador romano fue Nerón, que murió en el año 68, más de veinte años antes de la visión de Juan. Juan escribió en el reinado de Domiciano, que fue el duodécimo emperador. Otros identifican a los cinco reyes con cinco imperios literales, Egipto,

Asiria, Babilonia, Persia y Grecia, siendo el sexto Roma (que encajaría históricamente) y el séptimo un reino aún por venir.

Sin embargo, esto no encaja con la identificación histórica de los imperios en Daniel 7 que esta visión cumple (comparando Dn. 7:6; 8:8, 21 da una identificación del tercer reino como Grecia). Además, el sexto y el séptimo imperio son representados en 18:9 como llorando la caída de la ramera, lo que lleva a preguntarse cómo puede entenderse que Roma, supuestamente el sexto imperio, haya sobrevivido para ver ese día. ¿Cómo es posible también que el octavo imperio sea uno de los siete? ¿Y cómo podemos explicar los diversos imperios mundiales que han surgido desde los días de Juan? Sin embargo, si tenemos en cuenta la naturaleza figurativa de los números en el Apocalipsis, evitaremos todos estos escollos.

11 La etapa final de la manifestación de la bestia no durará mucho, porque será destruida antes de que pueda llevar a cabo sus propósitos de engañar y destruir a la iglesia: **Y la bestia que era y ya no existe, es el octavo rey, y es uno de los siete y va a la destrucción**. La repetición de la triple fórmula enfatiza de nuevo la parodia irónica del v. 8, pero con un cambio adicional: la bestia **es el octavo rey, y es uno de los siete y va a la destrucción**. Este cambio identifica a la bestia aún más claramente con las siete cabezas. Al igual que en el v. 9 (sobre lo cual véase), la metáfora vuelve a cambiar ligeramente; la bestia no es representada como teniendo cabezas o siendo cabezas, sino que se dice que es una de las siete cabezas, y se equipara con la octava cabeza, que puede entonces representar a un gobernante aún más completamente identificado con la propia bestia. El punto es que la manifestación del dragón y la bestia a través de una de sus cabezas autorizadas o reyes terrenales en cualquier época histórica particular es equivalente a la presencia completa del dragón o la bestia misma.

Octavo tiene un significado figurado, como ocurre con otros números de Apocalipsis. El "ocho" probablemente tenía ese significado en el cristianismo más primitivo. Después de seis días de actividad creativa, Dios descansó en el séptimo día. El día de descanso completó el proceso creativo y puede haber sido visto como el inicio de un octavo día, en el que comenzó el funcionamiento regular de la nueva creación. Del mismo modo, Cristo murió en el sexto día de la semana, descansó en la tumba en el día de reposo, y resucitó de entre los muertos en el octavo día.

Por lo tanto, llamar a la bestia "octava" puede ser una forma de referirse a su futuro intento de imitación de la resurrección de Cristo (véase en 13:3 la sanidad de la herida mortal y la imitación de la bestia de la resurrección de Cristo en 5:6). Por otra parte, el número de la bestia, 666, indica que tal imitación no alcanza su objetivo (véase 13:18). En el contexto inmediato del v. 11, el octavo aparece en paralelo con los anteriores "está para subir del abismo" y "vendrá" (v. 8), que expresan la contrapartida satánica del tercer miembro de la triple frase que refleja la fórmula tripartita de Dios en Su existencia eterna (Aquel "que ha de venir", 1:4; véase también el v. 8a). Esa **octava**, con su implicación de la resurrección, forma parte de esta fórmula triple y confirma que es mejor tomarla como una forma de imitación de Cristo.

Octavo puede referirse además a la sucesión o a la descendencia. En este sentido, que sea **uno de los siete** puede traducirse fácilmente como que es "uno *desde* los siete", lo que significa que es "descendiente de los siete" (un genitivo de relación). Si este es el caso, entonces la expresión significa que es de la misma naturaleza malvada que los reyes anteriores. Como la descendencia es de la misma naturaleza que sus progenitores, el octavo es de la misma naturaleza malvada que los siete anteriores. Entender la frase como un modismo de descendencia nos ayuda a ver que la traducción "es *uno* de los siete" (NASB, NEB) es incorrecta, lo cual es un argumento más en contra de una teoría exclusivamente sostenida del "retorno de Nerón" en la que, según algunos estudiosos, la bestia es considerada como una reencarnación o forma resucitada del emperador muerto Nerón. Más bien, es **uno de los siete** con respecto a su naturaleza, no a su existencia individual previa. Por lo tanto, la fraseología no puede apoyar la idea de que el octavo ya haya existido realmente como una de las antiguas cabezas.

Aunque la octava cabeza tiene la misma naturaleza malvada que las otras, se diferencia de ellas en que es una encarnación aún más completa del poder satánico, y se diferencia del resto en que su reinado concluye la historia. Aunque el octavo rey será una manifestación nueva y más intensa del poderío satánico, seguirá siendo parte de la bestia que ha sido asesinada decisivamente por la obra redentora de Cristo. Los creyentes pueden consolarse de que la futura carrera de la bestia no es un nuevo brote de poder demoníaco invencible. El aparentemente contradictorio "no existe" de los vv. 8a, 8b y 11, que contrasta con el "es" del v.

NASB New American Standard Bible
NEB New English Bible

10 (entendiendo que los reyes son sólo instrumentos a través de los cuales actúa la bestia), también enfatiza su derrota e incapacidad de montar cualquier oposición decisiva al reino ya establecido de Cristo. No obstante, se le permite seguir existiendo en el presente, como si gozara de buena salud, y engañar y perseguir, lo que tiene un efecto muy real sobre los incrédulos (este es el significado del "es" del v. 10; véase 17:8).

Aunque en el futuro la bestia resucitará (vv. 8a, 8b, 11) y parecerá capaz de llevar a cabo una oposición insuperable contra el reino de la iglesia a una escala sin precedentes (11:7; 20:7–9), el hecho de su pasada derrota invisible en la cruz asegura que irá a la destrucción, un acontecimiento que todos los ojos verán. En 13:3ss, la parodia de la resurrección de Cristo por parte de la bestia se centra en su aparente restauración en el poder, mientras que en 17:8–11 la parodia se centra en la aparición final de la bestia en la historia, que finalmente conduce a su destrucción. En este sentido, 13:3ss. y 17:8–11, aunque retratan imitaciones similares de Cristo, retratan acontecimientos diferentes en la carrera de la bestia.

Para reforzar la naturaleza figurativa del número de reyes en el v. 11, Richard Bauckham sugiere acertadamente la relevancia del modismo hebreo conocido como "dicho numérico graduado", que utiliza dos números consecutivos en paralelo para indicar algo que es ilustrativo y representativo más que literalmente exhaustivo.[6] Por ejemplo, Pro. 6:16 ("Seis cosas hay que el SEÑOR odia, y siete son abominación para Él") enumera algunos ejemplos representativos de pecado, que representan todos los pecados en general y sirven como ilustraciones específicas de tales pecados (cf. también Pro. 30:15, 18, 21, 29). De hecho, "siete" seguido de "ocho" también aparece en el AT como parte de este modismo (Ec. 11:2). Cabe destacar Miq. 5:5, que dice que "siete pastores y ocho príncipes del pueblo" serán levantados en el tiempo de la victoria profetizada de Israel sobre las naciones. Del mismo modo, la enumeración similar de Juan no es un recuento literal de cuántos emperadores habrá antes de la venida final de Cristo, sino que es ilustrativamente representativa, simbolizando todos los gobernantes malvados y antagónicos de Roma, y probablemente los que preceden a Roma, que existirán antes de que su propio pecado extremo provoque la destrucción culminante de todos los reinos malvados al final de los tiempos.

---

[6] Richard Bauckham (*El clímax de la profecía: Estudios sobre el Apocalipsis* (The Climax of Prophecy: Studies in the Book of Revelation) [Edimburgo: Clark, 1993], 405).

12 Una vez interpretadas las cabezas de la bestia, el ángel pasa a interpretar los cuernos: **Los diez cuernos que viste son diez reyes que todavía no han recibido reino**. Como Dn. 7:4–7, se interpretan las siete cabezas, Dn. 7:7–8, 20, 24 es la fuente de los **diez cuernos**. Tanto Daniel como este versículo identifican los cuernos como reyes. Que la profecía aún no se ha cumplido queda claro por la frase **que todavía no han recibido reino**. El número diez no se refiere probablemente a diez reyes literales, sino que es figurativo para el gran poder de estos reyes que se levantarán en el futuro (para el sentido figurativo de los **diez cuernos** véase 12:3; 13:1). El hecho de que los siete cuernos del Cordero sean claramente figurativos de la plenitud de poder y sean también una alusión parcial a Dn. 7:7–8, 20 confirma aún más la interpretación figurativa (véase 5:6). Al igual que la bestia es una fuerza trans-temporal que se opone al Cordero eterno, los diez reyes abarcan todas las épocas, ya que son el opuesto directo de los "llamados, escogidos y fieles" (v. 14).

Esta idea figurativa de plenitud universal de poder sugiere que los **diez cuernos** son idénticos a "los reyes de la tierra" en 17:18 (y en 16:14, 16; 17:2; 18:3, 9; 19:19). Esta equivalencia queda demostrada por el uso paralelo de "reyes de todo el mundo" en 16:14 (cf. 16:16) y 19:19 y los "diez cuernos… diez reyes" en 17:12–14, todos los cuales se refieren a aliados de la bestia en la lucha contra el Cordero y Dios en la batalla final de la historia. Además, el trasfondo del AT de la imagen de los reyes de la tierra cometiendo actos de inmoralidad con la ramera (cf. 17:2; 18:3, 9) también hace que se vuelvan contra ella y la destruyan (cf. Ez. 16 y 23, donde Jerusalén representa a la ramera; véase más adelante el v. 16).

Los cuernos son agentes terrenales a través de los cuales actúan las fuerzas espirituales del mal, lo que se confirma en 12:3, que presenta al dragón con los diez cuernos (que significan el poder universal) a lo largo de los siglos de su existencia. Sin embargo, en el cap. 17, los diez cuernos parecen estar situados en la séptima cabeza, ya que ambos están por venir. Dn. 7:7–8, 19–20, 23–24 podría confirmar esto, ya que los diez cuernos allí están localizados sólo en la cabeza de la bestia que iba a venir al final de la historia. Tal vez esto signifique una concentración de poder universal en los últimos días, cuando la bestia y sus agentes aparezcan temporalmente para conquistar la iglesia. Así, a la luz de lo discutido hasta ahora sobre el v. 12, los "diez cuernos" y los "diez reyes" representan la fase final de la plenitud universal del poder real impío que ha abarcado toda la era inter-adventual.

El cumplimiento de la profecía estará marcado por el hecho de que **por una hora reciben autoridad como reyes con la bestia**. Es probable que la autoridad sea otorgada por Dios, a la luz del v. 17, y del hecho de que Dios es el sujeto de tantas cláusulas de autorización en otras partes del libro (p. ej., 6:2, 4, 8; 7:2; 9:1, 3, 5; 13:5, 7; 16:8). La duración de este reinado será de **una hora**. La referencia temporal está tomada de Dn. 4:17a en el Antiguo Testamento griego (Griego antiguo, aunque no en el texto hebreo), donde se refiere al comienzo del período durante el cual Dios hizo que el rey Nabucodonosor, el rey de Babilonia, se volviera como una bestia. Aquí también Dios es soberano, incluso sobre la autoridad de los reyes impíos que se alían con la bestia para derrotar a la Babilonia del fin de los tiempos y prepararse para oponerse al Mesías (vv. 13–14).

La frase **una hora** se repite en 18:10, 17, 19 con referencia al momento en que Babilonia es juzgada por Dios. Su "hora" de reinado probablemente se centra en la "hora" final de la destrucción de Babilonia en los versículos anteriores del cap. 18, ya que la destrucción de Babilonia en el v. 16 es la expresión culminante de su tiempo de gobierno. "Hora" (griego *hōra*) también se utiliza en Daniel 8–12, de forma única en todo el Antiguo Testamento para referirse a la hora escatológica final de la historia cuando los santos son perseguidos, las fuerzas del mal son destruidas y los santos son recompensados (véase la OG de Dn. 8:17, 19; 11:35, 40, 45; 12:1; el hebreo generalmente se refiere al "tiempo final" o "tiempo del fin", en lugar de "hora", aunque el significado es el mismo). Aquí no sólo Dn. 4:17 (véase atrás), sino también los usos posteriores de "hora", especialmente el que se centra en las actividades finales del adversario del fin de los tiempos y su derrota (Dn. 11:40–45; una "hora" era aparentemente el período de tiempo más corto que podía nombrarse).

13 Los diez reyes están unidos en un objetivo: **Estos tienen un mismo propósito, y entregarán su poder y autoridad a la bestia**. El hecho de que **entregarán su poder** muestra que no se limitan a reinar junto a la bestia, sino que se someten a su autoridad. ¿Pero por qué forman una alianza para ser dirigidos por la bestia?

14 Su propósito se revela ahora: **Ellos pelearán contra el Cordero** (aunque veremos en el v. 16 que parte de su propósito es destruir Babilonia antes de montar

---

OG Traducción griega antigua de las Escrituras hebreas

un ataque contra el Cordero). Sin embargo, no triunfarán, porque **el Cordero los vencerá**. El lenguaje de la primera cláusula proviene de Dn. 7:21: "este cuerno hacía guerra contra los santos y prevalecía sobre ellos". Allí, como en Ap. 17:12, los reyes son representados como cuernos. Pero hay un cambio en que la última parte de la redacción de Daniel se invierte: ahora es el Cordero quien vence a los agentes del enemigo. La predicción de la victoria de la bestia sobre los santos en Dn. 7:21 y su cumplimiento en el Apocalipsis (p. ej., 11:7) se convierten en un tipo irónico o analogía de su propia derrota final. El lenguaje con el que se describe a la bestia en Dn. 7:21 y Ap. 11:7; 13:7a como derrotando a los santos, se aplica ahora a la representación del Cordero venciendo las fuerzas de la bestia y sus aliados. Su derrota debe ocurrir apropiadamente de acuerdo con el mismo método bélico con el que intentó oprimir. La representación invertida muestra que debe ser castigado por medio de su propio pecado, indicando de nuevo la aplicación del principio del Antiguo Testamento de "ojo por ojo". Este versículo es la verdadera respuesta al grito de los seguidores de la bestia, "¿quién puede luchar contra ella [la bestia]?" (13:4).

La base de la victoria del Cordero radica en el hecho de que **Él es Señor de señores y Rey de reyes**. El título está tomado de la OG de Dn. 4:37. Así como el rey de Babilonia se dirigía prácticamente con el mismo título, el rey de la Babilonia de los últimos días (Roma) en los días de Juan se dirigía de manera similar. El título en Daniel 4 se refiere a Dios como Aquel que demostró Su verdadera y divina soberanía y reveló que las pretensiones de Nabucodonosor al título eran vacías al juzgar al (literalmente) bestial rey de "la gran Babilonia". Ahora el título se aplica tipológicamente al Cordero. El Cordero demuestra Su deidad en el Último Día juzgando a la bestia que lleva "la gran Babilonia". Y expone como falsas las pretensiones divinas del emperador y de todos los demás como él.

Los santos luchan y vencen junto al Cordero: **Y los que están con Él son llamados, escogidos y fieles**. Representan la reivindicación de los santos perseguidos de Dn. 7:21 y Ap. 6:9–11; 12:11; y 13:10, 15–17. Sorprendentemente, Dn. 7:22 promete que después de que la bestia con cuernos intente conquistar a los santos, Dios dará el juicio a "los santos del Altísimo". Esto se convirtió en la base de la expectativa de que los santos juzgarán a los impíos en el tiempo final (así también 1 Co. 6:2).

OG Traducción griega antigua de las Escrituras hebreas

Sugerencias para Reflexionar sobre 17:8–14

- ***Sobre la búsqueda de la sabiduría en la Palabra.*** "Aquí está la mente que tiene sabiduría" (v. 9) es una frase crítica en el corazón de esta sección. Dios ha provisto de sabiduría a aquellos que estudian y prestan atención a Su Palabra. La frase nos remite a Dn. 11:33 y 12:10, que afirman claramente que sólo los que tienen sabiduría y perspicacia tendrán una verdadera comprensión de las acciones de Dios en la historia, especialmente en los últimos días (que han sido inaugurados en la primera venida de Cristo). El comentario expone la propuesta de que un examen cuidadoso de las Escrituras permite una interpretación precisa de la carrera de la bestia y de los diversos reyes y reinos a los que se refieren estos versículos, algunos de los cuales existen durante la era de la iglesia. Aquí, como a menudo en otras partes de Apocalipsis, se demuestra particularmente la verdad de que el significado de las diversas visiones debe buscarse primero y principalmente en las Escrituras, y no sólo en los acontecimientos actuales. ¿Cómo debería alertarnos esto sobre la importancia primordial de encontrar la sabiduría primero en la Palabra de Dios y no en el mundo que nos rodea? Muchos, incluso creyentes sinceros, han malinterpretado gravemente pasajes como éste porque se han desviado de este importante principio.

4. La interpretación de la mujer en relación con las aguas y con la bestia: al final de la historia Dios inspirará al estado y a sus aliados para que se vuelvan contra el sistema económico-religioso con el fin de eliminar su seguridad y destruirlo (17:15–18)

[15] También el ángel me dijo: "Las aguas que viste donde se sienta la ramera, son pueblos, multitudes, naciones y lenguas. [16] Y los diez cuernos que viste y la bestia odiarán a la ramera y la dejarán desolada y desnuda, y comerán sus carnes y la quemarán con fuego. [17] Porque Dios ha puesto en sus corazones el ejecutar Su propósito: que tengan ellos un propósito unánime, y den su reino a la bestia hasta que

las palabras de Dios se cumplan. [18] La mujer que viste es la gran ciudad, que reina sobre los reyes de la tierra".

15 El ángel interpreta ahora **las aguas que viste donde se sienta la ramera** (véase 17:1) como **pueblos, multitudes, naciones y lenguas**. La misma fórmula de universalidad acuñada por Daniel (Dn. 3:4, 7; 4:1; 5:19; 6:25; 7:14) aparece a lo largo de Apocalipsis (véase también 7:9; 10:11; 11:9; 13:7; 14:6). En ambos libros, la fórmula se refiere a los súbditos bajo la dominación de Babilonia. Is. 17:13 también utiliza la metáfora de "muchas aguas" para "muchas naciones" (para las "aguas" vinculadas a las naciones o que las representan, véase también Is. 8:7; 23:10; Jer. 46:7–8; 47:2). Ya se ha visto que las "muchas aguas" son una alusión a Jer. 51:13, donde se refieren a las aguas del Éufrates y a los canales y acequias que rodeaban Babilonia (véase el v. 1). Estas aguas ayudaban a la ciudad a prosperar económicamente y proporcionaban seguridad contra los ataques exteriores. Las multitudes de la humanidad caída que las aguas representan ahora son la base del comercio y la seguridad económica de Babilonia.

16 La coalición de los diez **cuernos... y la bestia** se forma primero para destruir a la ramera, antes de intentar hacer lo mismo con el Cordero: **Y los diez cuernos que viste y la bestia odiarán a la ramera y la dejarán desolada y desnuda, y comerán sus carnes y la quemarán con fuego**. Las imágenes de la destrucción de la ramera están tomadas de las imágenes del juicio de Dios contra otra ramera: el Israel infiel. La representación de la desolación de la ramera se esboza según los contornos del juicio profetizado por Dios contra la Jerusalén apóstata en Ez. 23:25–29, 47: "los que queden serán *consumidos por el fuego*" (v. 25); "también *te despojarán de tus vestidos*" (v. 26); "y te tratarán con *odio*... y te dejarán *desnuda y descubierta*. Y será descubierta la vergüenza de tus prostituciones" (v. 29); "[ellos]... *prenderán fuego* a sus casas" (v. 47). Asimismo, Ez. 16:37–41 profetiza contra el Israel infiel: "Reuniré a todos tus amantes con quienes te gozaste... *derribarán* tus santuarios... y te dejarán *desnuda y descubierta... prenderán fuego* a tus casas". Ezequiel incluso vio a la ramera Israel bebiendo de una copa (23:31–34), al igual que la ramera Babilonia en el v. 4 anterior. Esta profecía se cumplió históricamente cuando Babilonia conquistó Jerusalén (para otras referencias del AT a Israel como ramera, véanse 2 Cr. 21:11; Ez. 16:15, 17, 28, 35, 41; 23:1–21, 44; Is. 1:21; 57:3; Jer. 2:20; 3:1; 13:27; Os. 2:2–5; 4:12, 15, 18; 5:4; 9:1; Miq. 1:7).

La misma imagen se aplica ahora a la desolación de la ramera babilónica. Lo que Babilonia hizo a Israel en la época del Antiguo Testamento se invierte ahora y se aplica al sistema mundial babilónico en la era del nuevo pacto. Los reyes de la tierra (cf. v. 2, o "reyes del oriente", 16:12) se reúnen para la guerra y se vuelven contra Babilonia. Sus aguas se secan (16:12) y es destruida. Estos reyes representan el brazo político del sistema mundial, que se vuelve contra el brazo económico-religioso en una especie de guerra civil mundial. El secado del Éufrates en 16:12 es una imagen de cómo las multitudes de adherentes religiosos y económicos de Babilonia en todo el mundo (también representados como "aguas" en el v. 15) se vuelven desleales a ella (véase en 16:12). Más adelante (18:9–11), parece que estos reyes, junto con los mercaderes (que representan el componente económico de Babilonia), tienen ocasión de llorar por su destrucción, sugiriendo quizás que los reyes fueron engañados por la bestia para hacer su voluntad y luego lamentaron la pérdida de su propia seguridad, ilustrando así el hecho de que Satanás hace que la gente destruya incluso lo que le es precioso.

La ramera babilónica también tiene como modelo a Jezabel, que representa el espíritu de la idolatría, un espíritu todavía activo en las iglesias (2:20–24). El objeto de esta destrucción incluye a la iglesia apóstata, que ha "cometido actos inmorales" al cooperar con el sistema económico idólatra (véase en 2:14, 20–22). Su líder ha sido incluso referido bajo la imagen de una ramera (2:20–22). A sus seguidores se les revelará la vergüenza de su desnudez (16:15; la referencia a "la vergüenza de vuestra desnudez" en 3:17–18 puede indicar la presencia de actividad jezabélica en Laodicea). Llamativamente, la frase (ellos) comerán **sus carnes** es una reminiscencia del destino de Jezabel: "los perros comerán la carne de Jezabel" (2 R. 9:36). La destrucción de Jezabel, según el mismo versículo, también ocurrió según la palabra del Señor, al igual que en este caso.

Nótese los muchos otros paralelos entre la Jezabel del Antiguo Testamento y la ramera de Babilonia, que vinculan aún más a esta última con la falsa profetisa Jezabel activa en al menos una de las siete iglesias:

Ambas estaban muy adornadas o maquilladas (2 R. 9:30; Ap. 17:4).
Ambas eran reinas (1 R. 16:31; Ap. 17:18; 18:7).
Ambas controlaban de forma seductora (1 R. 21:25; Ap. 17:2).
Ambas eran culpables de fornicación o inmoralidad espiritual (2 R. 9:22; Ap. 17:1–2).

Ambas se dedicaban a la brujería (2 R. 9:22; Ap. 18:23).
Ambas estaban ávidas de riquezas (1 R. 21:7; Ap. 18:11–19).
Ambas persiguieron a los santos (1 R. 18:4; Ap. 17:6).
En ambos casos, un remanente justo se opuso a sus caminos pecaminosos (1 R. 19:18; Ap. 17:14).
Dios vengó en ambas la sangre de sus siervos (2 R. 9:7; Ap. 19:2).
La destrucción de ambas ocurre rápidamente (2 R. 9:33–37; Ap. 18:10, 17, 19).
Dios juzga a los seguidores de ambas (1 R. 18:40; 2 R. 10:19; Ap. 2:23; 18:9–10; 20:15).

Así, la falsa maestra Jezabel de Ap. 2:20–22 es, de hecho, parte de "la gran Babilonia", que está levantando su cabeza dentro de la propia iglesia a través de la figura de una supuesta maestra cristiana, que en realidad es una falsa maestra. El contenido de sus falsas enseñanzas dentro de la iglesia de Tiatira era probablemente una expresión de las ideas mundanas del sistema babilónico comunicadas con un barniz de lenguaje que parecía cristiano. La coincidencia entre el segmento apóstata de la iglesia y el sistema pagano más amplio y antagónico se presupone en 18:4ss, donde se exhorta a los que están al borde de transigir a que "salgan de ella". Esto es una alusión a Is. 48:20; 52:11; Jer. 50:8; 51:6, donde se exhorta a Israel a salir de la impura Babilonia cuando llegue el momento de la restauración de Jerusalén.

Algunos comentaristas han limitado la referencia de la ramera sólo a la iglesia apóstata, especialmente porque Ezequiel 23 y las otras referencias del Antiguo Testamento mencionadas anteriormente pertenecen sólo al juicio del Israel apóstata. Además, el Israel apóstata se refiere a menudo como una ramera en el Antiguo Testamento (p. ej., 2 Cr. 21:11; Ez. 16:15, 17, 28, 35, 41; 23:1–21, 44; Is. 1:21; 57:3; Jer. 2:20; 3:1; 13:27; Os. 2:2–5; 4:11–12, 15, 18; 5:4; 9:1; Miq. 1:7). De hecho, el retrato de la ramera a lo largo de Apocalipsis 17 se inspira también en la representación similar de Jer. 2:20–4:31: allí Judá es una ramera (2:20) que "tenía frente de ramera" (3:3), que causa el pecado en otros (2:33), en cuyas "faldas se halla sangre de la vida de pobres inocentes" (2:34), cuyo vestido (es) "de escarlata", que se arregla "con adornos de oro" (4:30), y cuyos amantes la despreciarán e intentarán matarla (4:30). Israel es llamada ramera porque, aunque está casada por la fe con Yahvé, tiene relaciones espirituales con los ídolos.

Sin embargo, en los profetas "ramera" también puede referirse a otras naciones impías: en Nah. 3:4–5 y especialmente en Is. 23:15–18, Nínive y Tiro son llamadas rameras porque causan ruina e impureza entre las naciones al dominarlas económicamente e influir en ellas con su idolatría. Además, la ramera de Apocalipsis 17 se llama "la gran Babilonia", que es una alusión a la orgullosa y pagana ciudad babilónica de Dn. 4:30.

El Israel nacional apóstata de los siglos primero y siguientes también compone Babilonia, pero no la agota por sí misma (en contra de algunos escritores, que sólo ven aquí al Israel apóstata). Sin embargo, la inclusión parcial del Israel incrédulo en Babilonia también explica algunas de las alusiones del Antiguo Testamento sobre Israel como ramera y su inminente juicio. Además, el Israel apóstata realizó su parte de persecución junto con los opresores paganos pasados y presentes del remanente fiel (Mt. 21:33–42; 23:29–35; Hch. 7:51–52; 13:45; 14:2; 1 Ts. 2:14–16; véase más en 2:9–10; 3:9).

Por lo tanto, aunque la mayoría de los comentaristas del pasado han tendido a identificar a Babilonia sólo con la cultura romana impía, sólo con la iglesia apóstata, o sólo con el Israel apóstata, es mejor ver estas identificaciones como no mutuamente excluyentes. La malvada cultura religiosa-económica del malvado sistema mundial romano (que es trans-temporal) es el foco, y la iglesia apóstata y el Israel incrédulo están incluidos con ella en la medida en que se han convertido en parte del sistema mundial pecaminoso.

Por consiguiente, Babilonia se refiere al Israel nacional apóstata, al sistema mundial pagano y a la iglesia apóstata que coopera con él.

Que "la gran Babilonia" es todo el sistema económico-religioso corrupto y no sólo la iglesia apóstata se desprende de las referencias a Babilonia en los caps. 14, 16 y 18 (véase 14:8; 16:18–21; 17:4–6, 18; cap. 18). Sin embargo, la preocupación primordial de Juan es *advertir a las iglesias sobre transigir con este sistema* para que no sean juzgadas con él. Juan quiere advertirles que la falsa enseñanza de Jezabel no es otra que la ideología del mundo.

17 La bestia y sus aliados derrocarán a Babilonia, **porque Dios ha puesto en sus corazones el ejecutar Su propósito: que tengan ellos un propósito**

unánime, y den su reino a la bestia hasta que las palabras de Dios se cumplan. Aunque la bestia y los reyes se unen en una causa común, Dios mismo es el autor último de los acontecimientos. Él provocó la alianza diabólica, sin que los reyes ni la bestia lo supieran, para cumplir (**hasta que las palabras de Dios se cumplan**) sus propósitos más profundos, los propósitos profetizados en relación con la cuarta bestia y los diez cuernos en Dn. 7:19–28, que se desarrollan con mayor y más claro detalle en Apocalipsis 17. Del mismo modo, la declaración de 10:7 (sobre la cual véase) de que "el misterio de Dios será consumado" se refiere a una forma inesperada de cumplimiento profético del AT, especialmente de Daniel (véase también 17:5, 7 para el uso de "misterio" en relación con el cumplimiento inesperado). En este caso, el cumplimiento inesperado es el reino del mal, aparentemente victorioso, que empieza a autodestruirse sin saberlo, luchando contra sí mismo y destruyendo su propia infraestructura económico-religiosa (véase también el v. 16). Sólo una iniciativa de Dios podría hacerles cometer un acto tan miope y necio. Al final de la historia, Dios hará que Satanás se divida y luche contra sí mismo, de modo que será llevado a su derrota final (cf. Mr. 3:26).

La guerra civil se produce a lo largo de todas las épocas y es una anticipación de la guerra civil final. El Antiguo Testamento también predice que ocurrirá entre las fuerzas del mal al final de la era (Ez. 38:21; Hag. 2:22; Zac. 14:13). En los vv. 16–17 se considera que la guerra civil final se producirá en una escala mayor, ya que Babilonia representa el sistema económico-religioso universal en toda la tierra. Las profecías de Ez. 16:37–41 y 23:22–29, 47 de que los amantes ilícitos de la ramera Israel (las naciones idólatras) se volverán contra ella y la destruirán, contribuyen a la imagen de guerra entre antiguos aliados. Según el patrón de los vv. 14–16, la obra judía *4 Esdras* 13:30–38 predice que habrá una guerra civil entre las naciones malvadas, y luego se unirán para "luchar contra" el Hijo de Dios cuando venga.

Se podría argumentar sobre la base de Ez. 38:21; Hag. 2:22; y Zac. 14:13 que la guerra civil escatológica fue claramente revelada en el Antiguo Testamento como parte de la desaparición del mal y, por lo tanto, no debería considerarse un desarrollo inesperado en Apocalipsis 17. Sin embargo, estas profecías se refieren simplemente a los enemigos de Dios levantando la espada (o la mano) unos contra otros. Los detalles de la guerra civil son vagos, y esto es lo que el cap. 17 elabora con más claridad. De hecho, la destrucción del reino del mal de su propio bloque de poder económico-religioso es irónica e imprevista en el Antiguo Testamento. Este cumplimiento inesperado de la guerra civil ya se veía vagamente en el propio Antiguo Testamento, pero ahora se aclara más.

18 La **mujer** se interpreta como la **gran ciudad, que reina sobre los reyes de la tierra**. Ella incluye todo el sistema económico-religioso malvado del mundo a lo largo de la historia. El hecho de que tenga soberanía sobre el mundo demuestra que debe identificarse de forma más amplia que simplemente con el Israel incrédulo o la iglesia apóstata. Asimismo, 18:23 revela su naturaleza universal al describirla como una que ha engañado a todas las naciones. Obsérvese el paralelismo entre las dos mujeres de Apocalipsis, la novia de Cristo y la ramera de Babilonia, que representan realidades trans-temporales contrastantes existentes durante el periodo entre la primera y la segunda venida de Cristo:

- Una es una novia pura (21:9) y la otra una ramera impura (17:1).
- El lenguaje que introduce cada uno es casi idéntico (17:1 y 21:9–10).
- Ambas se adornan con joyas y lienzos costosos; el atuendo exterior de la ramera oculta su corrupción interior (17:4; 18:16), pero el de la novia revela la gloria de Dios (21:2, 9–23).
- Una mujer se refugia en el cielo (12:1), la otra en los reyes de la tierra (17:15).
- Cada uno de ellos se ve en un desierto y se refiere a una ciudad (12:14 y 21:2; 17:3 y 17:18).

Sugerencias para Reflexionar sobre 17:15–18

- ***Sobre la presencia de la ramera en la iglesia.*** El comentario presenta una serie de paralelos detallados entre la Jezabel del Antiguo Testamento y la ramera de Babilonia. Ap. 2:20–24 sugiere que un espíritu de Jezabel está activo en al menos una de las siete iglesias. La figura de la ramera aquí también se inspira en otros pasajes del Antiguo Testamento que aluden al Israel infiel o a las naciones paganas. Esperamos encontrar falsa ideología en el mundo (= las naciones paganas), o incluso en sistemas religiosos muertos o impíos (= el Israel infiel), pero es difícil contemplar tal falsa enseñanza operando dentro de lo que profesa ser el cuerpo de Cristo. ¿Cómo podemos identificar tal actividad idolátrica, jezabélica y falsa enseñanza en la iglesia de hoy? ¿Cuán importante es darse cuenta de que incluso en la iglesia podemos estar confrontando dinámicas espirituales sobrenaturales de naturaleza maligna? Recuerde que la enseñanza de Jezabel en Apocalipsis 2 se llama “las cosas profundas de Satanás” (2:24). Satanás todavía se disfraza de ángel de luz. ¿Qué estrategias podemos emplear para discernir la falsa enseñanza y derrotar los ataques del enemigo en forma de falsa enseñanza en la iglesia? ¿Cómo podemos discernir cuando el mundo (es decir, el sistema mundial babilónico) ejerce su influencia dentro de nuestras propias iglesias?

Los santos que no se comprometen con el mundo idólatra deben alegrarse por el juicio de Dios sobre él, porque esto demuestra la integridad de su fe y de la justicia y la gloria de Dios, y conduce al reino consumado de Dios y a la unión con su pueblo (18:1–19:10)

La promesa del ángel en 17:1 de que mostraría a Juan el juicio de la ramera se cumple en detalle a lo largo del cap. 18. El cap. 17 se centra en la bestia y sus aliados (y, por tanto, en lo que precipita la caída de la mujer en el cap. 18). En 18:1–19:6 (o 19:8) se describe la desaparición de Babilonia como una continuación de la visión iniciada en 17:3 (que a su vez se basa en 16:14–21). Nótese la repetición verbal de 17:2 en 18:3. Tanto el cap. 17 como el cap. 18 son desarrollos del anuncio inicial de la caída de Babilonia en 14:8. Los sucesos descritos en el cap. 18 no se exponen en una pura secuencia cronológica, sino que están dispuestos de esta manera:

1. Se predice la caída de Babilonia (vv. 1–3).
2. Se exhorta al pueblo de Dios a separarse de Babilonia *antes* de su juicio, para no sufrir con ella (vv. 4–8).
3. Los que cooperen con Babilonia se lamentarán *después* de su juicio (vv. 9–19).
4. Los fieles se alegrarán de su juicio una vez que se haya cumplido (vv. 20–24).
5. Conclusión de la caída de Babilonia (19:1–6, quizás incluyendo los vv. 7–8).

La lógica avanza progresivamente. La declaración del castigo venidero de Babilonia es la base de las cuatro cosas siguientes:

- Exhortación a los santos para que huyan de Babilonia, para que no sean juzgados con ella (vv. 1–8),
- Los aliados de Babilonia se lamentan porque perciben su propia desaparición (vv. 9–19),
- Los santos se regocijan (vv. 20–24), y
- El propósito culminante de glorificar a Dios como justo (19:1–6 [o –8]).

5. Un ángel anuncia el juicio de Babilonia y sus graves efectos, que llegarán a causa de su seducción idolátrica de la gente (18:1–3).

[1] Después de esto vi a otro ángel descender del cielo, que tenía gran poder, y la tierra fue iluminada con su gloria. [2] Y gritó con potente voz: "¡Cayó, cayó la gran Babilonia! Se ha convertido en habitación de demonios, en guarida de todo espíritu inmundo y en guarida de toda ave inmunda y aborrecible. [3] Porque todas las naciones han bebido del vino de la pasión de su inmoralidad, y los reyes de la tierra han cometido actos inmorales con ella, y los mercaderes de la tierra se han enriquecido con la riqueza de su sensualidad.

1 Como en todo el libro (4:1; 7:1, 9; 15:5; 19:1), la frase **después de esto** se refiere al orden de las visiones, no al orden de los acontecimientos retratados en las visiones (véase 4:1). El **gran poder** del ángel y el hecho de que **la tierra fue iluminada con su gloria** confirman la validez de su mensaje de juicio. La visión de Ezequiel sobre la restauración de Israel (Ez. 43:2) va acompañada de una "voz… como el sonido de muchas aguas" (cf. Ap. 18:2) y la observación de que "la tierra resplandecía de Su gloria". Se trata de un texto de fondo apropiado, ya que uno de los temas principales de este capítulo es una exhortación al verdadero pueblo de Dios para que se separe del mundo y se restaure al Señor (véase el v. 4).

La representación es similar a la de la aparición angelical luminosa de 10:1, que probablemente sea una cristofanía (una aparición de Cristo). Que el ángel es Cristo se confirma por el hecho de que cada atribución de "gloria" a una figura celestial en el libro se refiere a Dios o a Cristo (a Dios: 4:9, 11; 5:13; 7:12; 11:13; 14:7; 15:8; 16:9; 19:1; 21:11, 23; a Cristo: 1:6; 5:12–13). La alusión a Ezequiel anticipa la visión de 21:10ss, que se basa en Ezequiel 40–48. Es decir, la desolación de Babilonia prepara el camino para la morada de Dios en la nueva creación. La alusión a la gloria divina profetizada en el nuevo templo de Ezequiel anticipa la plena revelación del templo eterno en Apocalipsis 21.

2 El hecho de que el ángel gritara con **potente voz** resalta aún más la autoridad de este pronunciamiento (para pronunciamientos angelicales similares, véase 7:2, 10; 10:3; 14:7, 9, 15; 19:17). El ángel es más glorioso que Babilonia (v. 1) y tiene una autoridad más convincente que la de Babilonia. Por lo tanto, junto con la gloriosa apariencia del ángel, la fuerte voz está destinada a llamar la atención de cualquiera que esté en peligro de caer bajo el hechizo de Babilonia. La certeza del juicio se subraya aún más al narrar las consecuencias de la destrucción en tiempo pasado, como si ya hubiera ocurrido. La profecía y el cumplimiento de la caída de la Babilonia histórica en el pasado se ven como un patrón histórico que apunta a la caída de una Babilonia mucho más grande.

Este versículo explica la condición de desolación de Babilonia como resultado de su juicio: **¡Cayó, cayó la gran Babilonia! Se ha convertido en habitación de demonios, en guarida de todo espíritu inmundo y en guarida de toda ave inmunda y aborrecible**. Esta descripción de la desolación se aproxima más a la descripción similar del juicio de Babilonia y Edom en Is. 13:21 y 34:11, 14. Estos juicios se consideran anticipaciones tipológicas del juicio universal de Babilonia al final de la historia. La naturaleza demoníaca de Babilonia se revela cuando, en contra de la apariencia externa de belleza y gloria que proyecta (17:4; 18:16), se dice que se ha convertido en una habitación de demonios y espíritus inmundos. Al ser despojada de su gloria exterior, todo lo que queda son los restos esqueléticos, rodeados de espíritus inmundos. Isaías profetizó que, tras la destrucción de la Babilonia terrenal, ésta quedaría como morada de diversos animales inmundos y extraños, entre ellos hienas aullantes, chacales y cabras peludas (literalmente "demonios de las cabras"; véanse Is. 13:20–22; 34:11). Esta revelación muestra que el reino demoníaco ha sido la fuerza que guía a Babilonia.

3 La causa del juicio de Babilonia radica en su seducción idólatra de naciones y gobernantes: **Porque todas las naciones han bebido del vino de la pasión de su inmoralidad, y los reyes de la tierra han cometido actos inmorales con ella, y los mercaderes de la tierra se han enriquecido con la riqueza de su**

sensualidad. La referencia no es a la inmoralidad literal (griego *porneia;* véase 2:14, 20; 14:8; 17:2; 18:9), sino a la aceptación de las exigencias religiosas e idolátricas de Babilonia a cambio de seguridad económica (véase 2:9; 13:16–17). La alusión del Antiguo Testamento es a Is. 23:17, donde se dice que Tiro "se prostituirá con todos los reinos sobre la superficie de la tierra". Que Tiro está en mente está claro por la repetida referencia al pronunciamiento de Ezequiel 26–28 sobre el juicio de Tiro en los vv. 9–22 y la alusión específica a Is. 23:8 en el v. 23.

Los mercaderes que cooperaban con Babilonia se enriquecían, pero la seguridad económica les sería quitada a los fieles que vivían en Babilonia pero no eran "de Babilonia", los que se negaban a cooperar con su idolatría. **Beber** aquí se refiere a la disposición de uno a comprometerse con la idolatría para mantener la seguridad económica. Una vez que uno bebe, la influencia embriagadora elimina todo deseo de resistirse a la influencia destructiva de Babilonia, ciega a uno a la propia inseguridad final de Babilonia y a Dios como la fuente de seguridad real, y adormece a uno contra cualquier temor de un juicio venidero (para estos significados metafóricos de "bebida", véase arriba en 14:8).

Babilonia será juzgada por esta actividad seductora. Como revelará el capítulo, coaccionar a las naciones para que confíen en sus supuestos recursos económicos, como hace ella misma, es una expresión de orgullo y una forma de idolatría por la que también se condena (véase en los vv. 7, 23).

Sugerencias para Reflexionar sobre 18:1–3

- ***Sobre los peligros de caer bajo el hechizo de Babilonia.*** La potente voz del ángel pretende llamar la atención de aquellos que podrían estar en peligro de caer bajo el hechizo de Babilonia. ¿En qué medida corremos nosotros un peligro similar hoy en día? El poder de la seducción de Babilonia es seguramente tan poderoso como en la época de Juan. ¿Entendemos realmente que tras la fachada de increíble riqueza y lujo se esconde la inseguridad y, en última instancia, la morada de los demonios?

6. Un ángel exhorta al pueblo de Dios a no cooperar con el sistema babilónico para no sufrir también su justo castigo (18:4–8)

[4] Y oí otra voz del cielo que decía: "Salgan de ella, pueblo mío, para que no participen de sus pecados y para que no reciban de sus plagas. [5] Porque sus pecados se han amontonado hasta el cielo, y Dios se ha acordado de sus iniquidades. [6] Páguenle tal como ella ha pagado, y devuélvanle doble según sus obras. En la copa que ella ha preparado, preparen el doble para ella. [7] Cuanto ella se glorificó a sí misma y vivió sensualmente, así denle tormento y duelo, porque dice en su corazón: 'Yo estoy sentada como reina, y no soy viuda y nunca veré duelo'. [8] Por eso, en un solo día, vendrán sus plagas: muerte, duelo, y hambre, y será quemada con fuego; porque el Señor Dios que la juzga es poderoso.

4 La voz no identificada del v. 4 puede ser la de Dios (nótese **pueblo mío**), la de Cristo (como continuación del v. 1) o la de un ángel que representa a Dios (como Jeremías era el portavoz divino que transmitía la exhortación a "salir"). El informe del juicio venidero de Babilonia en los versículos anteriores es la base para exhortar a los creyentes vacilantes a no participar en el sistema idolátrico transigente y animar a los que no transigen a seguir manteniendo su rumbo fiel: **Y oí otra voz del cielo que decía: "Salgan de ella, pueblo mío, para que no participen de sus pecados y para que no reciban de sus plagas"**.

La exhortación a separarse de los caminos de Babilonia a causa del juicio venidero de Dios sigue el modelo de las repetidas exhortaciones de Isaías y Jeremías, especialmente Jer. 51:45: "Salgan de en medio de ella, pueblo Mío," (véase también Is. 48:20; 52:11; Jer. 50:8; 51:6). Llamativamente, el juicio que provoca la exhortación en Jeremías 51 se describe con metáforas de desolación similares a las de Ap. 18:2, ya que en Jer. 51:37 se lee: "Babilonia se convertirá... en guarida de chacales, en objeto de horror y de burla, sin habitantes". El hecho de que la exhortación de Ap. 18:4 también se haga eco de la de Is. 52:11 ("Apártense, apártense, salgan de allí") es evidente por la cláusula inmediatamente siguiente del texto de Isaías ("nada *impuro* toquen"), que se refiere a los ídolos de Babilonia. El propósito de la separación es escapar del juicio venidero; cf. Jer. 51:45 ("Y salve cada uno su vida del ardor de la ira del SEÑOR"). También puede haber ecos de la exhortación de los ángeles a Lot y su familia para que salgan de la aparente seguridad de Sodoma a fin de no sufrir el juicio de esa ciudad (Gn. 19:12–22).

Los cristianos no están llamados a retirarse de la vida económica o del mundo en el que viven, pero pueden ser condenados al repudio por su negativa a transigir. Deben permanecer *en* el mundo para dar testimonio (11:3–7) y sufrir por su testimonio (6:9; 11:7–10; 12:11, 17; 16:6; 17:6; 18:24), pero no deben ser *del* mundo (14:12–13; 16:15). El v. 4 no es una exhortación a los incrédulos que siempre han estado fuera de la iglesia, sino que se dirige más bien a los que están dentro de la comunidad de fe confesante y a los que Dios ya se puede referir como "pueblo Mío". Es una exhortación para perseverar en la verdadera fe.

5 Babilonia será castigada con tales plagas porque **sus pecados se han amontonado hasta el cielo, y Dios se ha acordado de sus iniquidades**. La Babilonia espiritual es un reflejo de la antigua Babilonia terrenal, cuyo juicio "ha llegado al cielo… se ha elevado hasta las nubes" (Jer. 51:9). Los pecados que se han acumulado ante Dios le recuerdan que debe castigar a los pecadores. La imagen del pecado que se eleva hasta el cielo es una metáfora de la gran cantidad de pecados cometidos, que Dios reconoce. Babilonia ha multiplicado tanto su pecado que Dios debe multiplicar Sus juicios contra ella para mantener su justicia.

6 La naturaleza del juicio de Dios, mencionada implícitamente en el v. 5, queda ahora dilucidada. El castigo de Babilonia es proporcional a su crimen: **Páguenle tal como ella ha pagado, y devuélvanle doble según sus obras. En la copa que ella ha preparado, preparen el doble para ella**". El imperativo **páguenle** podría dirigirse a los agentes de retribución humanos (20:4) o angelicales (16:7 y ss.; 18:21) de Dios, o podría ser una súplica dirigida a Dios por la figura angélica que habla aquí. La redacción evoca el Salmo 137: "Oh, hija de Babilonia… bienaventurado el que te devuelva el pago con que nos pagaste" (Sal. 137:8; cf. también Jer. 50:29; 51:24). El castigo de la Babilonia histórica es tipológico del sistema babilónico del final de los tiempos. El principio del "castigo adecuado al crimen" parece contradecirse con las cláusulas finales del v. 6, que se refieren a castigar a Babilonia "doblemente" por su pecado. Pero el griego representa aquí una expresión hebrea que significa "devolver el equivalente" (cf. Is. 40:2; Jer. 16:18; Mt. 23:15; 1 Ti. 5:17). Esto resuelve la contradicción entre las declaraciones inmediatamente anteriores y siguientes sobre el castigo proporcional y también alivia la dificultad metafórica de poner el doble en la copa de Babilonia, que ya ha sido descrita como "llena" (17:4).

7 El principio se aclara de nuevo: **Cuanto ella se glorificó a sí misma y vivió sensualmente, así denle tormento y duelo**. Será castigada en la misma medida en que pecó al obtener gloria y lujo. La autoglorificación es pecaminosa, ya que la gloria sólo puede darse legítimamente a Dios (p. ej., 15:4; 19:1). El ángel del v. 1 refleja la verdadera gloria de Dios, en contraste con la falsa gloria de Babilonia. Su pecado es el orgullo y la autosuficiencia, que inevitablemente la llevarán a la caída (2 S. 22:28; Pro. 16:18). Isaías (47:7) dijo de la Babilonia terrenal: "Y dijiste: 'Seré soberana para siempre'", y la Babilonia espiritual dice aquí las mismas palabras: **porque dice en su corazón: "Yo estoy sentada como reina, y no soy viuda y nunca veré duelo"**. Así como la Babilonia terrenal se apoyó en sus muchas naciones súbditas para sostenerla, así también lo hace la Babilonia espiritual, pero esta última caerá como lo hizo la primera, cuando sus súbditos se vuelvan contra ella. Su orgullosa confianza se revelará como un engaño. La iglesia debe cuidarse de confiar en la seguridad económica, no sea que sea juzgada junto con el mundo (como con el juicio potencial de los laodicenses, que dijeron "Soy rico, me he enriquecido y de nada tengo necesidad", 3:17).

8 La arrogancia política y económica señalada en el v. 7b se enfatiza como la causa de su repentina destrucción: **Por eso, en un solo día, vendrán sus plagas: muerte, duelo, y hambre, y será quemada con fuego; porque el Señor Dios que la juzga es poderoso**. Así como el desastre vino sobre la Babilonia terrenal en un día (Is. 47:9), así como fue quemada por el fuego (Is. 47:14), así también será con la Babilonia espiritual. La cláusula **será quemada con fuego** es prácticamente idéntica a la de 17:16 y, por tanto, desarrolla la profecía sobre la bestia y sus aliados volviéndose contra el sistema económico-religioso y destruyéndolo. No sólo Dios pone en sus corazones la intención de aniquilar a Babilonia, sino que ellos son los propios agentes del **Señor Dios que la juzga**.

Sugerencias para Reflexionar sobre 18:4–8

- ***Sobre estar en el mundo pero no ser parte de él.*** El comentario sugiere que una de las lecciones de estos versículos es que los cristianos deben estar en el mundo, pero no ser parte de él. Ser "del" mundo significa que hemos comprometido nuestros valores para compartir la riqueza y las ventajas actuales del mundo, pero a costa de heredar también una parte de su juicio venidero. La mundanalidad, tanto fuera como dentro de nuestras iglesias, siempre está haciendo que las normas piadosas parezcan extrañas y que los valores pecaminosos parezcan normales, de modo que estamos tentados a adoptar lo que el mundo considera "normal". ¿Cómo evitamos en la práctica esa contaminación mientras mantenemos trabajos, compramos casas y autos, hacemos planes financieros prudentes para la jubilación, etc.? ¿Es el diezmo un buen punto de partida, ya que significa dar lo primero de todo lo que tenemos a Dios? Sin embargo, el resto de nuestras finanzas también debe administrarse según los caminos de Dios. ¿Existe este tipo de enseñanza y discipulado en nuestras iglesias locales? ¿Nos enfrentamos continuamente a los problemas de la mayordomía? Jesús habló mucho sobre el dinero, y con razón. ¿Examinamos lo que dijo y lo ponemos en práctica?

7. Los que cooperan con el sistema babilónico lamentarán su juicio porque significa su propia desaparición (18:9–19)

[9] "Y los reyes de la tierra que cometieron actos de inmoralidad y vivieron sensualmente con ella, llorarán y se lamentarán por ella cuando vean el humo de su incendio. [10] Y de pie, desde lejos por causa del temor de su tormento, dirán: '¡Ay, ay, la gran ciudad, Babilonia, la ciudad fuerte! Porque en una hora ha llegado tu juicio'. [11] Los mercaderes de la tierra lloran y se lamentan por ella, porque ya nadie compra sus mercaderías: [12] cargamentos de oro, plata, piedras preciosas, perlas, lino fino, púrpura, seda y escarlata; toda clase de maderas olorosas y todo objeto de marfil y todo objeto hecho de maderas preciosas, bronce, hierro, y mármol; [13] y canela, especias aromáticas, incienso, perfume, mirra, vino, aceite de oliva; y flor de harina, trigo, bestias, ovejas, caballos, carros, esclavos, y vidas humanas. [14] Y el fruto que tanto has anhelado se ha apartado de ti, y todas las cosas que eran lujosas y espléndidas se han alejado de ti, y nunca más las hallarán. [15] Los mercaderes de estas cosas que se enriquecieron a costa de ella, se pararán lejos a causa del temor de su tormento, llorando y lamentándose, [16] y diciendo: '¡Ay, ay, la gran ciudad, que estaba vestida de lino fino, púrpura y escarlata, y adornada de oro, piedras preciosas y perlas! [17] En una hora ha sido arrasada tanta riqueza'. Todos los capitanes, pasajeros, y marineros, y todos los que viven del mar, se pararon a lo lejos, [18] y al ver el humo de su incendio gritaban: '¿Qué ciudad es semejante a la gran ciudad?' [19] Y echaron polvo sobre sus

cabezas, y llorando y lamentándose, gritaban: '¡Ay, ay, la gran ciudad en la cual todos los que tenían naves en el mar se enriquecieron a costa de sus riquezas!, porque en una hora ha sido asolada'".

La primera y la última sección de los vv. 9–19 (vv. 9–11 y 15–19) enfatizan que el lamento de los que prosperan gracias a la cooperación con el sistema económico idólatra se produce porque ven en su caída su propia caída económica. La sección intermedia (vv. 12–14) amplía la causa de su lamento al destacar una muestra representativa de los aspectos de la prosperidad económica que se perderá. El punto principal de todo el segmento es la desesperación por la pérdida económica, que es una respuesta al juicio de Babilonia narrado en los vv. 1–8.

La desesperación funciona también implícitamente para predecir el juicio, lo que lleva al mandato a los santos de regocijarse en el v. 20, que inicia la siguiente sección. La predicción del juicio de Tiro en Ezequiel 26–28 constituye el modelo para la profecía de la parte del juicio de Babilonia registrada en los vv. 9–19, aunque el modelo se extiende hasta el v. 22. La pasada caída de Tiro y los que se lamentan por ella es un presagio profético de la caída del último gran sistema económico. *Temáticamente*, la sección también puede dividirse en el lamento de los reyes de la tierra (vv. 9–10), el lamento de los mercaderes de la tierra (vv. 11–17a) y el lamento de los marineros (vv. 17b–19). En Ez. 27:29–30, 35–36 los mismos tres grupos expresan su tristeza por la desaparición de Tiro.

9 La figura angelical que habló en los vv. 4–8 parece seguir hablando en los vv. 9–20. En respuesta a la desaparición de Babilonia, **los reyes de la tierra... llorarán y se lamentarán** por Babilonia y por **el humo de su incendio**, porque han perdido a su amante, con quien **cometieron actos de inmoralidad** (griego *porneia;* véase en 2:14, 20; 14:8; 17:2; 18:3). Esta implicación idolátrica les permitía vivir de forma **sensual** o lujosa, como en Ez. 27:33, donde Tiro "enriqueció a los reyes de la tierra". La estrecha relación entre la idolatría y la prosperidad económica era un hecho en Asia Menor, donde la lealtad tanto al César como a los dioses patronos de los gremios comerciales era esencial para que la gente mantuviera una buena posición en sus oficios (véase especialmente en 2:9–10, 12–21). Los líderes políticos locales y regionales tenían que apoyar este sistema para mantener su propia estabilidad política y beneficiarse económicamente de sus altos cargos.

El **humo** y el **incendio** ya han formado parte de la descripción del juicio final de los seguidores de la bestia que venden su alma al bienestar económico (cf.

14:9–11 con 13:15–17; nótese las alusiones a Gn. 19:24, 28 y al castigo de Sodoma aquí y en 14:10–11). Es posible que aún no perciban que su pérdida implica mucho más que la seguridad material. Los reyes a los que se hace referencia aquí parecen ser representativos de todos los gobernantes terrenales, mientras que los reyes de 17:16 que atacan a la ramera pueden ser un grupo más limitado.

10 La respuesta de los reyes a la destrucción de Babilonia continúa. Los reyes lloran y se lamentan, manteniéndose a distancia, **por causa del temor de su tormento**. La desaparición económica de Babilonia significa para ellos sufrimiento y pérdida. El hecho de que el enfoque sea económico se demuestra por el hecho de que la misma frase ("a causa del temor de su tormento") aparece en el v. 15, seguida de una expresión de alarma por el hecho de que un sistema económico tan grande pueda ser desmantelado tan rápidamente (v. 17, "en una hora ha sido arrasada tanta riqueza"; así también en el v. 19). Lo que dicen mientras se lamentan es **"¡Ay, ay, la gran ciudad, Babilonia, la ciudad fuerte! Porque en una hora ha llegado tu juicio".** Están asombrados no sólo por el juicio en sí, sino por su carácter repentino (**en una hora**). El **juicio** muestra que los reyes incrédulos perciben en la perdición de Babilonia la mano judicial de Dios. Esta podría ser una razón subyacente de su lamento, ya que pueden temer el mismo juicio por su complicidad en los crímenes de Babilonia. Llamarla **grande** y **fuerte** revela aún más la naturaleza idólatra de Babilonia, ya que estas son palabras aplicadas apropiadamente sólo a Dios, especialmente al describir Su juicio sobre Babilonia (18:8) y sus aliados (6:17; 16:14; 19:17).

La designación de **una hora** se refiere en 17:12 al breve tiempo en que los antiguos aliados de Babilonia se vuelven contra ella y la destruyen. Se enfatiza por su repetición en 18:17, 19. La referencia temporal se toma de Dn. 4:17a en la OG (pero no en el texto hebreo), donde se refiere al comienzo del período de castigo de Nabucodonosor por su negativa a reconocer la soberanía de Dios y su falta de misericordia con los pobres (Dn. 4:25–27, texto hebreo). Que la referencia temporal es de Daniel 4 se confirma por el hecho de que **la gran ciudad, Babilonia**, es una paráfrasis de "la gran Babilonia" de Ap. 14:8; 16:19; y 17:5, que aluden a Dn. 4:30. La referencia, al igual que en 17:12, es al tiempo en que el sistema mundano será juzgado por Dios, resultando en la eliminación de su prosperidad. Como en Dn. 4:25–27, el pecado es negarse a reconocer la soberanía

---

OG Traducción griega antigua de las Escrituras hebreas

de Dios y contribuir a la indigencia económica e incluso a la muerte de los santos fieles (17:6; 18:20, 24; 19:2; las referencias al martirio en todo el Apocalipsis abarcan en general todas las formas de sufrimiento hasta la muerte, inclusive: véase 2:10; 6:9; 7:14).

Los vv. 9–10 siguen el modelo de Ez. 26:16–18, donde, en respuesta a la caída de la próspera Tiro, los príncipes temen, tiemblan y se lamentan. Ez. 27:28–32, que habla del lamento de los mercaderes y marineros, es en parte formativo para los vv. 11–19, confirmando la fuerte influencia de Ezequiel aquí. El trasfondo de Ezequiel (véase especialmente 27:33–36) confirma la sugerencia de que el lamento de los reyes por la desolación de Babilonia se basa en el temor a su propia pérdida económica inminente. El contraste de los incrédulos que se lamentan por la caída de Babilonia (vv. 9–19) con los creyentes que se regocijan y alaban a Dios (18:20–19:6) por el mismo acontecimiento sugiere además que la respuesta de lamento es una reacción impía a la desaparición de Babilonia, que es una reacción característica de los que merecen el juicio final (véase más adelante los vv. 17–19).

11 Además del luto de los reyes, **los mercaderes de la tierra lloran y se lamentan por ella, porque ya nadie compra sus mercaderías**. Esto continúa la alusión a Ez. 27:28–32. Su destrucción y traslado significa que ya no hay compradores para las mercancías de los mercaderes (cf. Ez. 27:33–36). Por lo tanto, los mercaderes no se lamentan altruistamente por la destrucción de Babilonia, sino que lo hacen porque su pérdida significa su propia pérdida económica inminente.

12–13 Una lista representativa de productos comerciales muestra qué carga ya no será comprada por el sistema económico babilónico. Los artículos al principio de la lista (**oro** ... **piedras preciosas, perlas, lino fino, púrpura**... **y escarlata**) personifican el sistema económico babilónico porque forman la ropa simbólica de la ramera tanto en 17:4 como en 18:16. La lista de productos se basa en parte en Ez. 27:12–24, donde aproximadamente la mitad de los artículos se enumeran aquí junto con el uso repetitivo de "comerciantes" (= "mercaderes", como en los vv. 11a, 15). Los artículos en común con Ezequiel no son el resultado de una mera construcción literaria, sino una parte real del sistema comercial. Los productos comerciales de la lista se seleccionan porque representan el tipo de productos de lujo en los que Roma se complacía de manera extravagantemente pecaminosa e idolátrica. Se describe más la pérdida de los mercaderes de la tierra

(vv. 11–17a) y de los mercaderes del mar (vv. 17b–19) que la de los reyes (vv. 9–10) para llamar la atención de las iglesias que están en peligro de transigir económicamente.

14 El tema del juicio de Babilonia de los versículos anteriores se repite para enfatizarlo. **Y el fruto que tanto has anhelado se ha apartado de ti** expresa el hecho de que el núcleo del ser de Babilonia está comprometido con satisfacerse a sí misma con la riqueza económica en lugar de desear la gloria de Dios. Que **todas las cosas que eran lujosas y espléndidas** (literalmente "brillantes") han pasado de ti **y nunca más las hallarán** sugiere que el pseudo-brillo y la gloria de la riqueza de Babilonia serán reemplazados por la genuina gloria y brillo divinos reflejados en el pueblo y la ciudad de los últimos tiempos de Dios y en el Hijo de Dios. "Brillante" (griego *lampros*) se utiliza de esta última manera en 15:6; 19:8; 22:1, 16; cf. igualmente, 21:11, 23–24, donde la "gloria" de Dios está vinculada al "brillo".

15 Ahora los **mercaderes** responden a la destrucción de Babilonia. La afirmación **Los mercaderes de estas cosas que se enriquecieron a costa de ella, se pararán lejos a causa del temor de su tormento, llorando y lamentándose**, repite de los vv. 9–11 los temas de la pérdida de la riqueza de los mercaderes, la postura distante de los seguidores de Babilonia debido al temor y su luto. La repetición enfatiza aún más el juicio devastador del sistema económico y la pérdida que trae a los que dependen de él.

16 El duelo de los mercaderes continúa ahora con su lamento verbal. El grito del v. 10, **"¡Ay, ay, la gran ciudad!"**, se repite, resaltando la calamidad del juicio. El segundo estribillo del v. 10, relacionado a la fuerza de Babilonia, se define ahora como su riqueza, representada figurativamente como ropa: **que estaba vestida de lino fino, púrpura y escarlata, y adornada de oro, piedras preciosas y perlas**. Esto sigue el mismo patrón de Ezequiel 27, donde se encuentra una lista completa de bienes (27:12–24), y parte de la lista se aplica metafóricamente a la ropa que llevaba Tiro, representada como una persona (cf. Ez. 27:7: lino fino y púrpura). La imagen de un sistema económico impío como una persona vestida con ropa lujosa hecha de productos comerciales también está influenciada por la representación figurativa del rey de Tiro en Ezequiel 28:13.

La faceta religiosa del sistema económico se pone de manifiesto en la descripción que hace el Antiguo Testamento de las vestimentas del sumo sacerdote y de las partes del santuario como adornadas con oro, púrpura, escarlata, lino fino y piedras preciosas (Éx. 28:5–9, 15–20). Todos los mismos elementos aparecen en las palabras utilizadas para describir el atuendo de la ramera en 17:4 y aquí. En este sentido, parece probable que la repetida descripción del atuendo sacerdotal en el Antiguo Testamento haya influido en la selección de los elementos de los vv. 12–13 que se aplican a la ramera. Una influencia adicional en la descripción de la ramera procede de la condena que hace Ezequiel del Israel infiel como una persona adornada con oro, plata, lino y seda que confiaba en su belleza y jugaba a la ramera (Ez. 16:13–16). El profeta también gritó: "¡Ay, ay!" a Israel (Ez. 16:23), al igual que el ángel lo hace aquí con Babilonia. La presencia de esta imagen sugiere además que la ramera, aunque refleja principalmente el sistema pagano, incluye también al Israel infiel e incluso a aquellos de la comunidad cristiana que han transigido y se han convertido efectivamente en parte de la cultura pagana. Se trata de imaginar un sistema en el que la religión apóstata se ha fusionado con el mundo impío.

El v. 16 pretende contrastar la ramera urbana impura (véase 17:4, 16) y la novia urbana pura de Cristo en 21:2, 9–23. De hecho, la novia del Cordero también está adornada con toda clase de piedras preciosas, incluido el oro, y la lista de doce piedras que aparece allí se basa en la lista de Éx. 28:17–20, que describe la vestimenta del sumo sacerdote (véase 21:18–21).

17a El tercer estribillo del ay del v. 10 ("porque en una hora ha llegado tu juicio") también se interpreta económicamente: **En una hora ha sido arrasada tanta riqueza**. Sobre lo repentino de la desaparición de Babilonia (**una hora**), véase el v. 10. La percepción por parte de los mercaderes de su propia e inminente caída es la verdadera causa de su aflicción, que ha comenzado en el v. 16. Por lo tanto, la aflicción tiene una motivación egoísta.

17b–19 Esta sección pone aún más énfasis en los efectos perjudiciales de la caída de Babilonia sobre sus dependientes. El énfasis se refuerza aún más mediante la repetición del lenguaje de llanto y lamento de 18:9: ellos **al ver el humo de su incendio gritaban**, y **echaron polvo sobre sus cabezas, y llorando y lamentándose, gritaban**. Estos gritos de lamentación no son una muestra de verdadero arrepentimiento, sino que son expresiones de dolor por su propia desaparición. Se sigue el modelo de Ezequiel 27, ya que allí también (vv. 28–33) los que se dedican al comercio marítimo se lamentan, lloran, gritan amargamente, se afligen y echan polvo sobre sus cabezas porque la desaparición de Tiro significa la desaparición de su comercio marítimo. El doble ay del v. 10 se repite como en el v. 16: **ay, ay, la gran ciudad**. Esto interpreta "Babilonia, la ciudad fuerte" del v. 10 de una manera económica: **en la cual todos los que tenían naves en el mar se enriquecieron a costa de sus riquezas**.

La cláusula final del ay (**porque en una hora ha sido asolada**) subraya una vez más que lo repentino de la desolación de Babilonia es la causa del lamento, aunque, como en los lamentos anteriores de los vv. 10, 16–17, éste también está inspirado egoístamente por la preocupación por la propia pérdida económica de los marineros y mercaderes. Tal egoísmo y egocentrismo apunta además a la identificación final de los que se lamentan en los vv. 17b–19 con Babilonia y, por tanto, también con el juicio final de Babilonia. Si los mercaderes no tienen nada que comerciar y vender debido a la caída de Babilonia, entonces todo el comercio marítimo cesará, y la necesidad de transportar mercancías por agua cesará. Todos los que ganan dinero con ese comercio marítimo se quedarán sin trabajo y se enfrentarán al colapso económico.

Las repeticiones verbales de los vv. 9–11 en los vv. 15–19 subrayan que estas dos secciones llevan el punto principal de los vv. 9–19: la desesperación por la pérdida económica en respuesta al juicio de Babilonia.

Sugerencias para Reflexionar sobre 18:9–19

- ***Sobre el poder destructivo del egoísmo humano.*** El comentario sugiere que el lamento y el llanto de los reyes, mercaderes y marineros por la destrucción de Babilonia refleja su propio interés en lugar de un genuino arrepentimiento y reconocimiento de la justicia de Dios y de Su juicio. El enredo en las cosas de este mundo, y en particular la búsqueda de la riqueza material, nos centra en nosotros mismos, nos ciega a los intereses de los demás, y nos adormece ante el juicio de Dios que se acerca, de tal manera que ni siquiera lo reconocemos cuando llega. Las personas representadas en estos versículos están a punto de perder algo de mucho mayor valor que su riqueza material, pero su obsesión con esa riqueza los deja aparentemente ajenos a su inminente y eterno juicio. ¿Con qué frecuencia vemos esto en las vidas de las personas que nos rodean? Aunque no estemos presenciando los acontecimientos del fin de la historia, ¿no es cierto que los mismos principios operan a pesar de todo? ¿Cómo podemos evitar que este tipo de veneno entre en nuestras vidas?

Necesitamos "salir" cada vez más de Babilonia para "no participar en sus pecados y … recibir sus plagas" (18:4).

8. Los que se separaron de Babilonia deben alegrarse por su juicio porque éste reivindica su fe y el carácter justo de Dios (18:20–24)

[20] "Regocíjate sobre ella, cielo, y también ustedes, santos, apóstoles y profetas, porque Dios ha pronunciado juicio contra ella por ustedes". [21] Entonces un ángel poderoso tomó una piedra, como una gran piedra de molino, y la arrojó al mar, diciendo: "Así será derribada con violencia Babilonia, la gran ciudad, y nunca más será hallada. [22] El sonido de arpistas, de músicos, de flautistas, y de trompeteros no se oirá más en ti. Ningún artífice de oficio alguno se hallará más en ti. Ningún ruido de molino se oirá más en ti. [23] Ninguna luz de la lámpara alumbrará más en ti. Tampoco la voz del novio y de la novia se oirá más en ti, porque tus mercaderes eran los grandes de la tierra, pues todas las naciones fueron engañadas por tus hechicerías. [24] Y en ella fue hallada la sangre de los profetas, de los santos y de todos los que habían sido muertos sobre la tierra".

El segmento comienza (v. 20) con una alusión a Jer. 51:48, que anuncia la respuesta de los aliados de Dios a la destrucción de Babilonia: el cielo y la tierra gritarán de alegría por la destrucción de Babilonia narrada en los vv. 9–19. El segmento termina (v. 24) con una alusión a Jer. 51:49, que afirma que la persecución fue una de las razones del juicio. Estos dos límites exteriores de la sección enfatizan la persecución como causa del juicio de Babilonia. El punto principal es el "regocijo" del v. 20a, que se produce a causa del juicio de Dios (vv. 20b–24).

20 Se da un discurso en respuesta a la terrible caída de Babilonia: **"Regocíjate sobre ella, cielo, y también ustedes, santos, apóstoles y profetas, porque Dios ha pronunciado juicio contra ella por ustedes"**. Los destinatarios de la exhortación están tanto en el cielo como en la tierra, lo que representa a todos los creyentes, aunque probablemente se incluyan los seres angelicales, como en 12:12. Así como allí se ordenó a los santos que se alegraran por la victoria inaugurada sobre Satanás, ahora se les ordena que se alegren por la victoria consumada sobre el sistema satánico. En lugar del regocijo del "cielo y la tierra" de Jeremías (Jer. 51:48), donde la "tierra" probablemente representa a Israel, el ángel habla del cielo y de los **santos, apóstoles y profetas** regocijándose, mostrando así de nuevo cómo la iglesia es ahora la continuación del verdadero Israel.

El motivo de regocijo es que Dios ha dictado sentencia contra Babilonia (v. 20b). Es mejor ver a los santos sufrientes que clamaron por venganza en 6:9–11 en el centro de la multitud celestial a la que se exhorta a regocijarse en 18:20. Esto lo confirma la continuación de la narración del cap. 18 en 19:1–2, donde la base del "Aleluya" ("porque sus juicios son verdaderos y justos, pues… ha vengado la sangre de sus siervos en ella") se formula en alusión explícita a 6:10 ("¿Hasta cuándo, oh Señor santo y verdadero, esperarás para juzgar y vengar nuestra sangre de los que moran en la tierra?"). Junto con 19:5, 18:20 es el clímax del grito de vindicación de los santos de 6:10, aunque se anticipa de diversas maneras también en 11:18; 14:18; 15:4; y 16:5–6. No se trata de deleitarse en el sufrimiento de Babilonia, sino en el resultado exitoso de la ejecución de la justicia por parte de Dios, que demuestra la integridad de la fe de los cristianos y el carácter justo de Dios (véase más en 6:10). Dios juzgará a Babilonia con la misma severidad con la que persiguió a otros, para que el castigo se ajuste a su crimen. La presencia de este juicio de "ojo por ojo" es evidente al notar que aquellos a quienes se les ordena alegrarse por su juicio son las mismas personas que sufrieron su persecución.

Como ya se ha dicho, el v. 20 es el punto culminante del clamor de los santos por la vindicación de 6:10. Aquí, por primera vez, encontramos claramente expresado el regocijo de los santos por estos acontecimientos. El regocijo no surge de un espíritu egoísta de venganza, sino de una esperanza cumplida de que Dios ha defendido el honor de Su justo nombre al no dejar impune el pecado y al mostrar que Su pueblo tenía razón y que el veredicto emitido por el mundo impío contra los santos era erróneo (6:10). Esto está en consonancia con la ley del Antiguo Testamento sobre el testimonio malicioso: si "acusa a su hermano falsamente, entonces ustedes le harán a él lo que él intentaba hacer a su hermano" (Dt. 19:18–19). Incluso el regocijo de los santos se corresponde con el pecado del sistema inicuo, que previamente se había alegrado por la muerte injusta de los dos testigos (11:10).

21 El juicio de Babilonia, y sus efectos devastadores, se repiten de nuevo de diferentes maneras en los vv. 21–23, que, junto con el v. 20b, sirven de base para el regocijo del v. 20a. El juicio de Babilonia se expresa parabólicamente a través de la visión de un ángel que **tomó una piedra, como una gran piedra de molino, y la arrojó al mar**. La imagen se basa en Jer. 51:63, donde Jeremías ordena a su siervo Seraías "atar una piedra" a un pergamino (literalmente "libro") que contiene la profecía del juicio de Babilonia, y "arrojarla en medio del Éufrates", declarando en el proceso que de esta misma manera Babilonia se hundirá y nunca más se levantará.

Del mismo modo, el ángel interpreta aquí su acción simbólica en el sentido de que **así será derribada con violencia Babilonia, la gran ciudad, y nunca más será hallada**. No se ha olvidado el trasfondo de Ezequiel 26–28 del cap. 18, ya que en Ez. 26:12 y 21 se afirma que las piedras de Tiro serán arrojadas al agua y que Tiro no volverá a encontrarse. Tanto Babilonia como Tiro se utilizan, pues, como precursores tipológicos proféticos de la Babilonia espiritual. Y ambos pueden haber sido modelados después del castigo de Dios a Egipto en Neh. 9:11, "echaste en los abismos a sus perseguidores, como a una piedra en aguas turbulentas" (cf. Éx. 15:4–5). Pero, ¿por qué el cambio de una piedra a una piedra de molino? Es probable que el ángel esté utilizando la advertencia de Jesús de que a quien haga tropezar a Sus pequeños, más le valdría que le colgaran una piedra de molino al cuello y se ahogara en el mar (Mt. 18:6; nótese el paralelismo con la doble aflicción [el lanzamiento de la piedra y su arrojo al mar] del v. 21). Y al igual que el ángel aquí, Jesús advirtió contra los arrogantes que engañan (cf. Mt. 18:6–7 con Ap. 18:3, 23). Aquellos en la iglesia que son culpables de tal engaño (2:14, 20) deben tomar la advertencia para que no sufran el destino de Babilonia.

22–23a Los vv. 5–7 y 20 han afirmado que el juicio de Babilonia se adecua a su crimen, y los vv. 22–23 revelan cómo el castigo se adecua al crimen, lo que continúa describiendo los efectos de la destrucción de Babilonia, especialmente de forma más inmediata a partir de la representación de la piedra de molino en el v. 21. El punto de los vv. 21b–23 es mostrar que el perseguidor será castigado por medio de su propio pecado. El sistema económico de Babilonia perseguía a las comunidades cristianas condenando al destierro a las personas de los diversos gremios comerciales si no se ajustaban al culto de las deidades patronas de los gremios. Esto solía provocar la pérdida de la posición económica y la pobreza (así, 2:9). Los artesanos cristianos fueron retirados del mercado, y se les quitaron los placeres comunes de la vida que disfrutaban en tiempos económicos normales.

En respuesta, Dios eliminará a los comerciantes leales de Babilonia: **Ningún artífice de oficio alguno se hallará más en ti. Ningún ruido de molino se oirá más en ti. Ninguna luz de la lámpara alumbrará más en ti**. Así como la sangre de los santos "se halló" en ella (v. 24), la base económica de Babilonia ya no se **hallará,** y de hecho la propia Babilonia no "será hallará" (v. 21). Los placeres cotidianos arrebatados a los cristianos a través de la persecución económica, social o política (2:9–10; 6:10; 13:16–17; 16:6; 17:6) serán arrebatados al sistema mundial: **El sonido de arpistas, de músicos, de flautistas, y de trompeteros no se oirá más en ti**... **Tampoco la voz del novio y de la novia se oirá más en ti**.

Los pasajes de Jeremías 25 (juicio sobre el Israel infiel) y de Ezequiel 26 (juicio sobre Tiro) siguen uniéndose para describir este principio judicial (cf. Ez. 26:13: "el son de tus arpas no se oirá más"; Jer. 25:10: "haré cesar... la voz del novio y la voz de la novia, el sonido de las piedras de molino y la luz de la lámpara"). La declaración del v. 14, "y todas las cosas que eran lujosas y espléndidas se han alejado de ti, y nunca más las hallarán", se elabora con más detalle en los vv. 21–23a. La persecución de Babilonia era selectiva en la época de Juan, pero él previó un tiempo en el que ella intentaría exterminar completamente a la comunidad cristiana (así en 11:7–10; 20:7–9; cf. también 13:16–17). Dios también la castigará por su persecución e intento de aniquilación de la iglesia derrocándola por completo.

23b Continúa el pronunciamiento de devastación del ángel iniciado en el v. 21. En los vv. 23b–24 da tres razones para la destrucción de Babilonia. La primera es que sus **mercaderes eran los grandes de la tierra**. La referencia es al juicio de Dios sobre Tiro en Is. 23:1–18, donde los mercaderes de Tiro eran "príncipes, cuyos comerciantes eran los nobles de la tierra" (Is. 23:8). Tiro se utiliza aquí de nuevo como precursor profético de la Babilonia espiritual. Estos mercaderes se preocupaban sólo por su propia gloria en lugar de actuar como administradores responsables de lo que les había sido confiado por Dios. Dios juzgó a Tiro por la orgullosa ostentación de su riqueza económica, y la destruyó. Ezequiel también ve a Dios condenando a Tiro por creer que su riqueza la convertía en divina y no en humana: "Tu corazón se ha enaltecido Y has dicho: 'Soy un dios'" (Ez. 28:2).

El juicio de Babilonia a causa de su propia vanidad ya ha sido anunciado en el v. 7. Una expresión de ello fue el orgullo abrumador de sus **mercaderes**, los **grandes**, que serán abatidos. El punto es que el propósito principal de la humanidad según el Apocalipsis es glorificar a Dios y disfrutar de Él, no glorificarse a sí mismo y disfrutar de sus propios logros (p. ej., 4:11; 5:12–13; 7:12; 15:3–4; 16:9; 19:1, 7). La autoglorificación requiere un juicio en el que se produce una humillación forzada. Es idolátrico que Babilonia y sus aliados se vean a sí mismos como "grandes" (11:8; 14:8; 16:19; 17:5, 18; 18:2, 10, 16, 19, 21, 23; aunque sean ángeles u hombres los que usen la palabra con referencia a Babilonia, lo hacen con referencia a la autocomprensión de Babilonia). En realidad, sólo Dios es verdaderamente grande (véase el v. 10). Este título se reserva sólo para el Dios verdadero (cf. "el gran Dios" en los manuscritos 051 y א de 19:17, así como "grande" en las descripciones de varios atributos de Dios en 6:17; 11:17; 15:3; 16:14). Centrarse en la humanidad como centro de todo y olvidarse de Dios es el mayor de los pecados — es la adoración de un ídolo.

La segunda razón para el juicio de Babilonia es que **todas las naciones fueron engañadas por tus hechicerías**. Por medio de la magia, Babilonia engañó a las naciones para que adoraran a los ídolos en lugar del verdadero Dios. La hechicería, la inmoralidad y la idolatría están muy relacionadas. En Ap. 9:20–21, la idolatría, la hechicería y la inmoralidad (griego *porneia*) están vinculadas entre sí (como también en Gá. 5:19–21). Inmoralidad (griego *porneia*), como hemos visto, es un término común para referirse a la idolatría en el Apocalipsis (2:14, 20–21; 14:8; 17:1–2, 4–5; 18:3, 9). La hechicería y la idolatría también están vinculadas en el Antiguo Testamento (2 Cr. 33:5–7; Miq. 5:12–14; hechicería, idolatría e inmoralidad en Is. 57:3–7). La Jezabel del Antiguo Testamento fue juzgada por inmoralidad y hechicería (2 R. 9:22). La operación similar de Jezabel en Ap. 2:20–21 es la razón por la que se la asocia con Babilonia y por la que su castigo se describe como "muerte" (2:22–23), al igual que el de Babilonia en 18:8. La Babilonia terrestre fue juzgada por su hechicería e inmoralidad (Is. 47:9–15), donde la hechicería se relaciona con la búsqueda de la guía de los astrólogos, en lugar del Señor. En Ap. 21:8 y 22:15, la hechicería se relaciona con la inmoralidad y la idolatría.

24 La tercera razón para el juicio de Babilonia se da ahora: **Y en ella fue hallada la sangre de los profetas, de los santos y de todos los que habían sido muertos sobre la tierra**. En la Babilonia terrenal, declaró Jeremías, "han caído los muertos de toda la tierra" (Jer. 51:49). Nínive, otra precursora profética de la Babilonia de los últimos tiempos, fue juzgada no sólo por su inmoralidad y hechicería, sino también porque era una ciudad de sangre (Nah. 3:1–4). Babilonia y Nínive de la antigüedad eran imperios mundiales pecaminosos que se presentan como modelos para la aniquilación del último sistema mundial corrupto. El hecho de que Babilonia, Tiro y Nínive, así como el Israel infiel y Sodoma, sean utilizados en el cap. 18, así como en los caps. 16 y 17, como precursores proféticos del sistema mundial babilónico, muestra de nuevo que la Babilonia espiritual no es una nación específica en un momento dado, sino que representa todas las formas de gobierno malvado desde la resurrección de Cristo hasta Su regreso.

En los días de Juan, el Imperio Romano representaba este sistema malvado, ya que en su tiempo los cristianos habían sido perseguidos no sólo en Israel, sino en todo el Imperio Romano. Sin embargo, la cláusula final de **todos los que habían sido muertos sobre la tierra** apunta a una referencia universal mucho más allá del Imperio Romano y su tiempo. Esta descripción de todos los que **habían sido muertos** puede ser literal y aludir a los mártires cristianos, pero es mejor tomarla en sentido figurado para todo tipo de persecución, incluida la muerte (véase 6:9; 13:15).

Sugerencias para Reflexionar sobre 18:20–24

- ***Sobre la división fundamental entre el reino de Dios y el reino de las tinieblas.*** Estos versículos establecen un intrigante contraste entre el lamento de los perdidos en los vv. 9–19 y el regocijo de los santos en los vv. 20–24. Los perdidos se afligen por la destrucción de Babilonia sólo en la medida en que afecta a su seguridad material personal. Los santos se regocijan por esa destrucción no sólo porque los reivindica o les resulta ventajosa, sino especialmente porque demuestra la rectitud de Dios y la justicia de Su juicio, y el trato definitivo y justo de Dios con el mal. Como dice el comentario sobre el v. 20: "Dios ha defendido el honor de Su justo nombre al no dejar impune el pecado y al mostrar que Su pueblo tenía razón y que el veredicto emitido por el mundo impío contra los santos era erróneo". Los acontecimientos por los que Dios asegura la justicia para su pueblo no les disponen a expresar su propia venganza personal.

  Los santos lloran (o *deberían* llorar) por la pérdida de cada alma. No se regocijan porque hayan "ganado" a costa de otros, sino porque Dios ha sido vindicado. Los perdidos, en cambio, no pueden ver más allá de su propio interés. El sufrimiento de los demás, incluso la destrucción de todo un sistema mundial, sólo les preocupa por el efecto negativo en su propia fortuna. Aquí está, en un párrafo, la diferencia entre el reino de las tinieblas y el reino de la luz. Lo que en última instancia divide a los dos es la voluntad (o la falta de ella) de reconocer quién es Dios y de darle el honor y la adoración que sólo Él se merece. Especialmente en Occidente, vivimos en una cultura profundamente antropocéntrica que no pone a Dios y Su gloria en el centro, y si no nos resistimos a ello, nos encontraremos deslizándonos con demasiada facilidad hacia el reino de las tinieblas.

9. La declaración del juicio venidero de Babilonia es también la base para que los santos glorifiquen la realeza de Dios (19:1–6)

[1] Después de esto oí como una gran voz de una gran multitud en el cielo, que decía: "¡Aleluya! La salvación y la gloria y el poder pertenecen a nuestro Dios, [2] porque Sus juicios son verdaderos y justos, pues ha juzgado a la gran ramera que corrompía la tierra con su inmoralidad, y ha vengado la sangre de Sus siervos en ella". [3] Y dijeron por segunda vez: "¡Aleluya! el humo de ella sube por los siglos de los siglos". [4] Entonces los veinticuatro ancianos y los cuatro seres vivientes se postraron y adoraron a Dios, que está sentado en el trono, y decían: "¡Amén! ¡Aleluya!" [5] Y del trono salió una voz que decía: "Alaben ustedes a nuestro Dios, todos ustedes Sus siervos, los que Le temen, los pequeños y los grandes". [6] Oí como la voz de una gran multitud, como el estruendo de muchas aguas y como el sonido de fuertes truenos, que decía: "¡Aleluya! Porque el Señor nuestro Dios Todopoderoso reina".

El doble tema de la recompensa a los santos y la destrucción de sus enemigos anunciada por la séptima trompeta (11:15–19) se retoma en el cap. 19, como es evidente por las similitudes verbales, especialmente en 19:5–6:

- La triple descripción de los creyentes (11:18),
- La declaración del comienzo del reino de dios (11:15–16), y
- El rugido del trueno (11:19).

La nueva sección de Ap. 19:1–6 (que tal vez se extiende hasta 19:8) en realidad continúa el último segmento literario del cap. 18 (18:20–24) y puede considerarse como la conclusión de ese segmento al enfatizar la caída de Babilonia.

1 La frase **después de esto** se refiere principalmente a la visión de la desaparición de Babilonia, especialmente como se describe en 18:20–24. Después de la visión anterior y de la audición extendida (18:1–3 y 4–24 respectivamente), Juan oye algo así como **una gran voz de una gran multitud en el cielo**, que proclama **¡Aleluya!** Esta es la transliteración griega de una frase hebrea que significa "¡Alabado sea el Señor!". Hay que alabar a Dios porque **la salvación y la gloria y el poder** sólo le pertenecen a Él. Toda la asamblea de los santos alaba a Dios en la consumación de la historia (vv. 1–3, 5b–8) por Su juicio a Babilonia y Su realización de la salvación para Su pueblo por Su gran poder.

2 Aquí se hace explícito que el juicio de Dios sobre Babilonia en el cap. 18 es la razón del estallido de alabanza en el v. 1. La alabanza ocurre **porque Sus juicios son verdaderos y justos** (cf. Sal. 19:9). La segunda cláusula, **pues ha juzgado a la gran ramera Que corrompía la tierra con su inmoralidad**, amplía el significado de la primera. La descripción reitera temas de los capítulos anteriores (17:1–5; 18:3, 7–9). "Corromper" (griego *phtheirō*) también puede significar "destruir" (nótese la mención de la persecución en la frase siguiente). La inclusión de este significado es evidente en 11:18, donde el enemigo que sufre el juicio final se describe con el mismo lenguaje que aquí ("los que destruyen la tierra"). Tanto 11:18 como 19:2 dependen de Jer. 51:25, que contiene el juicio de Dios sobre Babilonia ("Yo estoy contra ti, monte destructor, que destruyes toda la tierra").

La tercera cláusula, **y ha vengado la sangre de Sus siervos en ella** (literalmente **de su mano**), interpreta el juicio de Dios como Su venganza. El significado literal es incómodo. Si se interpreta como equivalente a "de su mano", podría traducirse "sobre ella" (así en NASB, NIV, ESV). Pero el griego aquí probablemente refleja el uso típico en el AT de la frase "de la mano de" en expresiones más amplias como "Dios te libró *de la mano de* tu enemigo", donde "mano" es figurativo para el poder opresivo (así al menos cuarenta y cinco veces).

Aunque la idea más amplia de la venganza sobre Babilonia sigue estando presente, el significado literal de la frase sería que Dios ha vengado la sangre de Sus siervos derramada por la mano de Babilonia. Este es el significado del

---

NASB New American Standard Bible
NIV New International Version
ESV English Standard Version

paralelo más cercano del Antiguo Testamento, 2 R. 9:7, donde Dios dice que vengará "la sangre de Mis siervos los profetas, y la sangre de todos los siervos del SEÑOR por [literalmente 'de' = 'derramada por'] mano de Jezabel". La alusión a este texto basada en la cercanía de la redacción se confirma por la referencia a Jezabel, ya que el espíritu de Jezabel ha resurgido en Tiatira (2:20), y la ramera babilónica ha sido comparada con Jezabel en 17:16 (sobre lo cual véase).

Este verso representa una respuesta más al clamor de los santos en 6:10: "¿Hasta cuándo, Señor… esperarás… vengar nuestra sangre de los que moran en la tierra?". Ambos versículos aluden a Sal. 79:10: "¿Por qué han de decir las naciones: '¿Dónde está su Dios?' Sea notoria entre las naciones, a nuestra vista, la venganza por la sangre derramada de Tus siervos", de modo que la iglesia está incluida en los "siervos" israelitas que claman por venganza.

3 Al igual que en el v. 1, la repetición del **¡Aleluya!** y su siguiente explicación vuelve a proporcionar la base del primer **¡Aleluya!** y muestra que lo que se subraya con precisión es la finalidad del juicio de Babilonia: su humo sube **por los siglos de los siglos**. Esta es una referencia original al juicio de Dios sobre Edom ("su humo subirá para siempre", Is. 34:10). Aquí la caída de Edom se toma como un patrón tipológico anticipatorio a la del sistema mundial, que nunca se levantará de nuevo después del juicio de Dios. El mismo versículo ha sido aludido en 14:11 para referirse al humo del tormento de los incrédulos individuales. Se habla de Babilonia de forma corporativa, pero también se hace referencia a sus miembros de forma individual, de la misma manera que se alude a la novia de Cristo tanto de forma corporativa como de forma individual (véase vv. 7–9). Los destinos de la corporación y del individuo están inextricablemente unidos, como demuestra 18:4: los que deseen salvarse deben abandonar Babilonia o sufrir su destino.

4 Los veinticuatro ancianos y los cuatro seres vivientes se unen ahora a la exclamación de los santos; **se postraron y adoraron a Dios, que está sentado en el trono, y decían: "¡Amén! ¡Aleluya!".** "Amén", una palabra hebrea que expresa confianza, forma parte de su declaración de alabanza. La frase se hace eco del Sal. 106:48, donde la expresión ("Amén. Aleluya"), al igual que en Ap. 19:4, funciona como parte de la acción de gracias de Israel a Dios por haberlos reunido con Él después de liberar a la nación de sus enemigos que los oprimían (cf. Sal. 106:42–48 con Ap. 19:1–2, 7–9). Ahora el consumado **¡Amén! ¡Aleluya!**

se expresa porque la comunidad del pacto de Dios de los últimos tiempos ha sido liberada de forma decisiva al final de la historia.

5 Una **voz salió del trono**, posiblemente la de Cristo (en consonancia con las expresiones similares de 6:6; 16:1, 17). La voz declara **Alaben ustedes a nuestro Dios, todos ustedes Sus siervos, Los que Le temen, los pequeños y los grandes**. Si se trata de la voz de Jesús, Él se erige como el gran representante de los santos confirmando y asintiendo su regocijo previo. Pero, según la analogía de Juan 20:17 ("Subo a Mi Padre y Padre de ustedes, a Mi Dios y Dios de ustedes"), ¿no podría Jesús haber dicho más bien "*Mi* Dios", para distinguirse de Sus seguidores terrenales? Si por **del trono** se entiende "desde la zona que rodea al trono", la voz podría ser también la de otra criatura celestial. Los exhortados a la alabanza son llamados en primer lugar **todos** sus siervos (Sal. 134:1; 135:1). Son aquellos cuya sangre fue derramada por Babilonia (nótese "la sangre de Sus siervos", v. 2). Todos los creyentes están incluidos en este número, ya que todos los creyentes llevan el nombre de "siervo" (2:20; 7:3; 19:2; 22:3; y ver en 11:18). En este sentido, la siguiente frase, **ustedes Sus siervos, los que Le temen, los pequeños y los grandes,** es una identificación más de los siervos, y la primera frase vuelve a relacionar este versículo con 11:18 ("Tus siervos los profetas… a los que temen Tu Nombre").

6 Este segmento termina aquí como empezó en el v. 1. Las mismas multitudes innumerables gritan aún más fuerte: **Oí como la voz de una gran multitud, como el estruendo de muchas aguas y como el sonido de fuertes truenos, que decía: "¡Aleluya! Porque el Señor nuestro Dios Todopoderoso reina"**. La frase "el estruendo de muchas aguas" se utiliza para referirse al ruido que hacen los cuatro querubines en Ez. 1:24 (en el texto hebreo), pero en Ezequiel 43:2 (LXX) la misma frase en hebreo se interpreta como "una voz de un *campamento* [*parembolē*], como la voz de muchos redoblando sus gritos", lo que probablemente se refiere a los ángeles, pero habría sido fácilmente susceptible de aplicarse a los santos celestiales por los lectores posteriores, que es la referencia aquí.

La expresión **el Señor… reina** puede ser una amplia alusión a una serie de Salmos y otros pasajes del Antiguo Testamento que utilizan la misma expresión para referirse en el contexto a Dios estableciendo su realeza después de juzgar a los enemigos de Israel, especialmente en Canaán y culminando en la ocupación

---

LXX Septuaginta

de Jerusalén por parte de David (Sal. 93:1; 96:10; 97:1; 1 Cr. 16:31; plausiblemente también Sal. 47:3, 7–8; 99:1). Is. 52:7 (usando "Dios" en lugar de "el Señor"); Zac. 14:9; y Ap. 19:6 utilizan la expresión para hablar del futuro escatológico, cuando Dios vuelva a establecer Su reinado universalmente en la tierra después de derrotar a Sus enemigos, de los cuales los relatos de los salmos eran modelos anticipatorios. Los pasajes de Isaías y Zacarías están en primer plano, ya que Ap. 19:6 indica el futuro cumplimiento de esas dos profecías del fin de los tiempos.

A la luz del trasfondo del Antiguo Testamento, el verbo griego podría traducirse mejor como "comenzó a reinar" (con un sentido regresivo), ya que, en vista de la derrota de Babilonia (cap. 18), lo que parece estar en mente es el establecimiento del gobierno de Dios. Aunque en un sentido el reinado de Dios es intemporal (**el Señor**… **reina**, como traduce la NASB), en otro sentido se cumple realmente en el universo creado sólo como resultado de Su juicio final sobre Babilonia y puede decirse, por tanto, que ha "comenzado". Esto es apoyado por el paralelo en 11:17: "Te damos gracias, oh Señor Dios Todopoderoso… porque has tomado Tu gran poder y has comenzado a reinar". De hecho, el versículo es también un desarrollo de 11:15: "El reino del mundo ha venido a ser el reino de nuestro Señor y de Su Cristo. El reinará por los siglos de los siglos".

Sugerencias para Reflexionar sobre 19:1–6

- ***Sobre la naturaleza de nuestra alabanza a Dios.*** A menudo nuestra alabanza a Dios se centra en lo que ha hecho por nosotros, ya sea nuestra salvación o cosas relacionadas con nuestra vida diaria. Sin embargo, aquí la alabanza de los santos se centra en quién es Dios y en lo que ha hecho, totalmente al margen de las circunstancias de nuestras vidas individuales — el hecho de que Sus juicios son justos y verdaderos, el hecho de que ha juzgado a la ramera y el hecho de que reina sobre todo. Aunque no hay nada malo en que alabemos a Dios por lo que ha hecho en nuestras vidas — siempre es bueno reconocer Su fidelidad y Sus misericordias providenciales hacia nosotros — ¿Cuántas veces damos un paso atrás y le damos las gracias simplemente por quién es y por lo que ha hecho en

NASB New American Standard Bible

el contexto más amplio de Su creación, y por lo que ha hecho simplemente para la gloria de Su nombre?

10. El juicio venidero de Babilonia y el consiguiente establecimiento del reinado de Dios es la base y conduce a la justa vindicación y a la consumada unión de Cristo con Su pueblo justo al final de la historia, por lo que glorifican a Dios (19:7–10)

[7] "Regocijémonos y alegrémonos, y démosle a Él la gloria, porque las bodas del Cordero han llegado y Su esposa se ha preparado". [8] Y a ella le fue concedido vestirse de lino fino, resplandeciente y limpio, porque las acciones justas de los santos son el lino fino. [9] El ángel me dijo: "Escribe: 'Bienaventurados los que están invitados a la cena de las Bodas del Cordero'". También me dijo: "Estas son palabras verdaderas de Dios". [10] Entonces caí a sus pies para adorarlo. Y me dijo: "No hagas eso. Yo soy consiervo tuyo y de tus hermanos que poseen el testimonio de Jesús; adora a Dios. El testimonio de Jesús es el espíritu de la profecía".

7–8 Los vv. 7–8 constituyen la conclusión de la sección que comienza con 18:1, pero al mismo tiempo, junto con los vv. 9–10, forman un segmento de transición entre ésta y la sección siguiente. La innumerable multitud del v. 6 levanta la voz para glorificar a Dios una vez más: **"Regocijémonos y alegrémonos, y démosle a Él la gloria, porque las bodas del Cordero han llegado y Su esposa se ha preparado"**. Las palabras iniciales del versículo, **regocijémonos y alegrémonos**, aluden al Sal. 118:22–24, donde el regocijo se produce porque Dios ha hecho que la piedra que los constructores rechazaron se convierta en la piedra angular. También alude a las palabras de Jesús: "Regocíjense y alégrense, porque la recompensa de ustedes en los cielos es grande, porque así persiguieron a los profetas que fueron antes que ustedes" (Mt. 5:12).

Dios ha reivindicado tanto a Su Hijo como a los que le siguen. Esta sección nos muestra que la existencia de Babilonia sirvió como preparación necesaria para las bodas de la novia con el Cordero. La opresión y la tentación de Babilonia fueron el fuego que Dios utilizó para refinar la fe de los santos a fin de que estuvieran preparados para entrar en la ciudad celestial (para una noción similar, véase 2:10–11; cf. también 6:11; Ro. 8:28ss; 1 P. 4:12, 19; Fil. 1:28–30).

En el v. 7, se dice que la novia se ha preparado para el matrimonio, lo que pone el énfasis en la responsabilidad de la novia en prepararse. La ropa se define en el v. 8 como **lino fino, resplandeciente y limpio, porque las acciones justas de los santos son el lino fino**. Los actos justos parecen ser definidos en el contexto como mantener el testimonio de Jesús (v. 10). La palabra "testimonio" aparece otras siete veces en el Apocalipsis, normalmente como parte de la expresión "testimonio de Jesús" y generalmente con la idea de dar testimonio de Él de palabra y obra (1:2, 9; 6:9; 11:7; 12:11, 17; 20:4).

Por lo tanto, un posible significado del pasaje es que los santos deben perseverar en su fe antes de que el matrimonio pueda tener lugar. Así, en estos dos versículos se expresa una tensión teológica clásica. Por un lado, la novia se prepara (v. 7), mientras que por otro lado se le entregan sus vestiduras (v. 8). Una forma de resolver la tensión es sugiriendo que una vida transformada es la respuesta adecuada de quienes Dios ha justificado. Sin embargo, sería aún mejor ver los vv. 7–8 como una sugerencia de que una vida transformada no sólo es la respuesta adecuada, sino que de hecho es una respuesta *necesaria*.

Las ropas blancas en el Apocalipsis, cuando son usadas por los santos, siempre significan *un regalo de Dios dado* a aquellos con una fe probada y purificada (3:5–6, 18; 6:11; 7:13–14; en 3:18, la idea de comprar las ropas de Cristo se usa para animar a los creyentes a identificarse con las ropas de Cristo en 1:13–14, lo que significa identificarse con Él y no con el mundo transigente). Por lo tanto, las ropas blancas no son simplemente los actos justos de los santos, sino la *recompensa* o el *resultado de* tales actos. Esto enfatiza la acción justificadora o vindicadora de Dios. La cláusula final del v. 8 podría parafrasearse así: "el lino fino es la recompensa o el resultado de los actos justos de los santos". Las ropas blancas representarían entonces dos realidades con respecto a la consumación del tiempo del fin inextricablemente relacionadas: (1) la fidelidad humana y las buenas obras como evidencia necesaria de una posición correcta con Dios y (2) la vindicación o absolución lograda por los juicios finales de Dios contra el enemigo en nombre de Su pueblo.

La única otra ocurrencia de **las acciones justas** (griego *ta dikaiōmata*) en el libro está en 15:4, donde se refiere a los juicios de Dios del fin de los tiempos contra los opresores de los santos. Seis de los otros siete usos en el Apocalipsis de palabras relacionadas (derivadas del griego *dikaioō*, "declarar justo") se refieren a los juicios justos de Dios (15:3, 4; 16:5, 7; 19:2, 11). La referencia a los justos juicios de Dios se acaba de hacer en el v. 2. Los ángeles están vestidos de lino fino, en su función de vindicar a los santos al derramar las copas de la ira (15:6–16:1). Cristo juzga al enemigo "con justicia" (v. 11), acompañado por los que están vestidos de lino fino (v. 14). Los santos oprimidos, que acompañan a Cristo mientras los vindica, llevan la ropa simbólica de su vindicación, que es realizada por Cristo mientras ellos permanecen quietos y observan.

Sin embargo, en el proceso de enfatizar la vindicación final de Dios en los últimos días y el don de la posición justa, no debe perderse de vista la importancia de los actos justos *de los santos*. De hecho, en otras partes del libro el genitivo plural "de los santos", cuando modifica sustantivos y se refiere a los cristianos, siempre alude a algo que poseen (16:6; 17:6; 18:24; 20:9) o que realizan los creyentes (5:8; 8:3–4; 13:10; 14:12). Probablemente se pretende establecer un contraste entre la novia vestida de lino resplandeciente y sus actos justos y la ramera babilónica que está "vestida de lino fino" (18:16), que tiene una copa "llena de abominaciones y de las inmundicias de su inmoralidad" (17:4), y que ha cometido "iniquidades" (18:5, literalmente "actos injustos").

Por lo tanto, la frase "acciones justas de los santos" es probablemente intencionalmente ambigua, expresando dos ideas: (1) actos justos realizados por los santos (genitivo subjetivo) y (2) actos justos para los santos (juicios finales justos, absolventes o vindicadores de Dios, genitivo objetivo).

El trasfondo del Antiguo Testamento del pasaje es Is. 61:10, donde el Señor viste a su pueblo con "ropas de salvación" y un "manto de justicia como el novio se engalana... como la novia se adorna...". Las frases de Isaías subrayan la actividad de Dios en la provisión de estas ropas. Esta justicia proviene en última instancia de Dios, como revela el siguiente versículo: "el Señor Dios hará que la justicia y la alabanza broten" (61:11). Ap. 21:2 sigue el ejemplo desarrollando los vv. 7–8 con un sentido pasivo: "Vi la ciudad santa... preparada como una novia ataviada para su esposo". Esto está en consonancia con el sentido pasivo de recibir vestimentas blancas en otras partes del libro (véase anteriormente).

Por lo tanto, las cláusulas de los vv. 7b–8, **Su esposa se ha preparado** y le fue dado **vestirse de lino fino, resplandeciente y limpio** continúan el significado de la metáfora matrimonial del v. 7a. Como en la cláusula inicial del v. 7 y en Isaías, el punto principal no es que el esfuerzo de los santos contribuya a la adquisición de la justicia (aunque el concepto de la respuesta necesaria de los actos justos por parte de los santos es vital), sino que el pueblo de Dios entra finalmente en la relación íntima con Él que ha sido iniciada por Él mismo. A lo largo de Apocalipsis, el verbo "preparar" o "alistar" (en griego *hetoimazō*) se refiere a un acontecimiento que se produce en última instancia como resultado del decreto de Dios, siendo el más llamativo el de 21:2: "Y vi la ciudad santa, la nueva Jerusalén, que descendía del cielo, de Dios, preparada como una novia ataviada para su esposo" (así también 9:7, 15; 12:6; 16:12).

Los creyentes pueden ser representados aquí como sacerdotes, ya que el sumo sacerdote estaba vestido de lino (Éx. 28 y 39), al igual que los sacerdotes del templo de los últimos tiempos en Ezequiel (Ez. 44:17). El lino que lleva la ramera Babilonia (18:16), junto con su adorno con varias piedras preciosas, sugiere un intento por su parte de apoderarse del lugar del sacerdocio para sí misma, contrastando de nuevo a Babilonia con la verdadera novia de Cristo, vestida con el lino genuino de lo alto. En 6:11 (el quinto sello, que ocurre durante la era de la iglesia), a los creyentes que murieron se les dieron ropas blancas y se les dijo que descansaran hasta que se completara el número de sus consiervos. Las ropas de la iglesia corporativa, sin embargo, no pueden ser consideradas blancas hasta que todos los creyentes hayan entrado en el reino.

En 7:9–17, los creyentes han recibido sus vestimentas blancas, por lo que esta escena es temporalmente paralela al v. 8, que es algo vago, ya que en ella los santos son vestidos durante toda la era de la iglesia y también al final de la misma. En el v. 8, las vestiduras se mencionan dentro del contexto de las bodas del Cordero. En el 7:15, aunque las bodas no se mencionan explícitamente, están implícitas en la frase: "Aquél que está sentado en el trono extenderá Su tabernáculo sobre ellos". "Tabernáculo" habla de comunión íntima con la presencia de Dios, y parte del trasfondo de ese versículo está en Ez. 16:8–10, donde Dios extiende Su manto sobre Israel y entra en pacto con ella.

En consecuencia, los santos se visten con lino puro como símbolo de la justa vindicación final de Dios sobre ellos porque, a pesar de la persecución, perseveraron en la justicia en la tierra. El significado completo de las vestimentas puras es que la justa vindicación de Dios implica juzgar al enemigo al final de los tiempos, lo que demuestra que la fe y las obras de los santos han sido correctas todo el tiempo. Este doble sentido del **lino fino** se ajusta aquí admirablemente al propósito retórico de todo el libro, que incluye exhortaciones a los creyentes para que dejen de ensuciar sus vestimentas (3:4–5) y para que no se les encuentre desnudos (3:18; 16:15). Esto subraya el aspecto de la responsabilidad humana que destaca el v. 7b: "Su esposa se ha preparado". Sin embargo, se puede animar a los lectores a obedecer la exhortación con el conocimiento de que Dios les ha proporcionado la gracia para vestirse ahora por el poder del Espíritu.

9 El ángel ordena a Juan, **escribe: "Bienaventurados los que están invitados a la cena de las Bodas del Cordero"**. La misma idea se expresa en la imagen de Cristo cenando con Su pueblo en 3:20. El uso de la palabra **invitado** (literalmente "llamado", griego *kaleō*) subraya el papel soberano de Dios en la salvación: la palabra es utilizada al menos veinticinco veces por Pablo de esta manera. Los "llamados" son "escogidos" (Ap. 17:14). Aquí la imagen cambia un poco, ya que mientras que en los vv. 7–8 la iglesia corporativa es representada como la novia, ahora los creyentes individuales son representados como invitados a la cena de las bodas.

El mismo pensamiento está presente en 12:17, donde la mujer es la iglesia y la simiente sus miembros individuales. La cláusula final, **También me dijo: "Estas son palabras verdaderas de Dios"**, afirma formalmente la verdad de los vv. 7–9a. El v. 9 funciona de forma muy parecida a 21:5b, "y añadió: "Escribe, porque estas palabras son fieles y verdaderas", que confirma la verdad de 21:2, que contiene las mismas metáforas matrimoniales que los vv. 7–8 aquí, al igual que el v. 9 confirma la verdad de las metáforas matrimoniales de los dos versículos anteriores. También en el cap. 21, la ropa de boda se interpreta como comunión íntima con Dios (21:2–3), junto con la idea añadida de protección (21:4).

10 Este versículo es a la vez una conclusión de la amplia sección del "juicio de Babilonia" que comienza en 17:1, y especialmente la parte que empieza en 18:1, y al mismo tiempo una introducción a la sección que describe la última batalla, que comienza en el v. 11. En respuesta a la declaración del ángel en el v. 9b, Juan lo adora: **Entonces caí a sus pies para adorarlo**. Inmediatamente es reprendido: **Y me dijo: "No hagas eso. Yo soy consiervo tuyo y de tus hermanos que poseen el testimonio de Jesús; adora a Dios"**. Conviene venerar las palabras de Dios, pero no al mensajero que las trae. El ángel no es más que un simple **consiervo** de Juan y de **tus hermanos que poseen el testimonio de Jesús**. Quizás Juan confundió al ángel con la figura divina del cielo en 1:13–16 y 10:1–3, que es digna de adoración. El pasaje es un ejemplo de lo fácil que es caer en la idolatría (un problema entre algunos de los lectores de Juan; véase en 2:14–15,

20–21; 9:20) por lo que entra en juego el juicio descrito a lo largo del cap. 19. La dificultad de esta identificación errónea se refuerza en 22:8–9, donde Juan repite asombrosamente la misma ofensa.

La última frase del versículo, **El testimonio de Jesús es el espíritu de la profecía**, muestra cómo tanto los creyentes como los ángeles pueden ser consiervos que dan testimonio de Jesús. El **testimonio de Jesús** (véase también 6:9; 12:17) puede ser tanto el testimonio *de* Jesús (genitivo subjetivo griego) dado a la iglesia y ahora transmitido como testimonio por los creyentes, como el testimonio *para* o *sobre* Jesús (genitivo objetivo griego). El resultado final es similar. Nuestro testimonio es sobre Cristo. No debemos llamar la atención sobre nosotros mismos ni sobre ningún otro ser creado. Que **el testimonio de Jesús es el espíritu de la profecía** podría significar que el testimonio es una expresión profética inspirada por el Espíritu.

También podría significar que el testimonio de Jesús es la obra de un espíritu profético, es decir, de los profetas. Esto se apoya en el pasaje paralelo de 22:8–9, donde (de forma similar) el ángel se refiere a "tus hermanos los profetas", aunque sin ninguna referencia al Espíritu divino. El significado de la frase sería, pues: "los que dan testimonio de Jesús son gente profética". Por lo tanto, los ángeles en el cielo y los creyentes en la tierra son consiervos en el sentido de que ambos tienen funciones proféticas. Los profetas aquí no son (como en otras partes del NT) los que tienen un cargo exclusivo, sino el mismo grupo mencionado como profetas en otras partes del libro, donde se piensa en el papel profético de toda la iglesia (así en 11:3, 6, 10).

Sugerencias para Reflexionar sobre 19:7–10

- ***Sobre el refinamiento de los creyentes.*** El comentario afirma que la existencia de Babilonia fue necesaria porque proporcionó la ocasión para el refinamiento de los creyentes, necesario para entrar en el reino eterno. ¿Con qué frecuencia vemos a los que nos causan dolor como obstáculos indeseables que hay que eliminar, en lugar de ver la posibilidad de que Dios los haya puesto en nuestras vidas para hacer surgir su carácter ante el sufrimiento? ¿Qué es más importante, nuestra comodidad terrenal o la formación de Cristo en nosotros? El hecho de que Dios deteste la maldad de Babilonia y ciertamente la juzgue, no le impide utilizarla para lograr sus propósitos en nuestras vidas.

Cristo revelará Su soberanía y fidelidad a Sus promesas juzgando a los antiguos aliados de Babilonia para reivindicar a Su pueblo (19:11–21)

Ahora, a modo de conclusión final de la sección sobre la caída de Babilonia que comienza en 17:1, se describe proféticamente la derrota y el juicio de Cristo sobre las fuerzas impías al final de la historia. En primer lugar, se describe a Cristo con sus ejércitos celestiales en previsión de la derrota de su enemigo (vv. 11–16), luego la declaración de la inminente destrucción del enemigo (vv. 17–18) y, por último, la escena culmina con la derrota de la bestia y el falso profeta junto con sus seguidores (vv. 19–21).

La destrucción de Babilonia relatada en 17:1–19:6 (o 19:8) no fue una derrota completa de todas las fuerzas de la maldad. De hecho, 17:12–18 revela que el agente de Dios en la derrota de Babilonia fue la bestia y sus fuerzas. Por lo tanto, para que la victoria sea completa, estas fuerzas también deben ser destruidas. Sobre todo, el "testimonio de Jesús", mencionado enfáticamente dos veces en el v. 10, debe ser visto como verdadero. El juicio de Babilonia, seguido por el de la bestia, el falso profeta y sus seguidores, demuestra que los que dieron este testimonio era correcto después de todo y que el testimonio es verdadero.

El hecho de que el arma real de juicio sea la palabra de verdad de Cristo sugiere además que el propósito de esta sección, junto con el de los vv. 1–6, es servir de base para las declaraciones relacionadas a la cena de las bodas del Cordero en los vv. 7–10, a fin de enfatizar el fundamento de la vindicación de los santos y proporcionar una demostración de la verdad que proclaman (cf. las "palabras verdaderas de Dios", v. 9). Esta verdad a ser demostrada permanecerá oculta a los incrédulos hasta la revelación final y completa de Cristo en Su venida final.

11. Cristo revelará Su soberanía y fidelidad al cumplir Su promesa de juzgar el mal derrotando a las fuerzas de la maldad al final de la historia (19:11–16)

[11] Vi el cielo abierto, y apareció un caballo blanco. El que lo montaba se llama Fiel y Verdadero. Con justicia juzga y hace la guerra. [12] Sus ojos son una llama de fuego, y sobre Su cabeza hay muchas diademas. Tiene un nombre escrito que nadie conoce sino Él. [13] Está vestido de un manto empapado en sangre, y Su nombre es: El Verbo de Dios. [14] Los ejércitos que están en los cielos, vestidos de lino fino, blanco y limpio, lo seguían sobre caballos blancos. [15] De Su boca sale una espada afilada para herir con ella a las naciones y las regirá con vara de hierro. Él mismo pisa el lagar del vino del furor de la ira de Dios Todopoderoso. [16] En Su manto y en Su muslo tiene un nombre escrito: "REY DE REYES Y SEÑOR DE SEÑORES".

11 La frase introductoria, **Vi el cielo abierto**, indica el comienzo de otra visión. La visión del cielo abierto introduce una escena de juicio, como en otras partes de Apocalipsis (así 4:1; 11:19; 15:5). A continuación, Juan vio **un caballo blanco. El que lo montaba se llama Fiel y Verdadero**. El término "blanco" en el Apocalipsis se refiere a la pureza o a la recompensa por la pureza (p. ej., en 3:4–5). En 19:7–8, las vestimentas blancas representan no sólo la justicia, sino también la recompensa vindicativa final para aquellos que han perseverado en la persecución. Es probable que la idea de vindicación esté incluida en la mayoría de los usos anteriores de "blanco" en el libro (1:14; 2:17; 3:4–5; 4:4; 6:11; 7:9, 13; 14:14). En particular, en 14:14 y 20:11 el color transmite ideas no sólo de santidad y pureza divinas, sino también de vindicación jurídica de la verdad mediante el juicio final.

El jinete del caballo **se llama Fiel y Verdadero**. Cristo será fiel y verdadero para cumplir Su promesa de juzgar a los malvados y vindicar Su nombre y a Sus seguidores. Esto se confirma por el uso de la misma frase en plural en 21:5 y 22:6, que se refieren al cumplimiento seguro de la profecía de la nueva creación y la nueva Jerusalén. El jinete se describe además así: **Con justicia juzga y hace la guerra**. La frase **con justicia** alude a descripciones similares en los Salmos sobre la vindicación de Dios de Su pueblo afligido y el juicio de sus opresores (Sal. 9:8; 72:2; 96:13; 98:9). Esta acción judicial la lleva a cabo ahora Cristo en favor de Su pueblo. Hch. 17:31 también alude a los mismos textos de los Salmos al afirmar el futuro día del juicio que será ejecutado por Cristo. La alusión a "hacer la guerra" parece referirse no a un conflicto literal en el campo de batalla, sino a una batalla legal y a un juicio, al igual que el combate celestial entre los ejércitos angelicales del cap. 12 (véase 12:7–9).

12a La metáfora **Sus ojos son una llama de fuego** evoca el papel de Cristo como juez divino, que queda claro en los vv. 14–21. La misma frase se utiliza en 1:14, donde Cristo está en medio de las iglesias, y en 2:18–23, donde conoce y juzga la condición espiritual de los impíos que pretenden ser miembros de la comunidad del pacto. El vínculo con estos usos anteriores sugiere que los apóstatas se encuentran entre los juzgados en la presente escena. Esto se confirma además por la "espada afilada" que sale de la boca de Cristo en el v. 15, que también se refiere a la relación judicial de Cristo con los desobedientes en las comunidades eclesiásticas (1:16; 2:12).

El contexto siguiente muestra que los incrédulos fuera de la comunidad del pacto también son juzgados (véase los vv. 16–21). Una frase similar en Dn. 10:6 ("sus ojos eran como antorchas de fuego") está detrás de 1:14 y 2:18 en su descripción del Hijo del Hombre. El propósito principal de este ser celestial que se asemeja a un hombre (Dn. 10:16) es revelar el decreto de que en el "final de los días" (Dn. 10:14) los perseguidores de Israel serán juzgados (ver Dn. 10:21–12:13) e Israel liberado.

La descripción del jinete continúa: **y obre Su cabeza hay muchas diademas**. Los únicos que llevan diademas son el dragón (12:3) y la bestia (13:1). Las diademas representan las falsas pretensiones de autoridad soberana y universal del diablo y la bestia, que se oponen al verdadero "Rey de reyes y Señor de señores" (v. 16). La comparación de estos textos pone de manifiesto la antítesis consciente. El dragón tiene siete diademas y la bestia diez, pero hay una multiplicidad indefinida en la cabeza de Cristo. Su realeza es eterna, mientras que la de ellos es limitada. La corona del jinete satánico de 6:2 es retirada y entregada al jinete celestial antes de que éste sea derrocado. Los cristianos también llevan coronas como recompensa por su fe (2:10; 3:11; 4:4) para mostrar que han sido identificados con su Salvador coronado, tal como promete Jesús en 3:21: "Al vencedor, le concederé sentarse conmigo en Mi trono" (así también en 2:26–28).

12b Ahora tenemos otra explicación pictórica de Cristo, que en el versículo anterior ha sido descrito como un guerrero que ejecuta el juicio derrotando al enemigo. Si hay un trasfondo en el Antiguo Testamento para las diademas en la cabeza del jinete y su nombre secreto (**Tiene un nombre escrito que nadie conoce sino Él**), es Is. 62:2–3, que se apoya en las alusiones a Is. 63:1–3 en los vv. 13 y 15. Según Isaías, la Jerusalén de los últimos días recibirá un nuevo nombre, una diadema y una corona. El "nombre nuevo" de Is. 62:2 mostrará la nueva e íntima relación "matrimonial" de Israel con Dios, como se describe en Is. 62:4–5. Estos últimos versículos también se refieren a Israel como una "esposa" y a Dios como el "esposo", conectando con la metáfora de la boda de Ap. 19:7–8.

El nombre nuevo ("otro nombre") prometido a Israel en Is. 65:15 también puede estar en mente. Cristo, el portador de la diadema, cumple esta profecía al dar a Sus santos este nombre nuevo suyo (Ap. 2:17), que es también el nombre de la ciudad de Dios, la nueva Jerusalén (3:12). Existe un vínculo explícito entre 19:12 y 2:17. Ambos aluden a Is. 62:2–3 y 65:15, ambos hablan de un nombre que es en cierto sentido confidencial, y ambos hablan de que se ha escrito un nombre nuevo que nadie conoce, excepto el que lo recibe (2:17) o el propio Cristo (v. 12). Por lo tanto, el hecho de que nadie conozca el nombre en el v. 12, excepto Cristo, se refiere a que la profecía de Isaías 62 y 65 aún no se ha cumplido de forma consumada. El "nombre nuevo" de Cristo en 3:12 está allí tan estrechamente vinculado a (si no se equipara explícitamente con) "el nombre de Mi Dios" que también tiene connotaciones divinas.

Los nombres asignados a Cristo en los vv. 11, 13 y 16 son todos divinos, y el nombre nuevo sin duda también lo es. Podría referirse a Yahvé ("SEÑOR" en la mayoría de las traducciones del Antiguo Testamento), el nombre hebreo con el que Dios se reveló a Moisés (Éx. 3:14). El nombre "Yahvé" en el Antiguo Testamento expresa típicamente la relación de pacto de Dios con Israel, especialmente en el cumplimiento de las promesas dadas a los patriarcas. Por lo tanto, el Israel de los últimos días "conocerá" el nombre de Yahvé de una manera más intensa cuando Dios cumpla la profecía por medio de Cristo, restaurando a Israel y revelando Su carácter de una manera más amplia (cf. Éx. 6:3, 7 con Is. 49:23; 52:6; Ez. 37:6, 13).

Esto se apoya en la observación de que el nombre puede estar escrito en la cabeza de Cristo o en las diademas (que se acaban de mencionar), al igual que el nombre de Yahvé estaba escrito en una placa de oro en la frente del sumo sacerdote. Probablemente se trata de un contraste con las diademas en la cabeza de la bestia, en las que también había "nombres blasfemos" (13:1; igualmente, el nombre en la frente de la ramera, 17:5; cf. 17:3). Si el nombre de Cristo está escrito en la frente de los creyentes (14:1; cap. 22), el nombre de Dios está probablemente escrito en las diademas de Cristo. El hecho de que nadie conozca aún el nombre se refiere a que la plena revelación de la identidad de Cristo, particularmente en relación con el juicio, sólo se dará a Su regreso y a Su juicio del mundo.

Los comentaristas han observado que la afirmación de que nadie conoce el nombre excepto Cristo se contradice formalmente con la revelación de Su nombre en los vv. 11, 13 y 16. Pero la contradicción se mantiene sólo cuando la expresión del v. 12 se entiende como una declaración literal y no como de naturaleza simbólica. El nombre escrito de la ramera en 17:5 se declara primero como un misterio, y luego se identifica inmediatamente como "la gran Babilonia". El "misterio" no se refiere a mantener en secreto el nombre "Babilonia", sino a *descubrir el significado propio del nombre conocido* a la luz de su significado histórico.

En 1:20 y 10:7, el "misterio" se refiere a la forma inesperada en que se cumplirá la profecía de Daniel sobre la liberación de Israel y la derrota de sus malvados adversarios: en la cruz y en los que siguen el camino de la cruz. Estos misterios desaparecerán cuando el cumplimiento de las profecías del Antiguo Testamento se consume; sin embargo, el punto de Apocalipsis es que los creyentes pueden comprender su significado ahora, aunque estén ocultos para el mundo. Esto es paralelo a 14:3, donde "nadie… sino" los verdaderos creyentes pueden aprender el "cántico nuevo" de salvación; así que, del mismo modo, sólo ellos pueden ahora conocer y experimentar el nombre de Cristo, como resultado de Su iniciativa reveladora.

En el Antiguo Testamento, "conocer" un nombre significa tener control sobre el que lleva ese nombre y conocer o compartir el carácter de éste. Por lo tanto, la naturaleza confidencial del nombre no tiene nada que ver con ocultar un nombre a nivel cognitivo, sino que alude a que Cristo es absolutamente soberano sobre el acceso experiencial de la humanidad a una verdadera comprensión de Su carácter. A algunos les revela Su nombre (= carácter) al llevarlos a una relación salvadora con Él (como en 2:17; 3:12; 22:3–4; Lc. 10:22; Mt. 16:16–17), aunque este conocimiento aún no es completo, pero a otros les revela Su nombre sólo a través de una experiencia de juicio, y para ellos el verdadero significado de Su nombre sigue siendo un misterio y desconocido hasta que ocurre ese juicio.

El contenido de los vv. 11–12 se refiere a la experiencia del verdadero carácter o identidad de Cristo a través del juicio, por lo que el significado del hecho de que nadie conozca Su nombre es que los incrédulos sólo entenderán Su nombre (ya conocido por los creyentes, como se aclara, p. ej., en los vv. 11, 13, 16) en el momento de su juicio. Si el nombre es de naturaleza simbólica, no hay problema en que pueda revelarse incluso con una pluralidad de nombres (Salvador, Señor, Redentor, etc.). Por lo tanto, el significado simbólico del "nombre desconocido" es afirmar que Cristo aún no ha cumplido de forma consumada las promesas de salvación y juicio, pero revelará Su carácter (= nombre) de gracia y justicia cuando venga a cumplir esas promesas en vindicación de Sus seguidores.

13 Este versículo profundiza en la representación de la aparición de Cristo como guerrero mesiánico en los vv. 11–12. El jinete es representado como **vestido de un manto empapado en sangre**, una alusión a la descripción de Dios juzgando a las naciones en Is. 63:1–3: "Con vestiduras de colores brillantes... vestiduras las de el que pisa en el lagar... su sangre salpicó Mis vestiduras". Cristo se identifica aquí como ese guerrero divino. En Is. 63:4, el guerrero busca la "venganza" y la "redención" en nombre de Su pueblo, y el mismo objetivo está implícito aquí. Además del nombre de "Fiel y Verdadero" (v. 11), el nombre escrito confidencial del jinete del v. 12 también se revela como **el Verbo de Dios**. La palabra **llamado*** también se utiliza para revelar la interpretación espiritual de nombres de personas y lugares en 11:8; 12:9; y 16:16. Además, al igual que el nombre en el v. 11, **el Verbo de Dios** expresa un papel judicial, ya que el jinete juzgará por medio de la palabra de Dios (así también los vv. 15, 21).

Las otras cuatro apariciones de la frase "la Palabra de Dios" en el Apocalipsis se producen junto con el "testimonio" (6:9) o el "testimonio de Jesús" (1:2, 9; 20:4). Esto muestra que la Palabra de Dios se revela más plenamente en la vida, los actos y las enseñanzas de Jesucristo, y muestra lo apropiado que es que el propio Cristo lleve el nombre **el Verbo de Dios**. En el AT, "palabra"** también puede asumir la idea de promesa o "palabra profética" (1 R. 8:56), y el mismo significado es evidente en Ap. 17:17 ("hasta que las palabras de Dios se cumplan"), por lo que el título del v. 13 puede aludir a la ejecución por parte de Cristo del juicio final sobre los restantes enemigos de Dios, en cumplimiento de la profecía del Antiguo Testamento y del Nuevo Testamento.

---

* Nota del traductor: La versión NBLH omite en su traducción esta palabra.

** Nota del traductor: La versión NBLH traduce *logos* como **verbo**, en cambio la NASB lo traduce como **palabra** (word en inglés).

14 Los ejércitos celestiales siguen al jinete: **Los ejércitos que están en los cielos, vestidos de lino fino, blanco y limpio, Lo seguían sobre caballos blancos**. En otras partes del Nuevo Testamento, los ejércitos angelicales acompañan a Cristo desde el cielo en la ejecución del juicio final (Mt. 13:40–42; 16:27; 24:30–31; 25:31–32; Mr. 8:38; Lc. 9:26; 2 Ts. 1:7; Jud. 14–15). Estos ejércitos, sin embargo, probablemente consisten en los santos y no en las fuerzas angelicales, como sugiere la referencia paralela en 17:14: "El Cordero los vencerá… y los que están con Él son llamados, escogidos y fieles". Además, en el Apocalipsis, con una excepción (15:6), sólo los santos llevan vestiduras blancas (3:4–5, 18; 4:4; 6:11; 7:9, 13–14). Los santos aquí y en 17:14 toman parte en el juicio final sólo en el sentido de que su testimonio es la evidencia legal que condena a sus opresores (para tal comprensión de un testigo que juzga véase Mt. 12:41–42 y paralelos; Ro. 2:27).

Las vestimentas de los santos aquí y en todo el libro también deben entenderse como vestimentas sacerdotales, ya que las mismas vestimentas que llevan los seres celestiales también se conciben probablemente como sacerdotales en Ap. 15:6; Dn. 10:5; 12:6; y Ez. 9:2, así como las prendas similares que lleva Cristo en Ap. 1:13. Los santos con túnicas blancas en 7:9, 14–15 también tienen una función sacerdotal. Asimismo, el "lino fino, resplandeciente y limpio" del v. 8 tiene connotaciones sacerdotales (sobre lo cual véase). Los seguidores de Cristo reflejan el carácter sacerdotal de su representante al acompañarlo cuando ejecuta el juicio.

15 En las palabras **De Su boca sale una espada afilada para herir con ella a las naciones y las regirá con vara de hierro. El mismo pisa el lagar del vino del furor de la ira de Dios Todopoderoso** se encuentran cuatro alusiones del Antiguo Testamento, que siguen ampliando el cuadro de la aparición bélica de Cristo en los vv. 11–13 y muestran que al ejecutar el juicio final Cristo cumplirá las profecías de estos textos del Antiguo Testamento:

- La **espada afilada** en la boca del jinete viene de Is. 49:2, donde Isaías dice del siervo de Dios: "Ha hecho Mi boca como espada afilada". Aquí se reafirma la profecía de Isaías y se identifica implícitamente a Jesús como el siervo Israel (como en Lc. 2:32; Hch. 26:23, ambas alusiones a Is. 49:6).

- Con esta espada, el jinete va a **herir... a las naciones**, lo que alude a otra de las referencias de Isaías a Cristo: "Herirá la tierra con la vara de Su boca" (Is. 11:4). El mismo versículo de Isaías afirma que el siervo de Dios juzgará con justicia, un pensamiento que se repite aquí en el v. 11b.
- El jinete gobernará las naciones con una **vara de hierro**, aludiendo así al Sal. 2:9, donde el Mesías "quebranta" las naciones con una "vara de hierro". La "vara" del v. 15, al igual que la espada que sale de la boca de Cristo, connota la palabra de acusación de Dios, que condenará a los impíos y los consignará a la perdición.
- Finalmente, el jinete **pisa el lagar del vino del furor de la ira de Dios Todopoderoso**. La redacción es una alusión continua a la predicción del Antiguo Testamento sobre el último gran acto de juicio de Dios (Is. 63:2–6) iniciada en el v. 11, aplicada de nuevo a Cristo.

El significado de la frase **el lagar del vino del furor de la ira de Dios** es que el lagar es o representa la ira de Dios. La destrucción de los perdidos será tan exhaustiva como las uvas que se aplastan en el lagar (para conocer el trasfondo del AT de la imagen, véase 14:8, 10).

16 Se aduce otro nombre para explicar aún más el nombre no revelado del v. 12: **En Su manto y en Su muslo tiene un nombre escrito: "REY DE REYES Y SEÑOR DE SEÑORES"**. El nombre está escrito en el manto y en el muslo del jinete. El muslo (traducido "costado" en la NIV) era el lugar típico de la espada del guerrero (p. ej., Éx. 32:27; Jue. 3:16, 21; Sal. 45:3) y el lugar simbólico bajo el cual se colocaba la mano para hacer juramentos (p. ej., Gn. 24:2, 9; 47:29).

El título está tomado de la OG de Dn. 4:37, donde es un título para Dios. Se aplicó a Cristo anteriormente en 17:14. Así como el rey de Babilonia tomó erróneamente este título para sí mismo (como se refleja en su pensamiento de que él mismo era responsable de la gloria de todo lo que estaba a su alrededor, Dn. 4:30), el rey de la Babilonia de los últimos días se dirigió a él de manera similar. Así como Dios demostró Su soberanía a Nabucodonosor, Jesús se ocupará de la Babilonia de los últimos días. La aplicación de este título a Jesús subraya Su deidad, ya que fue utilizado para referirse a Dios en Daniel 4.

NVI New International Version
OG Traducción griega antigua de las Escrituras hebreas

Sugerencias para Reflexionar sobre 19:11–16

- ***Sobre la revelación consumada de Jesucristo al final de los tiempos.*** Este pasaje ofrece una imagen de Cristo muy diferente, aunque complementaria (e insinuada), del retrato de Su vida terrenal presentado en los Evangelios. Se le representa como un guerrero divino que ejecuta el juicio y gobierna soberanamente sobre todo. Su verdadera identidad no puede ser conocida ni controlada por otros. Aplastará a Sus enemigos en el lagar de la ira de Dios. No sólo eso, Sus santos le ayudarán en la ejecución de este juicio. ¿Con qué frecuencia consideramos la imagen bíblica completa de Jesús? El misterio es el de Aquel que colgó indefenso en la cruz, recibiendo el castigo por nuestros pecados y llamándonos a servirle en la debilidad, pero que un día cabalgará para ejecutar la venganza, con nosotros a Su lado. Una verdadera comprensión de Cristo sólo puede llegar cuando consideramos todos estos elementos de lo que Él es. Él lo ha dado todo, al igual que sus seguidores, para llegar a los que todavía están fuera de Su alcance, pero en virtud de Su santidad debe llevar el justo gobierno de Dios a la creación juzgando a los que deciden traer la destrucción a la tierra (Ap. 11:18).

12. Un ángel anuncia la inminente destrucción del último enemigo (19:17–18)

[17] Vi a un ángel que estaba de pie en el sol. Clamó a gran voz, diciendo a todas las aves que vuelan en medio del cielo: "Vengan, congréguense para la gran cena de Dios, [18] para que coman carne de reyes, carne de comandantes y carne de poderosos, carne de caballos y de sus jinetes, y carne de todos los hombres, libres y esclavos, pequeños y grandes".

17–18 Juan ve **a un ángel que estaba de pie en el sol. Clamó a gran voz**. Ahora tenemos ante nuestros ojos los resultados de la derrota de las fuerzas opuestas a Dios por parte de Cristo, que se ha empezado a describir en los vv. 11–16. Este ángel tiene una apariencia similar a la del ángel de 18:1, que descendió del cielo, iluminando la tierra con su gloria. Ambos ángeles traen juicios asociados a las aves: **diciendo a todas las aves que vuelan en medio del cielo: "Vengan,**

congréguense para la gran cena de Dios" (cf. 18:2). El primer ángel anunció la caída de Babilonia, y este segundo ángel anuncia la caída de la bestia y del falso profeta, antiguos aliados de Babilonia, completando este último el proceso iniciado en el primero.

La invitación a las aves, **congréguense para la gran cena de Dios** es una parodia macabra de la invitación a los santos a reunirse para la cena de las bodas del Cordero (v. 9). El ángel anuncia la próxima derrota de la bestia y sus aliados con el mismo lenguaje utilizado por Ezequiel para referirse a la destrucción de Gog y Magog al final de los tiempos: "Dile a toda clase de ave… Congréguense y vengan… al sacrificio que voy a preparar… comerán carne y beberán sangre. Comerán carne de poderosos y beberán sangre de los príncipes de la tierra… En mi mesa se hartarán de caballos y jinetes, de poderosos y de todos los hombres de guerra" (Ez. 39:17–20).

El hecho de que las aves estén volando **en medio del cielo** se añade a las imágenes de Ezequiel y confirma una visión no literal, ya que la misma frase describe al águila parlante de 8:13, que anuncia el juicio venidero. Este vínculo puede mostrar que el tercero de los "ayes" anunciados por el águila (= la séptima trompeta) se desarrolla aquí. La profecía del triunfo de Dios sobre Sus enemigos en Ezequiel 39 sigue esperando su cumplimiento, pero ahora el ángel la actualiza identificando a Cristo como el agente de la derrota e identificando a Gog y Magog como la bestia, el falso profeta y sus ejércitos.

Pero, ¿por qué aludir a Ezequiel en este punto, sobre todo teniendo en cuenta que se podría haber recurrido a otros pasajes proféticos del Antiguo Testamento relacionados a la derrota de las fuerzas del mal en los últimos tiempos (p. ej., Daniel 2, 7–12, Zacarías 14)? Se ha incluido la representación de Ezequiel 39 porque su punto principal es que Dios dará a conocer Su santo nombre tanto a Israel como a los opresores de Israel durante el cautiverio por medio de la derrota de Gog y Magog. El objetivo de la revelación del nombre divino introduce (Ez. 39:7) y concluye (39:21–29) la descripción de la matanza (39:8–20). Dios salvará a Israel y juzgará a Sus enemigos. El mismo tema dual con respecto a la revelación del nombre de Cristo ha sido la preocupación principal en Ap. 19:11–16. La alusión a Ezequiel 39 confirma la presencia de esta preocupación y subraya la derrota narrada en 19:19–21 como el medio por el que Cristo revelará Su nombre en la liberación de Su pueblo y en el juicio a sus opresores.

Sugerencias para Reflexionar sobre 19:17–18

- ***Sobre la defensa de Dios de Su nombre.*** A lo largo del Antiguo Testamento, Dios se preocupó por defender Su nombre. Ante la derrota, Josué preguntó a Dios qué haría por el bien de Su nombre (Jos. 7:9; cf. Lv. 18:21; 24:16; Dt. 28:58; Sal. 66:2; 115:1; Is. 42:8; Jer. 16:21; Ez. 36:21–23). La alusión en estos versículos a Ezequiel 39, con su tema de la vindicación del nombre de Dios en la batalla de los últimos días (39:7, 25), refuerza el tema similar de los vv. 11–16. El enfoque en el nombre de Dios nos ayuda a recordar que a Dios no le preocupa principalmente nuestro nombre o nuestros intereses, sino la vindicación de *Su* nombre y la revelación al universo de que sólo Él es justo. Todos los que le siguen serán igualmente vindicados únicamente por su identificación con Su nombre. A veces tenemos que dejar la defensa de nuestro nombre o reputación en manos de Dios, con la seguridad de que lo que el mundo piensa de nosotros ahora no tiene ninguna importancia, sino que a la luz de la eternidad lo que Dios piensa de nosotros es primordial y que lo crucial es nuestra fiel identificación con Él.

13. Cristo derrotará a la bestia, al falso profeta y a sus seguidores al final de la historia (19:19–21)

[19] Entonces vi a la bestia, a los reyes de la tierra y a sus ejércitos reunidos para hacer guerra contra Aquél que iba montado en el caballo blanco y contra Su ejército. [20] Y la bestia fue apresada, junto con el falso profeta que hacía señales en su presencia, con las cuales engañaba a los que habían recibido la marca de la bestia y a los que adoraban su imagen. Los dos fueron arrojados vivos al lago de fuego que arde con azufre. [21] Los demás fueron muertos con la espada que salía de la boca de Aquél que montaba el caballo, y todas las aves se saciaron de sus carnes.

19 Después del anuncio del juicio venidero, Juan ve una visión del juicio mismo, de modo que esta sección es al menos temporalmente paralela a los vv. 17–18 y probablemente sea anterior, ya que los vv. 17–18 retratan lo que ocurre directamente después de la batalla (como aclarará el v. 21). Ve a **la bestia, a los reyes de la tierra y a sus ejércitos reunidos para hacer guerra** (literalmente "congregado para hacer guerra") **contra Aquél que iba montado en el caballo blanco y contra Su ejército**. Esta es esencialmente la misma redacción ("reunidos para la batalla") utilizada en 16:14 y 20:8 para describir el preludio de la última batalla de la historia.

Satanás y sus agentes son los poderes inmediatos que están detrás de esta reunión de los reyes (16:14; 20:8), lo que explica en parte (véase más adelante) la forma pasiva del verbo aquí (**reunido** = "congregado"). Que la alusión a la batalla de Dios contra Gog y Magog en los vv. 17–18 (Ez. 38:2–9; 39:1–8) no es accidental queda claro al ver que los reyes son identificados figurativamente como Gog y Magog en 20:8. En última instancia, por supuesto, el verbo pasivo indica que Dios está dirigiendo y controlando estos acontecimientos, como afirma Ezequiel (p. ej., 38:4; 39:2). Otra alusión en los tres versículos (16:14; 19:19; 20:8) es a Zacarías 14:2: "Yo reuniré a todas las naciones en batalla contra Jerusalén…". Zacarías continúa hablando del día único del Señor (14:7), el día en que fluirán aguas vivas de Jerusalén (14:8), las mismas aguas vivas a las que se refiere Ezequiel (47:1–12) como fluyendo del templo escatológico.

Ap. 16:14; 19:19; y 20:8 tienen todos un artículo antes de la palabra "guerra", lo que conlleva el significado de *la* guerra en lugar de simplemente *una* guerra. *La* guerra es la misma gran batalla final entre el Cordero y las fuerzas del mal descrita en estos versículos paralelos y profetizada en el AT. Por lo tanto, es la misma guerra que en 11:7, ya que esa batalla también es una en la que la bestia "hará la guerra contra ellos [los santos]" e intentará destruir a todo el cuerpo de creyentes en la tierra (véase en 11:7–10). El Sal. 2:2 también resuena en el trasfondo: "Se levantan los reyes de la tierra, y los gobernantes traman unidos contra el SEÑOR y contra Su Ungido"; nótese la indudable referencia a Sal. 2:9 en el v. 15.

20 El juicio real descrito en el v. 19 y anteriores ocurre en dos partes. Primero, la bestia y el falso profeta son juzgados: **Y la bestia fue apresada, junto con el falso profeta**. A continuación son arrojados al lago de fuego, y luego son ejecutados sus seguidores (v. 21). La descripción de la bestia y el falso profeta nos recuerda aquí la razón de su juicio: la bestia hacía afirmaciones divinas (véase 13:3, 7–8), y el falso profeta engañaba a la gente para que reconociera estas afirmaciones: **que hacía señales en su presencia, con las cuales engañaba a los que habían recibido la marca de la bestia y a los que adoraban su imagen** (para una explicación de esta última frase véase 13:14–15).

El hecho de que se diga que fueron arrojados al lago de fuego mientras estaban vivos (**los dos fueron arrojados vivos al lago de fuego que arde con azufre**) sugiere no la aniquilación absoluta sino un castigo eterno y consciente. Es decir, seguirán viviendo en el lago de fuego. Esta interpretación es confirmada por la declaración adicional sobre ellos en 20:10: "Serán atormentados día y noche por los siglos de los siglos" (véase también 14:10–11 sobre el último destino de quien adora a la bestia: "Será atormentado con fuego y azufre delante de los santos ángeles y en presencia del Cordero. El humo de su tormento asciende por los siglos de los siglos. No tienen reposo, ni de día ni de noche").

Nótese que el fuego y el azufre son parte del juicio de Dios sobre Gog y Magog en Ez. 38:22. También se hace alusión a Dn. 7:11: "Seguí mirando hasta que mataron a la bestia, destrozaron su cuerpo y lo echaron a las llamas del fuego". En Daniel, el lugar ardiente del castigo de la bestia se menciona inmediatamente después del "río de fuego" que fluye desde delante del trono de Dios (Dn. 7:10). No puede ser una coincidencia que el *lago de fuego* en Ap. 20:10 se mencione inmediatamente antes de la descripción del *gran trono blanco* y el juicio de Dios en 20:11–15. La aparente naturaleza temporal del castigo en Dn. 7:11 (la bestia asesinada y su cuerpo destruido) se interpreta en la perspectiva más amplia de un castigo eterno a la luz de 20:10 y 14:10–11, que puede haber sido ya insinuado por Dn. 12:2 ("muchos… que duermen… despertarán, unos para la vida eterna, y otros para la ignominia, para el desprecio eterno"). La descripción del juicio no sugiere que dos individuos literales fueran arrojados al fuego, sino sólo que todos los que actúan en el papel corporativo de la bestia y el falso profeta al final de la historia serán castigados de esta manera (véase el cap. 13 para la definición de estos dos papeles).

21 Los ejércitos que seguían a la bestia y al falso profeta fueron **muertos con la espada que salía de la boca de Aquél que montaba el caballo, y todas las aves se saciaron de sus carnes**. La espada que salió de la boca de Cristo es una alusión a Is. 49:2 e Is. 11:4, que se repite a partir del v. 15 (sobre el cual véase). La espada es probablemente figurativa, connotando la palabra de juicio de Dios, y representando un decreto de muerte (véase en el v. 15). Esto podría ser apoyado por la escena de la "sala de justicia" en 20:11–12, donde los incrédulos son acusados de malas acciones. Después de la acusación sigue la ejecución de su castigo en 20:15, que refleja el de la bestia y el falso profeta tanto en 19:20 como en 20:10 (donde son arrojados al lago de fuego). Esto está en consonancia con Mt.

25:41, donde el juicio final se ejecuta con el mero pronunciamiento de las palabras de Cristo: "Apártense de Mí, malditos, al fuego eterno que ha sido preparado para el diablo y sus ángeles".

Sugerencias para Reflexionar sobre 19:19–21

- ***Sobre la realidad de la guerra espiritual.*** Estos versículos dejan claro que la historia terminará en un tiempo de guerra. El diablo y sus fuerzas siempre se han opuesto activamente a Dios, pero su rebelión culminará en una última batalla feroz. Aunque los cristianos son gente de paz, también están llamados a llevar a cabo una guerra inaugurada antes de la batalla final consumada por Cristo. Es decir, la batalla ha comenzado ahora, no contra carne y sangre, sino contra los poderes de las tinieblas, como nos recuerda Pablo (Ef. 6:10–17). No ser consciente de la batalla actual y no participar en ella significará una pérdida terrible, ya que el enemigo nunca dejará de atacar a la iglesia. ¿Qué significa la guerra espiritual para nosotros en nuestro tiempo? ¿Cómo la llevamos a cabo adecuadamente? ¿Cómo nos oponemos a los poderes de las tinieblas sin atacar a las personas? ¿Se ha olvidado en gran medida el papel de la oración, que puede ser el arma más eficaz, en nuestro modo de vida acelerado y ocupado? Oramos y confiamos en que nuestro Salvador, que comenzó esta batalla en Su primera venida, la terminará para nuestra propia victoria final, vindicación y, sobre todo, Su propia gloria.

VIII. EL MILENIO (20:1-15)

El milenio se inaugura durante la era de la iglesia cuando Dios limita los poderes engañosos de Satanás y cuando los cristianos fallecidos son reivindicados reinando en el cielo. El milenio concluye con un resurgimiento del ataque engañoso de Satanás contra la iglesia y el juicio final (20:1–15)

Este capítulo, aunque lo hemos tratado como una sección separada, está estrechamente relacionado literariamente con el segmento principal anterior que se extiende desde 17:1 hasta 19:21. Esa sección trata del anuncio de la caída de Babilonia al final de los tiempos (cap. 17), la elaboración de la caída de Babilonia, especialmente las respuestas obtenidas tanto de las multitudes no redimidas como de las redimidas (18:1–19:10), y el juicio de Cristo a las fuerzas mundiales impías al final de la historia (19:11–21). Nuestros comentarios argumentarán que 20:1–6 se refiere al curso de la era de la iglesia, que *precede* temporalmente a la narración del juicio final en los caps. 17–19, mientras que, por otro lado, 20:7–15 recapitula la descripción del juicio final en 19:11–21 (así como en 16:14–21, sobre lo cual véase). La única esperanza de obtener algo de claridad sobre el cap. 20 es interpretarlo primero a la luz de su contexto inmediato, luego a la luz de los paralelos más cercanos en otras partes del libro y, finalmente, a la luz de otros paralelos en el Nuevo Testamento y el Antiguo Testamento.

El milenio se inaugura durante la era de la iglesia al reducir Dios la capacidad de Satanás para engañar a las naciones y aniquilar a la iglesia, y por la resurrección de las almas de los creyentes al cielo para reinar allí con Cristo (20:1–6)

Hay tres puntos de vista predominantes sobre el milenio, aunque dentro de cada perspectiva hay amplias variaciones de interpretación que no se pueden catalogar aquí. Algunos creen que el milenio ocurrirá después de la segunda venida de Cristo. Este punto de vista se conoce tradicionalmente como premilenialismo. El posmilenialismo, por el contrario, ha sostenido que el milenio ocurre hacia el final de la era de la iglesia y que la venida culminante de Cristo ocurrirá al final del milenio ("posmilenial" significa "después del milenio"). Otros creen que el milenio comenzó en la resurrección de Cristo y concluirá directamente antes de Su venida final. Este punto de vista ha sido llamado amilenialismo. Es mejor referirse a este tercer punto de vista como "milenialismo inaugurado", ya que "amilenial" significa literalmente "sin milenio". El posmilenialismo y el amilenialismo, y algunos intérpretes premileniales, han abordado Ap. 20:1–6 según una interpretación simbólica. Tradicionalmente, muchos comentaristas premileniales han abordado el texto con un enfoque llamado "literal".

Desde su primer verso, el Apocalipsis transmite información en forma simbólica (véase 1:1, donde se dice que todo el libro es una comunicación predominantemente simbólica). "Miré", "vi" o expresiones similares, utilizadas repetidamente por Juan para introducir visiones simbólicas (4:1 y ss.; 12:1–3, "apareció"; 13:1–3; 14:1; 17:1–3) aparecen en 20:1 y 20:4, indicando probablemente que estas visiones deben interpretarse simbólicamente. Lo que Juan ve y oye (p. ej., personas resucitadas y que viven durante mil años) constituye la visión que ha visto, que debe ser interpretada *primero* simbólicamente. Esta visión, con palabras como dragón, cadena, abismo, serpiente, encerrado, sellado y bestia, no es una excepción a la regla. Por lo tanto, las palabras "resurrección" y "vida", por ejemplo, no dan por sí solas una pista sobre si la representación visionaria y simbólica tiene una correspondencia uno a uno (física) con un referente histórico (personas con cuerpos físicos de resurrección) junto con su significado figurativo inicial, o si la representación simbólica tiene una referencia figurativa que no tiene una correspondencia uno a uno (física) con un referente histórico (p. ej., personas que experimentan una resurrección espiritual). La exégesis minuciosa debe decidir en cada caso.

El nivel *visionario* de interpretación (lo que Juan vio realmente) y el nivel *simbólico* (lo que los elementos de la visión connotan bíblicamente por encima y más allá de cualquier referencia histórica específica) no deben confundirse con el tercer, el *nivel histórico* (la identificación histórica particular de las personas resucitadas y los otros objetos vistos en la visión). Los intérpretes literales del libro (los que ven una correspondencia uno a uno entre las imágenes del libro y sólo una realidad física) reconocen estas distinciones, pero en puntos críticos, incluido 20:1–6, con demasiada frecuencia descuidan los niveles visionario y simbólico de la comunicación al colapsarlos en el referencial, nivel histórico.

Un ejemplo sencillo y bastante indiscutible de estos tres niveles hermenéuticos es la visión de 1:12, 20. Se trata claramente de una visión ("vi") en la que Juan ve "siete candelabros de oro" (el *nivel visionario*). Los "candelabros" se identifican con las siete iglesias en el *nivel histórico*, pero no hay una correspondencia física entre los candelabros y las iglesias (¡las iglesias no son candelabros físicos!). El *nivel simbólico* de la visión es que las iglesias son representadas como candeleros. Pero, ¿por qué? Hay que intentar determinar por qué las iglesias son comparadas figurativamente con candelabros para descubrir el significado simbólico (al menos parte del significado simbólico es que, como los candelabros formaban parte del antiguo templo y daban luz en el AT, la iglesia forma parte de un nuevo templo y da la luz de la revelación de Dios a otros). Algo similar ocurre en 20:1–8.

Las siguientes consideraciones demuestran que los acontecimientos de 20:1–6 (el milenio) se refieren a acontecimientos *anteriores en el tiempo* a la última batalla de 19:11–21, indicando así que el propio milenio debe identificarse con la era de la iglesia. En la siguiente exégesis del texto se presentará más apoyo a este punto de vista.

*i. Uso de la conjunción "y"**.

Los intérpretes premileniales consideran que 20:1–6 sigue a 19:11–21 en la secuencia histórica: el milenio sigue a la batalla y al lanzamiento de la bestia y el falso profeta al lago de fuego. El argumento significativo para esto se basa en el uso de la palabra "y" (griego *kai*), que se dice que indica la secuencia histórica en ambos capítulos. Por lo tanto, "y" en 20:1 introduce acontecimientos posteriores a los del cap. 19. Sin embargo, a menudo en el Apocalipsis "y" funciona como una palabra de transición que indica simplemente una nueva visión y no necesariamente una secuencia cronológica. De hecho, sólo tres de las treinta y cinco apariciones de "y" en 19:11–21 indican claramente una secuencia en el

* Nota del traductor: La conjunción "y" está implícita antes de los verbos "vi" o "miré" en la mayoría de los casos en la versión NBLH, en otras ocasiones usa "después" o "entonces".

tiempo histórico (la inicial *kai* en los vv. 20a, 21a, 21b, y quizás también en el v. 14a), mientras que el resto sirven como dispositivos de enlace visionario.

Incluso la frase repetida "y vi" en 19:11, 17 y 19 no introduce secciones en secuencia cronológica, sino secciones concurrentes que tienen que ver con el mismo tiempo de la última guerra; ni siquiera introducen diferentes etapas posteriores de esa guerra. Por otro lado, la mayoría (aunque no todos) de los "y" del cap. 20 se refieren a la secuencia histórica (aunque "y* vi" en el v. 4 introduce los acontecimientos de los vv. 4–6 como ocurridos al mismo tiempo que los acontecimientos de la unión en los vv. 1–3). ¿A cuál de las dos categorías pertenece el "y" crítico del v. 1 ("*y* vi a un ángel que descendía del cielo")? En los casos en que "y vi" aparece en el Apocalipsis, *seguido de la referencia a* "un ángel que desciende del cielo" (10:1; 18:1) o "que subía de donde sale el sol" (es decir del cielo, 7:2) y "teniendo" algún tipo de poder (10:1; 18:2), siempre introduce una visión que se remonta a un tiempo *anterior a la sección precedente* (como en 7:2 y 18:1, donde la NASB no incluye el "y") o que ocurre al *mismo tiempo que la sección precedente* (como en 10:1). 20:1 encaja en este patrón, ya que también hay un "y vi fórmula" seguida de "un ángel que descendía del cielo" y "tenía" poder (una "llave"). Y como observamos anteriormente, las tres frases "y vi" en 19:11, 17 y 19 introducen secciones temporalmente paralelas entre sí. No debe sorprendernos, pues, que, en contra de la visión premilenial, "y vi" en 20:1 no introduzca acontecimientos que ocurran *después de* los de 19:1–21. Sin embargo, esta vez, como en otras partes del libro (7:2; 18:1), no está sincronizado con 19:11–12, sino que nos lleva a un tiempo anterior a esa sección anterior.

ii. Alusiones a Ezequiel 38–39 tanto en 19:17–21 como en 20:8–10.

Ambos pasajes contienen repetidas alusiones a la batalla de Ezequiel 38–39, lo que sugiere que ambos se refieren a la misma batalla. De hecho, tanto en 19:17–21 como en 20:8–10 se narra la misma batalla que en 16:12–16, lo que se pone de manifiesto por la repetición de "reunirlos para la batalla", aunque en 19:19 varía de forma insignificante.

16:14: *tous basileis tēs oikoumenēs holēs synagagein autous eis ton polemon*

---

* Nota del traductor: La NBLH utiliza "también" en lugar de "y".
NASB New American Standard Bible

"los reyes de todo el mundo, a reunirlos para la batalla" (son "espíritus de demonios" los que hacen la "reunión" aquí)

19:19: *tous basileis tēs gēs ... synēgmena poiēsai ton polemon*
"los reyes de la tierra... reunidos para hacer [la] guerra"

20:8: *ta ethnē... tēs gēs ton Gōg kai Magōg synagagein autous eis ton polemon*
"las naciones... de la tierra, a Gog y a Magog, a fin de reunirlas para la batalla"

La frase de 16:14 se refiere probablemente a la misma confrontación entre las fuerzas de la bestia y Cristo al final de la era que se menciona en los caps. 19 y 20. Las tres frases sinónimas de 16:14; 19:19; y 20:8 se basan en la profecía del Antiguo Testamento, especialmente de Zacarías 12–14 (y posiblemente de Sof. 3:8 LXX). La alusión específica es a Zac. 14:2, donde también falta el artículo: *episynaxō panta ta ethnē epi Ierousalēm eis polemon* ("Reuniré a todas las naciones en batalla contra Jerusalén"). El versículo preveía que Dios reuniría a las naciones en Israel para la guerra final de la historia.

Las tres cláusulas paralelas de 16:14; 19:19; y 20:8 llevan el artículo *(ton polemon)* porque se refieren a "la [conocida] 'Guerra del Fin'" profetizada en el pasaje de Zacarías. ¡Por lo tanto, 19:19 y 20:8 son narraciones proféticas recapituladas de la misma batalla futura descrita en 16:14! Ap. 20:7–10 muestra que esta "guerra" es parte del ataque final de las fuerzas de Satanás contra los santos. Por lo tanto, es la misma "guerra" que en 11:7, ya que esa batalla también es una en la que la "bestia" intenta aniquilar a todo el cuerpo de creyentes en la tierra al final de los tiempos (véase en 11:7–10). Desde este punto de vista, el artículo definido en 16:14 y sus siguientes paralelos puede ser un artículo de referencia anterior, no sólo a la profecía del Antiguo Testamento, sino también a la descripción inicial de la última batalla en 11:7, donde falta el artículo.

Si 20:1–6 (el milenio) precede al tiempo de 20:7–10, y si 19:17–21 es temporalmente paralelo a la batalla de 20:7–10, entonces 20:1–6 es temporalmente anterior a la batalla de 19:17–21. La mayoría de los comentaristas de todas las tendencias milenaristas coinciden en que en 19:17–21 Juan considera que la profecía de Ezequiel 39 se cumple específicamente en el futuro, y es obvio

---

LXX Septuaginta

que la misma perspectiva debe estar vigente en 20:8–10, pues probablemente no cambiaría su punto de vista en el espacio de unos pocos versículos. Esto distingue la batalla contra Gog y Magog de la lucha más general contra Babilonia a lo largo de la era de la iglesia.

El hecho de que Juan tenga en mente una conexión específica de cumplimiento de la profecía con Ezequiel 38–39 queda confirmado por el contexto más amplio de Apocalipsis 20–21, donde el cuádruple final del libro refleja el final de Ezequiel 37–48: resurrección del pueblo de Dios (Ap. 20:4a; Ez. 37:1–14), reino mesiánico/milenio (Ap. 20:4b–6; Ez. 37:15–28), batalla final contra Gog y Magog (Ap. 20:7–10; Ezequiel 38–39), y visión final del nuevo templo y la nueva Jerusalén, descritos como un Edén restaurado y asentados en un monte muy alto (21:1–22:5; Ezequiel 40–48). Algunos han argumentado que Apocalipsis 19 y 20 se refieren a dos batallas diferentes, siendo así múltiples cumplimientos de la misma profecía de Ezequiel. Sin embargo, si este fuera el caso, cabría esperar que la representación de Ap. 20:7–10 apareciera como una continuación de la batalla de 19:17–21.

Sin embargo, no sólo *no* parece que el 20:7–10 continúe donde lo dejó el 19:21, sino que la batalla en el 20:7–10 tiene un comienzo igual al del 19:17–21, donde los ejércitos se reúnen contra el pueblo de Dios: nótese la similitud entre el 19:19 y el 20:8. Además, este lenguaje se basa en la misma alusión a Ez. 38:2–8 y 39:2, junto con Zacarías 12–14 (especialmente 14:2), que también está detrás de las frases paralelas de Ap. 16:14 y 19:19 (véase adicionalmente en 16:14; 19:19; 20:8 y más adelante la relación de esos tres pasajes).

Otros han intentado distinguir la batalla de Ezequiel 38–39 de la de Apocalipsis 20 señalando que en Ez. 39:4 los invasores enemigos son destruidos al "caer sobre los montes de Israel" (igualmente 39:17) y en Ap. 20:9 son destruidos por el fuego. Sin embargo, esta observación no sirve para distinguir las dos representaciones, sino para identificarlas como referidas a la misma batalla, ya que en Ez. 38:21 (cf. 39:17–21) se afirma que Dios mata al enemigo con una espada "en todos Mis montes" (igualmente en 39:17, "sacrificio... sobre los montes de Israel"), y en Ez. 38:22 y 39:6 se dice que Dios derrota al mismo enemigo con fuego. Las dos representaciones de Ezequiel son formas metafóricas diferentes de subrayar la misma derrota del enemigo por parte de Dios. De hecho, estas dos versiones metafóricas de la misma batalla en Ezequiel se reflejan en las dos batallas de Ap. 19:17–21 y 20:7–9: en la primera el enemigo es destruido por una espada, y en la segunda el enemigo es derrotado por el fuego.

Tampoco hay base suficiente para distinguir la profecía de Ezequiel de la de Apocalipsis 20 porque Gog y Magog vienen del norte en Ezequiel 38–39, y supuestamente también en Apocalipsis 19, mientras que en Apocalipsis 20 Gog y Magog se identifican con todas las naciones de la tierra. Sin embargo, Ap. 19:15–21 se refiere a "las naciones" en general (19:15) y a "los reyes de la tierra" (19:19) como antagonistas de Cristo, no a las naciones del norte, de modo que no son necesariamente diferentes de las naciones de 20:8 (véase también el v. 8). De hecho, 19:15 se refiere a "las naciones" como parte de una alusión a Is. 11:4 y Sal. 2:8, que tienen una perspectiva universal; en el primero, las "naciones" de Juan parecen ser equivalentes a la "tierra" de Isaías, y en el segundo las "naciones" se explican además como "las naciones" incluso hasta "los confines de la tierra".

Por lo tanto, si Apocalipsis 19 está aludiendo a la batalla de Ezequiel, no hay razón para distinguirlo de Apocalipsis 20 sobre la base de una perspectiva geográfica diferente del enemigo de Ezequiel. Es probable que ambos relatos de Apocalipsis estén universalizando al enemigo de Ezequiel, pero esto no debería llevar a la conclusión de que Juan está desarrollando Ezequiel de forma contraria a su intención contextual original (véase también el v. 8 para conocer el fundamento).

iii. La conexión entre la recapitulación en el mismo Ezequiel 38–39 y Ap. 19:17–20:10.

Como ya se ha aludido brevemente, Ezequiel 39 recapitula la misma batalla narrada en Ezequiel 38. Esto sugeriría que si Juan está siguiendo algún modelo en 19:17–21 y 20:7–10, estaría siguiendo el patrón generalmente reconocido de recapitulación en Ezequiel 38–39 (véase también en 20:5–6 [y 4. más adelante] para la similitud más amplia entre 20:4–22:5 y Ezequiel 37–48). De hecho, la recapitulación es típica en otras partes de Ezequiel, así como en los demás libros proféticos del Antiguo Testamento.

iv. La relación de 16:12–16 y 19:19 con 20:8.

Ap. 16:12–16; 19:19–20; y 20:8 no sólo tienen en común el mismo lenguaje que describe la "reunión" de fuerzas para la guerra (mencionado anteriormente), sino que también comparten la noción de que las fuerzas reunidas han sido *engañadas* para participar. Esto refuerza la impresión de que el *engaño de* Satanás a las naciones en 20:8 "a fin de reunirlas para la batalla" es el mismo evento que el *engaño* de las naciones en 16:12–16 y 19:19–20, donde respectivamente los demonios "las reúnen para la guerra" de Armagedón (16:14) y "los reyes de todo el mundo" y sus ejércitos son "reunidos para hacer guerra" (19:19) y donde se menciona el engaño de todos los que son antagónicos a Cristo (19:20). Y al igual que la guerra del Armagedón en el cap. 16 va seguida de la destrucción del cosmos (16:17–21), también una visión de la disolución del mundo sigue a la batalla final de 20:7–10.

v. La relación de las "naciones" de 19:13–20 con las "naciones" de 20:3.

Si 20:1–3 sigue cronológicamente a 19:17–21, entonces hay una incongruencia, ya que no tiene sentido proteger a las naciones del engaño de Satanás en 20:1–3 después de que acaban de ser engañadas por Satanás (16:13–16; cf. 19:19–20) y destruidas por Cristo en Su regreso (19:11–21; cf. 16:15a, 19). Algunos sugieren que quedaron supervivientes entre las naciones rebeldes de 19:11–21 tras la victoria absoluta de Cristo sobre ellas, aunque 19:18 afirma claramente que "todos los hombres" que eran incrédulos y estaban del lado de la bestia fueron asesinados: las aves vendrán "para que coman carne de reyes, carne de comandantes y carne de poderosos, carne de caballos y de sus jinetes, y *carne de todos los hombres, libres y esclavos, pequeños y grandes*". Otros sugieren que entre las naciones rebeldes estaban los santos que no participaron en la batalla, y son sus descendientes los que se engañan y luchan contra Cristo al final del milenio. Sin embargo, aparte de la improbabilidad inherente de tal teoría y de la falta de cualquier evidencia en el texto para ella, el hecho es que, fuera de 20:3, en diecinueve de las veintitrés ocurrencias de "las naciones", las naciones se diferencian explícitamente de los redimidos.

vi. La restricción del engaño de 20:3 se refiere a los acontecimientos de 12:9, no a los de 19:20.

Algunos sugieren que la afirmación de 20:3 de que Satanás fue arrojado al abismo para que "no engañara más a las naciones" se refiere al hecho de que la desaparición de la bestia y el falso profeta en 19:20 restringió su actividad en el milenio, que siguió cronológicamente. Sin embargo, el título de Satanás en 20:2 ("el dragón, la serpiente antigua, que es el Diablo y Satanás") está tomado directamente de 12:9 ("el gran dragón, la serpiente antigua que se llama Diablo y Satanás"). Además, así como en 20:3 se habla de Satanás como el que engaña a las naciones, también en 12:9 se le describe como el que "engaña al mundo entero". A la luz de las estrechas conexiones verbales, es más natural suponer que la reducción del engaño de Satanás mediante ser arrojado al abismo en 20:3 se refiere a los mismos acontecimientos que ser arrojado del cielo a la tierra en 12:8–9 (véase también en 12:8–10). Esto sugiere que los eventos de 20:1–3 son sincrónicos (ocurren al mismo tiempo) con los eventos del cap. 12, es decir, que abarcan la era de la iglesia.

1. El milenio se inaugura durante la era de la iglesia por la reducción por parte de Dios de la capacidad de Satanás para engañar a las naciones y aniquilar a la iglesia (20:1–3)

[1] Vi entonces a un ángel que descendía del cielo, con la llave del abismo y una gran cadena en su mano. [2] El ángel prendió al dragón, la serpiente antigua, que es el Diablo y Satanás, y lo ató por mil años. [3] Lo arrojó al abismo, y lo encerró y puso un sello sobre él para que no engañara más a las naciones, hasta que se cumplieran los mil años. Después de esto debe ser desatado por un poco de tiempo.

1–3 A la luz de lo anterior, el ángel que desciende en el v. 1 introduce una visión en los vv. 1–6 que se remonta al tiempo del juicio final de la historia que se acaba de narrar en 19:11–21. Se verá que el lapso de tiempo de la visión se extiende desde la resurrección de Cristo hasta Su regreso. El ángel que aparece en el v. 1 tiene **la llave del abismo y una gran cadena en su mano**. Esta llave es la misma que las "llaves de la muerte y del Hades" (1:18) que tenía Cristo como resultado de Su resurrección. Estas llaves funcionan ahora para poner a Satanás bajo control durante la era de la iglesia, que comienza con la resurrección. La llave también debe identificarse con la "llave de David" (3:7), que Cristo utiliza para proteger a la iglesia fiel en la era actual de las artimañas de Satanás (3:8–9). La soberanía de Cristo sobre la esfera de los muertos también se amplía en el cap. 6, donde Su apertura del cuarto sello representa Su autoridad definitiva durante la era de la iglesia sobre los poderes satánicos subordinados de la "Muerte y el Hades" (6:8).

La llave también debe identificarse con la "llave del pozo del abismo" (9:1), que representa la autoridad de Dios sobre el reino demoníaco, incluyendo Su protección de aquellos que ha sellado contra el engaño demoníaco (9:4). En sorprendente similitud con el 20:1, tanto el 6:8 como el 9:1–2 presentan ángeles buenos (el cuarto ser viviente y el quinto ángel de la trompeta) como intermediarios de Cristo que ejecutan Su autoridad sobre los seres demoníacos en el reino de los muertos. La **llave del abismo**, por tanto, es similar a las llaves de los caps. 1, 3, 6 y 9, pero especialmente a las de los caps. 6 y 9.

El **abismo** (cf. también 9:1–2) no es un lugar geográfico, sino el reino espiritual en el que operan los poderes de las tinieblas. Es lo contrario del cielo, el lugar espiritual en el que actúan Dios y Sus ángeles. Es cierto que el ángel de 9:1–2 abre el abismo (lo que equivale a "quitar el sello"), mientras que el ángel de los vv. 1–3 lo cierra, pero la apertura significa sólo un ejercicio limitado de la autoridad demoníaca por permiso divino durante la era de la iglesia, lo que implica una prohibición o restricción mayor, que es el enfoque de 20:1 (la apertura del reino demoníaco durante la era de la iglesia ha sido aludida previamente en el desencadenamiento de los cuatro jinetes, especialmente el cuarto, y es evidente que Satanás mismo está operando entre las iglesias en la tierra en 2:13).

Si es así, esto significa que el desbloqueo del cap. 9 matiza el bloqueo del cap. 20, sugiriendo que este último no es un encarcelamiento absoluto de Satanás en todos los sentidos. Nótese también que las llaves sirven tanto para abrir como para cerrar en 3:7–9, dependiendo de la naturaleza de los propósitos de Dios en la situación. Las llaves en el cap. 3 muestran que la soberanía de Cristo incluye Su autoridad no sólo para resucitar a los muertos al final de la era, sino también para impartir vida espiritual en la era presente. Esta impartición de vida incluye, si Cristo así lo quiere, hacer que el diablo no pueda engañar más a los miembros de "la sinagoga de Satanás" en Filadelfia, para que puedan venir a la verdad y recibir vida espiritual (véase en 3:7–9). Por lo tanto, el control de las llaves en el cap. 3 y en el 20:1 indica la capacidad de restringir las actividades de Satanás hasta cierto punto, pero no completamente, según la voluntad soberana de Cristo.

¿Podría la apertura del abismo en 9:2–3 suponer que, antes de la liberación de los seres demoníacos allí, éstos estaban absolutamente confinados en el abismo sin ningún efecto sobre la tierra y que esto está relacionado con la atadura de 20:2–3, de modo que, en consecuencia, una atadura absoluta de Satanás también está en mente en este último pasaje? Este punto de vista es posible, pero creemos que el nuestro es más viable. También habría que preguntarse si una atadura limitada en 20:2–3 califica el confinamiento anterior en 9:2–3 o si lo que podría interpretarse como un confinamiento absoluto en 9:2–3 (lo cual dudamos) explica el confinamiento en 20:2–3. La cuestión crucial es si cada contexto califica la atadura o el sellado en el otro. Creemos que el contexto de 20:1–8 sí califica la atadura.

El ángel prendió **al dragón, la serpiente antigua, que es el Diablo y Satanás, y lo ató por mil años**. Si el análisis anterior es correcto al situar los acontecimientos descritos en 20:1–6 antes de la última batalla en 19:11–21 y al identificar en general 20:1 con los pasajes "clave" anteriores, entonces el atado y el milenio se entienden mejor como la autoridad de Cristo que restringe al diablo de alguna manera durante la era de la iglesia. Esto significaría que la restricción de Satanás es un resultado directo de la resurrección de Cristo. La atadura, la expulsión y la caída del cielo de Satanás que se describen en los caps. 12 y 20 deben verse en conjunción con otros pasajes del Nuevo Testamento que utilizan una terminología similar. Jesús habla de atar al "hombre fuerte" para saquear sus bienes (Mt. 12:29; Mr. 3:27), dando a entender que ha venido a atar al enemigo. Jesús ve a Satanás caer del cielo, incluso cuando da a los discípulos autoridad para pisotear sus poderes (Lc. 10:18–19; véase también Jn. 12:31). Pablo afirma que Cristo "despojó" a los gobernantes demoníacos por medio de la cruz (Col. 2:15), y Heb. 2:14 habla de que Cristo dejó sin poder al diablo. Según Ap. 20:7–9, el punto final de la atadura ocurre inmediatamente antes del regreso final de Cristo.

¿Qué significa la atadura de Satanás? Satanás ya no tiene autoridad sobre el reino de los muertos como la tenía antes de la resurrección de Cristo, pues éste ha triunfado sobre la muerte (1:18). En 20:3 se especifica con más detalle cómo el diablo está bajo la autoridad de Cristo: el ángel **lo arrojó al abismo, y lo encerró y puso un sello sobre él para que no engañara más a las naciones, hasta que se cumplieran los mil años**. Esta atadura de Satanás no se refiere a un cese completo de sus actividades, sino que debe considerarse en consonancia con lo que Jesús enseñó sobre la atadura de Satanás en Mt. 12:29 y Mr. 3:27: Satanás sigue activo, pero ahora debe operar sujeto a la autoridad de Cristo. Sus poderes destructivos sirven misteriosamente para promover los propósitos más profundos y amplios de Dios, como en Ap. 9:1–2, donde las plagas se liberan para endurecer aún más los corazones de los que se oponen a Él. El hecho de que el "príncipe de este mundo" sea "echado fuera" (Jn. 12:31) significa que en adelante Jesús puede atraer a "todos los hombres" (los salvados de todas las naciones) hacia Sí (Jn. 12:32). Satanás ya no puede **engañar más a las naciones** en relación con el plan de salvación de Dios, que es el punto de la cláusula de propósito limitante de 20:3 (**para que no**... que da el punto principal de los tres primeros versículos).

El sellado (que tiene el significado general de "tener autoridad sobre") no significa un confinamiento absoluto. El sellado de los cristianos (7:3; 9:4) no los protege en todos los sentidos, sino que sólo los protege de los daños espirituales, aunque todavía puedan sufrir persecución física, y así el sellado de Satanás impide aquí que inflija daños espirituales a los santos, aunque no implica el fin absoluto de sus actividades malignas. El sellado de Satanás debe entenderse especialmente en relación con la reducción de sus poderes de engaño. La apertura del abismo en 9:1–2 resulta en la opresión de los incrédulos sin el sello de Dios, mientras que el cierre del abismo en los vv. 1–3 resulta aquí en la protección de los que tienen el sello. Estos dos pasajes retratan el mismo período de tiempo (la era de la iglesia).

El primer pasaje se centra en aquellos a los que se permite engañar a Satanás (es decir, los incrédulos). El segundo pasaje trata de una restricción de su capacidad para engañar a los creyentes, pero también (como veremos directamente) una limitación de su engaño a los incrédulos. Al final de la era de la iglesia, esta atadura se soltará: **después de esto debe ser desatado por un poco de tiempo**. Los vv. 7–10 aclaran qué clase de actividades engañosas han sido restringidas, pues precisamente donde el v. 3 lo deja (hasta que se **cumplieran los mil años... debe ser liberado por un poco de tiempo**), el v. 7 lo reanuda, "Cuando los mil años se cumplan, Satanás será soltado de su prisión". En ese momento, se le permitirá engañar a las naciones para que se reúnan para la batalla final (v. 8).

Entonces, ¿qué significa precisamente la atadura? Los poderes engañosos de Satanás están restringidos de dos maneras. En primer lugar, durante la era de la iglesia no puede engañar a los elegidos entre los pueblos del mundo e impedir que se salven y que se edifique la iglesia de Dios. En segundo lugar (y este es el enfoque principal de la "atadura"), hasta la hora señalada por Dios, él es incapaz *de engañar a las naciones paganas para que se reúnan para un asalto final a la iglesia* (véase también el v. 7). Sin embargo, en realidad nunca se libera de su sumisión a Cristo, ya que su mismo engaño al final de la era es parte del plan soberano de Cristo; el "debe" al final del v. 3 expresa la voluntad de Dios y la certeza del plan divino (así también 1:1; 4:1; 11:5; 17:10; 22:6). El diablo fracasa en este último intento de exterminar a la iglesia y encuentra su propia derrota y castigo final. Este ataque final de Satanás ocurre en el **poco tiempo** del final del milenio y directamente antes del juicio final.

A la luz de esto, puede ser útil completar desde el contexto más amplio de Apocalipsis y desde el marco bíblico más amplio lo que no se dice explícitamente en el cap. 20, aunque está implícito en un grado u otro allí. Durante el período que va desde la resurrección hasta el regreso de Cristo (los tres años y medio de 11:3), la iglesia, protegida espiritualmente aunque sufrirá físicamente (véase 11:1–2), tiene las "llaves del reino de los cielos" contra las que no prevalecerá el infierno (Mt. 16:19), que sin duda debe identificarse con las "llaves de la muerte y del Hades" (Ap. 1:18), la "llave de David" (3:7) y la "llave del abismo" (20:1; = la "llave del abismo" de 9:1). Estas llaves simbolizan la soberanía sobre el reino de "la muerte y el Hades", que incluye el control sobre la apertura de la puerta a la vida eterna y el cierre de la puerta a los poderes engañosos del enemigo.

Pero en el **poco tiempo** del fin de la era (los tres días y medio de 11:9), tanto la bestia (11:7) como el propio Satanás (20:3, 7) serán, en los soberanos propósitos de Dios, liberados del abismo para reunir a las naciones. La persecución por parte de las multitudes engañadas se desatará contra la iglesia mundial (la continuación del verdadero Israel), de tal manera que desaparecería si no fuera por la intervención de Dios en su favor. La bestia que sale del abismo para hacer guerra a la comunidad de testigos (11:7, que describe la misma realidad que la liberación de Satanás en los vv. 3, 7) es el agente terrenal del diablo para dirigir el engaño y el ataque final, como atestiguan también 16:12–16 y 19:19–21 (sobre lo cual véase). Al igual que la bestia representa la autoridad de Satanás a lo largo de la historia en 13:1–2 (cf. 12:3), el ascenso de la bestia al final de la historia puede hablarse en 20:3, 7 como el ascenso del dragón, porque la primera representa de nuevo a la segunda.

El abismo representa, pues, una esfera espiritual en la que Satanás sigue operando (aunque de forma restringida) durante toda la era de la iglesia. En Ap. 6:8 se presenta la región de la Muerte y el Hades (= el abismo) cabalgando por toda la tierra para causar destrucción. Es un error imaginar al diablo como "expulsado" en algún sentido espacial, de modo que ya no esté presente en la tierra. Esto sería tomar el "abismo" de una manera excesivamente literal. Más bien, el abismo representa (al igual que el "cielo" en todo el libro) una dimensión espiritual que existe junto a la esfera terrenal y en medio de ella, no por encima ni por debajo (del mismo modo, la esfera celestial en 2 R. 6:15–17 y la esfera satánica en Ef. 6:10–17; cf. 2 Co. 10:3–5). En este sentido, Satanás nunca es eliminado por completo de la tierra, y al final de la era será liberado, pero sólo para encontrarse con su destrucción final.

El hecho de que la atadura de Satanás no sea completa en todos los aspectos es coherente con el nombre **la serpiente antigua** que, en relación con el pensamiento de engaño del v. 3, es una alusión a Gn. 3:1, 14 (como se ha argumentado anteriormente en 12:9; véanse los vv. 4–6 para los paralelos entre 12:7–12 y 20:1–6). Allí también ejerce sus poderes de engaño destruyendo la primera comunidad del pacto de Dios al hacer creer a Adán y Eva que la orden que Dios les dio en Gn. 2:16–17 no era cierta (Gn. 3:1, 4) y que Dios mismo tenía motivos engañosos al prohibirles comer del árbol (Gn. 3:4–5). Esto impidió que la humanidad cumpliera su encargo de someter los confines de la tierra para el Señor. El último Adán ha venido para que la comunidad del pacto pueda ahora cumplir esta misión. La atadura frena a la serpiente para que no pueda realizar lo que antes hacía en el jardín.

En la época del AT, Satanás pudo engañar a la mayoría de Israel para que no pudieran cumplir su comisión de ser una luz salvadora para las naciones (como en Is. 49:6). Como resultado, las buenas noticias del reino de Dios no fueron anunciadas a las naciones paganas y éstas permanecieron en oscuridad espiritual (p. ej., Hch. 14:16; 17:30). Además, debido a su pecado, la nación permaneció sometida bajo la opresión satánica de las naciones extranjeras que intentaron exterminarla. Este intento de exterminio fue culminado por el ataque de Satanás a Cristo, quien resumía al verdadero Israel en Sí mismo. Satanás finalmente pareció tener éxito cuando sus agentes dieron muerte a Cristo, pero la resurrección demostró que Satanás había fracasado.

Ap. 12:2–5 muestra este proceso de opresión satánica contra la comunidad del pacto, que culmina con la muerte y resurrección de Cristo. Todos los que posteriormente se identifican con Jesús como el verdadero Israel comienzan a cumplir la comisión de ser una luz para las naciones, de modo que se levanta el velo de engaño de Satanás sobre las naciones (cf. Is. 49:6; Lc. 2:32; Hch. 13:47; 26:18, 23; Gá. 3:26, 29; 6:15).

Esto significa que el diablo no podrá detener la predicación del evangelio o su recepción expansiva (= la iglesia) durante la mayor parte de la era que precede al regreso de Cristo. Por ello, Cristo ordena a Sus seguidores que "hagan discípulos de todas las naciones" (Mt. 28:19). El evangelio "se predicará en todo el mundo como testimonio a todas las naciones, y entonces vendrá el fin" (Mt. 24:14). Pero al final de la era, directamente antes del regreso de Cristo, se le permitirá a Satanás por **poco tiempo** detener la predicación del evangelio y correr la cortina del engaño sobre las naciones, especialmente con el objetivo de montar un ataque devastador contra el pueblo de Dios como lo hizo antes en el Edén y contra Israel (destruyendo el norte y luego el sur de Israel y llevándolos al exilio) y en la cruz contra Jesús, el verdadero Israel (véase Is. 49:3 para el Siervo mesiánico como verdadero Israel). La misma verdad es afirmada por Pablo cuando habla de la restricción del inicuo que será eliminada al final de la era, pero que resultará en la destrucción del enemigo por la aparición de la venida de Cristo (2 Ts. 2:6–12).

Sugerencias para Reflexionar sobre 20:1–3

- ***Sobre la naturaleza de los límites impuestos a Satanás.*** En estos versículos se nos ofrece una visión de la larga batalla entre Dios y el diablo. El comentario sugiere que la atadura de Satanás en la resurrección es similar al sellado de los creyentes en el sentido de que habla de una verdadera limitación del poder del diablo que se extiende hasta las últimas etapas de la era de la iglesia. Esta limitación se refiere especialmente a su capacidad de engañar a los elegidos. ¿Cómo se concilia esto con la presencia en general del mal en el mundo? ¿Exageramos el poder del diablo porque damos demasiada importancia a los ámbitos mundanos en los que tiene más libertad para realizar sus planes malvados?
- ***Sobre el rompecabezas de la realidad continua del engaño.*** Según el comentario, el diablo engañó a Adán y luego a la mayoría de Israel, pero ahora se le impide engañar a los elegidos en Cristo. ¿Por qué a veces los cristianos parecen ser engañados de todos modos? La restricción impuesta por Dios al diablo no da licencia a Su pueblo para no estudiar su Palabra o someterse a la autoridad espiritual. ¿Algunos creyentes dan por sentada la protección y la misericordia de Dios? ¿Cómo reconocemos humildemente nuestra necesidad de la protección de Dios y al mismo tiempo asumimos agresivamente nuestras responsabilidades como aquellos que están bajo Su dominio?

2. El milenio se inaugura para los santos fallecidos durante la era de la iglesia mediante la resurrección de sus almas, colocándolos en la condición celestial de tener autoridad, como sacerdotes y reyes con Cristo, sobre la muerte espiritual (20:4–6)

[4] También vi tronos, y se sentaron sobre ellos los que se les concedió autoridad para juzgar. Y vi las almas de los que habían sido decapitados por causa del testimonio de Jesús y de la palabra de Dios, y a los que no habían adorado a la bestia ni a su imagen, ni habían recibido la marca sobre su frente ni sobre su mano. Volvieron a la vida y reinaron con Cristo por mil años. [5] Esta es la primera resurrección. Los demás muertos no volvieron a la vida hasta que se cumplieron los mil años. [6] Bienaventurado y santo es el que tiene parte en la primera resurrección. La muerte segunda no tiene poder sobre éstos sino que serán sacerdotes de Dios y de Cristo, y reinarán con Él por mil años.

Estos versículos revelan que el punto principal del milenio es demostrar la victoria del pueblo de Dios, que a lo largo de la era de la iglesia sufrirá los ataques de Satanás, pero que también, a cambio de su fidelidad, recibirá una corona eterna de gloria. Es lo que dice Pablo: "Que si morimos con Él, también viviremos con Él; si perseveramos, también reinaremos con Él" (2 Ti. 2:11–12). Ap. 12:7–11, al igual que 20:1–6, presenta una visión que pasa del cielo a la tierra. Allí también, como aquí, la escena inicial representa a un ángel que expulsa a Satanás (vv. 7–9), seguido de los efectos de la caída de Satanás, que se declaran como la inauguración de la realeza de Cristo (v. 10) y de Su pueblo (v. 11).

Los paralelos entre los caps. 12 y 20, aunque no son idénticos en todos los puntos, sugieren que las escenas describen los mismos acontecimientos y se interpretan mutuamente. Ambos comienzan con una escena celestial (12:7 = 20:1). Ambas describen una batalla angélica con Satanás (12:7–8 = 20:2). Ambos registran la caída de Satanás a la tierra o al abismo (12:9 = 20:3). En ambos, el diablo recibe la misma descripción (12:9 = 20:2–3). Ambos se refieren a un pequeño o corto tiempo que aún le queda a Satanás (12:12 = 20:3). En ambos, la caída de Satanás resulta en el reino de Cristo y Sus santos (12:10–11 = 20:4). En ambos, el reinado de los santos se basa no sólo en la caída de Satanás, sino en su fidelidad al mantener su testimonio o el testimonio de Jesús (12:11 = 20:4).

Así, la diferencia entre el hecho de que Satanás sea "arrojado a la tierra" en 12:9 (y de forma similar en 12:10, 12) y que sea atado y arrojado "al abismo" en 20:2–3 indica en la visión del cap. 12 una reducción de la influencia de Satanás (véase en 12:9–12), como resultado de la muerte de Cristo y especialmente de Su resurrección. La correspondiente mención de "atar" y "arrojar" al diablo "al abismo" en los vv. 2–3 expresa otro aspecto de la reducción de la influencia del diablo como resultado de la obra redentora de Cristo. El diablo ha perdido su poder para engañar en 12:9–12, y al ser "arrojado a la tierra" intenta ejercerlo aún más, pero es ineficaz con respecto a los creyentes genuinos. El hecho de que sea arrojado al abismo y sellado en él (vv. 2–3) también indica la pérdida de su capacidad de engañar al mundo para que monte un ataque universal contra la iglesia para aniquilarla. De este modo, los pasajes de los caps. 12 y 20 se corresponden en general y son complementarios.

Asimismo, tanto en 12:7–11 como en 20:1–6, la resurrección está directamente relacionada con la expulsión de Satanás. La resurrección de Cristo en 12:5 hace que Miguel, el representante celestial de Cristo, eche a Satanás del cielo, y que el ángel de los vv. 1–3 haga lo mismo. La mención de la resurrección de los santos en 20:4–5 es probablemente una referencia a su participación en la propia resurrección de Cristo, que resulta en su poder para gobernar espiritualmente sobre el diablo. Si la caída de Satanás en el cap. 20 equivale en general a la del cap. 12, entonces su confinamiento en el abismo indica no sólo su incapacidad para engañar como antes, sino también su incapacidad para anular el veredicto salvador de Dios en favor de los santos en el tribunal celestial (véase 12:9–11). Esto se ve confirmado por la imagen del tribunal celestial de 20:4 (sobre la cual véase).

El **poco*** **tiempo** de 20:3 (*mikros chronos* griego) y el "poco tiempo" de 12:12 (así en la NASB, literalmente "poco tiempo" = *oligos chronos* griego), aunque algo diferentes, también pueden coincidir en cierto grado. El "poco tiempo" del cap. 12 indica la inminente expectativa de los creyentes durante toda la era de la iglesia de la consumación del reino y la derrota final de Satanás. Incluso el "poco más de tiempo" de 6:11 *(mikros chronos)* se refiere a la expectativa inminente, en este caso por parte de los creyentes exaltados en el cielo, ya que sólo Dios conoce el día y la hora del fin. 20:3b y 7–8 aclaran aún más el significado del "poco

---

* Nota del traductor: La NASB lo traduce como "corto" (short), por eso la diferencia con la traducción literal "poco" (little).

NASB New American Standard Bible

tiempo" de 12:12 al menos de dos maneras. En primer lugar, explican la base del "gran furor" del diablo (12:12) dirigida tanto a los perdidos como a los salvados. Como Satanás está restringido en el abismo (v. 3), su ira se intensifica. En segundo lugar, el poco tiempo que se le asigna para atacar a los santos (20:3b, 7–8) puede enfurecerlo aún más. Al igual que en 12:12, desde la perspectiva de Satanás, el tiempo sigue siendo corto, como lo ha sido a lo largo de la era de la iglesia; desde la perspectiva divina, en este momento, el tiempo es realmente corto. En ese sentido, los vv. 3 y 7–8 aclaran que el "poco tiempo" del v. 3 es la etapa final del "poco tiempo" del 12:12.

4 El enfoque de lo que ha ocurrido en el abismo en los vv. 1–3 se desplaza a lo que ha ocurrido al mismo tiempo en el cielo como resultado de la atadura de Satanás. Los eventos de los vv. 1–3 y los vv. 4–6 ocurren durante el mismo período, al que se hace referencia como **mil años**. El hecho de que no se trata de un número cronológico literal se desprende de:

- El uso figurado de los números (incluidos los múltiplos de mil: 5:11; 7:4–9; 9:16; 14:1; 21:16) de forma constante en otras partes del libro,
- La naturaleza figurativa de gran parte del contexto inmediato ("cadena", "abismo", "dragón", "serpiente", "encerrado", "sellado", "bestia"),
- El tono predominantemente figurativo de todo el libro (así también 1:1),
- El uso figurativo del número mil en el antiguo testamento (usos figurativos no temporales: Dt. 1:10–11; 32:30; Jos. 23:10; Job 9:3; 33:23; Sal. 50:10; 68:17; Cnt. 4:4; Is. 7:23; Is. 30:17; usos figurativos temporales: Dt. 7:9; Sal. 84:10; Ec. 6:6; especialmente 1 Cr. 16:15–17 = Sal. 105:8–10, donde el "pacto para siempre" y el "pacto eterno" de Dios se equiparan con "la palabra que él ordenó a mil generaciones"), y;
- El uso en los escritos judíos y en el cristianismo primitivo de "mil años" como figura de la bendición eterna de los redimidos (2 p. 3:8; *Jubileos* 13:27–30; *2 Enoc* 25–33; *Bernabé* 15; *Testamento de Isaac* 6–8). A la luz de estos ejemplos, el milenio debe tomarse probablemente en sentido figurado (posiblemente como una referencia a un largo período de tiempo), como en Sal. 90:4: "porque mil años ante tus ojos son como el día de ayer que ya pasó".

Tal vez la noción figurativa sea que si los santos sufrientes soportan sus breves pruebas de "diez días" (2:10), recibirán la recompensa de un reinado milenario.

La intensificación de diez a mil (mil es diez a la tercera potencia), junto con la prolongación de los días a años, podría sugerir que la aflicción momentánea presente da lugar a una mayor gloria incluso en el estado intermedio previo a la gloria eterna. Véase adicionalmente los vv. 5–6.

El primer efecto de la caída del diablo en el abismo es que los cristianos pueden sentarse en tronos: **También vi tronos, y se sentaron sobre ellos**. Esto representa el tribunal angelical de Daniel 7, que declara el juicio final contra el enemigo satánico, reivindicando así a los santos que ha oprimido ("se establecieron tronos... el tribunal se sentó... mataron a la bestia", Dn. 7:9–11). Juan no está hablando de personas sentadas en tronos literales, sino que está transmitiendo de forma figurada la idea (expresada al final del v. 4) de que los santos reinan con Cristo como resultado de su llegada a la vida. La tercera frase del versículo, **los que se les concedió autoridad para juzgar** [griego *krima*] (no **el juicio les fue dado**, como en la NASB) es una alusión a Dn. 7:22 ("se hizo justicia a favor de los santos"). En Daniel 7 esta vindicación judicial es una condición necesaria para que los santos asuman la realeza junto con el Hijo del hombre (7:11–14, 18, 27).

Los que se les concedió autoridad para juzgar tiene el mismo significado que "Dios ha pronunciado juicio [*krima*] contra ella por ustedes" (18:20). Así pues, **los que** se refiere a los santos y, al estar directamente relacionado con la frase precedente **se sentaron sobre ellos**, identifica claramente a los que están sentados en los tronos como santos fallecidos. En otras partes de Apocalipsis, se identifica a los ancianos (seres angelicales que representan a los santos) como sentados en los tronos (4:4; 11:16), y es posible que también se les incluya aquí con los creyentes que representan.

Estos santos fallecidos son ahora parte de la corte celestial de Dios, en cumplimiento parcial de las promesas de que los santos que venzan ejercerán autoridad con Cristo sobre las naciones y se sentarán con Él en Su trono (2:26–27; 3:21; véase también Mt. 19:28; Lc. 22:30 para el mismo pensamiento). Llevan a cabo su reinado con Él probablemente por su acuerdo y alabanza de Sus decisiones judiciales. Como en el v. 4 y en Dn. 7:22, el juicio es seguido por la mención de los santos que poseen el reino. La realidad descrita aquí puede considerarse una respuesta al clamor de los santos que sufren en 6:10 por la vindicación y la venganza de su sangre. El v. 4 no es una primera respuesta a esa

---

NASB New American Standard Bible

petición inicial, sino una ampliación de la respuesta ya implícita en 6:11, donde las vestiduras blancas y el descanso son el principio de la respuesta (como también lo es el "descanso" en 14:13). La consumación de su gobierno y de la respuesta a su oración no llega hasta el regreso de Cristo.

Estos santos son representados aquí como **las almas de los que habían sido decapitados por causa del testimonio de Jesús y de la palabra de Dios, y a los que no habían adorado a la bestia ni a su imagen, ni habían recibido la marca sobre su frente ni sobre su mano**. Este es el mismo grupo que se describe en 6:9, "las almas de los que habían sido muertos a causa de la palabra de Dios". Se trata de santos que murieron manteniéndose en su fe a pesar de los sufrimientos y persecuciones de diversa índole. El paralelismo con 6:9 sugiere fuertemente que la escena aquí también está representando a los santos fallecidos que reinan en el cielo, no en la tierra (así también 7:14–17). Permanecieron fieles hasta la muerte, ya sea por martirio o por medios naturales.

A los creyentes se les llama **almas** para distinguir sus cuerpos humanos difuntos de su actual existencia celestial, en la que aún esperan la resurrección final de sus cuerpos glorificados. Si no se mantiene esta distinción entre alma y cuerpo, surge una imagen incómoda: "cuerpos de personas decapitadas". La escena tiene lugar en el cielo, y los santos han fallecido, ya que las cuarenta y seis veces que aparece "trono(s)" (en griego *thronos*) en el Apocalipsis se refieren enteramente a la dimensión celestial (cuarenta y dos veces, aunque el trono en 22:1, 3 está situado en los nuevos cielos y tierra) o al reino demoníaco (2:13). Ni una sola vez de todos estos usos "trono" se refiere a un trono terrenal.

Así como "muerto" en 6:9 se refiere no sólo al martirio físico, sino a la persecución de todo tipo, la **decapitación** aquí podría ser una forma figurativa de expresar lo mismo. Incluso si se hace referencia al martirio, los cristianos morían de muchas otras maneras además de la decapitación. El hecho de que Juan se refiera *en general* a todas las formas de sufrimiento (en contraposición a un énfasis en el martirio literal) queda corroborado por 1:9 y 12:11, donde aparecen "por causa de la palabra de Dios y del testimonio de Jesús" y "por la palabra del testimonio de ellos", respectivamente, y donde se hace referencia a todas las formas de sufrimiento (véase también en 2:10 los grados de persecución hasta la muerte, inclusive).

Sin embargo, existe un debate legítimo sobre si las frases posteriores (**los que no habían adorado a la bestia ni a su imagen, ni habían recibido la marca sobre su frente ni sobre su mano**) se refieren al mismo grupo que **las almas de**

los que habían sido decapitados o a un grupo diferente de santos. La estructura del griego podría sugerir que se refiere a un segundo grupo. Este segundo grupo, más amplio, sería el de todos los creyentes fieles, como en 13:15–17, ya sea que se refiera a los asesinados por su fe (de otra manera que siendo literalmente "decapitados") o a los que sufren otras formas de persecución. Podría significar que el primer grupo se refiere sólo a los mártires literales, a los que luego se unen en sus tronos el resto de los santos fallecidos (los que se sientan en los tronos que comprenden ambos grupos). Si **los que no habían adorado a la bestia ni a su imagen, ni habían recibido la marca** simplemente amplía **las almas de los que habían sido decapitados**, lo cual es posible aunque menos probable, entonces se referiría sólo a los mártires a lo largo del v. 4 (aunque los mártires serían representativos de todos los santos fallecidos).

De un modo u otro, todos los santos fallecidos, los que participan en la primera resurrección (v. 5) y reinan durante mil años, probablemente están representados en el v. 4. La razón de esto es que, según el v. 6, sólo los que participan en la primera resurrección (= "volvieron a la vida" en el v. 4) vencerán la segunda muerte y reinarán con Cristo. Sin embargo, según los vv. 14–15, todos los santos cuyos nombres están escritos en el libro de la vida vencerán la segunda muerte, que es el juicio de Dios sobre los perdidos. De hecho, la promesa dada a los santos fieles de la primera resurrección de que serán sacerdotes y reinarán con Cristo (v. 6) se basa en Éx. 19:6, que Ap. 1:6 y 5:9–10 aplican claramente a toda la comunidad de santos. Esto significa que "los demás muertos" (v. 5), los que no participan en la primera resurrección, deben ser incrédulos en su camino al juicio eterno. Los que se salvan se convierten en sacerdotes que sirven eternamente en la presencia de Dios, mientras que los perdidos son separados para siempre de Él.

La conclusión del v. 4 afirma que los santos fallecidos **volvieron a la vida y reinaron con Cristo por mil años**. La mejor manera de interpretar el verbo es como un aoristo ingresivo griego,[7] similar a los usos del mismo verbo en 2:8 y 13:14, y que tiene el significado de una vida que comienza en un momento determinado. Así como el versículo comenzó con imágenes de la realeza, también termina con la misma nota. La vindicación de los santos como resultado del juicio de Satanás consiste en la vida de resurrección y la realeza que han recibido. Este

[7] "Aoristo Ingresivo. En los verbos que denotan un estado o una acción continuada, el aoristo puede expresar el comienzo de la acción o la entrada en el estado. Esto se denomina aoristo ingresivo (también inceptivo o incoativo)."

es el punto principal del v. 4. Los vv. 5–6 explican el significado de esta vida de resurrección en relación con el sacerdocio y la realeza.

5–6 En el v. 4 se ha afirmado que el ejercicio del juicio de los santos, su vuelta a la vida y su reinado con Cristo son efectos de la atadura de Satanás en los vv. 1–3. Ahora estos efectos se interpretan además como **la primera resurrección** y su bendición consiguiente de ser **sacerdotes de Dios y de Cristo**, protegidos de la **muerte segunda**, y de reinar como reyes. La existencia de la resurrección de los santos es la base sobre la cual la segunda muerte no tiene autoridad sobre ellos: **Bienaventurado y santo es el que tiene parte en la primera resurrección. La muerte segunda no tiene poder sobre éstos**. Esta autoridad sobre la segunda muerte se expresa en la frase **serán sacerdotes de Dios y de Cristo, y reinarán con Él por mil años**.

Los demás muertos que **no volvieron a la vida hasta que se cumplieron los mil años** son los perdidos, que no tienen participación en el reino de mil años de los santos ni protección contra el castigo en el lago de fuego. Esta declaración es parentética, y el pensamiento del v. 4 se continúa directamente en el v. 5b ("Esta es la primera resurrección"). La afirmación de 22:5 de que los santos "reinarán por los siglos de los siglos" en la eternidad es una continuación del reinado iniciado durante el período milenario, y no debe superponerse a 20:4–6, como si los dos reinados fueran idénticos en el tiempo. Al igual que el cautiverio del diablo está limitado a mil años, el reinado *intermedio de* los santos está igualmente limitado, pero va seguido de una etapa *consumada* de reinado en la eternidad (véanse los comentarios introductorios a los vv. 1–6 sobre la identificación de los mil años con la era de la iglesia).

El trasfondo del doble oficio de sacerdocio y realeza se basa no sólo en Éx. 19:6 (véase 1:6; 5:10), sino también en Is. 61:6, que se refiere a la restauración del pueblo de Dios al final de los tiempos, cuando toda la nación "será llamada sacerdotes del SEÑOR" y ejercerá un gobierno real sobre las naciones. Resulta interesante que Zac. 6:13 se refiera a una figura de tipo mesiánico que "gobernará en Su trono" y "será sacerdote sobre Su trono", lo que puede estar detrás del doble papel de Cristo en algunos puntos de Apocalipsis, con el que se identifica corporativamente a los santos. La mención adicional de que los creyentes también serán sacerdotes al servicio de Cristo sugiere que éste está a la altura de Dios, lo que se subraya en otras partes del libro (p. ej., 5:13–14; 7:9–17; cf. 22:3–4).

El punto de vista futurista sugiere que el período de mil años (ya sea interpretado literalmente o figuradamente como un período extendido) comienza con el regreso de Cristo y considera el volver a la vida (griego *zaō*) de los justos en el v. 4 (durante el milenio) y de los impíos en el v. 5a (al final del milenio) como resurrecciones físicas literales. El amilenialismo histórico, en cambio, ha entendido la primera resurrección como espiritual y la segunda como física. Se argumenta que las palabras "volver a la vida" usadas en un pasaje (virtualmente todos los comentaristas entienden el "volver a la vida" [resurrección] del v. 5a como de naturaleza física) deben tener el mismo significado en el otro (vv. 4b–5b), y por lo tanto que si la resurrección física de los impíos en el v. 5a se describe como volver a la vida, la misma frase en el v. 4b debe referirse a una resurrección física de los santos. Además, se argumenta que es probable que se esté pensando en una resurrección física en el v. 4b, ya que un estudio de la palabra "resurrección" (vv. 5b–6, griego *anastasis*) en otras partes del NT muestra que se refiere a una resurrección física treinta y nueve de cuarenta y una veces.

Una respuesta a la interpretación premilenial de estos versículos se basa en las siguientes consideraciones:

i. El significado de "resurrección" y "vida" tal como se utilizan aquí.

Es importante reconocer que *anastasis* se encuentra en el Apocalipsis sólo aquí, en 20:5–6. Además, "primero" (griego *prōtos)* no aparece con "resurrección" *(anastasis)* en ningún otro lugar de la Biblia. Tampoco aparece "segundo" en conexión con "muerte" en ningún otro lugar de la literatura bíblica (aparte del uso relacionado en 21:8). Por lo tanto, hay que estudiar las palabras que expresan la idea de "primero" y "segundo" para determinar mejor el significado (sobre el que véase más adelante) y para determinar qué significa aquí "resurrección". Además, el verbo *zaō* ("vivir") tiene una serie de significados en el Apocalipsis y en otras partes del NT y puede utilizarse con referencia tanto a la resurrección física como a la espiritual en el mismo contexto. En 1:18 y 2:8, se refiere a una resurrección física, y en 16:3 y 19:20 se refiere a alguna forma de vida física. Sin embargo, en 3:1; 7:17; y 13:14, se refiere a una forma de existencia espiritual, al igual que en otros seis lugares en los que se refiere al atributo de Dios de existencia espiritual atemporal, de modo que el significado predominante en el Apocalipsis es el de vida espiritual o el de vuelta a la vida espiritual.

Sin embargo, lo más llamativo es la observación de que en otras partes del NT *anastasis* y *zaō* (o el sustantivo *zōē*, "vida"), junto con otros sinónimos, se utilizan indistintamente para referirse tanto a la resurrección espiritual como a la física *dentro del mismo contexto inmediato*. Por ejemplo, en Ro. 6:4–11, Pablo dice (según la siguiente paráfrasis) que hemos sido sepultados con Cristo *espiritualmente* para que, así como Cristo fue resucitado *(egeirō) físicamente* de la tumba, recibamos una nueva vida *(zōē) espiritual* (6:4); que si nos hemos conformado *espiritualmente* (en nuestra conversión) a Su muerte *física*, así nos conformaremos *espiritualmente* a Su resurrección *física* (*anastasis*, que Su vida de resurrección comience a hacerse real en nuestra actual existencia espiritual, v. 5).

Hemos muerto con Cristo *espiritualmente* para que vivamos con Él *(syzaō) espiritualmente* (6:8, otra referencia a nuestra presente vida de resurrección espiritual). Por lo tanto, concluye Pablo, debemos considerarnos *espiritualmente* muertos al pecado, pero *espiritualmente* vivos para Dios en Cristo Jesús. Luego Pablo dice: "la vida que Él [Jesús] vive [*zaō*], la vive [*zaō*] para Dios" (v. 10); "... así también considérense ustedes... vivos [*zaō*] para Dios en Cristo Jesús" (v. 11). Pablo toma palabras como "muerte", "vida" *(zōē, syzaō)* y "resurrección" *(anastasis)* (estas dos últimas palabras se encuentran en Ap. 20:4–6) y mezcla dos sentidos diferentes de ellas en un solo pasaje: el espiritual (perteneciente a nuestra actual vida espiritual de resurrección en Cristo), y el físico, referido a la resurrección de Cristo (aunque *anastasis* no se usa explícitamente en sentido espiritual, es claramente sinónimo de *syzaō* y *zōē*). Nótese también cómo Pablo afirma que ya hemos experimentado una resurrección en nuestro volver a Cristo (Ef. 2:6; Col. 3:1).

Lo mismo ocurre en Jn. 5:24–29. Allí, Jesús enseña que quien escucha su palabra ya ("ahora") tiene vida *(zaō) espiritual* y ya ha pasado de muerte a vida *(zōē) espiritual* (v. 24). Pero viene una hora, continúa Jesús, en la que los que están muertos *físicamente* resucitarán *físicamente*, y los que han escuchado Su voz experimentarán una "resurrección de vida" física y eterna *(anastasin zōēs)*, pero otros experimentarán una "resurrección [*anastasis*] física de juicio". También aquí se usan indistintamente los sentidos espiritual y físico de las palabras "vida", "muerte" y "resurrección" en un mismo pasaje (aunque de nuevo *anastasis* no se usa explícitamente en sentido espiritual, es claramente sinónimo de *zōē*, como genitivo de aposición "resurrección que es vida"; pero *zōe* se usa espiritualmente en el v. 24). Además, el v. 25 y los vv. 28–29 se refieren a la misma profecía de resurrección de Dn. 12:1–2, lo que significa que la resurrección profetizada de Dn. 12:2 es interpretada por Jesús como espiritual (v. 25) y física (vv. 28–29).

¿Debe entonces el verbo *zaō*, "vivir", tener el mismo significado (es decir, físico) en todo Ap. 20:4–5? El contexto inmediato y más amplio de Apocalipsis debe determinar el significado. Considere que la "muerte segunda" en el v. 6 se refiere claramente a una muerte espiritual de los injustos que implica un sufrimiento consciente y eterno (véase los vv. 10, 14–15). Por otro lado, la muerte de los justos mencionada en el v. 4 ("las almas de los que habían sido decapitados") se refiere a una muerte literal, física. Por lo tanto, en los vv. 4–5 hay una primera muerte de los creyentes, que es física y es de naturaleza diferente a la segunda muerte de los incrédulos, que es espiritual.

Si hay dos tipos diferentes de muertes, es plausible inferir que las dos resurrecciones diferentes reflejarían la misma naturaleza dual de las muertes. Es decir, la resurrección de los creyentes es espiritual, mientras que la resurrección de los incrédulos es física. La primera muerte física de los santos los conduce a la primera resurrección espiritual en el cielo, mientras que la segunda resurrección física de los impíos los conduce a la segunda muerte espiritual. Esta interpretación se ajusta al pensamiento del v. 6, ya que una primera resurrección eterna y espiritual es la condición mínima necesaria para evitar que uno sufra una segunda muerte eterna y espiritual. Como muestra la resurrección corporal de los malvados, la resurrección corporal por sí misma no proporciona protección contra la muerte segunda. Hay una segunda resurrección física final (tanto del creyente como del incrédulo), así como hay una primera muerte física (tanto del creyente como del incrédulo). Pero la primera resurrección es experimentada sólo por los creyentes, mientras que la segunda muerte es experimentada sólo por los incrédulos.

ii. El significado de las antítesis primero-segundo y viejo-nuevo en otras partes de Apocalipsis y de la Biblia.

Este contraste entre las realidades físicas o corruptibles y las realidades incorruptibles y eternas recorre los caps. 20 y 21. La distinción cualitativa entre las dos resurrecciones también está sugerida por la antítesis cualitativa entre la "primera" (antigua) creación y la segunda ("nueva") creación en 21:1, donde la primera era preconsumada o temporal, mientras que la segunda es consumada y eterna. Llamativamente, en 21:4–8 hay una antítesis formal entre "la primera muerte física" y "la segunda muerte [espiritual]". En 21:4, la "muerte" física es el foco de la cláusula "las *primeras cosas* han pasado", que se contrasta con "la muerte [espiritual] segunda" (21:8), que forma parte de las cosas "nuevas" de la nueva creación eterna (21:5). 21:1, 4 son una clara alusión a Is. 65:16–17, donde se producen los mismos contrastes cualitativos entre la primera o "antigua" tierra o "angustias", y los "nuevos cielos y una nueva tierra".

En Is. 43:18–19 y 65:16–17, las cosas primeras o "anteriores", que se refieren a la presente y vieja creación, contrastan con la "nueva" y eterna creación (cf. Is. 65:19–22 y 66:22) que la sustituirá. En Is. 66:22 se afirma que una de las diferencias cualitativas es que el nuevo cielo y la nueva tierra permanecerán para siempre, en contraste con la primera, que pasó. Así, la distinción entre "primero" y "segundo", y "viejo" y "nuevo" a lo largo de Apocalipsis no se centra tanto en la *sucesión temporal* (como argumentan los premilenialistas con respecto a las dos resurrecciones) como en la *diferencia cualitativa* entre lo que es transitorio y lo que es eternamente duradero.

Esta interpretación es coherente con contrastes similares de "primero-segundo" y "viejo-nuevo" en otros lugares, como con el "primer Adán" y el "último Adán" en 1 Co. 15:22, 42–49 y el "antiguo (primer) pacto" y el "nuevo (segundo) pacto" en Heb. 8:6–10:9. El primer Adán tenía un cuerpo perecedero y sin gloria, y trajo la muerte, mientras que el último Adán tenía un cuerpo imperecedero y glorioso, y trajo la vida eterna. El primer pacto era temporal y conducía a la muerte (p. ej., Heb. 8:13), mientras que el segundo era eterno y conducía a la vida. Ni en Apocalipsis, ni en 1 Corintios, ni en Hebreos, el término "primero" funciona como ordinal en un proceso de recuento de cosas que son *idénticas en especie;* más bien, funciona para identificar cosas que son *opuestas y diferentes en calidad unas de otras.*

Por consiguiente, aquí en los vv. 4–6 ***hay dos tipos diferentes de muerte — una corruptiblemente física y otra incorruptiblemente espiritual, y, correspondientemente, hay dos resurrecciones diferentes — una eternamente espiritual y otra física.***

Todavía se necesita alguna aclaración. ¿La idea de que la "muerte segunda" no es literalmente física sino espiritual podría restringir demasiado la naturaleza de esa muerte? ¿No incluye también la existencia física de los réprobos que han sido resucitados? La respuesta es sí, pero recuerde que los incrédulos no sufren temporalmente en el infierno, sino que sufren eternamente tanto espiritual como físicamente, aunque este sufrimiento físico no incluye la destrucción física. La clave es que es un sufrimiento espiritual eterno en medio de una especie de sufrimiento físico eterno continuo. Asimismo, los creyentes que experimentan la primera resurrección experimentarán más tarde una resurrección espiritual y física plenamente consumada en la nueva creación. Así que la primera resurrección, aunque incompleta, pone en marcha una resurrección espiritual eterna, que se consumará más tarde en una forma espiritual eternamente mayor pero plenamente física. La antítesis primera-segunda se prolonga en que la segunda resurrección representa la consumación eterna de la primera.

iii. Evidencia bíblica del estado intermedio.

A nuestro entender, la "primera resurrección" describe un estado eterno intermedio, inicial, entre la muerte física y la resurrección física. Algunos sostienen que no hay ningún ejemplo en la Biblia de que el estado eterno sea un estado de existencia de resurrección, pero ese no es el caso. En Ap. 2:10–11, se promete a los creyentes que si permanecen fieles hasta la muerte física, recibirán "la corona de la vida", que a su vez evitará que sean perjudicados por la segunda muerte espiritual. Se podría suponer razonablemente que la "vida" a la que se refiere aquí es la existencia celestial de los santos entre la muerte física y la resurrección física y que se consuma en la resurrección física. La misma verdad se presenta en 6:9–11, donde los santos fallecidos aparecen como almas vivas sin cuerpo, esperando la resurrección física. Jesús enseñó lo mismo cuando dijo a los saduceos que Dios "no es Dios de muertos, sino de vivos; porque todos viven para Él" (Lc. 20:38).

Por lo tanto, dijo Jesús, Dios sigue siendo el Dios de Abraham, Isaac y Jacob, que son "hijos de la resurrección" (Lc. 20:36) y, por lo tanto, están vivos para Él, incluso antes de su resurrección física final. Los saduceos negaban no sólo la resurrección física, sino también que hubiera una existencia consciente después de la muerte, y en este pasaje Jesús rechaza ambas falsas creencias. La imagen metafórica es la de un alma que deja un cuerpo terrenal y asciende al cielo, donde se experimenta una condición más intensa de bendición. Esto es similar a Fil. 1:21, 23: "morir es ganancia… partir y estar con Cristo… es mucho mejor" (cf. también 2 Co. 5:8: "preferimos más bien estar ausentes del cuerpo y habitar con el Señor"). Pablo afirma en Ro. 6:4–5 que nuestra vida en Cristo puede ser referida como una resurrección espiritual, y que la vida en Cristo continúa en el estado intermedio, después de la muerte física. 1 P. 4:6 se refiere a personas que, "aunque sean juzgadas en la carne como hombres" [= muerte física], "vivan [*zaō* = vivir en el estado intermedio] en el espíritu conforme a la voluntad de Dios".

A la luz de esta y otras Escrituras, es razonable interpretar el ascenso del alma en el momento de la muerte a la presencia del Señor como una forma de resurrección espiritual, en anticipación de la resurrección física y la consumación de la vida eterna, que ocurrirá al regreso del Señor. El hecho de que esa traslación pueda denominarse "resurrección" es apropiado, porque las almas de los santos entran en un estado de bendición y existencia de resurrección superior al que tenían antes a causa de su regeneración (para un pensamiento similar en la literatura cristiana primitiva, véase Ignacio, *Romanos* 2.2; 4.3; *1 Clemente* 5.4, 7; *Hechos de Pablo*), y porque experimentan la presencia inmediata de Dios y de Cristo (Ap. 6:9–11; 7:14–17). En consecuencia, su papel como reyes y sacerdotes se intensifica. Su labor de perseverancia en la tierra se cumple con éxito para que puedan descansar (6:11; 14:13). Tienen una mayor seguridad de vindicación (véase 6:11; cf. 19:8) y de protección contra la muerte segunda, debido a su existencia intermedia de vida espiritual intensificada.

iv. La base del cuádruple final de Apocalipsis en el cuádruple final de Ezequiel 37–48.

Como ya se ha señalado, los paralelismos son sorprendentes: la resurrección de los santos (Ap. 20:4a; Ez. 37:1–14), el reino mesiánico (Ap. 20:4b–6; Ez. 37:15–28), la batalla final contra Gog y Magog (Ap. 20:7–10; Ezequiel 38–39), y el nuevo templo y la nueva Jerusalén (Ap. 21:1–22:5; Ezequiel 40–48). El mismo verbo griego y la misma forma verbal, traducidos como "volvieron a la vida", se utilizan en Ap. 20:4 y en Ez. 37:10 LXX (también en 37:6, 14, donde aparece *zaō*) en la profecía de los huesos secos (el pueblo de Dios) resucitados. Que "volvieron a la vida" en Ap. 20:4 alude a Ez. 37:10 se desprende del hecho de que el indicativo aoristo activo de tercera persona plural de *zaō* sólo aparece en el Antiguo Testamento griego en Nm. 14:38, que es una referencia mundana y no hace referencia a ningún concepto de resurrección. Esto hace que Ez. 37:10 sea el único paralelo en todo el Antiguo Testamento con la misma forma verbal en Ap. 20:4. La resurrección en Ezequiel es de naturaleza simbólica o espiritual, y se centra en la renovación espiritual de Israel cuando sea restaurado del cautiverio, un punto en el que coinciden tanto los intérpretes premileniales (al menos la

---

LXX Septuaginta

mayoría) como los amileniales del Antiguo Testamento. Ez. 37:10 se universaliza ahora en el Apocalipsis y se aplica a la iglesia.

El significado de "volver a la vida" en términos de resurrección espiritual (en oposición a la física) en Ez. 37:10, 14 se aclara en 36:26–28, ya que desarrolla este último texto: "Les daré un corazón nuevo y pondré un espíritu nuevo dentro de ustedes... Pondré dentro de ustedes Mi espíritu... *habitarán* en la tierra". Ap. 20:4 probablemente sigue la misma visión simbólica o espiritual de "volver a la vida", ya que alude a Ez. 37:10, 14. De hecho, como es claramente el caso de Ezequiel 37, es posible que la visión de Ap. 20:4–6 sea una *imagen* de santos fallecidos siendo resucitados corporalmente, pero que esta imagen *deba interpretarse simbólicamente* como una resurrección espiritual.

Este enfoque sería una respuesta parcial a la objeción literalista de que se debe prever una resurrección corporal. Esta interpretación de 20:4 se ve respaldada por el hecho de que el lenguaje de "sacerdotes", "reino" y "reinado" en los vv. 4–6 se toma de las descripciones de Israel en Éx. 19:6 y Dn. 7:27 y se aplica aquí y en Ap. 1:6, 9 ("reino") y 5:9–10 a la iglesia. Además, Ez. 37:10 ya se ha aplicado en 11:11 (el aliento de vida que vuelve a los testigos) para connotar figurativa y espiritualmente la existencia continuada de la iglesia, su vindicación y su liberación del cautiverio del mundo a la presencia inmediata de Dios (véase 11:11–12). Ap. 20:4 toma el concepto de Pablo sobre la resurrección espiritual en el momento de la conversión (Ro. 6:4–11; Ef. 2:6; Col. 3:1) y utiliza la terminología de Ezequiel para aplicarla a la forma intensificada de resurrección espiritual que se produce tras la muerte del creyente.

v. El problema premilenial de un juicio después del juicio final definitivo.

En 15:1, Juan afirma que con las siete plagas o juicios de las copas se termina la ira de Dios. En 16:12–16, el juicio de la sexta copa concluye con las naciones reunidas en Armagedón, tras lo cual el juicio de la séptima copa representa el fin de la historia. Es evidente que 19:17–21 retoma la narración donde la deja 16:16 y la concluye. Esto significa que 19:17–21 cubre el mismo período de tiempo que los juicios de la sexta y séptima copas, llevando así a un final definitivo la ira de Dios contra los incrédulos. ¿Cómo podría entonces haber un juicio posterior, mucho más tardío, relacionado con el 20:7–10? Por lo tanto, es probable que 20:7–10 se refiera al mismo juicio final narrado en la última copa (16:17–21) y en

19:17–21. Si esto es así, entonces 20:1–6 precede al juicio final en la segunda venida de Cristo.

vi. La afirmación de la Biblia sobre una sola resurrección física.

La Biblia afirma consistentemente que hay una sola resurrección física al final de la historia (Is. 26:19–21; Dn. 12:2; Jn. 5:28–29; Hch. 24:15; 2 Ts. 1:7–10). Esta resurrección final se menciona de nuevo en Ap. 20:12–15, que incluye la resurrección física de los santos junto con la de los injustos. En el v. 5a se menciona sólo la resurrección física de los injustos para subrayar que no participan en la primera resurrección espiritual. Si, como en una comprensión premilenial, tomamos el v. 4 para referirnos a una primera resurrección física al principio de un período milenario, seguida de otra resurrección al final, la referencia estaría en seria tensión con la enseñanza consistente y universal del resto de las Escrituras de que sólo hay una resurrección final.

Algunos dicen que hay un precedente de varias resurrecciones, ya que Cristo fue resucitado primero, y luego los que creen en él serán resucitados después, sugiriendo así dos resurrecciones. Sin embargo, incluso si es cierto que la resurrección final fue inaugurada en la resurrección de Cristo miles de años antes de la resurrección final de los santos, esto no cuenta como una resurrección separada seguida de una resurrección completamente diferente, ya que la resurrección de Cristo es vista como parte de la resurrección posterior de Su pueblo y no separada de ella (1 Co. 15:20–23). Sería posible, pero muy extraño, aplicar esta solidaridad corporativa en la resurrección de Cristo a muchas resurrecciones posteriores, por lo que la carga de la prueba recae sobre tal posición.

vii. El problema de una "población mixta" durante un milenio terrenal literal.

Un problema teológico con el punto de vista premilenial es que significa que los creyentes resucitados con cuerpos glorificados y recién creados estarían viviendo en la vieja creación con personas con cuerpos corruptibles, muchos de los cuales se convertirán en incrédulos al final del milenio. La respuesta de que el Cristo incorruptible habitó con personas con cuerpos corruptibles durante cuarenta días después de su resurrección es interesante, pero no satisface plenamente.

viii. El significado figurado del número "mil".

Hay una buena razón bíblica para creer que el número "mil" como se usa aquí es figurativo y no literal. Ya hemos visto que los números en Apocalipsis son de naturaleza simbólica. El uso de "dar a conocer" (NASB mg.; griego *sēmainō*) en 1:1 con referencia a todo el libro anima al lector a esperar un predominio del lenguaje simbólico sobre el literal, incluyendo las referencias a los números (véase 1:1).

La Biblia también utiliza este número en particular de forma figurada: "Para siempre se ha acordado de Su pacto, de la palabra que ordenó a mil generaciones" (Sal. 105:8; véase 1 Cr. 16:15). El Sal. 90:4 debe tomarse probablemente en sentido figurado (como una referencia a un largo período de tiempo), "Porque mil años ante Tus ojos son como el día de ayer que ya pasó". Lo mismo ocurre en 2 Pe. 3:8, "Para el Señor un día es como mil años, y mil años como un día" (para más referencias, véase el v. 4).

Puede utilizarse como contraste con el breve período de conflicto inmediatamente anterior al regreso del Señor, que es de "tres días y medio" en 11:11 y de "una hora" en 17:12. "Mil" también expresa la idea de plenitud en el Apocalipsis, como en las medidas de la ciudad eterna en 21:16, donde "doce mil estadios" representa el número del pueblo de Dios (doce) multiplicado por mil, para expresar la plenitud de ese pueblo. "Mil años" significaría así la duración completa de la era de la iglesia.

Los múltiplos de mil se han utilizado anteriormente de forma figurada en Apocalipsis (véase 7:4–9; 9:16; 14:1; cf. 5:11) para expresar un número grande, un número completo o ambos. No significa necesariamente un período de tiempo muy largo (como quiera que podamos interpretarlo), sino que apunta más bien a la idea de una plenitud de tiempo permitida por la soberanía de Dios, al final de la cual vendrá seguramente la victoria definitiva de los cristianos que han sufrido. Ya hemos sugerido que si los santos que sufren perseveran a través de sus cortas pruebas de "diez días" (2:10), recibirán la recompensa de un reino milenario. La intensificación de diez a mil (mil es diez a la tercera potencia), junto con la

---

NASB New American Standard Bible
mg. lectura marginal

prolongación de los días a años, podría sugerir que la aflicción momentánea en el presente resulta en una gloria mucho mayor incluso en el estado intermedio previo a la gloria eterna.

ix. Pasajes problemáticos del Antiguo Testamento que algunos consideran que apoyan el premilenialismo.

Algunos premilenialistas han propuesto que al menos tres pasajes del Antiguo Testamento ofrece un apoyo significativo a una visión premilenial de Ap. 20:1–6. Debido a la falta de espacio, las siguientes perspectivas interpretativas sólo pueden presentarse en forma de esbozos muy breves que requieren mayor elaboración, especialmente con respecto a los puntos de vista amileniales propuestos.

Primero, Is. 24:21–23:

21a Y sucederá en aquel día,

21b que el SEÑOR castigará al ejército celestial en las alturas, y a los reyes de la tierra en la tierra.

22a Y serán agrupados en montón *como* prisioneros en un calabozo,

22b serán encerrados en la cárcel;

22c y después de muchos días *serán* castigados.

23 Entonces la luna se abochornará y el sol se avergonzará porque el SEÑOR de los ejércitos reinará en el Monte Sion y en Jerusalén, y delante de Sus ancianos estará *Su* gloria.

Muchos premilenialistas consideran que este pasaje predice una atadura absoluta de Satanás (en el v. 22a–b), que también se describe en Ap. 20:1–3. Sin embargo, el punto de vista amilenial puede afirmar cualquiera de las siguientes tres interpretaciones del pasaje, ninguna de las cuales exige una atadura absoluta del diablo en Ap. 20:1–3.

Primero, el "confinamiento" predicho por Isaías 24:21–23 se califica en Ap. 20:1–8 como una atadura con respecto sólo a la capacidad de Satanás de engañar a todas las naciones para que se reúnan contra la iglesia universal y traten de extinguirla. O, en segundo lugar, el v. 22c ("y después de muchos días serán castigados") es una recapitulación del v. 21a ("Y sucederá en aquel día") y, por tanto, también de los vv. 21b–22b. Esto reflejaría un uso típico de la recapitulación con tales designaciones temporales entre los profetas (p. ej., Jer. 31:31, "vienen días", y 31:33, "después de aquellos días", que se refieren al mismo tiempo). Estos versículos se refieren, pues, al juicio final al final de la historia de la tierra. Así, el v. 23 se refiere a los nuevos cielos y tierra eternos. O, en tercer lugar, el v. 21 fue inaugurado en la primera venida de Cristo y luego el v. 22a–b ocurre durante la era de la iglesia y el v. 22c en la consumación, al igual que el v. 23.

> Segundo, Is. 65:20:
> No habrá más allí niño *que viva pocos* días, ni anciano que no complete sus días. Porque el joven morirá a los cien años, y el que no alcance los cien años será *considerado* maldito.

El punto de vista premilenial toma este versículo literalmente y describe la muerte como una realidad durante el milenio, pero no la llegada de los nuevos cielos y tierra eternos, aunque algunos podrían querer argumentar que el milenio es un segundo cumplimiento inaugural de la nueva creación (el primero es cuando uno es regenerado como cristiano, p. ej., 2 Co. 5:17), que luego se consuma en la nueva creación eterna, después del llamado milenio. Sin embargo, no hay ninguna otra evidencia en el NT de una segunda etapa de inauguración de la nueva creación. En contraste con la perspectiva premilenial, el punto de vista amilenial puede afirmar dos interpretaciones de este pasaje:

Is. 65:20 es una forma figurada de referirse a una vida larga y realmente eterna, ya que todo 65:17–25 trata claramente de los nuevos cielos y tierra eternos, como también confirma 66:22. Si esto es cierto, entonces el contexto más amplio de la nueva creación eterna que rodea a 65:20 hace probable que este versículo deba tomarse en sentido figurado. Es extremadamente difícil decir que 65:17–25 se refiere al milenio y que 66:21–24 se refiere a la nueva creación eterna. Si un premilenialista afirmara que tanto 65:17–25 como 66:21–24 se refieren al milenio, estaría en contradicción con Ap. 21:1, que aplica Is. 65:17 y 66:22 a la destrucción del viejo cosmos y su reemplazo por una nueva creación eterna (del mismo modo, Is. 65:17 se aplica a la desaparición de la vieja tierra en Ap. 21:4).

Del mismo modo, 2 P. 3:13 aplica Is. 65:17 y 66:22 no a un milenio, sino a los eternos "nuevos cielos y nueva tierra". Además, Is. 66:24 parece referirse al comienzo del castigo eterno, que se correspondería antitéticamente con una nueva creación eterna en los vv. 22–23 (donde se inician las referencias a las bendiciones eternas). Además, la segunda parte de Is. 65:17 dice: "no serán recordadas las cosas primeras [de la vieja creación] ni vendrán a la memoria". Pero si esto se refiere meramente a un milenio en una tierra vieja (pero renovada), entonces el hecho de que la muerte ocurrirá durante el milenio (según el punto de vista premilenial de 65:20) y de nuevo cuando los enemigos humanos de Cristo sean derrotados al final del milenio parece contradecir la promesa en 65:17b de que "las cosas primeras" de la vieja creación "no serán recordadas... ni vendrán a la memoria". De hecho, la peor característica de la antigua creación — la muerte — "vendrá a la memoria" durante el milenio.

O, como posibilidad alternativa que también es coherente con una visión amilenial, Is. 65:20 se refiere a la fase inaugurada de la nueva creación (cuyo cumplimiento se señala en 2 Co. 5:17) y se refiere a la idea de que la vida física no es eterna en la fase inaugurada de la nueva creación.

Tercero, Zac. 14:16–19: Según el punto de vista premilenial, después de la decisiva victoria de Dios al final del tiempo, narrada en los vv. 1–3 y supuestamente recapitulada en los vv. 12–15, las naciones subirán de año en año a adorar a Dios en Jerusalén durante el milenio, pero aquellas naciones que no suban serán castigadas con una plaga de juicio (descrita en los vv. 16–19), de forma muy parecida a la mayoría de las naciones que fueron derrotadas por Dios directamente antes del comienzo del milenio.

Sin embargo, hay problemas con tal propuesta. Por ejemplo, Zac. 14:11 dice que después del triunfo decisivo de Dios que introduce el supuesto período milenario, "no habrá más maldición". A esta afirmación se alude directamente en Ap. 22:3. Tanto Zac.14:11 como Ap. 22:3 aluden claramente al hecho de que la maldición de Gn. 3:14–19 será eliminada para siempre, y Ap. 22:3 sitúa esta declaración claramente durante el tiempo de la nueva creación eterna. Esto significa que Zac. 14:11 se refiere al reino eterno consumado y no a un supuesto reino milenario precedente, como sostienen los premilenialistas. Sin embargo, según el punto de vista premilenial, más naciones serán maldecidas durante este mismo período, ya que (según este punto de vista) Zac. 14:12–15 recapitula la batalla de Zac. 14:1–3, y Zac. 14:16–19 retrata a las naciones siendo "malditas" y "castigadas" por su desobediencia milenaria.

Este es un problema aparentemente irresoluble para el premilenialista. ¿Cómo puede haber una "maldición" durante este período milenario cuando Zac. 14:11 dice que esta maldición será eliminada durante el mismo período? El premilenialista podría tratar de decir que Zac. 14:11 se refiere a la nueva creación eterna después del milenio, pero el v. 11 es una continuación de una narración del período que sigue directamente a la derrota de las naciones incrédulas por parte de Dios en los vv. 1–3, que luego introduce el supuesto período milenario (vv. 4–10), del cual el v. 11 es claramente una descripción más. Por lo tanto, es difícil ver cómo un premilenialista podría colocar el v. 11 como parte de la nueva creación eterna cuando los vv. 4–10 son sobre el supuesto período milenario.

Una propuesta amilenial viable entiende que Zac. 14:1–3 se refiere a la victoria decisiva de Cristo descrita en Ap. 16:17–21; 19:19–21; y 20:7–8 *después del milenio, que hemos argumentado que es la era de la iglesia* (véase adicionalmente esos versículos para justificar esta posición). Después del milenio o edad de la iglesia viene la derrota final del enemigo, seguida de la nueva creación eterna, en la que ya no hay maldición (Zac. 14:4–11). En este caso, Zac. 14:12–15, que aparentemente introduce un nuevo pensamiento o segmento visionario, no sería una recapitulación de los vv. 1–3, sino que se centraría en la derrota de las naciones en la primera venida de Cristo. Como en el caso de Juan, las visiones de Zacarías no deben entenderse necesariamente en estricto orden cronológico. El castigo de las naciones incrédulas descrito en Zac. 14:16–19 tiene lugar durante la era de la iglesia, directamente después de la derrota de las naciones inaugurada por Cristo, y por tanto es reconocidamente sincrónico con Ap. 11:4–6, donde los dos testigos ejecutan "plagas" sobre los incrédulos.

La base de tal interpretación se derivaría inicialmente de una serie de textos del Antiguo Testamento citados en el Nuevo Testamento que describen la derrota de las naciones por parte de Cristo como algo que ocurre en Su primera venida y que culmina en Su regreso. Por ejemplo, véanse Gn. 49:8–12 e Is. 11:1, 10 y su cumplimiento inaugurado en Ap. 5:5, así como Ro. 1:5 y 16:26, donde se afirma la positiva "obediencia de las naciones", pero la victoria de Cristo sobre incluso las naciones incrédulas está implícita a la luz de la profecía de Génesis 49, a la que se alude en el pasaje de Romanos. Obsérvese también que la profecía de la victoria de las naciones en Nm. 24:14–19 comienza a ver su cumplimiento en la primera venida de Cristo (véase Ap. 2:28; 22:16, donde se inaugura la profecía de Is. 11:1).

Además, la profecía de las naciones que se reúnen para derrotar al "Señor y… Su Ungido" del Sal. 2:1–2 comienza a cumplirse en la cruz (Hch. 4:25–26), y la victoria del Mesías sobre las naciones en Sal. 2:8–9 comienza en la primera venida de Cristo (especialmente Su resurrección) en Ap. 2:26–27 y luego se consuma en su regreso en Ap. 19:15. Entendido así, Zac. 14:16–19 bien podría referirse a los incrédulos que fingen profesar la fe en Cristo durante la era de la iglesia, pero que no adoran en el verdadero Espíritu Santo o en la verdad durante esa era (cf. Jn. 4:21–24), y que en consecuencia serán juzgados. Aquellos entre las naciones que profesan confiar en Cristo pero no lo adoran en verdad y sinceridad caerán bajo su condena. Otros textos del Antiguo Testamento a los que se hace referencia en el Nuevo Testamento podrían ser fácilmente aducidos para apoyar este punto de vista en un grado u otro.

Algunos premilenialistas podrían criticar este punto de vista en el sentido de que dudarían de que hubiera una victoria significativa sobre las naciones en la primera venida de Cristo, pero al hacerlo no se darían cuenta de la naturaleza irónica de Su victoria a través de la cruz, que luego se reproduce en la iglesia obediente. De hecho, una de las afirmaciones repetidas del Nuevo Testamento es que la gran victoria sobre Satanás, que gobierna a los hijos de desobediencia entre las naciones (véase, p. ej., Ef. 2:1–3), comenzó en la cruz (como el "Día D") y se consumará en la venida final de Cristo (como el "Día V").

Los premilenialistas también podrían intentar criticar este punto de vista porque la batalla de Zac. 14:1–3 y la batalla de los vv. 12–15 parecen ser la misma. No estamos radicalmente en desacuerdo con que las dos batallas son muy similares, y de hecho están orgánicamente relacionadas. Pero esto no significa que sean completamente idénticas en cuanto a su cronología. De hecho, obsérvese de nuevo que la profecía del Sal. 2:8–9, que parece ser allí una batalla final consumada, comienza en la primera venida de Cristo (y especialmente Su resurrección) en Ap. 2:26–27 y luego se consuma a Su regreso en Ap. 19:15 (lo mismo ocurre con la descripción de Is. 49:2 de que la boca del Siervo mesiánico es como una espada, que se inaugura en la primera venida de Cristo [Ap. 1:16; 2:12, 16] y se consuma en Su última venida [Ap. 19:15]). La misma redacción sobre la derrota escatológica de las naciones del Salmo describe la derrota inicial y la consumación de la derrota. Creemos que algo así ocurre en la relación de las descripciones de batallas similares de Zac. 14:1–3 y Zac. 14:12–15, la primera retratando la batalla consumativa, que se inició en la era de la iglesia en la segunda.

Sugerencias para Reflexionar sobre 20:4–6

- ***Sobre el gobierno celestial de los santos.*** Los santos son representados aquí como participantes en el gobierno de Cristo en Su corte celestial antes del juicio final y la resurrección física. ¿Cuál es la naturaleza de este gobierno, y en qué sentido es una respuesta a las oraciones de vindicación registradas en 6:9–11?

- ***Sobre el significado de Éx. 19:6 en Apocalipsis.*** ¿Cómo se puede rastrear la promesa de Éx. 19:6, "Ustedes serán para Mí un reino de sacerdotes y una nación santa" a través de Apocalipsis, desde Israel hasta la iglesia en la tierra y la iglesia en su existencia celestial, tal como se describe en estos versículos? ¿Por qué es tan importante entender la aplicación de este versículo para comprender el Apocalipsis y el papel de la iglesia en la tierra y en el cielo?

3. Satanás será liberado de su restricción anterior para volver a engañar a las naciones para que intenten aniquilar a la iglesia (20:7–10)

[7] Cuando los mil años se cumplan, Satanás será soltado de su prisión, [8] y saldrá a engañar a las naciones que están en los cuatro extremos de la tierra, a Gog y a Magog, a fin de reunirlas para la batalla. El número de ellas es como la arena del mar. [9] Y subieron sobre la anchura de la tierra, rodearon el campamento de los santos y la ciudad amada. Pero descendió fuego del cielo y los devoró. [10] Y el diablo que los engañaba fue arrojado al lago de fuego y azufre, donde también están la bestia y el falso profeta. Y serán atormentados día y noche por los siglos de los siglos.

7 Después de enfatizar que el juicio inicial de Satanás (vv. 1–3) resultó en la bendición de vida para el pueblo de Dios (vv. 4–6), Juan ahora subraya en los vv. 7–15 el juicio final de la muerte segunda para Satanás y todos los que están aliados con él. Al concluir el v. 3 se predijo que Satanás sería "desatado" del abismo al concluir los mil años. Ahora se da la seguridad de que esto se cumplirá: **Cuando los mil años se cumplan, Satanás será soltado de su prisión**. El "abismo" de los vv. 1–3 se llama **prisión** para destacar el hecho de que donde el diablo reside durante los mil años está restringido de alguna manera significativa, aunque no en todos los sentidos (véase en los vv. 1–3).

8 La manera particular en que el diablo ha sido restringido se reitera desde el v. 3. Ha sido restringido específicamente en su capacidad de engañar a las naciones para que unan sus fuerzas para atacar y aniquilar completamente a la iglesia, pero esta restricción, en el propio propósito de Dios, es ahora eliminada, y él dirigirá un ejército extraído de los **cuatro extremos de la tierra**, una expresión hebrea para toda la tierra (Is. 11:12; cf. "cuatro vientos" en Ez. 37:9; Dn. 7:2): saldrá **a engañar a las naciones que están en los cuatro extremos de la tierra, a Gog y a Magog, a fin de reunirlas para la batalla. El número de ellas es como la arena del mar**.

La reunión de estas fuerzas antagónicas contra el pueblo de Dios se ve como un cumplimiento de la profecía de Ezequiel 38–39 de que "Gog y Magog" y "muchos pueblos" se reunirían para la batalla contra Israel. En particular, el lenguaje de "reunir" a las naciones se deriva de Ez. 38:2–7 y 39:2, junto con pasajes de Zacarías 12–14 y Sofonías 3, que también están detrás de las frases paralelas de Ap. 16:14 y 19:19. Todos estos textos del Antiguo Testamento predicen que *Dios* reunirá a las naciones en Israel para la batalla final de la historia (véase adicionalmente 16:14 y 19:19). Con este trasfondo, el artículo definido que precede a "batalla" ("*la* batalla") en 16:14; 19:19 y aquí puede ser un artículo de referencia anterior, que se refiere no sólo a la profecía del Antiguo Testamento de la batalla final, sino también a la descripción inicial (utilizado sin el artículo, esto es anartrous) de la última batalla en 11:7. Por tanto, todas estas referencias se refieren a la *misma batalla final*, no a batallas diferentes.

Así, Juan ya ha registrado el cumplimiento de las mismas profecías de Ezequiel y Zac. 14:2 en 19:17–21 y el cumplimiento de Zac. 14:2 en 16:14–16. Las repetidas apariciones de las referencias a Ezequiel y Zacarías ("la batalla" de Zac. 14:2 se repite tres veces) no designan tres cumplimientos separados o diferentes usos analógicos, sino el mismo cumplimiento narrado en tres contextos (véase en 16:14 y 19:19 las comparaciones textuales y el uso de Ezequiel y Zac. 14:2 y otros posibles antecedentes del Antiguo Testamento). Como se ha señalado, esto es una fuerte evidencia de recapitulación entre 16:14; 19:19 y 20:8.

Ezequiel distingue a Gog y Magog de las demás naciones de la tierra que están aliadas con ellos (38:2–7, 15, 22; 39:4). Pero en Ap. 20:8 "Gog y Magog" no se distinguen de las demás naciones, sino que se equiparan figurativamente a todas las naciones. Además, mientras que en Ezequiel "Gog y Magog" y sus aliados provienen de "las partes remotas del norte" (38:6, 15), ahora provienen de toda la tierra, de **los cuatro extremos de la tierra** (aunque Etiopía y Put, desde el sur, también estaban entre los aliados en Ez. 38:5).

Se trata de una universalización de la profecía de Ezequiel, que sugiere una universalización del Israel oprimido, que pasa a ser equivalente en el v. 9 a "el campamento de los santos y la ciudad amada" y debe entenderse como la iglesia de toda la tierra. La misma universalización se produce en 16:12, 14, donde "los reyes del oriente" parecen interpretarse como "los reyes de todo el mundo", lo que identifica aún más los dos pasajes como referidos a los mismos acontecimientos (véase 16:12–16). También es posible que todas las naciones invasoras mencionadas, así como las implícitas en Ezequiel 38–39, se denominen ahora "Gog y Magog" porque Juan puede haber entendido que esta nación encabezaba y representaba a las demás, incluidas Put y Etiopía, que no eran del norte. Tal punto de vista puede estar apoyado por Ez. 38:14, 16, 18 y 39:1, 6, 11, que se refieren a Gog o Magog como el principal invasor que atacaría y sufriría derrota (nótese también Ez. 38:7: "prepárate [Gog], tú y toda la multitud que se ha reunido alrededor tuyo"). Aun así, parece haber un mayor grado de universalización en Ap. 20:8, ya que las naciones en Ezequiel 38–39 parecen venir sólo de, como mucho, dos direcciones principales, mientras que aquí proceden de los cuatro puntos cardinales.

Estas multitudes no se refieren a fuerzas demoníacas, como algunos piensan, sino a pueblos antagónicos de toda la tierra. La razón principal es que se identifican como "naciones", que en otras partes del libro siempre significa pueblos humanos (p. ej., 19:15). Los seres demoníacos del cap. 16 no son sinónimos de las naciones, sino que son el instrumento a través del cual el diablo reúne a las naciones para el asalto final contra Dios y Su pueblo.

Ez. 38:2–3 describe a Gog como "príncipe supremo de Mesec y Tubal". Algunos intérpretes premileniales sugieren que esto significa que "Gog es el príncipe (líder) de Rusia, Moscú y Tobolsk", que dirigirá un ejército que invadirá el Israel de los últimos tiempos. Sin embargo, Mesec y Tubal son nombres hebreos de pueblos de Anatolia Oriental (parte de la actual Turquía). Estos nombres no tienen nada que ver con ninguna ciudad contemporánea. Los nombres probablemente se convirtieron en proverbiales en el judaísmo, aunque no necesariamente aislados del contexto original de Ezequiel, y aplicables a cualquier fuerza terrorífica que amenazara al pueblo de Dios (de forma parecida a como hoy podemos llamar a un déspota malvado "otro Hitler"). Tampoco Rosh* se refiere a "Rusia" por su sonido o etimología, sino que se traduce mejor como "jefe" o "príncipe" (de Mesec y Tubal), como ocurre cientos de veces en otras partes del Antiguo Testamento.

* Nota del traductor: La NASB 1995 traduce "príncipe de **Rosh**, Mesec y Tubal" (prince of **Rosh**, Meshech and Tubal).

Muchos dispensacionalistas identifican a Gog y Magog como Rusia, suponiendo que esa nación es el enemigo en la segunda venida de Cristo y antes del milenio, pero Apocalipsis menciona a Gog y Magog como el enemigo sólo al *final* del milenio. Esto parecería requerir una creencia dispensacionalista en el resurgimiento de la amenaza rusa después de los mil años. De hecho, en el v. 8, Gog y Magog no se refieren a una nación individual del norte que se distingue de otras naciones y que consiste en tropas contables, sino que ahora se equiparan con todas las naciones de cada punto de la brújula que vienen con ejércitos incontables.

Por lo tanto, Gog y Magog no pueden ser identificados con ninguna nación específica del siglo XXI como Rusia. El hecho de que el **número** de las naciones reunidas sea, como se ha mencionado, **como la arena del mar**, subraya su innumerabilidad y las aparentes y abrumadoras probabilidades a su favor contra los santos. Jos. 11:4; Jue. 7:12; y 1 S. 13:5 utilizan la misma metáfora para las multitudinarias fuerzas de las naciones dispuestas a luchar contra Israel en diversos momentos.

9 La alusión a Ezequiel continúa aquí: **Y subieron sobre la anchura** [literalmente "anchura"] **de la tierra, rodearon el campamento de los santos y la ciudad amada. Pero descendió fuego del cielo y los devoró**. En Ezequiel, el multitudinario enemigo del fin de los tiempos (Ez. 38:15, 22; cf. v. 8) "sube" contra el pueblo de Dios (Ez. 38:11, 16). Lo mismo ocurre aquí: **y subieron… rodearon el campamento de los santos y la ciudad amada**. Entonces sufren un juicio de fuego (Ez. 38:22). De nuevo, igualmente aquí: **descendió fuego del cielo y los devoró**.

Habacuc retrata con palabras similares la invasión de Babilonia a Judá como si marchara por "la anchura de la tierra [literalmente y mg. NASB; LXX 'la llanura de la tierra'] para apoderarse de moradas ajenas" (Hab. 1:6). Ya que en Dn. 12:2 (LXX) "la anchura de la tierra" se refiere a la zona de toda la tierra (donde yacen los muertos), es plausible que el mismo significado mundial se atribuya a la frase casi idéntica aquí en el v. 9, especialmente a la luz de la descripción del mismo acontecimiento en 11:7–10 (sobre lo cual véase) y la siguiente identificación del **campamento de los santos y la ciudad amada** como la iglesia dispersa por toda la tierra.

NASB New American Standard Bible
mg. lectura marginal
LXX Septuaginta

El **campamento de los santos** es una alusión al campamento de los israelitas en el desierto. La iglesia ha sido localizada en el desierto en 12:6, 14, entendido como el lugar de la protección de Dios durante la era de la iglesia, por lo que la referencia es apropiada. **Los santos**, un término utilizado para describir a los israelitas en el Antiguo Testamento, se utiliza trece veces en el Apocalipsis, siempre con referencia a la iglesia (véase especialmente 5:8–9; 13:7–10; 14:12).

El **campamento de los santos** se equipara con **la ciudad amada**, lo que subraya aún más la referencia a la iglesia, ya que, según 3:12, todos los creyentes en Cristo llevarán escrito el nombre de esta nueva ciudad. Hay doce referencias a la ciudad eterna en los caps. 21–22. La frase "la ciudad santa, Jerusalén, que descendía del cielo, de Dios" en 21:10 (cf. 21:2) es un claro paralelismo literal con 3:12 ("la nueva Jerusalén, que desciende del cielo de Mi Dios"), identificando las ciudades en ambos contextos como la misma. Sus muros y cimientos llevan escritos (respectivamente) los nombres de las doce tribus de Israel y de los doce apóstoles, retratando así al pueblo universal de Dios. La iglesia, compuesta por personas de todas las naciones (21:24–26; 22:2), entrará en esta ciudad eterna.

La frase **la ciudad amada** puede tener su origen en Sal. 87:2–3: "El SEÑOR ama las Puertas de Sion más que todas las otras moradas de Jacob. Cosas gloriosas se dicen de Ti, oh ciudad de Dios" (cf. también Sal. 122; Is. 66:10; Sof. 3:14–17). Según el Salmo, el Señor ama a Su ciudad, compuesta por personas de las naciones del mundo, que ahora están siendo inscritas como verdaderos israelitas (véase la lista en Sal. 87:4; los vv. 5–6 continúan diciendo que estas naciones serán consideradas "nacidas" como israelitas).

La "ciudad" de los santos perseguidos del v. 9 es la inauguración de la nueva creación, compuesta por la comunidad de fe, que encuentra su consumación en 21:2ss. Esta ciudad, aunque es una realidad eterna, puede ser mencionada como presente ahora de una manera inaugurada o incompleta, como en Gá. 4:26 ("la Jerusalén de arriba", representada como la iglesia) y Heb. 12:22–23 ("se han acercado al Monte Sion y a la ciudad del Dios vivo, la Jerusalén celestial, y a miríadas de ángeles, a la asamblea general e iglesia de los primogénitos que están inscritos en los cielos").

Las naciones atacan a la iglesia, pero antes de que puedan destruirla, **descendió fuego del cielo y los devoró**. El lenguaje real del fuego que desciende y consume se extrae directamente de la historia de Elías y los soldados enviados contra él en 2 R. 1:10–14, lenguaje citado también en Ap. 11:5 con referencia al destino de los que atacan a los dos testigos (la iglesia) durante la era de la iglesia.

Allí, el fuego era figurativo para un juicio preconsumatorio, mientras que aquí en 20:9 se refiere figurativamente al juicio final. El fuego probablemente no debe tomarse literalmente, pero, independientemente, el punto es que Dios liberará a Su pueblo juzgando a sus enemigos.

10 Se vuelve a destacar al diablo como el que engañó a las naciones para que atacaran a los santos. La razón de reiterar este engaño es para establecer su juicio: **Y el diablo que los engañaba fue arrojado al lago de fuego y azufre, donde también están la bestia y el falso profeta. Y serán atormentados día y noche por los siglos de los siglos**. Los vv. 7–10 son probablemente una recapitulación de 19:17–21, lo que hace improbable la suposición de que el diablo sea arrojado al fuego muchas edades después de sus secuaces satánicos al final del cap. 19. La trinidad satánica sufrirá un castigo consciente eterno, como se afirma en el caso de todos los incrédulos en 14:10–11, que es una descripción paralela del lago de fuego y del juicio final con su referencia al tormento eterno de fuego y azufre (así también el v. 15).

Algunos han cuestionado cómo el sufrimiento podría aplicarse a una entidad como la bestia o el falso profeta, si representan el poder persecutorio del estado o de la falsa religión. Sin embargo, estas entidades (al igual que la ciudad santa de 21:2–4, que está compuesta por los santos) son representativas de las personas que las componen, que a su vez sufren las consecuencias eternas de sus actos. Además, no hay duda de que detrás de la bestia y del falso profeta se encuentran poderes demoníacos malignos, poderosos espíritus sometidos a Satanás (véase 13:2, 11–17). Si ese es el caso, la referencia aquí sería al tormento eterno de estos espíritus demoníacos, que sufrirán junto a su amo en el lago de fuego. Mt. 25:41 lo corrobora: "Apártense de Mí, malditos [es decir, los perdidos], al fuego eterno que ha sido preparado para el diablo y sus ángeles" (los ángeles también son seres personales). El diablo como individuo es castigado eternamente, según este versículo, al igual que los seguidores individuales de la bestia en 14:10–11.

El sufrimiento es consciente, porque la palabra "tormento" en Apocalipsis siempre se refiere al sufrimiento consciente (véase adicionalmente 14:10–11). Es eterno, porque la frase "por los siglos de los siglos" se refiere en Apocalipsis a un período interminable, como en el reinado eterno de Dios (11:15), la duración de Su gloria y poder eternos (1:6; 5:13; 7:12), Su vida eterna (4:9–10; 10:6; 15:7) y la vida eterna de Cristo (1:18). En particular, el uso de la misma expresión para el reino explícitamente interminable de los santos en 22:5 debe significar que la misma frase temporal en 20:10, apenas un capítulo antes, se refiere a un período interminable similar. El "lago de fuego" no es de naturaleza literal, ya que Satanás y sus ángeles son seres espirituales. "El fuego" en Apocalipsis habla del juicio divino, y ese juicio, sea cual sea la forma que adopte, es seguro que será terrible.

No hay un verbo en griego con la cláusula **donde también *están* la bestia y el falso profeta**. La NASB añade el "están". Los premilenialistas típicamente ven a la bestia y al falso profeta en el lago de fuego durante mil años *antes* de que el diablo fuera arrojado allí. Esta cuestión se confunde en la NVI, que se refiere a que el diablo fue arrojado al lago de fuego "donde la bestia y el falso profeta *habían sido arrojados*". Pero la bestia y el falso profeta pueden ser vistos como arrojados al fuego al *mismo tiempo que el diablo*, si el verbo (omitido pero entendido) se toma de forma más natural en el mismo tiempo que el verbo de la cláusula anterior, "el diablo… fue arrojado": "el diablo… fue arrojado… donde también fueron arrojados la bestia y el falso profeta". La perspectiva global del pasaje determina definitivamente si los episodios son simultáneos o están separados por un intervalo de tiempo, y el contexto favorece la noción de simultaneidad.

El hecho de que los episodios sean simultáneos o se sucedan directamente está confirmado por nuestro análisis general del cap. 20 hasta ahora, que ha sugerido que los acontecimientos de 19:11–21 y 20:7–10 son contemporáneos. Esto se ve reforzado por el hecho de que en 19:20 la bestia y el falso profeta son arrojados al "lago de fuego", la misma frase que aparece aquí con respecto al diablo. En 20:14–15 y 21:8, el "lago de fuego" se llama "la muerte segunda", que es el castigo final y eterno y comienza para todos los impíos (los incrédulos, la bestia, el falso profeta y el diablo) al mismo tiempo, en la destrucción y recreación del cosmos (así en vv. 10–15; 21:1–8). Los fuertes paralelismos verbales entre el v. 10 y 14:10–11 (tormento eterno con fuego y azufre) sugieren que se refiere a la misma realidad.

La primera muerte (= muerte física) ocurre hasta que el cosmos actual es destruido. Los incrédulos que mueren son retenidos a partir de entonces en el reino de "la Muerte y el Hades" (v. 13), antes del juicio final y la muerte segunda, que es el lago de fuego (v. 15). Dios arrojó a los ángeles caídos al Hades, para reservarlos allí hasta el juicio final (2 P. 2:4; Jud. 6). Cristo vino a abrir las llaves de la muerte y del Hades (Ap. 1:18) y a asegurar que los creyentes fallecidos entraran inmediatamente en la presencia del Señor, para ser guardados allí hasta

---

NASB New American Standard Bible
NVI New International Version

el regreso de Cristo. La "muerte segunda" no puede comenzar hasta que todos hayan muerto la primera muerte física. En cualquier visión milenaria, la primera muerte cesará en la aniquilación y renovación de la creación. Por eso la expulsión de la bestia y del falso profeta al lago de fuego en 19:20 *no puede ocurrir antes del período del milenio*, como sugiere el premilenialismo. La razón de esto es que la segunda muerte, que *inicia* el castigo del lago de fuego, no *ocurre*, en cualquier visión milenaria, *hasta después* del juicio del gran trono blanco en los vv. 11–15. Es en ese juicio, *después del milenio*, cuando la muerte y el Hades entregan a los muertos que hay en ellos, que son entonces juzgados y arrojados al lago de fuego (v. 15).

En consecuencia, la descripción de la última batalla y la expulsión de la bestia y el falso profeta en el lago de fuego en 19:17–21 debe describir el mismo conjunto de eventos que la batalla en 20:7–10, y el milenio debe, por lo tanto, referirse a los eventos que *preceden* a esa batalla, es decir, la era de la iglesia. Si el castigo de la bestia y el falso profeta en 19:20 ocurriera mucho antes de los eventos descritos en 14:10–11 y el v. 10, se habría hablado de ellos como si hubieran sido *arrojados a la muerte y al Hades* en lugar de *arrojados al lago de fuego*.

Sugerencias para Reflexionar sobre 20:7–10

- ***Sobre la preocupación por la fijación de nombres y fechas.*** Este pasaje, con su mención de Gog y Magog y sus raíces en Ezequiel 38–39, ha proporcionado una rica fuente de material para quienes intentan vincular las referencias de la Biblia a las naciones y localidades actuales y, por tanto, predecir los acontecimientos de los "últimos días" y proponer elaborados calendarios escatológicos. El comentario ha explicado por qué es mejor tomar estas referencias en sentido figurado. ¿Por qué la gente se siente tan atraída por la fijación de nombres y fechas que tanto ha confundido la comprensión de Apocalipsis, especialmente en los tiempos modernos? ¿De qué manera estos enfoques podrían alejar el enfoque de Apocalipsis centrado en Dios y en Cristo?
- ***Sobre el amor y la justicia de Dios.*** Estos versículos presentan el lago de fuego como un lugar de castigo consciente y eterno. ¿Por qué nos cuesta conciliar esta verdad con el carácter amoroso de Dios que también

presenta la Biblia? ¿Cómo conciliamos el amor y la justicia de Dios? ¿Cómo se encuentran en la cruz?

4. El juicio final se producirá al final de la historia del mundo, momento en el que todas las personas serán resucitadas y juzgadas según sus obras y los culpables serán condenados al castigo eterno (20:11–15)

[11] Vi un gran trono blanco y a Aquél que estaba sentado en él, de cuya presencia huyeron la tierra y el cielo, y no se halló lugar para ellos. [12] También vi a los muertos, grandes y pequeños, de pie delante del trono, y los libros fueron abiertos. Otro libro fue abierto, que es el Libro de la Vida, y los muertos fueron juzgados por lo que estaba escrito en los libros, según sus obras. [13] El mar entregó los muertos que estaban en él, y la Muerte y el Hades entregaron a los muertos que estaban en ellos. Y fueron juzgados, cada uno según sus obras. [14] La Muerte y el Hades fueron arrojados al lago de fuego. Esta es la muerte segunda: el lago de fuego. [15] Y el que no se encontraba inscrito en el Libro de la Vida fue arrojado al lago de fuego.

11 La visión en el v. 11 de Dios sentado en el gran trono blanco (**Vi un gran trono blanco y a Aquél que estaba sentado en él, de cuya presencia huyeron la tierra y el cielo, y no se halló lugar para ellos**) nos remite a visiones similares en 4:2 y 5:7 de Dios en Su trono, que aluden principalmente a Dn. 7:9 y Ez. 1:26–28. El color blanco del trono denota la santidad de Dios. El juicio que va a proceder del trono es del Dios santo, que juzga no sólo para castigar el pecado sino también para vindicar a Su pueblo perseguido. El que está sentado en el trono en todo el Apocalipsis es Dios (p. ej., caps. 4–5; 19:4; 21:5; cf. Ro. 14:10).

Pero no sería problemático que fuera Jesús el que estuviera sentado en el trono aquí en 20:11 (a la luz de textos como 5:12–13; 7:17; 22:1–3; Mt. 25:31ss; Jn. 5:22–27; Hch. 17:31; 2 Co. 5:10; 2 Ti. 4:1). Por lo tanto, independientemente de quién esté sentado en el trono, tanto Dios como Cristo ejecutan el juicio final. Las visiones de los caps. 4, 5 y 20 tienen su origen en Daniel 7, que presenta a Dios sentado en el trono y los libros abiertos. Mientras que la visión de los caps. 4–5 se refiere al reinado y al juicio actuales de Dios y de Cristo, que comenzaron con la resurrección de Jesús, la escena del cap. 20 se refiere a la culminación de ese gobierno judicial en el juicio final al término de la historia.

Huyeron la tierra y el cielo, como en las descripciones muy similares del juicio final en 6:14 y 16:20. El hecho de que esto signifique la destrucción cósmica del fin de los tiempos se desprende también de 21:1, donde se afirma que "un nuevo cielo y una nueva tierra" sustituyeron al primer cielo y a la primera tierra que se desvanecieron. La frase **no se halló lugar para ellos** proviene de Dn. 2:35 (el texto griego de Teodoción; el hebreo es similar: "no se encontró ni rastro de ellos"), donde se describe la destrucción de los reinos malvados en el tiempo del fin. En Ap. 12:8 se hace la misma alusión para subrayar la derrota inaugurada del diablo y sus fuerzas por la muerte y resurrección de Cristo (sobre lo cual véase). Ahora bien, el mismo texto de Daniel se aplica a la destrucción completa de todo el sistema mundial malvado, lo que probablemente incluye sus aspectos materiales (así también Sal. 102:25–27; Is. 51:6; 2 P. 3:7, 10, 12).

12 El hecho de que Juan vea a **los muertos, grandes y pequeños, de pie delante del trono** supone (a la luz de los vv. 4–5; Dn. 12:2; Jn. 5:28–29; Hch. 24:15) que la última y gran resurrección de los injustos y los justos ha tenido lugar finalmente. Las cláusulas **los libros fueron abiertos. Otro libro fue abierto, que es el Libro de la Vida** combinan alusión a Dn. 7:10 ("se abrieron los libros") y Dn. 12:1–2 ("será librado, todos los que se encuentren inscritos en el libro... unos para la vida eterna"). Los "libros" de Daniel 7 se centran en el juicio, pero el libro de Daniel 12 es una imagen de la redención para los verdaderos santos (que excluye a los perdidos).

Por lo tanto, la visión de Juan da la seguridad de que la profecía del juicio final y la redención ocurrirán. El juicio final es lo que se destaca aquí en el v. 12, aunque la salvación final se incluye de forma secundaria (véase 3:5; 13:8; 17:8 para el "Libro de la Vida" y especialmente para el trasfondo del Antiguo Testamento). Como en 13:8 y 17:8, el "Libro de la Vida" se introduce para llamar la atención sobre los excluidos de él. La frae **y los muertos fueron juzgados por lo que estaba escrito en los libros, según sus obras,** revela la preocupación por el juicio, y muestra que los vv. 11–15 son una ampliación del breve relato anterior del castigo final en 11:18 ("llegó el tiempo de juzgar a los muertos").

En ambos lugares, sin embargo, se menciona o se implica la recompensa de los justos (así aquí, en la referencia al libro de la vida). Llamativamente, la misma frase "los pequeños y los grandes" se refiere a todas las clases de creyentes en 11:18 y a todas las clases de incrédulos en 19:18, por lo que la redacción similar aquí puede ser una referencia inclusiva a ambos (como en 2 Cr. 15:13; Sal. 115:13;

Jer. 16:6). Los registros **escritos en los libros** se refieren figurativamente a la propia memoria de Dios, que nunca falla.

13 Se reitera el juicio futuro: **El mar entregó los muertos que estaban en él, y la Muerte y el Hades entregaron a los muertos que estaban en ellos. Y fueron juzgados, cada uno según sus obras**. Es posible que el **mar** simbolice el reino del mal (como en otras partes de Apocalipsis; véase 13:1; 15:2), dentro del cual operan las fuerzas satánicas y que aprisiona a todos los incrédulos. Si es así, Dios obliga ahora a las autoridades de este reino demoníaco a liberar a sus cautivos para el juicio.

El mar se coloca en paralelismo con **la Muerte y el Hades,** que en 6:8 son probablemente imágenes vinculadas a los poderes demoníacos. Como tal, prepara el camino para la referencia a la connotación maligna del mar en 21:1, que "ya no existe" en la nueva creación. Si los creyentes fallecidos se incluyen aquí en el cuadro, es sólo porque, hasta la resurrección final, aunque sus espíritus están con el Señor, sus cuerpos físicos siguen estando bajo el poder de la muerte y de Satanás (cf. 1 Co. 15:50–57). Los santos resucitados se refugian del juicio en el **Libro de la Vida** (como se da a entender en el v. 15, sobre el cual véase).

14 El hecho de que **la Muerte y el Hades fueran arrojados al lago de fuego** significa probablemente que, como fuerzas que se mantenían tras la primera muerte física, ahora han terminado y han sido sustituidas por el castigo eterno en el lago de fuego. Expresa el hecho de que los incrédulos que antes estaban sujetos a las ataduras *temporales* de **la Muerte y el Hades fueron arrojados** a las ataduras *permanentes* del **lago de fuego**. Alternativamente, pero menos probable, es la opinión de que la declaración puede reflejar el hecho de que la muerte y el Hades pueden ser vistos no simplemente como lugares espirituales, sino como poderes demoníacos reales que operan detrás de las realidades físicas de la muerte (al igual que la bestia y el falso profeta pueden ser vistos como poderes que operan detrás de las realidades físicas del gobierno humano y la religión). La muerte y el Hades aparecen juntos en 6:8 para identificar al cuarto jinete (y su asociado), que parece ser un agente personal y satánico. Si este punto de vista es correcto, entonces el 20:14 se refiere al castigo eterno de las fuerzas demoníacas de Satanás, que anteriormente han ejercido su dominio.

El lago de fuego ya ha sido definido como un castigo consciente e interminable para todos los que son consignados a él (véase el v. 10; 14:10–11). Ahora también se denomina **muerte segunda**. Esto demuestra que el tormento en el lago de fuego no es la muerte física en el sentido de la aniquilación, sino el sufrimiento que es principalmente de naturaleza espiritual (aunque incluye algún tipo de sufrimiento físico), ya que Satanás y sus ángeles son seres exclusivamente espirituales. Es probable que el sufrimiento corporal se incluya para los humanos incrédulos, al menos en parte porque sufren espiritualmente mientras poseen cuerpos resucitados, que nunca mueren físicamente.

Una comprensión figurativa de la muerte segunda se ve apoyada, no sólo por la incompatibilidad de una muerte física literal con el sufrimiento eterno, así como por el obviamente no literal "lago de fuego", sino también por el análisis de los vv. 4–6 anterior, donde se encontró que había una resurrección física y espiritual, así como una muerte física y espiritual (véase vv. 4–6). Según 21:4, 8, la muerte física (la primera muerte) habrá "pasado", mientras que el lago de fuego, la muerte segunda, durará para siempre (cf. 14:10–11; 20:10). Parte de la realidad de sufrir la muerte segunda es la separación eterna de la presencia de Dios en Su ciudad. También se dice que las mismas categorías de malvados que sufrirán esta muerte habitan fuera de la ciudad celestial, mientras que los justos disfrutan de las bendiciones de participar en ella (cf. 21:8 con 22:15; así también 21:27; 22:14–15, 19). En otras partes del Nuevo Testamento también se habla de una muerte espiritual que separa a las personas de Dios (p. ej., Lc. 15:24, 32; Ef. 2:1; Col. 2:13).

15 La nota del juicio final suena una vez más para enfatizar: **Y el que no se encontraba inscrito en el Libro de la Vida fue arrojado al lago de fuego**. Esto implica que todos los que se encuentran escritos en el libro de la vida se libran del juicio, que 3:5 y 21:27 hacen explícito (cf. Dn. 12:1: "y en ese tiempo tu pueblo será librado, todos los que se encuentren inscritos en el libro"). ¿Qué tiene el libro de la vida que los salva? El título más completo del libro es "el Libro de la Vida del Cordero que fue inmolado" (13:8; y 21:27 tiene "el Libro de la Vida del Cordero"). La vida que se les concede en asociación con el libro proviene de su identificación con las obras justas del Cordero y especialmente con Su muerte, lo que implica igualmente que se identifican con Su *vida* de resurrección (cf. 5:5–13). No sufren el juicio por sus malas acciones porque el Cordero ya lo ha sufrido por ellos: Él fue sacrificado por ellos (así, especialmente, en 1:5 y 5:9; véase 13:8). El Cordero reconoce ante Dios a todos los que están escritos en el libro (3:5) y que se identifican con Su justicia y Su muerte.

Sugerencias para Reflexionar sobre 20:11–15

- *Sobre el carácter de Dios y Su juicio.* ¿Cómo la santidad y la justicia de Dios le obligan a juzgar? ¿Qué significa la afirmación del comentario de que Dios juzga tanto para castigar a los rebeldes como para reivindicar a Su pueblo? ¿Es una falta de comprensión de la santidad y la justicia de Dios lo que subyace a nuestra tendencia moderna de restar importancia a la realidad del castigo consciente eterno puesto en marcha por el juicio del gran trono blanco?

IX. LA NUEVA CREACIÓN Y LA IGLESIA PERFECCIONADA EN LA GLORIA (21:1-22:5)

La nueva creación y la iglesia perfeccionada en gloria: en el nuevo mundo venidero, la comunidad de los redimidos será completa, perfeccionada, inviolable y gloriosa porque la presencia consumada y gloriosa de Dios residirá entre ellos para siempre, mientras que los infieles serán excluidos de tal bendición (21:1–22:5)

Esta sección podría dividirse en dos partes, 21:1–8 y 21:9–22:5, aunque es preferible discernir al menos tres subunidades dentro del segmento más amplio, sobre la base de la fraseología de la visión introductoria: 21:9–21; 21:22–27; y 22:1–5, dado también que hay cambios de tema justo en los puntos donde se producen las fórmulas de visión introductoria. 21:1 sigue a 20:11, donde "huyeron la tierra y el cielo" de la presencia de Dios, y "no se halló lugar para ellos". Mientras que en 20:12–15 el juicio sigue a la destrucción cósmica, en 21:1–8 una nueva creación sigue a la anterior disolución cósmica y sustituye al antiguo orden.

El tema de la nueva creación domina el cap. 21, aunque no se olvida del todo la idea anterior de juicio (21:8, 27). 21:9–22:5 recapitula principalmente 21:1–8. El propósito de este último segmento importante es destacar el contraste entre la iglesia imperfecta (caps. 1–3) y la iglesia perfeccionada. Mientras que los caps.

1–3 se centran en las debilidades de las iglesias a lo largo de la vejez, una de las intenciones de 21:9–22:5, en cambio, es prever principalmente a la iglesia en su estado perfeccionado para toda la eternidad. El propósito de los contrastes con los pecados de la iglesia y los de Babilonia, y el propósito final de todo el segmento, es exhortar a los creyentes en el presente a perseverar a través de las tentaciones a transigir para que puedan participar en la gloria consumada de la iglesia perfeccionada.

1. La nueva creación será el lugar donde los fieles experimentarán la bendición salvífica de la comunión íntima con Dios, pero los infieles quedarán excluidos de esta bendición (21:1–8)

[1] Entonces vi un cielo nuevo y una tierra nueva, porque el primer cielo y la primera tierra pasaron, y el mar ya no existe. [2] Y vi la ciudad santa, la nueva Jerusalén, que descendía del cielo, de Dios, preparada como una novia ataviada para su esposo. [3] Entonces oí una gran voz que decía desde el trono: "El tabernáculo de Dios está entre los hombres, y Él habitará entre ellos y ellos serán Su pueblo, y Dios mismo estará entre ellos. [4] Él enjugará toda lágrima de sus ojos, y ya no habrá muerte, ni habrá más duelo, ni clamor, ni dolor, porque las primeras cosas han pasado". [5] El que está sentado en el trono dijo: "Yo hago nuevas todas las cosas". Y añadió: "Escribe, porque estas palabras son fieles y verdaderas". [6] También me dijo: "Hecho está. Yo soy el Alfa y la Omega, el Principio y el Fin. Al que tiene sed, Yo le daré gratuitamente de la fuente del agua de la vida. [7] El vencedor heredará estas cosas, y Yo seré su Dios y él será Mi hijo. [8] Pero los cobardes, incrédulos, abominables, asesinos, inmorales, hechiceros, idólatras, y todos los mentirosos tendrán su herencia en el lago que arde con fuego y azufre, que es la muerte segunda".

1 Lo primero que ve Juan es **un cielo nuevo y una tierra nueva**. La razón por la que ve un nuevo cosmos es que **el primer cielo y la primera tierra pasaron**. La palabra griega que se traduce como "nuevo" es *kainos*, que suele indicar una novedad en calidad o esencia y no en tiempo (en cuyo caso se suele utilizar *neos*; véase más adelante). La primera creación no era permanente, pero la segunda durará para siempre (sobre la distinción primero-segundo y viejo-nuevo en otras partes de Apocalipsis y de la Biblia, véase 20:6). Esto apunta a la transformación de la estructura física fundamental de la creación. El hecho de que "ya no habrá más noche" (22:5; cf. 21:25) indica otra diferencia, especialmente en contraste con Gn. 8:22: "Mientras la tierra permanezca... el día y la noche, nunca cesarán". A pesar de las discontinuidades, el nuevo cosmos será una contraparte identificable del antiguo cosmos y una renovación del mismo, al igual que el cuerpo será resucitado sin perder su identidad anterior.

Las alusiones a Isaías que hay detrás de las frases de 21:1, 4–5 (véase más adelante) también se entienden mejor como profecías de la transformación de la antigua creación en lugar de una auténtica nueva creación *ex nihilo*. Sin embargo, no debe suponerse que una renovación signifique que no habrá una destrucción literal del viejo cosmos, al igual que el cuerpo renovado de la resurrección no requiere la noción análoga con respecto al cuerpo físico. Que la nueva creación sigue el modelo de la resurrección de Cristo queda demostrado por el vínculo exegético entre la nueva creación y la resurrección (aludiendo también, como en 21:1, a Is. 65:17–18) en Pablo (2 Co. 5:14–17; Col. 1:15–18; cf. Ef. 1:20 con 2:6–15) y en el propio Apocalipsis (véase 1:5 y 3:14). Resulta sorprendente que Pablo también vea en Ro. 8:18–23 la renovación de la creación corrupta inextricablemente ligada a la resurrección de los hijos de Dios.

Juan se centra en el papel de los santos redimidos en la nueva creación. Esto es evidente en el hecho de que la visión de 21:1–22:5 está dominada principalmente por varias representaciones figurativas de la comunidad glorificada de creyentes. Mientras que 3:14 ha señalado el comienzo del cumplimiento de la profecía de la nueva creación de Is. 43:18–19 y 65:17 en la resurrección de Cristo, las mismas alusiones de Isaías aquí y en los vv. 4–5 se aplican a la iglesia, muy probablemente en su estado glorificado, aunque incluyendo más que eso, como indican las referencias a un cielo y una tierra nuevos.

Juan describe lo que está viendo con las palabras de Is. 65:17 y 66:22 (que es prácticamente una repetición de 65:17). Is. 65:16–18 profetiza una restauración de Israel en una tierra y un cielo nuevos donde prevalecerán la alegría y el gozo, en contraste con la vieja tierra caracterizada por el llanto y el clamor. Is. 66:22 habla de la permanencia del nuevo cielo y la nueva tierra, en contraposición a la naturaleza temporal de los antiguos. El regreso de Israel de Babilonia cumplió esta profecía sólo en un sentido extremadamente limitado e incompleto, dejando su cumplimiento final para mucho tiempo en el futuro. Mediante Su muerte y resurrección, Cristo inició el establecimiento de la nueva Jerusalén (véase 3:14, donde se le describe como "el Principio de la creación de Dios"), y esta profecía se ha inaugurado a lo largo de la era de la iglesia, a medida que las personas creen en Cristo y pasan a formar parte de una "nueva creación" (2 Co. 5:17; de forma similar, Gá. 6:15).

21:1 afirma que la profecía de Isaías inaugurada se cumplirá de forma consumada en algún momento futuro. La visión no describe rasgos de la era de la iglesia *antes* del final, ya que las condiciones retratadas enfatizan la ausencia de toda forma de amenaza visible e invisible para *toda* la comunidad redimida, tanto en sus aspectos espirituales como físicos (p. ej.,.21:1, 4, 8, 27; 22:3, 5).

La desaparición del viejo mundo se describe además con la frase **y el mar ya no existe**. En otras partes de Apocalipsis, el **mar** representa:

- El origen del mal cósmico (especialmente a la luz del trasfondo del Antiguo Testamento; véase 4:6; 13:1; 15:2; 16:3),
- Las naciones incrédulas y rebeldes que causan tribulación al pueblo de Dios (13:1; Is. 57:20; cf. Ap. 17:1–2, 6),
- El lugar de los muertos (20:13),
- El principal escenario en el que se desarrolla el comercio idolátrico del mundo (18:11–19), y
- Una masa de agua literal, parte de la antigua creación (5:13; 7:1–3; 8:8–9; 10:2, 5–6, 8; 14:7).

El uso que se hace aquí es probablemente una afirmación que resume cómo los diversos matices del mar a lo largo del libro se relacionan con la nueva creación. Por lo tanto, abarca todos los cinco significados anteriores. Es decir, cuando llegue la nueva creación, ya no habrá ninguna amenaza de Satanás, ni de las naciones rebeldes, ni de la muerte nunca más en el nuevo mundo, por lo que no hay lugar para el mar como lugar de los muertos. Tampoco habrá más prácticas comerciales idolátricas que utilicen el mar como vía principal. Incluso la percepción del mar literal como una parte turbia y rebelde de la creación de Dios ya no es apropiada en el nuevo cosmos, ya que éste se caracterizará por la paz. Sin embargo, habrá un lago de castigo ardiente (20:10, 14–15), pero estará situado enigmáticamente fuera del perímetro geográfico de los nuevos cielos y tierra (21:27; 22:15). Así como debe haber una forma eternamente consumada de la nueva creación en la que habita el pueblo de Dios, también debe haber una forma eternamente consumada de un reino de castigo en otra dimensión donde habitan los incrédulos.

Aunque todos los significados anteriores de “mar” están en mente, la alusión a Isaías 65 y el contexto inmediato sugieren un enfoque en el mar como representación figurada de la amenaza del mal y la tribulación para el pueblo de Dios, una amenaza que ya no existe en el estado eterno. La afirmación de que **y el mar ya no existe** se explica en el v. 4, “y ya no habrá muerte”. Los estrechos paralelismos muestran que lo segundo desarrolla lo primero. El matiz maligno del mar (incluido en los cinco aspectos anteriores) representa metafóricamente toda la gama de aflicciones que antes amenazaban al pueblo de Dios en el mundo antiguo. La alusión a Is. 65:17 en los vv. 1 y 4b y a Is. 65:19 en el v. 4b confirma la explicación anterior. En Is. 65:16–19 y 51:10–11 no se hace hincapié en la desaparición de los elementos materiales del viejo mundo, sino en la eliminación por parte de Dios de las “angustias primeras” (65:16) debidas a la opresión durante el cautiverio, de modo que “no se oirá más en ella voz de lloro ni voz de clamor” (65:19).

Esta conclusión se ve respaldada por el reconocimiento del eco de Is. 51:10–11 que ya se ha señalado brevemente. Este pasaje equipara metafóricamente la eliminación de las aguas en la liberación del Mar Rojo con la eliminación de las penas en la consumación de las edades (véase adicionalmente el v. 4). La ausencia del mar puede representar un elemento de escalada en la nueva creación, en contraste incluso con el cosmos anterior a la caída, que contenía mares en su interior. Esto es cierto independientemente de que el “mar” se entienda de forma literal o figurada, aunque la discusión anterior muestra que con toda probabilidad es figurado para las amenazas del viejo mundo. Esto significa que la presencia de un mar literal en la nueva creación no sería incompatible con el “mar ya no existe” figurativo de 21:1.

2 El nuevo mundo que el v. 1 describe como sustituto del antiguo se llama ahora **la ciudad santa, la nueva Jerusalén**. Juan utiliza las palabras de Is. 52:1b (“Jerusalén, ciudad santa”) para describir lo que ve. Esta ciudad santa, profetizó Isaías, será restaurada mediante la venida de Aquel que anuncia el evangelio (52:7) en una liberación del cautiverio y restauración de la presencia de Dios en los últimos días (52:11–12). La orden a Sion de “vestirse con sus ropajes hermosos” (52:1a) constituye la base de la imagen de la novia que se adorna con joyas en Is. 61:10, que a su vez constituye la base de este versículo, que describe a la nueva Jerusalén **preparada como una novia ataviada para su esposo**.

El hecho de que esta Jerusalén sea llamada **nueva** alude a Is. 62:1–2, que afirma que Jerusalén "será llamada con un nombre nuevo" en el momento de su glorificación al final de los tiempos. Ya en 3:12 se ha considerado que la identificación con el nuevo nombre de Cristo es esencialmente lo mismo que la identificación con el nombre de Dios y el nombre de la nueva Jerusalén. Los tres nombres se refieren a la presencia íntima y tardía de Dios y de Cristo con Su pueblo, como se expresa en los vv. 3–4 (véase también 14:1–4). Aunque para Juan la nueva creación ya ha sido inaugurada (véase 3:14), y en otras partes del Nuevo Testamento se ve que la nueva Jerusalén celestial e invisible empieza a sustituir a la antigua (Gá. 4:26–31; Heb. 12:22), las palabras visionarias **vi la ciudad santa, la nueva Jerusalén, que descendía del cielo, de Dios**, expresan la consumación de esa realidad.

Así, la ciudad es **preparada como una novia ataviada para su esposo**, cumpliendo la profecía de Isaías (62:1–5) de que Jerusalén será como una novia casada con Dios. Isaías preveía el regocijo de los que el Señor vestiría en el momento de la restauración final de Israel. La alusión similar en Ap. 19:7–8 sobre la intimidad de Dios con Su pueblo redimido aclara aún más que la novia es una metáfora de los santos. En todo Apocalipsis, el verbo "preparar" (griego *hetoimazō*) se refiere a las acciones de Dios, no a las humanas (así en 9:7, 15; 12:6; 16:12). Así que también aquí la unión íntima de Dios y Su pueblo, y posiblemente Su vindicación de ellos, es un decreto profético que el v. 2 pinta como cumplido en el futuro. Ser **preparada como una novia ataviada para su esposo** transmite el pensamiento de la preparación de Dios de Su pueblo para Sí mismo. A lo largo de la historia, Dios está formando a Su pueblo para que sea Su novia, de manera que refleje Su gloria en los tiempos venideros (así en Ef. 5:25–27), lo cual desarrolla el siguiente contexto de Apocalipsis 21 (cf. 2 Co. 11:2).

La profecía de Isaías encuentra su cumplimiento no en el Israel físico, sino en la iglesia como continuación del verdadero Israel, pues Ap. 3:12 muestra que tanto los creyentes judíos como los gentiles (en la iglesia de Filadelfia) están incluidos en la nueva Jerusalén, y 21:10–14 revelará que los nombres de los apóstoles aparecen junto a los de las tribus de Israel en la estructura de la nueva ciudad. La mujer de 12:1 (que representa a la comunidad de fe en su existencia sufriente en la tierra) es una anticipación de la novia completa del v. 2, ahora finalmente segura de cualquier peligro y residiendo en medio de la presencia perfecta y plena de Dios. Isaías 61–62 sirve de trasfondo a ambas representaciones.

La imagen de la ciudad, por tanto, es probablemente figurativa, representando la comunión de Dios con Su pueblo en una nueva creación real.

3 La frase introductoria **entonces oí una gran voz que decía desde el trono** ha aparecido antes en forma casi idéntica en 16:17 y 19:5. El anuncio podría proceder de los querubines (ya que la frase siguiente se refiere a Dios en tercera persona), o posiblemente de Dios. La voz del v. 3 amplía las metáforas de la ciudad y del matrimonio del v. 2. Estas imágenes se explican para describir la íntima comunión que Dios y Su pueblo tendrán entre sí: **El tabernáculo de Dios está entre los hombres, y Él habitará entre ellos y ellos serán Su pueblo, y Dios mismo estará entre ellos**. La imagen del tabernáculo de Dios sobre Israel en el Sinaí y en el desierto como connotación de una relación matrimonial ya se ha observado como parte del trasfondo de las bodas del Cordero y Su novia en 19:7–8 (sobre lo cual véase el trasfondo en Ez. 16:8–10). Esto refleja la promesa profética de Ez. 43:7 de que en los días del nuevo templo Dios "hará tabernáculo (o morará) entre los hijos de Israel para siempre".

Una alusión aún más específica es a Ez. 37:27, que recoge la promesa de Lv. 26:11–12 de que vendrá un tiempo final de restauración en el que Dios mismo hará Su tabernáculo o Su morada en medio de Israel, que será Su pueblo y Él será su Dios. Ya en Ap. 7:15 se ha entendido la profecía de la restauración de Israel en Ez. 37:27 como cumplida tanto por los cristianos gentiles como por los judíos (véase 7:15). Pablo, citando Lv. 26:12, enseña que el tabernáculo ya está presente en forma preliminar en la iglesia (2 Co. 6:16), pero Juan ve aquí su cumplimiento completo en la nueva creación.

Las profecías del Antiguo Testamento, sin excepción, hablan de un "pueblo" singular (griego *laos*) entre el que Dios morará. Ap. 21:3 (al contrario que la NASB) cambia el singular profético por el plural "pueblos" *(laoi)* para hacer evidente que las profecías que originalmente se centraban en Israel se han cumplido en "toda tribu y lengua y pueblo y nación" (así en 5:9; 7:9), aunque estos últimos se ven como una continuación ampliada del verdadero Israel. Zac. 2:10–11 se anticipa a este versículo al prever una expansión étnica de los límites del verdadero Israel al identificar a "muchas naciones" como "Mi pueblo", una identificación que siempre se utiliza en otras partes del AT para Israel.

NASB New American Standard Bible

Dios prometió a Abraham que las naciones serían bendecidas sólo a través de la bendición de Su simiente israelita (Gn. 12:1–3; 17:2–8; 26:24; Gá. 3:16). Ez. 47:14 también basa la herencia eterna de Israel de la tierra y el templo en la promesa de Abraham, y Ezequiel 47:22–23 afirma que la única manera en que los gentiles podrán compartir la herencia prometida del nuevo templo y la tierra será formando parte de Israel: Los gentiles "extranjeros … serán para ustedes [Israel] como nativos entre los Israelitas; se les sorteará herencia con ustedes entre las tribus de Israel". Es ciertamente una doctrina clara del Nuevo Testamento que los gentiles no participan de las promesas del Antiguo Testamento de Israel al formar parte de la sociedad teocrática del antiguo Israel étnico. Apocalipsis, al igual que Pablo (Gá. 3:16, 29), revela que las naciones pueden participar en la bendición redentora del verdadero Israel mediante la confianza en Jesús, la verdadera simiente de Abraham y el único israelita auténtico, que murió y resucitó tanto por los judíos como por los gentiles. Todos los representados por Jesús, el rey e israelita ideal, se consideran a su vez parte del verdadero Israel y comparten las bendiciones que Él recibe (véase, p. ej., en 2:17; 3:7, 9; 7:4–8; 12:1–2, 5, 17).

Sólo los judíos podían entrar en el antiguo tabernáculo, y entre ellos sólo los sacerdotes. Sin embargo, ahora en el v. 3 la presencia divina no está limitada por los límites físicos de un santuario israelita, ya que no sólo todos los israelitas creyentes, sino todos los pueblos experimentan la íntima presencia a manera de tabernáculo de Dios. Judíos y gentiles no sólo se han unido en Cristo, sino que también han adquirido la condición de sacerdotes que sirven ante la presencia de Dios (20:6; 22:3–4). Este es, por tanto, el primer indicio de que no hay un templo literal en la nueva Jerusalén, hecho que se afirma explícitamente en 21:22, donde la razón histórico-redentora definitiva de la ausencia de un edificio físico del templo es que Dios y Cristo son la forma final y duradera del templo, al que el templo físico del Antiguo Testamento siempre apuntaba.

4 En esta nueva creación, el pueblo de Dios ya no experimentará ninguna de las formas de sufrimiento características de la vieja creación: **Él enjugará toda lágrima de sus ojos, y ya no habrá muerte, ni habrá más duelo, ni clamor, ni dolor**. Cuando esto ocurra en el futuro, será un cumplimiento de la profecía de Is. 25:8 "El Señor DIOS enjugará las lágrimas de todos los rostros" (véase también en Ap. 7:17). Tanto Is. 35:10 y 51:11 predicen que en el momento de la plena restauración de Israel a Dios, el pueblo experimentará "alegría eterno" y "gozo" porque será protegido de sus antiguos sufrimientos de "tristeza y el gemido", que habrán desaparecido.

Es más que una coincidencia que sólo un verso antes, en Isaías 51, el profeta reflexione sobre el primer éxodo, cuando Dios hizo que el mar se secara (Is. 51:10), comparando la primera liberación con la liberación del pueblo de Dios en los últimos días, al igual que la erradicación del mar en Ap. 21:1 elimina todas las barreras para el cumplimiento final de la comunión de Dios con Su pueblo en los vv. 2–4. Las palabras similares subsiguientes de que "ya no habrá maldición" (22:3) y que "ya no habrá más noche" (22:5) también indican que ninguno de los males y amenazas del viejo mundo puede impedir que los santos disfruten plenamente de la presencia consumada de Dios.

La "maldición" (véase 22:3) de la muerte y sus sufrimientos asociados, que fueron introducidos en el primer Edén, serán eliminados en el último Edén. La conclusión del v. 4 que **las primeras cosas han pasado**, de nuevo, cumple las palabras proféticas de Isaías: "No recuerden las cosas anteriores... Yo hago algo nuevo" (Is. 43:18–19), "Por tanto, Yo creo cielos nuevos y una tierra nueva, Y no serán recordadas las cosas primeras ni vendrán a la memoria" (Is. 65:17). El v. 1 ha introducido el tema de la desaparición del primer cielo y de la primera tierra, que se reitera en su expresión paralela en el v. 4.

5 El tema de la nueva creación que llega a su fin continúa en los vv. 5–8. El orador aquí (**El que está sentado en el trono dijo**) es indudablemente Dios. La primera declaración divina, **Yo hago nuevas todas las cosas**, se inspira de nuevo en Isaías (al igual que los vv. 1, 4, que aluden a los caps. 43, 65 y 66): "Yo hago algo nuevo" (Is. 43:19; cf. Is. 66:22). En 2 Co. 5:17, Pablo ve que la misma profecía de Isaías (Is. 43:18–19 y 65:17) comienza a cumplirse mediante la muerte y resurrección de Cristo. Juan añade la palabra **todas** para destacar el cumplimiento consumado de las profecías. Esto no sugiere un universalismo salvífico, sino que todo el pueblo de Dios, junto con los cielos y la tierra, será transformado en una nueva creación. El tiempo presente (**Yo hago**) no se refiere al tiempo presente de la era de la iglesia, sino que refuerza la certeza de que la futura nueva creación ocurrirá.

Dios le ordena a Juan: **Escribe, porque estas palabras son fieles y verdaderas**, lo cual está enraizado en Is. 65:16 (para una descripción similar de Cristo enraizada en el mismo versículo, véase 3:14). En Isaías, el texto hebreo se refiere a Dios como el Dios de la verdad (*amén* hebreo), cuya bendición en 65:17

será la de la nueva creación que Él llevará a cabo. La promesa es **fiel y verdadera** porque, como profetizó Isaías, Dios mismo es quien, sin duda, la llevará a cabo. La afirmación del v. 5b, **estas palabras son fieles y verdaderas**, se repetirá textualmente en 22:6, que funciona como conclusión de las promesas de la nueva creación de 21:1–22:5 y, por lo tanto, se ha formado probablemente a partir de la misma redacción de Isaías 65.

6 La siguiente palabra que escucha Juan es la palabra griega *gegonan*, literalmente **ellas**, es decir, las promesas proféticas **hechas están** (NASB "Cumplido está"). Esto subraya el carácter culminante del cumplimiento de las profecías tejidas a lo largo de los vv. 1–5, aunque lo más importante son las "cosas nuevas" del v. 5. Del mismo modo, 16:17 utiliza casi la misma expresión (*gegonen*, "Hecho está") para indicar el cumplimiento final. Sin embargo, allí hace hincapié en el cumplimiento de las promesas de Dios de juzgar a los impíos. Aquí, designa el cumplimiento de la nueva creación, que se puso en marcha en la cruz cuando Jesús gritó: "¡Consumado es! "

El orador divino se identifica como **el Alfa y la Omega, el Principio y el Fin**. Junto con las expresiones similares, "el Primero y el Ultimo, el Principio y el Fin" (22:13), estos títulos describen el control de Dios sobre la historia, especialmente cuando la lleva a su fin en la salvación y el juicio. El uso de la primera y la última letra del alfabeto era una figura retórica antigua para referirse a la totalidad de todo lo que hay en medio. Los vv. 5–6 son sólo la segunda vez en todo el libro en que se cita explícitamente a Dios. La primera es en 1:8. Tanto allí como aquí aparece el título **el Alfa y la Omega**.

El hecho de que este título aparezca al principio del libro y al final es apropiado y no puede ser una coincidencia. Es decir, la totalidad de los acontecimientos narrados y retratados entre 1:8 y 21:6 se encuentran bajo la soberanía absoluta de Dios, al igual que toda la historia anterior a la redacción de Apocalipsis. Por lo tanto, los dos títulos de 21:6 se refieren a la soberanía absoluta de Dios sobre todos los acontecimientos de la historia. Sobre esta base, se asegura a los lectores que, al igual que Dios hizo nacer la primera creación, con la misma certeza la llevará a término.

El resto del v. 6 muestra que los dos títulos proporcionan la seguridad de que Dios, en Su soberanía absoluta, es capaz de dar bendiciones a Su pueblo redimido: **Al que tiene sed, Yo le daré gratuitamente de la fuente del agua de la vida**. El mismo patrón aparece en 22:12–13, donde títulos divinos similares proporcionan la seguridad de que Cristo va a "recompensar a cada uno según sea su obra" de forma culminante al final de la historia. Esto incluye tanto bendición (21:6; 22:17) como juicio (21:8; 22:15). La alusión aquí es primero a Is. 49:10, "No pasarán hambre ni sed... porque el que tiene compasión de ellos los guiará... a manantiales de aguas".

Las aguas vivas, que representan la vida eterna, tienen su origen en Dios y en el Cordero (así en 22:1, 17 y, de manera similar, Jer. 2:13; Sal. 36:8–9; Jl. 3:18; Jn. 4:10; 7:38). Esta es la vida de comunión eterna con Dios y Cristo reservada para aquellos que han mantenido su fe en la muerte expiatoria del Cordero y su testimonio de Su obra redentora. La alusión es también a Is. 55:1 (que a su vez desarrolla el pensamiento de Is. 49:10): "Todos los sedientos, vengan a las aguas; y los que no tengan dinero, vengan, compren y coman. Vengan, compren vino y leche sin dinero y sin costo alguno". En consonancia con el contexto anterior de los vv. 1–5, la iglesia cumple la profecía de restauración de Is. 49:10 y 55:1, mientras que la tradición judía interpretaba Is. 49:10–13, 21 como cumplida sólo por los exiliados judíos (p. ej., *Pesikta Rabbati* 31).

7 El v. 7 define al pueblo de Dios, los destinatarios de las promesas de la nueva creación, como vencedores. Los vencedores triunfan al negarse a transigir en su fe, aunque les cueste la vida (véase adicionalmente en 2:28–29). El v. 7 resume la recepción de las múltiples promesas de los vv. 1–6 diciendo que **el vencedor heredará estas cosas**. El propósito de este versículo, y de todo 21:1–22:5, es animar al verdadero cristiano a perseverar en las dificultades para heredar la plenitud de las bendiciones de Dios. Todas las promesas hechas a los vencedores en la sección de las cartas (caps. 2 y 3) se cumplen en esta sección final, que describe la nueva Jerusalén y la recompensa eterna del creyente:

- "árbol de la vida, que está en el paraíso de Dios" (2:7 y 22:2),
- Inclusión en el nuevo templo (3:12 y 21:22 ss.),
- Participación en "la nueva Jerusalén, que desciende del cielo de Mi Dios" (3:12 y 21:2, 10),
- El nombre de Dios escrito en la persona (3:12 y 22:4),
- El nombre de uno está escrito en el libro de la vida (3:5 y 21:27),
- Vestiduras brillantes como recompensa (3:5 y 21:2, 9ss; cf. 19:7–8),
- Una piedra brillante y una luminaria, ya sea estrella o lámpara (2:17, 28 y 21:11, 18–21, 23; 22:5, 16),

- Reinado consumado con Cristo (2:26–27; 3:21 y 22:5), y
- Exclusión de la segunda muerte (2:11; 21:7–8).

Estas bendiciones se resumen en la única promesa del v. 7: **Yo seré su Dios y él será Mi hijo**. Esto cumple una promesa profética dada a David para Aquel que vendría de su casa, "Yo seré padre para él y él será hijo para Mí" (2 S. 7:14); "El clamará a Mí: 'Mi Padre eres Tú'… Yo también lo haré Mi primogénito, el más excelso de los reyes de la tierra" (Sal. 89:26). La promesa se aplica según el concepto de representación corporativa por el que Cristo representa a Su pueblo. Esto coincide con el cumplimiento individual y corporativo de Sal. 2:8–9 ya mencionado en Ap. 2:26–27. Puesto que los santos están en Cristo (1:9), heredarán plenamente lo que Cristo hereda (nótese el reinado eterno de Cristo en 5:12–13 y 11:15 y el de los santos en 22:5).

8 Por otra parte, los que no se incluyan entre el pueblo de Dios serán excluidos de Su presencia, lo que constituye en sí mismo un juicio. La lista de vicios es un resumen de los pecados típicos que el autor ha estado advirtiendo a las iglesias que no cometan. Los **cobardes** e **incrédulos** no son sólo los incrédulos en general, sino más precisamente aquellos que han pretendido pertenecer a la comunidad de la iglesia del pacto, pero que, impulsados por el temor a los humanos y no a Dios, han transigido ante la persecución. Los **cobardes** son aquellos en la comunidad visible de fe que han "retrocedido" en la guerra santa con el mundo y no han sido valientemente fieles en la batalla contra la bestia. **Cobarde** (griego *deilos*) sugiere una fe vacía, ya que va seguida de **incrédulo** (cf. Mt. 8:26 y Mr. 4:40, donde la misma palabra va seguida de referencias a los que tienen poca o ninguna fe).

También se incluyen en la lista los **abominables, asesinos, inmorales, hechiceros, idólatras, y todos los mentirosos**. Estos pecados hacen referencia a los incrédulos paganos, así como a algunos dentro de la comunidad visible del pacto. De hecho, las formas de fornicación e idolatría comunes en el mundo pagano eran amenazas que ponían a prueba la fe de algunos en las iglesias (véase en 2:14, 20–21 para esto en general y para el significado de "inmoralidad", griego *porneia*). Estos vicios se asocian a un contexto de adoración de ídolos tanto en el Antiguo Testamento como en el Nuevo Testamento (véanse las referencias en 9:21), así como en Apocalipsis.

En cuanto a lo **abominable** como referencia a la idolatría, véase 17:4–5. Tales pecados forman parte de las actividades implicadas en la idolatría o, como abominaciones, se convierten en actos de idolatría en sí mismos (para la idolatría que implica el asesinato [sacrificio de niños] véase también Sal. 106:36–38). Los **asesinos** incluyen a los agentes de la bestia y la ramera que han perseguido a los santos que se niegan a cooperar con el sistema económico de la idolatría (13:15; 17:6). Los **inmorales** (o "fornicadores", griego *pornoi*) pueden estar relacionadas con la prostitución de culto, que también estaba asociada a los templos y al culto pagano desde la antigua cultura cananea. Asimismo, la hechicería y la magia se practicaban a menudo en relación con la idolatría (**hechiceros** e **idólatras**) mucho antes de los tiempos del Nuevo Testamento (véase Lv. 19:26–29; Dt. 18:9–11, este último asocia el sacrificio de niños y la hechicería). Es interesante que 2 R. 9:22 relaciona las "prostituciones" y las "hechicerías" con Jezabel (para más información sobre Jezabel, véase 2:20–24).

El catálogo de pecados concluye con **todos los mentirosos**. La frase probablemente apunta a un enfoque en aquellos cuya profesión cristiana es traicionada ya sea por un comportamiento transigente o por una falsa doctrina. La palabra se refiere a los falsos apóstoles en 2:2 y a los judíos étnicos que afirman falsamente ser el verdadero pueblo de Dios en 3:9. Juan utiliza la frase en otros lugares para referirse a aquellos dentro de la iglesia cuyo comportamiento o doctrina contradice su supuesta profesión de fe en Jesús (1 Jn. 2:4, 22; 4:20; 5:10).

Una lista de pecadores casi idéntica a la del v. 8 aparece en 22:15, y un catálogo similar pero abreviado concluye el cap. 21 (v. 27). Ambas listas subsiguientes terminan con "mentir", lo que enfatiza el juicio sobre aquellos cuya aparente profesión cristiana se contradice con su estilo de vida o su falsa doctrina. Tit. 1:16 expresa un pensamiento similar: "profesan conocer a Dios, pero con sus hechos lo niegan, siendo abominables y desobedientes e inútiles para cualquier obra buena". Posiblemente también estén en mente los que promueven la mentira de la bestia (13:12–15). En 3:9, la mentira se asocia con ser un devoto de Satanás (al igual que en 2:9), el mentiroso original (Jn. 8:44) y engañador (Ap. 12:9; 20:2–3). Ap. 14:5 dice que el genuino pueblo de Dios persiste en no mentir, lo que se refiere a la perseverancia en profesar la verdad del evangelio y en no transigir. La ausencia de mentirosos en el nuevo mundo muestra que el orden venidero existirá en un nivel moral más alto que incluso el cosmos anterior a la caída, donde se permitió la entrada del mentiroso satánico.

Los malvados tienen su parte **en el lago que arde con fuego y azufre, que es la muerte segunda**. Esta representación figurativa del castigo indica que hay un sufrimiento adicional además de la angustia de la separación de Dios (para la discusión del **fuego y azufre** y la naturaleza eterna de **la muerte segunda**, véase 14:10–11; 19:20; 20:10). Como ya se ha observado, las antítesis de viejo frente a nuevo y de primero frente a segundo contrastan lo parcial y temporal con lo consumado y eterno (véase 20:5–6). Así que aquí la **muerte segunda** se refiere a un castigo perfeccionado y eterno. Cabe destacar que la nueva creación es lo que "heredan" sólo los justos (v. 7).

Los injustos, ya sean pseudocristianos o el mundo no cristiano en general, no heredarán el nuevo mundo venidero y, por tanto, no residirán dentro de los límites del nuevo cosmos. 21:1–22:5 muestra que la bendición de la presencia de Dios impregna toda la nueva creación, mientras que 21:8 y 27 indican que el juicio de Dios se revela fuera de los confines del nuevo mundo (véase también 22:15). Aunque la muerte segunda es un castigo perfeccionado, quienes la sufren lo hacen fuera de la geografía del nuevo universo, pues ya se nos ha dicho que "ya no habrá muerte… ni dolor" en el nuevo orden de cosas (v. 4).

Sugerencias para Reflexionar sobre 21:1–8

- ***Sobre la naturaleza de la nueva creación.*** ¿Cuánta gente piensa en la otra vida como una existencia eterna etérea, algunos incluso se imaginan a los santos flotando para siempre en las nubes? Desgraciadamente, ésta no es sólo la perspectiva de los creyentes nominales; incluso muchos verdaderos cristianos tienen a veces esa visión. Pero la nueva creación se describe en estos versículos como una transformación física fundamental de la vieja creación y su renovación. En este momento, el cuerpo será levantado de entre los muertos y será gloriosamente transformado. Esta transformación corporal se describe en nuestro pasaje como la iglesia que se convierte en una novia perfeccionada. Los santos a los que Juan escribe ven ahora su futuro en el plan de Dios. La nueva creación es un lugar de justicia y santidad (2 P. 3:13). El hacer nuevas todas las cosas se refiere principalmente a los habitantes de la nueva creación, así como a su topografía física, en la que vivirán. Así, el destino del pueblo de Dios es vivir con cuerpos físicos resucitados en el entorno físico recién transformado de la nueva tierra y los cielos eternos. Esta es una imagen bastante diferente de la vida eterna después de la muerte que muchos del pueblo de Dios tienen.

- ***Sobre la identificación e intimidad con Dios.*** Varias imágenes utilizadas aquí hablan de la relación más estrecha posible entre Dios y Su pueblo. La iglesia es preparada como una novia. A los cristianos se les da un nombre nuevo, que los identifica con el carácter de Dios y como si estuvieran en una relación matrimonial con Él. Dios hace tabernáculo o mora íntimamente con Su pueblo. Si este es nuestro destino, ¿cómo deberíamos prepararnos para ello? ¿Con qué frecuencia se aborda el tema de la intimidad con Dios entre los cristianos? ¿Con qué frecuencia nos detenemos en la enseñanza de Pablo en Ef. 5:22–33, que utiliza el matrimonio como la analogía humana más cercana a nuestra relación con Cristo? ¿Cómo podemos cultivar la intimidad con Dios en una sociedad tan entregada al placer, la superficialidad y el exceso de actividad? Dios quiere que nuestro verdadero deseo y alegría estén en Él, y Su promesa de intimar con nosotros es la forma en que lo disfrutaremos y desearemos para siempre. ¿Qué hacemos ahora para cultivar nuestro deseo por Él? El Salmo 119:111 es una de las maneras en que podemos crecer en nuestro gozo y deseo por Dios: "Tus testimonios [la palabra de Dios] he tomado como herencia para siempre, porque son el gozo de mi corazón". Leer y meditar en la palabra de Dios nos lleva a pensar en los pensamientos de Dios según Él, lo que aumenta nuestro gozo en Él.
- ***Sobre las promesas de Dios.*** El comentario señala cómo todas las promesas de Dios hechas a los santos terrenales en las cartas se cumplen en esta sección. Qué importante es reflexionar sobre el hecho de que Dios es fiel a Sus promesas y que no es poco espiritual o egoísta suponer que recompensa a los que le buscan y sirven, ya que esa es Su voluntad para nosotros. Dios sí quiere lo mejor para nosotros. ¿Con qué frecuencia enumeramos las promesas que Él ya ha cumplido para nosotros y usamos eso como estímulo para el cumplimiento de todo lo que está por venir?

En el mundo venidero la comunidad de los redimidos será inviolable, completada, perfeccionada y gloriosa debido a la presencia consumada, gloriosa y eterna de Dios (21:9–22:5)

El resto de la visión puede dividirse de la siguiente manera temática: vista inicial y apariencia de la ciudad (21:9–14), las medidas de la ciudad (21:15–17), el material de la ciudad (21:18–21), las características internas de la ciudad (21:22–27) y los símbolos de la presencia de Dios en la ciudad (22:1–5).

En términos generales, la estructura de la ciudad se basa en la visión de Ezequiel 40–48, que profetiza el modelo del templo de los últimos días (caps. 40–44) y la disposición de la ciudad y la tierra que la rodea (caps. 45–48). Esta sección interpreta además el cumplimiento aún futuro de Ezequiel, al reunir el templo, la ciudad, el Jardín del Edén y la nueva creación en una sola imagen del final de los tiempos que describe la única realidad de la comunión de Dios con Su pueblo. Ezequiel identifica el templo, la ciudad y la tierra como representantes de la misma entidad, aunque no los fusiona de la misma manera. Entiende que tanto la tierra como el templo (37:25–28), así como la ciudad (48:35), significan la morada eterna de Dios. El hecho de que aquí se equipare a la novia con la ciudad (vv. 2, 10) muestra que no se está describiendo una ciudad literal.

Ap. 21:9–22:5 recapitula 21:1–8 y amplía la imagen de la comunión consumada de Dios con Su pueblo y su seguridad consumada en la nueva creación. La novia del v. 2 se desarrolla en los vv. 9–11; el tabernáculo del v. 3 se desarrolla en los vv. 22–24; el agua del v. 6 se desarrolla en 22:1; y el destino de los pecadores del v. 8 se desarrolla en el v. 27. La referencia a la "ciudad amada" que está siendo atacada (20:9) sugiere que la ciudad descrita en 21:9–22:5 se revela en forma oculta y parcial a lo largo de la era de la iglesia como resultado de la obra redentora de Cristo (véase 20:9). El segmento que nos ocupa revela la forma perfeccionada de la ciudad. Los amplios paralelismos observados entre los vv. 1–8 y 21:9–22:5 contradicen el argumento de algunos de que la segunda sección retrata un milenio terrenal anterior, mientras que la primera sección describe el estado eterno.

1. La vista y apariencia inicial de la ciudad: la presencia gloriosa de Dios establece la comunidad inviolable y completa de los redimidos (21:9–14)

[9] Vino uno de los siete ángeles que tenían las siete copas llenas de las últimas siete plagas, y habló conmigo, diciendo: "Ven, te mostraré la novia, la esposa del Cordero". [10] Entonces me llevó en el Espíritu a un monte grande y alto, y me mostró la ciudad santa, Jerusalén, que descendía del cielo, de Dios, [11] y tenía la gloria de Dios. Su fulgor era semejante al de una piedra muy preciosa, como una piedra de jaspe cristalino. [12] Tenía un muro grande y alto con doce puertas, y en las puertas doce ángeles, y en las puertas estaban escritos los nombres de las doce tribus de los hijos de Israel. [13] Había tres puertas al este, tres puertas al norte, tres puertas al sur, y tres puertas al oeste. [14] El muro de la ciudad tenía doce cimientos, y en ellos estaban los doce nombres de los doce apóstoles del Cordero.

9–10 La recapitulación comienza en los vv. 9–10, donde se muestra a Juan **la novia, la esposa del Cordero... la ciudad santa, Jerusalén, que descendía del cielo, de Dios**. Son frases casi idénticas a las del v. 2. Aquí se repite el patrón de oír y luego ver que se observa en otras partes de Apocalipsis (véase, p. ej., en 5:5, donde oye hablar de un "león" y en 5:6 ve un "cordero"). En el v. 9, oye que verá a la novia; en el v. 10, ve la ciudad santa, que interpreta lo que ha oído. Al igual que los vv. 3–8 explican el significado de la novia y la ciudad de los vv. 1–2, también 21:11–22:5 amplía el significado de la novia y la ciudad en 21:9–10.

La redacción de los vv. 9–10 es casi idéntica a la de 17:1, 3, que presentaba a Babilonia. Esto subraya el contraste entre las dos mujeres, la ramera Babilonia y la novia del Cordero. La conducta inmoral e infiel de Babilonia se contrapone a la fidelidad de la novia. Ambas ciudades (Babilonia y la nueva Jerusalén) están adornadas con oro, piedras preciosas y perlas (17:4; 21:18–21). El adorno de la ramera (17:4) representa las fuerzas económicas mundanas que, en connivencia con el estado, persiguen a los cristianos y los seducen para que transijan en su fe (para el enfoque económico, véase también 14:8; 17:2; 18:16).

El adorno de la novia, sin embargo, representa sus obras fieles o su condición vindicada como resultado de esos actos (véase adicionalmente 19:7–8; 21:2). Su adorno con las piedras preciosas del templo (vv. 18–21) muestra que Dios mismo ha proporcionado su redención, que refleja la gloria de la nueva creación (véanse similarmente 1 Co. 3:5–15 y 1 Pe. 2:4–7). El paralelismo de las dos representaciones sugiere que el retrato de la novia en esta sección es simbólico y no literal, como lo fue el de Babilonia (p. ej., 17:9, 12, 15, 18). Ambas imágenes son introducidas por la palabra "mostrar" (griego *deiknymi*), que en 17:1 se refiere claramente a una visión simbólica. La ramera representa la cultura humana en oposición a Dios, mientras que la novia no representa un lugar o una ciudad literal, sino la comunidad redimida y fiel a Dios (véase el v. 3). Existe un nuevo cosmos literal, pero el objetivo de la visión es centrarse en los santos exaltados como característica central del nuevo orden (véase adicionalmente en el v. 1).

Juan dice que se le **llevó en el Espíritu**, como lo fue Ezequiel (3:12, 14; 11:1; 43:5). Como en el caso de Ezequiel, el repetido arrebato de Juan al reino del Espíritu subraya aún más su encargo y autoridad proféticos (véase 1:10; 4:2; y especialmente 17:3, donde se alude a los encargos de Ezequiel de la misma manera). Es significativo que este versículo combine Ez. 43:5 ("Entonces el Espíritu me levantó") con Ez.40:2 ("En visiones de Dios, El me llevó a la tierra de Israel y me puso sobre un monte muy alto, sobre el cual... había una construcción parecida a una ciudad"). Esta combinación indica sin lugar a duda que la visión de Ap. 21:11ss debe identificarse con la dichosa visión del futuro templo de Ezequiel 40–48. El ángel transporta a Juan a un **monte grande y alto** donde también se encuentra probablemente la nueva ciudad-templo. La profecía del AT, al igual que en Ezequiel, entendía que la Jerusalén venidera estaría situada en un monte alto (véanse también Is. 2:2–3; 4:1–5; 25:6–26:2; Miq. 4:1–2).

Lo que Ezequiel vio que iba a suceder en el futuro sigue siendo visto por Juan como algo establecido para el futuro. Ambas visiones profetizan la misma realidad del establecimiento final y permanente de la presencia de Dios con Su pueblo. Sin embargo, los diferentes detalles pictóricos de la visión de Juan sirven para interpretar la visión de Ezequiel.

11 El tema de la presencia de Dios con Su pueblo, brevemente desarrollado en los vv. 1–8, se introduce aquí y se extiende a lo largo de 21:11–22:5. La ciudad del v. 10 se describe además como que **tenía la gloria de Dios**. En la nueva creación, la presencia de Dios no se limitará a una estructura de templo con el pueblo fuera de la estructura, sino que el propio pueblo será tanto la ciudad como el templo en el que reside la presencia de Dios (así vv. 2–3, 12–14). A la luz de las claras alusiones a Isaías 40–66 en 21:1–22:5, la referencia a **la gloria de Dios** debe derivar de Is. 58:8 y 60:1–2, 19, donde aparece la representación profética de "la gloria del SEÑOR" que reside en la Jerusalén de los últimos días (para las alusiones a Isaías 40–66 en el cap. 21, véanse, p. ej., las referencias a Is. 65:17–19 en los vv. 1–2, 4, Is. 54:11–12 en el v. 19, e Is. 60:19–20 en el v. 23).

Nótese en particular Is. 60:1–3: "Levántate, resplandece, porque ha llegado tu luz Y la gloria del SEÑOR ha amanecido sobre ti... sobre ti amanecerá el SEÑOR ... Y acudirán las naciones a tu luz, y los reyes al resplandor de tu amanecer". Mientras que el v. 2 habla de la novia engalanada para su marido, este versículo aclara que la vestimenta es, de hecho, la gloria de Dios, que no es otra cosa que Su imponente presencia como tabernáculo con Su pueblo. Esto confirma nuestra conclusión anterior de que el v. 3 interpreta las imágenes de la ciudad y del matrimonio del v. 2 como una referencia a la comunión íntima que Dios tendrá con Su pueblo.

El **fulgor** de la ciudad **era semejante al de una piedra muy preciosa, como una piedra de jaspe cristalino**. Esto continúa la alusión de Ez. 43:5 del versículo anterior. Ezequiel vio la gloria de Dios entrando en el nuevo templo, y la tierra brilló con Su gloria (43:2; cf. también 43:4–5). Esta gloria se compara con un **fulgor** o "estrella" (griego *phōstēr*), la misma palabra utilizada en el AT griego (LXX) en Dn. 12:3, donde el pueblo de los últimos días de Dios "brilla como el resplandor de la expansión del cielo". También la utiliza Pablo cuando habla de que el pueblo de Dios brilla como las estrellas al llevar la palabra de vida a un mundo incrédulo (Fil. 2:15). Zacarías profetizó que Dios sería un muro de fuego alrededor de la Jerusalén de los últimos días y que haría que Su gloria habitara en medio de ella (Zac. 2:5). Obsérvese cómo se hace referencia a Cristo metafóricamente como "el lucero resplandeciente de la mañana" (22:16; cf. 2:28). Al igual que en 4:3, cuando Juan intenta describir la gloria de Dios, lo más cerca que llega es a referirse a ella como piedras preciosas radiantes. Esto explica en parte también las descripciones similares de la ciudad en los vv. 18–21.

12–13 Ahora se describe la ciudad como si tuviera **un muro grande y alto con doce puertas, y en las puertas doce ángeles, y en las puertas estaban escritos los nombres de las doce tribus de los hijos de Israel**. El muro representa la naturaleza inviolable de la comunión de la ciudad (= la comunidad del pacto renovada) con Dios, como se insinúa en el v. 27 y en 22:14–15. Esto alude a Is. 26:1–2: "En aquel día se cantará este cántico en la tierra de Judá: 'Ciudad fuerte tenemos; para protección Él pone murallas y baluartes. Abran las puertas para que pueda entrar la nación justa…'" (LXX: "Hará de la salvación una muralla y un muro que los rodea").

El hecho de que la primera parte de la estructura de la ciudad que ve Juan sea un muro y puertas continúa la alusión a Ezequiel 40–48 iniciada en los vv. 9–11. Las múltiples puertas del templo de Ezequiel en el cap. 40 y las doce puertas de la ciudad en Ez. 48:31–34 se funden en un grupo de doce puertas dispuestas alrededor de la única ciudad-templo de la visión de Juan (y nótese la repetida referencia a los muros del templo en Ezequiel 40–43, p. ej., 40:5). En cada puerta hay un ángel, algo que no se encuentra en Ezequiel. En este sentido, son comparables a los ángeles de las iglesias y a los veinticuatro ancianos, que representan al verdadero pueblo de Dios, el verdadero Israel (p. ej., véase 4:4). Tanto en esta visión como en la de Ezequiel aparecen cuatro grupos de tres puertas orientadas al norte, al este, al sur y al oeste, y en ambas cada puerta tiene escrito uno de los nombres de las doce tribus de los hijos de Israel.

14 Además de las doce puertas del muro, **el muro de la ciudad tenía doce cimientos, y en ellos estaban los doce nombres de los doce apóstoles del Cordero**. El número veinticuatro (la suma de las doce tribus y de los doce apóstoles) también aparece en la escena de los veinticuatro ancianos de 4:3–4. En ambas escenas, la gloria de Dios brilla como el jaspe (4:3; 21:11), lo que sugiere que los veinticuatro ancianos del cap. 4 son seres angélicos que representan la suma de todo el pueblo de Dios de ambos pactos (véase 4:4).

El número veinticuatro también puede basarse colectivamente en la organización por parte de David del culto de los servidores del templo en veinticuatro órdenes de sacerdotes (1 Cr. 24:3–19), veinticuatro porteros levitas (1 Cr. 26:17–19) y veinticuatro órdenes de levitas a los que se les encargó (1 Cr. 25:1–31) profetizar "dando gracias y alabando al SEÑOR" (25:3). La tradición judía (el Qumrán pesher sobre Isaías 54) explicaba las piedras preciosas de Is. 54:11–12 como símbolos de los doce sacerdotes y los jefes de las doce tribus que representaban a Israel ante Dios.

El trasfondo de Crónicas se ve reforzado aquí por el contexto del templo a lo largo del cap. 21 y la interpretación "sacerdotal" judía de Is. 54:11–12 en relación con el número veinticuatro. La integración de los apóstoles junto con las tribus de Israel como parte de la estructura de la ciudad-templo (la estructura profetizada en Ezequiel 40–48) confirma aún más nuestra evaluación en 7:15; 11:1–2; y 21:2–

LXX Septuaginta

3 de que la iglesia cristiana multirracial será el grupo redimido que, junto con Cristo, cumplirá la profecía de Ezequiel sobre el templo y la ciudad futuros. Esto coincide con otros pasajes del Nuevo Testamento en los que toda la comunidad del pacto forma un templo espiritual en el que habita la presencia de Dios (1 Co. 3:16–17; 6:19; 2 Co. 6:16; Ef. 2:21–22; 1 Pe. 2:5).

Cabe destacar que en el v. 14 los apóstoles forman parte de los cimientos, mientras que las tribus forman parte de las puertas del muro construido sobre los cimientos. Se podría haber esperado lo contrario, ya que Israel precedió a la Iglesia en la historia redentora. Sin embargo, la inversión pone de manifiesto, de forma figurada, que el cumplimiento de las promesas de Israel ha llegado finalmente en Cristo, quien, junto con el testimonio apostólico de Su obra de cumplimiento, constituye el fundamento del nuevo templo, la iglesia, que es el nuevo Israel (así también en Ef. 2:20–22).

En 3:12 Cristo prometió que el que venciera, ya fuera judío o cristiano gentil, se convertiría en "una columna en el templo de mi Dios… Escribiré sobre él el nombre de Mi Dios y el nombre de la ciudad de Mi Dios, la nueva Jerusalén, que desciende del cielo de Mi Dios, y Mi nombre nuevo". Esa fue la primera insinuación sustancial en el libro de que más tarde, en el cap. 21, los conceptos de ciudad y templo se colapsarían en el concepto único de la presencia de Cristo y Dios con Su pueblo (véase adicionalmente en 3:12 y 22:4). El presente argumento de que la ciudad y el templo del cap. 21 son una misma cosa está en consonancia con nuestra anterior identificación del templo, el altar, el atrio exterior y la ciudad santa como la comunidad cristiana en 11:1–2 (sobre lo cual véase), y es coherente con nuestras anteriores identificaciones de la iglesia con las profecías, los nombres y las instituciones israelitas (véase 1:6–7, 12; 2:9, 17; 3:9, 12; 5:10; 7:2–8, 14–15).

Sugerencias para Reflexionar sobre 21:9–14

- ***Sobre la iglesia como templo de Dios.*** La ciudad en estos versículos se presenta en contraste consciente con la ramera Babilonia del cap. 17. Se presenta, mediante alusiones muy claras al profeta, como el cumplimiento de la visión del nuevo templo de Ezequiel. La característica principal de la ciudad-templo es la presencia de la gloria de Dios, que es una escalada de la presencia gloriosa de Dios en el antiguo templo de Israel. Las

mismas profecías del Antiguo Testamento sobre el templo del final de los tiempos a las que se alude en Ap. 21:3 también son invocadas por Pablo en 2 Co. 6:16 (Lv. 26:12 y Ez. 37:27) para apoyar la noción de que la iglesia es el templo de Dios. La conclusión práctica que Pablo extrae de que la iglesia es la forma inicial del templo se encuentra en 2 Co. 7:1: "Por tanto, amados, teniendo estas promesas [las promesas del templo son lo más importante], limpiémonos de toda inmundicia de la carne y del espíritu, perfeccionando la santidad en el temor de Dios".
Los sacerdotes en el Antiguo Testamento debían mantener los templos limpios de contaminación. Ahora que los creyentes son parte del templo en esta era, ellos deben mantener el templo libre de contaminación pecaminosa. En la medida en que hagamos esto, la gloriosa presencia de Dios como tabernáculo brillará cada vez más a través de nosotros. Es probable que haya algún indicio de esta noción aquí, aunque el cap. 21 describe la forma consumada del templo purificado y glorioso en la nueva creación final y eterna. Cuando el pecado infecta a los creyentes ahora, ellos (siendo parte del templo) deberían ver la tensión entre sus vidas actuales y esta visión del templo puro, consumado y glorioso. ¿Qué implicaciones tiene el contraste con la ramera para la conducta actual de la iglesia en su manifestación inaugurada, aunque imperfecta, del templo de Dios en la tierra? ¿Hemos perdido el énfasis en la santidad que podían tener las generaciones cristianas anteriores? ¿Hasta qué punto el mundo ve ahora la gloria y el carácter de Dios en nosotros? Somos Su imagen, un pueblo colocado en el templo de los últimos tiempos para reflejar Su gloria.

2. Las medidas de la ciudad: La presencia permanente de Dios asegura y garantiza la inviolabilidad perfeccionada de la comunidad redimida (21:15–17)

[15] El que hablaba conmigo tenía una vara de medir de oro, para medir la ciudad, sus puertas y su muro. [16] La ciudad está asentada en forma de cuadro, y su longitud es igual que su anchura. Y midió la ciudad con la vara, 12,000 estadios. Su longitud, anchura, y altura son iguales. [17] Midió su muro, 144 codos, según medida humana, que es también medida de ángel.

15 Los vv. 15–17 siguen presentando una versión ampliada de los vv. 1–8. La imagen de una figura angelical que mide partes de la ciudad-templo con una vara de medir es una nueva alusión a Ez. 40:3–5. A lo largo de Ezequiel 40–48, un ángel mide partes del complejo del templo. En la LXX, el verbo "medir" (griego *diametreō*) y el sustantivo "medida" (griego *metron*) aparecen unas treinta veces cada uno.

El ángel **tenía una vara de medir de oro, para medir la ciudad, sus puertas y su muro**. La medición representa la seguridad de los habitantes (judíos y gentiles por igual, como se desprende de 3:9–12 [sobre lo cual véase]; 21:12–14, 24–26; 22:2) contra el daño y la contaminación de gente impura y engañosa (así en 21:27; 22:14–15). Esta medición de la ciudad-templo representa aquí, en sentido figurado, la colocación de los límites de Dios en torno a la ciudad, mediante los cuales se la protege del daño y de la entrada de cualquier forma de maldad.

La medición es, por tanto, lo mismo que el sellado de los creyentes que se describe en 7:3 (sobre lo cual véase). En 11:1–2, el ángel también mide el templo, que allí representa a la iglesia como lugar de la morada de Dios en la tierra. En ese caso, sin embargo, sólo se mide el atrio interior (que representa la seguridad del lugar de los creyentes con Dios), mientras que el atrio exterior (que presenta la vulnerabilidad de la iglesia ante los ataques y la persecución) queda sin medir. Ahora, sin embargo, se mide todo el templo, pues en la forma consumada del templo el pueblo de Dios está protegido en todos los sentidos, tanto espiritual como físicamente (cf. v. 4).

16 A continuación, Juan ve que **la ciudad está asentada en forma de cuadro** y ve a un ángel que **midió la ciudad con la vara, 12,000 estadios**. La ciudad es realmente cúbica, ya que **su longitud, anchura, y altura son iguales**. En Ez 45:2 también se afirma que el complejo del templo que el profeta debe medir será un cuadrado.

El Lugar Santísimo en el templo de Salomón también era cúbico (1 R. 6:20, al que probablemente se alude aquí). Los altares del tabernáculo de Moisés eran cuadrados (Éx. 27:1; 30:2), al igual que el pectoral del sacerdote (Éx. 28:16). La repetida mención de las medidas en este versículo subraya el punto principal de que Dios está prometiendo que Su presencia estará con Su pueblo. Esto se destaca por la alusión a Zac. 2:2, donde el ángel va "a medir a Jerusalén, para ver cuánta

LXX Septuaginta

es su anchura y cuánta su longitud". Esto, a su vez, está relacionado con la seguridad de que Dios será un muro de fuego alrededor de la ciudad y la gloria en medio de ella (Zac. 2:5).

El regreso de Dios a Jerusalén también se relaciona con su medición del propio templo como parte de la medición de la ciudad (Zac. 1:16), de modo que las ideas del templo y la Jerusalén de los últimos tiempos se superponen. Es probable que la idea sea que la gloriosa y ardiente presencia de Dios en el templo se extienda y cubra toda la ciudad, santificando así la ciudad como un gran espacio sagrado del templo.

La medida equitativa de doce mil estadios de cada una de las dimensiones de la ciudad refuerza la idea figurativa de la plenitud del pueblo de Dios encontrada anteriormente en las doce tribus y los apóstoles; son doce multiplicados por mil, un número de plenitud. La naturaleza figurativa del número está indicada por la altura del muro, registrada como "ciento cuarenta y cuatro codos" (= aproximadamente sesenta y cinco metros (144 codos)) en el v. 17, que no está en proporción con la altura de la ciudad si se toman literalmente los "doce mil estadios" del v. 16. Es posible que el cálculo sea del grosor del muro en lugar de la altura, pero sesenta y cinco metros (216 pies) es sólo una fracción de la anchura necesaria para la base de un muro que tiene dos mil cuatrocientos kilómetros (1500 millas) de altura. El enorme tamaño de la ciudad (el perímetro es de aproximadamente ocho mil ochocientos kilómetros (5500 millas), tomando un *estadio* griego como ciento ochenta metros (200 yardas)) hace que sea casi del mismo tamaño que el mundo helenístico conocido entonces, sugiriendo así aún más que la ciudad-templo representa a los redimidos de todas las naciones.

Si Juan está indicando que las medidas de los vv. 15–17 incluyen a toda la humanidad redimida (no sólo a los creyentes judíos en una Jerusalén restaurada), esto podría proporcionar la clave para entender el uso simplificado y abreviado que hace Juan de los detalles de la visión de Ezequiel 40–48, junto con su universalización de algunos de los elementos de esa visión. Las medidas de la ciudad no son físicamente literales o arquitectónicas, ni son símbolos nacionalistas de un templo y una Jerusalén restaurados, como parece ser el caso en Ezequiel 40–48, sino que simbolizan la inclusión de los gentiles como parte del verdadero templo y Jerusalén.

Algunos comentaristas han observado que la representación de los vv. 16–17 tiene una sorprendente similitud con las antiguas descripciones de la ciudad de

Babilonia. Si la similitud es intencionada, el propósito sería contrastar la ciudad verdadera y eterna con la ciudad falsa y no permanente de Babilonia. Esta última intenta ascender al cielo por su propio esfuerzo impío y humano (Gn. 11:4; Ap. 18:5), mientras que la otra se establecerá descendiendo del cielo desde Dios. Es probable que este contraste directo con el sistema babilónico se deba al vínculo explícito de los vv. 9–10 con la introducción a la visión de la destrucción de Babilonia en 17:1, 3. Como se ha visto anteriormente, el propósito del vínculo era contrastar varias características de Babilonia con la nueva Jerusalén (véase los vv. 9–10).

17 El ángel mide ahora el muro de ciento cuarenta y cuatro codos. Las únicas otras apariciones del número aparecen en 7:4–9 y 14:1, 3, donde los 144.000 no son un remanente de judíos étnicos al final de la era, sino que representan a la totalidad del pueblo de Dios a lo largo de los tiempos, que son vistos como verdaderos israelitas (véase 7:4–8 y 14:1). El muro y sus dimensiones representan aquí la misma realidad, ya que los vv. 12–14 han equiparado las partes esenciales del "muro grande y alto" (v. 12) con los representantes de todo el pueblo de Dios.

Algunos han observado que el número de 7:4–8 y 14:1, 3 es el resultado del cuadrado de las doce tribus de Israel (= ciento cuarenta y cuatro) multiplicado por mil (otro número de plenitud) para igualar a 144.000. Este cálculo figurativo se confirma en el v. 16, donde cada uno de los cuatro lados de la nueva Jerusalén cúbica es igual a doce mil estadios, cuya suma es igual a 144.000, que se acaba de ver en el v. 16 que representan la plenitud del pueblo de Dios. Ahora, la afirmación inmediatamente siguiente en el v. 17 de que el muro es igual a ciento cuarenta y cuatro codos se hace eco de los 144.000 como el número completo del pueblo de Dios. Esto da lugar a una bonita relación proporcional figurativa entre los números de los vv. 16 y 17, mientras que un cálculo literal da lugar a una imagen extraña y antinatural (véase el v. 16).

La naturaleza figurativa del número está indicada por el hecho de que ciento cuarenta y cuatro codos serían desesperadamente desproporcionados para una ciudad de cuatrocientos cincuenta metros (1500 pies). Los literalistas han sugerido que la medida se refiere sólo al grosor del muro, no a la altura, pero si el muro se midiera del mismo modo que la ciudad, entonces se habrían medido su altura, su anchura y su longitud (como también en Ez. 40:5 y 42:20). Además, es probable que se piense en la altura del muro, ya que en el Antiguo Testamento la altura era un rasgo característico de los muros para enfatizar la seguridad que proporcionaban a las ciudades (p. ej., Dt. 3:5; 28:52). Aquí y en el v. 16, las dimensiones de los codos y los estadios no deberían tener equivalentes contemporáneos en medidas imperiales o métricas, ya que la naturaleza figurativa y la intención de los números originales se distorsionan.

Si entendemos el verso de esta manera, se explica la siguiente frase según las medidas humanas, **que es también medida de ángel**. Uno podría suponer que un estándar de medición humano sería diferente a un estándar angélico. Pero las visiones de Juan tienen dos niveles de significado. En un nivel, ve visiones compuestas por imágenes terrenales que puede entender, ya sean leones, figuras humanas, libros o alguien que mide una pared de manera ordinaria.

Sin embargo, el propósito de las imágenes visionarias es revelar a Juan el significado más profundo o las verdades celestiales que las imágenes terrenales simbolizan (1:20; 4:5; 5:6, 8; 7:13–14; 11:4, 8; 14:4; 16:13–14; 17:9, 12, 15, 18; 19:8; 20:2, 14; 21:8, 22). En 1:20, se nos dice que las estrellas (literalmente vistas) deben entenderse simbólicamente como ángeles y los candelabros (literalmente vistos) como iglesias. Aquí también se nos da una imagen o visión literal (las medidas humanas) seguida de su interpretación (**que es también medida de ángel**). Juan ve en una visión a alguien midiendo las dimensiones de un muro de la ciudad según el estándar de medida humana con el que estaría familiarizado de la vida cotidiana, aunque el cálculo literal probablemente habría dejado a los lectores confundidos, ya que el tamaño de los muros sería disparatadamente desproporcionado con el resto de las medidas de la ciudad. Pero, para aliviar la confusión sobre la desproporción literal, Juan añade a continuación que esta visión de la "medida humana" debe entenderse más profundamente según su significado simbólico, celestial o "angelical". Esto recuerda a los lectores que si su comprensión de su visión se limita sólo a un nivel superficial (el significado físicamente literal), la entenderán mal.

Sugerencias para Reflexionar sobre 21:15–17

- ***Sobre el significado de las medidas del templo.*** El comentario presenta pruebas de que las medidas del muro de la ciudad (basadas en Ezequiel 40–48) enfatizan la seguridad de la ciudad, es decir, la seguridad de la comunidad del pacto de Dios glorificada en la nueva creación eterna. Ya nada puede dañarles, ni ningún mal puede amenazarles. Esto ya es cierto en cuanto a la relación espiritual de la iglesia con Dios, como hemos visto por el significado de la "medición" (también basada en Ezequiel 40–48) de la iglesia como templo invisible en 11:1. Pero recuerde que el lado físico del templo de la iglesia — nuestra existencia física — no está protegido en esta época, ya que debemos dar testimonio sacrificando nuestros cuerpos de diversas maneras (véase 11:2). ¿De qué manera estamos dispuestos a sacrificarnos para dar testimonio de Cristo a fin de que otros puedan entrar en una relación segura con Dios? Cuando el tiempo del testimonio termine en el nuevo cosmos final, tanto nuestros espíritus como nuestros cuerpos estarán finalmente protegidos para siempre, lo que se describe en este pasaje y es nuestra esperanza.

3. El material de la ciudad: La presencia permanente de Dios garantiza la seguridad perfeccionada de la comunidad redimida y hace que ésta refleje Su gloria (21:18–21)

[18] El material del muro era jaspe, y la ciudad era de oro puro semejante al cristal puro. [19] Los cimientos del muro de la ciudad estaban adornados con toda clase de piedras preciosas: el primer cimiento, jaspe; el segundo, zafiro; el tercero, ágata; el cuarto, esmeralda; [20] el quinto, sardónice; el sexto, sardio; el séptimo, crisólito; el octavo, berilo; el noveno, topacio; el décimo, crisopraso; el undécimo, jacinto; y el duodécimo, amatista. [21] Las doce puertas eran doce perlas; cada una de las puertas era de una sola perla. La calle de la ciudad era de oro puro, como cristal transparente.

18–20 Ahora sigue una descripción del material que compone el muro de la ciudad, sus cimientos y puertas, así como un comentario a manera de paréntesis sobre el material de toda la ciudad en sí. La descripción figurativa continúa enfatizando la verdad presentada en los vv. 12–17: todo el pueblo de Dios redimido a lo largo de los siglos experimentará una seguridad completa en la nueva creación debido a la presencia perfecta y consumada de Dios en ella. La ciudad representa la comunión del pueblo de Dios con Su presencia eterna (véase 3:12; 11:1–2; 21:2–7, 9–17; nótese Is. 52:1ss; 62:1–5; Ez. 48:35; Zac. 1:16; 2:2–5), y el muro (véase el v. 12) representa los límites seguros que Él ha colocado alrededor de esta comunión.

La afirmación de que **la ciudad era de oro puro semejante al cristal puro**, remite a la descripción del v. 11 de que la ciudad brilla como el cristal con la gloria de Dios. La ciudad está hecha de oro puro (v. 18), como el templo de Salomón, que estaba recubierto de oro (1 R. 6:20–22). El uso de piedras preciosas en 4:3 (especialmente jaspe; cf. v. 11) para representar la gloria divina apunta al mismo uso aquí. El material del muro refleja así la gloria de la santidad de Dios.

Los cimientos del muro **estaban adornados con toda clase de piedras preciosas**. Esto desarrolla el tema del adorno de la novia introducido en el v. 2. La lista de las doce joyas se basa en las doce piedras del pectoral del juicio del sumo sacerdote (Éx. 28:17–20; 39:8–14). Ocho de las piedras de la lista del Éxodo se repiten aquí, y las demás son equivalentes aproximados. En cada piedra del pectoral estaba escrito el nombre de una de las doce tribus (Éx. 28:21; 39:14), de modo que cuando el sacerdote entraba en el templo para desempeñar sus funciones, representaba a todas las tribus de Israel. La visión de Ap. 21:19–20 aplica así a los cimientos de la nueva ciudad-templo las joyas que representan a las tribus de Israel en el Éxodo. Esto significa que las tribus de Israel, el pueblo preeminente de Dios en el Antiguo Testamento, se equiparan con los apóstoles como fundamento de la nueva ciudad-templo, ya que los nombres de los doce apóstoles están escritos en esos cimientos (v. 14). Los apóstoles son, pues, los máximos representantes del verdadero Israel de los últimos tiempos, la iglesia (véase el v. 14).

Las joyas del pectoral de Aarón se transfieren a los cimientos de la nueva Jerusalén porque el pectoral estaba destinado a ser una versión en miniatura o réplica del Lugar Santísimo, al estar hecho del mismo material de color y con la misma forma cuadrada. El Lugar Santísimo fue construido según el modelo del Lugar Santísimo celestial (Éx. 25:40; Heb. 8:5). Sorprendentemente, 1 P. 2:5 también afirma que los creyentes, incluso en esta época, son simultáneamente piedras de construcción, un templo y sacerdotes: "también ustedes, como piedras vivas, sean edificados como casa espiritual para un sacerdocio santo". No es casualidad que ya en el v. 16 haya un eco del Lugar Santísimo descrito en 1 R. 6:20, donde la longitud, la anchura y la altura del Lugar Santísimo tienen la misma medida (la disposición de las joyas a lo largo de un cuadrilátero en relación con los cuatro puntos del compás sugiere que simbolizaban de manera premonitoria la gloria de toda la nueva creación).

Una lógica similar, basada en la descripción de las piedras preciosas del pectoral en Éx. 28:17–20, probablemente esté detrás del establecimiento de los cimientos del complejo del templo de Salomón con grandes piedras preciosas, una representación que, junto con Éxodo 28 y Ezequiel 40–48, también forma parte del modelo de Ap. 21:18–20 (véase 1 R. 5:17; 7:9–10). En este sentido, es pertinente observar que las piedras preciosas de la parte superior del templo en 1 Reyes 7 forman cuatro hileras junto con el cedro esculpido, lo cual es similar a las cuatro hileras de piedras en Éxodo 28. Este último templo del nuevo mundo será eternamente seguro y aún más glorioso que el antiguo templo del viejo mundo, que no perduró.

De hecho, las piedras preciosas parecen componer los cimientos (**el primer cimiento, jaspe; el segundo, zafiro**...), lo que encaja muy bien con el paralelo del v. 21 de que "cada una de las puertas era de una sola perla". Esto se apoya en el paralelo de Is. 54:11–12, "Yo asentaré... tus cimientos en zafiros... Haré tus almenas de rubíes... y todo tu muro de piedras preciosas". Las piedras preciosas de la ciudad de Isaías son una metáfora de la presencia de Dios que proporciona una paz permanente, que experimentarán los habitantes de la Jerusalén de los últimos días, como indica el contexto de Is. 54:11–17 indica. Is. 54:4–8 se refiere a Israel como una esposa que en los últimos tiempos será devuelta al Señor como su esposo, al igual que Ap. 19:7–9 y 21:2 describen a la iglesia como una novia de los últimos tiempos. A la luz de Isaías 54, las piedras preciosas, junto con los cimientos, el muro y las puertas de la ciudad en Apocalipsis 21, se ven mejor como símbolo de la seguridad permanente del pueblo de Dios junto con la gloriosa presencia de Dios (p. ej., vv. 2–4, 10–11, 18–23).

Tanto Éxodo como Isaías vinculan la gloria de Dios con las piedras preciosas, por lo que se puede deducir que uno de los propósitos de las piedras preciosas de diversos colores en esta sección (p. ej., vv. 11, 23; 22:5) es reflejar la resplandeciente gloria divina. Lo confirma 4:3, 9–11, donde se mencionan tres de las piedras preciosas y su significado está directamente relacionado con el énfasis en la gloria de Dios. El significado de tales metáforas en el cap. 21 es que los santos están calificados para estar en la gloriosa presencia de Dios, que los protege para siempre porque Dios es incorruptible. Las piedras también indican que 21:1–22:5 retrata la institución de una nueva creación como la primera creación que precedió al pecado de la humanidad, ya que algunas de las mismas piedras se encontraron en el jardín de esa primera creación.

También es relevante para las imágenes de los vv. 18–21 la representación similar en Ez. 28:13 de Adán (comparado figurativamente con el rey de Tiro) como un ser hermoso y perfecto:

> En el Edén estabas, en el huerto de Dios;
> Toda piedra preciosa era tu vestidura:
> El rubí, el topacio y el diamante;
> El berilo, el ónice y el jaspe;
> El zafiro, la turquesa y la esmeralda;
> Y el oro, la hechura de tus engastes y de tus encajes,
> Estaba en ti.

Ezequiel 28 inspiró más directamente la imagen de la ramera Babilonia en 18:16, que se contrasta con la santa novia aquí (véase 18:16). La idea es que, aunque lo que cayó en Adán permanece (en la persona de la ramera), Dios ha restaurado por contraste un pueblo para sí mismo para completar el mandato que Adán no cumplió. La nueva Jerusalén es, pues, una restauración de la creación original de Dios. Si la antigua posición privilegiada del rey de Tiro y su posterior caída se describen con la imaginería del estado bendito de Adán y su posterior caída, es poco probable que sea una coincidencia que la novia del cap. 21 se describa como un edificio adornado con piedras preciosas. En Ez. 28:12–16, las piedras están inextricablemente vinculadas a la justicia perfecta, una connotación probable también de las piedras del cap. 21, que se confirma por el hecho de que el v. 27 destaca que no se permitirá ninguna impureza ni pecado en la nueva Jerusalén, en cumplimiento de la profecía del AT (Is. 52:1; 60:20–21; Ez. 44:9; Zac. 14:21).

21 Cada una de las puertas era de una sola perla. Las doce puertas, al igual que las doce piedras de los cimientos, están tomadas del lenguaje del AT de las doce tribus de Israel y aquí representan al pueblo de Dios de los últimos días, la iglesia. El lenguaje es de nuevo figurativo, ya que es difícil concebir una perla tan grande como para ser una puerta proporcional a un muro de aproximadamente sesenta y cinco metros (216 pies) de altura. Así como la "ciudad era de oro puro semejante al cristal puro" (v. 18), también **la calle de la ciudad era de oro puro, como cristal transparente**.

Esto enfatiza aún más la característica similar del v. 18; las palabras **puro** (griego *katharos*) y **transparente** (griego *diaugēs*) subrayan la capacidad de la ciudad para reflejar la resplandeciente gloria de Dios. La frase **la calle de la ciudad** aparece en otras partes del libro sólo en 11:8 ("la calle de la gran ciudad"), donde es el lugar donde yacen los cuerpos de los testigos. El sentido de repetirlo aquí es subrayar que la calle donde la comunidad de testigos fue retratada como asesinada se sustituye por la calle donde van a ser glorificados (así también "calle" en 22:2). La adición de **oro puro, como cristal transparente,** probablemente subraya además que el camino aparentemente poco glorioso que recorrieron en la ciudad antigua se ha transformado en uno deslumbrantemente glorioso en la ciudad nueva.

Sugerencias para Reflexionar sobre 21:18–21

- ***Sobre el significado de los materiales de la ciudad.*** La presentación de la ciudad como compuesta de piedras preciosas revela que es el cumplimiento del pectoral de Aarón y, a su vez, del simbolismo del final de los tiempos del Lugar Santísimo (que el pectoral representaba). El Lugar Santísimo era el lugar mismo de la morada de Dios en el Antiguo Testamento, un lugar que apuntaba a Su morada cósmica en la nueva creación final. Mientras que bajo el antiguo pacto la presencia de Dios estaba puramente localizada, ahora se extiende por toda la nueva creación. Además, se alude también a la representación que hace Ezequiel de Adán como portador original de las piedras preciosas. Ahora Cristo, el nuevo Adán, a través de la iglesia, cumple el mandato de Dios de extender el Edén allí donde el primer Adán fracasó. Es importante comprender el significado del material de la ciudad para entender su naturaleza y propósito.

4. Las características internas de la ciudad y de sus habitantes: la presencia gloriosa de Dios y del Cordero suscitará la respuesta de alabanza de los verdaderos creyentes en contraste con los pseudocreyentes, que serán excluidos para siempre de la presencia de Dios (21:22–27)

[22] No vi en ella templo alguno, porque su templo es el Señor, el Dios Todopoderoso, y el Cordero. [23] La ciudad no tiene necesidad de sol ni de luna que la iluminen, porque la gloria de Dios la ilumina, y el Cordero es su lumbrera. [24] Las naciones andarán a su luz y los reyes de la tierra traerán a ella su gloria. [25] Sus puertas nunca se cerrarán de día (pues allí no habrá noche); [26] y traerán a ella la gloria y el honor de las naciones. [27] Jamás entrará en ella nada inmundo, ni el que practica abominación y mentira, sino sólo aquéllos cuyos nombres están escritos en el Libro de la Vida del Cordero.

22 Al igual que los vv. 9–21, los vv. 22–27 amplían la visión inicial de la nueva Jerusalén en los vv. 1–8 y, por tanto, la explican más. El Antiguo Testamento profetizó que se reconstruiría un templo junto con la renovación de Jerusalén. Sin embargo, Juan dice **no vi en ella templo alguno**. No es que Juan no haya visto ningún templo, sino que no vio ningún templo físico o arquitectónico. Más bien, **su templo es el Señor, el Dios Todopoderoso, y el Cordero**. El templo del tiempo del fin descrito por Ezequiel en cuatro capítulos (40–43) se resume e interpreta ahora en esta única frase. Jeremías profetizó que "no se dirá más: 'Arca del pacto del SEÑOR'. No les vendrá a la mente ni la recordarán, no la echarán de menos ni será hecha de nuevo. En aquel tiempo llamarán a Jerusalén: 'Trono del SEÑOR'; y todas las naciones acudirán a ella" (Jer. 3:16–17). Hageo (2:9) profetizó que la última gloria de la casa de Dios sería mayor que la primera, e Isaías (65:17–25) habló de que Dios restauraría Jerusalén en el marco de unos cielos nuevos y una tierra nueva.

A la luz de este versículo, Juan probablemente habría entendido estas profecías del Antiguo Testamento como cumplidas en el futuro por Dios y Cristo reemplazando el antiguo templo físico y el arca con su gloriosa morada, que hará que la gloria del antiguo templo se desvanezca en comparación. Esta sustitución se inauguró con la primera venida de Cristo, cuando se refirió a su propia resurrección como la reconstrucción del templo (Jn. 2:19–22; Mr. 14:58; 15:29). De forma análoga, Mt. 21:42; Mr. 12:10–11; Lc. 20:17–18; y Hch. 4:11 ("piedra angular") presentan a Cristo como la principal "piedra angular" del templo (véase también Ro. 9:32–33), y Ef. 2:20 presenta a Cristo como la "piedra angular" del templo, que allí representa a la iglesia.

La inauguración también se insinúa en Ap. 1:12–20, donde el Cristo resucitado es el elemento central de la escena del templo celestial (caminando en medio de los candelabros del templo-iglesia). Está claro que este versículo no se refiere a un templo *literal*, ya sea el templo del Antiguo Testamento un supuesto templo reconstruido del final de los tiempos. De hecho, lo mismo ocurre en otras partes de Apocalipsis. "Templo" (griego *naos*) generalmente se refiere al templo *celestial* del presente: 7:15 (aunque allí se incluye la consumación); 14:15, 17; 15:5–6, 8; 16:1, 17. En 11:1–2, el "santuario" identifica al pueblo de Dios que ya es miembro del templo de Dios en el cielo, aunque todavía vive en la tierra, pero se identifica como "el templo de Dios". "Templo" también se refiere al templo de la presencia de Dios que domina la nueva era del futuro (3:12; 7:15; 11:19).

De hecho, el único otro uso de la frase real "templo de Dios" fuera de 11:1 aparece en 11:19, con referencia al templo *celestial* del final de los tiempos, que es la misma realidad que protegió a los creyentes durante su estancia en la tierra. Los creyentes que habiten en la forma final del templo de Dios, como se describe aquí en 21:10–22, estarán protegidos para siempre de todo tipo de peligro. A la luz de esto, la promesa anterior de Cristo a cada vencedor en 3:12 de que le hará "una columna en el templo de Mi Dios" podría traducirse mejor como "una columna en el templo *que es* mi Dios" (genitivo aposicional).

La equiparación de Dios y el Cordero con el templo se correlaciona bien con nuestra anterior equiparación figurativa de los santos redimidos con la nueva Jerusalén y sus cimientos, puertas y muro. A lo largo de 21:9–22:5, Juan excluye la mayoría de las descripciones detalladas del templo de Ezequiel 40–48 y sus ordenanzas, porque entiende que se cumple en la presencia de Dios y de Cristo, más que en la forma de una estructura física y localizada. Esta expectativa de un templo no arquitectónico es, en su mayor parte, una ruptura con el judaísmo, que afirmaba sistemáticamente la esperanza de una estructura de templo final y material a una escala mayor que cualquier otra anterior.

23 La ciudad no tiene necesidad de sol ni de luna que la iluminen. Juan sigue hablando en sentido figurado. Puede o no haber un sol y una luna literales en el nuevo cosmos, pero el punto aquí es que la gloria de Dios es incomparable en relación con cualquier fuente de luz, ya sea en la vieja o en la nueva creación. La gloria de Dios es suficiente para que la ciudad (= los santos) resplandezca. La redacción de todo el versículo se basa directamente en Is. 60:19: "Ya el sol no será para ti luz del día, ni el resplandor de la luna te alumbrará; sino que tendrás al SEÑOR por luz eterna, y a tu Dios por tu gloria". La razón (**porque)** la ciudad de la visión de Juan no necesitaba las luminarias es que la **gloria de Dios la ilumina, y** que **el Cordero es su lumbrera**. Juan sustituye la última frase de Isaías sobre la gloria de Dios, **el Cordero es su lumbrera**, subrayando así la deidad del Cordero junto a la de Dios. En la nueva creación, sólo la presencia de Dios es la que embellece al pueblo de Dios y satisface todas sus necesidades. También se cumple lo dicho en Ez. 43:2, 5, donde el profeta ve desde el punto de vista del futuro que "la tierra resplandecía de Su gloria" y que "la gloria del SEÑOR llenó el templo".

24–26 Las alusiones a Isaías 60 continúan en estos versículos:

"Y acudirán las naciones a tu luz, Y los reyes al resplandor de tu amanecer… las riquezas de las naciones vendrán a ti" (Is. 60:3, 5).	**Las naciones andarán a su luz y los reyes de la tierra traerán a ella su gloria** (v. 24).
"Tus puertas estarán abiertas de continuo. Ni de día ni de noche se cerrarán, para que te traigan las riquezas de las naciones, con sus reyes llevados en procesión" (Is. 60:11).	**Sus puertas nunca se cerrarán de día (pues allí no habrá noche); y traerán a ella la gloria y el honor de las naciones** (vv. 25–26).

Isaías 60 desarrolla aún más Is. 2:2, 5 (que también está en el fondo del v. 24): "todas las naciones acudirán" a Sion y los israelitas devotos "caminarán a la luz del Señor". Juan ve que la peregrinación de las naciones a la Jerusalén de los últimos días, que Isaías previó, tendrá lugar de hecho en la futura nueva Jerusalén, que está a la vista ante sus propios ojos.

La frase **los reyes de la tierra traerán a ella su gloria** debe interpretarse desde el trasfondo de Isaías. Is. 60:5–14 y 61:4–6 hablan de que los reyes traerán su poder físico literal y su riqueza a Israel. Sin embargo, Isaías 60 y su contexto presentan a las naciones no sólo trayendo tesoros literales a Israel, sino también trayéndose a sí mismas como adoradores de Dios. Is. 60:6b dice que las naciones no sólo "traerán oro e incienso", sino que también "traerán buenas nuevas de las alabanzas del SEÑOR", a diferencia de otras naciones rebeldes que perecerán (60:12). Del mismo modo, Is. 49:6 habla de Israel como luz de Dios para las naciones y de su salvación, que llegará hasta los confines de la tierra.

En Is. 66:12 se habla de la gloria de las naciones que llega a Israel como un arroyo desbordado, ya que Dios extiende la paz hacia ella como un río. La gloria de la que se habla en Ap. 21:24–26 no se centra en la riqueza literal de las naciones, sino que se basa en la imagen de Isaías de la gloria en forma de alabanza que surge hacia Dios de las naciones, que luego da lugar a la paz de Israel con ellas. Es de suponer que esto se refiere a los que antes eran antagonistas, pero que posteriormente serán redimidos de entre las naciones, que se someterán a Dios, le alabarán y se unirán así al Israel redimido (véase, p. ej., Is. 11:6–12).

Por lo tanto, la razón por la que los vv. 24–26 se refieren a las naciones que traen gloria y honor a la ciudad es para resaltar el hecho de que no traen riquezas literales, sino a ellos mismos como adoradores ante la presencia de Dios en los últimos tiempos (así los vv. 3–5).

La gloria y el honor de las naciones es gramaticalmente un genitivo griego de fuente, lo que significa que la gloria y el honor *surgen de las naciones*, y se dirigen como alabanza hacia Dios y el Cordero. Esta interpretación se apoya en la observación de que la frase "gloria y honor" (u "honor y gloria") aparece en otras partes del libro sólo en 4:9, 11 y 5:12, 13, donde se refiere sin excepción a la alabanza a Dios y al Cordero. Todo lo que los redimidos pueden aportar a la nueva creación son sus actos justos (14:13; 19:8), que siguen realizando alabando a Dios. Son estos mismos actos justos los que reflejan la gloria divina, como revela la comparación de 19:7–8 con 21:2–8 y 21:9–27; sólo lo que es limpio y santo y refleja así la gloria de Dios será admitido en la nueva Jerusalén. En apoyo de esta interpretación está Is. 49:17–18 (un capítulo al que ya se alude en el v. 6), donde se compara a los que entran en Jerusalén con "joyas" que adornan a una "novia"; la Septuaginta identifica a algunas de estas personas que entrarán como gentiles.

Las joyas, como las piedras preciosas de los versículos anteriores, reflejan y representan la gloria de Dios. Por lo tanto, las naciones ya no reclaman la gloria para sí mismas independientemente de Dios, como hacían antes en la lealtad idolátrica a la bestia, sino que reconocen que todo el honor y la gloria pertenecen sólo a Dios. Hay un sutil contraste aquí con los reyes de la antigua tierra que llevaron sus riquezas a Babilonia (cap. 18). La representación aquí es metafórica; la representación es la de las naciones que ahora traen todo lo que poseen a Dios. La imagen de las riquezas significa la sumisión absoluta, de todo corazón, de las naciones a Dios.

El hecho de que las puertas **nunca se cerrarán** se subraya con la frase **pues allí no habrá noche**, donde "pues" (griego *gar*) se traduce mejor de forma más enfática como "ciertamente". La ausencia de la noche enfatiza el hecho de que los redimidos no tendrán obstáculos para acceder a la gloriosa presencia de Dios. La presencia de Dios no habita plenamente en la creación caída porque el mal reside en ella. La gloria divina se manifiesta ahora completamente, porque no habrá más oscuridad ni maldad en el nuevo mundo (cf. 22:5 para una declaración más completa de la misma verdad). El significado de esta afirmación es idéntico al de las expresiones introductorias de los vv. 1, 4 ("el mar ya no existe… ya no habrá muerte, ni habrá más duelo, ni clamor, ni dolor") y al de las afirmaciones finales de 22:3 ("ya no habrá más maldición") y 22:5 ("ya no habrá más noche").

Las naciones y **los reyes de la tierra** probablemente incluyen a algunos que habían perseguido al pueblo de Dios (para los primeros, véase 11:2; 18:3, 23; 19:15; para los segundos, véase 1:5; 17:2, 18; 18:3). Si es así, posteriormente se arrepintieron y se les permitirá la entrada a la ciudad. Las "naciones" aparecen dos veces en el libro como integrantes de la compañía de los redimidos (5:9; 7:9), y los mencionados aquí son presumiblemente el mismo grupo. La mejor manera de identificarlos es con los que aparecen en 5:9–10, que fueron comprados "de toda tribu, lengua, pueblo y nación", que fueron convertidos en un reino y que reinaron como reyes durante la era de la iglesia (véase 5:9–10; 7:9, así como 1:5–6 y 20:4–6 para el concepto de reinado en la era de la iglesia). Los reyes convertidos son el tema, ya que la frase "reyes de la tierra" es una expansión de "reyes" de Is. 60:3, 11 (véase antes).

Por lo tanto, las puertas perpetuamente abiertas y el aparente peregrinaje incesante de los gentiles a la ciudad a lo largo de la eternidad no deben entenderse literalmente, ya que un número finito de gentiles no tardaría una eternidad infinita en entrar en la nueva Jerusalén. Asimismo, no hay base para considerar que la entrada de las naciones y los reyes en la ciudad sugiera una especie de universalismo en el que los pueblos no elegidos cuyos nombres no están escritos en el libro del Cordero entrarán en la nueva Jerusalén. Sólo los elegidos entrarán en la ciudad, lo que se indica en el v. 27b, donde la frase "aquéllos cuyos nombres están escritos en el Libro de la Vida del Cordero" tiene claramente su antecedente en las naciones y reyes que entran en la ciudad en los vv. 24–26. La representación tampoco puede referirse a algún tipo de liberación del lago de fuego, ya que Apocalipsis considera en otras partes que los seguidores de la bestia sufren ese castigo por la eternidad y no temporalmente (cf. 14:10–11 y 20:10 con 21:8, 27; 22:14–15). Esto se ve apoyado por el 22:11, que también contrasta a las personas impías con las piadosas y ve a cada una de ellas como esencialmente establecidas de forma permanente en sus respectivos caminos. Además, en 22:18–19 se habla del juicio de los impíos en términos definitivos y absolutos.

A la luz del análisis anterior, sería erróneo pensar que los vv. 24–26 contienen una descripción literal de las naciones que residen fuera de la ciudad recién creada (o de una ciudad milenaria en la primera tierra), en la que ya habitan los israelitas redimidos, y luego se unieron a los israelitas. Aunque Isaías 60 podría leerse de esta manera, es mejor ver el uso que hace Juan del Antiguo Testamento como un énfasis en la redención consumada de aquellos de entre las naciones, que ocurrirá simultáneamente con la redención final de los cristianos judíos. La profecía describe el futuro con un lenguaje comprensible para el profeta y sus lectores contemporáneos. El lenguaje profético de Isaías emplea imágenes correspondientes a las realidades sociales y culturales de su época, que él podía entender, para describir realidades de la nueva creación que se iban a cumplir de una manera que probablemente él no podía imaginar plenamente.

Traer la gloria a la ciudad en los vv. 24 y 26 es un lenguaje espacial, pero transmite una noción no espacial. Esto se corrobora recordando que las dimensiones de la ciudad en los vv. 15–17 son espaciales, pero el significado transmitido es no espacial. Por consiguiente, sería incorrecto deducir que la imagen de la gente peregrinando a la nueva Jerusalén significa que hay una peregrinación literal desde los espacios exteriores al espacio interior de la ciudad. El sentido de la imagen figurativa es que los gentiles creyentes nunca serán separados del acceso abierto y eterno a la presencia de Dios y que nada malo puede amenazar dicho acceso. Mientras que en el mundo antiguo las puertas de Jerusalén, y de todas las ciudades antiguas, tenían que cerrarse por la noche para proteger a los habitantes de intrusos inesperados, la nueva ciudad no corre ese peligro. Aunque la entrada directa de los seres humanos al árbol de la vida fue bloqueada por seres angelicales a lo largo de la historia (Gn. 3:24), al final de la historia los ángeles montan guardia para garantizar que las personas conserven el libre acceso (22:14).

Por último, los que caminan en la luz de la ciudad no se identifican por separado de la propia ciudad, al igual que la mujer y sus hijos del cap. 12 no eran más que diferentes formas metafóricas de referirse a la misma realidad del pueblo de Dios. Del mismo modo, los santos son representados como la novia en el banquete de bodas, pero también como invitados (19:7–9). El cartel de dibujos animados del Tío Sam lo representaba invitando a los estadounidenses a alistarse durante las dos guerras mundiales, aunque él mismo era Estados Unidos. El simbolismo permite tales superposiciones de identificación.

27 Los que no se someten a Dios nunca entrarán en la ciudad de su presencia: **Jamás entrará en ella nada inmundo, ni el que practica abominación y mentira**. Este es el mismo grupo al que se refiere el v. 8; la palabra **inmundo** se añade para subrayar el pecado de idolatría e infidelidad a Dios (para la identificación de la abominación y la inmundicia con la idolatría, véase 17:4–5). Entre ellos se encuentran personas que quizá nunca hayan tenido relación con la iglesia, pero el foco de atención está en aquellos que hicieron profesión de fe pero la contradecían por su estilo de vida pecaminoso, lo que era el signo revelador de que eran pseudocreyentes y "mentirosos" (véase el v. 8). Los que pueden entrar son aquellos cuyos nombres están escritos en el libro de la vida del Cordero. La frase "Libro de la Vida" aparece cinco veces fuera del v. 27 (3:5; 13:8; 17:8; 20:12, 15). En cada caso, como aquí, es una metáfora que se refiere a los santos elegidos, cuya salvación ha sido determinada y asegurada. Sus nombres han sido inscritos en el libro del censo de la nueva Jerusalén eterna antes de que comenzara la historia. Esto alude en parte a Is. 4:3: "el que quede en Jerusalén será llamado santo: todos los que estén inscritos para vivir en Jerusalén".

El **Libro** entonces es una imagen de la seguridad en la ciudad eterna de Dios, y la frase **de la Vida** aclara qué tipo de seguridad se proporciona. Sus nombres fueron **escritos en el Libro de la Vida del Cordero** antes de la creación, lo que significa que fueron identificados en ese momento como aquellos que se beneficiarían de la muerte redentora del Cordero. Por lo tanto, se les ha dado la protección de la **vida** eterna, que viene como resultado de la muerte del Cordero y Su vida de resurrección. Esta identificación prehistórica con el Cordero les ha protegido de los engaños del mundo que amenazan con suprimir su confianza en el Cordero, y les ha permitido estar preparados para entrar por las puertas de la ciudad para disfrutar de la vida a la que estaban destinados (véase en 13:8b la discusión de la frase "escritos desde la fundación del mundo en el Libro de la Vida del Cordero"; véase también en 3:5).

Hay que tener en cuenta la situación retórica. La intención de Juan en el v. 27 no es simplemente dar información sobre los destinos futuros, sino advertir a la gente de las iglesias en ese momento (y por lo tanto posteriormente) describiendo el resultado final de sus elecciones y acciones.

Sugerencias para Reflexionar sobre 21:22–27

- ***Sobre el desarrollo en la Escritura del concepto de templo y sus implicaciones para nosotros como creyentes que vivimos en la presencia de Dios.*** El comentario presenta el desarrollo del concepto bíblico del templo. En el Antiguo Testamento, el templo era una realidad física. Cristo se refiere a Su cuerpo como un nuevo templo. A continuación, se hace referencia a los creyentes como un nuevo templo, con Cristo como piedra angular. Finalmente, en estos versículos, la forma final del templo eterno está constituida por la presencia de Dios en medio de Su pueblo reunido de todas las naciones. Lo que une todo esto es la presencia de Dios. Si este es el caso, ¿cuáles son las implicaciones para nosotros como creyentes que vivimos en un templo espiritual inaugurado, pero no realizado? ¿Somos conscientes de la presencia de Dios entre nosotros? ¿Qué significa esto para nuestra comprensión de la necesidad de la santidad personal y corporativa? ¿Conducimos realmente nuestra vida cotidiana como si viviéramos en Su presencia? ¿Cómo puede esto animarnos en la práctica de la oración?

5. El jardín, el río, y los habitantes y la luminaria de la ciudad: la presencia consumada y gloriosa de Dios con Su pueblo asegura la ausencia eterna de cualquier maldición y establece sus funciones eternas de sacerdotes y reyes para alabar y reflejar Su gloria (22:1–5)

[1] Después el ángel me mostró un río de agua de vida, resplandeciente como cristal, que salía del trono de Dios y del Cordero, [2] en medio de la calle de la ciudad. Y a cada lado del río estaba el árbol de la vida, que produce doce clases de fruto, dando su fruto cada mes; y las hojas del árbol eran para sanidad de las naciones. [3] Ya no habrá más maldición. El trono de Dios y del Cordero estará allí, y Sus siervos Le servirán. [4] Ellos verán Su rostro y Su nombre estará en sus frentes. [5] Y ya no habrá más noche, y no tendrán necesidad de luz de lámpara ni de luz del sol, porque el Señor Dios los iluminará, y reinarán por los siglos de los siglos.

1–2a Ap. 22:1–5 es la conclusión de todo el cap. 21, y continúa la explosión fotográfica de la nueva Jerusalén en 21:9–27 con una última visión ampliada de la nueva Jerusalén, que se introdujo en 21:1–7. El versículo inicial del cap. 22, **Después el ángel me mostró un río de agua de vida, resplandeciente como cristal, que salía del trono de Dios y del Cordero**, combina la imagen profética de un manantial o río de agua viva que brota de la Jerusalén de los últimos días y de su templo, que aparece respectivamente en Zac. 14:8 y Ez. 47:1–9; véase también Jl. 3:18 ("Brotará un manantial de la casa del SEÑOR"). En Ez. 47:9 se habla incluso de la propiedad vivificante del agua: "vivirá todo por donde pase el río". Pero estos versículos se remontan aún más a la descripción del jardín primigenio en Gn. 2:10: "Del Edén salía un río". En asociación con el río del primer Edén, el "oro... allí hay bedelio y ónice" (Gn. 2:12) eran características alrededor de uno de los afluentes del río, lo que se compara con las piedras preciosas (cf. 21:18–20) que rodean el río del v. 1 (el **río de agua de vida**). El **agua de vida** (que también podría traducirse como "aguas que son vida" o "aguas vivas") representa la vida eterna (así el v. 17) y tiene su origen en Dios y en el Cordero, como confirma la cláusula final (v. 1b).

Como en Ezequiel 47, el agua viva fluye del templo, aunque ahora Dios y el Cordero son el templo (21:22). Aunque el Espíritu Santo puede estar en mente (cf.

Jn. 7:37–39; véase también Ez. 36:25–27 y Jn. 4:10–24), la metáfora del agua representa principalmente la vida de la comunión eterna con Dios y Cristo, lo que se confirma por la forma en que los vv. 3–5 desarrollan los vv. 1–2. El hecho de que el río sea puro y el agua **resplandeciente como cristal** indica la naturaleza purificadora del agua. El agua purifica los pecados de las personas, para que puedan entrar en la presencia íntima de Dios, como se describe en los vv. 3–5 (también en los vv. 14, 17).

El hecho de que el río fluya por **en medio de la calle** muestra que la impartición de la comunión eterna con Dios está en el centro del significado de la ciudad. El árbol o los árboles del v. 2b (sobre el que véase más adelante) siguen el modelo de Ez. 47:12: "Junto al río, en su orilla, a uno y otro lado, crecerán toda clase de árboles que den fruto para comer". También hay una similitud con la profecía de la Sion de los últimos tiempos en Is. 35:6–10: "Porque aguas brotarán en el desierto… la tierra abrasada se convertirá en laguna, Y el secadal en manantiales de aguas… Allí habrá una calzada… y será llamado Camino de Santidad… El inmundo no viajará por él… Sin embargo por allí andarán los redimidos. Volverán los rescatados del SEÑOR, entrarán en Sion con gritos de júbilo… y huirán la tristeza y el gemido". Además de la inusual combinación de la metáfora del agua con las representaciones de las vías urbanas, nótese las referencias a los inmundos (cf. Ap. 21:27) y el regreso de los rescatados a Sion (cf. 21:3), donde no habrá más tristeza (cf. 21:4; 22:3).

La imagen de las naciones avanzando por la calle principal de la ciudad puede implicar que vadean las aguas vivificantes mientras caminan, tal y como hizo Ezequiel en su visión profética del templo del final de los tiempos (Ez. 47:3–4).

2b Y a cada lado del río estaba el árbol de la vida, que produce doce clases de fruto, dando su fruto cada mes; y las hojas del árbol eran para sanidad de las naciones. La escena se basa en Ez. 47:12 (véase atrás), que a su vez está modelada en parte por el jardín y el río de Gn. 2:9–10, de modo que tanto Ezequiel como Apocalipsis vislumbran un restablecimiento escalonado del Jardín de la primera creación, en el que la presencia de Dios habitaba abiertamente. Incluso las palmeras decorativas y los querubines representados como parte del templo de Ezequiel (41:18–26) aluden al entorno del jardín del Edén. La representación en el templo de Ezequiel se anticipó anteriormente en el templo salomónico, que también incluía tallas de flores (p. ej., 1 R. 6:18, 29, 32, 35; 7:18 y ss.).

La alusión a Ez. 47:12 apoya una imagen de árboles que crecen a ambos lados del río, de modo que el "árbol" singular del v. 2 es probablemente una referencia colectiva a los árboles. Y en cualquier caso, ¿cómo podría crecer un árbol a ambos lados del río? La ausencia del artículo "el" (que subrayaría que se refería a un árbol en particular) puede apuntar aún más a un significado colectivo. El único árbol de la vida en el primer jardín se ha convertido en muchos árboles de la vida en el estado paradisíaco del segundo jardín. Pero dado que estos árboles son todos de la misma clase que el árbol original, se puede hacer referencia a ellos desde la perspectiva de su unidad corporativa como "*el* árbol de la vida" (así en Ap. 2:7), del mismo modo que podríamos referirnos a un bosquecillo lleno de robles como un robledal. Curiosamente, algunos pasajes de la literatura judía mantenían una tensión entre la expectativa de un árbol de la vida singular y los árboles plurales de Ezequiel 47 (cf. *Tanhuma* Génesis, Parashá 1.18; *Tanna de-be Eliyyahu Rabbah* 93). Otro rasgo de la escalada es que, mientras que el paraíso original era sólo una pequeña parte geográfica de la creación terrenal, ahora el templo paradisíaco abarca toda la geografía de la nueva creación.

Las aguas vivas imparten vida porque proceden de la presencia de Dios, atrayendo a Su pueblo a una comunión íntima con Él. El río de Ez. 47:8–9, 12 sana y da vida al mundo que lo rodea. Las imágenes del río en Ezequiel 47 parecen encajar en esta representación figurativa, ya que imágenes similares del Antiguo Testamento sobre la Sion restaurada emplean claramente el agua de forma figurativa para significar la vida renovada de los santos en su reunión final con Dios; cf. Is. 35:6–9 (véase los vv. 1–2a) y Joel 3:18: "todos los arroyos de Judá correrán las aguas; Brotará un manantial de la casa del SEÑOR" (así también Is. 41:17–20; 43:18–21).

La referencia al **árbol de la vida** también muestra que Juan entendió el florecimiento previsto del nuevo cosmos en Ez. 47:12 como el restablecimiento de un Edén eterno (una forma escalada del Edén original, ya que será eternamente incorruptible). Gn. 3:22, 24 se refiere al árbol de la vida: si Adán hubiera podido comer de él, habría podido vivir para siempre. Presumiblemente, el árbol representaba allí la presencia de Dios, que podía impartir la vida eterna a todos los que pudieran entrar en él.

Los efectos medicinales del agua y de las hojas del árbol que alimenta aquí no se limitan al ámbito natural, ni siquiera al privilegiado Israel étnico, sino que son para todos los pueblos del mundo que han creído en el evangelio: **las hojas**

del árbol eran para sanidad de las naciones. Fuera de los caps. 21–22, las únicas referencias claras a las "naciones" como pueblo de Dios aparecen en 5:9 y 7:9 (véase también 21:24–26). En 5:9 se explica mejor el significado de la "sanidad" de las naciones. La imagen figurativa de ser sanado por las hojas del árbol de la vida significa que Cristo fue sacrificado en nombre de las naciones creyentes, de modo que fueron liberadas de la maldición penal de sus pecados por Su sangre (cf. 5:9 con 1:5).

Cristo sufrió la muerte a favor de ellos en la era presente, para que no tuvieran que sufrirla en la era venidera. ¿Continúa el fruto del árbol sanando a lo largo de la eternidad aunque siga produciendo frutos? La respuesta debe ser negativa, ya que en la nueva creación no habrá más muerte ni dolor que curar (21:4). Al igual que las lágrimas que Dios enjugará no se refieren a los dolores que se soportarán durante toda la eternidad, sino que describen un alivio de una vez por todas de dichos dolores (véase 21:4; 7:16–17), lo mismo ocurre aquí. Esto muestra otro aspecto de esta escalada del Edén. Juan utiliza las imágenes de Ez. 47:12 para describir realidades eternas más allá de su comprensión. El árbol no podía dar fruto literalmente **cada mes**, pues el mismo tiempo depende de un calendario basado en días solares y meses lunares, mientras que en la nueva creación no hay sol ni luna (21:23; 22:5). Un total de doce meses de fructificación, junto con **doce clases de frutos**, refuerza los repetidos múltiplos de doce ya utilizados en la visión para destacar la plenitud de la provisión redentora y vincularla con el número que representa la plenitud del pueblo de Dios que se beneficia de ella.

La extensión mundial de la ciudad-templo paradisíaca

La ciudad-templo revelada en los caps. 21–22 abarca la totalidad de la tierra recién creada. Se pueden dar tres razones:

- Is. 54:2–3 sugiere la noción de una nueva Jerusalén ampliada o de un templo del final de los tiempos que se extiende a las naciones.
- La inmundicia debía mantenerse fuera del recinto del templo del Antiguo Testamento, y 21:27 y 22:15 dejan claro que la inmundicia debe mantenerse fuera de toda la nueva creación.
- Juan dice en 21:1 que vio "un cielo nuevo y una tierra nueva", y luego en 21:2 y 21:9–22:5, sólo ve una ciudad-templo paradisíaca.

El cielo y la tierra nuevos y la ciudad-jardín-templo probablemente se interpretan mutuamente y se refieren a la misma realidad de los cielos y la tierra nuevos en su totalidad. Is. 65:17–18 (el v. 17 es aludido en Ap. 21:1) parecen equiparar los nuevos cielos y la nueva tierra con la ciudad renovada de Jerusalén.

La base de la naturaleza mundial de la nueva ciudad-templo reside en el concepto del Antiguo Testamento de que el templo era un modelo microcósmico de todo el cielo y la tierra; cf. Sal. 78:69: "Y edificó Su santuario como las alturas, como la tierra que ha fundado para siempre". Las joyas del pectoral del sumo sacerdote, que eran una pequeña réplica del Lugar Santísimo, también simbolizaban el cosmos terrenal o celestial al señalar las piedras de la creación original. Las mismas joyas forman ahora parte de la nueva ciudad-templo del cap. 21 (véase 21:18–20). El templo del Antiguo Testamento era la morada localizada de la presencia de Dios en la tierra. Al ser un reflejo simbólico de la creación en su conjunto, apuntaba al objetivo del final de los tiempos de la presencia de Dios en toda la creación, un tema que parece desarrollarse en Ap. 21:1–22:5.

Al mismo tiempo, la idea de la nueva ciudad-templo está relacionada no sólo con el antiguo templo, sino que (como indica la presencia de las piedras preciosas) puede remontarse al Jardín. En efecto, hay indicios de que el Jardín del Edén fue el templo arquetípico en el que el primer hombre adoró a Dios:

- El Edén era donde Adán caminaba y hablaba con Dios, al igual que los sacerdotes en el templo.
- En Gn. 2:15 Dios coloca a Adán en el jardín para que lo "cultivara" y lo "cuidara". Estos dos verbos (en hebreo *ʿabad* y *šamar*) y sus sustantivos afines se utilizan también para referirse a los sacerdotes que cuidaban el servicio del tabernáculo (Nm. 3:7–8; 8:25–26; 18:5–6; 1 Cr. 23:32; Ez. 44:14). Adán se presenta así como el sacerdote arquetípico que sirve en el primer templo de Dios y lo custodia.
- Cuando Adán faltó a su deber y fue expulsado del Jardín, dos querubines asumieron su función sacerdotal: "guardaban" el camino hacia el árbol de la vida (Gn. 3:24). Los mismos querubines vuelven a aparecer custodiando el arca del pacto en el Lugar Santísimo.
- El árbol de la vida fue probablemente el modelo del candelabro colocado directamente fuera del Lugar Santísimo.

- Que el Jardín fue el primer templo también lo sugieren las tallas de madera y piedra que daban al templo una apariencia de jardín (1 R. 6: 18, 29, 32, 35; 7:18–20).
- La entrada al Edén era por el este, que era también la dirección por la que se entraba al tabernáculo y a los posteriores templos de Israel.

Adán no sólo debía guardar el templo, sino que debía someter y llenar la tierra (Gn. 1:28). Es plausible sugerir que debía ampliar los límites del Jardín hasta que se extendiera por toda la tierra. Lo que no logró hacer, Apocalipsis presenta a Cristo como el que finalmente lo ha logrado. Las imágenes del Edén que comienzan en 22:1 reflejan la intención de mostrar que la construcción del templo, que comenzó en Génesis 2, se completará en Cristo y Su pueblo y abarcará toda la nueva creación.

3 El v. 3 explica aún más la declaración del v. 2 sobre la "sanidad de las naciones". En primer lugar, **ya no habrá más maldición**. La frase está tomada de Zac. 14:11. La "maldición" (*herem* en hebreo) se refería a las personas a las que se imponía una prohibición de destrucción total a causa de su pecado. En el tiempo de Zacarías, Jerusalén había sufrido tal destrucción, aunque no completamente. Todavía habrá, según Zacarías, un ataque final de las naciones contra Jerusalén para purificarla de un segmento de habitantes impuros (Zac. 14:2–3). Pero después de ese ataque, llegará un tiempo futuro en el que la Jerusalén purificada no volverá a estar amenazada por la maldición de la destrucción por su pecado: "Y habitarán en ella y no habrá más maldición; y Jerusalén habitará en seguridad" (14:11). La maldición, en cambio, recaerá sobre los atacantes (14:12–15).

Mientras que los que habiten en la nueva Jerusalén serán inmunes a la maldición, los que se queden fuera la sufrirán, parte de cuyo efecto es la separación eterna de los beneficios de la presencia de Dios (así Ap. 21:8; también 21:27; 22:15). Los habitantes de la ciudad eterna pueden habitar allí porque han sido liberados y definitivamente "sanados" de la maldición final porque el Cordero sufrió ese castigo en su nombre (véase 21:27b; 22:2). La maldición de muerte física y espiritual impuesta a la raza humana por Adán en el primer jardín es eliminada definitivamente por el Cordero en el último jardín en el momento de la nueva creación. En el tiempo primitivo, la humanidad fue expulsada del santuario del jardín, y su entrada quedó cerrada a la humanidad pecadora. En el tiempo final, los redimidos serán introducidos de nuevo en las puertas abiertas de ese santuario como resultado de la obra del Cordero.

Los diversos sufrimientos físicos y penas asociados con la condición caída de la humanidad, a los que incluso los redimidos son susceptibles, serán totalmente eliminados y ya no supondrán una amenaza en el nuevo orden. Esto significa que los santos no sólo estarán libres del peligro de ser separados de Dios, sino que estarán a salvo de *toda la gama* de persecuciones y aflicciones que los amenazaban en el mundo anterior (nótese la frase **más**, literalmente "toda" o "cada" **maldición**). Por lo tanto, la eliminación de la maldición incluye la eliminación de los males físicos y espirituales.

No habrá ninguna forma de maldición en la nueva Jerusalén porque la presencia gobernante consumada de Dios la llenará: **El trono de Dios y del Cordero estará allí**. Sólo hay un trono, como queda claro en 3:21: "Yo también vencí y me senté con Mi Padre en Su trono" (de forma similar, 5:11–13; 7:17). Todos los que entran en la ciudad tienen acceso a la presencia de Dios y del Cordero. Responden a Su bendición en servicio: **y Sus siervos Le servirán**. La observación de que en 7:15 los santos "sirven" (griego *latreuō*) a Dios como sacerdotes en Su templo celestial muestra que aquí también están realizando un servicio sacerdotal en el templo de la ciudad de los últimos tiempos.

Esto se hace eco de la profecía de Is. 61:6 ("seréis llamados sacerdotes del SEÑOR, ministros de nuestro Dios"), que se cumplirá en el nuevo templo cósmico. Que Is. 61:6 está en mente es evidente si recordamos que las alusiones a Isaías se han entretejido a lo largo de Ap. 21:1–22:5 (nótese especialmente Is. 61:10 en 21:2 y las alusiones a Isaías 60 en 21:23–26 y 22:5). El servicio de los santos es a Dios y al Cordero. El hecho de que ambos estén sentados en un solo trono y formen juntos un solo templo (21:22) refuerza su unidad percibida. Esta unidad también se pone de manifiesto en que ambos llevan el título de "Alfa y Omega" (1:8; 21:6; 22:13). Declaraciones como las de 21:22 y 22:3 fueron algunas de las que dieron lugar a fórmulas trinitarias posteriores.

4 En la antigua creación, la presencia de Dios se encontraba principalmente en el templo de Israel, así como, por supuesto, en el cielo. Los cristianos tenían acceso a la presencia del Espíritu, pero todavía no se había revelado la plenitud de la presencia reveladora especial de la Trinidad. Ahora la presencia divina impregna plenamente la nueva Jerusalén, el templo eterno y morada de los santos, ya que **ellos verán Su rostro**, una esperanza expresada por los santos del Antiguo

Testamento (Sal. 11:4–7; 27:4; cf. Sal. 42:1–2). Toda la comunidad son sacerdotes con el privilegio de ver el rostro de Dios en el nuevo Lugar Santísimo, que abarca toda la ciudad-templo paradisíaca, es decir, toda la nueva creación.

La afirmación de que **Su nombre estará en sus frentes** intensifica la noción de comunión íntima con Dios. No es una coincidencia que el nombre de Dios estuviera escrito en la frente del sumo sacerdote en el Antiguo Testamento ("Santidad al SEÑOR": Éx. 28:36–38). El sumo sacerdote representaba a Israel y estaba consagrado a Dios para poder entrar en la presencia de Dios en el Lugar Santísimo para ofrecer sacrificios propiciatorios en nombre de Israel, con el fin de que el pueblo fuera aceptable ante Dios y no incurriera en Su ira. Como en el caso de las joyas del sumo sacerdote en Éx. 28:17–21 (véase 21:18–20), en el v. 4 se concede a todo el pueblo de Dios el privilegio de ser consagrado para ser aceptable en la presencia inmediata de Dios, antes reservado sólo al sumo sacerdote. Esto expresa aún más la naturaleza sacerdotal del nuevo pueblo de Dios.

Para obtener más información sobre el trasfondo del Antiguo Testamento de la idea del **nombre** aquí, podemos observar que la idea de un nombre nuevo en Isaías 62 se asocia repetidamente con la Sion de los últimos días y que los diversos nombres nuevos atribuidos a la ciudad del final de los tiempos tienen todos "Dios" incluido en ellos. El nombre de Dios aquí y en otras partes de Apocalipsis (véase 2:17 y 3:12; véase también 14:1) indica la seguridad del creyente y su lugar en la ciudad eterna de Dios. En 3:12, Cristo enfatiza el matiz de la seguridad al decir que escribirá en el vencedor "el nombre de Mi Dios y el nombre de la ciudad de Mi Dios… y Mi nuevo nombre", y equipara metafóricamente esto con hacer del "vencedor" una "columna en el templo de Mi Dios".

El tema de la seguridad asociado al uso figurado del nombre de Dios en otras partes del libro encaja perfectamente con el tema de la seguridad eterna de los santos en la nueva Jerusalén narrado hasta ahora. También hemos visto que el nombre escrito en los creyentes se refiere al carácter de Dios, que ellos reflejan (véase 2:17). Por lo tanto, al final de los tiempos los justos "seremos semejantes a Él, porque Lo veremos tal como Él es" (1 Jn. 3:2; cf. Job 19:25–27; Sal. 17:15; Mt. 5:8; 1 Co. 13:12), un proceso que ya ha comenzado (2 Co. 3:18).

5 La visión termina con una expresión, **ya no habrá**, similar a aquellas con las que comenzó en 21:1, 4. Esto resalta una última vez el punto general de la visión, que los santos no sólo estarán libres del peligro de ser separados de Dios, sino que estarán seguros de toda la gama de sufrimientos que los amenazaban en el viejo mundo, los cuales tenían que ser eliminados antes de que la plenitud reveladora de Dios del tiempo del fin pudiera manifestarse. La afirmación de que **no tendrán necesidad de luz de lámpara ni de luz del sol, porque el Señor Dios los iluminará**, cumple la profecía de Is. 60:19–20: "Ya el sol no será para ti luz del día, ni el resplandor de la luna te alumbrará; sino que tendrás al SEÑOR por luz eterna, y a tu Dios por tu gloria. Nunca más se pondrá tu sol… y se habrán acabado los días de tu luto". Esto continúa el pensamiento de 21:23, que también aludía a Is. 60:19. Allí, la ciudad no tenía "no tiene necesidad de sol ni de luna que la iluminen", pues la gloria de Dios y del Cordero la iluminaban.

El lenguaje del v. 5 es figurativo, y el punto principal es que nada del viejo mundo podrá impedir que la gloriosa presencia de Dios llene completamente el nuevo cosmos o que los santos tengan acceso incesante a esa presencia divina. De este modo se responde de forma consumada a la oración de los santos del Antiguo Testamento (Nm. 6:25–26; Sal. 4:6; 31:16; 67:1) para que el Señor haga brillar la luz de Su rostro sobre ellos. La bendición de Nm. 6:25–27 es el pensamiento más importante, ya que allí el resplandor del rostro de Dios debe resultar en la preservación y la paz para los santos, lo que se equipara con la bendición aarónica de invocar el nombre de Dios "sobre los israelitas" en relación con el templo (Nm. 6:27).

El papel del pueblo de Dios como "candelabros" que llevan la luz de la lámpara divina será finalmente perfeccionado (cf. 1:20 con 1:4 y 4:5, así como con 21:11–26 y 22:5). Las nubes, la noche y las sombras oscuras del viejo mundo ya no podrán disminuir la luz de Cristo a través de los "candelabros", sino que Él brillará como "lumbrera" del nuevo mundo de forma ilimitada (así 21:23).

No es casualidad que el v. 4 se refiera también al nombre divino en la frente de Aarón y lo aplique a todo el pueblo de Dios como Sus sacerdotes. La "bendición eterna" de Números 6 alcanza su máxima aplicación en el nuevo mundo. En el antiguo pacto, tal revelación del rostro de Dios habría traído muerte (Éx. 33:20), pero ahora es el medio de la vida eterna y la realeza. El papel de la realeza se añade a las funciones sacerdotales, porque Adán tenía ese doble papel y fracasó y porque el propio Mesías iba a cumplir finalmente ese doble papel. Los santos están tan identificados con el trono del Mesías que se identifican con Sus funciones tanto sacerdotales como reales (véase más adelante 20:5–6). Los santos ejercen soberanía sobre la nueva creación de forma similar a como Adán debía gobernar "sobre todo ser viviente que se mueve sobre la tierra" (Gn. 1:28; véase el Salmo 8).

Parte del propósito de que Cristo desempeñe el papel del último Adán es, en solidaridad corporativa con Su pueblo, gobernar sobre la nueva creación eterna, que incluye a los santos ángeles (Heb. 2:5–16), que están diseñados simplemente para ser servidores de los redimidos (Heb. 1:14; tal vez también lo indique la posición de los ángeles como guardianes de la puerta en Ap. 21:12). Sin embargo, los creyentes exaltados *son* diferentes del primer Adán en que, mientras que Dios sólo encargó a Adán que gobernara (un encargo que no cumplió), ahora Dios *promete* que Su pueblo reinará *ciertamente* sin fin.

Sugerencias para reflexionar sobre 22:1–5

- ***Sobre el desarrollo de la ciudad-templo paradisíaca mundial y nuestro papel como sacerdotes en ella.*** El comentario traza el desarrollo de la extensión del templo desde el Jardín hasta la nueva Jerusalén. ¿En qué medida es útil para desarrollar su comprensión de una de las principales "líneas argumentales" de la Biblia? ¿Estás de acuerdo con la forma en que el comentario relaciona las piedras preciosas del Huerto, el sumo sacerdote y la ciudad eterna? ¿Estás de acuerdo con su descripción de la idea del sacerdocio a lo largo de la Biblia? ¿Qué significa ser admitido hoy como sacerdote en el templo de Dios, tal como existe en forma de iglesia? Si Adán fue un sacerdote que fracasó en su deber, y Cristo fue el Sacerdote que triunfó, ¿cómo funcionamos nosotros, como siervos de Cristo, como sacerdotes en el templo inaugurado de la iglesia? Adán y Eva fallaron como sacerdotes porque no recordaron suficientemente la palabra de Dios cuando fueron desafiados por la serpiente. Compara la palabra de Dios en Gn. 2:16–17 con la cita de Eva en Gn. 3:2–3. ¿Cómo se equivocó Eva? Adán y Eva también fallaron porque dejaron que la inmundicia (la serpiente) entrara en su santuario. ¿Qué impurezas hay en nuestras vidas, o amenazan con venir a contaminarnos? ¿Cuál es nuestro papel en la ampliación de los límites del templo en esta época? ¿Qué significa ampliar esos límites y cómo se relaciona esto con el testimonio cristiano? ¿Hasta dónde llegarán los límites en la época anterior al regreso de Cristo?

El propósito de la visión 21:1–22:5

Esta visión pone las dos ciudades de Apocalipsis — la Babilonia terrenal y la Jerusalén eterna — en franca oposición. La misma frase se utiliza para presentar ambas ciudades (17:1 y 21:9). Ambas tienen una calle (11:8 y 21:21). Babilonia es impura (17:4), pero Jerusalén es pura (21:21). Ambas están adornadas con oro y piedras preciosas (17:4; 18:16; 21:18–21). Las similitudes superficiales entre ambas no son sorprendentes, ya que a lo largo de Apocalipsis las fuerzas del mal imitan a las del bien: hay falsos apóstoles (2:2), una falsa sinagoga (2:9; 3:9), un falso profeta (16:13; 19:20; 20:10) y una figura satánica con cuernos como un cordero (13:11), en contraposición a Cristo, un Cordero con cuernos (5:6). Hay un triple nombre para la bestia (17:8, 10–11) y un triple nombre para Dios (1:4, 8, etc.).

Algunos de los otros contrastes que se observan en 21:1–22:5 entre la ramera y la nueva Jerusalén se han analizado anteriormente (véase en 21:9–10). Además, hay que tener en cuenta lo siguiente:

- Una es una novia pura (21:2, 9), la otra una ramera (17:1–2; 18:9).
- Una hace negocios con reyes injustos y es atacada por ellos (17:16, 18), pero la otra recibe la lealtad de los reyes justos (21:24).
- Una recibe riqueza malversada (18:11–17), mientras que la otra recibe gloria y honor de las naciones (21:24–26).
- Los que habitan en una están llenos de inmundicias (17:4–5; 18:2–3), mientras que todas esas personas están excluidas de la otra (21:8, 27).
- La una está llena de matanza y sangre (17:6; 18:24), mientras que la otra está llena de sanidad y vida (22:1–2).
- Se exhorta a los santos a huir de una (18:4) pero a entrar en la otra (22:14).
- Los pecados de una se amontonan hasta el cielo (18:5), ya que trató de unir la tierra con el cielo con un orgullo autoglorificante (cf. Gn. 11:1–9), mientras que la otra baja del cielo para unir el cielo con la tierra (21:2) y glorificar a Dios.
- La primera se dividirá en tres partes y será destruida (16:17–19), mientras que la otra permanecerá para siempre (21:6–7), siendo ambos acontecimientos introducidos por “Hecho está”.
- Las dos tienen nombres contrastantes escritos en sus frentes (17:5; 22:4).

- Los nombres de sus respectivos habitantes están o no están escritos en el libro de la vida (17:8; 21:27).
- Una se glorifica a sí misma (18:7), y la otra refleja la gloria de Dios (21:11, 23).
- Una se convierte en morada de los demonios (18:2), mientras que el otro se convierte en morada de Dios (21:3, 22).

El contraste está vinculado a la advertencia de 21:8, que se dirige a las iglesias en las que la ramera ha hecho de las suyas. Además, la representación de la nueva ciudad está repleta de antítesis con las iglesias pecadoras de los caps. 2–3; las perfecciones de la ciudad se contraponen a las imperfecciones de las iglesias de las cartas.

El objetivo principal de contrastar la ramera con la novia es exhortar a las iglesias vacilantes, plagadas de transigencia con la ramera, a que dejen de transigir y reflejen cada vez más facetas de su próxima perfección consumada, en previsión de la misma. La representación del nuevo pacto, el nuevo templo, el nuevo Israel y la nueva Jerusalén afirma el futuro cumplimiento de los principales temas proféticos del Antiguo Testamento y el Nuevo Testamento, que encuentran su clímax final en la nueva creación. El reino de la nueva creación es la promesa bíblica más importante, de la que las cuatro cosas nuevas mencionadas — pacto, templo, Israel y Jerusalén — no son más que facetas.

La visión profética de 21:1–22:5 del pueblo perfeccionado de Dios en comunión interminable con Él tiene como objetivo consolar y motivar a los creyentes para que perseveren a través de las tentaciones a transigir. Juan exhorta al pueblo de Dios a permanecer fiel, que es su objetivo final al escribir. Por eso el libro concluye en 22:6–21 con un epílogo de repetidas exhortaciones, promesas, afirmaciones de la inminente venida de Cristo y advertencias a los santos. La perspectiva de su victoria final debe motivarlos a evitar cualquier pensamiento de transigencia terrenal que amenace la posesión de su herencia eterna. El contraste entre las imperfecciones actuales de la iglesia, como se indica en los caps. 2 y 3, y su gloria final, como se describe aquí, debería hacerles clamar por una mayor manifestación de la gloria de Dios en sus vidas.

Aunque el principal objetivo *pastoral* del argumento del libro es exhortar al pueblo de Dios a permanecer fiel para que herede la salvación final, ésta no es la idea *teológica* más importante del libro. El tema teológico más importante del libro es que Dios debe recibir adoración y gloria como resultado del cumplimiento de la salvación consumada y el juicio final (véase 4:11; 5:11–13; 19:1, 5, 7; cf. 1:6; 11:16–17). Esta noción de gloria divina es fundamental en 21:1–22:5, ya que, como hemos visto, la nueva Jerusalén (o el pueblo de Dios) sólo puede definirse en relación con su reflejo resplandeciente de la gloria de Dios. En efecto, la característica central de la ciudad es Dios y el Cordero, que brillan como una lumbrera sobre la ciudad (21:22–23; 22:5), de modo que la definición más completa de la nueva Jerusalén incluye al pueblo de Dios en plena comunión con Dios y Cristo, reflejando la gloria de Dios y de Cristo.

X. EPÍLOGO (22:6–21)

Esta sección es la conclusión formal de todo el libro. Está estrechamente relacionada con la introducción (1:1–3) en el sentido de que ambas identifican el libro como una comunicación de Dios (utilizando el lenguaje de Dn. 2:28–29, 45), ambas destacan a Juan como "testigo" de la revelación que recibió, y ambas subrayan la revelación como una "profecía" comunicada a los "oyentes", aunque la introducción pronuncia una bendición sobre todos los que la obedecen, mientras que la conclusión lanza una enfática maldición sobre todos los que la desobedecen.

El epílogo muestra claramente que el propósito del libro es inducir la santa obediencia en el pueblo de Dios para que reciba la recompensa de la salvación. No menos de ocho de los dieciséis versículos finales subrayan esta intención, ya sea mediante exhortaciones a la obediencia, mediante las bendiciones prometidas por la vida santa o mediante advertencias de juicio por la vida impía (vv. 7, 9, 11–12, 14–15, 18–19). Esto está en consonancia con 1:1–3, donde el punto principal era la bendición por la obediencia. Esta bendición es uno de los principales objetivos de la revelación (1:1) y del testimonio de Juan sobre ella (1:2).

Tanto en la introducción como en el epílogo, las promesas y las advertencias se basan en acontecimientos que aún no se han producido (cf. 1:3b con 22:7a–b, 11b–12, 18–20). A partir de las repetidas conclusiones que contienen referencias a la venida de Cristo o a la proximidad del fin, el epílogo puede dividirse quizá en cinco secciones que contienen exhortaciones: vv. 6–7, 8–10, 11–12, 13–17 y 18–20. Las cinco exhortaciones repetidas a la santidad son el punto principal del epílogo, ya que se apoyan en las exclamaciones sobre la venida de Cristo. El v. 21 es un cierre epistolar típico, no sólo de los vv. 6–20, sino de todo el libro.

1. La primera exhortación a la santidad (22:6–7)

[6] Y me dijo: "Estas palabras son fieles y verdaderas". El Señor, el Dios de los espíritus de los profetas, envió a Su ángel para mostrar a Sus siervos las cosas que han de suceder enseguida. [7] "Por tanto, Yo vengo pronto. Bienaventurado el que guarda las palabras de la profecía de este libro".

6 Este versículo sirve de conclusión tanto para la visión de 21:1–22:5 como para todo el libro. Como tal, también introduce los vv. 7–21, la conclusión formal de todo el libro. La voz que escucha Juan (Jesús o un ángel que habla en su nombre) declara que **estas palabras son fieles y verdaderas**. La frase, una repetición verbal de la frase en 21:5, se basa en Is. 65:16, que expresa la confianza en el próximo acto de nueva creación de Dios (véase adicionalmente 21:5). La repetición verbal muestra que el v. 6 resume la visión anterior de la nueva Jerusalén.

Esto se hace eco de Dn. 2:45, "el sueño es verdadero, y su interpretación fiel", que es la conclusión de una visión profética sobre el establecimiento victorioso del reino de Dios. Inspira la certeza de que la visión profética tiene autoridad divina y, por tanto, que su contenido es verdadero y fiable. La alusión tiene aquí el mismo significado. Mientras que Dn. 2:45 (OG; y Dn. 2:28 MT, OG, Theod.; 2:29 OG) profetizó que el reino vendría "en los últimos días", la voz celestial dice ahora que **el Señor… Dios… envió a Su ángel para mostrar a Sus siervos las cosas que han de suceder enseguida** (literalmente "rápidamente").

El lenguaje de Dios revelando lo que debe suceder en los últimos días introduce y concluye la visión tanto en Daniel 2 como en todo el libro de Apocalipsis. Esta alusión a Daniel 2, o parte de ella, se utiliza cuatro veces en Apocalipsis para introducir y concluir secciones importantes, de modo que constituye el esquema general de todo el libro (véase 1:1, 19; 4:1). En particular, 22:6 reproduce el texto exacto de 1:1, por lo que debe considerarse como la conclusión formal de todo el libro, y como una muestra al lector de que Apocalipsis, al igual que Daniel 2, trata principalmente del establecimiento del reino de Dios en toda la tierra y del juicio de los reinos mundiales malvados. La fórmula de Daniel se refiere no sólo a los acontecimientos futuros profetizados, sino que incluye el cumplimiento inaugural de la profecía de los últimos días de

---

OG Traducción griega antigua de las Escrituras hebreas
Theod. La traducción griega de las Escrituras hebreas de Teodoción

Daniel 2. Al igual que en Ap. 1:1, aquí en 22:6 el cambio de "después de estas cosas" de Daniel a "**en seguida**" (o "rápidamente") alude no sólo a la inminencia, sino también a la inauguración.

La frase **el Señor, el Dios de los espíritus de los profetas** utiliza lo que probablemente es un genitivo objetivo griego y por eso significa "el Dios que gobierna o inspira los espíritus de los profetas". Como en 10:7, la referencia puede ser a una clase especial de profetas, probablemente los profetas del Antiguo Testamento y del Nuevo Testamento, a través de los cuales Dios dejó un registro inscrito e inspirado por el Espíritu Santo, ya que Él gobierna los espíritus de estos profetas. **De los profetas** puede ser un segundo genitivo objetivo (el Espíritu inspira a los profetas), o también podría ser un genitivo simple de posesión. Los profetas poseen un espíritu que recibe la inspiración de Dios. La mención de los "hermanos" de Juan como "profetas" en el v. 9, sin mención del Espíritu divino, da peso a esta opción, al igual que la frase similar en 19:10, "el espíritu de la profecía", que se entiende mejor como un genitivo adjetivo ("el espíritu profético"). Además, parece extraño referirse al Espíritu Santo en plural, aunque el plural aparece para el Espíritu Santo tres veces antes en el libro (véase "los siete Espíritus" en 1:4; 4:5; 5:6).

La mención de los "hermanos" de Juan como "profetas" en el v. 9, combinada con la mención similar de los hermanos de Juan, para quienes "el testimonio de Jesús es el espíritu de la profecía" en 19:10, podría sugerir que la frase se refiere a los espíritus *humanos* de *todos los cristianos* como personas proféticas. Sin embargo, dado que la frase **el Señor, el Dios de los espíritus de los profetas** está entre paréntesis en este versículo por alusiones a Daniel 2, es probable que la palabra "profetas" aquí se limite a los profetas del Antiguo Testamento y del Nuevo Testamento. A favor de que **los espíritus de los profetas** se refieran a los que tienen un cargo profético especial puede estar el eco de Nm. 27:16 ("el SEÑOR, Dios de los espíritus de toda carne"), donde se refiere a que Dios sustituye a Moisés por Josué como portavoz profético del pueblo de Dios (cf. Nm. 27:12–21). Allí existe una aparente distinción entre los líderes proféticos de Dios y el resto de la humanidad (en este caso todo Israel).

La cadena de comunicación reveladora del libro va de Dios a Jesús, a un ángel, a Juan y, finalmente, a los cristianos (así en 1:1; cf. 22:8), lo que implica que Juan tenía un oficio profético específico, lo que se confirma con la alusión de Dn. 2:28–29, 45 aquí y en 1:1, 19 y 4:1 (sobre lo cual véase la evidencia del oficio profético de Juan; véase también 4:2; 10:9–11).

En 1:1 y aquí, los cristianos son llamados **Sus siervos**. Esto se refiere aquí y en todo el libro (excepto probablemente en 10:7, sobre lo cual véase) a los cristianos en general. El significado de **siervos** como todos los santos significa que las visiones del libro se mostraron no sólo a Juan, sino en cierto sentido a todos los creyentes, que fueron considerados **siervos** junto con él (véase 1:1). La redacción no significa que las iglesias vieran las visiones de la misma manera que Juan, sino que experimentaron (y siguen experimentando) las visiones de forma vicaria a través del registro de Juan.

7 Entre las cosas "que han de suceder enseguida" está la propia venida de Cristo: **Por tanto, Yo vengo pronto**. Esto se refiere a Su aparición final, pero incluye Sus anteriores venidas a lo largo de la existencia de la iglesia, todas las cuales son inminentes para cada generación de la iglesia. Las repetidas declaraciones de las venidas de Cristo en los caps. 1–3 apuntan a esta conclusión (véase 1:7; 2:5; 3:3, 11), al igual que nuestro análisis del uso inaugural de la alusión de Dn. 2:28–29, 45 en 1:1, 19 y 4:1.

El que **guarda las palabras de la profecía de este libro** será **bienaventurado**, una repetición de la afirmación similar de 1:3, de modo que la "bienaventuranza" a grandes rasgos pone entre paréntesis el libro. Esto sugiere que el objetivo del libro es que el verdadero pueblo de Dios obedezca su revelación y sea bendecido con la salvación. **Las palabras** a las que se hace referencia en los vv. 6 y 7b forman un paréntesis en torno a ser **bienaventurado** para subrayar que es el objetivo del libro. La bienaventuranza es el otorgamiento de la salvación misma, como se desprende del uso de "bienaventurado" (griego *makarios*) en 14:13; 16:15; 19:9; 20:6; y 22:14.

2. La segunda exhortación a la santidad (22:8–10)

[8] Yo, Juan, soy el que oyó y vio estas cosas. Y cuando oí y vi, me postré para adorar a los pies del ángel que me mostró estas cosas. [9] Y me dijo: "No hagas eso. Yo soy consiervo tuyo y de tus hermanos los profetas y de los que guardan las palabras de este libro. Adora a Dios". [10] También me dijo: "No selles las palabras de la profecía de este libro, porque el tiempo está cerca".

8 Juan se identifica implícitamente como testigo de la revelación del libro y, por tanto, es un instrumento crucial para que se reciba la "bienaventuranza" del v. 7: **Yo, Juan, soy el que oyó y vio estas cosas**. En el v. 18 hace explícita su identificación como testigo profético ("Yo testifico..."). Pertenece a una larga serie de profetas que dieron testimonio a Israel de las estipulaciones del pacto de Dios, su desobediencia a las mismas y el consiguiente juicio inminente, especialmente por la idolatría (p. ej., 2 R. 17:7–23; 2 Cr. 24:18–19; Neh. 9:26–27a).

La noción de "ver y oír" es la base de un testimonio legal, como en 1 Jn. 1:1–2: "lo que hemos oído, lo que hemos visto con nuestros propios ojos... damos testimonio". Al igual que los profetas del AT, el testimonio de Juan se dirige también a la comunidad del pacto. El remanente creyente será bendecido por su obediencia, pero el resto será juzgado por su desobediencia. El uso repetido de "el que tiene oído, oiga" en las cartas a las siete iglesias (véase 2:7) muestra que Juan sigue a Jesús y a los profetas del AT al llevar a los fieles no sólo la promesa de bendición, sino también la advertencia de juicio.

Como en 19:10, de nuevo Juan comienza a adorar al ángel que le comunicó la revelación de Cristo.

9 Y de nuevo el ángel responde prohibiendo a Juan que le adore, ya que él también es simplemente un siervo divino como Juan, los profetas y el resto de los que obedecen a Dios: **Y me dijo: No hagas eso. Yo soy consiervo tuyo y de tus hermanos los profetas y de los que guardan las palabras de este libro**. Las palabras del ángel podrían interpretarse para identificar dos grupos distintos, los profetas y los demás creyentes, o la segunda frase podría ser una descripción de los profetas. Por otra parte, en otras partes de Apocalipsis (1:1; 22:6), los "siervos" se entienden como todos los cristianos, lo que podría sugerir que los **profetas** aquí son todos los creyentes, entendidos como un pueblo profético que también presta atención a las palabras de este libro. Sobre esta cuestión, véase adicionalmente en el v. 6.

En cambio, el ángel exhorta a Juan, **adora a Dios**. Es posible que Juan haya confundido al ángel con el Cristo divino y celestial de 1:13 y 10:1, que merece ser adorado. Dado que esta es la segunda vez que Juan sustituye un falso objeto de adoración por el verdadero, el v. 10 subraya el sutil problema incluso para los cristianos fieles. Lo que esto muestra es lo fácil que puede ser adorar y reverenciar erróneamente a un mensajero humano de Dios cuando predica poderosamente la palabra de Cristo (1 Co. 3:4–7; cf. también Hch. 14:7–18). La orden del ángel nos recuerda que la recompensa de la bendición mencionada en el v. 7 es secundaria. El objetivo último de la revelación del libro es inspirar la adoración a Dios.

10 El ángel ordena a Juan: **No selles las palabras de la profecía de este libro, porque el tiempo está cerca**. Si la revelación está sellada, las iglesias no pueden conocer su contenido ni responder en adoración. La orden de **no sellar** implica que la escritura de la visión está bajo la égida de la autoridad divina tanto como lo estuvo la revelación de la visión. En otras partes, se ordena explícitamente la escritura de la visión o de sus partes, lo que sugiere que la autoridad divina se extiende a la escritura (1:10–11, 19; 2:1ss; 19:9; 21:5; cf. 22:6 con 22:10). Los vv. 18–19 lo confirman. El encargo profético de Juan está a la altura de los encargos de los profetas del Antiguo Testamento (en este sentido, véase 1:10–11; 4:1–2; 17:3a; 21:9–10).

La prohibición de sellar está directamente relacionada con el mandato opuesto que se le dio a Daniel: "Pero tú, Daniel, guarda en secreto estas palabras y sella el libro hasta el tiempo del fin" (Dn. 12:4; véase también Dn. 8:26; 12:9). Daniel profetizó sobre el surgimiento y la caída de los reinos terrenales malvados y la victoria final del reino de Dios, pero no entendía cómo ni cuándo se desarrollaría todo esto, aunque sabía que no era para sus propios días (Dn. 12:13). Por lo tanto, el "sellado" del libro de Daniel significaba que sus profecías no se entenderían ni se cumplirían plenamente hasta el final.

Lo que Daniel profetizó puede entenderse ahora (el sello abierto), porque las profecías han comenzado a cumplirse, y los últimos días han comenzado. Por lo tanto, el lenguaje de desvelar lo que está escrito indica también la revelación de un mayor conocimiento de las profecías, un mayor conocimiento guardado de los santos del Antiguo Testamento (así también Ef. 3:4–5, donde se da ahora un conocimiento "que en otras generaciones no se dio a conocer… como ahora ha sido revelado a Sus santos apóstoles y profetas por el Espíritu"; cf. también 1 P. 1:12). En particular, la muerte, resurrección y reinado de Cristo sobre la historia y la tribulación de los santos son el cumplimiento inaugural de las profecías del Antiguo Testamento. Del mismo modo, Cristo abrió el sello del libro en el cap. 5 (sobre el que véase 5:1–2). Aunque estos dos libros no son idénticos, en general ambos contienen en un grado significativo material revelador relacionado a las profecías del AT, algunas de las cuales se han cumplido y otras esperan su cumplimiento.

La profecía no debe ser sellada, **porque el tiempo está cerca**. La misma cláusula aparece en 1:3, donde explica una alusión a Dn. 2:28–29, 45 que se encuentra en 1:1. Allí indicaba no sólo una referencia a acontecimientos futuros inminentes, sino también el comienzo mismo del cumplimiento de la profecía del

Antiguo Testamento. Las profecías selladas por Daniel han comenzado a cumplirse, siguen cumpliéndose en el presente y lo harán hasta su consumación en el futuro.

El punto principal de los vv. 8–10 es "adorar a Dios" (v. 9), una adoración motivada por Su bondadosa revelación a Juan del significado profético de la muerte y resurrección de Cristo para la vida presente de los creyentes y para el futuro.

3. La tercera exhortación a la santidad (22:11–12)

[11] Que el injusto siga haciendo injusticias, que el impuro siga siendo impuro, que el justo siga practicando la justicia, y que el que es santo siga guardándose santo. [12] Por tanto, Yo vengo pronto, y Mi recompensa está conmigo para recompensar a cada uno según sea su obra.

11 De nuevo el ángel apela a la conclusión de la profecía de Daniel:

Muchos serán purificados, emblanquecidos y refinados. Los impíos procederán impíamente, y ninguno de los impíos comprenderá, pero los entendidos comprenderán. (Dn. 12:10)	**Que el injusto siga haciendo injusticias, que el impuro siga siendo impuro, que el justo siga practicando la justicia, y que el que es santo siga guardándose santo.** (Ap. 22:11)

Ambos pasajes hacen dos declaraciones sobre el destino de los injustos y dos sobre el destino de los justos y luego afirman que ambos grupos permanecerán en su condición actual. La diferencia es que el pasaje de Daniel es una declaración profética de hechos mientras que el de Apocalipsis parece constituir un mandato. Pero, ¿cómo puede un ángel ordenar a los incrédulos que permanezcan en su pecado? Los comentaristas han sugerido varias respuestas:

- Algunos sugieren que las expresiones no son deterministas porque los humanos tienen libre albedrío y porque siempre hay oportunidad de arrepentirse. Pero tal análisis no corresponde bien con la alusión de Dn. 12:10 en 22:11, que habla de acontecimientos que ocurrirán en base decreto profético de Dios y no a la voluntad humana.

- Algunos han sugerido que el v. 11a simplemente significa que ya no se debe exhortar a los malvados a obedecer a Dios, pero esto evita de nuevo la cuestión del imperativo que se dirige a los impíos.
- Otros sostienen que para Juan el fin estaba tan cerca que ya no había tiempo para modificar el carácter o las costumbres. Sin embargo, esto implicaría que Juan se equivocó, ya que ha pasado mucho tiempo desde entonces. Sin embargo, si Juan sólo se refería a la última etapa de la historia, esta opinión sería más plausible.
- Y algunos dicen que Juan quiere decir que el carácter humano es inalterable, pero, por muy cierto que sea, esto evita de nuevo el uso que hace Juan de la profecía de Dn. 12:9–10 como señal del comienzo del cumplimiento (véase más adelante).

Las dos órdenes del v. 11 se entienden mejor en el contexto de todo el libro, sobre todo con el trasfondo del Antiguo Testamento de la fórmula de "oír" en las cartas (y en 13:9) y del tema del "endurecimiento" de las narraciones de las plagas del Éxodo, detrás de las trompetas y las copas. La situación a la que se refieren las exhortaciones del v. 11 no es exclusiva de una última etapa de la historia, sino que ya se ha producido repetidamente en el Antiguo Testamento, en el ministerio de Jesús y, de nuevo, en el momento de escribir a las iglesias de Asia Menor. La repetida exhortación en las cartas, "el que tiene oído, oiga", se basa en la exhortación de Isaías al Israel idólatra (Is. 6:9–10). A los incrédulos no se les exhorta a "oír", pero a los creyentes se les pide que "oigan" y obedezcan la palabra de Dios. La misma exhortación de Isaías es aplicada por Jesús (Mt. 13:9–17) al Israel infiel de Su tiempo. Cuando la gente no escuchaba las enseñanzas ordinarias, Isaías y Jesús recurrían a declaraciones y acciones proféticas, así como al uso de parábolas, que servían para traer el juicio de Dios sobre los injustos endureciendo aún más sus corazones, al tiempo que escandalizaban a los creyentes errantes para que se arrepintieran.

Las visiones de Apocalipsis, con sus características inusuales e incluso extrañas, sirven como declaraciones proféticas a través de las cuales se produce el mismo proceso. Juan, como Jesús e Isaías antes que él, se dirigía a una iglesia diluida y a un mundo rebelde, así como a la comunidad de creyentes fieles. Muchos en la comunidad del pacto se habían vuelto apóstatas e insensibles a la palabra profética. A tales comunidades Dios enviaba profetas cuyas palabras funcionaban para aumentar la ceguera de los apóstatas y confirmar su condición de juzgados, pero servían para sacudir al remanente elegido del letargo espiritual característico de la mayoría. A los impíos se les exhortaba incluso a no entender, lo cual era un castigo por su apostasía y adoración de ídolos (en consecuencia, al Israel idólatra se le ordena seguir adorando ídolos en Jer. 44:25 y Ez. 20:39).

La iglesia, el actual "Israel de Dios" (cf. Gá. 6:16), se ha vuelto tan letárgica espiritualmente como el Israel étnico de antaño, y Dios también les revela Su palabra de doble filo (1 Jn. 2:4, 22; 4:20; 5:10). Por supuesto, siempre hay un remanente de incrédulos a los que se les da "oídos para oír", para que no sean finalmente intransigentes e impenitentes. En consecuencia, las parábolas visionarias los sorprenden en la fe por primera vez y así se unen a la comunidad del pacto. Para un análisis completo del trasfondo de este tema en Isaías, véase 2:7.

La pregunta sigue siendo: ¿Cómo contribuye la alusión de Dn. 12:9–10 al trasfondo teológico de las dobles exhortaciones aquí en el v. 11? El texto de Daniel predice que, durante los últimos días, los pseudomiembros de la comunidad del pacto no entenderán el cumplimiento de la profecía (al que se alude en Ap. 22:10) y, en consecuencia, seguirán desobedeciendo las leyes de Dios, mientras que los piadosos tendrán visión y discernirán el comienzo del cumplimiento de la profecía que ocurre a su alrededor. Responderán obedeciendo la palabra de Dios.

El cambio de la predicción en Dn. 12:10 a los imperativos aquí en Apocalipsis expresa la conciencia de que el cumplimiento de la profecía de Daniel está comenzando en el propio tiempo de Juan y que los auténticos creyentes deben discernir esta revelación y responder positivamente a ella. En consecuencia, la revelación sobre el cumplimiento del Antiguo Testamento en el v. 10 es la base e inspira la doble respuesta del v. 11, siguiendo el patrón profético de Dn. 12:9–10. Estos acontecimientos están determinados o "predestinados" a ocurrir, ya que son proféticos, y no son descripciones de meras posibilidades futuras. Aunque esta conclusión es difícil desde el punto de vista teológico, se corresponde admirablemente con la naturaleza profética de Daniel y con la noción de que la identificación de las personas con Cristo o con la bestia ha sido determinada por el hecho de que su nombre haya sido escrito en el libro de la vida del Cordero (véase 13:8; 17:8; 20:12, 15; 21:27; así como 3:5).

12a Otra base para las exhortaciones del v. 11 se encuentra en el v. 12: **Por tanto, Yo vengo pronto**. En los caps. 1 al 3, las venidas de Cristo, como ya se ha dicho, se refieren a Sus apariciones a lo largo de la era de la iglesia, así como al final de la misma (véase 1:7; 2:5; 3:3, 11; 22:7). El uso de "rápidamente" o "pronto" como parte de la fórmula de Dn. 2:28–29, 45 ya se ha encontrado que indica el cumplimiento en un futuro cercano, o incluso que el cumplimiento ya ha comenzado (véase 1:1).

Aquí, sin embargo, el énfasis está en el futuro regreso final de Cristo, como lo demuestra la promesa: **Mi recompensa está conmigo para recompensar a cada uno según sea su obra**. El único otro uso de "recompensa" (griego *misthos*), en 11:18, se refiere claramente a la recompensa al final de los tiempos. ¿Significa esto, entonces, que Juan pensó erróneamente que Cristo regresaría inminentemente? Una mejor solución posible es que "pronto" aquí (quizás también en el v. 7) sugiere lo *repentino* del regreso de Cristo, cuando sea que ocurra. Esto se apoya en 16:15 ("Vengo como ladrón. Bienaventurado el que vela"). De hecho, la versión etíope de 22:7 dice "Vengo rápidamente *como un ladrón*", lo que muestra una posible identificación temprana de este pasaje con la metáfora del ladrón de 16:15. El tema de la ejecución inesperada y rápida del juicio en los últimos tiempos ya aparece en el Antiguo Testamento (véase Is. 47:11 y Mal. 3:1–5: "Y vendrá de repente a Su templo el Señor a quien ustedes buscan... ¿Pero quién podrá soportar el día de Su venida?... Y Él se sentará como fundidor y purificador de plata... Entonces... Me acercaré a ustedes para el juicio"; cf. Jer. 6:26).

Otra forma de resolver la dificultad es aceptar que la frase se refiere a la proximidad temporal (y no a la repentina), pero centrar la atención en la "proximidad" con respecto al *siguiente acontecimiento principal* que se producirá en el programa histórico-redentor de Dios. Después de la muerte y la resurrección de Cristo y de Pentecostés, el siguiente acontecimiento importante en el esquema de salvación de Dios es la venida final de Cristo, cuando se repartan la recompensa y el castigo. Ya sea que esto ocurra dentro de un año o dentro de cinco mil, todavía podría ser referido como "cercano", ya que es el siguiente evento principal en el orden decreciente del plan redentor de Dios.

Sin embargo, es más probable que se refiera a una rápida aparición "inesperada", esto último con respecto a la posibilidad de que Jesús pueda venir en cualquier momento, como en Mt. 24:36–25:13 (cf. Hch. 1:7; 1 Ts. 1:9–10; 2 Ti. 4:8; Tit. 2:13). Mt. 24:36 y Hch. 1:7 afirman la imposibilidad de conocer el momento de la venida de Cristo, pero expresan la necesidad de estar alerta al respecto (Mt. 24:36, 42, 44; 25:13; Lc. 12:35–40). 2 P. 3:8–13 mantiene los siguientes temas en tensión entre sí:

- No importa lo largo que sea el tiempo hasta el final, no es largo para Dios, ya que "un día es como mil años".
- Aunque el tiempo pueda parecer largo en términos humanos, "el Señor no se tarda en cumplir Su promesa... el día del Señor vendrá como ladrón".
- La expectativa cristiana del fin y la obediencia cristiana pueden incluso tener una misteriosa forma de "apresurar la venida del día de Dios" (p. ej., cf. Mt. 24:14 y Mr. 13:10 con 2 P. 3:11–12?).

Es probable que las mismas nociones sean inherentes a Ap. 22:12.

12b La segunda afirmación de Jesús en el v. 12, **Mi recompensa está conmigo para recompensar a cada uno según sea su obra**, es una alusión a Is. 40:10, "Miren, el Señor DIOS vendrá con poder, y Su brazo gobernará por Él. Con Él está Su galardón, y Su recompensa delante de Él" (cf. lenguaje similar en Is. 62:11). Esto se refiere a la obra de Dios de otorgar las bendiciones de la salvación a Su pueblo fiel, aunque probablemente esté implícito el juicio a los infieles. El hecho de que el "galardón" y la "recompensa" se centren en la salvación es evidente, ya que Is. 40:10 es el contenido de las buenas noticias de Is. 40:9 y un resultado del perdón de Dios de la "iniquidad" (40:2). En Apocalipsis, sin embargo, se ha interpretado que el texto de Isaías se refiere a las obras de justos e injustos, por las que son bendecidos o juzgados, lo que también puede estar implícito en Isaías.

La misma promesa de Is. 62:11, al igual que la de Ap. 22:12, se complementa con la imagen de "entrar por las puertas" de una ciudad (cf. Is. 62:10 con Ap. 22:14). Este versículo no significa que una persona sea justificada por sus buenas obras, ya que éstas, aparte de Cristo, no pueden salvar a nadie, puesto que se requiere la perfección para ser aceptado ante Dios (Mt. 5:48; 1 P. 1:16; cf. Lv. 19:2). Esto es apoyado por Apocalipsis 5:9–10, que dice que Cristo es el único digno de ser aceptado ante Dios y que fue inmolado y redimió con Su sangre a los hombres de sus pecados para que ellos también pudieran ser considerados dignos. De hecho, esta idea no está muy lejos aquí, ya que la idea connotada por "los que lavan sus vestiduras" en 22:14 se remonta a 7:14, "han lavado sus vestiduras y las han emblanquecido en la sangre del Cordero". Por otra parte, las "obras" se consideran una condición necesaria para la salvación en el juicio final. ¿Pero cómo? Las obras son una señal que demuestra que una persona *ya ha cumplido* la condición última, causal y necesaria para la salvación, que es la justificación redentora del pecado por la muerte y resurrección de Cristo (cf. también Ef. 2:6–10).

El punto principal de los vv. 11–12 es la exhortación del v. 11, que se basa e inspira en la información reveladora de los vv. 10 y 12. El tiempo inesperado de la venida de Cristo debe motivar a Su pueblo genuino a vivir vidas piadosas en espera de ese evento (cf. 2 P. 3:11–14). Por otro lado, los impíos no son estimulados al arrepentimiento, sino sólo a una mayor obstinación ante tal revelación sobre la venida de Cristo.

4. La cuarta exhortación a la santidad (22:13–17)

[13] "Yo soy el Alfa y la Omega, el Primero y el Ultimo, el Principio y el Fin". [14] Bienaventurados los que lavan sus vestiduras para tener derecho al árbol de la vida y para entrar por las puertas a la ciudad. [15] Afuera están los perros, los hechiceros, los inmorales, los asesinos, los idólatras, y todo el que ama y practica la mentira. [16] "Yo, Jesús, he enviado a Mi ángel a fin de darles a ustedes testimonio de estas cosas para las iglesias. Yo soy la raíz y la descendencia de David, el lucero resplandeciente de la mañana". [17] El Espíritu y la esposa dicen: "Ven". Y el que oye, diga: "Ven". Y el que tiene sed, venga; y el que desee, que tome gratuitamente del agua de la vida.

13 En varios puntos del libro, se ha hablado de Dios como "el Alfa y la Omega" (1:8; 21:6) y "el Principio y el Fin" (21:6), y se ha llamado a Cristo "el Primero y el Último" (1:17; 2:8). Ahora bien, todos estos títulos se combinan y se aplican a Cristo para resaltar Su deidad. Las adscripciones connotan figurativamente la totalidad de la polaridad: el hecho de que Cristo esté presente y sea soberano en el principio y en el final de la creación se afirma audazmente para indicar que también está presente y es soberano en todos los acontecimientos intermedios.

14 Recordar al lector la omnipresencia y omnipotencia de Cristo a lo largo de la historia inspira confianza en Él como fiel galardonador y juez justo, y proporciona motivación para la perseverancia continua de los cristianos en medio de las pruebas terrenales. A la luz de esto, la declaración del v. 14, **Bienaventurados los que lavan sus vestiduras**, sirve también como exhortación a los santos para que perseveren a través de la prueba y el sufrimiento para recibir su recompensa final, de la que se habla en el v. 12.

La metáfora es un desarrollo del pensamiento similar en 7:14. El lavado de las vestiduras no habla de ninguna justicia que los santos hayan ganado por sí mismos, sino de la posición de justicia que Dios les ha dado a causa de la sangre (véase 7:14) que Cristo derramó en la cruz. Esto queda claro en 19:7–8: "Su esposa se ha preparado" sobre la base de la capacidad divina que "a ella le fue concedido vestirse de lino fino, resplandeciente y limpio, porque *las acciones justas de* los santos son el lino fino" (recordemos que esta última frase se refiere a la posición vindicada de los santos ante Dios *y* sus consiguientes acciones justas, sobre las que véase 19:7–8).

La recompensa por esa fe duradera es que los creyentes son **bienaventurados**, lo que se explica entonces como el recibimiento de autoridad: **para tener derecho al árbol de la vida y para entrar por las puertas a la ciudad**. Esta es esencialmente la misma bendición que recibieron los que lavaron sus vestidos en 7:14–17, como muestra la ampliación de esta bendición con la metáfora del agua en el v. 17.

La imagen connota la bendición de la salvación, especialmente tal como se ha representado en la visión de la nueva Jerusalén. El lenguaje del **árbol de la vida** y de las **puertas** abiertas retoma las imágenes de Isaías 60 y Génesis 3 de 21:24–22:3, donde las naciones que adoran entran por las puertas abiertas de la ciudad santa y tienen acceso al **árbol de la vida**, en contraste con los impíos, que no pueden entrar (véase 21:24–22:3). Se alude aquí a Is. 62:10, "Pasen, pasen por las puertas", acción que se produce para que los creyentes reciban la salvación prometida en 62:11, "Tu salvación viene; Su galardón está con Él, y delante de Él Su recompensa", a la que se acaba de aludir en Ap. 22:12. Esta recompensa es para todos los creyentes, no sólo para una clase especial de mártires, pues el v. 15 dejará claro que la división de grupos en este contexto es la que existe entre *todos* los impíos apóstatas y *todos* los justos de la comunidad redimida.

15 La imagen de los infieles atrincherados fuera de la ciudad en 21:27 se parafrasea aquí. Al igual que en 21:8, 27, se describe el tipo de personas excluidas de la ciudad. Las tres listas concluyen con los mentirosos, lo que pone de relieve la naturaleza falsa de estas personas como pseudocristianos (por lo que los mentirosos paganos no son el foco principal). Dicen ser creyentes, pero sus acciones pecaminosas traicionan su confesión. Incluso pueden negar su fe verbalmente cuando se enfrentan a la persecución (véase más adelante en 21:8). Tal persona no es sólo un mentiroso, sino uno **que ama y practica la mentira**. No se trata de falsedad en general, sino de un deseo de beneficiarse tanto de las ventajas espirituales de formar parte de la iglesia como de la seguridad económica de formar parte del mundo impío. Juan utiliza la frase en otros lugares para referirse a personas cuya pretensión de pertenecer a la comunidad del pacto se contradice con su estilo de vida impío o con su falsa doctrina (1 Jn. 2:4, 22; 4:20; 5:10).

Un elemento nuevo en el v. 15 que no se encuentra en las "listas de pecados" de 21:8, 27 es el de **los perros**. Los perros son criaturas despreciadas en toda la Escritura (así en Mt. 7:6), preocupados sólo por su bienestar físico. Del mismo modo, aquellos a los que se hace referencia aquí tienen un deseo insaciable de preservar su seguridad terrenal, lo cual es una marca de la bestia (13:15–18). En el Antiguo Testamento, "perros" puede referirse a los violadores del pacto (Sal. 59:6, 14) y a los vigilantes y pastores injustos cuyo objetivo (como el de los mentirosos) es el beneficio económico (Is. 56:10–11). También se utiliza para referirse a los prostitutos de culto masculinos, cuyo salario es una "abominación" (cf. Ap. 21:27) que no puede introducirse en el templo (Dt. 23:17–18).

El uso de "perro" por parte de Juan, junto con la descripción de los excluidos de la ciudad-templo en 21:27 como aquellos que practican "abominación", sugiere que el pasaje de Deuteronomio tiene un eco aquí, especialmente cuando se recuerda que las listas en el cap. 21 y aquí catalogan los pecados asociados con la idolatría. Pablo aplica la misma metáfora canina a los cristianos judíos que profesan formar parte de la iglesia cristiana de Filipos, pero cuyas acciones y creencias idolátricas demuestran lo contrario (Fil. 3:2–3, 18–19). También se asemeja los perros a los cristianos que profesan serlo en la lectura de 2 Pedro y que apostatan (2:20–22) mediante todo tipo de corrupción, incluido participar en falsas enseñanzas (2:1–3, 13–14, 16).

Como en 21:8, 27, la referencia es a los excluidos de la herencia final y la forma consumada de la ciudad. Que estos réprobos estén fuera de la ciudad indica que no tendrán lugar en la nueva creación, ya que la nueva creación y la ciudad son probablemente conceptos sinónimos (véase 21:1–22:5). Este lugar "exterior" es el lago de fuego, ya que los impíos enumerados en 21:8 están en el lago de fuego. El castigo de ser arrojados fuera del jardín, que comenzó en Gn. 3:23–24, continúa para los réprobos en la eternidad en una escala intensificada.

16 La afirmación **Yo, Jesús, he enviado a Mi ángel a fin de darles a ustedes testimonio de estas cosas para las iglesias** reitera el primer versículo del libro (1:1–2), aunque aquí el ángel da testimonio, mientras que antes Juan era el protagonista. Como en 1:1–2, el objeto del testimonio no es simplemente una parte del libro, sino su totalidad. El sentido forense del **testimonio** se pone de manifiesto en los vv. 18–19, donde se establece la pena por desobedecer el testimonio (para el sentido legal de "testimonio", véase también 1:9; 11:3; 22:20). La triple repetición de "testificar" en los vv. 16, 18 y 20 enfatiza este matiz legal.

Hay varias formas de identificar el **ustedes** y **las iglesias**:

- **Ustedes** puede referirse a los miembros individuales de las siete iglesias, y **las iglesias** pueden referirse a las iglesias en general, o incluso a la iglesia universal. Si las siete iglesias se toman como representativas de la iglesia universal (como hemos argumentado; véase 1:4, 11), se llega al mismo significado.
- **Ustedes** puede, como en las cartas, referirse a un grupo dentro de una iglesia o a una iglesia en sí misma, seguido de una referencia más amplia en cada carta a todas las **iglesias**.
- Todas las variantes siguientes implican la idea de que el testimonio de Jesús a Su ángel a Juan también está mediado a los profetas en las iglesias locales, que a su vez lo entregan a las iglesias. Tomando la preposición griega *epi* como "sobre" en lugar de "para", la traducción puede ser "Yo… les testifico estas cosas [a ustedes que están] *sobre* las iglesias", es decir, los profetas en las iglesias a través de los cuales el propio mensaje profético de Juan es mediado. Una idea similar estaría en mente tomando *epi* como "a", con la traducción siendo, "Yo… les testifico estas cosas *a* las iglesias", donde Juan está testificando a los profetas que a su vez testifican a las iglesias. O *epi* podría tomarse como "contra": "Yo… les testifico estas cosas *contra* las iglesias" (los profetas que traen el juicio legal de Dios a causa de la desobediencia). O, finalmente, *epi* podría tomarse como "para": "Yo… les testifico estas cosas *para* las iglesias" (los profetas llevando el mensaje en beneficio de las iglesias).
- La preposición podría tomarse como "en" o "entre", siendo la traducción: "Yo… les testifico estas cosas en (o entre) las iglesias", identificando así dónde se producirá el testimonio, identificándose **ustedes** y **las iglesias** como el mismo grupo. Un paralelismo sorprendente a favor de esto está en 1:4, donde Juan comienza a hablar "a las siete iglesias", que inmediatamente define además como "ustedes": "Gracia y paz a ustedes". De hecho, 1:4 es el único lugar

> en todo el libro donde se produce la misma combinación de palabras. Además, prácticamente todos los comentaristas coinciden en que el epílogo de los vv. 6–21 es un cierre epistolar que forma un cierre literario con la introducción epistolar de 1:4ss, por lo que cabe esperar cierta afinidad entre ellos. Por último, hay varias frases y temas de la introducción del cap. 1 a los que se alude y se desarrollan aquí (p. ej., vv. 6–7, 18).

Esta última opción, en la que **ustedes** y **las iglesias** se identifican como el mismo grupo, es, en conjunto, la más viable, y no difiere mucho en el fondo de las opciones primera y segunda. Es posible, sin embargo, que un grupo separado de profetas (como en la tercera opción) pueda estar a la vista en el **ustedes**.

Por segunda vez en la conclusión, Jesús se identifica. Y, como en el v. 13, la autodescripción combina nombres atribuidos a Jesús anteriormente en el libro: **Yo soy la raíz y la descendencia de David** (5:5), **el lucero resplandeciente de la mañana** (2:28). El título combina dos profecías del Antiguo Testamento relativas al triunfo del Rey mesiánico sobre Sus enemigos al final de los tiempos, Nm. 24:17 e Is. 11:1, 10. El hecho de que Jesús se aplique a sí mismo estos nombres *en el presente* muestra que ya ha comenzado a cumplir estas profecías. Esto se confirma por la aplicación anterior de ambos nombres proféticos a la resurrección de Jesús (véase 5:5 y 2:28).

El punto aquí es que la victoria mesiánica ha comenzado y será consumada por Jesús. En 5:5, el título era sólo "Raíz de David", pero ahora la **descendencia** se combina con el nombre anterior. Es concebible que, mientras que el pasaje de Isaías 11 ve al Mesías como descendiente de la línea davídica, Jesús podría ser visto aquí como la "Raíz de David" en el sentido de que Él mismo es la fuente u origen de David, así como su descendiente. Sin embargo, es más probable que la **raíz** se explique por la **descendencia**, de modo que es un término metafórico para "descendiente". La metáfora es la misma que en Is. 11:10 ("las naciones acudirán a la raíz [= descendiente] de Isaí"); un uso hebreo similar de "raíz" aparece en Eclesiástico 47:22. Además, "raíz" también tiene la idea de "brote" o "crecimiento de" en Is. 53:2, donde, significativamente, se refiere al Mesías. El objetivo principal del título es identificar a Jesús como el que cumple la profecía de que uno de los descendientes de David sería el Mesías. Por tanto, la frase del v. 16b debería traducirse como "la raíz y la descendencia *proveniente de* David".

Es evidente que se trata tanto de una inauguración como de un cumplimiento futuro, porque el amanecer de un nuevo día o época era una asociación metafórica del **lucero resplandeciente de la mañana**. Cristo ha comenzado un nuevo día redentor, que culminará en Su regreso final. Esto también se señala en 2 P. 1:17–19, donde "el lucero de la mañana se levanta" es sinónimo de "el día amanece", y ambas pueden ser metáforas de la inauguración de la "palabra profética" del Antiguo Testamento en la primera venida de Cristo. También se puede aludir a Is. 60:1–3: "Levántate, resplandece, porque ha llegado tu luz… Y acudirán las naciones a tu luz, y los reyes al resplandor de tu amanecer". Esto sugeriría de nuevo que la estrella ya está empezando a derramar su luz. Este cumplimiento inicial sugiere, además, que la "venida" final de Jesús como Mesías, a la que se hace referencia en 22:7, 12, 17 y 20, se ha inaugurado de hecho en el pasado a través de Sus muchas "venidas" a la iglesia (véase 1:7; 2:5; 3:3, 11 y los vv. 7, 12).

17 El Espíritu y la esposa dicen: "Ven". El Espíritu es el Espíritu Santo. La novia representa al verdadero pueblo de Dios (véase 19:7–8; 21:2, 9ss.), que dice mediante el poder del Espíritu Santo: "Ven". El símbolo de la "esposa" sólo se ha utilizado anteriormente para el futuro matrimonio consumado de la iglesia con Cristo en Su regreso final (19:7–9; 21:2ss., 9ss.). Su aplicación a la iglesia en el presente sugiere que lo que se ha profetizado en capítulos anteriores que se cumplirá en el pueblo de Dios al final ya ha comenzado en medio de él (como en 2 Co. 11:2; Ef. 5:25–27). No todos en la iglesia visible pueden decir "ven", sino sólo los que tienen oídos para oír la exhortación del Espíritu: **el que oye, diga: "Ven"**. Este mandato es una paráfrasis de las repetidas exhortaciones en las siete cartas: "El que tiene oído, oiga lo que el Espíritu dice a las iglesias" (2:7, 17, etc.; igualmente 13:9).

Las amonestaciones del Espíritu no penetran en los oídos espirituales de los pseudomiembros de la iglesia, pero tales amonestaciones sirven para sacudir a los miembros genuinos del estupor del que sufre una parte de la iglesia visible (para una discusión completa de la fórmula, véase 2:7). Sin embargo, recordemos que incluso un remanente de pseudocreyentes puede ser sacudido a la verdadera fe por primera vez, si ya han sido "inscritos en el Libro de la Vida del Cordero" (cf. 21:27). Por supuesto, esto también es cierto para un remanente de incrédulos fuera de la iglesia que escuchan y responden positivamente al evangelio. Mientras que la verdadera iglesia corporativa dice "ven" en la primera línea del v. 17, ahora el enfoque se desplaza a los santos individuales.

El **"Ven"** pronunciado por **la esposa** y por **el que oye** podría dirigirse a Cristo como una súplica para que vuelva. Es decir, la iglesia, primero corporativamente y luego individualmente, suplica a Cristo por el poder del Espíritu Santo. **Y el que tiene sed, venga; y el que desee, que tome gratuitamente del agua de la vida** se dirige entonces a las personas como exhortaciones a creer. Pero también es posible, si no preferible, tomar los tres imperativos de "venir" y el imperativo "beber" como dirigidos a personas. Esto se ve apoyado por el hecho de que la última parte del versículo desarrolla 21:6: "Al que tiene sed, Yo le daré gratuitamente de la fuente del agua de la vida". 21:6 (sobre el que véase el trasfondo del Antiguo Testamento) se basa en Is. 55:1, pero 22:17 se basa aún más explícitamente en el texto de Isaías: "Todos los sedientos, vengan a las aguas; y los que no tengan dinero, vengan, compren y coman. Vengan, compren vino y leche sin dinero y sin costo alguno" (cf. también Jn. 7:37–38).

Los tres imperativos repetidos de "vengan" a la gente en Isaías son probablemente el modelo de los tres "ven" de Ap. 22:17. Si es así, no están dirigidos a Cristo. Pero, ¿cómo puede la iglesia corporativa o los creyentes individuales ordenarse a sí mismos que vengan? La incomodidad se resuelve si se considera que la primera orden es emitida por los líderes proféticos a través de los cuales habla el Espíritu (cf. 19:10) y la segunda como emitida por los creyentes individuales "que oyen" a otros creyentes que todavía están embotados para oír.

A diferencia de 21:6, la metáfora del agua se centra ahora en el que recibe el agua. Antes de que Jesús pueda dar el agua, el sediento debe "venir" a Jesús. Este "venir" debe ser toda una vida de fe, por la cual uno ha "vencido" las tentaciones de transigir (véase 21:6–7). Por lo tanto, el enfoque de las exhortaciones no es una "invitación" abierta al mundo en general, sino mandatos al pueblo de Dios para que persevere a lo largo de la era y hasta la venida final de Cristo. Por supuesto, la función de la verdadera iglesia es formular esta invitación, no sólo a su propia comunidad, sino también al mundo (cf. 11:3–13).

La sección termina como empezó. Hay una recompensa para los "que lavan sus vestiduras" en el v. 14, como la hay para los que "vienen" y desean el agua en el v. 17. Los vv. 13 y 15–16 apoyan el v. 14, y los vv. 15–16 también apoyan el v. 17: si los creyentes no son como los pecadores del v. 15, y si escuchan el testimonio sobre Jesús como el Dios soberano (v. 13) y el que cumple la profecía mesiánica (v. 16), entonces heredarán la bendición con la que se les exhorta en el v. 14. Y si los santos no son como los impíos (v. 15) y escuchan el testimonio sobre Jesús que cumple la profecía mesiánica (v. 16), entonces también heredarán la bendición del v. 17. Por lo tanto, el punto principal de los v. 14–17 reside en las dos recompensas prometidas en los vv. 14 y 17.

5. La quinta exhortación a la santidad (22:18–20)

[18] Yo testifico a todos los que oyen las palabras de la profecía de este libro: si alguien añade a ellas, Dios traerá sobre él las plagas que están escritas en este libro. [19] Y si alguien quita de las palabras del libro de esta profecía, Dios quitará su parte del árbol de la vida y de la ciudad santa descritos en este libro. [20] El que testifica de estas cosas dice: "Sí, vengo pronto". Amén. Ven, Señor Jesús.

18–19 Aunque los vv. 18–19 podrían verse en general como una exhortación, es mejor verlos como una advertencia. Estos versos resumen Apocalipsis, considerándolo como un nuevo código de la ley para un nuevo Israel, modelado sobre el antiguo código de la ley a la nación de Israel en una serie de pasajes a lo largo de Deuteronomio:

- Escucha los estatutos… no añadirán nada a la palabra… ni quitarán nada de ella. (Dt. 4:1–2; véase también 12:32)
- Y sucederá que cuando él oiga las palabras… toda maldición que está escrita en este libro caerá sobre él, y el SEÑOR borrará su nombre de debajo del cielo. (Dt. 29:19–20)
- **Yo testifico a todos los que oyen las palabras**… **si alguien añade a ellas, Dios traerá sobre él las plagas que están escritas en este libro. Y si alguien quita de las palabras del libro**… **Dios quitará su parte del árbol de la vida y de la ciudad santa descritos en este libro**… (Ap. 22:18–19)

Otras similitudes que refuerzan el vínculo entre Deuteronomio y Apocalipsis 22:18–19 son:

- A la luz de los contextos directamente anteriores y posteriores de cada uno de los tres pasajes del Deuteronomio, está claro que los tres son advertencias específicas contra la idolatría, como es el caso aquí (véase también 21:8, 27; 22:15).

- Una respuesta positiva a las advertencias tanto del Antiguo Testamento como del Nuevo Testamento tiene como resultado la recompensa de la vida en la nueva tierra (Dt 4:1; 12:28–29; Ap. 22:14, 17–19).
- Ambos utilizan también la terminología de "plagas" para describir el castigo por la infidelidad (Dt. 29:21–22 y Ap. 22:18).

Añadir o quitar a las palabras de la revelación de Dios, según Dt. 4:2–4; 12:29–32, significa aceptar la falsa enseñanza de que la idolatría es compatible con la adoración del único Dios verdadero. Desde el incidente del becerro de oro (Éxodo 32) hasta el de Baal de Peor (Nm. 25:1–9, 14–18, al que se hace referencia en Dt. 4:3), Israel se enfrentó a la tentación de practicar la idolatría, la adoración de otros dioses. Esta falsa enseñanza equivale a "añadir" a la ley de Dios.

Además, equivale a "quitarle" a la ley de Dios, ya que viola las leyes positivas contra la idolatría, anulando en consecuencia su validez. No se trata de una mera desobediencia general, sino de una falsa enseñanza sobre la palabra inscrita y de seguir tal enseñanza engañosa. La creencia en la verdad permanente de la palabra de Dios es el presupuesto para la obediencia positiva a la misma. Los documentos de los tratados del antiguo Cercano Oriente, en los que se inspira el Deuteronomio 4, también estaban protegidos contra la alteración intencionada por medio de sanciones y maldiciones inscritas. Este trasfondo de Deuteronomio es notablemente adecuado para Apocalipsis 22:18–19, ya que las descripciones de las tres listas de vicios de 21:8, 27; 22:15 concluyen todas enfatizando el engaño de los impíos en relación con la idolatría.

Este análisis también encaja bien con la situación de las iglesias retratadas en los caps. 2 y 3, que describe a todas las iglesias enfrentándose a la idolatría en un grado u otro, y a menudo sin éxito en su respuesta. Llamativamente, a la luz de los antecedentes de Deuteronomio mencionados, algunos de los falsos maestros y sus seguidores que fomentaban la idolatría en la iglesia de Pérgamo son identificados como aquellos "que mantienen la doctrina de Balaam, que enseñaba a Balac a poner tropiezo ante los Israelitas, a comer cosas sacrificadas a los ídolos y a cometer actos de inmoralidad" (2:14). La misma enseñanza engañosa prevalecía también en la iglesia de Tiatira (véase 2:20–23). Estos falsos profetas que distorsionan la verdad añaden una falsa teología o se alejan de la verdad revelada.

Las recompensas que se mencionan en 22:12–19 se entienden mejor en el contexto de las cartas, ya que se corresponden con las promesas a los "vencedores" de los caps. 2–3: dar a cada uno lo que merece su obra (2:23; 22:12), comer o participar en el árbol de la vida (2:7; 22:14, 19), e identificarse con la ciudad de Dios (3:12; 22:14, 19). Los que superen la amenaza de la idolatría heredarán estas promesas. De hecho, en este contexto, el "lavado de las vestiduras" del v. 14 debe referirse a mantenerse sin contaminar por la contaminación del culto a los ídolos, lo que resulta en la misma doble recompensa que se retiene a los transgresores según el v. 19 (véase en 3:4–5 y 7:14 el significado completo de la imagen del "lavado").

Por consiguiente, las advertencias de los vv. 18–19 se dirigen, no principalmente a los paganos de fuera de la iglesia, sino a todos los de la comunidad eclesiástica, como las advertencias de Deuteronomio se dirigían a todos los israelitas (los paganos, por supuesto, no están excluidos de las advertencias). Las "plagas" a las que se refiere el v. 18 incluyen no sólo el castigo en el lago de fuego, sino todas las aflicciones en las que incurren los impíos antes de ese juicio (sobre las que, p. ej., véase 8:6–12; 9:18–20; 11:6; cf. también 16:9, 21). Por lo tanto, toda la gama de plagas registradas en el libro vendrá sobre el apóstata, lo cual es apoyado por la alusión de Dt. 29:20 "toda maldición que está escrita en este libro caerá sobre él" (igualmente Dt. 29:21; 28:58–61; Jer. 25:13).

El castigo en 22:18–19 está formulado en términos irónicos: los que *añadan* al *libro* les habrán *añadido* las plagas del libro; los que quiten *las palabras del libro* les habrán *quitado* las bendiciones eternas *que están escritas en este libro.* El propósito de la declaración irónica es expresar figurativamente la naturaleza del "ojo por ojo" del juicio bíblico, en el que las personas son castigadas en proporción a su pecado, y a veces por los propios medios de su pecado (véase en 11:5 una formulación irónica similar). Lo más probable es que el v. 19 no se refiera a la pérdida de la salvación, sino a la negación de la misma por parte de quienes han afirmado ser cristianos por fuera, pero nunca han tenido una fe verdadera.

La característica que se destaca repetidamente en la parte final del libro no es la de que los creyentes genuinos pierdan su condición de redimidos, sino la naturaleza falsa y de engaño de las personas de la comunidad cristiana que no recibirán la recompensa final (véase atrás en 21:8, 27; 22:15). El análisis anterior de la promesa de 3:5 ("No borraré su nombre del Libro de la Vida") confirma esta conclusión, al igual que el estudio previo de las declaraciones inversas de 13:8 y 17:8. Desde la fundación del mundo, los adoradores de la bestia, algunós de los cuales están en la iglesia, estaban destinados a no tener herencia en la ciudad eterna (13:8; 17:8).

Sin embargo, durante un tiempo pudo parecer que algunas de estas personas se dirigían a esa recompensa. La frase del v. 18a (**a todos los que oyen las palabras de la profecía**) es una repetición casi exacta de 1:3a ("los que oyen las palabras de la profecía"), lo que confirma que son los que están dentro de la comunidad visible y profesante de la fe los que están siendo advertidos y los que están en peligro de juicio.

El castigo por la desobediencia es severo, ya que, al igual que el autor de Dt. 4:2–4, Juan no está escribiendo sus propias palabras, sino las mismas palabras de Dios. Por supuesto, las palabras de Juan no proceden únicamente del Padre, sino también del Espíritu y del Hijo (así, 1:1; las conclusiones de cada carta en los caps. 2–3; 19:9; 21:5; 22:6). Lo más importante para Juan es que el libro representa las palabras del propio Cristo, que acaba de ser mencionado en el v. 16.

20 En los vv. 16 y 18 se ha dicho que el ángel y Juan han testificado revelando y escribiendo respectivamente la visión en su conjunto. El Espíritu también debe considerarse como un tercer testigo (véase posiblemente 19:10, así como el versículo final de cada una de las siete cartas; véase también 22:17a). Ahora se afirma que Jesús es un cuarto testigo: **El que testifica de estas cosas dice**. La acumulación de testigos subraya el carácter jurídico del libro, del que responden las personas que lo oyen leer. Para el sentido jurídico de "testificar" en Apocalipsis y en la literatura juanina, véase 1:9; 11:3; 22:16.

Estas cosas probablemente se refieran a toda la visión, ya que la misma frase se utiliza tres veces en los versículos anteriores con ese significado (22:8, 16). Además, la advertencia de los vv. 18–19 es contra la manipulación de cualquier parte del libro. Pero el tema de la venida de Cristo, reiterado tres veces en los vv. 7–17 y parte importante de la visión en su conjunto, también está incluido en las cosas testificadas por Jesús.

La reafirmación de Jesús a lo largo de Apocalipsis sobre Su "venida" se reafirma de forma enfática: **Sí, vengo pronto**, aunque el enfoque aquí es Su venida final. Esta afirmación sirve para confirmar la validez de su testimonio. Es decir, Jesús asegura a las iglesias la verdad de la visión completa al garantizar que Su llegada final, que prometió en Su primera venida, ocurrirá pronto y, por lo tanto, completará lo que ha revelado a lo largo del libro. Es concebible que también estén en mente las futuras venidas anteriores de Jesús que culminan en la última venida (véase 1:7; 2:5; 3:3, 11; 22:7, 12). Dentro de los vv. 18–20, el v. 20 sirve de base a la doble advertencia sobre añadir y quitar del libro. La última venida de Jesús es la razón para prestar atención a la advertencia, porque en ese momento Él mismo aplicará las penas por desobedecer la advertencia de Juan.

Juan responde a la reafirmación de Jesús con un **Amén**, una expresión de confianza. Sobre la base de su fe en la declaración de Jesús, declara su deseo y esperanza, **Ven, Señor Jesús** (un imperativo con el sentido de "súplica cortés").

6. La conclusión de 22:6–20 y de todo el libro (22:21)

[21] La gracia del Señor Jesús sea con todos. Amén.

21 La bendición final **La gracia del Señor Jesús sea con todos** es una conclusión típica de las cartas del Nuevo Testamento (casi universalmente en Pablo). Aquí, como en las demás cartas del Nuevo Testamento, el escritor expresa su deseo de que la gracia de Dios permita a los destinatarios comprender y obedecer el contenido de la carta. También aquí se recuerda, como en 1,1–4, que el escrito se concibe en general como una carta, cuyo contenido es de género apocalíptico y profético (véase 1,1–3). Al igual que en la introducción de 1:4, al final se pronuncia la **gracia** de Cristo sobre todas las iglesias.

El objetivo principal de las cartas del Nuevo Testamento es abordar los problemas que han surgido en las distintas iglesias. Los distintos escritores apelan a la participación presente y futura de los lectores en las bendiciones de Cristo como base de sus llamamientos a la obediencia. Si la forma epistolar de Apocalipsis funciona como la del resto de las cartas del Nuevo Testamento, entonces su propósito es abordar los problemas contemporáneos entre las siete iglesias apelando a esta realidad de la participación presente y futura de los oyentes en las bendiciones de Cristo.

El hecho de que este ámbito de "ya y todavía no" funcione a lo largo del libro es evidente también porque la función de todas las demás introducciones epistolares del NT es exponer los temas principales de la carta, que tratan de preocupaciones tanto presentes como futuras. Los límites precisos de la introducción formal del cap. 1 son difíciles de precisar. Podría terminar en los vv. 3, 6, 8 o 20. Pero, sea cual sea el caso, cada sección de la introducción contiene temas relacionados al comienzo y al cumplimiento futuro de la profecía del

Antiguo Testamento. Por lo tanto, es razonable suponer que todo el libro está probablemente impregnado de los mismos temas duales de "ya y todavía no".

El llamado a la obediencia se ha enfatizado repetidamente aquí en cada una de las cinco porciones finales en los vv. 6–20. La perseverancia en la obediencia dará como resultado la bendición de Dios ahora y en la forma consumada de las recompensas del tiempo del fin mencionadas en las conclusiones de las cartas. Estas recompensas también se resumen en el cap. 21 y se repiten parcialmente en 22:12, 14 y 17b (y se implican por contraste en 22:19). Como se señaló en la introducción a los vv. 6–21, el principal punto pastoral del libro es que la resistencia fiel hasta el final dará lugar a la bendición eterna. Sin embargo, el punto teológico principal del libro es que esa obediencia fiel que conduce a la recompensa debe tener como resultado final la adoración y la glorificación de Dios y de Cristo (para este último punto, véase 1:6; 4:9–11; 5:12–14; 21:1–22:5).

Sugerencias para Reflexionar sobre 22:6–21

- ***Sobre el significado de ser un testigo fiel.*** Estos versículos presentan a Juan en su papel de testigo profético de la revelación que ha recibido. Es su responsabilidad transmitirla fielmente. De hecho, como aclara el v. 18, mediante su testimonio actúa como testigo legal a favor o en contra de los que escuchan sus palabras. ¿Cómo podemos asumir hoy el papel de testigos fieles de la verdad de la palabra de Dios tal como la hemos recibido? ¿Nos damos cuenta de que nuestras palabras hacen responsables a los demás, aunque no hablemos como portadores directos de la revelación de la forma en que lo hizo Juan? ¿Qué importancia tiene que nuestro testimonio se traduzca en hechos además de en palabras? ¿Reflexionamos sobre lo grave que es que el pueblo de Dios no dé testimonio? Hoy en día, en todo el mundo, hay más personas que sufren por dar un testimonio fiel de Cristo que nunca antes en la historia. ¿Por qué, cuando otros dan su vida por Cristo, muchos de nosotros somos reacios incluso a arriesgarnos a pasar una ligera vergüenza?
- ***Sobre la continua amenaza de la idolatría para la comunidad del pacto.*** El libro termina recordando que una parte importante de su mensaje trata de los pseudocreyentes en la comunidad visible del pacto. Si esa pseudocreencia se expresa externamente en prácticas idolátricas, como sugiere el comentario, ¿qué aspecto tienen ese tipo de prácticas en nuestro

contexto social? ¿Comprendemos que la idolatría es una amenaza continua a través de la cual el diablo sigue tratando de socavar la iglesia? Nos parecemos a aquello con lo que estamos más comprometidos. En consecuencia, estamos reflejando el carácter no espiritual del mundo o el carácter de Dios. ¿Por qué es tan grave cuando nosotros que reclamamos el nombre de Cristo no reflejamos Su carácter sino el carácter no espiritual del mundo? La razón es que si los cristianos van a brillar con la luz de la gloriosa presencia de Dios en toda la tierra, como este comentario ha discutido, deben ser reflectores de Su carácter (es decir, imágenes de Él en el templo de Su presencia) y no una parte de la oscuridad del mundo. Si la inclinación de la vida de un cristiano profesante no es diferente a la de aquellos en el mundo, entonces esa persona debe preguntarse "¿realmente conozco al Señor?"

- ***Sobre el objetivo del libro y el objetivo de nuestras vidas.*** El comentario afirma que, si bien el principal punto pastoral del libro es que la resistencia fiel hasta el final tendrá como resultado la bendición eterna, el principal punto teológico del libro es que esa obediencia fiel que conduce a la recompensa debe tener como resultado final la glorificación de Dios y de Cristo. ¿Con qué frecuencia es ésta la vara de medir de nuestra fe personal y de la forma en que se desarrolla nuestra vida eclesiástica? ¿Hasta qué punto el enfoque egocéntrico y de autorrealización de nuestra cultura ha afectado a nuestra capacidad de ver nuestra misión como pueblo creado principalmente para glorificar a su Dios?

ÍNDICE DE LAS ESCRITURAS Y OTROS ESCRITOS ANTIGUOS

Antiguo Testamento

Génesis

Éxodo

Levítico

Números

Deuteronomio

Josué

Jueces

1 Samuel

2 Samuel

1 Reyes

2 Reyes

1 Crónicas

2 Crónicas

Nehemías

Ester

Job

Salmos

Proverbios

Eclesiastés

Cantares

Isaías

Jeremías

Lamentaciones

Ezequiel

Daniel

Oseas

Joel

Amós

Abdías

Miqueas

Nahúm

Habacuc

Sofonías

Hageo

Zacarías

Malaquías

APÓCRIFOS

Sabiduría de Salomón

Eclesiástico

4 Esdras

NUEVO TESTAMENTO

Mateo

Marcos

Lucas

Juan

Hechos

Romanos

1 Corintios

2 Corintios

Efesios

Filipenses

Colosenses

1 Tesalonicenses

2 Tesalonicenses

1 Timoteo

2 Timoteo

Tito

Hebreos

Santiago

1 Pedro

2 Pedro

1 Juan

2 Juan

Judas

Apocalipsis

PSEUDOEPÍGRAFOS

1 Enoc

2 Enoc

Jubileos

Testamento de Isaac

ROLLOS DEL MAR MUERTO

CD [Qumrán Documento de Damasco]

1QM [Rollo de la Guerra]

1QH [Rollo de Himnos de Qumrán]

LITERATURA RABÍNICA

Mishná
Aboth

Talmud babilónico
Sanedrín

Mekilta de R. Ismael
Shirata

Midrash Rabba
Éxodo

Números

Pesikta de Rab Kahana